Het goud van de waarheid

Iain Pears
Het goud van de waarheid

Anthos | Manteau

Voor Nederland: ISBN 90 414 0234 9
Voor België: ISBN 90 223 1467 7
D 1997/0034/736
NUGI 301
© 1997 by Iain Pears
Voor de Nederlandse vertaling:
© 1997 by Uitgeverij Anthos, Amsterdam / Mieke Lindenburg / Victor Verduin
Oorspronkelijke titel: *An Instance of the Fingerpost*
Oorspronkelijke uitgever: Jonathan Cape (Random House), Londen
Omslagontwerp: Jonathan Cape / Robert Nix
Omslagfoto: © Jerry Bauer
Kunstwerken omslag: *Stilleven* (detail) Barthel Bruyn de Oude,
Museum Kröller-Müller, Otterloo; *Stilleven*, (detail) anoniem,
Staatliche Museen, Berlijn; *De drieëenheid*, El Greco, e.t. archive/Prado, Madrid;
Aardbol (detail), Jodocus Hondius, National Maritime Museum, Londen,
Bridgeman Art Library, Londen

Voor België: Uitgeverij Manteau, Antwerpen

Historia vero testis temporum, lux veritatis,
vita memoriae, magistra vitae.
(De geschiedenis is de getuige van de tijd,
het licht van de waarheid en de
leermeesteres van het leven.)

CICERO, *De Oratore*

Voor Ruth

Met dank aan: Michael Benjamin, Cathy Crawford,
Margaret Hunt, Karma Nabulsi, Lyndal Roper, Nick
Stargardt, Felicity Bryan, Liz Cowen, Eric Christian-
sen, Dan Franklin, Anne Freedgood, Olwen Hufton,
Maggie Pelling, Charles Webster en (het belangrijkst
van allemaal) Ruth Harris.

Een kwestie van volgorde

Er zijn Waandenkbeelden die wij de Waandenkbeelden van het Marktplein noemen. Want de Mens verkeert met anderen door middel van het Gesprek, en een verkeerde en onjuiste Opvatting van Woorden neemt op zonderlinge Wijze Bezit van het Begrip, want Woorden doen het Begrip in de hoogste Mate Geweld aan en plaatsen alle Dingen in een verwarrend Licht.

FRANCIS BACON, *Novum Organum Scientarum*, Deel II, Aforisme VI.

I

MARCO DA COLA, heer van stand uit Venetië, zendt u zijn eerbiedige groet. Ik wil verslag uitbrengen van de reis die ik in het jaar 1663 heb gemaakt, van de gebeurtenissen waarvan ik getuige ben geweest en de mensen die ik heb ontmoet, daar deze belangwekkend zullen zijn voor een iegelijk die zich met wetenschappelijke zaken bezighoudt. Voorts wens ik door middel van dit verslag de leugens aan de kaak te stellen, verteld door lieden die ik eens, ten onrechte, voor vrienden aanzag. Ik koester niet het voornemen een wijdlopige apologie op papier te zetten, of tot in detail te verhalen hoe ik ben bedrogen en op slinkse wijze beroofd van de faam die mij rechtens toekomt. Mijn relaas zal mijns inziens voor zichzelf spreken en een afdoende verklaring geven van mijn verblijf in dat land en van de experimenten die ik daar heb uitgevoerd.

Ik zal niet weinig weglaten, maar niets van belang. Een groot gedeelte van mijn reis door dat land was uitsluitend interessant voor mijzelf en wordt hier niet beschreven. Vele mensen die ik heb ontmoet beduidden evenmin erg veel. Degenen die mij in later jaren kwaad hebben berokkend, beschrijf ik zoals ik ze toen heb gekend, en ik verzoek de lezer niet uit het oog te verliezen dat ik, ook al was ik dan niet meer jong en onervaren, toch ook nog geen kennis van de wereld bezat. Mocht mijn relaas een simpele en onnozele indruk maken, dan dient u daaruit te concluderen dat de jongeman uit dat verre verleden dat evenzeer was. Ik keer niet tot mijn portret terug om er extra lagen pasteltinten en lak op aan te brengen teneinde mijn fouten of de zwakke plekken van mijn tekentalent te verhullen. Ik zal geen beschuldigingen uiten en mij niet in een pennenstrijd met anderen storten; neen, ik zal zeggen wat er is gebeurd, mij verlatende op de overtuiging dat ik niet meer hoef te doen.

Mijn vader, Giovanni da Cola, was koopman en hield zich gedurende de laatste jaren van zijn leven bezig met de invoer van weeldeartikelen in Engeland, dat weliswaar nog een weinig verfijnd land was, maar langzamerhand de gevolgen van de politieke omwenteling te boven begon te komen. Vanuit de verte had hij, scherpzinnig als hij was, vastgesteld dat de terugkeer van koning Karel de Tweede inhield dat er weer een reusachtige, lucratieve markt zou ontstaan en hij vestigde zich in Londen om de welgesteldere Engelsen van de goederen te voorzien die de fanatieke puriteinen zovele jaren hadden veroordeeld, iets waarmee hij meer beduchte handelaren net een stap voor was. Het ging hem voor de wind: aan Giovanni di Pietro in Londen had hij een uitstekende vertegenwoordiger en om zo doeltreffend mogelijk te werk te gaan, associeerde hij zich met een Engelse handelaar, met wie hij zijn winst deelde. Dit was, zoals hij eens zei, een redelijke overeenkomst: die John Manston was een sluw en oneerlijk man, maar beschikte over een ongeëvenaarde kennis van de Engelse smaak. En wat nog belangrijker was, de Engelsen hadden een wet aangenomen die ervoor moest zorgen dat er geen handelswaar in buitenlandse boten meer in hun havens aankwam, en Manston vormde een manier om dit probleem te omzeilen. Zolang mijn vader over di Pietro beschikte om de boekhouding aldaar nauwlettend in het oog te houden, meende hij dat er maar weinig kans bestond dat hij bedrogen zou worden. De periode dat hij zich rechtstreeks met zijn zaken bemoeide had hij al geruime tijd achter zich gelaten, en een gedeelte van zijn kapitaal had hij omgezet in land op *terra firma* om te kunnen worden opgenomen in het Gulden Boek. Zelf was hij koopman, maar hij koesterde het voornemen zijn kinderen patriciërs te laten worden en raadde mij af een actieve rol te spelen in zijn handelshuis. Ik vermeld dit als teken van zijn nobele inborst; hij had al vroeg ingezien dat ik niet veel gevoel had voor het handelsvak en moedigde mij aan me af te wenden van het leven dat hij leidde. Ook wist hij dat de kersverse echtgenoot van mijn zuster geschikter was voor riskante ondernemingen dan ik.

En terwijl mijn vader aldus in de weer was om de goede naam van de familie en zijn fortuin veilig te stellen – mijn moeder was gestorven en mijn zuster al getrouwd – verbleef ik in Padua om enige algemene ontwikkeling te vergaren; hij was graag bereid zijn zoon tot onze adel te laten toetreden, maar wenste niet dat ik een even ononwikkelde figuur zou worden als zij. In die tijd – ik was al volwassen en liep tegen de dertig – werd ik plotseling overweldigd door het brandende verlangen een burger te worden van de zogenoemde Republiek der Geleerden. Ik bewaar geen herinnering aan deze plotselinge hartstocht, want die heeft mij sindsdien geheel en al in de steek gelaten, maar destijds werd ik helemaal betoverd door de fascinerende, nieuwe experimentele wijsbegeerte. Het ging hier natuurlijk veeleer om een geestelijke bezigheid dan om iets wat in de praktijk werd toegepast. Met Beroaldus zeg ik: *non sum medicus, nec medicinae prorsus expers*; op het gebied van de theorie van de geneeskunst heb ik mij enige inspanning getroost, niet met de bedoeling deze kunst toe te passen, maar voor mijn eigen genoegen. Ik koesterde niet de wens en was al evenmin genoodzaakt op een dergelijke wijze de kost te verdienen, hoewel ik tot mijn schande moet bekennen dat ik mijn arme, goede vader af en toe tergde door te zeggen dat als hij mij niet ter wille was, ik mij zou wreken door arts te worden.

Ik denk dat hij al die tijd wel wist dat ik zoiets niet zou doen, en dat ik in werkelijkheid alleen maar gefascineerd werd door ideeën en mensen die even opwindend als gevaarlijk waren. Bijgevolg opperde hij geen bezwaren toen ik hem schreef over de bevindingen van een hoogleraar die weliswaar slechts tot taak had college te geven in de redekunst, maar veel tijd besteedde aan uitweidingen over de nieuwste ontwikkelingen in de natuurkunde. Deze man had veel gereisd en stelde dat personen die serieus studie maakten van natuurverschijnselen, de Nederlanden en Engeland niet langer laatdunkend dienden af te doen, al onderdrukte het daar heersende protestantse geloof ook de belangstelling voor wetenschappelijke kwesties. Zijn geestdrift was op mij overgeslagen en omdat er maar weinig was wat mij in Padua vasthield, verzocht ik om toestemming in dat gedeelte van de wereld rond te gaan reizen. De brave man gaf mij die onmiddellijk, bezorgde mij permissie het Venetiaanse grondgebied te verlaten en stuurde zijn bankiers in Vlaanderen een kredietbrief waarvan ik gebruik kon maken.

Ik had erover gedacht mijn voordeel te doen met mijn situatie en overzee te reizen, maar kwam tot de slotsom dat als ik kennis wilde vergaren, het het best zou zijn om zoveel mogelijk te zien, en dat zou beter in zijn werk gaan in een koets dan door drie weken op een schip te gaan zitten en met de bemanning mee te drinken. Bovendien heb ik verschrikkelijk veel last van zeeziekte – een kwaal die ik niet dan ongaarne opbiecht, want Gomesius zegt dan wel dat zeeziekte een heilzame werking heeft op een treurig gemoed, maar dat heb ik nooit waargenomen. Hoe het ook zij, mijn moed nam af en vervloog zo goed als geheel naarmate de reis vorderde. De reis naar Leiden nam maar negen weken in beslag, maar het ongerief dat ik te verduren kreeg, leidde mijn gedachten helemaal af van de bezienswaardigheden die ik in ogenschouw nam. Toen ik op een keer ergens halverwege een alpenpas in de modder was blijven steken, terwijl de regen in stromen neergutste, een van de paarden ziek was, ik door koorts werd geteisterd en een woest uitziende soldaat mijn enige gezelschap vormde, bedacht ik dat ik liever de ergste storm op de Atlantische Oceaan zou trotseren dan zulke ellende.

Maar teruggaan zou even lang hebben geduurd als verder reizen, en ik dacht aan de hoon die mij ten deel zou vallen als ik beschaamd en als een zwakkeling in mijn geboortestad terugkeerde. Schaamte is mijns inziens de krachtigste emotie die de mens kent; de meeste ontdekkingen en belangrijke reizen zijn tot stand gekomen dankzij de schande die iemand over zich had afgeroepen wanneer hij zijn pogingen had opgegeven. Vandaar dat ik, ziek van verlangen naar de warmte en troost van mijn vaderland – de Engelsen bezigen het woord *nostalgia* voor deze ziekte, waarvan ze geloven dat hij veroorzaakt wordt door een gebrek aan evenwicht als gevolg van een onbekende omgeving – mijn reis slechtgeluimd en in een miserabele conditie voortzette totdat ik Leiden bereikte, waar ik als heer de geneeskundige hogeschool bezocht.

Er is al zoveel geschreven over dit centrum van de wetenschap en het heeft zo weinig te maken met de strekking van mijn relaas, dat ik volsta met de opmerking dat ik er twee uitzonderlijk kundige hoogleraren aantrof die voorlezingen hielden over de anatomie en over het lichamelijk gestel. Voorts heb ik reizen door de Nederlanden ondernomen, waarop ik een prettig slag mensen ontmoette, van wie velen uit Engeland kwamen en van wie ik iets van de taal leerde. Ik vertrok om de simpele reden dat mijn goede, vriendelijke vader mij dat opdroeg. Er heerste enige wanorde op het Londense kantoor en hij had verwanten van node die tussenbeide konden komen: niemand anders kon worden vertrouwd. Hoewel ik maar weinig praktische kennis van het handelsvak bezat, was ik graag bereid als de gehoorzame zoon op te treden, en daarom ontsloeg ik mijn knecht, regelde mijn zaken en ging in Den Haag scheep om het geval te onderzoeken. Op 22 maart 1663 arriveerde ik in Londen met enkel nog een paar gienjes op zak, daar de som die ik de hoogleraar voor zijn onderricht had betaald, mijn resterende fondsen bijna geheel en al had opgeslorpt. Maar ik maakte me geen zorgen; ik hoefde alleen maar de korte tocht van de rivier naar het door mijn vaders agent beheerde kantoor af te leggen en alles zou goed komen. Malloot die ik was. Di Pietro kon ik niet vinden en die ellendeling van een John Manston wilde mij niet eens ontvangen. Hij is nu al tijden dood; ik bid voor zijn ziel en hoop maar dat de goedertieren Heer geen acht slaat op mijn smeekbeden om zijnentwille, daar ik maar al te goed weet dat hoe langer hij vurige martelingen moet ondergaan, hoe gerechtvaardigder zijn straf zal zijn.

Ik moest een onaanzienlijk knechtje om inlichtingen verzoeken, en dit kind vertelde mij dat mijn vaders agent enige weken tevoren plotseling was overleden. Wat nog erger was, Manston had toen vlug stappen ondernomen om het hele fortuin en de onderneming aan zichzelf te trekken en weigerde nu toe te geven dat ze het eigendom van mijn vader waren geweest. Ten overstaan van advocaten had hij (natuurlijk vervalste) papieren laten zien om zijn bewering te staven. Met andere woorden, hij had onze familie al ons geld afhandig gemaakt – of althans het gedeelte dat zich in Engeland bevond.

Helaas had die knaap geen idee hoe ik nu te werk zou moeten gaan. Ik kon een klacht indienen bij het gerecht, maar met mijn eigen vaste mening als enige bewijs leek dat me een vruchteloze onderneming. Ook kon ik een advocaat raadplegen; maar Engeland en Venetië mogen dan in vele opzichten verschillen, op één punt komen ze overeen, en dat is dat advocaten er een onverzadigbare liefde voor geld koesteren, en dat was een artikel dat ik niet bezat.

Verder werd het me dra duidelijk dat Londen geen gezond oord was. Ik bedoel hier niet de pest, waardoor de stad toen nog niet werd geteisterd; ik bedoel dat Manston diezelfde avond nog een ploegje ingehuurde kerels langsstuurde om mij ervan te doordringen dat mijn leven elders veiliger zou zijn. Gelukkig hebben ze mij niet omgebracht; dankzij de vergoedingen die mijn vader aan mijn schermleraar had betaald, heb ik het er zelfs uitstekend afgebracht in de vechtpartij. Op z'n minst één van het stel verdween ernstiger gewond dan ik, maar ik nam de waarschuwing wel degelijk ter harte en besloot uit de buurt te blijven totdat mijn koers mij duidelijker voor ogen stond. Ik zal hier verder alleen nog over deze kwestie vermelden dat ik uiteindelijk elke poging om schadeloosstelling te verkrijgen liet varen: mijn vader kwam tot de slotsom dat de kosten die daarmee gemoeid waren, niet opwogen tegen het geld dat verloren was gegaan. Twee jaar later liep een van Manstons schepen de haven van Triëst binnen om een storm af te wachten, en toen mijn vader van dit fortuinlijke voorval hoorde, liet hij er beslag op leggen. Het schip zelf en de lading leverden althans enige compensatie op.

Had ik toen van dat besluit af geweten, dan was mijn humeur er aanzienlijk op vooruitgegaan, want het weer in Londen was van dien aard dat het de sterkste man tot de ellendigste wanhoop kon drijven. De mist, de onophoudelijke, ondermijnende motregen en de doffe, bittere kou van de wind die dwars door mijn dunne mantel blies, brachten mij in een staat van de jammerlijkste vertwijfeling. Mijn plichtsgevoel jegens mijn familie was het enige dat mij dwong door te zetten en mij ervan weerhield naar de haven te gaan en daar te vragen of een schip dat naar het vaderland terug-voer, niet een plaatsje aan boord voor me over had. In plaats van dat ik dit verstandige besluit nam, schreef ik mijn vader aan om hem van de ontwik-kelingen op de hoogte te stellen en te beloven alles te doen wat ik maar kon, maar ik wees erop dat ik maar weinig tot stand kon brengen zolang ik geen versterking had ontvangen uit zijn geldkist. Ik zou, zo besefte ik, wel zeven weken moeten zoekbrengen voordat hij zou reageren. En ik had vijf pond om van te leven.

De hoogleraar bij wie ik in Leiden had gestudeerd, was zo vriendelijk geweest mij brieven mee te geven voor heren met wie hij had gecorrespon-deerd, en daar deze mijn enige contact met Engelsen vormden, bedacht ik dat het maar het best zou zijn een beroep te doen op hun goede hart. Wat dit plan nog aantrekkelijker maakte, was dat ze geen van beiden in Londen woonden.

Het heeft er alle schijn van dat de Engelsen mensen die rondtrekken enorm wantrouwen, en dat ze hun uiterste best doen om reizen zo moeilijk mogelijk te maken. Volgens het papier dat aangeplakt was op de plaats waar ik op de postkoets wachtte, zou de tocht van zestig mijl naar Oxford acht-tien uren duren – zo het God behaagde, zoals het vroom heette. Die dag behaagde het de Almachtige helaas niet; door de regen was het grootste gedeelte van de weg verdwenen, zodat de koetsier zich een weg moest zoe-ken door iets wat bijzonder veel weg had van een omgeploegde akker. Enkele uren later brak er een wiel af, waardoor mijn reiskist op de grond tuimelde en het deksel beschadigd raakte, en even buiten een armzalig, lelijk stadje dat Thame heette, brak een van de paarden een been en moest worden afgemaakt. Voeg daar nog de talrijke keren aan toe dat we bij, naar het mij wilde voorkomen, elke herberg in Zuid-Engeland halt hielden (de herbergiers kopen de koetsiers om teneinde hen halt te laten houden) en het zal u niet verbazen dat de reis in totaal vijfentwintig uren in beslag nam, waarna ik om zeven uur 's morgens op de binnenplaats van een herberg aan de hoofdstraat van de stad Oxford werd geloosd.

2

UIT DE MANIER WAAROP de Engelsen praten (hun reputatie van pochers is welverdiend) zou een onervaren reiziger opmaken dat in hun land de fraaiste gebouwen, de grootste steden en de rijkste, best gevoede en gelukkigste mensen van de wereld te vinden zijn. Mijn eigen indrukken waren geheel anders. Iemand die de steden van Lombardije, Toscane en de Veneto gewend is, moet zich wel verbazen over de minuscule afmetingen van alle nederzettingen in dat land, evenals over hun geringe aantal, want het land bevat bijna geen inwoners, en er komen meer schapen in voor dan mensen. Alleen Londen, een *Brittannia* in het klein en een indrukwekkend handelscentrum, kan zich meten met de grote steden op het vasteland; andere plaatsen verkeren in een miserabele toestand, zijn voor het grootste gedeelte half ingestort en arm en wemelen dankzij de verschillende, in verval geraakte bedrijfstakken, het slechte beleid en de luiheid van de inwoners van de bedelaars. Sommige universiteitsgebouwen zijn heel fraai, maar eigenlijk bestaat Oxford louter uit een paar ongeplaveide, slijkerige straten die vol liggen met alle mogelijke uitwerpselen, door de burgers naar buiten gegooid in de hoop dat anderen ze zullen opruimen. Vele gebouwen bieden net zo'n armzalige aanblik als de burgers, en je kunt amper meer dan tien minuten in welke richting dan ook lopen zonder dat je opeens buiten de stad staat, in het open veld.

Ik had het adres van een klein logement in het noorden van de stad, aan een brede straat dicht bij de stadsmuren, bewoond door een buitenlandse koopman die in het verleden handel had gedreven met mijn vader. Het was een naargeestig soort huis, dat pal tegenover een terrein lag waar alles met de grond gelijk was gemaakt met het oog op een nieuw universiteitsgebouw. De Engelsen maakten nogal wat ophef van dit bouwwerk, dat ontworpen is door een jonge en erg arrogante man die ik later heb ontmoet en die nadien naam heeft gemaakt door na de grote brand de grote kathedraal van Londen te herbouwen. De reputatie van die Wren is volkomen onverdiend, want hij heeft geen gevoel voor verhoudingen en verstaat ternauwernood de kunst een aangenaam aandoend ontwerp uit te voeren. Dit was echter het eerste gebouw in Oxford dat in de moderne stijl was opgetrokken, en onder lieden die niet beter wisten wekte het grote opwinding.

Van Leeman, de koopman, bood mij een beker warme drank aan, maar zei op spijtige toon dat hij geen kans zag mij meer te verschaffen, daar hij geen ruimte had. Het werd me nog akeliger te moede, maar hij bleef althans een tijdje met me praten, liet me bij de open haard zitten en gaf me gelegenheid me wat op te knappen, zodat ik een wat minder vreeswekkend voorkomen aan de wereld kon presenteren. Ook vertelde hij me het een en ander over het land dat ik was komen bezoeken. Ik tastte jammerlijk in het duister omtrent deze oorden – het enige dat ik ervan wist, was wat mij door bevriende Engelsen in Leiden verteld was, en dat was niet veel meer dan dat een burgeroorlog van twintig jaar tot een onvolprezen einde was gekomen. Van Leeman – de koopman uit de Nederlanden ten voeten uit – hielp mij gezwind van dit prettige idee af. De koning was inderdaad terug, zei hij, maar had zich al zo gauw een reputatie van losbol verworven dat de hele wereld van hem walgde. De situatie die zijn vader ten oorlog en naar het schavot had gevoerd, doemde alweer op aan de horizon en de vooruitzichten waren bijzonder somber. Er verstreek bijna geen dag zonder dat er in de taveernes een of ander gerucht over een rebellie, samenzwering of opstand werd besproken.

Niet dat ik me hierdoor verontrust moest voelen, zei hij geruststellend. Een onschuldige reiziger als ik zou veel belangwekkends vinden in Oxford, dat zich kon laten voorstaan op enkele van 's werelds meest vooraanstaande figuren op het gebied van de nieuwe filosofie. Hij wist van Robert Boyle, de man voor wie ik een introductiebrief had, en vertelde me dat als ik me toegang tot zijn kring wilde verschaffen, ik naar koffiehuis Tillyard in High Street diende te gaan, waar het Scheikundig Genootschap al enkele jaren zijn bijeenkomsten belegde, en een oord dat stellig spijzen opdiende waar een mens van opkikkerde. Ik wist niet of dit nu een handreiking of een wenk was, maar ik maakte me op, vroeg hem alleen nog om verlof mijn reistassen onder zijn hoede achter te laten totdat ik een geschikt onderkomen had gevonden en begaf me in de richting die hij had uitgeduid.

Destijds was koffie in Engeland een rage, die tegelijk met de terugkeer van de joden in het land was opgerukt. Die bittere boontjes waren voor mij natuurlijk niets nieuws, want ik dronk ze om mijn zwartgalligheid te verdrijven en mijn spijsvertering te bevorderen, maar ik had niet verwacht dat deze drank zozeer in de mode was dat hij tientallen speciale gebouwen had opgeleverd waar hij in onvoorstelbare hoeveelheden en tegen reusachtige kosten kon worden genuttigd. Vooral het etablissement van Tillyard was fraai en gerieflijk, al bracht het feit dat je een duit entree moest betalen, mij enigszins van mijn stuk. Maar ik voelde me niet bij machte om voor berooide figuur te spelen, want mijn vader had me geleerd dat hoe armer de indruk die een mens maakt, hoe armer hij ook wordt. Ik betaalde met een opgewekt gezicht en koos vervolgens voor de bibliotheek om mijn beker mee naartoe te nemen; hiertoe moest ik nog eens twee duiten neerleggen.

De kring van habitués van een koffiehuis selecteert zichzelf; dit in tegenstelling tot een taveerne, die allerlei slag lieden van nederiger komaf bedient. Zo heb je in Londen anglicaanse en presbyteriaanse koffiehuizen waar mensen die nieuws of poëzie pennen bijeenkomen om elkaar leugenverhalen op te dissen, en huizen waar de toon wordt aangegeven door ontwikkelde mannen die daar kunnen lezen of een uurtje met elkaar converseren zonder door domme lieden te worden beledigd of te worden ondergebraakt door vulgaire sujetten. Zo luidde althans het principe dat aan mijn aanwezigheid in dit gebouw ten grondslag lag. Het *partum practicum* was wel geheel anders: het gezelschap wijsgeren waarvan ik had gemeend dat het hier zetelde, sprong niet op om mij te verwelkomen, zoals ik had gehoopt. Er bevonden zich maar vier mensen in het vertrek en toen ik in de richting van een van hen een nijging maakte – een gewichtig man met een rood gezicht, ontstoken ogen en sluik, grijs haar – deed hij net of hij me niet had gezien. Ook geen van de anderen sloeg acht op mijn binnenkomst, al wierp men wel een nieuwsgierige blik op iemand die kennelijk een man met een zekere stijl was.

Mijn eerste poging me in het Engelse gezelschapsleven te mengen was voor mijn gevoel op een mislukking uitgelopen en ik besloot er verder niet al te veel tijd aan te verspillen. Het enige dat me vasthield was de courant, een in Londen gedrukt periodiek dat in het hele land verspreid werd, destijds een echt baanbrekend idee. Er werd een verbazingwekkend vrijmoedige toon in aangeslagen over allerlei nationale kwesties en het bevatte verslagen van binnenlandse aangelegenheden en uitgebreide berichten omtrent voorvallen in het buitenland, die mij bijzonder interesseerden. Later werd mij echter verteld dat ze maar een kleurloos geheel vormden vergeleken bij artikelen van enkele jaren tevoren, toen de partijstrijd nog hoog oplaaide en een massa van dergelijke organen voortbracht. Voor de koning, tegen de koning, voor het parlement, voor het leger – voor of tegen van alles en nog wat. Cromwell en na hem de op de troon herstelde koning Karel hadden hun best gedaan weer een zekere orde in dit geheel te scheppen, terecht van de veronderstelling uitgaande dat dergelijke verhalen de mensen alleen maar het rustige gevoel gaven dat ze verstand hadden van staatszaken. En een zotter idee kun je je nauwelijks voorstellen, want het is toch duidelijk dat de lezer alleen maar op de hoogte wordt gebracht van wat de schrijver hem wenst te vertellen, en op die manier verleid wordt om bijna alles maar klakkeloos te geloven. Het enige waar dergelijke vrijheden toe leiden is dat de groezelige broodschrijvers die die verhandelingen voortbrengen, tot invloedrijke personen worden, zodat ze met de borst vooruit rondstappen als waren het vooraanstaande heren. Iedereen die weleens zo'n Engelse journalist (zo genoemd, geloof ik, omdat ze net als de eerste de beste slootgraver per dag betaald worden) heeft ontmoet, weet hoe bespottelijk dat is.

Niettemin bleef ik wel meer dan een halfuur lezen, geboeid door een artikel over de oorlog op Kreta, totdat mijn concentratie werd verstoord door het getrappel van voeten die de trap opkwamen en door de deur die openging. Een vlugge blik onthulde een vrouw van ik meen een jaar of negentien, twintig, van een gemiddelde lengte, maar met een onnatuurlijk tenger postuur: zonder een spoor van de molligheid die zo iemand de ware schoonheid schenkt. Mijn medische ik vroeg zich zelfs vagelijk af of zij misschien aanleg voor de tering had en er baat bij zou vinden elke avond een pijp tabak te roken. Heur haar was donker en vertoonde louter natuurlijke krullen, haar kleren waren vaalbruin (al maakten ze een verzorgde indruk) en haar gezichtje was weliswaar heel knap, maar verder viel er niets opvallend uitzonderlijks aan haar op te merken. Desondanks hoorde zij tot die mensen naar wie je even kijkt en van wie je dan je blik afwendt, waarna je merkt dat je blik op de een of andere manier alweer op hen rust. Voor een deel lag dat aan haar ogen, die onnatuurlijk groot en donker waren, maar vooral was het haar manier van doen, want die was zeer ongepast, zodat ik op haar ging letten. Dat ondervoede meisje vertoonde de houding van een koningin en bewoog zich met een elegantie die mijn vader mijn zuster had pogen bij te brengen door een klein fortuin uit te geven aan dansleraren.

Zonder veel belangstelling zag ik haar bedaard op de rode heer aan de andere kant van het vertrek toe lopen en met maar een half oor hoorde ik hoe zij hem aansprak als 'dokter', waarna ze even zwijgend bleef staan. Toen ze begon te praten, keek hij enigszins verschrikt naar haar op. Het grootste gedeelte ontging me – de afstand, mijn Engels en haar zachte stem spanden samen om de betekenis van haar woorden weg te grissen –, maar uit de paar flarden die ik wel hoorde, maakte ik op dat zij zijn hulp als arts inriep, want ik kon me geen enkele andere reden voorstellen waarom ze er een reprimande voor zou willen riskeren dat ze hem in het openbaar aansprak. Het was natuurlijk ongewoon dat iemand in haar nederige positie op het idee kwam een arts te benaderen, maar ik wist niet veel van het land af. Misschien dat zoiets hier een normale gang van zaken was.

Het verzoek werd niet instemmend beantwoord, en dat trof mij onaangenaam. Zeker, zo'n meisje moet je op haar plaats zetten; dat spreekt niet meer dan vanzelf. Iedere man van aanzienlijke geboorte zou zich hoogstwaarschijnlijk geroepen voelen zo te handelen wanneer hij op ongepaste wijze werd aangesproken. 's Mans manier van praten verried echter iets – boosheid, dédain of iets wat daar dicht bij in de buurt kwam – wat mijn verachting wekte. Zoals Cicero ons voorhoudt, dient een heer zo'n berisping met een zekere tegenzin uit te spreken, niet met een genoegen dat veeleer afbreuk doet aan de spreker dan dat het degene die de misstap heeft begaan corrigeert.

'Wat?' zei hij, het vertrek rondturend op een manier die erop wees dat hij hoopte dat niemand dit zag. 'Ga weg, kind, en dadelijk ook.'

Weer zei ze iets met zachte stem, zodat ik haar woorden niet kon verstaan.

'Ik kan niets voor je moeder doen. Dat weet je best. Goed. Laat me nu met rust, alsjeblieft.'

Het meisje verhief haar stem iets. 'Maar mijnheer, u moet haar helpen. Denkt u toch niet dat ik u vraag...' Toen zag ze dat hij onvermurwbaar was, en met een paar schouders die doorbogen onder het besef van haar mislukte poging begaf het meisje zich naar de deur.

Waarom ik opstond, haar naar beneden volgde en buiten op straat aansprak, weet ik niet. Misschien koesterde ik wel net als Rinaldo of Tancredi een of ander mal idee van ridderlijkheid. Misschien dat ik, omdat ik de wereld de laatste paar dagen als zo'n drukkende last had ervaren, met haar meevoelde vanwege de manier waarop die heer haar had behandeld. Misschien dat ik het koud had en me moe voelde, en door mijn moeilijkheden zo mismoedig gestemd was dat ik het niet eens meer ondenkbaar vond iemand als zij te benaderen. Ik weet het niet; maar voordat ze al te ver was doorgelopen, naderde ik haar met een beleefd kuchje.

Met een woedend gezicht draaide ze zich om. 'Bemoei u met uw eigen zaken,' zei ze heel heftig.

Ik reageerde waarschijnlijk alsof ze me een klap had gegeven; ik weet dat ik op mijn onderlip beet en dat ik, door haar reactie verbaasd, 'O!' zei. 'Ik vraag u wel om verschoning, mevrouw,' voegde ik er in mijn beste Engels aan toe.

Thuis zou ik me anders hebben gedragen: hoffelijk, maar met de ongedwongenheid die duidelijk laat uitkomen wie er de meerdere is. In het Engels waren zulke nuances natuurlijk te hoog gegrepen voor me; ik wist alleen hoe ik dames van stand moest aanspreken, en daarom praatte ik op die toon tegen haar. Om te voorkomen dat ik de indruk wekte dat ik een ongeletterde malloot was (de Engelsen nemen altijd aan dat de enige redenen waarom mensen hun taal niet verstaan, een traag verstand of een weloverwogen halsstarrigheid zijn) besloot ik dat ik mijn gebaren maar het best in overeenstemming kon brengen met mijn taal, alsof ik het inderdaad aanlegde op een dergelijke *politesse*. Daarom liet ik mijn woorden vergezeld gaan van de nijging die erbij hoorde.

Het was niet mijn bedoeling, maar dit nam haar behoorlijk wat wind uit de zeilen, om maar eens een zeemansuitdrukking te gebruiken waar mijn goede vader veel van houdt. Haar boosheid zakte toen die met vriendelijkheid in plaats van met afkeuring werd beantwoord en ze keek mij nieuwsgierig aan; een rimpeltje dat haar verwarring verried speelde alleraardigst over de rug van haar neus.

Nu ik in deze trant was begonnen, besloot ik zo verder te praten. 'U moet mij vergeven dat ik u op deze wijze benader, maar zonder dat ik dat wilde, hoorde ik dat u een heelmeester van node hebt. Is dat juist?'

'Bent u dokter?'

Ik neeg. 'Marco da Cola van Venetië.' Dat was natuurlijk gelogen, maar ik wist zeker dat ik op z'n minst even kundig was als het type charlatan of kwakzalver dat ze anders in de arm zou hebben genomen. 'En u?'

'Sarah Blundy is mijn naam. Ik neem aan dat u te verheven bent om een oude vrouw met een gebroken been te behandelen, omdat u bang bent dat u zich dan in de ogen van uw vakbroeders verlaagt?'

Ze was bepaald iemand die zich niet gemakkelijk liet helpen. 'In de regel zou een chirurg beter zijn,' legde ik uit. 'Ik heb echter een opleiding in de anatomie aan de universiteit van Padua en die van Leiden gevolgd. Bovendien heb ik hier geen vakgenoten, dus zullen ze me niet licht hard vallen omdat ik voor sjacheraar speel.'

Ze keek me aan en schudde haar hoofd. 'Ik denk dat u mij verkeerd hebt verstaan, maar ik dank u voor uw aanbod. Ik kan u niets betalen, want ik heb geen geld.'

Ik maakte een luchtig handgebaar en – voor de tweede keer die dag – gaf haar te kennen dat geld geen rol voor me speelde. 'Ik bied u desondanks mijn diensten aan,' vervolgde ik. 'Die kwestie van de betaling kunnen we, zo u wilt, later wel bespreken.'

'Ongetwijfeld,' zei ze, op een toon die mij alweer onthutste. Toen schonk ze me de onverholen en onbeschroomde blik die Engelsen zich wel vaker permitteren en haalde haar schouders op.

'Misschien dat we de patiënte nu kunnen opzoeken?' stelde ik voor. 'En wellicht kunt u me onderweg vertellen wat haar is overkomen?'

Als alle jongemannen was ik erop gebrand de aandacht vast te houden van een mooi meisje, tot welke stand ze ook mocht behoren, maar ik oogstte niet veel loon voor mijn inspanning. Hoewel zij lang niet zo degelijk was gekleed als ik, haar armen en benen door de dunne stof van haar jurk heen schemerden en haar hoofdbedekking louter aan het decorum voldeed, wekte ze niet de indruk dat ze het koud had, en het leek wel of zij nauwelijks de wind opmerkte die mij door merg en been sneed. Ze liep snel, en hoewel ze ruim twee duim kleiner was dan ik, moest ik de pas erin zetten om haar bij te houden. En haar antwoorden waren kort en monosyllabisch, iets wat ik toeschreef aan de omstandigheid dat ze zich zorgen maakte over haar moeders gezondheid en daar geheel door in beslag werd genomen.

We liepen terug naar het huis van Van Leeman om mijn instrumenten op te halen. Ook raadpleegde ik in aller ijl Barbettes boek over chirurgie, daar ik wilde voorkomen dat ik midden onder de operatie een handboek zou moeten opslaan; zoiets wekt geen vertrouwen. Het bleek dat de moeder van het meisje de avond tevoren lelijk ten val was gekomen en de hele nacht alleen had gelegen. Ik vroeg waarom zij geen buren of voorbijgangers had aangeroepen, want ik veronderstelde dat de arme vrouw niet in een of ander luisterrijk, afgelegen huis woonde, maar deze vraag leverde geen antwoord op waar ik iets aan had.

'Wie was die man met wie u daarnet praatte?' vroeg ik.

Maar ook daarop kreeg ik geen antwoord.

Ik nam bijgevolg de kille houding aan die ik hier op zijn plaats achtte en liep naast haar mee door een naargeestige straat die Butcher's Row heette, langs de stinkende kadavers van beesten die aan haken hingen of buiten op ruwe tafels waren gelegd, zodat de regen er het bloed kon afspoelen, dat vervolgens in de goten liep, en daarna sloegen we een nog akeliger steegje tussen lage huisjes in dat langs een van de beekjes liep die aan alle kanten om het kasteel stromen. Het was daar ontzettend smerig: de verwaarloosde stroompjes zaten verstopt en uit de dikke laag ijs stak alle mogelijke rommel omhoog. In Venetië beschikken wij uiteraard over de getijden van de zee, die elke dag de waterwegen van de stad schoonspoelt. In Engeland laat men de rivieren dichtslibben; niemand denkt eraan dat al dat water met een beetje zorg weleens veel aangenamer zou kunnen aandoen.

Van de ellendige stulpjes in de stad woonden Sarah Blundy en haar moeder in het akeligste: het bestond uit niet veel meer dan één kamertje, waarvan de vensters van planken in plaats van ruiten waren voorzien, het dak wemelde van de met lappen toegestopte gaten, en de deur was een dun en armzalig geval. Binnen was alles echter vlekkeloos schoon, al was het er ook vochtig; een teken dat zelfs in zulke povere omstandigheden een zeker zelf-respect kan blijven opflakkeren. De kleine schouw en de planken vloer waren schoongeboend, de beide gammele stoelen hadden een soortgelijke behandeling ondergaan en het bed had weliswaar niets verfijnds, maar was glanzend opgewreven. Verder stond er niets in de kamer, afgezien dan van de paar pannen en borden waar zelfs de nederigste lieden niet buiten kunnen. Er was één ding dat me werkelijk verbaasde: dankzij een plank met iets van vijf, zes boeken besefte ik dat er ooit een man in dit verblijf had gehuisd.

'Zo,' zei ik op de opgewekte toon die mijn leermeester in Padua had aangeslagen om vertrouwen in te boezemen, 'waar mag de zieke dan wel zijn?'

Zij wees naar het bed, waarvan ik had gedacht dat het leeg was. Helemaal in elkaar gekropen lag daar onder de dunne dekens een geknakt vogeltje van een vrouw, zo klein dat je je niet dan met moeite kon voorstellen dat zij geen kind was. Ik liep ernaartoe en trok zachtjes de dekens weg.

'Goedemorgen, mevrouw,' zei ik. 'Ik hoor dat u een ongeluk hebt gehad. Laten we u eens bekijken.'

Zelfs ik zag onmiddellijk in dat het hier om een ernstige kwetsuur ging. Het uiteinde van het verbrijzelde bot had zich dwars door de perkament-achtige huid geboord en stak, kapot en bloederig en wel, naar buiten. En alsof dat nog niet voldoende was, had een of andere idioot van een prutser kennelijk zijn best gedaan het met geweld weer op zijn plaats te duwen, waardoor hij nog meer weefsel had gescheurd; vervolgens had hij eenvoudig een vuile lap om de wond gewikkeld, zodat de draden als een verwarde massa aan het bot waren blijven kleven toen het bloed was gestold.

'Jezusmaria nog aan toe!' riep ik getergd, in het Italiaans gelukkig. 'Welke gek heeft dit gepresteerd?'

'Dat heeft zijzelf gedaan,' zei het meisje zachtjes toen ik dit laatste in het Engels herhaalde. 'Ze was helemaal alleen en heeft zo goed mogelijk haar best gedaan.'

Het zag er bijzonder lelijk uit. Zelfs bij een robuuste jongeman zou de verzwakte toestand die het onvermijdelijke gevolg van een dergelijke wond was geweest, een ernstige vorm hebben aangenomen. Voorts bestond de mogelijkheid dat er koudvuur zou optreden en de heel reële kans dat enkele draden een ontsteking in het vlees zouden veroorzaken. Ik huiverde bij de gedachte, maar toen drong het tot me door dat het bitter koud was in de kamer.

'Leg onmiddellijk een vuur aan. Ze moet warm gehouden worden,' zei ik.

Zij bleef roerloos staan.

'Hoort u mij niet? Doe wat ik u zeg.'

'We hebben geen brandhout,' zei ze.

'Kunt u dan niet iets van een van uw buren lenen?'

Ze schudde haar hoofd.

Wat kon ik doen? Het was eigenlijk niet gepast of respectabel, maar soms omvat de taak van de arts meer dan louter het verlichten van lichamelijk lijden. Enigszins ongeduldig haalde ik een paar duiten uit mijn zak. 'Ga dat dan kopen,' zei ik.

Ze keek naar de duiten die ik haar in de hand had geduwd en zonder ook maar een woord van dank liep ze zwijgend de kamer uit en het steegje in.

'Welnu, mevrouw,' zei ik, en ik wendde me weer tot de oude dame, 'zo dadelijk bezorgen we u een lekker warme kamer. Dat is van het grootste belang. Maar nu moeten we eerst uw been schoonmaken.'

En ik toog aan het werk. Gelukkig kwam het meisje al gauw terug met hout en enkele kooltjes vuur, zodat ik weldra warm water had. Ik dacht dat als ik het been maar snel genoeg schoon kon maken, als ik het gebroken bot opnieuw kon zetten zonder haar zoveel pijn te bezorgen dat het haar dood werd, als ze geen koorts kreeg of een of andere kwaal aan de wond opliep en als ze warm werd gehouden en goed te eten kreeg, dat ze dan misschien in leven zou blijven. Maar er loerden vele gevaren; elk op zich kon haar einde betekenen.

Toen ik begon, maakte ze een heel levendige indruk en dat was een goed teken, maar als je bedacht hoeveel pijn ik haar bezorgde – daar zou een lijk nog van wakker geschoten zijn. Ze vertelde dat ze op een beijzeld gedeelte was uitgegleden en lelijk was gevallen, maar afgezien daarvan was ze aanvankelijk even weinig mededeelzaam als haar dochter, zij het dat ze daar meer reden toe had.

Misschien dat wijzere en trotsere lieden er meteen vandoor waren gestapt toen het meisje opbiechtte dat zij geen geld had; misschien dat ik weg had kunnen gaan toen het duidelijk werd dat het vertrek niet werd verwarmd; in ieder geval had ik ronduit moeten weigeren er zelfs maar over te denken de oude vrouw wat voor geneesmiddelen dan ook te verstrekken.

Bij dergelijke kwesties telt natuurlijk niet alleen je eigen ik; ook de goede naam van je vakgenoten dient in overweging te worden genomen. Maar ik kon het waarachtig niet over mijn hart verkrijgen te handelen zoals het me had betaamd. Soms is het niet gemakkelijk om heer en arts, ook al is men dat laatste maar tijdelijk, tegelijk te zijn.

Hoewel ik studie had gemaakt van de wijze waarop wonden schoongemaakt horen te worden en botten gezet, was ik nooit in de gelegenheid geweest om deze kunde in de praktijk toe te passen. Het was heel wat moeilijker dan het tijdens de colleges had geleken en ik ben bang dat ik de oude vrouw veel pijn heb bezorgd. Uiteindelijk was het bot echter gezet en het been verbonden, en ik stuurde het meisje met nog wat van mijn schaarse duiten op pad om enkele ingrediënten voor zalf te kopen. Terwijl ze weg was, zaagde ik een paar stukken hout af en bond die tegen het been om er zo goed mogelijk voor te zorgen dat het kapotte bot, mocht ze zo fortuinlijk zijn dat ze dit overleefde, weer goed aan elkaar groeide.

Intussen was mijn humeur er bepaald niet beter op geworden. Wat deed ik hier eigenlijk, in dit provinciale, onvriendelijke, ellendige stadje, omringd door vreemden, zo ver verwijderd van alles wat mij vertrouwd was en van iedereen die om mij gaf? Of om het wat nauwkeuriger te formuleren: wat zou er gebeuren wanneer ik – en dat ogenblik zou beslist niet lang meer op zich laten wachten – zou ontdekken dat ik geen geld meer had om voor mijn onderdak of maaltijden te betalen?

Door mijn eigen wanhoop in beslag genomen besteedde ik helemaal geen aandacht meer aan mijn patiënte, want ik vond dat ik langzamerhand meer dan genoeg voor haar had gedaan. Ik begon het plankje met boeken te bestuderen; niet uit belangstelling, maar enkel om haar mijn rug te kunnen toedraaien, zodat ik niet naar die arme stakker hoefde te kijken, die in hoog tempo het symbool van mijn tegenspoed begon te worden. Dit gevoel werd nog eens versterkt door het feit dat ik bang was dat al mijn inspanning en de onkosten die ik had gemaakt, straks vergeefs zouden blijken: ik was weliswaar nog jong en onervaren, maar ik herkende al wel de dood wanneer die mij in het gezicht staarde, en ik had zijn adem geroken en het zweet gevoeld waarmee zijn komst gepaard ging.

'U bent neerslachtig gestemd, mijnheer,' zei de oude vrouw met zwakke stem vanuit haar bed. 'Ik vrees dat ik u tot grote last ben.'

'Nee, nee. In het geheel niet,' zei ik op de uitdrukkingsloze toon waarop men een welbewust onoprechte uitspraak doet.

'Het is vriendelijk van u om dat te zeggen. Maar we weten allebei dat we u niets kunnen betalen voor uw hulp, ofschoon u dat wel verdient. En aan de uitdrukking op uw gezicht zag ik dat u, ondanks uw kledij, op het ogenblik zelf geen welgesteld man bent. Waar komt u vandaan? U bent niet uit deze contreien afkomstig.'

Enige minuten later zat ik op een van de gammele stoelen naast het bed en stortte mijn hart uit over mijn vader, mijn geldgebrek, mijn ontvangst in Londen en over mijn hoop en vrees voor de toekomst. Zij had iets wat dergelijke confidenties aanmoedigde, zodat het bijna was als praatte ik met mijn oude moeder en niet met een arme, stervende, ketterse Engelse.

Steeds knikte zij geduldig, en ze sprak zulke wijze woorden dat ik me gesterkt voelde. Het behaagde God ons beproevingen te zenden, net zoals Hij dat bij Job had gedaan. Het was onze plicht die geduldig te doorstaan, de talenten te gebruiken die Hij ons had gegeven om ons erdoorheen te slaan en nooit het geloof te laten varen dat zijn plan goed en noodzakelijk was. Haar meer praktische raad luidde dat ik beslist Boyle moest opzoeken; hij stond bekend als een nobel, christelijk heer.

Eigenlijk had ik deze mengeling van puriteinse vroomheid en onbeschaamdheid natuurlijk minachtend van de hand moeten wijzen. Maar ik zag dat zij op haar manier haar best deed haar schuld te vereffenen. Zij kon mij geen geld bieden en geen enkele dienst bewijzen. Wat ze me wél kon geven was begrip, en met de munt die ze had betaalde ze mij rijkelijk.

'Ik zal spoedig sterven, nietwaar?' vroeg ze nadat ze geruime tijd naar mijn rampspoed had geluisterd en ik het onderwerp van mijn moeilijkheden uitputtend had besproken.

Mijn leermeester in Padua had altijd voor zulke vragen gewaarschuwd: niet het minst omdat men het bij het verkeerde eind kan hebben. Hij was de overtuiging toegedaan dat de patiënt niet het recht had om zulke dingen aan een arts te vragen; als die gelijk heeft en de patiënt sterft inderdaad, dan bezorgt dat hem de laatste paar dagen van zijn leven alleen maar een sombere stemming. In plaats van dat ze zich voorbereiden op het snel naderende ogenblik dat ze voor Gods troon zullen verschijnen (een gebeurtenis, zou je zeggen, waar ze toch veeleer naar zouden moeten verlangen dan erom te treuren), uiten de meeste mensen bittere jammerklachten omdat ze dit blijk van Gods goedertierenheid krijgen opgedrongen. Bovendien zijn mensen geneigd hun arts te geloven. Soms biecht ik in een vlaag van openhartigheid op dat ik niet weet waarom dat het geval is; het lijkt er echter op dat als een arts iemand zegt dat hij zal sterven, hij dat meestal ook gehoorzaam doet, ook al scheelt hem misschien helemaal niet veel.

'Wij zullen allen te zijner tijd sterven, mevrouw,' zei ik plechtig, in de ijdele hoop dat dit haar tevreden zou stellen.

De weduwe Blundy was echter niet het type dat zich met troostende woorden liet afschepen. Zij had de vraag op rustige toon gesteld en was duidelijk in staat onderscheid te maken tussen de waarheid en het tegenovergestelde.

'Maar sommigen eerder dan anderen,' antwoordde zij met een glimlachje. 'En mijn tijd is bijna gekomen, nietwaar?'

'Ik kan het werkelijk niet zeggen. Het is mogelijk dat er geen bederf optreedt en dat u herstelt. Maar het is waar, ik ben bang dat u heel zwak bent.' Ik kon niet zeggen: ja, u zult sterven, en heel spoedig ook. Maar de betekenis was duidelijk genoeg.

Ze knikte kalm. 'Dat dacht ik al,' zei ze. 'En ik schep vreugde in Gods wil. Bovendien ben ik een blok aan het been van mijn dochter Sarah.'

Come l'oro nel fu oco, cosi la fede nel dolor s'affina. Ik voelde me beslist niet geroepen haar dochter te verdedigen, maar mompelde dat ik zeker wist dat zij zich blijmoedig van haar plichten kweet.

'Ja,' zei ze. 'Zij is al te plichtsgetrouw.' Ze was een vrouw die zich uitdrukte op een welgemanierde wijze die ver boven haar stand en opvoeding uitsteeg. Ik weet wel dat het niet onmogelijk is dat een onbeschaafd milieu en een ordinaire opvoeding een achtenswaardig iemand voortbrengen, maar de ervaring leert ons dat dit zelden voorkomt. Evenals een subtiele denkwijze om beschaafde omstandigheden vraagt, verwekken bruut gedrag en een smerige leefwijze dezelfde eigenschappen in de ziel. Desondanks praatte deze vrouw, die toch omringd werd door de armzaligste omstandigheden, met een mededogen en een begrip die ik vaak heb gemist bij personen van gewicht. Dit leidde ertoe dat ik een ongewone belangstelling voor haar als patiënte begon te koesteren. Heel geleidelijk en zonder dat ik het zelfs maar bespeurde, hield ik ermee op haar als hopeloos geval te zien: misschien dat ik er niet in slaag Magere Hein te slim af te zijn, dacht ik grimmig, maar ik zal er althans voor zorgen dat hij moeite moet doen om zijn buit in de wacht te slepen.

Toen kwam het meisje terug met het pakje geneesmiddelen waar ik om had gevraagd. Als om mij uit te dagen kritiek op haar te leveren, staarde ze mij aan en zei dat ik haar niet genoeg had meegegeven; apotheker Crosse had haar echter twee duiten krediet toegestaan toen zij had beloofd dat ik de rekening zou vereffenen. Ik stond verstomd van verontwaardiging, want het leek wel of het meisje mij erom terechtwees dat ik haar met te weinig geld had weggestuurd. Maar wat kon ik eraan doen? Het geld was al uitgegeven, de patiënte lag erbij en het was beneden mijn waardigheid me in een woordentwist te begeven.

Ik bewaarde een air van onverstoorbaarheid, pakte mijn draagbare vijzel en mortier en begon de ingrediënten fijn te stampen; wat mastiek als bindmiddel, een grein salmiak, twee grein olibnum, een drachme zinksulfaat, twee grein salpeter en eenzelfde hoeveelheid guichelheil. Toen dit alles tot een gladde brij was vermalen, voegde ik er druppel voor druppel de lijnzaadolie aan toe, totdat het mengsel de juiste dikte had gekregen.

'Waar is de kaneel?' vroeg ik, en ik zocht tussen de laatste ingrediënten in het zakje. 'En het wormpoeder? Hadden ze dat niet?'

'Jawel,' zei ze. 'Dat neem ik althans aan. Maar dat dient nergens toe, weet u, daarom heb ik het maar niet gekocht. Dat heeft u een beetje geld uitgespaard.'

Dit was te veel. Op een brutale manier bejegend te worden was nog tot daaraan toe, en een heel gebruikelijk verschijnsel bij dochters, maar om op je eigen vakgebied te worden tegengesproken en in twijfel getrokken, dat was iets heel anders.

'Ik zei toch dat ik dat nodig had, kind? Dat is een essentieel bestanddeel. Ben jij soms arts, kind? Heb jij een opleiding genoten aan de beste medische faculteiten? Komen artsen bij jou om raad vragen voor hun geneesmiddelen?' zei ik op hooghartige en honende toon.

'Jazeker,' zei ze kalm.

Ik snoof verachtelijk. 'Ik weet niet wat erger is: met een gek te maken te hebben of met iemand die liegt,' zei ik boos.

'Ik ook niet. Ik weet alleen dat ik niet gek ben en ook niet lieg. Maar als u wormpoeder op zo'n wond legt, zorgt u ervoor dat mijn moeder haar been verliest en sterft.'

'Ben jij dan soms Galenus? Of Paracelsus? Of Hippocrates zelf?' tierde ik. 'Hoe durf je het gezag in twijfel te trekken van personen die wijzer zijn dan jij? Dit is een zalf die al eeuwenlang gebruikt wordt.'

'Ook al dient hij nergens toe?'

Onder deze woordenwisseling had ik zalf aangebracht op de wond van haar moeder en die vervolgens opnieuw verbonden. Ik vroeg me af of het goedje enige uitwerking zou hebben, omdat er tenslotte iets aan ontbrak, maar we zouden het ermee moeten doen totdat ik het op de juiste wijze had bereid. Toen ik klaar was, richtte ik me in mijn volle lengte op, waardoor ik prompt mijn hoofd stootte tegen de lage zoldering. Het meisje onderdrukte een giebellachje en dat stemde me des te bozer.

'Laat ik je één ding zeggen,' zei ik met nauw onderdrukte woede toen ik wegging. 'Ik heb je moeder naar mijn beste kunnen behandeld, hoewel ik daar niet toe verplicht was. Ik zal later nog terugkomen om haar een slaapdrankje te geven en om de wond te luchten. Dit alles doe ik, vervuld van het besef dat ik er niets anders voor ontvang dan jouw verachting, al zie ik niet in waarom ik die verdiend heb of waarom jij het recht zou hebben een dergelijke toon tegen mij aan te slaan.'

Ze maakte een revérence. 'Dank u, goedertieren heer. En wat uw betaling betreft: ik ben er zeker van dat u genoegdoening zult ontvangen. U zei dat we het daar later wel over kunnen hebben, en ik twijfel er niet aan of dat zal inderdaad gebeuren.'

Met die woorden trok zij zich terug in het huisje en deed de deur dicht; ik schudde mijn hoofd en vroeg me af wat voor dolhuis ik door mijn onachtzaamheid was binnengevallen.

3

IK HOOP DAT DIT VERHAAL enig inzicht biedt in de eerste twee stadia van mijn wederwaardigheden: mijn komst naar Engeland en vervolgens naar Oxford, en de manier waarop ik de patiënte verwierf wier behandeling mij nog zoveel leed zou berokkenen. Wat het meisje zelf betreft – wat kan ik zeggen? Zij was al door de ondergang besmet, haar einde stond haar in het gelaat geschreven en de duivel strekte al zijn hand naar haar uit om haar de diepte in te sleuren. Een kundig man kan zoiets zien, hij kan iemands gezicht lezen als een open boek en onderscheiden wat voor lot hem beschoren is. In het gezicht van Sarah Blundy tekenden zich al de diepe sporen af van het verschrikkelijke kwaad dat zich meester had gemaakt van haar ziel en dat spoedig tot haar ondergang zou leiden. Dat hield ik mijzelf achteraf voor, en misschien is het waar. Maar destijds zag ik niets anders dan een meisje dat even onbeschaamd was als knap, en dat evenzeer tekortschoot in haar houding jegens haar meerderen als zij haar plicht betrachtte tegenover haar moeder.

Thans dien ik het relaas van mijn verdere wederwaardigheden voort te zetten; die waren al even onvoorzien van aard, zij het dat de gevolgen ervan wreder waren, temeer daar het een poosje wel leek of de fortuin mij weer was gaan toelachen. Op mij rustte nog de plicht de schuld te voldoen die zij op zo brutale wijze uit mijn naam bij de apotheker had gemaakt, want ik wist dat als je je bezighoudt met de experimentele wetenschap, het gevaarlijk is apothekers te ergeren. Verzuim je te betalen, dan loop je grote kans dat ze in de toekomst weigeren je van dienst te zijn, en niet alleen zij, maar ook al hun vakbroeders mijlen in de omtrek, zo'n hechte gemeenschap vormen ze met elkaar. In die omstandigheden was dat voor mij noodlottig geweest. Ook al ging het om mijn laatste duit, ik kon het me niet veroorloven de wereld van de Engelse wijsbegeerte als man met een slechte reputatie te betreden.

Ik vroeg de weg naar de winkel van Crosse en liep weer een eind weegs door High Street; daarop opende ik de houten winkeldeur en betrad het warme inwendige. Het was een aangenaam aandoende nering, een keurig geheel, zoals alle Engelse winkels, met fraaie cederhouten toonbanken en mooie koperen weegschalen van de modernste soort. Zelfs de geuren van de kruiden, specerijen en geneesmiddelen riepen me hun welkom toe toen ik me strategisch over de geboende eiken vloer naar de fraai gebeeldhouwde schoorsteenmantel begaf en met mijn rug naar het knetterende vuur in de schouw ging staan.

De eigenaar, een gezet man van in de vijftig die ontegenzeglijk de indruk wekte dat hij niet al te zwaar aan het leven tilde, hield zich bezig met een klant, die zo te zien geen haast had en achteloos op de toonbank leunend op zijn zeven gemakken stond te kletsen. Hij was misschien een paar jaar ouder dan ik en had een levendig, beweeglijk gezicht met een paar heldere, zij het cynische ogen onder zware, gewelfde wenkbrauwen. Hij ging somber gekleed in een stijl die zich verre hield van de puriteinse kleurloosheid én van de buitensporigheid van de nieuwste mode. Hij droeg, met andere woorden, goed gesneden, maar saaie bruine kleren.

Hoewel hij zich op ongedwongen wijze gedroeg, maakte de klant een heel gegeneerde indruk, en ik bespeurde dat Crosse zich vermaakte ten koste van de man.

'Houdt een mens 's winters ook nog warm,' zei de apotheker met een brede lach. De klant trok zijn gezicht in gepijnigde rimpels.

'Maar ja, als het voorjaar wordt moet u er wel een netje overheen dragen, anders gaan de vogels erin nestelen,' vervolgde hij, en hij hield, een en al hilariteit, zijn middel vast.

'Toe, Crosse, zo is het wel genoeg,' protesteerde de man, en hij begon zelf ook te lachen. 'Twaalf mark heeft het ding gekost...'

Dit bracht een nog heviger lachbui bij Crosse teweeg en weldra stonden ze er allebei dubbelgeklapt bij, hulpeloos en min of meer buiten zichzelf.

'Twaalf mark!' hijgde de apotheker voordat hij nogmaals dubbelsloeg.

Opeens begon ikzelf zowaar vermaakt mee te gniffelen, hoewel ik niet het minste idee had waarover ze het hadden. Ik wist niet eens of het in Engeland als ongemanierd gold om zich in de vrolijkheid van andere mensen te mengen, maar om de waarheid te zeggen bekreunde ik me daar niet om. De warmte in de winkel en de onverholen opgewektheid van dat tweetal, dat zich aan de toonbank vasthield om te voorkomen dat ze hulpeloos op de grond zouden neerzakken, bezorgden mij het verlangen met hen mee te lachen en zo het eerste normale gezelschap van andere mensen te huldigen dat ik sinds mijn aankomst meemaakte, en onmiddellijk voelde ik mij hierdoor gesterkt, want zoals Gomesius zegt: vrolijkheid geneest menige hevige geestesaandoening.

Mijn zachte gegniffel trok echter hun aandacht, en Crosse stelde pogingen in het werk zich weer de waardige houding aan te meten die zijn positie vereiste. Zijn kameraad deed evenzo en allebei wendden ze zich in mijn richting; enkele seconden lang heerste er een somber stilzwijgen, maar toen wees de jongere man mijn kant op en weer verloren ze allebei hun zelfbeheersing.

'Twintig mark!' riep de jongeman, mijn kant op gebarend, waarna hij met zijn vuist op de toonbank sloeg. 'Op z'n minst twintig.'

Ik vatte dit op als een gebaar dat nog het dichtst in de buurt van een kennismakingsritueel kwam – meer zou mij waarschijnlijk niet ten deel vallen – en enigszins behoedzaam maakte ik een beleefde nijging in hun richting. Half en half verwachtte ik nu een of andere vreselijke grap ten koste van mezelf. De Engelsen mogen graag de draak steken met vreemdelingen, wier bestaan zij als een kostelijke grap opvatten.

Mijn nijging in de richting van mijns gelijken – volmaakt uitgevoerd, met het juiste evenwicht tussen het gestrekte linkerbeen en de elegant geheven rechterarm – maakte hen echter opnieuw aan het lachen, en bijgevolg bleef ik met stoïcijnse onverstoorbaarheid staan wachten tot deze aanval weer voorbij was. En na verloop van enige tijd nam het gehinnik af; ze wisten zich de ogen af, snoten hun neus en deden hun best zich als beschaafde personen voor te doen.

'Ik vraag u wel om vergiffenis, mijnheer,' zei Crosse, die als eerste zijn spraakvermogen herkreeg en het fatsoen had er op wellevende wijze gebruik van te maken. 'Maar mijn vriend hier heeft zojuist het besluit opgevat een heer met stijl te worden en zich de gewoonte eigen gemaakt om met een rieten dak op zijn hoofd in het openbaar te verschijnen. Ik deed zojuist mijn uiterste best hem te verzekeren dat hij beslist een fraaie indruk maakt.' Weer begon hij te schudden van de pret, en zijn vriend rukte zich nu de pruik van het hoofd en wierp hem op de grond.

'Eindelijk frisse lucht,' riep hij dankbaar uit, en hij haalde zijn vingers door zijn dikke, lange haar. 'Mijn god, wat was het warm onder dat ding.'

Eindelijk begon ik er iets van te begrijpen; de pruik had zijn intree in Oxford gedaan – verscheidene jaren nadat hij in het grootste gedeelte van de rest van de wereld ingeburgerd was geraakt als onontbeerlijk onderdeel van de elegante tenue van mannen. Zelf droeg ik er ook een: ik had de pruik opgezet als teken, om zo te zeggen, van mijn bevordering tot de wereld der volwassenen.

Ik begreep natuurlijk wel waarom het ding zo'n vrolijkheid ontketende, al werd dit inzicht overtroffen door het gevoel van superioriteit dat een begaafd man bespeurt wanneer hij provinciale lieden ontmoet. Toen ik mijn pruik begon te dragen, ging er heel wat tijd overheen voordat ik eraan wende; alleen omdat mijn vrienden erop aandrongen, liet ik me ertoe overhalen ermee door te gaan. En wanneer je dit verschijnsel bekeek als een Turk of een Indiër die plotseling naar onze contreien was overgebracht, dan was het natuurlijk ook enigszins vreemd dat een man die door de natuur met een flinke bos haar gezegend was, daar een groot gedeelte van wegschoor om dat van een ander te gaan dragen. Maar een modieus uiterlijk dient niet tot ons gerief, en daar hij bijzonder ongerieflijk was, mogen wij de conclusie trekken dat de pruik erg in de mode was.

'Me dunkt,' zei ik, 'dat u het ding misschien gerieflijker zult vinden als u uw eigen haar korter knipte; dan zou u de druk onder uw hoofdbedekking verlichten.'

'Mijn eigen haar kort knippen? Goeie hemel, doet men dat zo?'

'Ik vrees van wel. Wie mooi wil zijn, moet pijn lijden, nietwaar?'

Hij trapte de pruik ruw weg. 'Dan moet ik maar lelijk zijn,' zei hij. 'Want ik weiger hiermee in het openbaar gezien te worden. Als het ding al zulke stuipen bij Crosse teweegbrengt, stelt u zich dan eens voor wat de studenten in deze stad mij zullen aandoen. Ik mag van geluk spreken als ik er levend vanaf kom.'

'Elders zijn ze volop in de mode,' zei ik. 'Zelfs de Hollanders dragen ze. Ik denk dat het een kwestie van tijd is. Over een paar maanden, of misschien een jaar, merkt u misschien dat men u uitjouwt of met stenen bekogelt als u er geen draagt.'

'Foei! Bespottelijk,' zei hij, maar desondanks pakte hij de pruik van de vloer en bracht hem in veiligheid op de toonbank.

'Ik ben er zeker van dat deze heer niet is gekomen om de laatste mode te bespreken,' zei Crosse. 'Misschien dat hij zelfs iets wenst te kopen? Zoiets komt weleens voor.'

Ik neeg. 'Nee. Ik kom iets betalen. Ik meen dat u een ogenblik geleden een jong meisje krediet hebt verstrekt.'

'O, dat meisje Blundy. U bent de man over wie zij sprak?'

Ik knikte. 'Het lijkt erop dat ze op enigszins vrijpostige wijze mijn geld heeft uitgegeven. Ik kom nu haar – of liever gezegd mijn – schuld vereffenen.'

Crosse gromde iets. 'U krijgt dat bedrag niet terug, weet u. Niet in geld.'

'Daar heeft het alle schijn van. Maar het is nu toch al te laat. Bovendien heb ik het been van haar moeder gezet, en het was interessant om te zien of ik dat kon; ik had er in Leiden veel over geleerd, maar het nog nooit op een levende patiënt beproefd.'

'In Leiden?' vroeg de jongeman plotseling belangstellend. 'Kent u Sylvius dan?'

'Zeker,' zei ik. 'Ik heb de anatomica bij hem gestudeerd, en ik heb een brief van hem bij me voor een heer genaamd Boyle.'

'Waarom hebt u dat niet meteen gezegd?' vroeg hij. Hij liep naar de deur achter in de winkel en deed die open. Ik zag een trap in de gang die erachter lag.

'Boyle?' schreeuwde hij naar boven. 'Bent u daar?'

'U hoeft niet zo te schreeuwen, hoor,' zei Crosse. 'Ik kan u zeggen dat hij er niet is. Hij is naar het koffiehuis gegaan.'

'O. Nu ja. Dan kunnen we hem daar wel opzoeken. Hoe heet u trouwens?'

Ik stelde me voor. Hij neeg op zijn beurt en zei: 'Richard Lower, om u te dienen. Arts. Bijna dan.'

We maakten nogmaals een nijging en toen die achter de rug was, gaf hij me een klap op de schouder. 'Komt u mee. Boyle zal het prettig vinden u te ontmoeten. We voelen ons hier de laatste tijd enigszins van de rest van de wereld afgesneden.'

Toen we het kleine eindje naar Tillyard terugliepen, legde hij uit dat het geestelijke leven in de stad niet langer zo bruiste als in het verleden; dit als gevolg van 's konings terugkeer.

'Maar ik heb gehoord dat hij de wetenschap een warm hart toedraagt,' zei ik.

'Dat is ook zo, wanneer hij zijn aandacht van zijn maîtresses kan losrukken. Dat is de moeilijkheid. Onder Cromwell hebben we ons hier zo goed en zo kwaad als het ging bedropen, terwijl alle lucratieve betrekkingen in het land naar slagers en visverkopers gingen. Nu is de koning terug, en het spreekt vanzelf dat degenen die hooggeplaatst genoeg zijn om gebruik te maken van zijn vrijgevigheid, met z'n allen naar Londen zijn getrokken, zodat wij hier nog maar met een armzalig gezelschapje zitten. Ik ben bang dat ik vroeg of laat ook zal moeten proberen daarginds naam te maken.'

'Vandaar die pruik?'

Hij trok een gezicht. 'Tja. In Londen moet je een zwierige indruk maken wil je worden opgemerkt. Een paar weken geleden was Wren hier – hij is een vriend van me, een geweldige kerel – en hij liep er als een modepop bij. Hij is van plan naar Frankrijk te reizen, en waarschijnlijk zullen we een hand boven onze ogen moeten houden wanneer we straks als hij terug is naar hem kijken.'

'En Boyle dan?' vroeg ik, en mijn stemming werd er niet beter op. 'Heeft hij... eh... besloten... om in Oxford te blijven?'

'Jawel, voorlopig tenminste. Hij heeft zoveel geld dat hij niet net als wij op baantjes hoeft te jagen.'

'O,' zei ik, heel opgelucht.

Lower keek me even aan met een gezicht waaraan duidelijk te zien was dat hij precies begreep welke gedachte me door het hoofd had gespeeld. 'Zijn vader was een van de rijkste mannen van het land en een vurig aanhanger van de oude koning – gezegend zij zijn nagedachtenis. Een groot gedeelte van al dat geld is natuurlijk verloren gegaan, maar er is nog wel zoveel voor Boyle over dat hij zich over dat soort problemen geen zorgen hoeft te maken. Een voortreffelijk man om te leren kennen als je een zwak hebt voor wijsgerige kennis, want daar gaat zijn belangstelling in de eerste plaats naar uit. Als dat niet zo is, dan zal hij natuurlijk niet veel aandacht aan je besteden.'

'Ik heb mijn best gedaan,' zei ik bescheiden, 'met enige experimenten. Maar ik ben enkel een beginneling, vrees ik. Het vele wat ik nog niet weet of begrijp, overtreft verre wat ik doe.'

Dit antwoord stond hem zo te zien bijzonder aan. 'Dan bevindt u zich in goed gezelschap,' zei hij met een brede lach. 'Zet ons allemaal bij elkaar en onze onwetendheid is bijna compleet. Enfin, we doen ons best, al stelt het niet veel voor. We zijn er,' vervolgde hij, en hij ging me voor, weer hetzelfde koffiehuis in. Weer kwam mevrouw Tillyard naderbij en verlangde wat geld van me, maar Lower gaf haar met een gebaar te kennen dat ze moest aflaten. 'Larie, mevrouw,' zei hij opgewekt. 'U laat een vriend van mij die dit bordeel betreedt, toch geen entree betalen?'

Luidkeels roepend dat ons onmiddellijk koffie diende te worden gebracht, klom Lower met grote sprongen de trap op naar het vertrek waar ik al eerder mijn keus op had laten vallen. Op dat ogenblik drong zich de afschuwelijke gedachte aan me op: als die Boyle nu eens de onaangename heer was die het meisje had afgewimpeld?

Maar de man in de hoek op wie Lower nu onmiddellijk afstevende, kon bijna onmogelijk meer hebben afgeweken van die figuur. Ik moet nu even mijn relaas onderbreken, dunkt me, om de achtenswaardige Robert Boyle te beschrijven, een man die met meer lof en eer is overladen dan welke wijsgeer de afgelopen eeuwen ook. Het eerste dat me aan hem opviel, was dat hij nog betrekkelijk jong was; op grond van zijn reputatie had ik een man verwacht van toch zeker over de vijftig. Waarschijnlijk was hij zelfs maar een paar jaar ouder dan ik. Hij was een lange, uitgemergelde figuur met een onmiskenbaar zwak gestel, had een bleek, mager gezicht met een vreemd zinnelijke mond en zat daar in een houding en met een gemak die onmiddellijk zijn voorname opvoeding verrieden. Hij maakte niet een erg aangename indruk; eerder deed hij hooghartig aan, alsof hij zich ten volle bewust was van zijn superioriteit en hetzelfde van anderen verwachtte. Dat ging, zoals ik later ontdekte, maar gedeeltelijk op, want zijn edelmoedigheid evenaarde zijn trots; zijn nederigheid zijn hooghartigheid; zijn hoge afkomst zijn vroomheid en zijn strengheid zijn barmhartigheid.

Desondanks was hij iemand die om een omzichtige benadering vroeg en ik merkte op dat Lower zich voortdurend vergaloppeerde: op het gebied van de wetenschap beschouwde hij zich als diens gelijke, maar tegelijkertijd was hij zich maar al te zeer bewust van zijn lagere afkomst, zodat hij zich heen en weer bewoog tussen een buitensporig gemeenzame manier van doen en een respect dat weliswaar niets onderdanigs had, maar ook verre van zelfverzekerd en ongedwongen was. En Boyle mocht dan enkele, waarlijk afschuwelijke mensen om zich heen dulden omdat ze bepaalde verdiensten hadden, charlatans of stommelingen kon hij niet uitstaan. Ik acht het een grote eer dat ik enige tijd op ontspannen wijze met hem heb mogen omgaan. Dat ik dit contact ben kwijtgeraakt, was een van de bitterste klappen die ik heb moeten incasseren.

Ondanks zijn vooraanstaande positie en voorname afkomst stond hij zijn intieme kennissen, tot wie Lower kennelijk ook behoorde, een gemeenzame toon toe. 'Mijnheer Boyle,' zei Lower terwijl wij op hem toetraden, 'iemand uit Italië om u eer te bewijzen.'

Met opgetrokken wenkbrauwen keek Boyle op, waarna hij zich een glimlachje veroorloofde. 'Goedemorgen, Lower,' zei hij droog, en daarop keek hij naar mij, zoals ik daar naast hem mijn best stond te doen de indruk te wekken dat ik me op mijn gemak voelde, maar waarschijnlijk enkel een onbeholpen optreden tentoonspreidend.

'Ik kom u de groeten overbrengen van doctor Sylvius uit Leiden, mijnheer,' zei ik. 'Hij opperde dat u, daar ik naar Engeland zou reizen, mij wellicht zou toestaan kennis met u te maken.'

Kennismaken met mensen vind ik altijd een van de lastigste onderdelen van de etiquette. Natuurlijk doet de noodzaak daartoe zich geregeld voor, en dat zal altijd zo blijven. Hoe kan een volslagen vreemde anders ontvangen worden, tenzij hij de steun geniet van een heer die voor zijn gedrag kan instaan? In de meeste kringen echter is enkel het feit dat er een brief is, al genoeg; als die al wordt gelezen, dan gebeurt dat over het algemeen pas wanneer de kennismakingsrituelen achter de rug zijn. Ik hoopte dat een brief van Sylvius, een arts die even vermaard was in de medische wereld als Boyle in die van de scheikunde, mij een hartelijk onthaal zou bezorgen. Ik was me er echter ook van bewust dat hier sprake was van uitgesproken scheidslijnen, en dat mijn godsdienst er heel wel de oorzaak van zou kunnen worden dat ik werd afgewezen. Engeland had nog tot voor kort in de greep van fanatieke puriteinen verkeerd, en ik wist dat die stemming nog helemaal niet was vervluchtigd – mijn reisgenoten in de nachtpostkoets naar Oxford hadden mij opgeruimd van de nieuwe, tegen ons gerichte wetten verteld die het parlement de koning had gedwongen aan te nemen.

Nadat Boyle de brief had aangenomen, begon hij die niet alleen te lezen, maar voorzag hij de inhoud bovendien van commentaar, waardoor hij mij steeds zenuwachtiger maakte. Het was een heel lange missive, zag ik; Sylvius en ik waren het niet altijd met elkaar eens geweest en ik was erg bang dat een groot gedeelte van de brief niet vleiend zou zijn.

En wat Boyle las, leek dit te bevestigen. 'Hmm,' zei hij. 'Moet u dit horen, Lower. Sylvius zegt dat uw vriend hier een onstuimig, twistziek heerschap is met de hebbelijkheid andermans gezag in twijfel te trekken. Brutaal en een uitgesproken lastpak bovendien.'

Ik maakte aanstalten om me te verdedigen, maar Lower gaf me met een gebaar te kennen dat ik me stil moest houden. 'Uit een geslacht van welgestelde kooplieden in Venetië, hè?' vervolgde Boyle. 'Paaps zeker?'

De moed zonk me in de schoenen.

'Een baarlijke bloedmaniak,' vervolgde Boyle, mij volkomen negerend. 'Aan één stuk door aan het knoeien met emmers vol bloed. Maar kennelijk kan hij goed met een mes omgaan en tekenen doet hij uitstekend. Hmm.'

Ik voelde me gepikeerd door Sylvius' verklaringen. Dat hij mijn experimenten geknoei noemde, stemde me hevig verontwaardigd. Ik was daar op een systematische manier aan begonnen en op een in mijn ogen weldoordachte wijze te werk gegaan. Per slot van rekening was het niet mijn schuld dat ik ingevolge mijn vaders wens Leiden had moeten verlaten voordat ik ook nog maar enige gevolgtrekking van wezenlijk belang had kunnen maken.

Omdat dit van enig gewicht is voor mijn relaas, moet ik hier duidelijk stellen dat mijn belangstelling voor bloed geen pasverworven bevlieging was, maar al een hele poos aanwezig was. Ik kan me eigenlijk niet herinneren wanneer die geboeidheid is begonnen. Het staat me nog voor de geest dat ik op een keer in Padua naar een of andere gortdroge galenist luisterde die een voordracht hield over bloed, en dat ik uitgerekend de dag daarop een exemplaar te leen kreeg van Harveys uitstekende werk over de bloedsomloop. Dat boek was zo helder, zo eenvoudig en zo onmiskenbaar waar dat ik het ademloos las. Een dergelijke ervaring is mij sindsdien nooit meer ten deel gevallen. Zelfs ik zag echter wel in dat het niet volledig was: Harvey liet zien dat het bloed in het hart begint, door het hele lichaam stroomt en vervolgens naar zijn uitgangspunt terugkeert. Hij heeft niet ontdekt hoe dit komt, en zonder die verklaring is de wetenschap maar een heel armzalig iets; ook heeft hij geen enkel therapeutisch voordeel op grond van zijn waarnemingen gepresenteerd. Misschien dat het brutaal van me was, maar ik had beslist met veel ontzag in Padua vele maanden en in Leiden bijna mijn hele verblijf aan onderzoek van dit verschijnsel besteed, en ik zou heus al enkele opmerkelijke experimenten hebben uitgevoerd, had ik geen gehoor gegeven aan mijn vaders wens en was ik niet naar Engeland afgereisd.

'Uitstekend,' zei Boyle ten slotte; hij vouwde de brief zorgvuldig op en stak hem in zijn zak. 'U bent welkom, mijnheer, van harte welkom. Vooral de heer Lower zal u met open armen ontvangen, stel ik me voor, daar zijn onverzadigbare belustheid op ingewanden kennelijk alleen door die van uzelf naar de kroon wordt gestoken.'

Lower grijnsde me eens toe en bood Boyle diens schoteltje koffie aan, dat onder het lezen koud was geworden. Kennelijk was ik gewogen en geschikt bevonden. De opluchting die ik bespeurde was welhaast overweldigend.

'Ik moet zeggen,' vervolgde Boyle terwijl hij grote hoeveelheden suiker in zijn koffie schepte, dat het mij vanwege uw gedrag des te meer genoegen doet u welkom te heten.'

'Vanwege mijn wat?' vroeg ik. 'Uw aanbod om dat meisje Blundy te helpen – herinnert u zich haar niet, Lower? – was menslievend en christelijk,' zei hij. 'Zij het ook enigszins onverstandig.'

Ik stond paf van deze opmerking, zozeer was ik ervan overtuigd geweest dat niemand ook maar in de verste verte op me had gelet. Ik had er geen ogenblik bij stilgestaan dat ook het minste of geringste praatje over een gebeurtenis iedereen in zo'n klein stadje enorm fascineert.

'Maar wie is dit meisje dan, dat u allebei kent? Zij leek me een heel arme stakker, niet het type dat zich onder gewone omstandigheden in uw aandacht zou mogen verheugen. Of zijn de standsverschillen als gevolg van jarenlang republicanisme in zo hoge mate geslecht?'

Lower lachte. 'Gelukkig niet. Tot mijn genoegen kan ik zeggen dat personen als dat meisje Blundy over het algemeen niet tot onze kringen behoren. Ze is heel knap, maar ik zou het niet prettig vinden bekend te staan als iemand die met haar omging. En zo moet u er ook over denken als u zich hier wenst te vestigen. Naar verluidt weet zij veel van natuurgeneesmiddelen af, en Boyle hier heeft haar eens geraadpleegd over enkele heelkruiden. Dat is een liefhebberij van hem: de armen geneesmiddelen te verschaffen die in overeenstemming zijn met hun nederige positie.'

'Hoezo "naar verluidt"?'

'Menigeen zei dat zij over grote kennis beschikte, en daarom bedacht Boyle dat hij haar de eer zou aandoen enkele van haar beste recepten in zijn werk op te nemen. Maar zij weigerde hem van dienst te zijn en gaf voor dat ze geen enkele kundigheid op dat gebied bezat. Ik denk dat ze betaald wilde worden, maar Boyle weigerde terecht aan dat verlangen tegemoet te komen voor een liefdadig werk.'

Dit verklaarde tenminste de opmerking van het meisje, die ik als leugen had afgedaan. 'Maar waarom was het niet verstandig om me met haar in te laten?'

'Haar gezelschap zal u geen al te goede naam bezorgen,' zei Boyle. 'Zij staat bekend om haar onkuisheid. Maar ik bedoelde vooral dat ze geen lucratieve cliënt zal zijn.'

'Dat heb ik al ontdekt,' antwoordde ik, en ik vertelde hoe zij mijn geld had uitgegeven. Boyle zag eruit of hij lichtelijk geschokt was door dit verhaal. 'Dat is niet bepaald de manier om rijk te worden,' merkte hij droogjes op.

'Hoe staat het hier met het aantal artsen? Denkt u dat ik hier enkele cliënten zou kunnen krijgen?'

Lower trok een gezicht en legde uit dat het probleem met Oxford was dat er al te veel doktoren waren. Daarom zou hij, wanneer hij een onderneming waar hij mee bezig was had afgerond en Christ Church hem zijn plaats afpakte, zich gedwongen zien naar Londen te gaan. 'Er zijn er hier op z'n minst zes,' zei hij. 'En dan nog een eindeloze hoeveelheid kwakzalvers, chirurgijnen en apothekers. En dat voor een stad van tienduizend inwoners. En je zou enig gevaar lopen wanneer je geen universitaire bevoegdheid had behaald om praktijk uit te oefenen. Bent u in Padua afgestudeerd?'

Ik vertelde hem dat ik nooit was afgestudeerd, daar ik nooit plannen had gehad om praktijk uit te oefenen, ook niet als mijn vader een graad niet als iets smadelijks had beschouwd. Enkel uit pure nood dacht ik er nu over geld te gaan verdienen door mijn medische kennis aan te wenden. Ik veronderstel dat ik me verkeerd uitdrukte: Boyle had begrip voor mijn lastige situatie, maar Lower meende in de opmerking die ik in alle onschuld had gemaakt, een zekere verachting voor zijn eigen beroep te horen.

'Ik weet zeker dat u, ook al zinkt u zo diep, niet tot in alle eeuwigheid last zult hebben van die schandvlek,' zei hij.

'Integendeel,' zei ik vlug om dat onopzettelijke blijk van geringschatting recht te zetten. 'Deze gelegenheid is me bijzonder welkom en weegt beslist op tegen de omstandigheden waarin ik me nu bevind. En als ik de mogelijkheid krijg me aan te sluiten bij heren zoals u en mijnheer Boyle, dan prijs ik mezelf meer dan gelukkig.'

Deze opmerking stemde hem milder en langzaam maar zeker nam hij zijn eerdere nonchalante houding weer aan; ik had echter een vluchtige blik in zijn binnenste geworpen en een glimp opgevangen van een karakter dat ondanks die luchthartige charme zowel trots als lichtgeraakt was. Het pijnlijke ogenblik was even snel voorbij als het zich had aangediend, en ik wenste mezelf van harte geluk met mijn succesvolle poging hem weer voor me in te nemen.

Om mijn positie duidelijk toe te lichten gaf ik een korte beschrijving van de situatie waarin ik verkeerde, en een onomwonden vraag van Boyle bracht me ertoe op te merken dat ik bijna geen sou meer bezat. Vandaar mijn verlangen om zieken bij te staan. Hij trok een gezicht en vroeg me waarom ik hier eigenlijk was gekomen.

Ik zei dat ik als zoon van mijn vader de plicht had mijn best te doen diens positie gerechtelijk te herstellen. En daartoe, meende ik, zou ik een advocaat van node hebben.

'En daarvoor hebt u geld nodig, en daarvoor weer een inkomen. *Absque argento omnia rara*,' zei Lower. 'Hmm. Hebt u misschien een idee, mijnheer Boyle?'

'Voor het ogenblik bied ik u graag enkele bezigheden in mijn laboratorium aan,' zei die vriendelijke heer. 'Ik voel me er welhaast beschaamd om, want zulke bezigheden liggen ver beneden het niveau waarop een man van uw stand werkzaam zou moeten zijn. Ik weet zeker dat Lower u wel een kamer kan bezorgen in zijn oude logement, en misschien dat hij, wanneer hij weer aan zijn plattelandsronde begint, u mee kan nemen. Wat dunkt u, Lower? U zegt altijd dat u overwerkt bent.'

Lower knikte, maar ik bespeurde niet al te veel geestdrift van zijn kant. 'Zowel met zijn hulp als met zijn gezelschap zou ik bijzonder ingenomen zijn. Ik was van plan om ongeveer over een week aan een rondreis te beginnen, en als mijnheer Cola zou willen meekomen...'

Boyle knikte alsof het pleit al was beslecht. 'Uitstekend. Daarna kunnen we uw Londense probleem aanpakken. Ik zal een advocaat aanschrijven die ik ken en zien wat hij kan aanraden.'

Ik dankte hem geestdriftig voor zijn grote vriendelijkheid en edelmoedigheid. Dit deed hem zichtbaar deugd, al gaf hij voor dat het niets was. Mijn dankbaarheid was geheel en al oprecht; ik was een berooide, van vrienden verstoken stakker en nu had een van de meest vooraanstaande wijsgeren van Europa zich als mijn weldoener opgeworpen. Het schoot zowaar door me heen dat ik dit voor een deel te danken had aan Sarah Blundy, wier binnenkomst die ochtend, en vervolgens mijn reactie daarop, Boyle ertoe had gebracht zich een gunstiger mening over mij te vormen dan anders het geval was geweest.

4

IN KORTE TIJD HAD IK MIJ aldus bij hoogstaand gezelschap aangesloten en me een vaste verblijfplaats verworven waar ik kon wachten tot er meer geld aankwam. Acht weken zou de post over de heenweg doen en acht weken over de terugweg, als ik geluk had. Daar zou dan nog iets van een week bij komen om de geldzaken te regelen, plus enkele maanden om mijn problemen in Londen op te lossen, dus ik meende dat ik op z'n minst tot oktober in Engeland zou verblijven, en tegen die tijd zouden de weersomstandigheden veel slechter worden. Of ik zou dan over land terug moeten reizen, of het ontzettende vooruitzicht van een zeereis trotseren. Een andere mogelijkheid was dat ik me erbij neerlegde dat ik nog een winter in het noorden zou doorbrengen en tot het voorjaar zou blijven.

In het begin echter was ik content met mijn situatie, behalve dan voor zover het mijn nieuwe hospita, vrouw Bulstrode, betrof. Iedereen was er oprecht van overtuigd dat deze achtenswaardige dame uitstekend kookte en ik koesterde dan ook hooggestemde verwachtingen – én een lege maag, want ik had al twee dagen niet meer behoorlijk gegeten – toen ik om klokslag vier uur mijn opwachting bij haar maakte om een, zo meende ik, uitstekend maal te gaan verorberen.

Het viel een Venetiaan zwaar om aan het klimaat van Engeland te wennen, maar het eten was helemaal onmogelijk. Als je je oordeel zou moeten baseren op de hoeveelheden, dan zou ik zeggen dat Engeland waarlijk het rijkste land ter wereld is. Zelfs het meer bescheidene slag lieden eet gewoonlijk op z'n minst één keer per maand vlees, en de Engelsen laten zich erop voorstaan dat zij geen sausjes nodig hebben om de taaiheid en de onaangename smaak ervan te maskeren, zoals de Fransen dat moeten. Je braadt een bout gewoon en eet hem zoals God dat heeft bedoeld, zeggen ze, er vast van overtuigd dat een vindingrijke manier van koken zondig is en

41

dat het hemelheir zich 's zondags zelf ook te goed doet aan gebraden rund-
vlees en bier.

Helaas is er vaak niets anders te krijgen. Natuurlijk is er vanwege het klimaat vaak geen vers fruit voorhanden, maar de Engelsen houden niet eens
van ingemaakt fruit: zij menen dat dat winderigheid veroorzaakt en geloven dat de hierdoor ontsnappende dampen afbreuk doen aan de vitale
lichaamswarmte. Ook groene groenten zijn er, alweer om dezelfde reden,
niet veel. Ze eten vooral brood, of wat nog vaker gebeurt: ze nemen hun
graan tot zich in de vorm van bier, waarvan ze waarlijk kolossale hoeveelheden drinken. Zelfs de tengerste dames slaan bij een maaltijd twee kannen sterk bier achterover, en zuigelingen leren in de wieg al onmatigheid.
Voor een vreemdeling zoals ik was de moeilijkheid dat het bier zo sterk
was, en het werd onmannelijk (en onvrouwelijk) geacht het niet te drinken. Ik vermeld dit alles om uit te leggen waarom ik me na de maaltijd van
gekookte zure zult en drie kannen bier helemaal niet wel voelde.

Dat ik na afloop kans zag mijn patiënte op te zoeken, was daarom bijzonder verdienstelijk van me. Hoe ik er precies in geslaagd ben mijn tas in
te pakken en naar dat ellendige stulpje te lopen, herinner ik me niet. Gelukkig was het meisje er niet; ik koesterde niet het minste verlangen opnieuw
met haar in contact te komen. Waar het haar moeder betrof was dit echter
een hoogst ongelukkige omstandigheid; zij had dringend verzorging en
aandacht van node, en de afwezigheid van het meisje was in mijn ogen nu
niet bepaald een voorbeeld van de plichtsgetrouwheid waar de oude vrouw
het over had gehad.

Zij had geslapen – ze was zelfs nog steeds suf, want haar dochter had haar
een boerendrankje van eigen makelij toegediend, dat desondanks kennelijk een krachtige uitwerking had gehad. Zij was er echter verre van goed
aan toe; etter en andere ondermijnende stoffen waren dwars door mijn verband heen gedrongen en opgedroogd tot een korst, waar een gemene stank
van opsteeg die me met akelige voorgevoelens vervulde.

Het verwijderen van het verband was een langdurige en onsmakelijke
geschiedenis, maar eindelijk was het karwei geklaard en ik bedacht dat ik
de wond aan de lucht zou blootstellen, daar ik van de theorie had gehoord
dat een strak, warm verband in zulke gevallen vaak juist het bederf bevor-
dert en niet voorkomt. Zo'n opvatting gaat dwars tegen de conventionele
aanpak in, ik weet het, en de bereidheid de kwade dampen de kans te geven
zich vrijelijk te verspreiden zou men als onbezonnen kunnen beschouwen.
Het enige dat ik ervan kan zeggen is dat experimenten die ik naderhand
heb uitgevoerd, deze techniek vaak schraagden. Ik ging zozeer op in mijn

taak dat ik niet hoorde hoe de deur knerpend openging en een paar voeten zachtjes van achteren op mij toekwam, zodat ik, toen Sarah Blundy begon te spreken, een hevige schrikbeweging maakte.

'Hoe gaat het met haar?'

Ik draaide me om. Haar stem klonk zacht en haar gedrag was meer gepast dan tevoren.

'Het gaat helemaal niet goed met haar,' zei ik onomwonden. 'Kunt u niet beter op haar passen?'

'Ik moet werken,' zei ze. 'Onze toestand is toch al ernstig nu mijn moeder niets kan verdienen.'

Ik gromde iets, enigszins beschaamd omdat ik zelf niet aan die reden had gedacht.

'Wordt ze weer beter?'

'Dat is nu nog niet te zeggen. Ik laat de wond nu opdrogen en daarna zal ik hem weer verbinden. Ik ben bang dat er koorts komt opzetten. Die kan ook weer overgaan, maar ik maak me bezorgd. U moet elk halfuur controleren of er tekenen zijn die erop wijzen dat de koorts erger wordt. En hoe vreemd het ook mag klinken: u moet ervoor zorgen dat ze er warm bij ligt.'

Zij knikte alsof ze dat begreep, al kon dat niet het geval zijn.

'In gevallen van koorts,' zei ik vriendelijk, 'kan men het verloop aanmoedigen of bestrijden, ziet u. Moedigt men de koorts aan, dan komt de kwaal tot een hoogtepunt en wordt vervolgens verdreven, zodat de patiënt de oorzaak ervan kwijtraakt. Bestrijdt men de koorts, dan probeert men het natuurlijke lichaamsgestel te herstellen. Dus in geval van koorts kan men de patiënt ofwel blootstellen aan zoiets als ijs en koud water, ofwel hem warm inpakken. Ik kies vanwege haar ernstig verzwakte toestand voor dat laatste: een krachtiger geneeswijze zou haar einde kunnen betekenen voordat die nog maar enig effect had gesorteerd.'

Zij boog zich voorover en stopte haar moeder zorgzaam in; met een verbazend zacht gebaar streek ze het haar van de oude vrouw uit haar gezicht.

'Ik was dat toch al van plan,' zei ze.

'En nu hebt u dan mijn zegen.'

'Ik mag mij wél gelukkig prijzen,' zei ze. Ze keek me even aan, zag de wantrouwige blik in mijn ogen en glimlachte. 'Vergeeft u mij, mijnheer. Het is niet mijn bedoeling u onheus te bejegenen. Mijn moeder heeft me verteld hoe goed en edelmoedig u haar hebt behandeld, en wij zijn u allebei diep dankbaar voor uw vriendelijkheid. Ik heb er oprecht berouw van dat ik me onhebbelijk heb uitgedrukt. Ik maakte me zorgen om haar.'

Merkwaardig geroerd door haar ootmoedige toon maakte ik een handgebaar. 'Het is niets,' zei ik. 'Zolang u maar geen wonderen verwacht.'

Ze zuchtte, ging op de vloer zitten, sloeg haar armen om haar knieën en begon te schreien. O, tranen! Ze zijn zo onweerstaanbaar en zo geruststellend.

'Och kind,' zei ik op vriendelijke toon. 'Huil toch niet. Anders hoort je moeder dat misschien, en dan raakt ze van streek.'

Zij schudde haar hoofd en stond op.

'Is er nog iets anders dat je verontrust?'

Eén ogenblik lang zweefden wij op de rand van een vertrouwelijker omgang, dat vreemde meisje en ik; maar even snel als het zich had aangediend, was het alweer voorbij. Zij aarzelde alvorens iets te zeggen, en meteen was het te laat. Allebei deden we ons best de gepaste omgangsvormen opnieuw in acht te nemen en we stonden op.

'Er is niets,' zei ze. 'Ik dank u. Komt u weer terug?'

'Morgen, als ik kan. En als het erger met haar wordt, kom mij dan opzoeken bij de heer Boyle. Ik zal bij hem vertoeven. Goed, en wat mijn honorarium betreft...' vervolgde ik gehaast.

Op weg naar het huisje was ik tot de slotsom gekomen dat het, daar er toch niet de geringste kans bestond dat ik betaald zou worden, maar het beste zou zijn dit gegeven welwillend te erkennen. Van de nood moest ik een deugd maken. Met andere woorden: ik besloot van een honorarium af te zien. Dit bezorgde me een gevoel van grote trots op mezelf, vooral wanneer ik mijn eigen minvermogende toestand in aanmerking nam, maar daar de fortuin mij had toegelachen, meende ik dat het niet meer dan rechtvaardig was mijn eigen geluk wat verder te verspreiden.

Helaas, nog voordat de zin ten einde was, bleven de woorden me in de keel steken. Onmiddellijk keek zij me aan met een paar ogen die gloeiden van verachting.

'O ja, uw honorarium. Hoe had ik kunnen denken dat u dat zou vergeten? Daar moeten we dringend iets aan doen, nietwaar?'

'Heus,' zei ik, volkomen overrompeld door deze razendsnelle en volledige stemmingsomslag. 'Me dunkt dat...'

Maar verder kwam ik niet. Het meisje loodste me mee naar het vochtige en vuile vertrekje achter in het huis, kennelijk de ruimte waarin zij – of een ander dier, dat kon ik niet zien – zich te slapen legde. Op de vochtige vloer lag een strozak van harde jute. Ramen waren er niet en er hing een uitgesproken lucht van zurig water in het hokje.

Met een gebaar dat de meest bruuske verachting uitdrukte, ging zij onmiddellijk op het bed liggen en trok haar dunne rok in de hoogte.

44

'Vooruit dan, arts,' zei ze honend. 'Neem uw honorarium in ontvangst.'

Ik deinsde zichtbaar terug, maar toen werd ik vuurrood van woede: de betekenis van haar woorden drong eindelijk door tot mijn die avond van het vele bier traag geworden verstand. Ik raakte nog erger van mijn stuk toen ik me afvroeg of mijn nieuwe vrienden soms dachten dat ik hierom zo'n belangstelling voor dit geval had opgevat. Maar vooral maakte ik me woedend om de manier waarop mijn nobele gebaar in de modder was getrapt.

'Ik vind je weerzinwekkend,' zei ik koel toen mijn spraakvermogen zich had hersteld. 'Hoe durf je je zo te gedragen? Ik blijf hier niet om me te laten beledigen. Van nu af mag je je moeder verzorgen zoals je maar wilt. Maar verwacht niet van mij dat ik ooit nog in dit huis terugkeer en me aan jouw aanwezigheid blootstel. Goedenacht.'

Toen draaide ik me om en beende fier naar buiten, waarop ik zowaar – nog net – vermeed de dunne deur met een klap achter me dicht te slaan.

Ik ben zeer gevoelig voor vrouwelijke charme, sommigen zeggen zelfs al te zeer, en in mijn jongensjaren had ik er niets op tegen me te amuseren wanneer de gelegenheid zich maar voordeed. Dit was echter niet zo'n geval. Haar moeder had ik uit vriendelijkheid behandeld en om mijn motieven en bedoelingen nu zozeer beschimpt te zien, was me ondraaglijk. Al zou dit de vorm van betaling geweest zijn die ik in de zin had gehad, dan nog betaamde het het meisje beslist niet zo'n toon tegen me aan te slaan.

Kokend van woede beende ik bij haar stulpje vandaan, er nog vaster van overtuigd dat het meisje even vunzig en walgelijk was als haar onderkomen. Naar de duivel met haar moeder, dacht ik. Wat voor vrouw kan zij zijn dat ze een dergelijk hels wangedrocht had voortgebracht? Zo'n schriel stuk ellende, zei ik bij mezelf, er niet meer aan denkend dat ik haar eerder knap had gevonden. En al was ze mooi, wat dan nog? De duivel zelf kan zich als schoonheid voordoen, horen we altijd, om de mensheid ten verderve te voeren.

Intussen fluisterde een klein stemmetje ergens in mijn achterhoofd kritische woorden in mijn oor. Zo, zei het, dus jij bent bereid de moeder te laten doodgaan om je op de dochter te wreken? Goed zo, arts; ik hoop dat je trots op jezelf bent. Maar wat moest ik dan doen? Me verontschuldigen? De nobele San Rocca zou misschien tot een dergelijke naastenliefde in staat zijn. Maar hij was dan ook een heilige.

45

Iemand die er zo'n flauw vermoeden van heeft dat ik de Engelse taal tegen die tijd behoorlijk, maar beslist nog niet tot in de puntjes beheerste, zal nu ongetwijfeld denken dat ik, wanneer ik verslag uitbreng van mijn gesprekken, de hand licht met de waarheid. Ik geef toe dat mijn Engels niet goed genoeg was om er gecompliceerde ideeën in uit te drukken, maar dat hoefde ik ook niet. In gesprekken met lieden als het meisje Blundy moest ik weliswaar mijn best doen in het Engels, maar hun manier van spreken was meestal wel zo ongecompliceerd dat ik me volmaakt goed kon redden. Met anderen schakelde het gesprek al naargelang de noodzaak zich voordeed over op het Latijn en soms zelfs op het Frans, want Engelsen van de hogere standen staan bekend om hun aanzienlijke talenkennis; vele andere volkeren – vooral de Duitsers en de Hollanders – zouden er wél aan doen te trachten die kundigheid te evenaren.

Lower bijvoorbeeld sprak moeiteloos Latijn en redde zich redelijk in het Frans; Boyle kon bovendien uit de voeten in het Grieks, sprak een verrukkelijk soort Italiaans en kende enkele woorden Duits. Het Latijn is bezig, vrees ik, in onbruik te raken – ten nadele van onze Republiek, want wat moeten geleerde mannen wanneer zij de conversatie met huns gelijken opofferen en alleen nog met hun onnozele landgenoten kunnen praten?

Maar destijds voelde ik me veilig op mijn plaatsje, omringd als ik me waande door heren die de vooroordelen van een minder slag lieden hadden afgeschud. Dat ik rooms-katholiek was, gaf enkel af en toe aanleiding tot een venijnig grapje van de kant van Lower, wiens spotlust soms in beledigende opmerkingen ontaardde, maar niet eens van de kant van de vrome Boyle, wiens kiese houding tegenover het geloof van anderen zijn vurige liefde voor dat van hemzelf evenaarde. Zelfs een muzelman of hindoe had hij aan zijn tafel verwelkomd, denk ik weleens, wanneer zo iemand maar blijk had gegeven van belangstelling voor experimenten. Een dergelijke houding is zeldzaam in Engeland; onverdraagzaamheid en wantrouwen vormen wel de ergste tekortkomingen van een natie die door vele feilen wordt gekenmerkt. Gelukkig zorgden mijn connecties ervoor dat ik aanvankelijk gespaard bleef voor de gevolgen hiervan, afgezien dan van een enkele belediging of steen die mij op straat naar het hoofd werd geworpen toen men mij begon te herkennen.

Ik dien hier op te merken dat Lower sinds mijn kinderjaren de eerste man was die ik als mijn vriend beschouwde, en ik vrees dat ik de Engelsen in dit opzicht verkeerd heb begrepen. Wanneer een Venetiaan een man zijn vriend noemt, dan doet hij dat niet dan na rijp beraad, want wanneer hij zo iemand als zodanig accepteert, betekent dat bijna dat hij hem tot lid van

46

zijn familie maakt, tot iemand aan wie hij grote trouw en verdraagzaamheid verschuldigd is. Wij sterven voor onze vrienden zoals we voor onze verwanten sterven, en waarderen hen evenzeer als Dante: *noi non potemo aver perfetta vita senza amici* – voor een volmaakt leven zijn vrienden nodig. Dit verschijnsel wordt terecht door de ouden geloofd, zoals Homerus de band tussen Achilles en Patroclus bezingt, of Plutarchus de vriendschap tussen Theseus en Perithoos. Maar onder de joden was dit iets zeldzaams, want in het Oude Testament vind ik maar weinig vrienden, behalve dan David en Jonathan, en zelfs daar is Davids verplichting niet van dien aard dat hij ervan afziet Jonathans zoon te doden. Zoals de meeste mensen van mijn stand had ik als kind kameraadjes gehad, maar deze schoof ik als volwassene terzijde toen de familieverplichtingen op mijn schouders kwamen te rusten, want het gaat daarbij om een zware last. De Engelsen zijn heel anders; zij hebben vrienden in alle perioden van hun leven, en ze maken onderscheid tussen de verplichtingen van de vriendschap en de verplichtingen die de bloedverwantschap met zich meebrengt. Toen ik Lower zozeer in mijn hart sloot – want nooit heb ik iemand ontmoet die mij qua gezindheid en belangstelling zo na stond –, maakte ik de fout te veronderstellen dat hij dit ook met mij deed en dezelfde verplichtingen erkende. Maar dat was niet het geval. De Engelsen kunnen hun vrienden verliezen.

Van deze droevige kennis had ik toen nog geen vermoeden, en ik legde me erop toe mijn vrienden hun goedheid te vergelden en tegelijkertijd mijn kennis te vergroten door Boyle bij zijn scheikundige proeven te helpen; op elk uur van de dag voerde ik langdurige en vruchtbare gesprekken met Lower en diens kennissen. Boyle spreidde een serieuze manier van doen tentoon, maar in zijn laboratorium borrelde het gewoon van de vrolijkheid, behalve wanneer er het volgende ogenblik werk verzet zou worden, want experimenten beschouwde hij als het doordringen tot Gods werken, en ze dienden met het nodige ontzag te worden uitgevoerd. Wanneer een bepaalde proef stond te beginnen, werden alle vrouwen weggestuurd, omdat hun onberekenbaarheid misschien de uitslag zou beïnvloeden, en een stemming van intense concentratie daalde neer. Mijn taak bestond eruit dat ik aantekeningen maakte van het verloop van de proeven, dat ik hielp bij het klaarzetten van de instrumenten en dat ik de boekhouding bijhield, want hij gaf een fortuin uit aan zijn wetenschap. Hij gebruikte speciaal voor dit doel vervaardigde glazen flessen – die hij vaak liet vallen – en de leren buizen, de pompen en de speciaal geslepen lenzen slokten enorme sommen op. Dan had je nog de kosten van de scheikundige stoffen, waarvan er vele uit Londen of zelfs Amsterdam moesten worden aangevoerd. Er kunnen niet veel mensen bestaan die bereid zijn zoveel geld uit te geven aan iets wat maar zo weinig zichtbaar nuttig resultaat oplevert.

Laat ik mezelf bestempelen als iemand die geen ogenblik de algemeen heersende opvatting onderschrijft dat de bereidheid om zelf de handen uit de mouwen te steken, afbreuk doet aan de waardigheid van de experimentele wijsbegeerte. Per slot van rekening bestaat er een duidelijk onderscheid tussen werkzaamheden die uitgevoerd worden met het oog op een financiële beloning, en werkzaamheden verricht om de mensheid te verbeteren. Om het anders te formuleren: als wijsgeer was Lower ten volle mijn gelijke, hoewel hij als praktiserend arts een treetje lager stond dan ik. De manier van doen van bepaalde professoren in de anatomie vind ik belachelijk: zij achten het beneden hun waardigheid zelf het mes ter hand te nemen en leveren alleen commentaar, terwijl ingehuurde krachten het snijden voor hun rekening nemen. Sylvius zou er niet over hebben gepeinsd om op een verhoging te gaan zitten voorlezen uit een gezaghebbend geschrift terwijl anderen sneden: wanneer hij onderricht gaf, rustte het mes in zijn hand en het bloed bespatte zijn jas. Ook Boyle aarzelde niet zijn eigen proeven uit te voeren, en één keer toonde hij zich in mijn aanwezigheid zelfs bereid om eigenhandig een rat te ontleden. En toen hij daarmee klaar was, was hij er niet minder een heer om. In mijn ogen was hij van des te groter kaliber, want in Boyle kwamen rijkdom, nederigheid en weetgierigheid in één persoon samen, en de wereld heeft daar zijn voordeel mee gedaan.

'Zo,' zei Boyle toen Lower halverwege de middag kwam opdagen en wij onze werkzaamheden even onderbraken, 'het wordt tijd dat Cola het schijntje verdient dat ik hem betaal.'

Dit maakte mij aan het schrikken, want ik was al minstens twee uur hard aan het werk en vroeg me nu af of ik misschien iets verkeerd had gedaan, dan wel of Boyle geen oog had gehad voor mijn arbeid. Maar nee, hij wilde dat ik ook mijn steentje bijdroeg. Ik was hier niet alleen om van hem te leren, maar ook om hem iets bij te brengen, zo wonderbaarlijk nederig was die man.

'Uw bloed, Cola,' zei Lower om mijn ongerustheid weg te nemen. 'Vertel ons eens over uw bloed. Wat hebt u daar zoal mee uitgehaald? Op wat voor proefnemingen zijn uw gevolgtrekkingen gebaseerd? En hoe luiden uw gevolgtrekkingen eigenlijk?'

'Ik vrees dat ik u zal teleurstellen,' begon ik aarzelend toen ik zag dat zij zich niet van hun wens zouden laten afbrengen. 'Mijn onderzoek is nog niet zeer ver gevorderd. Ik ben voornamelijk geïnteresseerd in de vraag waar bloed voor is. We weten al dertig jaar dat het het hele lichaam rondgaat; uw eigen Harvey heeft dat aangetoond. We weten dat als je een dier al zijn bloed aftapt, het spoedig sterft. De vitale geest erin vormt de verbinding tussen het denken en de kracht van de energie, die het mogelijk maakt dat er beweging optreedt...'

Lower zwaaide met zijn vinger. 'Ah, u bent al te zeer onder de invloed van Helmont geraakt, mijnheer. Op dat punt zullen wij nog met elkander disputeren.'

'U wilt hier niet van weten?'

'Neen. Maar niet dat dat er op dit ogenblik toe doet. Gaat u door.'

Ik hergroepeerde mijn stukken en heroverwoog mijn benadering. 'Wij geloven,' begon ik, 'wij geloven dat het bloed warmte van het gistende hart naar de hersenen vervoert, waarmee het ons de warmte verschaft die wij nodig hebben om in leven te blijven, en dat het vervolgens het teveel in de longen loost. Maar is dat ook werkelijk het geval? Voor zover ik weet, is dit nog nooit door proefnemingen bewezen. De andere vraag is eenvoudig: waarom ademen wij? Wij nemen aan dat we dat doen om de lichaamstemperatuur te reguleren en om koele lucht naar binnen te zuigen en zo het bloed te temperen. Maar nogmaals: is dát waar? De neiging om vaker te ademen wanneer we ons inspannen wijst hier wel op, maar het tegenovergestelde is niet waar, want ik heb eens een rat in een emmer ijs gezet en zijn neus dichtgestopt, maar het beest ging desondanks dood.'

Boyle knikte en Lower keek alsof hij een paar vragen wilde stellen, maar omdat hij wel zag dat ik me erop concentreerde mijn onderwerp zo goed mogelijk uiteen te zetten, was hij zo vriendelijk me niet in de rede te vallen.

'Nog iets wat mij is opgevallen, is de manier waarop het bloed van samenstelling verandert. Hebt u bijvoorbeeld weleens opgemerkt dat het, wanneer het door de longen is gestroomd, van kleur verandert?'

'Ik moet bekennen van niet,' antwoordde Lower peinzend. 'Hoewel ik natuurlijk wél weet dat het in een glazen potje van kleur verandert. Maar we weten toch hoe dat komt? De zwaardere, melancholieke elementen in het bloed zakken naar beneden, zodat het bovenste gedeelte lichter wordt en het onderste donkerder.'

'Dat is niet waar,' zei ik vastberaden. 'Doe je een deksel op het potje, dan verandert de kleur niet. En ik kan geen enkele oorzaak vinden die verklaart hoe een dergelijke splitsing in de longen zou kunnen plaatsvinden. Maar wanneer het bloed uit de longen komt – bij katten is dat althans zo –, is het veel lichter van kleur dan wanneer het erin stroomt, en dat wijst erop dat er in de longen iets donkers aan wordt onttrokken.'

'Ik moet een kat opensnijden en dat met eigen ogen aanschouwen. Was het een levende kat?'

'Het beest heeft nog even geleefd. Het is best mogelijk dat nog enkele andere schadelijke elementen het bloed in de longen verlaten, eruit gehaald worden doordat ze als door een zeef door het weefsel stromen, en dan worden uitgeademd. Het lichtere bloed zou dan een gezuiverde stof zijn. We weten tenslotte dat adem vaak ruikt.'

'En hebt u de twee bekers bloed gewogen om te zien of ze van gewicht verschilden?' vroeg Boyle.

Ik werd een beetje rood, want die gedachte was zelfs geen ogenblik bij me opgekomen. 'Dit zou duidelijk een volgende stap zijn,' zei Boyle. 'Het is natuurlijk mogelijk dat het pure tijdverspilling is, maar het kan ook een richting zijn die we nader moeten onderzoeken. Enfin, dat is maar bijzaak. Gaat u door, alsublieft.'

Na zo'n elementair verzuim voelde ik er niet veel voor door te gaan en mijn meer extreme fantasieën te openbaren. 'Wanneer we ons tot de twee hypothesen bepalen,' zei ik, 'dan staan we voor het probleem dat we door middel van een proef moeten vaststellen welke van de twee juist is: verliest het bloed iets in de longen, of krijgt het daar iets?'

'Of allebei,' voegde Lower eraan toe.

'Of allebei,' beaamde ik. 'Ik dacht al over een proef, maar in Leiden beschikte ik over de tijd noch de instrumenten om mijn ideeën uit te voeren.'

'En die proef was...?'

'Wel,' begon ik wat zenuwachtig, 'als de ademhaling ertoe dient de warmte en de schadelijke nevenproducten van het gistende hart uit te scheiden, dan is de lucht zelf onbelangrijk. Dus als wij een dier in een luchtledig plaatsten...'

'Aha,' zei Boyle en hij keek Lower even aan. 'U zou graag mijn vacuümpomp gebruiken.'

Dit idee was tot dan toe eigenlijk nooit bij me opgekomen. Boyles pomp genoot zo'n faam dat ik er sinds ik in Oxford was aangekomen, amper een gedachte aan had gewijd, en nooit ook maar van de mogelijkheid had gedroomd er zelf gebruik van te maken. Dit toestel was zoiets geraffineerds, prachtigs en kostbaars dat naar kennis dorstende mensen in heel Europa ervan hadden gehoord. Tegenwoordig zijn zulke toestellen natuurlijk heel bekend, maar toen bestonden er misschien maar twee in de hele christenheid, en die van Boyle was het beste, zo vernuftig ontworpen dat niemand nog kans had gezien het na te maken – of de resultaten die hij verkreeg na te volgen. Natuurlijk werd het gebruik ervan heel zorgvuldig gedoseerd. Maar weinig mensen werd toegestaan de pomp in werking te zien, laat staan hem zelf te gebruiken, en het was brutaal van me het onderwerp zelfs maar ter sprake te brengen. Een weigering was wel het laatste dat ik wilde; ik had me tot taak gesteld zijn vertrouwen te winnen en een afwijzing zou nu pijnlijk zijn geweest.

Maar nee, er was geen vuiltje aan de lucht. Boyle dacht even na en knikte. 'En hoe zou u dan te werk gaan?'

'Een muis of een rat zou goed genoeg zijn,' zei ik. 'Of zelfs een vogel. Je zet het dier onder de stolp en zuigt de lucht eruit. Als de ademhaling dient om uitwasemingen te lozen, dan zal een vacuüm meer ruimte verschaffen voor de uitgeademde lucht, en het dier krijgt het gemakkelijker. Als de respiratie met zich meebrengt dat er lucht in het bloed wordt opgenomen, dan zal het vacuum het dier misschien ziek maken.'

Boyle dacht hier even over na en knikte. 'Ja,' zei hij ten slotte. 'Een goed idee. We kunnen het nu wel doen, als u wilt. Waarom eigenlijk niet? Komt u mee. De machine staat gereed, dus we kunnen onmiddellijk beginnen.'

Hij ging ons voor naar het belendende vertrek, waarin vele van zijn waardevolste proeven hadden plaatsgevonden. De pomp, een van de artistiekste toestellen die ik ooit had gezien, stond op de tafel. Lezers die hem niet kennen, geef ik de raad de fraaie gravures in zijn *opera completa* te raadplegen; hier wil ik er niet meer over zeggen dan dat het een ingewikkeld toestel van koper en leer was, met een zwengel die verbonden was met een grote, glazen stolp en een reeks kleppen die door een blaasbalg voortgedreven lucht doorlieten – uitsluitend één kant op. Met behulp van dit toestel had Boyle al een paar verbazingwekkende dingen aangetoond, waaronder de weerlegging van Aristoteles' *dictum* dat de natuur een afschuw heeft van het ledige. Zoals hij in een zeldzaam ogenblik van vrolijkheid schertste: misschien dat de natuur er niet van houdt, maar als hij onder druk wordt gezet, zal hij zich er noodgedwongen mee verzoenen. Een vacuüm – een ruimte die volkomen van alle inhoud is ontdaan – kan inderdaad tot stand worden gebracht, en bezit vele vreemde eigenschappen. Terwijl ik het apparaat nauwlettend bestudeerde, vertelde hij me dat een rinkelende bel die in een glazen vat wordt geplaatst, ophoudt geluid te geven wanneer er een vacuüm omheen tot stand wordt gebracht; hoe volmaakter het vacuüm, hoe zwakker het geluid. Hij zei dat hij zelfs een verklaring voor dit verschijnsel had opgesteld, maar weigerde me die mee te delen. Ik zou met eigen ogen zien wat er met het dier gebeurde – ook als de rest van de proef niet lukte.

De vogel was een lijster, een fraai zingend beestje dat aangename klanken ten beste gaf toen Boyle het uit zijn kooi haalde en onder de glazen stolp zette. Toen alles gereed was, gaf hij een teken en de helper begon met veel gekreun de blaasbalg te hanteren; de lucht die door het mechanisme werd gestuwd, maakte een suizend geluid.

'Hoelang duurt dit?' vroeg ik gretig.

'Een paar minuten,' antwoordde Lower. 'Ik geloof warempel dat hij al zachter begint te zingen, hoort u wel?'

Ik sloeg het beestje, dat tekenen van benauwdheid vertoonde, met belangstelling gade. 'U hebt gelijk. Maar dat komt zeker doordat het de vogel, zo te zien, niets kan schelen of hij geluid maakt?'

Nauwelijks had ik dit gezegd of de lijster, die tot voor enkele ogenblikken nieuwsgierig in de stolp had rondgehipt en tegen de onzichtbare glazen wanden aan was gefladderd die hij wel kon voelen, maar niet begrijpen, viel om; zijn snaveltje stond wijd open, zijn kraaloogjes puilden uit en zijn pootjes maakten jammerlijke beweginkjes.

'Goeie hemel,' zei ik.

Lower sloeg geen acht op me. 'Zullen we de lucht er weer in laten en kijken wat er dan gebeurt?'

De kleppen werden opengezet en met een hoorbaar gesis liep het vacuüm weer vol. Het vogeltje lag nog steeds hevig te trekken, maar het was duidelijk dat het zich erg verkwikt voelde. Een ogenblik later krabbelde het overeind, schudde zijn veren en hervatte zijn pogingen weg te vliegen, de vrijheid tegemoet.

'Zo,' zei ik, 'dat was dan één hypothese.'

Boyle knikte en gaf de helper met een knikje te kennen dat hij het nog eens moest proberen. Voordat ik verder ga, moet ik eerst de aandacht vestigen op de buitengewone goedheid van deze nobele man, die weigerde hetzelfde dier tweemaal aan een proef te onderwerpen, daar het anders zo gemarteld werd. Wanneer het één keer dienst had gedaan en zich had opgeofferd aan het doel menslievende kennis te vergaren, liet hij het vrij of zo nodig doodde hij het.

Eenmaal eerder had ik zo'n houding gezien, maar nooit had ik gedacht dat die bij een wijsgeer kon worden aangetroffen. In Italië werd eens een uitnemende proef op een hond onderbroken toen een dienstmaagd, hevig aangegrepen door het erbarmelijke gejank van het beest toen het open werd gesneden, het ten aanschouwen van een volle zaal studenten wurgde, daarmee heel wat consternatie en protesten teweegbrengend omdat het schouwspel was bedorven. Vrouwen houden er nu eenmaal zulke gevoeligheden op na, maar het was nooit bij me opgekomen daar nog veel anders in te zien, totdat ik Boyle ontmoette. Net zoals hij geloofde dat een Heer christelijk mededogen tentoon diende te spreiden jegens de lagere standen, al naargelang hun verdiensten althans, evenzo diende de mens, de Heer der Schepping, zich hoffelijk te gedragen tegenover de dieren waarover hij was gesteld. Hij aarzelde niet gebruik te maken van mensen of dieren, want dat was zijn recht, maar hij geloofde vast dat ze ook niet misbruikt mochten worden.

Die middag gebruikten wij maar één enkele vogel. Door het beestje nauwlettend te bestuderen stelden wij vast dat het er ternauwernood enig gevolg van ondervond wanneer slechts de helft van de lucht werd verwijderd, dat het tekenen van benauwdheid vertoonde wanneer er tweederde was weggehaald en dat het buiten bewustzijn raakte wanneer er driekwart was verdwenen. Conclusie: de aanwezigheid van lucht is noodzakelijk voor het voortbestaan van levende wezens, alleen verklaarde dat nog niet, zoals Lower zei, waaruit de werking van lucht dan bestond. Ik persoonlijk geloof dat, net zoals vuur lucht van node heeft om door te branden, levende wezens – die je tenslotte met vuur kunt vergelijken – evenzo lucht nodig hebben, al moet ik toegeven dat zo'n op analogie berustend bewijs maar tot op zekere hoogte opgaat.

Het was een meelijwekkend klein beestje, de lijster die wij gebruikten om de natuur deze geheimen te ontfutselen. Ik bespeurde weer heel even een treurig gevoel toen we aan het laatste, noodzakelijke stadium van het experiment toe waren. We wisten hoe het zou aflopen, maar de eisen van de natuurkunde zijn onverzoenlijk, en alles moet worden gedemonstreerd zonder dat er sprake is van tegenstrijdigheden. Het was mijn stem die het beestje voor de laatste keer geruststelde en mijn hand die het terugzette in de stolp; toen gaf ik de helper een teken dat hij weer moest beginnen te pompen. Ik zond een gebedje op tot Sint Franciscus tot het eindelijk in elkaar zakte en stierf, zodat zijn lied voorgoed verstomd was. Het is Gods wil dat onschuldige wezens omwille van een groter doel moeten lijden en sterven.

5

Toen we dit karwei hadden afgerond, opperde Lower dat ik het wellicht op prijs zou stellen uit dineren te gaan met enige vrienden; hij meende dat het mij te stade zou kunnen komen kennis met hen te maken. Dat was vriendelijk van hem, en het kwam mij voor dat het contact met Boyle, door de proeven van die middag bewerkstelligd, hem in een goed humeur had gebracht. Ik had echter zo'n vermoeden dat er nog een andere kant aan zijn karakter bestond: de duistere kant, die met zijn aangeboren, goede inborst streed. Gedurende een fractie van een seconde had ik, toen ik Boyle mijn gedachten ontvouwde, iets lichtelijk onbehaaglijks aan zijn manier van doen bespeurd, al trad dat volstrekt niet aan de oppervlakte. Ook had ik opgemerkt dat hij nooit op zijn beurt zijn eigen theorieën ten beste gaf of over zijn eigen opvattingen uitweidde; die hield hij angstvallig voor zich.

Ik vond dat niet erg; Boyle was Lowers belangrijkste connectie van de paar heren van stand die hem konden voorthelpen in zijn carrière, en het sprak vanzelf dat er hem alles aan gelegen was dat die bescherming geen andere bestemming kreeg. Bovendien legde ik hem geen strobreed in de weg, zodat de kans niet groot was dat ik me zijn vijandschap op de hals zou halen. Misschien dat ik meer oog had moeten hebben voor zijn bekommernissen, want dat hij zich soms onbehaaglijk voelde was niet een gevolg van zijn materiële positie, maar van zijn karakter.

Dankzij mijn positie voelde ik mij op mijn gemak tegenover alle rangen en standen; ik bewonderde Boyle en was hem erkentelijk, maar in alle andere opzichten beschouwde ik hem als mijn gelijke. Lower was niet in staat eenzelfde houding aan te nemen; allen waren wij burgers van de Republiek der Natuurvorsers, maar Lower voelde zich in zulk gezelschap vaak slecht op zijn gemak, want hij meende dat hij in het nadeel verkeerde als gevolg van zijn afkomst, die weliswaar respectabel genoeg was, maar hem geen fortuin of connecties had bezorgd. Bovendien ontbrak het hem aan de talenten van de hoveling, en nooit is hij in later jaren tot een vooraanstaande positie bij het Koninklijk Genootschap opgeklommen, terwijl mannen van veel geringer bekwaamheid er wél belangrijke ambten kregen te bekleden. Dit was kwetsend voor een zo eerzuchtig en trots man, maar dit innerlijke conflict bleef grotendeels onzichtbaar, en ik ben me ervan bewust dat hij zoveel deed als maar in zijn macht lag om mij behulpzaam te zijn zolang ik in Oxford vertoefde. Ook liet hij me niet onkundig van zijn proefnemingen, al hield hij zijn theorieën ook voor zich.

Het was als gevolg van zijn geestdrift dat ik me die middag door hem via High Street op sleeptouw liet nemen in de richting van het kasteel.

'Ik wilde er niet in Boyles bijzijn over beginnen,' zei hij op vertrouwelijke toon terwijl we met kwieke pas door de koude middaglucht liepen, 'maar ik heb goede hoop dat ik binnenkort een lijk kan bemachtigen. Boyle moet daar niets van hebben.'

Deze opmerking verbaasde me. Sommige oudere artsen wilden niets van deze gang van zaken weten en bij geestelijken gaf de kwestie nog altijd aanleiding tot aanzienlijke beroering, maar in Italië werd dit toch als essentieel onderdeel van de medische studie beschouwd. Was het mogelijk dat een man als Boyle er afwijzend tegenover stond?

'O nee. Hij heeft niets tegen het ontleden op zichzelf, maar hij vindt dat ik ertoe neig de kwestie met te weinig plichtplegingen aan te pakken. Dat is misschien wel waar, maar er bestaat geen enkele andere manier om ze in de wacht te slepen zonder eerst om toestemming te vragen.'

'Wat bedoelt u? Om toestemming te vragen? Waar krijgt die man het lijk dan vandaan?'

'Hij is het lijk.'

'Hoe kun je een lijk om toestemming vragen?'

'O, hij is niet dood,' zei Lower luchtig. 'Nog niet, tenminste.'

'Is hij ziek?'

'Hemel, nee. In de kracht van zijn leven. Maar binnenkort wordt hij opgehangen. Wanneer hij schuldig is bevonden. Hij heeft een heer gemolesteerd en hem ernstig verwond. Het is bovendien een eenvoudige zaak; hij is met het mes in zijn hand aangetroffen. Gaat u straks mee kijken wanneer hij wordt opgehangen? Ik moet bekennen dat ik dat wel van plan ben; het gebeurt niet vaak, helaas, dat men een student ophangt. De meesten kiezen voor een kerkelijk ambt waar ze van kunnen leven... Ik weet zeker dat daar ergens een bon-mot in schuilgaat, als ik het goed heb geformuleerd.'

Ik begon begrip te krijgen voor Boyles standpunt, maar Lower, die geen greintje vatbaar voor kritiek was wanneer hij in zijn werk opging, legde uit hoe moeilijk het dezer dagen was om aan een vers lijk te komen. Dat was de enige positieve kant aan de Burgeroorlog geweest, zei hij weemoedig. Vooral toen het leger van de koning in Oxford was ingekwartierd waren er lijken te krijgen geweest: twee voor een duit. Nooit hadden anatomen over zo'n overvloedig aanbod beschikt. Ik zag ervan af hem onder het oog te brengen dat hij veel te jong was om dat al te kunnen weten.

'Kijk, het probleem is dat de meeste mensen die sterven, aan een of andere ziekte lijden.'

'Toch niet wanneer ze de juiste dokter hebben,' zei ik, want ik wilde graag net zo'n geestige indruk maken als hij.

'Juist. Maar dat is erg lastig. De enige keer wanneer we kunnen vaststellen hoe een in alle opzichten gezond iemand eruitziet, doet zich voor wanneer iemand op een betrekkelijk nette manier aan zijn eind komt. En het beste aanbod van dat soort komt van de galg. Maar ook wat dat betreft hebben we te maken met een alleenrecht van de universiteit.'

'Pardon?' zei ik enigszins verbaasd.

'Een landswet,' vervolgde hij. 'De universiteit heeft recht op de lijken van alle personen die binnen een straal van twintig mijl worden opgehangen. En bovendien nemen de rechtbanken tegenwoordig zo'n slappe houding aan tegenover de misdadigers. Menig interessant exemplaar komt er met een geseling vanaf; er worden maar een stuk of wat lui per jaar opgehangen. En ik vrees dat ze ook niet altijd op de verstandigste manier gebruik maken van de lijken díe ze krijgen. Onze hoogleraar is amper bevoegd om als timmerman te werken. De vorige keer... Enfin, laten we het daar niet over hebben,' zei hij huiverend.

We waren aangekomen bij het kasteel, een groot, somber gebouw dat zo te zien amper in staat zou zijn de stad tegen een aanval te beschermen of als toevluchtsoord te dienen voor de inwoners. Het gebouw was eigenlijk ook zolang men zich maar kon heugen niet meer voor zo'n doeleinde gebruikt, en deed nu dienst als gevangenis voor de hele graafschap, waarin lieden die voor de rechtbank moesten verschijnen, gedurende het onderzoek werden vastgehouden – en daarna gedurende hun straftijd. Het was een vuil, armoedig uitziend geheel, en ik keek vol weerzin om me heen terwijl Lower aanklopte bij een huisje dat in de schaduw van de toren aan de rivier stond.

Het bleek verbazend gemakkelijk om naar binnen te komen en zijn lijk te bekijken; het enige dat hij hoefde te doen was de cipier een duit toe te stoppen, waarna de oude, mank lopende man – een koningsgezinde soldaat die dit baantje als dank voor bewezen diensten had gekregen – ons met een rammelende sleutelbos aan zijn gordel voorging.

Buiten was het schemerig, maar binnen was het nog donkerder, zij het dat de meer fortuinlijke gevangenen in verre van naargeestige omstandigheden verkeerden. De armsten zaten natuurlijk in de slechtste cellen en werden gedwongen voedsel tot zich te nemen dat ternauwernood volstond om hen in leven te houden. Maar daar een heel aantal er mettertijd toch het leven bij zou inschieten, zo redeneerde Lower, had het weinig zin hen te verwennen.

Het betere soort gevangenen kon echter een gezondere cel huren, maaltijden uit een herberg laten komen en bovendien kleren laten wassen wanneer ze dat wensten. Ook mochten ze bezoek ontvangen als dat, zoals bij Lower het geval was, bereid was een forse fooi neer te tellen voor dat voorrecht.

'Ziehier dan, heren,' zei de cipier, en hij opende een zware deur die toegang gaf tot een cel voor, naar ik aannam, een gevangene ergens halverwege de rangorde.

De man die Lower aan stukjes hoopte te mogen snijden, zat op een klein bed. Toen wij binnenkwamen keek hij nogal gemelijk op, maar toen mijn vriend in het smalle straaltje licht kwam te staan dat door het open tralievenster viel, tuurde hij hem nieuwsgierig aan en een zweem van herkenning gleed even over zijn gezicht.

'Dokter Lower, nietwaar?' zei hij met welluidende stem.

Lower vertelde me later dat de jongen uit een degelijke, maar verarmde familie kwam. Zijn zondeval had nogal wat consternatie veroorzaakt en zijn positie was niet verheven genoeg om hem voor de galg te behoeden. En nu kwam het vastgestelde uur naderbij. De Engelsen laten het vonnis met bekwame spoed op het proces volgen, zodat een man die maandag is veroordeeld, vaak al de volgende morgen opgehangen kan worden, tenzij hij geluk heeft; Jack Prestcott mocht zich gelukkig prijzen dat hij verscheidene weken voordat de rondreizende rechter gearriveerd was die zich over zijn zaak zou uitspreken, gearresteerd was; dat verschafte hem de tijd om zijn ziel voor te bereiden, want Lower vertelde dat er niet de geringste kans bestond dat hij vrijgesproken zou worden of gratie zou krijgen.

'Mijnheer Prestcott,' zei Lower opgeruimd, 'u maakt het wel, hoop ik?'

Prestcott knikte en zei dat hij het naar omstandigheden wel maakte.

'Ik zal er geen doekjes om winden,' zei Lower. 'Ik kom u ergens om vragen.'

Prestcott keek verrast op omdat men hem in de toestand waarin hij op dat ogenblik verkeerde om een dienst verzocht, maar hij knikte om aan te geven dat Lower maar van wal moest steken. Hij legde zijn boek weg en luisterde.

'U bent een jongeman die over aanzienlijke kennis beschikt en ik hoor dat uw leermeester u hogelijk heeft geroemd,' vervolgde Lower. 'En u hebt een zeer snode euveldaad begaan.'

'Als u een manier hebt gevonden om mij voor de strop te behoeden, dan ben ik het met u eens,' zei Prestcott rustig. 'Maar ik vrees dat u iets anders in de zin hebt. Maar gaat u door, dokter. Ik val u in de rede.'

'Ik neem aan dat u uw gedachten hebt laten gaan over uw zondige gedrag, en dat u de rechtvaardigheid bent gaan inzien van het lot dat u mettertijd te wachten staat,' vervolgde Lower op een toon die mij opmerkelijk gezwollen in de oren klonk. Ik vermoed dat de moeite die het hem kostte om de juiste toon aan te slaan, ertoe had geleid dat hij er nu enigszins naast zat.

'Zeker,' antwoordde de jongeling ernstig. 'Elke dag bid ik de Almachtige om vergiffenis, het feit indachtig dat ik een dergelijke gunst volstrekt niet verdien.'

'Prachtig,' vervolgde Lower, 'dus als ik u zou vertellen op wat voor manier u een onschatbare bijdrage zou kunnen leveren aan de verheffing van de gehele mensheid, en iets zou kunnen doen waardoor u de gruweldaden waarmee uw naam voorgoed verbonden zal blijven, kunt uitwissen, dan zou u daar belangstelling voor hebben? Hmm?'

De jongeman knikte voorzichtig en vroeg waaruit die bijdrage dan wel mocht bestaan.

Lower deed hem de wet met betrekking tot de lijken van misdadigers uit de doeken.

'Kijk,' vervolgde hij, ternauwernood opmerkend dat Prestcott wat bleek was geworden, 'onze professor en zijn amanuensis zijn de meest ontstellende slagers. Ze zullen erop los kerven en zagen en hakken en u tot een jammerlijk verminkt geheel maken, en niemand zal daar ook maar iets mee opschieten. Het enige dat er gebeurt, is dat u een kermisvoorstelling oplevert voor de eerste de beste pukkelige student die de moeite neemt om te komen kijken. Niet dat dat er veel zijn. Goed, ik en mijn vriend hier, signor da Cola uit Venetië, wijden ons aan onderzoek van de meest kiese aard. Wanneer we daarmee gereed zijn, zullen we onmetelijk veel meer af weten van de functies van het menselijk lichaam. En wij zullen niets verloren laten gaan, dat beloof ik u,' vervolgde hij; hij kwam nu op dreef en zwaaide met zijn vinger.

'Kijk, het probleem met onze professor is dat wanneer hij met het oog op het middagmaal zijn werkzaamheden onderbreekt, hij over het algemeen zijn belangstelling verliest. Hij drinkt nogal, weet u,' zei hij op vertrouwelijke toon. 'Wat er overblijft, wordt weggegooid of opgeknaagd door ratten in het souterrain. Terwijl ik u zal inleggen...'

'Pardon?' vroeg Prestcott zwakjes.

'Ik ga u inleggen,' antwoordde Lower geestdriftig. 'Dat is namelijk de allernieuwste aanpak. Als we u ontleden en u in een kuip met een alcoholoplossing stoppen, dan blijft u veel langer goed. Werkt veel beter dan cognac. En als we tijd hebben om een potje te snijden, dan vissen we u er gewoon uit en gaan aan het werk. Geweldig, hè? Er zal niets verloren gaan, dat verzeker ik u. Het enige dat van u verlangd wordt is dat u een testament opstelt waarin u mij uw lijk nalaat nadat u uw straf hebt ondergaan.'

Ervan overtuigd dat dit een verzoek was dat een redelijk man toch onmogelijk zou kunnen weigeren, leunde Lower tegen de muur en hij straalde van verwachting.

'Nee,' zei Prestcott.

'Neemt u mij niet kwalijk?'

'Ik zei nee. Beslist niet.'

'Maar ik zeg u toch: u wordt toch ontleed. Zou u dan niet willen dat dat althans op een behoorlijke manier gebeurt?'

'Ik wil dat het helemaal niet gebeurt, dank u. En bovendien: ik ben er zeker van dat het niet zover zal komen.'

'U denkt aan gratie?' vroeg Lower belangstellend. 'O, dat lijkt me niet. Nee, ik ben bang dat u aan de galg zult eindigen, mijnheer. Per slot van rekening hebt u op een haar na een aanzienlijk man vermoord. Vertelt u mij, waarom hebt u hem overvallen?'

'Laat ik me haasten u eraan te herinneren dat ik nog niet schuldig ben bevonden, laat staan veroordeeld. Mocht dat gebeuren, dan zal ik uw voorstel misschien in overweging nemen. Maar eerlijk gezegd betwijfel ik dat. Mijn moeder zou daar ernstige bezwaren tegen hebben.'

Voor Lower was dit toch het ogenblik, zou ik hebben gemeend, om tot zijn onderwerp terug te keren, maar kennelijk was zijn geestdrift gezakt. Misschien meende hij dat als de jongeman aan stukken werd gesneden en ingelegd, zijn moeder dat zou zien als iets wat zijn naam nog erger zou bezoedelen. Hij knikte met leedwezen, dankte de jongeman ervoor dat die zijn verzoek had aangehoord en stond op.

Prestcott zei dat het niets was en toen hem gevraagd werd of hij ook iets nodig had wat misschien verbetering kon brengen in zijn toestand, verzocht hij de ander een boodschap over te brengen aan doctor Grove, een van zijn vroegere leermeesters, en hem te vragen zo goed te zijn een bezoekje te komen brengen. Hij had behoefte aan geestelijke steun, zei hij. Nog een vaatje wijn zou ook zeer welkom zijn. Lower beloofde het en ik bood aan de wijn te brengen, want ik had medelijden met de jongen; ik kweet me van mijn taak terwijl Lower zijns weegs ging omdat hij een afspraak met een nieuwe patiënt had.

'Nu ja, het was de moeite waard om het te proberen,' zei hij op teleurgestelde toon toen we elkaar later opnieuw ontmoetten, en het viel me op dat er als gevolg van die weigerachtige reactie niets meer over was van zijn opgeruimde stemming van eerder op de dag.

'Wat bedoelde hij met die opmerking dat zijn familie al genoeg schande had beleefd?'

Lower was echter helemaal in gepeins verzonken en sloeg geen acht op mijn vraag; hij verdiepte zich in de toekomst. 'Wat?' zei hij abrupt toen zijn aandacht was weergekeerd. Ik herhaalde mijn vraag.

'O. Niets meer dan de waarheid. Zijn vader was een verrader, die naar het buitenland is gevlucht voordat hij kon worden gegrepen. Als alles goed was gegaan, was hij ook ter dood gebracht.'

'Wat een familie.'

'Zeker. Het heeft er alle schijn van dat de zoon niet alleen uiterlijk op zijn vader lijkt, helaas. Wat een godgeklaagde ellende nu, Cola. Ik heb een stel hersenen nodig. Verscheidene zelfs, en telkens opnieuw wordt me de voet dwars gezet en stoot ik mijn neus.' Na een langdurig stilzwijgen vroeg hij hoe groot ik de kans achtte dat de moeder van Sarah Blundy het haalde.

Onnozel genoeg meende ik dat hij een uitgebreid verslag van deze ziektegeschiedenis en van de behandeling die ik had toegepast wenste te horen, en ik vertelde hem om wat voor soort wond het ging, hoe ik het bot had gezet en het weefsel schoongemaakt en wat voor zalf ik had gebruikt.

'Zonde van de tijd,' zei hij laatdunkend. 'Rode kwikzalf moet u hebben.'

'Denkt u? Misschien. Maar wanneer je het aspect van Venus in aanmerking neemt, zou je in dit geval toch zeggen dat zij een veel betere kans had met een meer orthodoxe remedie...'

En toen diende zich het eerste teken aan van de duistere aard van mijn vriend die ik al heb genoemd, want ik was nog niet uitgesproken of daar ontplofte hij, zomaar in het openbaar, van woede; met een gezicht dat op onweer stond keek hij me aan.

'Zulk stom geklets heb ik nog nooit gehoord,' schreeuwde hij. 'Lieden zoals u, met uw zielige manier van denken, dat zijn degenen die ons in de weg zitten. U denkt dat zalf beter is omdat dat een ouder middel is, en een of andere wijze magiër u vertelt dat Venus rijzende is. Goeie god, zijn we dan nog steeds Egyptenaren of zo, dat we aandacht schenken aan zulke onzin?'

'Maar ik heb nog nooit iemand horen bestrijden dat de sterren...'

'Nonsens.'

'Galenus...'

'Galenus kan me geen zier schelen. En Paracelsus ook niet. Of welke andere onzin brabbelende en mompelende heksenmeester uit het buitenland dan ook. Dat soort sujetten zijn louter oplichters. En u ook, mijnheer, als u er zo op los wauwelt. U zou niet op zieke mensen moeten worden losgelaten.'

'Maar Lower...'

'"Een meer orthodoxe remedie,"' zei hij, mijn accent genadeloos nabauwend. 'Een of andere bazelende priester heeft u dat zeker voorgekauwd, en u doet wat u wordt gezegd? Hè? De geneeskunde is veel te belangrijk om overgelaten te worden aan liefhebberende rijkeluiszoontjes zoals u, die net zomin een verkoudheid kan cureren als een gebroken been. Blijft u nu maar uw geld en uw morgens land tellen, en laat u serieuze zaken over aan mensen die zich daar werkelijk voor interesseren.'

Ik was zozeer geschokt door deze onverwachte en bijzonder felle uitbarsting dat ik helemaal niets terugzei, behalve dan dat ik mijn best deed en dat niemand die meer kundigheid bezat, zijn diensten had aangeboden.

'O, ga toch uit mijn ogen,' zei hij, van de vreselijkste verachting vervuld. 'Ik wil niets meer met u te maken hebben. Ik heb een hekel aan kwakzalvers en charlatans.'

En hij draaide zich abrupt om en beende weg – en ik bleef volkomen van mijn stuk op straat staan, met een gezicht dat gloeiend rood zag van boosheid en gene, maar in de eerste plaats ervan doordrongen dat ik de bende winkeliers aan alle kanten om me heen flink wat goedkoop vermaak had bezorgd.

6

GEHEEL EN AL UIT HET LOOD geslagen keerde ik naar mijn kamer terug om erover na te denken wat mij nu te doen stond en om te proberen te doorgronden hoe ik aanleiding had kunnen geven tot zo'n onheuse bejegening, want ik hoor tot het slag mensen dat er als vanzelfsprekend van uitgaat dat de schuld bij henzelf dient te worden gezocht, en mijn gebrek aan inzicht in Engelse zeden en gebruiken had mijn onzekerheid in belangrijke mate versterkt. Desondanks was ik ervan overtuigd dat Lowers schokkende uitbarsting alle grenzen had overschreden, maar de stemming die destijds in het land heerste gaf alle meningen een extreme draai.

Daar zat ik bij het schriele vuurtje in mijn koude kamer, en de gevoelens van wanhoop en eenzaamheid, pas zo kort tevoren verdreven, kwamen me alweer kwellen. Was er al zo gauw een eind gekomen aan de vriendschap die ik had gesloten? In Italië zou geen enkele betrekking een dergelijk gedrag overleven, en onder gewone omstandigheden zouden we ons nu opmaken tot een duel. Zoiets was ik natuurlijk niet van plan, maar ik overwoog wel een ogenblik of ik er niet beter aan zou doen Oxford te verlaten, want het was heel wel mogelijk dat mijn omgang met Boyle nu ondraaglijk zou worden, en dan zou ik weer van vrienden verstoken zijn. Maar waar kon ik heen? Teruggaan naar Londen had voor mijn gevoel geen enkele zin en blijven waar ik was nog minder. Zo zat ik klem in mijn eigen besluiteloosheid, toen een paar voeten op de trap en een luid gebonk op de deur me uit mijn naargeestige gedachten wakker schudden.

Het was Lower. Met een ernstige uitdrukking op zijn gezicht kwam hij resoluut binnenstappen en hij zette twee flessen op de tafel. Ik nam hem koel en behoedzaam op, want ik verwachtte een hernieuwde scheldkanonnade, en ik had het vaste besluit gevat dat hij als eerste het woord zou doen.

Maar nee, hij ging demonstratief op zijn knieën liggen en vouwde zijn handen.

'Mijnheer,' zei hij met een ernst die bepaald niet van een zeker vertoon gespeend was, 'hoe kan ik u ooit vragen mij te vergeven? Ik heb het gedrag van een winkelbediende tentoongespreid; of erger nog, ik ben ongastvrij, onvriendelijk, onrechtvaardig en uitgesproken onhebbelijk geweest. Zoals u ziet, bied ik u op mijn knieën mijn nederigste verontschuldigingen aan, en ik smeek u om vergiffenis, hoewel ik die niet in het minst verdien.'

Ik stond even verbaasd van zijn gedrag als tevoren, en ik zag geen kans een passend antwoord te vinden op zijn berouw, dat al even buitensporig was als zijn heftige uitval van nog geen halfuur daarvoor.

'U kunt mij niet vergeven,' vervolgde hij met een demonstratieve zucht toen ik bleef zwijgen. 'Ik kan u geen ongelijk geven. Maar dan heb ik geen keus. Ik moet een einde aan mijn leven maken. Zegt u tegen mijn familie dat er op mijn zerk moet komen te staan: "Richard Lower, arts en ellende-ling."'

Op dat ogenblik barstte ik in lachen uit, zo ongerijmd was zijn gedrag, en toen hij zag dat hij een bres had geslagen in mijn vastberadenheid, lachte hij breed terug.

'Waarlijk, het spijt me allerverschrikkelijkst,' zei hij op meer gematigde toon. 'Ik weet niet hoe het komt, maar soms word ik zo boos dat ik mezelf niet meer in de hand heb. En af en toe wordt mijn teleurstelling om die lijken me te veel. Als u wist wat voor kwellingen ik moest doorstaan... Aanvaardt u mijn verontschuldigingen? Bent u bereid samen met mij uit dezelfde fles te drinken? Ik zal pas weer slapen en me scheren wanneer u ze aanvaardt, en u wilt toch niet de verantwoordelijkheid voor een baard die tot aan mijn middel reikt, wel?'

Ik schudde mijn hoofd. 'Lower, ik begrijp u niet,' zei ik onomwonden. 'Of wie dan ook van uw landgenoten. Daarom zal ik maar veronderstellen dat dit usance is in uw land, en dat ik tekortschiet omdat ik er zo weinig van begrijp. Ik zal met u drinken.'

'De hemel zij dank,' zei hij. 'Ik dacht al dat ik, malloot, als gevolg van mijn eigen stomme gedrag een hogelijk gewaardeerde vriend had verspeeld. U bent de goedheid zelve dat u mij nog een tweede kans gunt.'

'Maar legt u het toch eens uit. Hoe komt het dat ik u zo boos heb gemaakt?'

Hij maakte een handgebaar. 'U hebt mij niet boos gemaakt. Het was een misverstand van mijn kant en ik voelde me uit het veld geslagen omdat ik Prestcott niet had gekregen. Niet lang geleden heb ik een vreselijke ruzie met iemand gehad over de astrologische waarzegkunst. Het artsencollege staart zich daar blind op en die man dreigde me het praktiseren onmogelijk te maken omdat ik die methode in het openbaar laatdunkend afdoe. Het gaat hier om een strijd tussen nieuwe kennis en de postume invloed van het verleden. Ik weet wel dat u het zo niet meende, maar dat twistgesprek ligt me helaas nog te vers in het geheugen. En dat ik uitgerekend u hun zijde hoorde kiezen, dat kon ik niet verdragen, zo hoog sla ik u aan. Onvergeeflijk, zoals ik al zeg.'

Hij verstond de kunst een beledigende uitlating in een compliment te laten omslaan, en ik was helemaal niet op zoiets ingesteld; wij Venetianen hebben een reputatie zowel op het gebied van de doorwrochte inkleding van onze plichtplegingen als van onze beledigingen, maar die zijn zo formeel dat de kans dat iemand ook de ondoorgrondelijkste opmerking verkeerd begrijpt, uitgesloten is. Lower, en de Engelsen in het algemeen, had het onvoorspelbare van onbeschaafde lieden; hun karakter is al even teugelloos als hun gedrag, zodat ik betwijfel of buitenlanders hen ooit zullen leren kennen of oprecht gaan vertrouwen. Maar een verontschuldiging was een verontschuldiging, en ik had er maar zelden eentje in zo'n grootmoedige vorm ontvangen; ik schudde hem de hand; we maakten elk een plechtige nijging en hieven het glas op elkaar om de twist officieel ten einde te verklaren.

'Waarom bent u zo op die Prestcott gebrand?'

'Mijn hersenen, Cola, mijn hersenen,' zei hij luid kreunend. 'Ik heb er zoveel ontleed en getekend als ik maar in de wacht kon slepen, en binnenkort ben ik ermee klaar. Ik heb er vele jaren aan gewijd, en het onderzoek zal mijn reputatie vestigen wanneer het voltooid is. Dat kan niet anders. Vooral de ruggengraat. Fascinerend. Maar ik kan mijn onderzoek niet afronden als ik er niet nog een paar krijg; en als ik het niet kan afronden, kan ik mijn werk niet publiceren. En er is een Fransman van wie ik weet dat hij min of meer met hetzelfde bezig is. Ik weiger me door een of andere neuzelende, paapse rakker de loef te laten afsteken...'

Hij zweeg even en besefte dat hij zich alweer had versproken. 'Mijn verontschuldigingen, mijnheer. Maar hier hangt zoveel van af, en het is hartverscheurend om door zulke stompzinnige tegenslagen te worden opgehouden.'

Hij maakte de tweede fles open, nam een langdurige teug en gaf hem aan mij.

'Enfin, ziedaar. De redenen van mijn onbehouwen gedrag. Ik geef toe dat daar nog een verschrikkelijk eigenzinnig karakter bij komt. Ik ben cholerisch van aard.'

'En dat zegt de man die de traditionele geneeskunde verwerpt.'

Hij lachte breed. 'Dat is waar. Ik bedoel dat bij wijze van spreken.'

'Meende u dat van de sterren? Denkt u dat dat onzin is?'

Hij haalde zijn schouders op. 'Ach, ik weet het niet. Echt niet. Zijn onze lichamen een microkosmos van de schepping als geheel? Kunnen wij bewegingen van de een waarnemen door de ander te bestuderen? Waarschijnlijk wel. Het klinkt volmaakt redelijk, vind ik, maar niemand heeft me ooit een degelijke en onaanvechtbare methode voor zoiets aan de hand gedaan. Dat gestaar naar de sterren waar de astronomen zich mee onledig houden vind ik maar dom gedoe, en dan brengen ze hun uitspraken ook nog als wondermiddelen. En steeds stuiten ze weer op nieuwe met die telescopen van ze. Allemaal heel interessant, maar ze worden er zo geestdriftig van dat ze al bijna zijn vergeten waarom ze ook alweer kijken. Maar laat me daar toch niet over beginnen. Anders krijg ik vandaag nog een tweede woedeaanval. Goed, kunnen we opnieuw beginnen?'

'In welk opzicht?'

'Vertelt u mij eens iets over uw patiënte, die uiterst merkwaardige weduwe Blundy. Ik zal het geval mijn volle aandacht schenken, en de eventuele ideeën die ik opper zullen geen zweempje kritiek bevatten.'

Ik was nog steeds huiverig voor een dergelijk risico en aarzelde daarom, totdat Lower zuchtte en uitgebreid aanstalten maakte om weer op zijn knieën te vallen.

'Goed,' zei ik, en ik stak mijn handen in de hoogte en deed mijn best niet nog eens in lachen uit te barsten. 'Ik geef me gewonnen.'

'De hemel zij dank,' zei hij. 'Want ik weet wel zeker dat ik reumatiek zal krijgen wanneer ik oud word. Zo, als ik het wel heb, zei u dat de wond zich niet wil sluiten?'

'Nee. En het zal niet lang duren voordat het daar begint te rotten.'

'U hebt de wond aan de lucht blootgesteld, er niet de hele tijd verband om laten zitten?'

'Ja. Maar dat maakt tot dusver geen verschil.'

'Koorts?'

'Nog niet, maar die komt nog wel.'

'Eet ze?'

'Niets, tenzij haar dochter kans heeft gezien er wat pap in te krijgen.'

'Haar plas?'

'Dun, met een citroenachtige geur en een scherpe smaak.'

'Hmm. Niet zo best. U hebt volkomen gelijk. Niet zo best.'

'Ze gaat dood. Maar ik wil haar redden. Of tenminste, dat wilde ik. Die dochter vind ik onuitstaanbaar.'

Deze laatste opmerking negeerde Lower. 'Al enig teken van koudvuur te bespeuren?'

Ik zei van nee, maar dat er alle kans bestond dat die zich zou gaan openbaren.

'Denkt u dat ze belangstelling zou hebben voor een voorschot...?'

'Nee,' zei ik ferm.

'En de dochter dan? Als ik haar eens een pond bood voor het stoffelijk overschot?'

'U hebt het meisje ontmoet, meen ik?'

Lower knikte en slaakte een diepe zucht. 'Ik zeg u, Cola, als ik morgen mocht sterven, dan hebt u mijn volle toestemming om mij te ontleden. Waarom mensen dat toch zo'n vreselijk idee vinden, ontgaat me. Tenslotte worden ze uiteindelijk toch begraven, nietwaar? Wat doet het ertoe dat ze uit elkaar worden gehaald? Zolang ze maar sterven met de zegen van hun godsdienst. Denken ze soms dat Onze Lieve Heer hen niet tijdig voor de Wederkomst weer in elkaar kan zetten?'

Ik antwoordde dat het in Venetië al net zo ging; wat er ook achter mocht zitten, de mensen vonden het geen prettig idee om opengesneden te worden, of ze nu dood of levend waren.

'Wat bent u van plan met die vrouw te doen?' vroeg hij. 'Wacht u af tot ze doodgaat?'

Op dat ogenblik kreeg ik een idee, en onmiddellijk besloot ik het hem te vertellen. Zo goed van vertrouwen was ik, dat het geen ogenblik bij me opkwam om dat na te laten.

'Geeft u mij die fles eens,' zei ik, 'en ik zal u vertellen wat ik graag zou doen als ik maar kon.'

Onmiddellijk gaf hij gehoor aan mijn verzoek en even overwoog ik de gedenkwaardige stap die ik zo dadelijk zou zetten. Ik verkeerde beslist niet in een gelijkmatige gemoedstoestand; mijn terneergeslagen stemming als gevolg van de krenkende opmerkingen die ik had moeten incasseren en mijn opluchting na zijn verontschuldiging waren zo hevig dat mijn oordeel niet meer evenwichtig was. Ik geloof beslist dat ik hem nooit in vertrouwen had genomen als zijn trouw en vriendschap onbetwist vast hadden gestaan; nu ze enigszins twijfelachtig waren geworden, maakte mijn verlangen om hem welgevallig te zijn en mijn ernst te laten blijken overal korte metten mee.

'Vergeeft u mij de onbeholpen wijze waarop ik dit uiteenzet,' zei ik toen hij een zo gemakkelijk mogelijke houding op mijn lage bed had gevonden. 'Het idee is pas bij me opgekomen toen we naar die lijster stonden te kijken. Het gaat over het bloed, weet u. Als er nu eens niet genoeg bloed voorhanden is om de voedingsstoffen te vervoeren? En zou bloedverlies tot gevolg kunnen hebben dat er onvoldoende bloed over is om de overtollige warmte in het hart te lozen? Zou dat niet tot koorts kunnen leiden? Ook vraag ik me al een paar jaar af of het bloed net als de rest van het lichaam oud wordt. Net als in een gracht met stilstaand water, waar alles dood begint te gaan omdat de boel dichtslibt.'

'Als je bloed verliest, dan sterf je, zoveel staat vast.'

'Maar hoe komt dat? Niet omdat je verhongert en ook niet als gevolg van overtollige warmte. Nee, mijnheer. De levensgeest die in het bloed zit, vloeit weg of raakt afgesloten, en daardoor wordt de dood veroorzaakt. Het bloed zelf, daar ben ik van overtuigd, dient enkel als vervoermiddel voor die geest. En doordat die geest in verval raakt, doet de oude dag zijn intrede. Zo luidt althans mijn theorie, en het gaat hier om een opvatting waarbij de traditionele kennis waar u op neerkijkt en de experimentele kennis die u toejuicht, elkaar volmaakt aanvullen.'

'Zodat het ogenblik is aangebroken om uw theoretische inleiding te gaan verbinden met de praktische aspecten van uw geval, is het niet? Zegt u mij hoe u te werk denkt te gaan.'

'Als je er op een ongecompliceerde manier over nadenkt, dan ligt het heel simpel. Als we honger hebben, dan gaan we eten. Hebben we het warm, dan zoeken we de kou op. Als onze lichaamssappen niet meer in evenwicht zijn, dan voegen we er wat aan toe, of we vergroten het volume om het evenwicht te herstellen.'

'Als je geloof hecht aan die onzin.'

'Zeker,' zei ik. 'Zo niet, en je gelooft wel aan de elemententheorieën, dan herstel je het evenwicht in het lichaam door het zwakste van de drie elementen te versterken. Dat is de kern van de hele geneeskunde, de oude en de nieuwe: het evenwicht herstellen. Kijk, wanneer we de patiënte bloed aftappen met behulp van bloedzuigers of door een ader te openen, maken we de toestand er alleen maar erger op. Als haar levensgeest toch al verzwakt is, dan kan het haar onmogelijk baten wanneer die nog verder wordt ondermijnd. Dat is de theorie van Sylvius, en ik geloof dat hij gelijk heeft. Logisch geredeneerd moeten we haar dus geen bloed aftappen, maar...'

'Haar meer bloed geven,' zei Lower vlug, zich plotseling gretig vooroverbuigend nu hij eindelijk begreep waar ik het over had.

Ik knikte geestdriftig. 'Juist,' zei ik. 'Precies. En niet zomaar meer, maar jong bloed, vers en nieuw en vrij stromend, met de levenskracht van de jeugd in de kern ervan. Misschien dat dat een oud iemand de kans geeft een wond te laten genezen. Wie weet, Lower,' zei ik opgewonden, 'is het wel het levenselixer zelf.'

Lower ging weer achteroverliggen, nam een flinke teug bier en dacht na over wat ik had gezegd. Zijn lippen bewogen; hij praatte in stilte met zichzelf en ging in gedachten alle mogelijkheden na. 'U bent onder invloed van monsieur Descartes geraakt, nietwaar?' vroeg hij ten slotte.

'Waarom zegt u dat?'

'U hebt een theorie opgesteld en vervolgens beveelt u een bepaalde handelingswijze aan. U hebt geen bewijs dat die vruchten zal afwerpen. En als ik het zo eens zeggen mag: uw theorie doet verward aan. U redeneert volgens analogieën; u gebruikt een metafoor, gebaseerd op de lichaamssappen waar u eigenlijk niet in gelooft – om tot de slotsom te komen dat de oplossing eruit bestaat dat u voorziet in iets wat afwezig is. Dat wil zeggen dat u levensgeest toedient, waarvan het bestaan hypothetisch is.'

'Al betwist zelfs u dat bestaan niet.'

'Nee. Dat is waar.'

'Maar betwist u mijn theorie?'

'Nee.'

'En bestaat er ook maar één andere mogelijkheid om erachter te komen of ik gelijk heb dan door die theorie aan de praktijk te toetsen? Daaruit bestaat immers de basis van de experimentele wijsbegeerte?'

'Dat is de basis van monsieur Descartes,' zei hij, 'als ik hem goed begrijp: een theorie opstellen en vervolgens bewijzen vergaren om te kijken of die klopt. De andere methode, naar voren gebracht door lord Bacon, bestaat eruit dat men aanwijzingen vergaart en vervolgens een verklaring opstelt die alle kennis in overweging neemt.'

Nu ik achteraf nog eens het gesprek in ogenschouw neem dat ik vlijtig in mijn schrijfboek heb genoteerd en dat ik na vele jaren voor het eerst weer herlees, zie ik vele dingen die me destijds ontgingen. De Engelse afschuw van vreemdelingen leidt bij hen al heel gauw tot de wens elke vorm van vooruitgang te negeren die voortkomt uit in hun ogen onjuiste methoden, en staat dit meest trotse aller volkeren toe alle ontdekkingen als die van henzelf te bestempelen. Een op onjuiste vooronderstellingen gebaseerde ontdekking is geen ontdekking; alle door Descartes beïnvloede vreemdelingen maken gebruik van onjuiste vooronderstellingen en dus... *Hypotheses non fingo* – Geen hypothesen hier. Is dat niet de klaroenstoot van Newton, die Leibniz als dief afschildert omdat die dezelfde ideeën heeft als hijzelf? Maar destijds meende ik dat hij zulke tegenwerpingen hanteerde als middel om onze kennis vooruit te helpen, en ik besteedde er geen aandacht aan.

'Ik ben van mening dat uw summiere weergave van Descartes hem eigenlijk geen recht doet,' zei ik. 'Maar enfin. Vertelt u mij hoe u te werk zou gaan.'

'Ik zou ermee beginnen bloed van het ene dier naar het andere over te brengen – van een jong dier naar een oud van dezelfde soort, en daarna van een dier van de ene soort naar eentje van een andere. Ik zou water in de aderen van een dier spuiten om te kijken of daarmee dezelfde reactie teweeg zou worden gebracht. Daarna zou ik alle uitslagen met elkaar vergelijken om te zien waaruit de effecten van het overbrengen van bloed precies bestaan. Ten slotte zou ik het, wanneer ik met zekerheid te werk zou kunnen gaan, gaan proberen bij vrouw Blundy.'

'Die dan al een jaar of nog langer dood zou zijn.'

Lower lachte. 'Uw onfeilbaar oog heeft de zwakheid van mijn methode al ontwaard.'

'Geeft u mij in overweging dit experiment niet uit te voeren?'

'Nee. Het zou fascinerend zijn. Ik betwijfel alleen of de methode goed gefundeerd is. En ik weet zeker dat het een schandaal zou veroorzaken. Daardoor wordt het ook nog gevaarlijk er in het openbaar over te spreken.'

'Laat ik het anders formuleren: bent u bereid mij te helpen?'

'Het zou me een groot genoegen zijn, dat spreekt vanzelf. Ik bracht alleen maar de vraagstukken te berde die zich voordoen. Hoe wilt u te werk gaan?'

'Ik weet het niet,' zei ik. 'Ik dacht dat een stier misschien goede diensten zou bewijzen. Zo sterk als een os, hè? Maar er zijn gegronde redenen die dat uitsluiten. Het bloed heeft de neiging om te stollen. Daarom zou het noodzakelijk zijn om het onmiddellijk, zonder verwijl, van het ene levende wezen naar het andere over te brengen. Dus kunnen we er eigenlijk geen os bij halen. Bovendien vervoert het bloed de geest van het beest, en ik zou niet genegen zijn de dierlijkheid van een os op een mens over te brengen. Dat zou een vergrijp zijn jegens God, die ons boven de dieren heeft gesteld.'

'Dat van uzelf dan misschien?'

'Nee, want ik zou zelf het experiment nauwlettend willen gadeslaan.'

'Het is geen probleem. We kunnen gemakkelijk genoeg aan iemand komen. De geschiktste figuur,' vervolgde hij, 'zou de dochter zijn. Zij zou ertoe bereid zijn om zo haar moeder te helpen. En ik weet wel zeker dat we haar ervan kunnen doordringen dat ze er het zwijgen over moet bewaren.'

Ik had niet meer aan de dochter gedacht. Lower zag mijn gezicht betrekken en vroeg wat er aan de hand was. 'De laatste keer toen ik het huis bezocht heeft zij zich zo ondraaglijk grof gedragen dat ik zwoer er nooit meer een voet te zullen zetten.'

'Louter trots, mijnheer, louter trots.'

'Misschien. Maar u moet begrijpen dat ik dat niet door de vingers kan zien. Ze zou op haar knieën naar me toe moeten kruipen voordat ik op mijn besluit terugkwam.'

'Laten we dat eerst buiten beschouwing laten. Aangenomen dat u dit experiment zou kunnen uitvoeren – alleen maar aangenomen –, hoeveel bloed zou u dan nodig hebben?'

Ik schudde mijn hoofd. 'Vijf maatjes, misschien. Of zes. Zoveel kan een mens wel kwijtraken zonder dat er schadelijke effecten optreden. In een later stadium misschien meer. Wat ik alleen niet weet, is hoe ik het moet aanleggen om het bloed van de ene persoon naar de andere over te brengen. Het leek me dat het bloed het ene lichaam op dezelfde plaats moet verlaten als waar het het andere binnengaat: van de ene ader of slagader in de andere. Ik zou er wel voor willen pleiten een snee te maken in de halsader, alleen is het verschrikkelijk moeilijk die weer te dichten. Ik wil niet dat het erop uitloopt dat ik de moeder red en de dochter laat doodbloeden. Dus misschien een van de grote vaten in de arm. Een band om hem te laten opzwellen. Dat is het gemakkelijke gedeelte. Het overbrengen zelf, dat lijkt me moeilijk.'

Lower stond op en begon, in zijn zakken wroetend, door de kamer te lopen.

'Hebt u weleens gehoord van injecties?' vroeg hij ten slotte.

Ik schudde mijn hoofd.

'Ah,' zei hij. 'Een schitterend idee, waar we al een tijdje aan werken.'

'Wij?'

'Ik, dokter Willis en mijn vriend Wren. In bepaalde opzichten komt dat met uw idee overeen. Weet u wat we doen? We nemen een scherp instrument en duwen dat in een ader; dan spuiten we bepaalde vloeistoffen regelrecht in het bloed, zodat we de maag dus volledig mijden.'

Ik fronste mijn wenkbrauwen. 'Opmerkelijk. Wat gebeurt er dan?'

Hij zweeg even. 'We hebben heel uiteenlopende resultaten geboekt,' bekende hij. 'De eerste keer was de uitwerking geweldig. We hebben toen een achtste kom rode wijn in een hond geïnjecteerd. Anders is zoiets niet genoeg om zo'n beest zelfs maar aangeschoten te krijgen, maar als gevolg van deze methode werd hij stomdronken.' Hij lachte weer bij de gedachte. 'Het kostte ons verschrikkelijk veel moeite het beest in bedwang te houden. Het sprong van de tafel en begon rond te rennen, botste tegen een kast met borden op en viel toen om. We hadden het niet meer. Zelfs Boyle vertoonde een glimlachje. Maar de conclusie is belangrijk: het lijkt erop dat een kleine hoeveelheid alcohol die met behulp van een injectie wordt toegediend, veel meer uitwerking heeft dan wanneer die dosis via de maag gaat. De keer daarop namen we dus een schurftig oud beest en spoten dat geest van salmiak in.'

'En toen?'

'Het ging dood, nadat het eerst erg veel pijn had geleden. Toen we het openmaakten, bleek het hart zwaar aangetast. De volgende keer probeerden we het met een melkinjectie om te zien of we de behoefte om te eten konden uitschakelen. Maar de melk stremde helaas in de aderen.'

'Dat beest ging ook weer dood?'

Hij knikte. 'We hadden kennelijk een te grote dosis toegediend. De volgende keer zullen we die verkleinen.'

'Ik zou het bijzonder boeiend vinden als u me zou toestaan erbij te zijn.'

'Het zou me een genoegen zijn. Waar het mij nu om gaat, is dat we hetzelfde idee zouden kunnen gebruiken voor het overbrengen van uw bloed. U wilt niet dat het bloed aan de lucht wordt blootgesteld, want dan stolt het misschien. Neemt u daarom een duivenpen; die kunnen heel dun en scherp worden gemaakt. Maak een gaatje aan de ene kant en steek die in Sarahs ader. Verbind de pen met een lang, smal zilveren buisje, dat u weer vastmaakt aan een pen in de ader van de moeder. Wacht tot het bloed begint te vloeien, en klem dan de ader van de moeder iets boven de snee af. Breng de twee aderen met elkaar in verbinding en begin te tellen. Helaas zullen we wel moeten gissen naar de hoeveelheid die eruit komt. Als we het bloed eerst een paar seconden lang in een kom laten vloeien, dan geeft dat ons misschien een indruk van de snelheid waarmee het stroomt.'

Ik knikte geestdriftig. 'Schitterend,' zei ik. 'Ik had erover gedacht laatkoppen te zetten. Maar dit is een veel betere methode.'

Hij lachte breed en stak zijn hand uit. 'God, Cola, ik ben blij dat u hier bent. U bent een man naar mijn hart, heus waar, dat bent u. Wie van ons tweeën gaat trouwens, voordat het zover is, naar Grove om hem de boodschap van die stakker van een Prestcott over te brengen?'

7

Ik HEB NOOIT ONTKEND dat ik Lower heel wat verschuldigd ben wat betreft de techniek van bloedtransfusies. Ik betwijfel of de operatie zonder zijn vernuftige ideeën ooit uitvoerbaar was geweest. Het feit blijft echter dat ik als eerste het idee heb geopperd en beredeneerd, en dat ik het experiment naderhand heb uitgevoerd. Tot dan toe had Lower zijn gedachten enkel en alleen over het probleem laten gaan hoe hij een geneesmiddel in het bloed kon spuiten; geen ogenblik had hij nog stilgestaan bij de mogelijkheid of de potentie van het overbrengen van het bloed zelf.

Dit is echter een onderwerp dat verderop in mijn relaas nog een rol speelt, en ik moet mijn verhaal vertellen in de volgorde waarin alles is gebeurd. Op dat ogenblik was ik er in de eerste plaats op gespitst aan te bieden doctor Grove op te zoeken met het oog op Prestcott, omdat ik nog steeds meende dat hoe meer mensen van dat Genootschap ik leerde kennen, hoe beter het voor me was. Het leek anders niet erg waarschijnlijk dat doctor Grove erg nuttig voor me zou zijn, en Lower zei dat hij oprecht blij was met mijn aanbod om te gaan, daar dit hem een ontmoeting bespaarde met een man die hij erg irritant vond. Hij was een verklaard en luidruchtig tegenstander van de nieuwe wetenschap, en nog pas twee weken tevoren had hij in het St Mary een bijtende preek ten beste gegeven waarin hij de experimentele wetenschap aanviel als verschijnsel dat indruiste tegen het woord van God, het gezag aantastte en waarvan zowel de opzet als de uitvoering aan vele gebreken mank ging.

'Zijn er hier in de stad veel mensen die er die mening op na houden?' vroeg ik.

'Lieve hemel, jazeker. Er zijn hier artsen die zich bezorgd maken om hun privileges; dominees die bang zijn dat er niet meer naar hen wordt geluisterd en hele troepen onnozele zielen die eenvoudig een afkeer hebben van alles wat nieuw is. Wij bevinden ons op gevaarlijk terrein. Vandaar dat we voorzichtig te werk moeten gaan met die Blundy.'

Ik knikte; in Italië was dat al net zo, zei ik.

'Dan bent u wel voorbereid op Grove,' antwoordde hij lachend. 'Praat u maar eens met hem. Hij zal u het vuur na aan de schenen leggen. Hij is geen stommeling, al heeft hij het dan bij het verkeerde eind en al is hij eerlijk gezegd wat lang van stof.'

Het St Mary, in de wandeling New College genaamd, is een groot, sjofel uitziend gebouw dat in het oostelijke gedeelte van de stad staat, vlak naast de stadsmuren en de tennisbanen. Het is een heel welgesteld college, maar staat bekend als bijzonder achterlijk oord. Toen ik er aankwam, kreeg ik de indruk dat het bijna geheel en al verlaten was, en het was onduidelijk waar het doel van mijn tocht zich wel mocht ophouden. Daarom stak ik mijn licht op bij de enige man die ik bespeurde en hij vertelde dat doctor Grove al enige dagen ziek was en liever geen bezoek ontving. Ik legde hem uit dat ik onder normale omstandigheden graag bereid zou zijn geweest hem met rust te laten, maar dat ik dat nu niet met mijn geweten in overeenstemming kon brengen. Bijgevolg ging deze man, die zich met een kleine, stijve nijging voorstelde als Thomas Ken, mij voor naar de trap.

De zware eiken deur van doctor Groves vertrekken – voor dit soort doeleinden maken de Engelsen kwistig gebruik van fraaie houtsoorten – was potdicht en ik klopte zonder antwoord te verwachten. Ik ving echter een zacht geslof op en klopte daarom nog eens. Ik dacht dat ik een stem hoorde; ik kon niet horen wat die zei, maar het leek me niet meer dan redelijk aan te nemen dat die me binnennoodde.

'Ga weg,' zei de stem geërgerd toen ik de kamer in trad. 'Bent u soms doof?'

'Ik vraag u wel om verschoning, mijnheer,' antwoordde ik, waarna ik verbaasd even zweeg. De man die ik was komen opzoeken was dezelfde figuur die ik enkele dagen tevoren Sarah Blundy's verzoek om hulp van de hand had zien wijzen. Onzeker staarde ik hem aan en hij keek mij aan; kennelijk herinnerde ook hij zich dat hij mij eerder had gezien.

'Zoals ik al zei,' vervolgde ik toen ik me had hersteld, 'bied ik u mijn verontschuldigingen aan. Maar ik kon u niet goed verstaan.'

'Laat ik mijn woorden dan nog een derde keer herhalen. Ik zei dat u weg moest gaan. Ik voel me veel te onwel.'

Hij was een al oudere man, ergens in de veertig en mogelijk nog ouder. Hij was weliswaar breedgeschouderd, maar desondanks vertoonde hij de tekenen van tanende kracht die de Almachtige vroeg of laat zelfs de meest robuuste van Zijn schepselen zendt om hen er even door te laten aantikken, zodat ze eraan herinnerd worden dat ze onderworpen zijn aan Zijn wetten.

Maar: *a re decedo.* 'Het spijt mij zeer te moeten horen dat u ziek bent,' zei ik zonder ook maar een duimbreed uit de deuropening te wijken. 'Heb ik het bij het rechte eind wanneer ik veronderstel dat uw ongemak veroorzaakt wordt door uw ogen?'

Dit had iedereen kunnen vaststellen, want zijn linkeroog zag rood en scheidde vocht af; het was ontstoken geraakt doordat er vaak geprikkeld in was gewreven. Helemaal los van de reden waarom ik daar was, wekte deze aanblik mijn belangstelling.

'Ja, natuurlijk is het mijn oog,' antwoordde hij kortaf. 'Ik lijd daar helse pijnen.'

Ik deed een paar passen de kamer in om beter te kunnen zien en om hem duidelijker te laten merken dat ik er was. 'Een hevige irritatie, mijnheer, waardoor het oog opgezet en ontstoken is geraakt. Ik hoop dat u de juiste zorg ontvangt. Al denk ik niet dat de kwaal heel ernstig is.'

'Niet ernstig?' riep hij ongelovig. 'Niet ernstig? Ik lijd ondraaglijke pijn. En er is van alles wat ik hoognodig moet lezen. Bent u dokter? Ik heb er geen van node. Ik krijg de beste behandeling die er maar voorhanden is.'

Ik maakte mij bekend. 'Het spreekt vanzelf dat ik aarzel een arts tegen te spreken, mijnheer, maar die indruk krijg ik niet. Ik kan hiervandaan zien dat er zich een opeenhoping van bruine afvalstoffen op het ooglid heeft gevormd die om een geneesmiddel vraagt.'

'Dat is het geneesmiddel, malloot,' zei hij. 'Ik heb de bestanddelen zelf gemengd.'

'En waaruit bestaan die?'

'Uit gedroogd hondenexcrement,' zei hij.

'Wat?'

'Dat heb ik van Bate, mijn dokter. De arts van de koning, moet u weten, en een man van nobele afkomst. Het is een onfeilbaar middel, al eeuwenlang beproefd. Van een rashond bovendien. Het beest is van de rector van dit college.'

'Hondenexcrement?'

'Jawel. Je laat het in de zon drogen, vermaalt het tot poeder en bestuift er de ogen mee. Het is een betrouwbaar middel tegen alle vormen van oogkwalen.'

Naar mijn idee verklaarde dit juist waarom zijn oog hem zo'n last bezorgde. Er zijn natuurlijk ontelbaar veel oude middeltjes in gebruik en sommige zijn ongetwijfeld even doeltreffend als alles wat een arts maar kan voorschrijven – niet dat dat nu zoveel zegt. Ik twijfel er niet aan of het minerale heelmiddel waar Lower zo warm voor liep, zal ze uiteindelijk alle verdringen. Ik had wel zo'n vermoeden van het soort gewauwel waarmee de aanbeveling gepaard was gegaan. De natuurlijke aantrekkingskracht tussen eendere elementen; het tot poeder vermalen excrement zou affiniteit tot het schadelijke element hebben en het eruit trekken. Of juist niet, dat hing ervan af.

'Het zij verre van mij het middel in twijfel te trekken, maar bent u er wel heel zeker van dat het helpt?' vroeg ik.

'Dat wil toch zeggen dat u het in twijfel trekt?'

'Nee,' zei ik voorzichtig. 'In bepaalde gevallen kan het wel doeltreffend zijn: dat weet ik niet. Hoelang hebt u al last van uw oog?'

'Ongeveer tien dagen.'

'En hoelang behandelt u het al op deze manier?'

'Ongeveer een week.'

'En is uw oog er in die tijd op vooruitgegaan of is het juist erger geworden?'

'Er is geen verbetering opgetreden,' gaf hij toe. 'Maar het is mogelijk dat het er zonder deze behandeling nu nog minder aan toe zou zijn.'

'En het is ook mogelijk dat het er dankzij een andere behandeling nu beter aan toe zou zijn geweest,' zei ik. 'Kijk, als ik u nu een andere behandeling gaf en uw oog werd beter, dan zou dat bewijzen...'

'Dat zou dan bewijzen dat mijn oorspronkelijke behandeling eindelijk vruchten was gaan afwerpen en dat uw behandeling geen enkele invloed had gehad.'

'U wilt dat uw oog zo gauw mogelijk beter wordt. Als u een bepaalde behandeling toepast en na een redelijk tijdsverloop is er geen verbetering opgetreden, dan mogen we de gevolgtrekking maken dat de behandeling althans gedurende die tijd geen uitwerking heeft gehad. Of die de week daarop iets tot stand brengt, de week daarop of drie jaar later, dat doet niet ter zake.'

Doctor Grove deed zijn mond al open om deze redeneerwijze te betwisten, maar kreeg nogmaals last van een pijnscheut in zijn oog en begon er weer verwoed in te wrijven.

Ik ontwaarde een gelegenheid om mijzelf geliefd te maken én misschien zelfs een honorarium in de wacht te slepen dat mijn middelen enigszins kon aanvullen. Daarom vroeg ik om wat water en begon aanstonds de stinkende rommel geheel en al uit het oog te verwijderen, in de mening dat dit alleen al waarschijnlijk een welhaast wonderbaarlijk herstel tot gevolg zou hebben. Toen ik hiermee klaar was, stond zijn zwaarbeproefde oog weer open, en hoewel hij nog steeds enig ongemak bespeurde, gaf hij uitdrukking aan zijn vreugde om het feit dat hij zich al veel beter voelde. En wat me meer voldoening schonk: hij schreef dit resultaat louter en alleen toe aan de behandeling die ik had toegepast.

'En nu op naar het volgende stadium,' zei Grove vastberaden, en hij rolde zijn mouw op. 'Vijf maatjes zijn wel genoeg, denkt u niet?'

Ik was het niet met hem eens, al zei ik niet dat ik er helemaal niet van overtuigd was dat een aderlating ooit iemand goed deed, want ik was bang dat ik anders zijn vertrouwen zou verliezen. Daarom opperde ik dat de harmonie van zijn gestel zich misschien eerder zou herstellen wanneer hij iets at en vervolgens licht vomeerde – vooral daar hij eruitzag als iemand die gemakkelijk een paar maaltijden zou kunnen overslaan zonder daar nadelige gevolgen van te ondervinden.

Toen de behandeling een einde had genomen, vroeg hij mij een glas wijn met hem te drinken; deze uitnodiging sloeg ik af, daar ik even tevoren al veel te veel had gedronken. Daarop legde ik hem de reden van mijn bezoek uit, en ik bedacht dat als hij het voorval in het koffiehuis niet ter sprake bracht, ik dat evenmin zou doen. Aanvankelijk had ik kritisch tegenover zijn gedrag gestaan; nu ik het meisje kende, had ik er meer begrip voor.

'Het gaat om een jongeman die ik gisteren heb ontmoet,' zei ik. 'Een zekere Prestcott.'

De naam Prestcott was nog niet gevallen, of doctor Grove fronste zijn wenkbrauwen en vroeg hoe ik hem dan had kunnen spreken, want hij zat toch opgesloten in het kasteel.

'Dat kwam door mijn geachte vriend dokter Lower,' zei ik, 'die een... bericht voor hem had.'

'Hij is zeker op zijn lijk uit, hè?' zei Grove. 'Ik zweer u: wanneer ik me ziek voel, bespeur ik de neiging naar Northampton terug te gaan, omdat Lower anders misschien met een begerige glans in zijn ogen aan mijn bed verschijnt. Wat zei Prestcott?'

Ik vertelde hem dat Prestcott absoluut had geweigerd dit idee te overwegen, en Grove knikte. 'Verstandig van hem. Een kloeke knaap, al kon je gemakkelijk zien dat het slecht met hem zou aflopen. Erg eigenzinnig, hè?'

'Op het ogenblik,' antwoordde ik ernstig, 'wekt hij de indruk dat hij diep berouw heeft en geestelijke steun behoeft. Hij wil graag dat u hem komt opzoeken om hem de vertroosting van het geloof te schenken.'

Grove keek even vergenoegd als verrast. 'Het vermogen van de strop ervoor te zorgen dat mensen Gods genade aanvaarden, dient nooit te worden onderschat,' zei hij tevreden. 'Onwillekeurig koester ik de mening dat hij, wanneer hij beter onderricht was en aan een strengere tucht onderworpen, misschien nog van het pad had kunnen worden afgebracht dat hij nu heeft ingeslagen. Ik neem het mezelf kwalijk dat ik niets heb gezien en niet meer hulp heb geboden. Ik zal er vanavond nog heen gaan.'

Dat vond ik aardig van hem. Hij was een bars heerschap en hield er bepaald uitgesproken meningen op na, maar hij was ook vriendelijk, merkte ik nu, en hij vond het heerlijk wanneer andere mensen het niet met hem eens waren. Lower vertelde me later dat Grove dan zijn tekortkomingen mocht hebben, maar dat hij nooit aanstoot nam aan oprecht gekoesterde opinies, ook al bestreed hij die vastberaden zo krachtig als hij maar kon. Dat betekende dat het niet meeviel hem aardig te vinden, maar dat sommige mensen hem uiteindelijk toch graag mochten.

'Hij verlangde er erg naar zo gauw mogelijk met u te praten,' zei ik. 'Maar ik zou u willen aanraden eerst nog ongeveer een dag te wachten. De wind staat in het noorden, en het is bekend dat die niet goed is voor een kwaal als die aan uw oog.'

'We zullen zien,' zei hij. 'Maar ik moet er spoedig naartoe. Ik was daar niet toe genegen voordat hij me erom vroeg, en het doet me deugd dat het nu zover is. Mijn dank, mijnheer.'

'Bent u misschien,' vroeg ik terwijl ik nog eens in zijn oog tuurde, 'bekend met de voorgeschiedenis van zijn misdaad? Te oordelen naar de paar bijzonderheden waar ik over heb gehoord, is het een hoogst zonderling geval.'

Grove knikte. 'Heel zonderling,' beaamde hij. 'Maar ik vrees dat hij als gevolg van zijn achtergrond voorbeschikt was om zo te handelen. Zijn vader heeft een onfortuinlijk huwelijk gedaan.'

'Konden zijn vrouw en hij niet goed met elkaar opschieten?' vroeg ik.

Grove fronste zijn wenkbrauwen. 'Erger nog. Hij is uit liefde getrouwd. Een bekoorlijke vrouw, zo is mij verteld, maar tegen de wil van beide families in, die het hem dan ook nooit hebben vergeven.'

Ik schudde mijn hoofd. Daar ik zelf uit een koopmansgeslacht stamde, wist ik heel goed hoe belangrijk het was allerlei ongerijmde gevoelsoverwegingen niet de kans te geven een rol te spelen. Zoals mijn vader eens opmerkte: als het Gods bedoeling was geweest dat wij uit liefde trouwden, waarom had Hij dan maîtresses geschapen? Niet dat hij zichzelf bijzonder uitleefde op dat gebied, want hij en mijn moeder waren erg aan elkaar verknocht.

'Hij nam dienst in het koningsgezinde leger toen de oorlog uitbrak, vocht manhaftig en verloor alles. Hij bleef zijn vorst echter trouw en zwoer samen tegen de Republiek. Helaas was hij meer gesteld op samenzweren dan op zijn vorst, want hij verried zijn koning aan Cromwell. Een ernstiger euveldaad is niet meer vertoond sinds Judas Iskariot op aarde wandelde.'

Hij knikte eens wijsgerig bij de gedachte aan zijn gruwelverhaal. Ik vond dat alles heel interessant, maar begreep nog steeds niet hoe Prestcott nu in de gevangenis was beland.

'Dat is heel eenvoudig,' zei Grove. 'Hij heeft een wilde en onberekenbare inslag; wellicht is dit een voorbeeld van de zonden der vaderen die aan de kinderen bezocht worden. Hij werd een ongezeglijk, onhandelbaar kind en ging, zodra zijn familie geen gezag meer over hem had, met spoed het slechte pad op. Hij heeft iets bitters, dat het gevolg is van de ondergang van zijn familie. Die dingen gebeuren. Vorig jaar hebben we een student opgehangen vanwege struikroverij, dit jaar is het Prestcott, en ik vrees dat zij niet de laatsten zullen zijn. "Het land is vol van bloedgerichten, en de stad is vol van geweld."' Hij zweeg even om mij de gelegenheid te geven dit citaat te herkennen, maar ik haalde hulpeloos mijn schouders op.

'Ezechiël 7:23,' zei hij verwijtend. 'Het is een gevolg van de beroering die we hebben meegemaakt. Enfin, mijnheer. Ik voel me niet bij machte u te beledigen door u geld aan te bieden voor uw vriendelijke gebaar, maar misschien dat een maaltijd in ons college een gepaste vergoeding zou vormen? Wij houden er een voortreffelijke keuken op na en ik kan u uitmuntend gezelschap in het vooruitzicht stellen.'

Ik glimlachte flauwtjes en zei dat het me een genoegen zou zijn.

'Prachtig,' zei hij. 'Daar ben ik blij om. Vijf uur?'

Aldus spraken we af en onder zoveel dankbetuigingen als ik maar kon opbrengen, nam ik afscheid van hem.

Uit de manier waarop hij die wegwuifde, maakte ik op dat hij meende dat ik me bijzonder vereerd voelde door de uitnodiging. 'Vertelt u me nog even voordat u vertrekt,' zei hij toen ik de deur opende. 'Hoe gaat het met de moeder van dat meisje?' 'Het gaat niet goed met haar,' antwoordde ik. 'Ik denk zelfs dat ze zal sterven.'

Hij knikte bars, op een manier die ik niet vermocht te doorgronden. 'O,' zei hij. 'Gods wil geschiede.'

En toen mocht ik gaan. Ik ging terug om vrouw Bulstrode ervan op de hoogte te stellen dat ik niet bij haar zou dineren en kweet me vervolgens van mijn laatste plicht door Prestcott zijn vaatje wijn in zijn gevangeniscel te brengen.

8

HET DINER IN NEW COLLEGE verbijsterde mij enigszins. Daar mijn gastheren allen ontwikkelde heren waren en velen van hen geestelijke, had ik
me voorgesteld dat me een prettige tijdpassering in een aangename omgeving te wachten stond. De maaltijd werd echter opgediend in een enorme,
tochtige zaal, waar de wind doorheen vloog als bevonden we ons in een
storm op zee; Grove had zich voor de gelegenheid goed ingepakt en bracht
mij tot in de kleinste bijzonderheden op de hoogte van de lagen ondergoed
die hij gewoon was aan te trekken voordat hij zich naar buiten waagde. Had
hij me dat eerder verteld, dan had ik hetzelfde gedaan. Maar ook dan had ik
het koud gehad. De Engelsen zijn ijzige temperaturen gewend, maar ik ben
gewend aan de zachte lucht en het milde weer van het Middellandse-Zeegebied. Zelfs in de nederigste kroeg heerste nog niet de bittere kou van die
zaal, die dwars door je kleren en vlees heen beet tot je botten er zeer van
deden.

Zelfs dat was draaglijk geweest als het eten, de wijn of het gezelschap
ertegen op had gewogen. Deze colleges houden er het kloostergebruik op
na dat men gezamenlijk eet, met uitzondering dan van de meer welgestelde
inwoners, die hun maaltijden naar hun vertrekken laten komen en daarvoor betalen. De hoger geplaatste stafleden zitten op een podium en de
anderen in de rest van de zaal. Het eten was ternauwernood goed genoeg
voor dieren, dus is het niet al te verwonderlijk dat men zich ook als beesten
gedraagt. Ze eten van platte houten borden en midden op de tafels staan
enorme houten kommen waarin ze de botjes gooien, als ze daar althans
elkaar niet mee bekogelen. Op het laatst zat ik onder de etensresten,
afkomstig van de geleerde heren die met hun mond vol praatten en elkaar
onderspuwden met stukjes kraakbeen en nog half ongekauwd brood.

De wijn was nauwelijks te drinken, zodat ik daar niet eens vergetelheid
in kon zoeken. Ik moest naar de gesprekken luisteren, die in de verste verte

niet over in wetenschappelijk opzicht interessante onderwerpen gingen. Ik begon te beseffen dat ik, toen ik Boyle en Lower ontmoette, een misplaatste indruk van zowel Oxford als de Engelsen had gekregen. Zij bekreunden zich in het geheel niet om de nieuwste vorderingen in de wetenschap, maar werden geheel en al in beslag genomen door vragen als wie er wat voor promotie zou verkrijgen en wat die en die deken wel tegen die en die rector magnificus had gezegd. Behalve ik zat er nog een gast aan, kennelijk een heer van consideratie, en iedereen gedroeg zich zo kruiperig jegens hem, dat ik aannam dat hij een of andere weldoener van het college was. Hij zei echter maar weinig en ik werd zo ver weg van hem geplaatst dat ik geen gesprek met hem kon aanknopen.

Zelf trok ik niet veel belangstelling, en ik moet bekennen dat mijn trots daardoor gekwetst werd. Ik had verwacht dat zo iemand als ik, kersvers uit Leiden en Padua, dra in het middelpunt van de belangstelling zou komen te staan. Maar nee, niets daarvan. Mijn opmerking dat ik niet in de stad woonde en geen kerkelijk ambt bekleedde, stond gelijk aan de bekentenis dat ik aan de pokken leed. Toen het duidelijk werd dat ik katholiek was, verlieten twee aanwezigen de zaal en op z'n minst één man weigerde naast mij te blijven zitten. Ik vond het vervelend om het te moeten toegeven, omdat ik langzamerhand een zekere genegenheid voor de Engelsen had opgevat, maar in bijna alle opzichten waren zij geen haar beter dan hun collega's in Padua of Venetië, en afgezien van de verschillen in geloof en taal, hadden ze zonder dat iemand het had gemerkt, zo kunnen worden vervangen door een groep kletsende Italiaanse priesters.

Er waren er maar een paar bij die mij enige aandacht schonken, maar één man gedroeg zich beledigend. De manier waarop ik werd ontvangen was veeleer achteloos dan kwetsend. Het was echter heel jammer dat die ijzige houding tentoon werd gespreid door een heer die ik met genoegen zonder voorbehoud had bewonderd, want doctor John Wallis was iemand die ik graag onder mijn kennissen had geteld. Ik wist het een en ander van hem af en bewonderde hem vanwege zijn meesterlijke kennis van de wiskunde, die hem een plaats onder de grootste geleerden van Europa bezorgde, en ik had me voorgesteld dat een man die met Mersenne correspondeerde en die de wiskundige degens had gekruist met Fermat en Pascal een enorm beschaafd man was. Helaas was dat niet het geval. Doctor Grove stelde ons aan elkaar voor en geneerde zich ervoor dat Wallis weigerde zelfs maar de normale omgangsregels jegens mij in acht te nemen. Hij staarde me aan met een paar bleke, koude ogen die me aan een reptiel deden denken, weigerde op mijn nijging te reageren en wendde me vervolgens zijn rug toe. En wat nog erger was, naderhand wees hij al mijn pogingen kennis met hem te maken op een onhebbelijke manier van de hand.

Dit alles speelde zich af toen we aan tafel gingen, en Grove stortte zich in een buitensporig opgewekte en strijdlustige conversatie teneinde de gêne te maskeren die zijn collega hem had bezorgd.

'Zo, mijnheer, verdedigt u zich? Het komt niet vaak voor dat wij een voorstander van de nieuwe wetenschap in ons midden mogen ontvangen. Immers, als u op vriendschappelijke voet met Lower omgaat, dan neem ik aan dat u zo iemand bent.'

Ik antwoordde dat ik mijzelf eigenlijk niet als voorstander van iets zag, en zeker niet als een waardig specimen.

'Maar is het waar dat u de kennis der Ouden tracht af te danken en te vervangen door die van uzelf?'

Ik zei dat ik voor elke waardevolle mening respect had.

'Aristoteles?' vroeg hij uitdagend. 'Hippocrates? Galenus?'

Ik zei dat zij allen grote mannen waren geweest, maar dat bewezen kon worden dat ze het in vele opzichten bij het verkeerde eind hadden gehad. Hij snoof verachtelijk om mijn antwoord.

'En uw vorderingen? Het enige dat u, nieuwlichters, hebt gepresteerd is dat u nieuwe redenen hebt ontdekt voor klassieke handelwijzen en hebt aangetoond dat enkele onbeduidende dingen op een andere manier in elkaar steken dan men had aangenomen.'

'Neen, mijnheer. Dat is niet waar,' zei ik. 'Denkt u eens aan de barometer en de telescoop.'

Hij maakte een laatdunkend gebaar. 'En de mensen die daar gebruik van maken, trekken allen volkomen verschillende conclusies. Wat voor ontdekkingen hebben we aan de telescoop te danken? Dergelijke dingen zullen nooit de plaats gaan innemen van het logische redeneren, van het speculeren over imponderabilia.'

'Maar de vorderingen in de wijsbegeerte, daar ben ik van overtuigd, zullen nog wonderbaarlijke dingen tot stand brengen.'

'Daar moet ik het eerste teken nog van zien.'

'Dat zal gebeuren,' antwoordde ik geestdriftig. 'Ik twijfel er niet aan of het nageslacht zal eens vele zaken bevestigen die thans nog niet meer dan geruchten zijn. Het is mogelijk dat in een bepaald tijdperk een reis naar de maan niet vreemder is dan voor ons een reis naar Amerika. Met Brits-Indië spreken wordt misschien even gebruikelijk als het onderhouden van een briefwisseling. Per slot van rekening kon iemands vermogen om na zijn dood nog te praten, voor de uitvinding van het schrift alleen maar als verzinsel worden beschouwd, en het vermogen een schip een rechtwijzende koers te laten aanhouden met de hulp van een bepaald mineraal als gids, zou de Ouden, die niets van de magneet af wisten, ongerijmd zijn voorgekomen.'

'Dat is wel een heel merkwaardig stijlbloempje,' antwoordde Grove zuur. 'Desondanks vind ik dit staaltje van redenaarskunst in die zin tekortschieten dat de antithesen en de antepodoses niet goed op elkaar zijn afgestemd. Want u slaat de plank mis, mijnheer. De Ouden wisten wel terdege van de magneet. Diodorus Siculus was er duidelijk van op de hoogte, zoals elke heer zou horen te weten. Het enige dat we hebben ontdekt, is een nieuw gebruik van die steen. Dat bedoel ik nu. Alle kennis is in de klassieke teksten te vinden, als je maar weet hoe je die dient te lezen. En dat gaat op voor de alchemie zowel als de geneeskunst.'

'Daar ben ik het niet mee eens,' zei ik, en ik vond dat ik me kranig weerde. 'Neemt u bijvoorbeeld maagkramp. Wat is het gebruikelijke middel daartegen?'

'Arsenicum,' zei iemand verderop aan de tafel die zat te luisteren, 'enkele greinen in water bij wijze van braakmiddel. In september heb ik het zelf nog ingenomen.'

'Hielp het?'

'Goed, de pijn werd eerst erger. Ik moet zeggen dat ik tot de gedachte overhel dat een kleine aderlating meer verlichting bracht. Maar de kwaliteit van arsenicum als purgeermiddel staat buiten kijf. Nooit heb ik zo vlug achter elkaar zo vaak ontlasting gehad.'

'Mijn leermeester in Padua heeft enkele proeven uitgevoerd en kwam toen tot de gevolgtrekking dat het geloof in arsenicum op een domme vergissing berust. Het idee was afkomstig uit een boek over heelmiddelen dat uit het Arabisch was vertaald en vervolgens door Deusingius in het Latijn. De vertaler heeft echter een fout gemaakt; in het boek werd voor deze pijn iets aanbevolen wat darsini heette, en dat heeft hij als arsenicum vertaald. Maar arsenicum is *zarnich* in het Arabisch.'

'Wat moeten we dan innemen?'

'Kaneel, schijnt het. Welnu, mijnheer, blijft u een oude traditie verdedigen wanneer kan worden aangetoond dat die ⋯ uter op de fout van een vertaler berust?'

Op dat ogenblik gooide die ander zijn hoofd in zijn nek en begon te lachen, waardoor hij een straal van maar half gekauwd eten in een elegante parabool naar de andere kant van de kamer zond. 'U hebt enkel de juistheid aangetoond van een degelijke kennis van de oude talen, mijnheer,' zei hij.

'Meer niet. En dat hebt u als voorwendsel gebruikt om de kennis van dui-zenden jaren overboord te werpen, zodat u die kon vervangen door uw eigen hulpeloze schrijfsels.'

'Ik ben mij maar al te zeer bewust van de hulpeloosheid van mijn schrijf-sels,' antwoordde ik, nog steeds de beleefdste van het gezelschap. 'Maar ik vervang niet het een door het ander; het enige dat ik doe is een hypothese onderzoeken voordat ik die aanvaard. Heeft Aristoteles zelf niet gezegd dat onze ideeën zich moeten voegen naar onze bevindingen omtrent de dingen zoals ze zijn?'

Ik vrees dat ik langzamerhand rood aanliep van boosheid, daar ik bespeurde dat hij maar weinig belangstelling had voor een gedachtewisse-ling waaraan logisch redeneren te pas kwam; waar Grove zich van een beminnelijke wijze van debatteren bediende, hield deze figuur er een onaangename toon en manier van doen op na.

'En dan?'

'Hoe bedoelt u?'

'En wanneer u Aristoteles op uw manier hebt beproefd? En ongetwijfeld tot de bevinding bent gekomen dat hij niet deugt? Wat dan? Gaat u dan de monarchie aan uw onderzoekingen onderwerpen? Of de Kerk misschien? Matigt u zich straks aan onze Heiland zelf te doorgronden? Daar steekt hem het gevaar in, mijnheer. Uw speurtocht leidt tot atheïsme, dat kan niet anders – tenzij de wetenschap vast in handen blijft van degenen die het woord van God willen versterken in plaats van aanvechten.'

Hij zweeg en keek rond om steun te zoeken bij zijn collega's. Het deed me deugd te zien dat zij niet met onverdeelde geestdrift toekeken, al zaten velen bevestigend te knikken.

'Zal ook het leem tot zijnen formeerder zeggen: "Wat maakt Gij?"' mompelde Grove zachtjes, half bij zichzelf.

Maar zijn halfluid uitgesproken citaat riep iets wakker bij de jongeman die mij die morgen de weg had gewezen naar de vertrekken van Grove. 'Jesaja 45:9,' zei hij. 'De trek der wijsheid is meerder dan die der robijnen,' voegde hij er zacht aan toe, daar hij duidelijk nog te jong was en een te lage positie innam om te kunnen deelnemen aan de krachtmeting, maar de oude man node ongehinderd aan het woord liet. Verscheidene malen, zo had ik opgemerkt, had hij geprobeerd zich in het gesprek te mengen, maar telkens wanneer hij zijn mond opendeed, had Grove hem onderbroken en zich gedragen alsof hij lucht was.

'Job 28:18,' snauwde Grove, geërgerd door deze vrijpostigheid. 'En die wetenschap vermeerdert, die vermeerdert smart.'

'Prediker 1:18,' pareerde Thomas Ken, die ook al tekenen van opwinding begon te vertonen. Ik bespeurde dat er hier sprake was van een of andere persoonlijke kibbelpartij, die niets met mij of met experimenten in het algemeen te maken had. 'Hoelang zullen de spotters voor zich de spotternij begeren, en de zotten wetenschap haten?'

'Spreuken 1:22. "Uwe wijsheid en uwe wetenschap heeft u afkerig gemaakt."'

Deze laatste uitval versloeg de arme Ken, die wist dat hij zich de plaats van dit citaat niet herinnerde, en onder deze openbare vernedering liep zijn gezicht rood aan terwijl hij wanhopig zijn best deed een antwoord te verzinnen.

'Jesaja 47:10,' zei Grove zegevierend toen het iedereen duidelijk was dat Ken het moest laten afweten.

Ken wierp zijn mes kletterend neer en met trillende handen stond hij op om de tafel te verlaten. Ik vreesde dat ze slaags zouden raken, maar de scène was louter toneelspel. 'Romeinen 8:13,' zei hij. In een ijzingwekkend traag tempo verwijderde hij zich van de tafel en liep de zaal uit; zijn voetstappen lieten een galmend geluid horen. Ik geloof dat ik de enige was die deze laatste opmerking hoorde, en mij zei die niets. Ik heb die neiging van protestanten om met bijbelcitaten te strooien altijd een tikkeltje belachelijk gevonden, ja zelfs godslasterlijk. Maar Grove had dit laatste beslist niet gehoord; hij zag eruit of hij met zichzelf was ingenomen omdat hij het pleit had gewonnen.

Daar niemand anders de stilte wenste te verbreken, besloot ik (als vreemdeling die bovendien niet goed doorhad wat hier aan de hand was) mijn best te doen de hele geschiedenis maar toe te dekken.

'Ik ben geen theoloog of priester,' zei ik, pogend het dispuut opnieuw op een rationele basis te voeren, 'maar ik heb op mijn eigen manier de geneeskunst bestudeerd. En ik weet dat heelmiddelen in vele gevallen evengoed genezing kunnen brengen als de dood veroorzaken. Ik acht het mijn plicht zoveel te weten te komen als ik maar kan en mijn patiënten daardoor des te beter te helpen. Het is niet goddeloos, hoop ik, om zo te handelen.'

'Waarom zou ik u geloven wanneer uw raad afwijkt van die van de grote leermeesters uit het verleden? Wat stelt uw gezag voor naast dat van hen?'

'Zeker, niet veel, en ik vereer hen evenzeer als u. Noemde Dante Aristoteles niet *il maestro di color qui sanno*? Maar daar gaat mijn vraag niet over. Ik vraag u een conclusie te trekken uit de uitslag van experimenten.'

'Ah, experimenten,' zei Grove opgeruimd; 'schaart u zich achter de opvatting van Copernicus dat de aarde om de zon draait?'

'Natuurlijk.'

'En die experimenten hebt u zelf uitgevoerd? U hebt de nodige waarnemingen verricht, de berekeningen opnieuw uitgevoerd en op grond van uw eigen werkzaamheden vastgesteld dat dat waar is?'

'Nee, ik weet helaas niet veel van wiskunde af.'

'Dus u gelóóft dat het waar is, u wéét het niet? U vertrouwt Copernicus?'

'Ja. En ook de deskundigen die zijn gevolgtrekkingen aanvaarden.'

'Vergeeft u mij dat ik het zeg, maar het wil mij voorkomen dat u zich al evenzeer laat leiden door gezag en traditie als iemand die de opvattingen van Aristoteles of Ptolemeus onderschrijft. Ondanks al uw plechtige verklaringen is uw wetenschap ook een kwestie van geloof, in geen enkel opzicht te onderscheiden van de oude kennis waar u zo op neerkijkt.'

'Ik baseer mijn oordeel op de uitslag van proefnemingen,' zei ik luchthartig, want hij had duidelijk plezier in het gesprek en het zou lomp van me zijn om zijn pretje te bederven door te laten merken dat ik me ergerde. 'En op het feit dat de experimentele methode voortreffelijke resultaten heeft voortgebracht.'

'Die experimenten van u, die vormen bijvoorbeeld de kern van de nieuwe geneeskunde?'

Ik knikte.

'Maar hoe verzoent u die met de ideeën van Hippocrates, die u artsen zo hoog schijnt aan te slaan?'

'Dat hoef ik niet,' zei ik. 'Ik zie daar niets tegenstrijdigs in.'

'Hoe is dat mogelijk?' zei Grove verbaasd. 'Want u moet bewezen behandelingen vervangen door andere die misschien wel beter zijn, maar wellicht slechter kunnen blijken. In plaats van dat u in de allereerste plaats uw best doet uw patiënten te cureren, voert u experimenten op hen uit om te zien wat voor resultaat u daarmee behaalt. U gebruikt uw patiënten om uw kennis te vermeerderen, niet om hen beter te maken, en dat is zondig. Bartolomeus de Chaimis zegt dit ook in zijn *Interrogatorium Sive Confessionale*, en wat dat betreft is hij altijd bijgevallen door de betrouwbaarste en meest gezaghebbende natuurvorsers.'

'Een scherpzinnig argument, maar het gaat niet op,' zei ik. 'Experimenten dienen ertoe de behandeling van alle patiënten te verbeteren.'

'Maar als ik met een ziekte naar u toe kom, dan kunnen al die andere patiënten mij niets schelen. Het zegt me niets of anderen genezen worden wanneer ik sterf en daarmee bewijs dat een bepaalde behandeling geen zin heeft. Ik wil gezond worden, maar u zegt dus dat uw verlangen naar kennis intenser is dan mijn behoefte aan gezondheid?'

'Ik zeg niets van dien aard. Er bestaan vele experimenten die uitgevoerd kunnen worden zonder dat men de patiënt in gevaar brengt.'

'Niettemin schuift u in zulke gevallen Hippocrates terzijde. U besluit behandelingen toe te passen zonder te weten of ze al of niet goed zullen uitpakken, en daarmee verbreekt u uw belofte.'

'Denkt u eens, mijnheer, aan een patiënt voor wie er geen remedie bestaat. Die persoon zal sterven. In dat geval is een experiment dat enige kans op herstel biedt, toch beter dan niets.'

'Neen. Omdat het heel wel mogelijk is dat u de dood bespoedigt. Dat druist niet alleen in tegen de eed, maar ook tegen Gods wet. En tegen de wet van de mens, als het om moord gaat.'

'U zegt dus dat geen enkele verbetering in de medische wetenschap toelaatbaar is? Wij beschikken over wat we van onze voorouders hebben ontvangen en mogen niet op meer hopen?'

'Ik zeg dat de experimentele methode, zoals u zelf ook toegeeft, immoreel is.'

Het viel niet mee, maar ik bleef aan mijn manieren denken. 'Misschien. Maar ik heb u vandaag behandeld en het is u aan te zien dat u er flink op vooruit bent gegaan. U mag de bron dan betwisten – dat kunt u in dit geval niet met het resultaat doen.'

Grove lachte en klapte vergenoegd in zijn handen, en ik zag dat hij zich alleen maar vermaakte; hij keek hoe ver hij met me kon gaan. 'Dat is waar, mijnheer, heel waar. Mijn oog is veel beter, en daarvoor ben ik de nieuwe wijsbegeerte dankbaar. En ongetwijfeld zal ik u vertrouwen waar het de gevaren betreft van elke stof waar u maar een hekel aan hebt, en die geheel en al vermijden... Maar,' zei hij met een zucht toen hij vaststelde dat zijn wijnglas leeg was, 'onze maaltijd is ten einde, en daarmee ook ons debat. Helaas. Wij moeten hier nog vaker over praten gedurende uw verblijf aan onze universiteit. Wie zal het zeggen? Misschien dat ik u eens zelfs de dwalingen uws weegs kan doen inzien.'

'Of ik u de uwe?'

'Dat betwijfel ik. Daar is nog nooit iemand in geslaagd. Maar ik zou uw pogingen met genoegen aanhoren.'

Toen ging iedereen staan en een jonge natuurvorser sprak een dankgebed uit voor het eten (of wellicht voor het feit dat we het hadden overleefd) en allen schuifelden we de zaal uit. Grove liep met me mee over de binnenplaats om me uit te laten; bij de deur die naar zijn trap leidde hield hij even stil om een fles te pakken die iemand daar had laten staan. 'Prachtig,' zei hij, en hij klemde hem tegen zijn borst. 'Een beetje warmte op een koude avond.'

Ik dankte hem voor zijn gastvrije onthaal. 'Het spijt me als ik u of uw collega Wallis heb ontstemd. Dat was niet mijn bedoeling.'

Grove maakte een wegwerpend gebaar. 'U hebt mij bepaald niet ontstemd en ik zou me geen zorgen maken over Wallis. Hij is een opvliegend man. Ik geloof niet dat hij u erg graag mocht, maar bekommert u zich daar niet om: hij mag niemand. Hij is echter geen slecht mens: hij bood aan Prestcott vanavond voor me op te zoeken, daar u zegt dat ik mijn ogen moet sparen, en dat is vriendelijk van hem. Zo, we zijn er, mijnheer Cola,' zei hij. 'Ik wens u een goede nacht.'

Hij maakte een nijging, draaide zich toen vlug om en beende terug naar zijn kamer en zijn fles. Ik bleef hem nog een ogenblik nakijken, overrompeld door dit korte afscheidsritueel, dat zo volkomen afweek van de langdurige plichtplegingen in Venetië; maar niets is ook zo goed in staat om complimenten in te korten als een noordenwind.

9

PAS TEGEN HET EIND van de ochtend daarop besefte ik dat er een ramp op komst was; het eerste gedeelte van de dag deed ik niets anders dan Lower mijn medeleven betuigen vanwege het verlies van zijn lijk.

Hij accepteerde het geredelijk; zijn kans om Prestcotts lijk in handen te krijgen was, zoals hij zei, toch maar klein geweest, en daarom verschafte het hem enige voldoening te weten dat de universiteit het ook niet zou krijgen. Bovendien had hij de knaap graag gemogen, al vond hij, evenals de meeste inwoners van de stad, dat Prestcott Wallis op een heel ongepaste manier had gemaltraiteerd.

Om het geval kort toe te lichten – en dat ik dit bondige verslag kan uitbrengen, komt doordat ik ontelbaar veel versies bij elkaar heb gevoegd, totdat ik begreep wat er was gebeurd –, dat Jack Prestcott aan het gerecht des konings was ontsnapt, was voor een gedeelte mijn schuld. Ik was met de boodschap teruggekomen dat de jongen graag bezoek wilde, en die Wallis, uitgerekend de man die me tijdens het diner zo onvriendelijk had bejegend, was in plaats van Grove naar hem toe gegaan. Dat was een vriendelijk gebaar, tegenover Grove zowel als Prestcott, en ik schaamde me ervoor dat het gevolg mij enigszins vrolijk stemde.

Wallis had erom verzocht dat de ketenen van de gevangene werden losgemaakt, zodat hij tijdens het gebed meer bewegingsvrijheid had, en was vervolgens met hem alleen gelaten. Ongeveer een uur later was hij, nog steeds in zijn dikke, zwarte gewaad gehuld en met zijn zware winterhoed op, weer te voorschijn gekomen, maar zo ontdaan om het naderende verlies van een kostbaar jong leven dat hij amper kon spreken; hij had de cipier een fooi van twee duiten gegeven en hem gevraagd Prestcott de kans te geven eens een nacht goed en ongestoord te slapen. Met de kluisters kon hij wel tot de ochtend daarop wachten.

De cipier, die nu ongetwijfeld zijn betrekking zou kwijtraken, had gehoorzaamd, en pas om vijf uur de volgende ochtend was de cel geopend. Waarop men had ontdekt dat degene die op de kleine brits lag niet Prestcott was, maar een geknevelde doctor Wallis met een prop in zijn mond die, zoals hij vertelde, door de jongeman was overmeesterd, vastgebonden en van zijn mantel en hoed beroofd. Het was Prestcott geweest die de avond tevoren was weggewandeld; zo had hij een voorsprong van bijna tien uren gekregen, die hij had kunnen gebruiken om zijn achtervolgers te ontlopen.

Het bericht bracht een verbazingwekkende beroering teweeg; het merendeel van de stadsbewoners vond het natuurlijk prachtig dat de waardigheid van de wet belachelijk was gemaakt, maar was ontsticht omdat er hun een hangpartij door de neus was geboord. Per saldo woog hun bewondering voor dit stoute stukje zwaarder dan hun teleurstelling; men zette de achtervolging in om hem te zoeken, maar ik heb het vermoeden dat de meesten niet geheel en al ontevreden waren toen ze met lege handen terugkeerden.

Nu ik mijzelf tot Groves arts had benoemd, werd ik er uiteraard door Lower op uitgestuurd om zijn oog nogmaals te onderzoeken, zodat ik eventuele praatjes kon opvangen. De eiken deur van zijn kamer zat echter stevig op slot en ditmaal kwam er geen antwoord toen ik er met mijn stok op sloeg.

'Weet u ook waar doctor Grove is?' vroeg ik aan een dienstmaagd.

'In zijn kamer.'

'Ik krijg daar geen gehoor.'

'Dan slaapt hij zeker nog.'

Ik wees haar erop dat het bijna tien uur was. Waren de geleerde heren niet verplicht op te staan om de kerkdienst bij te wonen? Was het niet vreemd dat hij nog steeds sliep?

Ze was een korzelige en ontoeschietelijke vrouw en daarom wendde ik me tot Ken, die ik aan de andere kant van het binnenplein zag lopen. Hij trok een bezorgd gezicht, want, zo zei hij, Grove schepte er een speciaal genoegen in de namen af te roepen in de kerk en laatkomers het vuur na aan de schenen te leggen. Misschien dat zijn ziekte...?

'Het was enkel een ontstoken oog,' zei ik. 'Gisteravond voelde hij zich nog goed genoeg om te komen eten.'

'Wat voor geneesmiddel hebt u hem gegeven? Misschien is dat de verklaring?'

Het idee dat ik hem, als hij inderdaad ziek was, ziek had gemaakt, stond me niet aan. Maar ik voelde me ook weer niet geroepen toe te geven dat mijn behandeling – die ik de avond tevoren nog als voorbeeld van de onovertroffen werking van de experimentele geneeskunde had gebruikt – louter uit water en eau de cologne had bestaan.

'Dat lijkt me niet. Maar ik maak me zorgen; is er ook een manier waarop we in zijn kamer kunnen komen?'

Ken praatte met de dienstbode en terwijl zij op zoek gingen naar een extra sleutel, ging ik voor de deur staan en bonsde er nog eens op om te zien of ik Grove wakker kon krijgen.

Ik stond nog steeds te bonzen toen Ken met een sleutel terugkeerde.

'Alleen hebben we natuurlijk niets aan deze sleutel als die van hem in het slot steekt, hè?' zei hij, en hij knielde neer om door het sleutelgat te gluren. 'En hij zal ontzettend boos worden wanneer hij terugkomt en ons hier vindt.'

Bij dit vooruitzicht trok Ken een benauwd gezicht, viel me op.

'Wilt u zich misschien terugtrekken?' opperde ik.

'Nee, nee,' zei hij onzeker. 'Ik koester geen genegenheid voor die man, maar ik zou hem niet in de steek willen laten als hij ziek is.'

'Hebt u gehoord wat Wallis is overkomen?'

Ken wist nog net op tijd een uitdrukking van ongepaste vrolijkheid te onderdrukken, zodat hij zijn sombere voorkomen kon handhaven. 'Zeker, en ik vind het schokkend dat een geestelijke op zo'n schandelijke wijze is behandeld.'

Toen ging de deur open en elke gedachte aan Wallis was opeens verre van ons.

Dat doctor Grove een *corpus sine pectore* was, viel niet te betwisten, en het was duidelijk dat hij door een vreselijke pijn gekweld was bezweken. Hij lag midden in de kamer op zijn rug; zijn gezicht stond vertrokken, zijn mond hing open en aan de ene kant hing een sliertje opgedroogd speeksel. In zijn laatste ogenblikken had hij gebraakt én zijn darmen geledigd, zodat er een ondraaglijke stank in het vertrek hing. Zijn handen waren zo gekromd dat ze meer op klauwen dan op mensenhanden leken; zijn ene arm lag uitgestrekt op de vloer en de andere vlak bij zijn hals, bijna alsof hij zijn best had gedaan een eind aan zijn leven te maken. Het vertrek verkeerde in een volslagen wanorde; op de vloer lagen boeken en her en der slingerden papieren in het rond, zodat het ernaar uitzag dat hij gedurende zijn laatste ogenblikken wild om zich heen had gemaaid.

Gelukkig brachten lijken me niet al te zeer van mijn stuk, al stemden de schokkende aanblik en de afschuwelijke omstandigheden waarin het daar was komen te liggen, me wel erg neerslachtig. Maar Ken schrok zich dood van wat hij zag. Ik meende te zien dat hij bijna een kruis sloeg, maar zich nog net op tijd inhield en zijn fatsoen bewaarde.

'Onze Lieve Heer, bescherm ons in kommervolle tijden,' zei hij met bevende stem toen hij het uitgestrekte lijk zag. 'Gaat u eens snel de rector halen,' zei hij tegen de dienstmaagd. 'Mijnheer Cola, wat is hier gebeurd?'

'Ik weet niet hoe ik dit moet verklaren,' antwoordde ik. 'Een attaque zou de meest voor de hand liggende verklaring zijn, maar die kromgetrokken handen en de uitdrukking op het gezicht wijzen niet in die richting. Het lijkt erop dat hij vreselijke pijn heeft geleden; misschien dat de toestand in de kamer daar het gevolg van is.'

Zwijgend keken we naar het lijk van de arme man, totdat het geluid van voetstappen op de houten trap ons uit onze gedachten opschrikte. De rector was een kleine, levendig uit zijn ogen kijkende man die grote zelfbeheersing aan den dag legde toen hij zag wat daar in de kamer lag. Hij had een snorretje en baard in de traditie van de oude royalisten, maar was, zoals mij verteld werd, in feite en aanhanger van het parlement, die zich in zijn betrekking had weten te handhaven, niet omdat hij zo'n groot geleerde was – daar lette het college nauwelijks op –, maar omdat hij zo fantastisch met geld kon omgaan. Zoals een der natuurvorsers opmerkte: hij zou nog kans zien een dood varken een eeuwigdurende winst te laten opleveren, en dat was de reden waarom het college hem hoogachtte.

'Misschien moesten we eerst een duidelijker oordeel vernemen voordat we stappen ondernemen,' zei hij nadat hij Ken en mij had horen uiteenzetten wat we hadden gevonden. 'Mary,' vervolgde hij tegen de dienstbode, die, met haar oren gespitst, nog op de achtergrond stond, 'wil je dokter Bate in High Street gaan halen? Zeg hem dat het dringend is en dat ik hem dankbaar zou zijn als hij onmiddellijk zou verschijnen.'

Ik had bijna mijn mond geopend om een tegenwerping te laten horen, maar zei weer niets. Dat ik zo onverwijld over het hoofd werd gezien, zat me dwars. Maar wat kon ik eraan doen? Mijn enige hoop was dat ik, hoewel men mijn diensten niet van node had en dit een kwestie was die alleen het college aanging, niet zou worden geweerd van een bijzonder interessante situatie. Lower zou het me nooit vergeven wanneer ik terugkwam zonder het verhaal tot in de kleinste bijzonderheden te kunnen vertellen.

'Het lijkt me duidelijk,' zei de rector op een resolute toon die geen tegenspraak duldde, 'dat de stakker een attaque heeft gehad. Ik kan er niet veel anders over zeggen. We moeten natuurlijk wachten tot dit vermoeden bevestigd wordt, maar ik twijfel er niet aan of dit is de uitspraak die we zo dadelijk te horen krijgen.'

Ken, die tot het slag kruiperige geestelijken behoorde dat er zorg voor droeg het altijd met machtiger personen eens te zijn, knikte ijverig. Het leek zelfs wel of ze er allebei bijzonder op gebrand waren tot deze gevolg-trekking te komen, maar het lag vooral aan mijn verbolgenheid, denk ik, dat ik mijn eigen mening naar voren bracht.

'Zou ik mogen voorstellen,' vroeg ik aarzelend, 'dat we de bijzonderhe-den van deze verschrikkelijke geschiedenis aan een gedegen onderzoek onderwerpen voordat we een dergelijke conclusie aanvaarden?'

Allebei keken ze me bij deze woorden onwillig aan. 'Over wat voor kwa-len heeft de man bijvoorbeeld in het verleden geklaagd? Heeft hij gister-avond misschien te veel gedronken? Heeft hij zich misschien lichamelijk zozeer ingespannen dat zijn hart te zwaar belast werd?'

'Wat bedoelt u daarmee?' vroeg rector Woodward, en hij draaide zich om en keek me met een ijzig gezicht aan. Het viel me op dat Ken ook ver-bleekte bij het horen van mijn woorden.

'Helemaal niets.'

'U bent een kwaadwillig man,' antwoordde hij, me volkomen overrom-pelend. 'Een dergelijke aantijging raakt kant noch wal. Dat u die op zo'n ogenblik te berde brengt, is schandelijk.'

'Ik weet niets van aantijgingen, en ik breng er ook geen te berde,' zei ik, voor de zoveelste keer volkomen verbijsterd door de onvoorspelbaarheid van de Engelsen. 'Weest u ervan verzekerd dat ik niets van dien aard in de zin heb. Ik vroeg me alleen maar af...'

'Zelfs voor mij staat het duidelijk vast,' vervolgde Woodward heftig, 'dat dit louter een attaque is geweest. En bovendien, mijnheer, is dit een kwestie die alleen het college aangaat. Wij danken u ervoor dat u alarm hebt gesla-gen, maar zouden niet gaarne nog langer beslag leggen op uw tijd.'

Deze verklaring was onmiskenbaar een opdracht om me te verwijderen, en een enigszins beledigende ook. Ik nam afscheid van hen en legde daarbij meer beleefdheid aan den dag dan zij.

10

Ik had mijn verhaal bijna beëindigd en mijn gezelschap in het koffiehuis hoorde me geboeid aan. Tenslotte was dit zo ongeveer het opwindend-
ste dat er sinds het beleg in de stad was gebeurd, en daar mijn gehoor iedereen kende die erbij betrokken was, was het dubbel interessant. Lower
begon zich onmiddellijk af te vragen of hij zou aanbieden zelf het lijk te
onderzoeken.

Wij probeerden hem duidelijk te maken dat de kans dat hij toestemming zou krijgen Grove te ontleden maar gering was, en hij bezwoer ons
dat een dergelijk idee volstrekt niet bij hem was opgekomen, toen hij
opkeek naar iets of iemand achter mij en er even een zwakke glimlach op
zijn gezicht verscheen.

'Wel, wel,' zei hij. 'Wat kunnen we voor je doen, kind?'

Ik keek om en zag een bleke en vermoeide Sarah Blundy achter me staan.
Achter haar kwam net het mens Tillyard het vertrek in; zij gaf het meisje
een schrobbering vanwege haar brutale gedrag. Zij greep haar bij de arm,
maar Sarah schudde haar hand boos af.

Het was duidelijk dat ze mij wilde spreken en daarom keek ik haar koel
aan, want dat verdiende ze, en wachtte af wat ze te zeggen had. Ik wist al wat
het was: Lower had natuurlijk met haar gepraat en haar de prijs van haar
moeders leven meegedeeld. Of zij kwam nu haar gedrag rechtzetten, of
haar moeder zou sterven. Dat was, dunkt me, toch maar een kleine vergoeding.

Zij sloeg haar ogen neer in een poging een zedige indruk te maken – wat
een ogen had ze toch, dacht ik mijns ondanks – en zei met zachte stem:
'Mijnheer Cola, ik zou u graag mijn verontschuldigingen aanbieden.'

Ik zei nog steeds niets, maar bleef haar ijskoud aankijken.

'Ik geloof dat mijn moeder stervende is. Zou u alstublieft...'

Het was Grove die de oude vrouw nu het leven redde. Als ik niet nog de herinnering had bewaard aan het gedrag dat hij enige dagen daarvoor onder precies dezelfde omstandigheden had vertoond, dan had ik me afgewend en haar eruit laten gooien door Tillyard – een behandeling die ze verdiende. Maar ditmaal zou ik me niet zo gemakkelijk gewonnen geven.

'Denk je ook maar een ogenblik dat ik een vinger hoor uit te steken om haar te helpen? Na dat onbeschaamde gedrag waarop jij me gedurig hebt onthaald?'

Nederig schudde ze haar hoofd en haar lange, donkere haar golfde over haar schouders. 'Nee,' zei ze bijna onhoorbaar.

'Waarom kom je hier dan?' vroeg ik hardnekkig.

'Omdat zij u nodig heeft, en ik weet dat u een zo nobel man bent dat u haar niet vanwege mijn misstap in de steek zou laten.'

Een hele loftuiting, dacht ik spottend terwijl ik haar nog enkele ogenblikken angstig en gespannen liet afwachten. Ik zag hoe Boyle mij koeltjes opnam, slaakte een diepe zucht en stond op. 'Goed dan,' zei ik. 'Ze is een brave vrouw en om harentwille ga ik mee. Dat zij een dochter als jij heeft, moet al naar genoeg voor haar zijn.'

Ik verwijderde me van de tafel en zond Lower een stuurse blik toe vanwege het zelfvoldane gezicht dat hij trok. Bijna zonder een woord te wisselen liepen we naar de andere kant van de stad. Hoe ik me er ook tegen verzette, ik voelde me erg in mijn schik, maar niet omdat ik een goedkope overwinning had behaald. Nee, mijn genoegen vloeide uitsluitend voort uit het feit dat ik nu mijn experiment kon uitvoeren en misschien zelfs een leven redden.

Ik was pas een paar ogenblikken in het huisje toen al mijn gedachten aan de dochter volkomen uit mijn hoofd gebannen waren. De oude vrouw was bleek en onrustig en lag ijlend in haar bed te woelen en te draaien. Ook was zij ontzettend zwak en ze had koorts. Er was althans geen koudvuur in de wond opgetreden; dat was mijn grootste angst geweest. Maar de wond was ook niet aan de beterende hand: de huid, het vlees en het bot groeiden nog niet dicht, terwijl er langzamerhand toch duidelijke tekenen te zien hadden moeten zijn die erop wezen dat het natuurlijke genezingsproces zijn loop nam. De spalken hielden het bot nog op zijn plaats, maar dat hielp niets als haar broze en verzwakte lichaam niet voor zichzelf wilde zorgen. Ik kon het daar niet toe dwingen als het weigerde iets voor zijn eigen bestwil te doen.

Ik ging erbij zitten en wreef me over de kin; met gefronst voorhoofd probeerde ik een andere, meer gebruikelijke handelwijze te verzinnen, een of ander middel of een bepaalde zalf, waarmee de oude vrouw misschien geholpen zou zijn. Maar ik kon me niets te binnen brengen. Ik wil hier duidelijk stellen dat ik alle mogelijkheden probeerde te bedenken die de noodzaak tot mijn experiment zouden ondervangen. Ik ben niet overijld en op een roekeloze manier aan mijn poging begonnen. Lower had gelijk: het experiment moest eigenlijk eerst op een dier worden uitgevoerd. Maar daar was geen tijd meer voor, en ik kon niets anders verzinnen; en Lower al evenmin toen ik hem erom vroeg.

En het meisje wist evengoed als ik hoe weinig middelen mij ter beschikking stonden. Ze ging op haar hurken voor het vuur zitten, legde haar kin in haar handen en keek mij rustig en aandachtig aan; voor het eerst vertoonde ze iets van een ernstig medeleven.

'Haar kans op herstel was ook al voordat u kwam niet groot,' zei ze zacht. 'Dankzij uw vriendelijkheid en kundigheid heeft ze het nu al langer volgehouden dan ik voor mogelijk had gehouden, waarachtig lang genoeg. Daarvoor zijn wij u allebei dankbaar. Maakt u zich geen verwijten, mijnheer. Gods wil kunt u niet tenietdoen.'

Ik keek haar bij die woorden eens onderzoekend aan, me afvragend of er ook enig sarcasme of iets neerbuigends in haar stem doorklonk, zozeer was ik eraan gewend onhebbelijk door haar te worden bejegend. Maar dat ontbrak geheel en al: zij sprak alleen maar op milde toon. Merkwaardig, dacht ik; haar moeder is stervende en zij troost de arts.

'Maar hoe weten wij wat Gods wil is? Jij bent daar misschien zeker van, maar ik ben niet zo opgevoed. Misschien is het de bedoeling dat ik iets bedenk wat haar kan helpen.'

'Als dat zo is, dan zal dat gebeuren,' antwoordde zij eenvoudig.

Ik worstelde met mezelf; ik durfde het bijna niet te zeggen, zelfs niet tegen zo'n meisje dat onmogelijk ook maar in de verste verte zou kunnen begrijpen wat ik wilde voorstellen.

'Vertelt u het mij toch,' vroeg ze.

'Al geruime tijd denk ik na over een bepaalde behandelwijze,' zei ik. 'Ik weet niet of hij vruchten zal afwerpen. Het is best mogelijk dat hij haar een sneller einde bezorgt dan het zwaard van de beul. Als ik het zou proberen, kan ik je moeders redder worden, maar ook haar moordenaar.'

'Niet haar Redder,' zei het meisje. 'Die heeft ze al. Maar haar moordenaar zou u ook niet worden. Iemand die haar probeert te helpen kan niets anders zijn dan haar weldoener, hoe het resultaat ook mag uitvallen. De wens haar te helpen is toch zeker het belangrijkst?'

'Hoe ouder een mens wordt, hoe meer moeite hij ermee heeft een wond te laten genezen,' zei ik, wensend dat ik dit de avond tevoren tegen Grove had opgemerkt, en tegelijkertijd verrast door de wijsheid van haar antwoord. 'Iets waarvan een kind in een paar dagen geneest, is soms al genoeg om een oud iemand eraan te laten bezwijken. Het vlees wordt vermoeid, het raakt zijn veerkracht kwijt en uiteindelijk sterft het, waarmee het de ziel bevrijdt die daarin verblijft.'

Het meisje zat me bij die woorden nog steeds gehurkt onbewogen aan te kijken; ze schoof niet onrustig heen en weer en vertoonde al evenmin tekenen van onbegrip. Daarom ging ik voort.

'Ook bestaat de mogelijkheid dat het bloed oud wordt doordat het voortdurend door de aderen stroomt, totdat het zijn natuurlijke kracht verliest en minder doeltreffend de voedingsstoffen naar het hart vervoert, dat de levensgeesten moet stimuleren.'

Het kind knikte alsof ik iets had gezegd wat haar niet verbaasde; en dat terwijl ik in feite enkele van de nieuwste ontdekkingen van de geneeskunst ter sprake had gebracht en daar bovendien nog een zonderlinge uitleg aan had verbonden waarom mijn superieuren allang ontsteld het hoofd zouden hebben geschud.

'Begrijp je mij, kind?'

'Natuurlijk,' zei ze. 'Waarom niet?'

'Het verbaast je zeker dat ik zeg dat het bloed door het hele lichaam stroomt?'

'Dat zou alleen een arts kunnen verbazen,' zei ze. 'Elke boer weet dat.'

'Hoe bedoel je?'

'Als je een varken wilt laten leegbloeden, dan snijd je de grootste ader in zijn hals open. Het varken bloedt dan dood en levert zacht, wit vlees op. Hoe kan al dat bloed uit één snee stromen als alle aderen niet met elkaar in verbinding zouden staan? En het bloed beweegt vanzelf, bijna alsof het voortgepompt wordt, waardoor het telkens rondstroomt. Dat is allemaal duidelijk te zien, nietwaar?'

Ik knipperde met de ogen en staarde haar aan. Het had heelmeesters bijna tweeduizend jaar gekost om deze verbijsterende ontdekking te doen, en nu zei dit meisje dat zij dat altijd al had geweten. Een paar dagen tevoren zou ik me woedend hebben gemaakt om haar onbeschaamde opmerking. Nu vroeg ik me alleen maar af wat zij – en de boerenbevolking die ze had genoemd – nog meer wisten als iemand de moeite nam hun ernaar te vragen.

'Ah. Ja. Uitstekend gezien,' zei ik, van mijn tramontane gebracht en mijn best doend me te binnen te brengen waar ik het ook alweer over had gehad. Ik keek haar eens ernstig aan en haalde diep adem. 'Enfin, ik stel voor dat we je moeder vers nieuw bloed toedienen om haar de geneeskracht van een vrouw te geven die veel jonger is dan zij. Het is nooit eerder gebeurd en er is zelf nog nooit aan gedacht voor zover ik weet. Het is gevaarlijk, en het zou veel aanstoot geven als het bekend werd. Maar ik meen ten stelligste dat dit de enige kans is die je moeder heeft om haar bestaan in dit leven te rekken.'

Het arme kind leek verbijsterd door mijn woorden, en ik zag een uitdrukking van gespannen angst op haar gezicht verschijnen.

'Nu?'

'U bent de arts, mijnheer. Aan u de beslissing.'

Ik haalde eens diep adem en besefte dat ik half en half had gehoopt dat het meisje me weer was gaan beledigen en me ervan was gaan beschuldigen dat ik Gods wet met voeten trad of zoiets, waardoor ze mij had verlost van de taak die ik zo ridderlijk op me had genomen. Maar het was me niet beschoren op zo'n eenvoudige manier aan mijn lot te ontsnappen. Ik had mijn goede naam en mijn vakkennis op het spel gezet, en nu was er geen weg terug.

'Ik zal jou en je moeder een ogenblik alleen moeten laten om Lower te raadplegen, want ik heb straks zijn hulp nodig. Ik zal zo gauw mogelijk terugkomen.'

Ik verliet het stulpje, waar Sarah Blundy, bij haar moeders bed geknield, het haar van de oude vrouw streelde en met zachte stem een liedje zong. Een troostrijk en vriendelijk geluid, dacht ik toen ik vertrok; vroeger had mijn moeder ook zo voor me gezongen wanneer ik ziek was, en me op dezelfde manier over mijn haar gestreeld. Dat had me altijd goed gedaan, en ik zond een gebed op dat het dezelfde uitwerking mocht hebben op de oude vrouw.

I I

TOEN IK BIJ LOWER KWAM, was hij druk bezig een stel hersenen te ontleden; dit soort werk – later aan de rest van de wereld bekend geworden als zijn *Tractatus de corde* – nam hem overdag zeer in beslag en hij had al vele fraaie tekeningen van de anatomische structuur ervan geschetst. Hij was er niets mee ingenomen toen ik binnenstormde om hem om zijn bijstand te vragen, en weer zag ik hem slechtgeluimd.

'Kan dat niet wachten, Cola?' vroeg hij.

'Dat geloof ik niet. Niet lang meer, tenminste. En in ruil voor uw hulp kan ik u een bijzonder plezierig experiment aanbieden.'

'Ik voer geen experimenten uit voor mijn plezier,' zei hij kortaf.

Ik bestudeerde zijn gezicht, dat met een van zijn donkere lokken voor zijn oog boven de tafel hing. De mond en wangen vertoonden een trek die mij bezorgd stemde dat hij zo dadelijk weer last zou krijgen van zo'n nijdige bui.

'Het is ook een goed werk, en ik smeek u mij niet af te wijzen, want ik heb hulp nodig en u bent de enige man die bedaard en verstandig genoeg is om mij die te geven. Wees niet boos, want ik beloof u dat ik u uw vriendelijkheid later in tienvoud zal terugbetalen. Ik heb de weduwe Blundy onderzocht en we hebben niet veel tijd meer.'

Mijn onderdanige manier van doen ontwapende hem, want hij trok een gezicht en met veel vertoon van tegenzin legde hij zijn mes neer en keek me aan.

'Is ze er heus zo akelig aan toe als het gezicht van dat meisje aangaf?'

'Ja. Ze zal heel spoedig sterven als wij er niets aan doen. We moeten het experiment uitvoeren. Zij moet bloed krijgen. Ik heb de almanak bestudeerd; de zon staat in het teken van de Steenbok, en dat is gunstig voor manipulaties met bloed. Morgen is het te laat. Ik weet wel dat u uw bedenkingen hebt tegen deze zaken, maar ik voel er weinig voor om risico's te nemen.'

Hij gromde boos iets tegen me, want mijn hele manier van doen wees er duidelijk op dat ik geen weigering zou dulden en hem niet met rust zou laten.

'Ik ben er niet van overtuigd dat het een verstandig idee is.'

'Maar anders zal ze sterven.'

'Waarschijnlijk sterft ze toch.'

'Wat hebben we dus te verliezen?'

'In uw geval niets; u bent zo rijk dat u zich daar niet om hoeft te bekreunen. In mijn geval is het risico aanzienlijker; alleen als ik in Londen iets bereik, kan ik carrière maken en een gezin stichten.'

'Ik zie het probleem niet.'

Hij veegde zijn smalle mesje af aan zijn voorschoot en waste zijn handen. 'Hoor eens, Cola,' zei hij toen hij daarmee klaar was, 'u bent hier nu lang genoeg om te weten met wat voor tegenstanders wij te maken hebben. Denkt u eens aan de manier waarop die idioot van een Grove u gisteravond in New College uitgerekend op het stuk van de experimentele behandelwijze aanviel. Hij heeft niet helemaal ongelijk, weet u, al geef ik dat niet graag toe. En er zijn er heel wat die nog feller zijn en in de positie verkeren om mij kwaad te berokkenen. Als ik aan deze operatie meewerk, de patiënte sterft en het geval bekend wordt, dan is het met mijn carrière in Londen gedaan voordat die zelfs maar is begonnen.'

'U twijfelt aan het experiment dat ik me ten doel stel?' vroeg ik om het eens over een andere boeg te gooien.

'Ik koester er bijzonder ernstige twijfel over, en dat zou ook voor u moeten gelden. Het is een aardige theorie, maar de kans dat de toepassing ervan slaagt, komt mij uiterst gering voor. Maar ik moet toegeven,' zei hij onwillig, en ik wist dat ik het pleit zou winnen, 'het zou fascinerend zijn om het te proberen.'

'Dus als u niet bang was dat het geval algemene bekendheid zou krijgen...?'

'Dan zou ik u met genoegen bijstaan.'

'Wij kunnen de dochter laten zweren dat zij er het zwijgen over bewaart.'

'Dat is waar. Maar u moet ook zweren dat u er niets over zult zeggen. Zelfs als u, wanneer u straks in Venetië terug bent, een brief wereldkundig zou maken waarin u uiteenzette wat u had gedaan, zou u mij in de grootst mogelijke moeilijkheden brengen.'

Ik gaf hem een klap op de rug. 'Maakt u zich geen zorgen,' zei ik. 'Want ik ben niet iemand die zijn bevindingen wereldkundig maakt. Ik geef u mijn woord dat ik niets zal zeggen tenzij u mij er uitdrukkelijk toestemming toe hebt gegeven.'

Aan zijn neus krabbend dacht Lower hierover na en met een strak gezicht vanwege het risico dat hij nam, knikte hij vervolgens instemmend. 'Goed dan,' zei hij. 'Laten we aan het werk tijgen.'

⁓

Zo is het gegaan. Ook nu nog denk ik graag dat hij geen verborgen bedoelingen koesterde toen hij zo aandrong op deze regeling. Hij werd gedreven door de simpelste vorm van eigenbelang, en pas later, denk ik, is hij, tot andere gedachten gebracht door de verlokkende woorden van zijn vrienden in het Koninklijk Genootschap, de roem boven de eer gaan stellen en een goede positie boven zijn vriendschap. Hij heeft toen op een bijzonder verachtelijke manier van mijn eerlijkheid en vertrouwen geprofiteerd en mijn stilzwijgen voor zijn eigen doeleinden aangewend.

Destijds was ik echter in de wolken en voelde ik me dankbaar jegens hem gestemd omdat hij om mijnentwil een dergelijk risico nam.

Eerlijk gezegd zou ik er de voorkeur aan hebben gegeven mijn experiment onder betere omstandigheden uit te voeren en met meer getuigen erbij om aan te tekenen wat wij deden. Maar die mogelijkheid was uitgesloten: vrouw Blundy had niet kunnen worden vervoerd, en nog afgezien van Lowers angst: het zou te veel tijd hebben gekost om nog andere personen met de benodigde vakkennis te zoeken die konden meedoen. Daarom liepen Lower en ik, ernstig gestemd en zwijgend, terug naar het stulpje, waar we de zieke vrouw en haar dochter weer vonden.

'Mijn beste kind,' zei Lower op zijn vriendelijkste en meest geruststellende toon, 'begrijp je ten volle wat mijn collega heeft voorgesteld? Begrijp je de gevaren die zowel jou als je moeder bedreigen? Wie weet koppelen wij jullie ziel aan jullie leven, en als het op het ene front misgaat, loopt het op het andere wellicht rampzalig af.'

Zij knikte. 'Wij zijn al zo hecht met elkaar verbonden als moeder en dochter maar kunnen zijn. Ik heb het haar verteld, maar ik weet niet wat ze ervan heeft begrepen. Ik weet zeker dat ze anders had geweigerd, want haar eigen leven acht ze niet van veel waarde, maar daar moet u geen aandacht aan schenken.'

Lower gromde iets. 'En u, Cola? Wilt u beginnen?'

'Nee,' zei ik, door twijfel beslopen nu het ogenblik daar was. 'Maar ik denk dat we wel moeten.'

Lower onderzocht de patiënte en keek ernstig. 'Ik kan beslist geen enkele aanmerking maken op uw diagnose. Zij is inderdaad erg ziek. Goed dan, laten we beginnen. Sarah, stroop je mouw op en kom hier zitten.'

Hij gebaarde naar het krukje naast het bed en toen zij was gaan zitten begon ik een lint om haar arm te wikkelen. Lower begon de magere, schriele arm van de moeder te ontbloten en wikkelde ook om haar bovenarm een lint – een rood; dit is me altijd bijgebleven.

Toen pakte hij zijn zilveren buisje en twee pennen en blies erdoorheen om zich ervan te vergewissen dat er niets in zat dat ze verstopte. 'Klaar?' vroeg hij. Allebei knikten we somber. Met een handige beweging die zijn ervaring verried, stak hij een scherp mesje in de ader van het meisje en schoof de ene pen erin, met de punt tegen de stroom in, zodat door de van nature optredende beweging het bloed naar buiten werd gestuwd; toen hield hij er een kom onder en begon de vloeistof op te vangen. Die stroomde in een robijnrode gulp in de kom, sneller dan wij hadden verwacht.

Hij telde langzaam. 'Hier gaat een achtste pint in,' zei hij. 'Ik kijk nu even in hoeveel tijd deze kom volloopt, en dan kunnen we zo min of meer schatten hoeveel we afnemen.'

De kom liep in snel tempo vol, zo vlug zelfs dat hij overstroomde en het bloed op de vloer begon te spetteren. 'Een en een achtste minuut,' riep Lower luidkeels. 'Vlug, Cola. Het buisje.'

Terwijl Sarahs levensbloed op de vloer neerklaterde, gaf ik hem het buisje aan en de andere pen stak ik in de ader van de moeder, andersom ditmaal, zodat het nieuwe bloed in dezelfde richting als dat van haarzelf zou stromen en geen turbulenties teweeg zou brengen. Toen het bloed van het meisje rijkelijk uit het zilveren buisje begon te vloeien, schoof Lower haar op een verbazend voorzichtige manier iets dichter naar het bed en verbond het buisje met de pen die uit de arm van de moeder stak.

Aandachtig keek hij naar de verbinding. 'Het lijkt erop dat het goed gaat,' zei hij, en het lukte hem amper de verbazing uit zijn stem te weren. 'En ik zie geen enkel teken van stolling. Hoelang meent u dat we moeten wachten?'

'Om zes maatjes te krijgen?' Terwijl Lower telde, voerde ik de berekening zo vlug mogelijk uit.

'Tja, zo'n veertien minuten,' zei ik. 'Laten we zeggen vijftien.'

Toen viel er een stilte; Lower telde ingespannen bij zichzelf en het meisje beet zich met een bezorgd gezicht op de lippen. Zij hield zich erg flink, dat moet ik zeggen: gedurende de hele operatie gaf ze geen kik om te klagen of haar ongerustheid te uiten. Ik maakte me in ieder geval wel bezorgd en vroeg me af wat er zou gaan gebeuren. Aanvankelijk was er geen enkel effect te bespeuren.

'... Negenenvijftig, zestig...' zei Lower ten slotte. 'Zo is het genoeg. Daar gaan we.' En hij trok het buisje los en legde het op de vloer, waarna hij zijn vinger deskundig op de ader van de moeder drukte en er de pen uit trok. Ik deed hetzelfde bij het meisje en daarop verbonden we hun arm om het bloeden te stelpen.

'Klaar,' zei hij voldaan. 'Hoe voel je je, m'n kind?'

Zij schudde haar hoofd en haalde een paar keer diep adem. 'Een beetje duizelig, geloof ik,' zei ze zwakjes. 'Maar verder voel ik me best.'

'Prima. Ga nu maar rustig zitten.'

Toen verlegde hij zijn aandacht naar de moeder. 'Geen verandering te bespeuren,' zei hij. 'Wat vindt u?'

Ik schudde mijn hoofd. 'Niet beter en niet minder. Maar het kan natuurlijk even duren voordat het jonge bloed effect sorteert.'

'Wat voor effect dat ook mag zijn,' mompelde Lower. 'In een geval als dit zou je anders altijd een krachtig braakmiddel aanbevelen, maar dat lijkt me op dit ogenblik niet verstandig. Ik denk dat het enige dat erop zit, mijn beste, is dat we gaan zitten wachten. En hopen en bidden. Uw behandeling zal vrucht afwerpen of niets opleveren. En dat is het dan. Het is nu te laat om nog iets anders te verzinnen.'

'Moet u het meisje zien,' zei ik, en ik wees hem erop dat zij geducht zat te gapen; ook zag ze verschrikkelijk bleek in haar gezicht en ze klaagde dat ze zich erg licht in het hoofd voelde.

'Dat komt enkel door het bloedverlies. Wij hebben haar iets van haar levensgeest afgenomen, en het spreekt vanzelf dat ze nu wat verzwakt is. Ga toch naast je moeder liggen, m'n kind, en doe een slaapje.'

'Dat mag ik niet doen. Ik moet op haar passen.'

'Maak je geen zorgen. Cola wil haar toestand blijven observeren en ik zal straks een kennis sturen, zodat we steeds op de hoogte kunnen worden gehouden van eventuele ontwikkelingen. Dus ga toch bij haar in bed liggen en maak je geen zorgen. Wat een dag, Cola! Wat een dag. Eerst Grove en toen dit. Ik ben doodmoe van al die opwinding.'

'Wat?' vroeg Sarah. 'Wat is er met doctor Grove?'

'Hmm? O, dus die ken je? Dat was ik vergeten. Hij is dood, weet je. Cola heeft hem vanmorgen op zijn kamer gevonden.'

De bedaarde manier van doen van het meisje, dat ogenschijnlijk onbewogen haar bloedverlies en zelfs de gedachte dat haar moeder zou sterven had verdragen, werd nu door dit bericht voor het eerst aangetast. Zij werd nog bleker dan ze al was en tot onze grote verbazing zagen we dat ze droevig haar hoofd schudde, toen op het bed in elkaar kroop en haar handen voor haar gezicht sloeg. Heel aangrijpend en wonderlijk, maar het viel me op dat ze, ondanks al haar verdriet, niet vroeg wat er was gebeurd.

Lower en ik keken elkaar even aan en stelden stilzwijgend vast dat we hier niets konden uitrichten: doordat haar een dosis bloed was afgenomen was zij verzwakt en doordat haar baarmoeder van voedingsstoffen verstoken was gebleven, had die de lichaamssappen losgelaten die daarin werden bewaard, zodat het lichaam nu met alle symptomen van hysterie reageerde.

Mijn vriend gedroeg zich prijzenswaardig: hij spreidde een vriendelijkheid en kundigheid tentoon die zijn luchthartige uiterlijk niet zou doen vermoeden en die zijn duistere woede-uitbarstingen des te onthutsender maakten. Nadat we ons ervan hadden vergewist dat er voldoende eten en brandhout voorhanden was en we onze patiënte warme dekens hadden verschaft, viel er verder niet veel meer te doen. We wensten haar het beste en gingen onzes weegs. Enkele uren later kwam ik terug om te zien of er sprake was van enige vooruitgang. Zowel de moeder als de dochter lag te slapen, en ik moet zeggen dat de moeder er rustiger uitzag.

12

TOEN IK LOWER DIE AVOND bij vrouw Jean ontmoette – een vrouw die er niet ver van High Street een eethuisje op na hield en voor een luttel bedrag een eetbare maaltijd verschafte –, leek hij veel beter geluimd dan eerder op de dag.

'Hoe gaat het met uw patiënte?' riep hij vanaf zijn tafel toen ik het kleine, drukbevolkte vertrekje in kwam dat tjokvol studenten en minvermogende universiteitsgeleerden zat.

'Nog min of meer hetzelfde,' zei ik terwijl ik een student uit de weg duwde om mezelf plaats te verschaffen. 'Ze slaapt nog steeds, maar haar ademhaling gaat minder moeizaam en ze vertoont een iets blozender gelaatskleur.'

'Zo hoort het ook, alles welbeschouwd,' antwoordde hij. 'Maar daar moeten we het straks nog eens over hebben. Mag ik u voorstellen aan een goede vriend van me? Een collega-arts en empiricus? Mijnheer da Cola, mag ik u voorstellen: John Locke.'

Een man van ongeveer mijn leeftijd met een mager gezicht dat een laatdunkende uitdrukking en een lange neus vertoonde, hief een ogenblik zijn hoofd een eindje van zijn bord op, mompelde iets en stortte zich toen weer op het eten.

'Een briljant causeur, zoals u ziet,' vervolgde Lower. 'Hoe hij zoveel kan eten en daarbij zo mager blijft, is een van de grote raadselen van deze schepping. Hij heeft me beloofd dat ik zijn lichaam krijg wanneer hij is gestorven, zodat ik dan naar de oorzaak op zoek kan gaan. Goed. Eten. Ik hoop dat u van varkenskop houdt. Twee duiten, met zoveel kool erbij als u maar op kunt. Bier een halve duit. Er is niet veel meer over, dus u moest de brave vrouw maar toeschreeuwen dat ze hier moet komen.'

'Hoe wordt zo'n kop klaargemaakt?' vroeg ik gretig, want ik verging van de honger. Door alle opwinding van die dag had ik glad vergeten te eten, en bij het vooruitzicht van een lekkere kop, met appels en likeur gebraden, en wie weet met een paar garnalen erbij, liep me het water in de mond.

'Gekookt,' zei hij. 'In azijn. Hoe anders?'

Ik zuchtte. 'Ach ja, hoe anders? Vooruit dan maar.'

Lower riep de vrouw, bestelde eten voor me en zette me een kroes bier uit zijn eigen kan voor.

'Kom, Lower, vertel me eens wat er aan de hand is. U hebt een uitdrukking op uw gezicht alsof u ergens veel plezier om hebt.'

Hij bracht een vinger naar zijn lippen. 'Sst,' zei hij. 'Dat is een groot geheim. Ik hoop dat u vanavond niet iets speciaals te doen hebt.'

'Wat zou ik nu te doen moeten hebben?'

'Uitstekend. Ik wil u graag belonen omdat u zo attent bent geweest mij toe te staan u vanmiddag te helpen. Er is werk voor ons aan de winkel. Ik heb een opdracht ontvangen.'

'Wat voor opdracht?'

'Kijkt u maar in mijn tas.'

Ik deed wat mij gezegd was. 'Een fles cognac,' zei ik. 'Prachtig. Dat is mijn lievelingsdrank. Na wijn dan, natuurlijk.'

'Wilt u wel een glaasje?'

'Zeer zeker. Dat zal de smaak van gekookte varkenshersenen uit mijn mond spoelen.'

'Dat zal het zeker. Kijkt u er eens aandachtig naar.'

'Hij is halfleeg.'

'Zeer scherp opgemerkt. Kijkt u nu eens naar de bodem.'

Dat deed ik. 'Bezinksel,' zei ik.

'Ja. Maar bezinksel heb je in wijn, niet in cognac. En het spul vertoont een korrelige structuur. Wat is het?'

'Ik heb geen idee. Wat doet het ertoe?'

'Deze fles komt uit de kamer van doctor Grove.'

Ik fronste mijn wenkbrauwen. 'Wat hebt u daar uitgevoerd?'

'Ik was gevraagd er ook bij te komen. Woodward, die in de verte familie is van Boyle – iedereen is in de verte familie van Boyle, dat zult u nog wel ontdekken – vroeg hem om advies, en hij weigerde zijn assistentie op grond van de overweging dat dit geen gebied was waarop hij zich op ook maar enige competentie kon beroemen. Daarom vroeg hij mij om in zijn plaats te gaan. Natuurlijk was ik erg in mijn schik. Woodward is een belangrijk man.'

Ik schudde mijn hoofd. Het was al duidelijk wat er zou gebeuren. Arme Grove, dacht ik. Hij heeft niet eens de kans gekregen om naar Northampton te ontsnappen. 'Ik dacht dat hij er iemand anders bij had geroepen. Bate, toch?'

Lower knipte verachtelijk met zijn vingers. 'Ouwe opa Bate? Die komt niet eens zijn bed uit als hij denkt dat Mars rijzende is, en zijn enige behandeling bestaat uit het gebruik van bloedzuigers en het verbranden van kruiden. Hij zou er alles wat hij ooit geleerd heeft bij moeten halen om zelfs maar te kunnen vaststellen dat die arme, ouwe Grove dood was. Nee, Woodward is geen stommeling. Hij wil het oordeel van iemand die weet waar hij het over heeft.'

'En uw oordeel luidt...?'

'Dat is nu juist mijn handige zet,' zei hij geslepen. 'Ik heb het lijk vluchtig bekeken en vastgesteld dat hier nader onderzoek van node was. En daar ga ik me vanavond aan wijden, in de keuken van Woodward. Ik dacht dat u er ook wel graag bij zou willen zijn. Locke wil ook komen en als Woodward er een glas wijn bij schenkt, kan het een bijzonder leerzame avond worden.'

'Het zou me een groot genoegen zijn,' zei ik. 'Maar weet u zeker dat ik mag komen? Rector Woodward leek me niet een bijster gastvrij man toen we elkaar ontmoetten.'

Lower maakte een wegwerpgebaar. 'Maakt u zich daar maar geen zorgen over,' zei hij. 'U hebt hem onder akelige omstandigheden ontmoet.'

'Hij heeft me kwetsend bejegend,' zei ik. 'Hij beschuldigde me er namelijk van dat ik bepaalde lasterpraatjes aanmoedigde.'

'Heus? Welke dan?'

'Dat weet ik niet. Ik had alleen maar gevraagd of de arme man misschien een of andere lichamelijk inspannende bezigheid had verricht. Woodward liep rood aan van woede en beschuldigde me van een kwaadwillige inslag.'

Lower wreef zich over zijn kin en er gleed een begrijpend lachje over zijn gezicht. 'Zo zo,' zei hij. 'Dan was dat misschien wel waar.'

'Wat?'

'Er is sprake geweest van een schandaaltje,' zei die Locke toen, want hij had zijn eten op en was nu bereid zijn aandacht aan andere zaken te wijden. 'Niets ernstigs, maar iemand heeft het gerucht rondgestrooid dat Grove ontucht pleegde met zijn dienstmeisje. Ikzelf achtte dat onwaarschijnlijk omdat Wood de bron van dat verhaal was.'

'Wat bedoelt u?' vroeg ik.

Locke haalde zijn schouders op, alsof hij geen zin had om erover door te gaan. Lower maakte echter korte metten met dit soort kiesheid.

'Het dienstmeisje in kwestie was Sarah Blundy.'

'Ik moet zeggen dat Grove mij altijd als een rechtschapen man is voorgekomen, die heel goed in staat was de listen en lagen van iemand als zij te weerstaan,' zei Locke. 'En zoals ik al zeg, het verhaal is afkomstig van die belachelijke figuur van een Wood, vandaar dat ik het met een korreltje zout nam.'

'Wie is Wood?'

'Anthony Wood. Of Anthony à Wood, zoals hij zichzelf graag mag noemen, want hij verkeert in de waan dat hij iemand van stand is. Hebt u hem nog niet ontmoet? Maakt u zich geen zorgen; dat gebeurt nog wel. Hij komt nog wel op u af en vraagt u hem dan het hemd van het lijf. Een geschiedschrijver die letterlijk overal in wroet.'

'O nee,' zei Lower. 'Ere wie ere toekomt. Op dat terrein is hij een man met voortreffelijke gaven.'

'Misschien. Maar hij is een verderfelijke roddelaar en één naargeestige bonk jaloezie; iedereen is zogenaamd minder verdienstelijk dan hij en slaagt alleen maar dankzij connecties. Ik weet wel zeker dat hij meent dat Jezus alleen aan zijn betrekking is gekomen via de invloed van zijn familie.'

Lower gniffelde om deze godslasterlijke uitspraak en ik sloeg heimelijk een kruis.

'Kom, Locke, u geeft onze paapse vriend aanstoot,' zei Lower lachend. 'Kijk, Wood leidt een monnikenleven met zijn boeken en manuscripten en op de een of andere manier is hij nogal met dat meisje bevriend geraakt. Zij werkte als dienstmeisje bij zijn moeder en die arme Wood voelde zich vreselijk door haar bedrogen.'

Locke glimlachte. 'Wood is de enige, begrijpt u wel, die zich door zulke dingen laat overrompelen,' zei hij. 'Maar hij heeft het meisje wel een betrekking bij Grove bezorgd en vervolgens deze verhalen over hen verzonnen. En omdat hij een kwaadaardig sujet is, is hij ze in de hele stad gaan verspreiden, met het gevolg dat Grove zich gedwongen zag het meisje te ontslaan om zijn goede naam te beschermen.'

Lower gaf hem een por tegen zijn arm. 'Sst, vriend,' zei hij. 'Want daar heb je de man zelf. U weet hoe gevoelig hij ervoor is dat er over hem wordt gepraat.'

'O Heer,' zei Locke. 'Dat wordt me te veel. Niet onder het eten. Ik moet mij verontschuldigen, mijnheer Cole.'

'Cola.'

'Mijnheer Cola. Ik hoop dat ik u later op de avond wellicht nog zal zien. Goedenavond, heren.'

Hij stond op, maakte snel een nijging en stevende in een ongemanierd tempo op de deur af; onderweg neeg hij voor een absurd sjofel uitziende man die onze kant op kwam sloffen.

'Wood, kom toch bij ons zitten,' riep Lower hoffelijk, 'dan zal ik je mijn vriend Cola uit Venetië voorstellen.'

Wood maakte toch al aanstalten om dat te doen en wrong zich naast mij, zodat de lucht van zijn ongewassen kleren onmiskenbaar tot mij doordrong.

'Goedenavond, mijnheer. Goedenavond, Lower.'

Ik zag waarom Locke zo'n haast had gehad. Niet alleen rook de man, niet alleen was hij verstoken van alle uiterlijke elegantie – hij droeg zowaar zijn bril in het openbaar, alsof hij was vergeten dat hij niet langer in een bibliotheek vertoefde –, maar bovendien zette zijn aanwezigheid een domper op de tot dan toe vrolijke stemming aan onze tafel.

'Ik hoor dat u historicus bent, mijnheer,' zei ik, opnieuw pogend een beschaafd gesprek te voeren.

'Ja.'

'Dat moet erg interessant zijn. Hoort u bij de universiteit?'

'Nee.'

Weer een lange stilte, ten slotte onderbroken door Lower die zijn stoel achteruitschoof en opstond. 'Ik moet nog een paar zaken in gereedheid brengen,' zei hij, mijn blikken die hem angstig smeekten me niet met Wood alleen te laten, straal negerend. 'Als u over iets van een halfuur bij Stahl in Turl Street bij me zou willen komen...'

En met een bedaard lachje, dat aangaf dat hij me willens en wetens een poets bakte, liep Lower weg, mij met Wood als enig gezelschap achterlatend. Het viel me op dat hij niets te eten bestelde; hij pakte de borden van de anderen, zocht ze af op stukjes vet en kraakbeen en zoog onder gruwelijke geluiden de botjes schoon. Hij moet wel ontzettend arm zijn, dacht ik.

'Ik neem aan dat men u de nodige hatelijke verhalen over mij heeft verteld,' zei hij, en hij maakte een gebaar toen ik me haastte dat te ontkennen. 'Doet u geen moeite,' zei hij. 'Ik weet wel wat men zegt.'

'Dat kan u zeker niet al te veel deren?' zei ik voorzichtig.

'Natuurlijk wel. Wil niet elke man door zijn omgeving gerespecteerd worden?'

'Ik heb heel wat ergere dingen horen beweren over andere mensen.'

Hij gromde iets en wijdde zich aan Lowers bord; en daar het eten korte metten had gemaakt met mijn trek, schoof ik hem het mijne toe, dat nog vol eten lag.

'Vriendelijk van u,' zei hij. 'Heel vriendelijk.'

'U beschouwt Lower misschien als een onbetrouwbare vriend, maar ik moet zeggen dat hij zich heel lovend uitliet over uw kennis van historische zaken. En dat verleidt mij ertoe u te vragen wat u eigenlijk doet.'

Hij gromde weer iets en ik was bang dat de spijzen hem misschien al te spraakzaam zouden maken. 'U bent de Venetiaanse arts over wie ik heb gehoord?' zei hij bij wijze van antwoord.

'Niet een echte,' zei ik.

'Paap?'

'Ja,' zei ik voorzichtig, maar zo te zien was hij niet van zins zich te buiten te gaan aan een reeks kwetsende beschuldigingen.

'Vindt u dus dat ketters moeten branden?'

'Pardon?' vroeg ik, ietwat verbaasd over zijn linkse wijze van converseren.

'Als iemand in verzoeking wordt gebracht en uit de gemeenschap van de ware Kerk treedt – welke ware Kerk dat ook mag zijn –, moet hij dan branden?'

'Niet per definitie,' zei ik, mijn best doend snel een argument in stelling te brengen. Het leek me het best te proberen hem aan de praat te houden over algemene onderwerpen en hem niet de kans te geven zijn neus in mijn privézaken te steken. Ik koester een afschuw van alle vormen van geklets. 'Misschien dat zij het verdienen hun leven te verliezen, als men zich aan het argument van Thomas van Aquino houdt, die vroeg waarom de vervalsers van munten wél dienden te worden gedood, maar de vervalsers van het geloof niet. Maar dat komt nu nog maar zelden voor, dunkt me, wat u protestanten ook voor verhalen mag horen.'

'Ik bedoelde branden in de hel.'

'O.'

'Als ik gedoopt word door een ketterse priester, zijn de zonden van Adam mij dan vergeven? Als ik door zo iemand in de echt word verbonden, zijn mijn kinderen dan bastaarden? Cyprianus heeft gezegd dat het kenmerk van het sacrament bestond *ex opere operantis*, zodat een ketterse doop helemaal geen doop zou zijn.'

'Maar paus Stefanus heeft dat weerlegd en gezegd dat het bestond *ex opere operato*, bij de gratie van de handeling, niet op grond van de status van degene die de handeling verricht,' zei ik. 'Dus u zou niet in groot gevaar verkeren als de handeling aan beide kanten door iemand met de juiste intentie werd verricht.'

Hij snoof en veegde zijn mond af.

'Waarom vraagt u dat?'

'U papen gelooft in de doodzonde,' vervolgde hij afwezig. 'Een sombere leer, lijkt me.'

'Maar minder somber dan uw predestinatie. God kan alles vergeven, zelfs een doodzonde, als Hij dat wil. U zegt dat de mens zijn onsterfelijke ziel al voor zijn geboorte heeft ontvangen of verloren en dat God daar niets aan kan veranderen. Is dat niet een pover soort macht voor een God?'

Hij gromde weer iets bij wijze van antwoord en wekte de indruk dat hij geen zin had hier nog langer over door te praten, wat mij merkwaardig voorkwam, want tenslotte was hij degene die met dit dispuut was begonnen.

'Verlangt u er misschien naar katholiek te worden?' vroeg ik, me afvragend of zijn uitval soms door iets anders geïnspireerd was dan door zijn onbeholpenheid en onbekendheid met de regels van een beleefd gesprek. 'Vraagt u dat daarom? Ik denk dat u daarvoor iemand zult moeten zoeken die geleerder is dan ik. Als kerkganger stel ik niet veel voor.'

Wood lachte en ik had het gevoel dat ik hem eindelijk had losgeweekt van zijn ziekelijk sterk naar binnen gerichte blik – een fraai succes, dunkt me, want er bestaat niets hardnekkigers dan een protestant in een sombere bui. 'Dat is waar, mijnheer,' zei hij. 'Heb ik u vorige zondag niet nog samen met Lower een ketterse kerk zien binnengaan?'

'Ik ben met hem mee geweest naar een dienst in de Mariakerk, dat is waar. Maar ik ben niet ter communie gegaan. Al moet ik zeggen dat ik daar geen moeite mee zou hebben gehad.'

'U verbaast mij. Hoe kan dat?'

'De Korinthiërs zagen er geen been in vlees te eten dat aan heidense afgoden was geofferd, daar zij wisten dat die goden niet bestonden,' zei ik. 'En hoezeer ze het op andere gebieden ook mis hadden, wat dat betreft ben ik het met hen eens. De handeling zelf is onschuldig; een bewust verkeerd geloof, dat is ketters.'

'Als wij met de waarheid worden geconfronteerd en weigeren te aanvaarden wat onze ogen en oren ons vertellen?'

'Ja, dat is toch zeker zondig?'

'Zelfs wanneer dat tegen de gevestigde mening ingaat?'

'Het geloof in Christus ging ook eens tegen de gevestigde mening in. De waarheid onderscheiden is echter niet zo gemakkelijk. En daarom moeten wij niet te onbesuisd geloofsopvattingen die dankzij een lange traditie in hoog aanzien staan, overboord werpen, al mogen we er binnenskamers ook kritiek op uitoefenen.'

Wood gromde iets. 'Dat klinkt mij jezuïtisch in de oren. U zou er geen bezwaar tegen hebben als ik een dienst bijwoonde in een van uw kerken?'

'Ik zou u verwelkomen. Niet dat ik ook maar het minste recht heb andere mensen te verwelkomen of de toegang te ontzeggen.'

'U bent heel laconiek, moet ik zeggen. Maar hoe weet u dat de anglicaanse Kerk ketters is?'

'Vanwege de redenen die ik net heb genoemd. En omdat die als zodanig door de paus is veroordeeld.'

'Aha. Dus als een uitspraak duidelijk ketters van aard was, maar niet veroordeeld was, zou ik – of u – de vrijheid hebben die goed te keuren?'

'Dat zou, dunkt me, van de uitspraak afhangen,' zei ik, wanhopig pogend een uitweg te vinden uit de conversatie, die plotseling weer een zwaarmoedige toon had gekregen. Maar hij was een vasthoudend man en verlangde er zo duidelijk naar dat er iemand met hem praatte, de stumper, dat ik hem niet wreed kon bejegenen. 'Ik zal u een voorbeeld geven, zo u wilt. Een paar jaar geleden kreeg ik eens een geschiedenis in handen van ketterse bewegingen in de vroege Kerk. U hebt uiteraard weleens van de Frygische Montanus gehoord, en van zijn uitspraak dat in elke generatie nieuwe profeten zouden opstaan die iets zouden toevoegen aan de woorden van Onze Lieve Heer.'

'Die is door Hippolitus veroordeeld.'

'Maar hij werd gesteund door Tertullianus en van positief commentaar voorzien door Eusebius en Epifanius. Maar dat doet er verder niet toe, want in die geschiedenis waar ik het over had, was sprake van een volgelinge van Montanus die Prisca heette, en haar uitspraken zijn voor zover ik weet nooit veroordeeld, omdat bijna niemand ervan heeft gehoord.'

'En wat zei zij?'

'Dat verlost worden een eeuwigdurend proces is, en dat de Messias in elke generatie herboren zou worden en verraden en weer zou opstaan, totdat de mensheid zich van het kwaad afwendt en niet langer zondigt. En nog veel meer van dat soort dingen, mag ik wel zeggen.'

'Een leer die de mensheid uit het oog heeft verloren, zegt u,' antwoordde Wood, merkwaardig genoeg meer in mijn voorbeeld geïnteresseerd dan in alle andere dingen die ik had gezegd sinds ik hem mijn eten had toegeschoven. 'Dat is geen wonder. Die leer is louter een weinig subtiele versie van Origenes, die stelde dat Christus telkens wanneer wij zondigen, opnieuw wordt gekruisigd. Dat is een letterlijk opgevatte metafoor.'

'Wat ik wil beweren is dat er, hoewel die leer nooit officieel is veroordeeld, geen twijfel mogelijk is dat katholieken verplicht zijn die te verwerpen, evenals ze verplicht zijn elke heidense godsdienst te verwerpen. Onze doctrine en liturgie zijn heel duidelijk vastgelegd, en wij moeten ervan uitgaan dat alles wat niet toegestaan is, per definitie verworpen wordt.'

Wood gromde iets. 'U komt nooit in opstand tegen wat u moet geloven?'

'Vaak genoeg,' zei ik opgewekt, 'maar nooit op het stuk van de leer. Uw Boyle meent dat wanneer wetenschap en godsdienst met elkaar botsen, er sprake moet zijn van een fout in de wetenschap. Dat verschilt niet veel van de uitspraak dat wanneer de individuele denker en de Kerk van mening verschillen, het de plicht van het individu is na te gaan waar zijn fout uit bestaat.'

Ik zag wel dat Wood langzamerhand veel meer in dit gesprek was geïnteresseerd dan ik, en dat hij op het punt stond voor te stellen dat we samen ergens naartoe zouden gaan om onze bijzonder boeiende dialoog voort te zetten. Ik had niets kunnen bedenken waar ik minder voor voelde, en daarom stond ik, voordat ik me genoopt zou zien hem af te schepen, haastig op.

'U moet mij vergeven, mijnheer Wood, maar ik heb een afspraak met Lower. Ik ben al aan de late kant.'

Zijn gezicht betrok van teleurstelling en ik had medelijden met de man. Het is een hard gelag iemand te zijn die het zo goed meent en zozeer zijn best doet en niettemin steeds op afstand te worden gehouden. Ik zou wel aardiger zijn geweest als ik tijd had gehad, hoewel zijn houding van serieuze geleerde en zijn botte manier van converseren me tegenstonden. Maar gelukkig hoefde ik niet tegen hem te liegen om hem te ontlopen: er wachtten mij werkelijk belangrijker zaken. Ik ging mijns weegs en hij bleef moederziel alleen mijn avondmaal zitten verorberen, de enige zwijgende figuur in een vertrek waar een vrolijke en gezellige sfeer heerste.

⁓

Die Peter Stahl die Lower wilde raadplegen was een Duitser die bekendstond als niet onverdienstelijk magiër, daar hij over een diepgaande kennis van de alchemie beschikte. Wanneer hij dronken was, kon hij op boeiende wijze uitweiden over de Steen der Wijzen, het eeuwige leven en de methode om onedele elementen in goud te veranderen. Ikzelf vind dat soort verhalen heel prachtig, maar niet zo waardevol als een demonstratie, en ondanks al zijn beweringen en duistere formules heeft Stahl nooit kans gezien om zelfs maar een spin het eeuwige leven te schenken. Daar hij niet merkbaar rijk was, neem ik aan dat hij er ook nooit in is geslaagd iets in goud te veranderen. Desondanks vormt het simpele feit dat iets nog nooit gedaan is, zoals hij eens zei, nog geen bewijs dat zoiets onmogelijk is; hij zou alleen accepteren dat zulke dingen onmogelijk waren, wanneer hij zeker wist dat alle materie onveranderlijk gekenmerkt werd door een unieke

113

vorm. Tot dusver, zei hij, wees alles erop dat het mogelijk was onedele materialen in basiselementen te veranderen. Als je *aqua fortis* in zout kon veranderen – toch een eenvoudige onderneming – wat voor reden had iemand als ik dan om de spot te drijven met het idee dat het, als je maar de juiste methode hanteerde, mogelijk was steen in goud te veranderen? Zo hadden alle geneesmiddelen tot doel ziekten, ouderdom en verval van krachten op afstand te houden; sommige middelen hadden zowaar succes. Zou ik dan kunnen zweren – en redenen opgeven voor mijn opvatting – dat er geen definitieve drank bestond die voorgoed alle ziekten zou kunnen verdrijven? Per slot van rekening hadden de briljantste denkers van de oudheid ook iets dergelijks geloofd, en in de bijbel was zelfs het bewijs te vinden. Had Adam niet 930 jaar geleefd, en Seth 912 jaar en Methusalem 969 jaar, zoals in Genesis werd vermeld?

Lower had mij gewaarschuwd dat hij een lastig heerschap was, en dat alleen Boyle de kunst verstond hem onder de duim te houden. Zijn gaven werden geëvenaard door zijn ondeugden, want hij was een sodomiet van de meest flagrante soort, die er veel genoegen in schepte een ieder die met hem van gedachten wisselde, walging in te boezemen. Destijds was hij in de veertig en hij vertoonde alle tekenen van een afgeleefd uiterlijk die een zondig leven met zich meebrengt: uitgesproken groeven aan weerszijden van een dunne mond vol akelig verrotte tanden en een kromme houding waaruit de argwaan en weerzin spraken die hij jegens de rest van de wereld koesterde. Hij hoorde tot het slag dat iedereen als zijn mindere zag, ongeacht hun positie, capaciteiten of geboorte. Geen vorst was zo bedreven als hij in het besturen van koninkrijken, geen bisschop bezat zoveel kennis van de theologie en geen advocaat verstond zozeer tot in de fijnste kneepjes de kunst een rechtszaak voor te bereiden. Merkwaardig genoeg was het enige terrein waarop zijn arrogantie niet oppermachtig heerste, dat waarop die nu juist wellicht gerechtvaardigd was geweest, namelijk waar het zijn bedrevenheid in scheikundige proeven betrof.

De andere merkwaardige eigenschap die hij tentoonspreidde was dat hij, hoewel hij iedereen vol verachting bejegende, onvermoeibaar al zijn tijd en energie aanwendde wanneer zijn nieuwsgierigheid eenmaal was gewekt. Mensen kon hij niet uitstaan, maar je hoefde hem maar een probleem voor te leggen of hij werkte eraan tot hij erbij neerviel. Hoewel hij eigenlijk louter weerzin bij me had moeten wekken, begon ik een behoedzaam soort respect voor de man te voelen.

Het viel niet mee hem ertoe over te halen ons te helpen, hoewel hij wist dat Lower een intimus was van Boyle, die hem voor zijn diensten betaalde.

Hij hing lui in een stoel en keek ons verachtelijk aan terwijl wij de toestand uitlegden.

'Nou en? Hij is dood,' zei hij in zijn zwaar aangezette Latijn, dat hij uitsprak met de ouderwetse nadruk en langgerekte klinkers die onder Italiaanse kenners volkomen in diskrediet zijn geraakt, al kunnen de Engelsen en anderen (meen ik) zich nog steeds hartstochtelijk over dat onderwerp opwinden.

'Doet het er dan iets toe wat er precies is gebeurd?'

'Natuurlijk,' antwoordde Lower.

'Waarom dan?'

'Omdat het altijd belangrijk is de waarheid vast te stellen.'

'En u denkt dat dat mogelijk is, nietwaar?'

'Ja.'

Stahl snoof verachtelijk. 'Dan bent u optimistischer dan ik.'

'Waar houdt u zich dan eigenlijk mee onledig?'

'Ik vermaak mijn meesters,' antwoordde hij op onaangename toon. 'Zij willen weten wat er gebeurt wanneer je Spaans groen bij kaliumnitraat doet, dus doe ik dat voor hen. Wat er gebeurt als je dat mengsel verhit, dus verhit ik het.'

'En dan probeert u vast te stellen waarom dat gebeurt.'

Hij maakte een luchtig gebaar. 'Pff. Nee. Wij proberen vast te stellen hoe iets gebeurt. Niet waarom.'

'Is daar verschil tussen?'

'Natuurlijk. Een gevaarlijk verschil. De kloof tussen het hoe en het waarom bezorgt mij grote hoofdbrekens, en dat zou ook voor u moeten gelden. Dat is een verschil dat ons nog eens duur zal komen te staan.' Hij snoot zijn neus en keek mij van weerzin vervuld aan. 'Hoort u eens,' vervolgde hij, 'ik ben een drukbezet man. U komt hier met een vraagstuk. Dat moet een scheikundig vraagstuk zijn, anders had u zich er niet toe verlaagd mij om een gunst te vragen. Klopt dat?'

'Ik koester grote achting voor uw deskundigheid,' wierp Lower tegen. 'Dat heb ik u toch genoegzaam bewezen. Ik betaal u al heel lang voor uw lessen.'

'Ja, ja. Maar men loopt hier nu niet bepaald de deur plat om me zomaar op te zoeken. Niet dat ik dat erg vind, want ik heb wel wat beters te doen dan praten. Dus als u op een gunst van mij uit bent, zegt u mij dan waar die uit bestaat en gaat u daarna weg.'

Zo te zien was Lower volkomen vertrouwd met dit optreden. Ik was waarschijnlijk inmiddels de deur uit gelopen, maar hij haalde doodgemoedereerd de cognacfles uit zijn schoudertas en zette hem op de tafel. Stahl tuurde er ingespannen naar – het viel me op dat hij bijziend was en waarschijnlijk wel een bril had kunnen gebruiken.

'Nu? Wat is dit?'

'Dit is een fles cognac met een merkwaardige droesem op de bodem, die u even goed kunt zien als ik, al doet u ook alsof u blind bent. Wij willen weten wat dat is.'

'Aha. Is Grove aan zijn eind gekomen door een Geest of door geest? Dat is het probleem, nietwaar? Is hun wijn vurig drakenvenijn en een wreed adderenvergif?'

Lower zuchtte. 'Deuteronomium 32:33,' antwoordde hij. 'Juist.' En daarop bleef hij geduldig staan, terwijl Stahl een uitgebreide voorstelling weggaf van iemand die diep nadacht. 'Welnu, hoe onderzoeken wij deze substantie, hoewel ze is aangetast door de vloeistof?' Weer dacht de Duitser even na. 'Waarom biedt u dat lastige portret van een dienstmeisje van u niet op een avond een glaasje van deze cognac aan, wat? Dan slaat u toch twee vliegen in één klap?'

Lower zei dat dit hem geen erg goed idee leek. Per slot van rekening zou het, ook als de proef mocht slagen, moeilijk zijn hem te herhalen. 'Goed, wilt u ons helpen of niet?'

Stahl lachte breed en liet de rij zwart uitgeslagen en geel verkleurde stompjes zien die zijn tanden moesten voorstellen en weleens de verklaring konden vormen voor zijn akelige humeur. 'Natuurlijk,' zei hij. 'Dit is een fascinerend vraagstuk. Wij moeten een reeks proeven verzinnen die herhaald kunnen worden, en wel zo vaak dat ze uitsluitsel kunnen geven over de aard van deze droesem. Het eerste dat mij echter te doen staat is dat ik deze droesem in een bruikbare vorm in handen krijg.' Hij wees naar de fles. 'Ik stel voor dat u nu weggaat en over enkele dagen terugkomt. Zoiets kan niet overhaast worden uitgevoerd.'

'Of misschien dat we nu kunnen beginnen?'

Stahl zuchtte, haalde zijn schouders op en kwam overeind. 'Goed dan. Als dat me van uw gezelschap bevrijdt.' Hij liep naar een plank en pakte een buigzaam buisje met een stukje dun glas aan het ene uiteinde, en stak dat in de hals van de fles, die hij op de tafel zette. Toen hurkte hij neer, zoog even aan het andere uiteinde van het buisje en deed een stap achteruit toen de vloeistof vlug in een bakje stroomde dat hij eronder had gezet.

'Een belangwekkend en nuttig proefje,' merkte hij op. 'Doodgewoon, natuurlijk, maar niettemin bijzonder boeiend. Als het tweede gedeelte van het buisje maar langer is dan het eerste, dan zal de vloeistof weg blijven stromen, omdat de vloeistof die naar beneden valt, meer weegt dan de vloeistof die moet opstijgen. Als dat niet zo was, zou er zich een luchtledig in het buisje vormen, dat we echter niet in stand kunnen houden. Zo, en nu luidt de waarlijk interessante vraag wat er gebeurt als...'

'U bent toch niet van plan alle droesem er ook uit te zuigen, wel?' viel Lower hem bezorgd in de rede toen het niveau van de cognac de bodem van de fles begon te naderen.

'Ik zie het, ik zie het.' En vlug trok Stahl het glazen buisje eruit.

'En nu?'

'En nu verwijder ik de neerslag, die zal moeten worden schoongespoeld en gedroogd. Dat vergt tijd, en er is dan ook geen enkele reden waarom u zich hier zou ophouden.'

'Vertelt u ons dan alleen wat u van plan bent.'

'Heel simpel. Dit is een mengsel van cognac en bezinksel. Ik zal het voorzichtig verhitten om de vloeistof te laten verdampen, vervolgens het overblijfsel schoonspoelen met vers regenwater, het sediment opnieuw laten bezinken, opnieuw de vloeistof overhevelen en het overblijfsel nogmaals doorspoelen en laten drogen. Dan moet het langzamerhand behoorlijk puur zijn. Drie dagen, alstublieft. Geen ogenblik eerder, en mocht u voor die tijd komen opdagen, dan wissel ik geen woord met u.'

~

En zo volgde ik Lower terug naar New College en de vertrekken van de rector, in een groot gebouw dat het grootste gedeelte van de westelijke wand van het binnenplein in beslag nam. Door de dienstmaagd werden we in de kamer gelaten waarin rector Woodward ontving en daar vonden we Locke, al koutend voor het haardvuur neergevlijd alsof hij hier kind aan huis was. Die man had iets, vond ik, waarmee hij steevast kans zag in het gevlij te komen bij machtige personen. Wat dat was weet ik niet; hij gedroeg zich niet ongedwongen en evenmin was hij bijzonder prettig in de omgang, maar mensen die hij de moeite waard achtte, bejegende hij met zo'n onverdroten aandacht dat niemand hem kon weerstaan. En verder werkte hij natuurlijk ook zorgvuldig aan zijn reputatie van uitnemend natuurvorser, zodat die mensen na een tijdje een toegeeflijke houding tegenover hem aannamen en zich dan ook nog dankbaar gingen voelen. In later jaren is hij boeken gaan schrijven die voor wijsgerige werken doorgaan, hoewel je, als je ze vluchtig doorneemt, de indruk krijgt dat hij daarin niet veel anders doet dan zijn voorliefde voor vleiende woorden uitleven op het metafysische vlak, waarmee hij de juistheid aantoont van de reden waarom degenen die hem toegeeflijk bejegenen, de macht in handen hebben. Ik mocht Locke niet.

Zijn ongedwongen en zelfverzekerde manier van doen in het bijzijn van rector Woodward stak scherp af tegen het gedrag van mijn vriend Lower, die altijd somber gestemd raakte wanneer hij de mengeling van respect en beleefdheid tentoon moest spreiden die de omgang met belangrijker personen vereiste. De arme man; hij verlangde er zo wanhopig naar gewaardeerd te worden, maar verstond niet de kunst toneel te spelen, en zijn linksheid werd maar al te vaak aangezien voor onhebbelijkheid. Binnen vijf minuten was het feit dat Lower gevraagd was om het lijk van Grove te onderzoeken met Locke enkel in de rol van waarnemer erbij, zo goed als vergeten; het gesprek speelde zich uitsluitend af tussen de wijdlopige wijsgeer en de rector, terwijl Lower er opgelaten en wel bij zat zonder een woord te zeggen en zijn humeur er steeds minder op werd.

Zelf deed ik er maar al te graag het zwijgen toe, daar ik Woodwards ontstemming niet nogmaals wilde wekken, en Locke was degene – dat moet ik hem nageven – die mij redde.

'Mijnheer Cola was ontsteld door de terechtwijzing die hij eerder vandaag van u in ontvangst heeft moeten nemen, mijnheer de rector,' zei hij. 'U moet niet vergeten dat hij als vreemdeling in onze kringen verkeert en niets van ons doen en laten af weet. Wat hij ook gezegd mag hebben, het was volkomen onschuldig gemeend.'

Woodward knikte en keek me aan. 'Wilt u mijn verontschuldigingen aanvaarden, mijnheer?' vroeg hij. 'Ik was in de war en lette niet goed genoeg op mijn woorden. Maar ik had de avond daarvoor een klacht te horen gekregen en heb uw woorden daardoor verkeerd opgevat.'

'Wat voor klacht?'

'Grove kwam in aanmerking voor een prebende en de kans was groot dat hij die ook zou krijgen, maar gisteravond is er een klacht ingediend die inhield dat hij er een losbandige leefwijze op na hield en dat hij daarom niet benoemd moest worden.'

'Het gaat zeker om dat meisje Blundy?' vroeg Locke op een wereldwijze, onbevooroordeelde manier.

'Hoe weet u dat?'

Locke haalde zijn schouders op. 'Algemeen bekend in de taveernes, mijnheer. Niet dat het daarom waar is, natuurlijk. Mag ik u vragen waar die klacht vandaan kwam?'

'Die was afkomstig uit het docentenkorps,' zei Woodward.

'En meer specifiek?'

'Meer specifiek is dit een kwestie die alleen het college aangaat.'

'Heeft degene die de klacht indiende enige bewijsgrond aangevoerd?'

'Hij zei dat het meisje in kwestie gisteravond op doctor Groves kamer was geweest en dat hij haar naar binnen had zien gaan. Hij diende zijn klacht in om te voorkomen dat anderen haar ook zouden zien en de goede naam van het college in twijfel zouden gaan trekken.'

'En was dat waar?'

'Ik was van plan er doctor Grove vanmorgen naar te vragen.'

'Dus zij is daar gisteravond geweest en Grove was vanmorgen dood,' zei Locke. 'Tja...'

'Wilt u daarmee suggereren dat zij een eind heeft gemaakt aan zijn leven?'

'Goeie hemel, nee,' antwoordde hij. 'Maar bovenmatige lichamelijke inspanning kan onder bepaalde omstandigheden een attaque teweegbrengen, weet u, zoals mijnheer Cola vanmorgen in zijn onschuld ook al heeft opgemerkt. Dat is verreweg de waarschijnlijkste verklaring. Als dat inderdaad zo is, dan zal een zorgvuldig onderzoek ons stellig meer uitsluitsel geven. Een meer sinistere oorzaak lijkt onwaarschijnlijk, want mijnheer Lower zegt dat het meisje een oprecht ontdane indruk maakte toen zij hoorde dat Grove was gestorven.'

De rector gromde iets. 'Dank u voor uw inlichtingen. Misschien dat we nu maar moesten aanvangen? Ik heb het stoffelijk overschot in de bibliotheek laten leggen. Waar wilt u het onderzoek uitvoeren?'

'We hebben een grote tafel nodig,' zei Lower nors. 'De keuken zou het best zijn, als daar geen personeel rondloopt.'

Woodward verliet ons om het keukenpersoneel weg te sturen en wij gingen de kamer ernaast in om het lijk te bekijken. Toen het huis verder door iedereen verlaten was, droegen we het naar het domestiekenverblijf aan de andere kant van de gang. Gelukkig was Grove al gewassen en afgelegd, zodat wij niet werden opgehouden door die verre van aangename taak.

'Zullen we dan maar aan het werk gaan?' vroeg Lower, en hij haalde de etensborden van de keukentafel. Wij trokken Grove zijn kleren uit en tilden hem moedernaakt op de tafel. Toen pakte Lower zijn zagen en hij sleep zijn mes en stroopte zijn mouwen op. Woodward besloot dat hij niet wilde toekijken en liet ons alleen. 'Ik zal mijn pen halen als u zo goed zou willen zijn om zijn hoofd te scheren.'

Dat deed ik bereidwillig, nadat ik eerst een bezoekje had gebracht aan de kast waar een van de domestieken zijn toiletbenodigdheden bewaarde en een scheermes had gehaald.

'Barbier én chirurg,' zei Lower terwijl hij het hoofd uittekende – alleen voor zichzelf, meende ik. Toen legde hij het papier neer, deed enkele stappen achteruit en dacht een ogenblik na. Toen hij helemaal gereed was pakte hij zijn mes, hamer en zaag en allen zwegen we een ogenblik om het gebed te zeggen dat diegenen past die op het punt staan het fraaiste product van Gods schepping te schenden.

'De huid is niet zwart uitgeslagen, zie ik,' zei Locke op gemoedelijke toon toen dit vrome ogenblik voorbij was en Lower zich met zijn mes dwars door de lagen geel vet naar de ribbenkast begon te werken. 'Gaat u de hartproef toepassen?'

Lower knikte. 'Dat is een nuttig experiment. Niet dat ik ervan overtuigd ben dat het hart van een slachtoffer van vergiftiging niet door vuur verteerd kan worden, maar we zullen eens zien.' Een licht scheurend geluid toen de lagen eindelijk los werden gesneden. 'Wat heb ik er toch een hekel aan om dikke mensen open te maken.'

Hij zweeg even toen hij het middenrif blootlegde, waarna hij de massieve, zware lappen vet opzij hield door ze elk aan de keukentafel vast te timmeren.

'Het probleem is,' vervolgde hij toen hij dit achter de rug had en onbelemmerd naar binnen kon kijken, 'dat in het boek dat ik erop heb nageslagen, niet werd vermeld of je het hart eerst moet laten opdrogen. Maar u begrijpt wel waarom Locke opmerkte dat de huid niet zwart verkleurd was, nietwaar Cola? Dat is een teken dat tegen vergiftiging pleit. Anderzijds vertoont de huid hier en daar een grijsblauwe kleur. Ziet u wel? Op de rug en dijbenen? Misschien dat dat iets zegt. Me dunkt dat we die kwestie onbeslist moeten noemen. Heeft hij voordat hij stierf ook gebraakt?'

'O ja, heel erg. Hoezo?'

'Jammer. Maar ik zal er toch voor alle zekerheid zijn maag uit halen. Geeft u mij die fles even aan?'

En op een heel deskundige manier liet hij een slijmerig, stinkend schuim uit de maag in een fles lopen. 'Zou u het raam open willen doen, Cola?' vroeg hij. 'We moeten de vertrekken van de rector niet onbewoonbaar maken.'

'Vergiftigde mensen vomeren over het algemeen inderdaad,' zei ik, terugdenkend aan mijn leermeester in Padua, die eens toestemming had gekregen een misdadiger te vergiftigen om het effect te bestuderen. De arme stakker was op nogal ongelukkige wijze gestorven; maar daar zijn armen en benen eraf gehakt zouden zijn en zijn ingewanden voor zijn ogen verbrand terwijl hij nog leefde, bleef hij mijn leermeester tot aan het einde roerend dankbaar voor diens attente behandeling. 'Maar ik geloof dat ze er maar zelden in slagen de hele maaginhoud naar buiten te werken.'

Op dat ogenblik kwam er een eind aan het gesprek, want Lower begon de maag, de milt, de nieren en de lever in zijn glazen potten over te brengen; elk orgaan hield hij telkens voor me op en hij zei er iets over voordat hij het in een pot stopte.

'Het darmvlies is geler dan gebruikelijk,' zei hij opgewekt, daar de werkzaamheden hem weer in een goed humeur hadden gebracht.

'Maag en darmen vertonen aan de buitenkant een eigenaardig bruinige kleur. Op de longen zitten zwarte vlekken. Lever en milt erg verkleurd, en de lever – wat zegt u van de lever?'

Ik tuurde eens naar het merkwaardig gevormde orgaan daarbinnen. 'Ik weet het niet. Volgens mij lijkt het wel of het ding gekookt is.'

Lower liet een lachje horen. 'Zo is het. Zo is het. Goed, de gal: erg vloeibaar. Stroomt alle kanten op en vertoont een soort vuilgele kleur. Heel abnormaal. Duodenum ontstoken en met een ruw oppervlak, maar zonder sporen van natuurlijke achteruitgang. Hetzelfde geldt voor de maag.'

Toen zag ik hem, terwijl hij zijn bloederige handen aan zijn schort afveegde, het lijk eens nadenkend opnemen.

'Dat is het dan,' zei ik op ferme toon.

'Pardon?'

'Ik ken u niet goed, mijnheer, maar die blik in uw ogen herken ik al. Als u er soms over denkt zijn schedel open te maken en zijn hersenen te verwijderen, dan moet ik u verzoeken daarvan af te zien. Wij proberen nu immers de doodsoorzaak vast te stellen; het zou tegen alle regels indruisen als u nu stukjes ging afhakken om die te ontleden.'

'En voor de begrafenis ligt hij nog een tijdje opgebaard, daar moet u ook aan denken,' voegde Locke eraan toe. 'Het zou niet meevallen om te verhullen dat u zijn schedel doormidden had gekliefd. Het zal al lastig genoeg zijn ervoor te zorgen dat niemand ziet dat zijn hoofd geschoren is.'

Lower dacht er duidelijk al over dit te betwisten, maar haalde ten slotte zijn schouders op. 'De waakhonden van mijn geweten,' zei hij. 'Goed dan, al is het heel wel mogelijk dat de medische kennis nadeel ondervindt van uw morele standpunt.'

'Vast niet voorgoed. Bovendien moeten we hem nu weer in elkaar zetten.'

En we togen aan het werk: we stopten zijn lichaamsholten op met stukken linnen om hem een fraai uiterlijk te bezorgen, naaiden hem dicht en verbonden de wonden voor het geval er vloeistoffen mochten gaan stromen die dan vlekken zouden veroorzaken in zijn doodshemd.

'Hij heeft er nog nooit mooier uitgezien, vind ik,' zei Lower toen hij ten slotte op z'n fraaist was uitgedost en in een gemakkelijke stoel in de hoek was geïnstalleerd; de potjes met zijn organen stonden in een rij op de vloer. Ik zag wel dat Lower vast van plan was die althans in handen te krijgen. 'En nu dan de laatste proef.'

Hij pakte 's mans hart, legde het in een aardewerken schaaltje op de kachel en goot er een kwartpint cognac overheen. Toen pakte hij een hout-spaander, stak die in de kachel aan en legde hem in het schaaltje.

'Doet eigenlijk wel denken aan plumpudding,' zei hij niet erg fijntjes toen de cognac in lichterlaaie schoot. Wij stonden eromheen en zagen toe hoe de vloeistof eerst nog doorbrandde, maar op het laatst sputterend doofde; er bleef een bijzonder onaangename lucht hangen.

'Wat vindt u ervan?'

Ik onderzocht Groves hart zorgvuldig en haalde toen mijn schouders op. 'Het hartzakje is een beetje geschroeid,' zei ik. 'Maar niemand zou kunnen beweren dat het hart ook maar gedeeltelijk verteerd was.'

'Had ik ook al vastgesteld,' zei Lower voldaan. 'Het eerste concrete teken dat op vergiftiging wijst. Dat is interessant.'

'Heeft ooit iemand deze proef uitgevoerd op iemand die onbetwistbaar niet door vergiftiging om het leven was gekomen?' vroeg ik.

Lower schudde zijn hoofd. 'Niet dat ik weet. De volgende keer als ik een lijk in de wacht sleep, zal ik dat eens proberen. Kijk, als die knaap Prestcott nu niet zo zelfzuchtig was geweest, dan hadden we de harten met elkaar kunnen vergelijken.' Hij keek de keuken even rond. 'We moesten de boel maar een beetje opruimen, lijkt me; anders gaan de domestieken er mor-genochtend meteen vandoor wanneer ze binnenkomen.'

Met een doekje en water ging hij eigenhandig aan het werk; het viel me op dat Locke hem niet te hulp kwam.

'Zo,' zei hij na een stilte van vele minuten, waarin ik van alles had opge-ruimd, hij van alles had schoongemaakt en Locke aan zijn pijp had zitten trekken. 'Als u de rector zou willen roepen, dan kunnen we Grove terugleg-gen. Maar voordat we dat doen: hoe luidt onze opinie?'

'De man is dood,' zei Locke droog.

'Hoe komt dat?'

'Ik geloof dat er niet genoeg bewijs is om dat te kunnen zeggen.'

'Zo, u steekt uw nek weer eens uit, hè? Cola?'

'Ik ben niet geneigd om op grond van de tot dusver gevonden aanwijzin-gen te menen dat zijn doodsoorzaak allesbehalve natuurlijk is geweest.'

'En u, Lower?' vroeg Locke.

'Ik zou willen voorstellen dat wij ons oordeel opschorten totdat er zich nadere aanwijzingen voordoen.'

Rector Woodward waarschuwde ons eerst zorgvuldig dat wij niemand iets over de bezigheden van deze avond mochten vertellen, omdat er anders een te groot schandaal van zou komen, en nadat wij hem onze povere gevolgtrekkingen hadden voorgelegd, dankte hij ons voor onze hulp. De opluchting op zijn gezicht – want Lower had hem niets over Stahl gezegd en hij meende kennelijk dat de zaak hiermee was afgesloten – was onmiskenbaar.

13

DE ENGELSEN HEBBEN de gewoonte hun doden net zo snel te begraven als ze hen ophangen. Onder normale omstandigheden zou Grove al ter aarde besteld zijn in de kapel van New College, maar de rector had een of ander voorwendsel gebruikt om deze ceremonie twee volle dagen uit te stellen. Lower gebruikte de tijd die hij zo had gekregen om Stahl tot haast aan te zetten, terwijl ik als gevolg van Boyles afwezigheid kon doen en laten wat ik wilde; sinds Boyles geliefde zuster naar Londen was verhuisd, oefende die stad een grotere aantrekkingskracht op hem uit.

Het grootste gedeelte van de dag besteedde ik aan de zorg voor mijn patiënte en mijn experiment, en ik was daar nog niet aangekomen of ik zag tot mijn vreugde dat beide vrouwen goed vooruitgingen. Niet alleen was vrouw Blundy wakker en bij de pinken; ze had zelfs wat dunne soep gegeten. Haar koorts was geweken, haar plas had een gezonde bittere smaak en wat nog bijzonderder was: aan haar wond waren de eerste tekenen van genezing te bespeuren. Toegegeven, die waren nog maar heel gering, maar voor het eerst zag ik dat haar toestand niet achteruit was gegaan.

Ik was opgetogen en stralend keek ik haar aan, met alle zegevierende genegenheid die een arts een gehoorzame patiënt maar kan toedragen. 'Mijn beste vrouw,' zei ik toen ik mijn onderzoek had beëindigd, nog wat zalf had aangebracht en op het krakkemikkige krukje was gaan zitten, 'ik geloof waarachtig dat we u misschien nog voor de kaken van de dood kunnen wegrukken. Hoe voelt u zich?'

'Iets beter, dank u, God zij geloofd,' zei ze. 'Maar nog niet zo goed dat ik weer aan het werk kan gaan, ben ik bang. Dat baart mij veel zorgen. Dokter Lower en u zijn meer dan menslievend geweest, maar wij kunnen niet het hoofd boven water houden als ik geen geld verdien.'

'Uw dochter verdient niet genoeg?'

'Niet om ons de schulden van het lijf te houden, nee. Zij heeft moeilijkheden met haar werk, want ze heeft de naam dat ze opvliegend en ongehoorzaam is. Dat is heel onrechtvaardig; nooit heeft een moeder een nobeler dochter gehad.'

'Soms komt zij al te openlijk voor haar mening uit: daar heeft een meisje in haar positie niet het recht toe.'

'Nee, mijnheer. Een meisje in haar positie mag niet voor haar mening uitkomen.'

Plotseling klonk haar zwakke stem uitdagend, al was het me niet onmiddellijk duidelijk wat ze bedoelde.

'Sarah is opgevoed in een omgeving waar volmaakte gelijkheid heerste tussen mannen en vrouwen; ze vindt het moeilijk te aanvaarden dat sommige dingen niet voor haar weggelegd zijn.'

Het viel me niet mee een meesmuilend lachje te onderdrukken, maar ik dacht eraan dat zij mijn patiënte was en daarom praatte ik haar maar naar de mond; bovendien had ik mijn reizen ondernomen om meer te leren, en hoewel het hier in de verste verte geen nuttige ervaring betrof, was ik toen ruimdenkend genoeg om de situatie te dulden.

'Ik weet zeker dat een goede echtgenoot haar alles zou leren wat zij op dat stuk dient te weten,' zei ik. 'Als u iemand voor haar zou kunnen vinden.'

'Het zal moeilijk zijn iemand te vinden die zij zou aanvaarden.'

Ditmaal lachte ik wel hardop. 'Het lijkt me toch dat zij elke man zou moeten aanvaarden die haar wel wil hebben, waar of niet? Zij kan maar heel weinig inbrengen.'

'Alleen zichzelf, maar dat is niet weinig. Soms denk ik dat wij haar niet goed hebben opgevoed,' antwoordde ze. Het is allemaal niet zo gelopen als we hadden verwacht. Nu staat ze er helemaal alleen voor, en haar ouders zijn haar eerder tot last dan tot steun.'

'Uw echtgenoot leeft dus nog?'

'Nee, mijnheer. Maar de lasterpraat waarmee hij is overstelpt, drukt ook zwaar op haar. Ik zie aan uw gezicht dat u over hem hebt gehoord.'

'Heel weinig maar, en ik heb geleerd de verhalen die ik hoor nooit te geloven wanneer ze kwaadaardig zijn.'

'Dan bent u een uitzondering,' zei ze ernstig. 'Ned was de meest liefhebbende echtgenoot en de beste vader van de wereld, die zijn hele leven heeft geijverd voor de taak het recht te laten zegevieren in een wrede wereld. Maar hij is dood en ik zal hem spoedig volgen.'

'Zij bezit in het geheel geen middelen? En afgezien van u heeft ze geen familie?'

'Nee. Neds familie kwam uit Lincolnshire en de mijne uit Kent. Al mijn verwanten zijn dood en de zijne zijn verstrooid geraakt toen het veenland werd drooggelegd en ze zonder een duit vergoeding van hun land werden gegooid. Vandaar dat Sarah geen connecties heeft. Alle vooruitzichten die ze had zijn door lasterpraat tenietgedaan, en de kleine bedragen die ze voor haar bruidsschat had gespaard, heeft ze aan mijn ziekten uitgegeven. Het enige dat ze van mij zal krijgen wanneer ik sterf, is haar vrijheid.'

'Zij zal zich wel redden,' zei ik opgewekt. 'Ze is jong en gezond, en u bewijst me daar een slechte dienst. Tenslotte doe ik mijn uiterste best om u in leven te houden. En met enig succes, mag ik wel zeggen.'

'Het moet u wel genoegen doen dat uw behandeling succes heeft. Het is vreemd, maar ik wil heel graag blijven leven.'

'Ik ben blij dat ik aan uw wens kan voldoen. Me dunkt dat wij toevallig op een geneeswijze van ongeëvenaard belang zijn gestuit. Het was jammer dat we alleen over Sarah konden beschikken. Als we iets meer tijd hadden gehad, dan hadden we er misschien een smid bij kunnen halen. Stelt u zich eens voor, als wij u het bloed van een echt sterke man hadden gegeven, dan was u nu misschien alweer op de been. De geest in het bloed van een vrouw zal uw been niet zo snel laten genezen, vrees ik. Misschien dat we de behandeling over iets van een week nog eens kunnen herhalen...'

Zij glimlachte en zei dat ze zich zou neerleggen bij alles wat ik maar noodzakelijk achtte. En opgeruimd en met mezelf ingenomen nam ik afscheid.

Buiten kwam ik Sarah zelf tegen, die met een stapel aanmaakhout en blokken voor het vuur door de modderbrij in het steegje kwam aanploeteren. Zelfs haar groette ik welgemutst, en tot mijn verrassing reageerde zij hartelijk.

'Het gaat goed met je moeder,' zei ik. 'Ik ben bijzonder met haar ingenomen.'

Ze glimlachte ongedwongen, en dit was de eerste keer dat ik zo'n uitdrukking op haar gezicht zag. 'God heeft ons door u goedertieren behandeld, dokter,' antwoordde ze. 'Ik ben heel dankbaar.'

'O, het mag geen naam hebben,' antwoordde ik, in mijn schik met haar antwoord. 'Het was fascinerend. Bovendien is ze nog niet volledig genezen, weet je. Ze is nog steeds zwak; zwakker dan zijzelf wel weet. En ik denk dat het haar goed zou doen als ze nog langer behandeld werd. Je moet erop letten dat ze niets doet dat een gevaar kan vormen voor haar toestand. Ik heb zo'n vermoeden dat dat niet gemakkelijk zal zijn.'

'Zeker. Ze is eraan gewend om druk in de weer te zijn.'

Hoewel de dooi langzamerhand inviel en het land traag de lange, donkere winter afschudde, was het nog steeds verschrikkelijk koud toen de wind opstak, en ik huiverde in de ijzige vlagen. 'Ik moet eens met je praten over deze dingen,' zei ik. 'Kunnen we niet ergens naartoe gaan?'

Zij zei dat er vlak om de hoek een taveerne met een haardvuur was en dat ik daarnaartoe moest gaan. Zelf zou ze eerst een vuurtje aanleggen en ervoor zorgen dat haar moeder het lekker warm kreeg; daarna zou ze naar me toe komen.

De gelegenheid die ze me had gewezen had niets van het ruime, elegante koffiehuis van de Tillyards, of zelfs maar van de herbergen die waren verrezen als halteplaats voor de postkoetsen; dit was eerder een kroeg voor het grauw, en het haardvuur was het enige prijzenswaardige aan het geheel. Het kroegje werd gedreven door een oude vrouw die haar zelfgebrouwen bier aan klanten uit de buurt verkocht, die zich hier kwamen warmen. Er was niemand behalve ikzelf, en het was duidelijk dat deze gelagkamer nooit werd opgeluisterd door de aanwezigheid van heren van stand; ik werd met een nieuwsgierigheid die niet vriendelijk aandeed, opgenomen toen ik de deur opendeed en binnenkwam. Ik ging maar bij het vuur zitten en wachtte af.

Enkele minuten later kwam Sarah, die het oude mensje ongedwongen groette; zij werd wel welkom geheten. 'Zij is zoetelaarster geweest,' zei ze.

Kennelijk zag ze dit als afdoende verklaring, en ik vroeg niet verder.

'Hoe gaat het nu met je?' vroeg ik, want ik wilde graag de uitwerking van de procedure zowel op het bloed van de donor als op dat van de ontvangster vaststellen.

'Ik ben moe,' zei ze. 'Maar dat ik mijn moeder vooruit zie gaan, weegt daar ruimschoots tegen op.'

'Zij maakt zich ook zorgen over jou,' antwoordde ik. 'Dat is niet goed voor haar. Je moet haar een opgewekt gezicht laten zien.'

'Ik doe wat ik kan,' zei ze. 'Al is dat soms niet gemakkelijk. Uw menslievendheid en die van dokter Lower is de laatste paar dagen een grote zegen geweest.'

'Werk je ergens?'

'Ja. De meeste dagen werk ik nu weer bij de familie Wood en 's avonds krijg ik weleens werk te doen bij een handschoenenmaker. Ik kan goed stikken, hoewel het niet meevalt om leer te naaien.'

'Was je erg van streek vanwege doctor Grove?'

Onmiddellijk zag ik een uitdrukking van behoedzaamheid op haar gezicht verschijnen, en ik was bang dat ik zo dadelijk weer aan een uitbarsting blootgesteld zou worden. Daarom hield ik mijn hand in de hoogte om die te voorkomen.

'Denk toch niet dat ik dat kwaadwillig bedoel. Ik vraag dit met een gegronde reden. Ik moet je zeggen dat er van enige aanleiding tot ongerustheid over zijn dood sprake is, en men heeft gezegd dat jij die avond in het college bent gezien.'

Nog steeds keek zij me met een ijzige uitdrukking aan, en hoewel ik me vagelijk afvroeg waarom ik me zoveel moeite getroostte vervolgde ik: 'Het is heel wel mogelijk dat iemand anders je dezelfde vragen zal stellen.'

'Wat bedoelt u met ongerustheid?'

'Ik bedoel dat er een geringe mogelijkheid bestaat dat hij door vergiftiging om het leven is gekomen.'

Onder mijn woorden werd haar gezicht bleek en enkele seconden lang hield ze haar blik neergeslagen, waarna ze mij verwezen in de ogen keek. 'Is het heus?'

'Ik begrijp dat hij je kort tevoren had ontslagen?'

'Dat is waar. Zonder gegronde reden.'

'En jij was daar boos om?'

'Heel boos. Natuurlijk. Wie zou daar niet zo op reageren? Ik had hard en goed voor hem gewerkt en heb nooit enig verwijt verdiend.'

'En je hebt hem in het koffiehuis benaderd? Waarom?'

'Ik dacht dat hij een goed hart had en daarom bereid zou zijn mijn moeder te helpen. Ik wilde geld van hem lenen.' Boos keek zij me aan, me uitdagend haar te beklagen of te berispen.

'En hij heeft je weggestuurd.'

'Dat hebt u met eigen ogen gezien.'

'Ben je in de nacht dat hij stierf naar zijn kamer geweest?'

'Zegt iemand dat?'

'Ja.'

'Wie zegt dat?'

'Dat weet ik niet. Maar geef eens antwoord op die vraag. Dat is belangrijk. Waar was je toen?'

'Dat gaat u niets aan.'

We hadden een impasse bereikt, zag ik wel. Als ik bleef aandringen, zou zij weglopen, en ze had mijn nieuwsgierigheid nog op geen stukken na bevredigd. Wat voor reden kon zij toch hebben om niet open kaart te spelen? Niets was zo belangrijk dat het de moeite waard was enigerlei argwaan te wekken, en ze moest langzamerhand toch weten dat ik het goed met haar meende. Ik probeerde het nog een laatste keer, maar weer sneed zij me de pas af.

'School er waarheid in die verhalen?'

'Ik ken helemaal geen verhalen. Vertelt u mij, dokter, beweert iemand nu dat doctor Grove is vermoord?'

Ik schudde mijn hoofd. 'Dat geloof ik niet. Er is geen enkele reden om dat op dit ogenblik te denken, en hij wordt vanavond begraven. Als dat eenmaal achter de rug is, dan is de zaak afgedaan. In ieder geval gelooft de rector, dunkt me, oprecht dat het hele voorval niets verdachts heeft.'

'En u? Wat gelooft u?'

Ik haalde mijn schouders weer op. 'Ik heb al vaak van mannen van Groves leeftijd en met zijn eetlust gehoord die plotseling aan een beroerte overleden, maar afgezien daarvan kan die geschiedenis me niet al te veel schelen. Ik houd me in de eerste plaats bezig met je moeder, en met de behandeling die ik haar heb gegeven. Heeft ze al stoelgang gehad?'

Zij schudde haar hoofd. 'Bewaar alles zorgvuldig wanneer er iets komt,' vervolgde ik. 'Dat is voor mij van groot belang. Laat haar niet opstaan en pas op dat ze zich niet wast. En vooral: houd haar warm. En als haar toestand ook maar enigszins verandert, laat mij dat dan onmiddellijk weten.'

14

DE BEGRAFENISDIENST VOOR Grove was een plechtige en waardige gelegenheid, die even na het invallen van de schemering begon. De toebereidselen hadden die hele dag geduurd, stelde ik me voor: de tuinman van het college had een kuil gegraven in de hof naast de kapel, het jongenskoor had
gerepeteerd en Woodward had de grafrede opgesteld. Ik besloot erheen te
gaan toen Lower had gezegd dat daar waarschijnlijk geen bezwaar tegen zou
worden geopperd; tenslotte was Grove een van de weinige mensen in de stad
geweest die ik had gekend. Maar ik stond erop dat hij ook ging; er zijn maar
weinig akeligere dingen in het leven dan een godsdienstplechtigheid bij te
wonen zonder dat je weet wat je telkens moet doen.

Hij mopperde wat, maar stemde er uiteindelijk mee in. Van de liturgie in
New College moest hij niet al te veel hebben, begreep ik. Toen de dienst
begon – de kapel zat vol en de deelnemende geestelijken hadden hun gewaden aan – zag ik waarom, vanuit zijn standpunt dan. 'U moet mij straks
eens uitleggen,' fluisterde ik in een rustig ogenblik, 'waaruit toch het verschil bestaat tussen uw Kerk en de mijne. Ik moet zeggen dat ik daar bijna
niets van kan zien.'

Lower trok een nors gezicht. 'Er is hier ook geen enkel verschil. Waarom
ze niet gewoon in alle openlijkheid hun gehoorzaamheid aan de Hoer van
Babylon – mijn excues, Cola – belijden, begrijp ik niet. Dat zouden ze allemaal heel graag willen, de smiechten.'

Ik schatte dat er zo'n half dozijn mannen van Lowers geloof aanwezig
waren, en die gedroegen zich niet allemaal even netjes als hij. Thomas Ken,
de man die tijdens het diner die woordentwist met Grove had gehad, bleef
gedurende de hele dienst demonstratief zitten en praatte luidkeels tijdens
het requiem. Doctor Wallis, die mij zo onbeleefd had bejegend, zat er met
de armen over elkaar geslagen en met de afkeurende gelatenheid van de
beroepsgeestelijke bij. Sommigen lachten zelfs tijdens de plechtigste ogen-

blikken, wat hun op chagrijnige blikken van anderen kwam te staan. We mochten van geluk spreken, dacht ik op een gegeven ogenblik, als de plechtigheid eindigde zonder in een onverholen vechtpartij te ontaarden.

Op de een of andere manier kwam er echter toch een eind aan zonder dat er zich een schandaal had voorgedaan, en ik meende dat ik de opluchting bijna in de lucht voelde hangen toen Woodward de laatste zegen uitsprak en ons met een witte stok in de hand voorging, de kerk uit en door de hof naar het open graf. De doodkist werd door vier geleerden boven de gapende grafkuil gehouden. Woodward maakte aanstalten om het slotgebed uit te spreken, toen er in de achterste gelederen geluiden klonken die op een handgemeen wezen.

Ik keek naar Lower; allebei waren we er zeker van dat alle irritatie eindelijk tot een uitbarsting was gekomen en dat Groves laatste ogenblikken boven de aarde zouden worden bezoedeld door een woordentwist over leerstellige kwesties. Een paar geleerden namen aanstoot aan de geluiden en draaiden zich met een boos gezicht om; er ging een gefluister door de rijen toen het gezelschap uit elkaar werd geduwd om een gezette man met grijze bakkebaarden, een dikke mantel en een uitdrukking van hevige gêne op zijn gezicht door te laten.

'Wat heeft dit te betekenen?' vroeg Woodward, zich van het graf afwendend om de indringer aan te spreken.

'Deze begrafenis dient stilgelegd te worden,' zei de man. Ik gaf Lower een por en fluisterde hem toe: 'Wie is dat? Wat is er aan de hand?' Lower maakte onwillig zijn blik los van het tafereel en fluisterde : 'Sir John Fulgrove. De magistraat', en verzocht me mijn mond te houden.

'U hebt geen gezag in deze instelling,' vervolgde Woodward.

'Wel als het om gevallen van geweldpleging gaat.'

'Er is hier geen sprake geweest van geweldpleging.'

'Misschien niet. Maar op grond van mijn positie heb ik de plicht mij daarvan te vergewissen. Ik heb een officieel schrijven ontvangen dat er hier wellicht een moord is gepleegd, en op mij rust nu de plicht een onderzoek in te stellen. U weet dat evengoed als ik, rector.'

Een luid gemompel steeg op toen het woord 'moord' was gevallen. Woodward bleef, als nam hij het stoffelijk overschot tegen de magistraat in bescherming, stokstijf voor het graf staan. In feite beschermde hij zijn college.

'Er is hier geen sprake van een moord. Dat weet ik heel zeker.'

De magistraat was enigszins verlegen met de situatie, maar hield resoluut voet bij stuk. 'U weet toch dat wanneer er een klacht is ontvangen, de zaak naar behoren dient te worden onderzocht? Het feit dat zijn dood binnen de muren van het college heeft plaatsgehad, is van geen enkel belang. Zo ver strekken uw privileges nu ook weer niet. U kunt mij niet heensturen wanneer er een dergelijke zaak speelt, en ook kunt u mijn bevelschrift niet aanvechten. Ik beveel dat deze begrafenis wordt stilgelegd totdat ik mij op de hoogte heb gesteld van de toedracht.'

Met de ogen van het college en bovendien die van een groot gedeelte van de hele universiteit op zich gericht stond Woodward daar in tweestrijd en liet hij zijn gedachten gaan over de vraag hoe hij het best zou kunnen reageren op deze onverbloemde aanslag op zijn gezag. Over het algemeen was hij er de man niet naar om ook maar een ogenblik te weifelen, maar deze keer nam hij alle tijd.

'Ik weiger voor uw gezag te wijken, mijnheer,' zei hij ten slotte. 'Ik erken niet dat u het recht hebt om deze instelling zonder mijn toestemming te betreden of u met de gang van zaken in dit college te bemoeien. Ik ben er zeker van dat er geen reden bestaat voor uw aanwezigheid hier en dat ik in overeenstemming met de wet zou handelen als ik u opdroeg u te verwijderen.'

De omstanders keken tevreden bij het horen van deze verklaring en sir John trilde van verontwaardiging. Nadat hij aldus het decorum in acht had genomen en ervoor had gezorgd dat hij geen duimbreed was geweken waar het principiële kwesties betrof, gaf Woodward zich in zekere zin gewonnen. 'Wellicht beschikt u echter over aanwijzingen waar ik niets vanaf weet. Als er geweld is gepleegd, is het de plicht van het college de ware toedracht vast te stellen. Ik zal aanhoren wat u te zeggen hebt en de teraardebestelling zolang uitstellen. Als ik tot de bevinding kom dat uw klacht nergens op berust, dan wordt die voortgezet, of u het daarmee eens bent of niet.'

Er klonk een waarderend gemompel op na deze, zoals Lower naderhand zei, meesterlijke stap terug uit een onhoudbare positie, en Woodward gaf bevel dat het stoffelijk overschot werd teruggebracht naar de kapel. Toen liep hij met de magistraat de hof uit en begaf zich naar zijn vertrekken.

'Zo, zo,' zei Lower zacht toen de twee mannen door de smalle poort verdwenen die toegang gaf tot het hoofdplein. 'Ik vraag me af wie hierachter zit.'

'Wat bedoelt u?'

'Een magistraat kan alleen optreden als iemand een klacht bij hem indient over een gepleegde misdaad. Dan moet hij onderzoeken of die klacht gegrond is. Dus wie heeft hem een bezoekje gebracht? Woodward kan het niet zijn geweest, en wie anders had daar belang bij? Voor zover ik weet had Grove geen familie.'

Ik huiverde. 'Daar komen we niet achter door hier te blijven staan,' merkte ik op.

'U hebt gelijk. Wat zou u zeggen van een fles in mijn vertrekken in Christ Church? Dan kunnen we eens kijken of we het probleem kunnen oplossen.'

～

We kwamen echter niet veel verder; ondanks veel heen en weer gepraat en nog meer wijn was het antwoord op de vraag wie de magistraat had opgezocht nog even onduidelijk toen we de volgende ochtend wakker werden als toen we van New College waren weggewandeld. Het enige dat ik ontdekte, was dat de Canarische wijn waar de Engelsen de voorkeur aan geven, je de volgende ochtend een beroerd aandenken bezorgt.

Ik bleef namelijk bij Lower slapen, daar ik aan het eind van ons gesprek te onvast ter been was om naar mijn eigen bed te kunnen terugkeren. Al spoedig waren wij van de kwestie-Grove afgestapt en hadden we het over de meest uiteenlopende wetenschappelijke zaken gekregen. Vooral op het idee van de levensgeest kwam hij terug, en op de vraag of daar nader onderzoek naar kon worden gedaan – een gedachte die van groot gewicht was voor de theorie die aan mijn bloedtransfusie ten grondslag lag.

'Het lijkt me,' zei hij nadenkend, 'dat wij het bestaan van uw levensgeest in het bloed mogen afleiden uit het bestaan van spoken, want wat zijn dat anders dan de van het lichaam losgeraakte levensgeesten? En het is mij onmogelijk die verschijnselen in twijfel te trekken, want ik heb er zelf een gezien.'

'Heus? Wanneer dan?' antwoordde ik.

'Pas een paar maanden geleden,' zei hij. 'Ik zat in deze kamer en hoorde een geluid op de gang. Ik deed de deur open, want ik verwachtte een bezoeker, en toen stond daar een jongeman. Heel merkwaardig gekleed, in fluweel, met lang blond haar en een zijden koord in zijn hand. Ik zei hem gedag en hij draaide zich om en keek me aan. Hij gaf geen antwoord, maar glimlachte droevig en liep toen de trap af. Ik stond er niet al te lang bij stil en ging weer naar binnen. Mijn gast kwam een minuutje later. Ik vroeg hem of hij die vreemde knaap had gezien – dat moest bijna wel –, maar hij zei van nee, dat er helemaal niemand op de trap was geweest. Later heeft de deken me verteld dat een jongeman hier in 1560 zelfmoord had gepleegd. Hij was zijn kamer op mijn trap uit gelopen, naar een kelder aan de andere kant van het college gegaan en had zich met behulp van een zijden koord verhangen.'

'Hmm.'

'Precies. Ik wijs er alleen maar op dat dit zo'n zelden voorkomende gelegenheid is waarbij de beste theorieën op het gebied van de natuurwetenschappen en de praktische waarneming prachtig op elkaar aansluiten. Daarom wijs ik uw aprioristische ideeën ook niet zonder meer van de hand. Al sluit ik de mogelijkheid niet uit dat er een andere verklaring bestaat voor de verbeterde toestand van de weduwe Blundy.'

'En verklaring verwerpen die je al hebt met het oog op eentje die je niet hebt, dat lijkt me dom,' zei ik. 'Maar ik moet u erop wijzen dat u er nu van uitgaat dat de geest die het leven in stand houdt, dezelfde is als die welke na afloop van het leven blijft bestaan.'

Hij zuchtte. 'Dat is wel waar. Hoewel zelfs Boyle nog geen proef heeft ontworpen om te ontdekken waar die geest uit bestaat, aangenomen dat die een of andere fysieke vorm bezit.'

'Dat zou hem in een heel lastig parket brengen tegenover de theologen,' zei ik. 'En zo te zien is hij er juist op gespitst een zo goed mogelijke verstandhouding met hen te bewaren.'

'Vroeg of laat gebeurt dat toch,' zei mijn vriend. 'Tenzij wij wetenschappers ons uitsluitend tot materiële zaken beperken, en wat zou dat voor zin hebben? Maar u hebt gelijk; het is niet waarschijnlijk dat Boyle zo'n risico neemt. Ik kan daar alleen maar een tekortkoming in zien. Aan de andere kant: uw Galilei heeft laten zien wat voor gevaar je loopt wanneer je de Kerk ontstemt. Wat vindt u van hem?'

'Natuurlijk had Lower van dit geval gehoord; toen ik in Padua zat, was het daar het gesprek van de dag geweest, want Galilei was in dienst van Venetië geweest totdat hij zich door het prachtvertoon van de Medici naar het hof van Florence had laten lokken; als gevolg van die stap had hij zich vele vijanden gemaakt, en dat was hem niet bepaald te stade gekomen toen hij in moeilijkheden raakte vanwege zijn uitspraak dat de aarde om de zon draaide. Hoewel dit zich nog min of meer voor mijn geboorte had afgespeeld, boezemde het vele wetenschappers nog steeds angst in en als gevolg daarvan dachten ze goed na voordat ze een uitspraak deden. Maar het zat me dwars dat Lower het geval te berde bracht, want ik wist wel hoe zijn oordeel zou luiden en dat hij zo'n draai aan de feiten zou geven dat hij mijn Kerk kon aanvallen.

'Ik draag hem natuurlijk de grootst mogelijke achting toe,' zei ik, 'en ik vind die geschiedenis dieptreurig. Ik ben een man van de wetenschap en beschouw mijzelf als een oprecht zoon van de Kerk. Net als Boyle geloof ik vast dat de wetenschap nooit strijdig kan zijn met de ware godsdienst, en dat, als ze met elkaar in tegenspraak lijken te zijn, dat het gevolg is van het feit dat wij een van de twee niet geheel en al begrijpen. God heeft ons de bijbel gegeven en Hij heeft ons de natuur geschonken om ons zijn schepping te tonen; het is belachelijk om te denken dat Hij zichzelf zou kunnen tegenspreken. Het is de mens die faalt.

Iemand heeft in dit geval dus ongelijk,' antwoordde ik, 'en geen mens gelooft serieus dat de raadgevers van de paus de plank niet volkomen missloegen. Maar signor Galilei was ook laakbaar, en misschien nog wel erger dan zij. Hij was een steil en arrogant man en heeft in zoverre een ernstige dwaling begaan dat hij verzuimde te laten zien dat zijn ideeën in overeenstemming waren met de kerkleer. Ik geloof waarlijk niet dat er sprake was van ook maar enige tegenspraak. Wel was er sprake van een gebrek aan begrip, en dat heeft verschrikkelijke gevolgen gehad.'

'Het heeft dus niet aan de onverdraagzaamheid van uw Kerk gelegen?'

'Me dunkt van niet, en ik zou willen zeggen dat het bewezen is dat de katholieke Kerk meer openstaat voor de wetenschap dan de protestantse. Alle wetenschappers van belang zijn altijd in het katholieke geloof opgegroeid. Denkt u maar aan Copernicus, Kepler, Torricelli, Pascal, Descartes...'

'Onze Harvey was een overtuigd anglicaan,' wierp Lower tegen, ietwat stroef, meende ik.

'Jawel. Maar hij moest naar Padua komen om zijn opleiding te ontvangen, en zijn ideeën heeft hij dáár geformuleerd.'

Lower gromde iets en hief zijn glas om mijn antwoord eer te bewijzen. 'U brengt het nog wel tot kardinaal,' zei hij. 'Een oordeelkundig en scherpzinnig antwoord. U meent dat de wetenschap de plicht heeft zichzelf te bewijzen?'

'Ja. Anders werpt die zich op als de gelijke van de godsdienst, niet als dienstmaagd daarvan, en de gevolgen van die houding zijn zo afschuwelijk dat je ze niet eens in overweging kunt nemen.'·

'U begint als doctor Grove te klinken.'

'Neen. Hij vond ons maar bedriegers en betwijfelde het nut van experimenten. Ik vrees de macht en de eerzucht van de wetenschap, en zet me ervoor in dat die macht de mens niet verwaand maakt.'

Ik had me wel boos kunnen maken om zijn opmerkingen, maar ik bespeurde geen lust tot een twistgesprek, en Lower deed ook eigenlijk niet zozeer zijn best mij te tergen. 'Enfin,' vervolgde hij, 'wij hebben nu eenmaal mannen als Grove in onze Kerk, dus wie zijn wij dan dat we een veroordeling mogen uitspreken? Zij hebben niet zoveel macht als uw kardinalen om ons last te bezorgen, maar als ze konden, zouden ze dat zeker doen.'

Hij maakte een gebaar om aan te geven dat hij genoeg had van het onderwerp en het verder liet lopen. 'Vertelt u mij eens, hoe gaat het met uw patiënte? Gedraagt ze zich werkelijk in overeenstemming met de theorieën waarmee u haar hebt opgezadeld?'

Ik glimlachte vergenoegd. 'Zij torst ze verbazend wel,' zei ik. 'Er zijn duidelijke tekenen van vooruitgang bij haar te bespeuren, en ze zegt dat ze zich beter dan ooit voelt sinds ze is gevallen.'

'Als dat zo is, dan breng ik een dronk uit op monsieur Descartes,' zei Lower, zijn glas heffend, 'en ook op zijn volgeling, de voortreffelijke doctor da Cola.'

'Dank u,' zei ik. 'En ik moet zeggen dat ik u ervan verdenk dat u meer respect voor zijn ideeën hebt dan u wel zegt.'

Lower hield zijn vinger voor zijn lippen. 'St!' zei hij. 'Ik heb hem met belangstelling gelezen en heb daar veel aan gehad. Maar ik zou even lief opbiechten dat ik een paap was als een volgeling van Descartes.'

Een merkwaardige manier om een gesprek te beëindigen, maar zo ging het nu eenmaal; zonder zelfs maar te gapen draaide Lower zich om – waarbij hij de enige dunne deken meetrok en mij er rillend bij liet liggen – en viel vast in slaap. Ik koesterde nog even enkele zinledige gedachten en merkte het niet eens toen ik mij evenzo overgaf aan Morpheus' armen.

～

Geen van beiden waren we nog ontwaakt toen er een door Stahl gestuurde figuur kwam met het bericht dat zijn voorbereidingen waren afgerond en dat we, als we zo vroeg als ons maar mogelijk was, naar hem toe wilden komen, getuige konden zijn van zijn experiment. Ik kan niet zeggen dat ik me in mijn verdoofde en beverige toestand opgewassen voelde tegen een ontmoeting met de lichtgeraakte Duitser, maar Lower stelde zijns ondanks dat het onze plicht was ons best te doen.

'De Heer weet dat ik er geen zin in heb,' zei hij terwijl hij zijn mond spoelde en zijn kleren rechttrok voordat hij op een stuk brood en een glas wijn bij wijze van ontbijt aanviel. 'Maar als dit een zaak van de magistraat is geworden, dan zullen wij naar behoren verslag moeten doen van onze bevindingen. Niet dat hij ons veel aandacht zal schenken.'

'Waarom niet?' vroeg ik ietwat bevreemd. 'In Venetië wordt artsen geregeld verzocht hun mening te geven.'

'In Engeland ook. "Uwe Edelachtbare, naar mijn mening is deze man dood. De aanwezigheid van een mes in zijn rug wijst op een onnatuurlijke doodsoorzaak." Zolang het maar eenvoudig blijft, is er geen vuiltje aan de lucht. Zullen we gaan?' Hij stopte nog wat brood in zijn jaszak en hield de deur open. 'Ik weet wel zeker dat u die demonstratie niet wilt missen.'

Tot mijn grote verbazing leek het bijna wel of Stahl blij was ons te zien toen wij ons een kwartier later zijn trap op hadden gesleept en zijn benauwde en viezige kamer in een zijstraat van Turl Street binnenstapten. Het vooruitzicht dat hij zijn vernuft en deskundigheid voor een bewonderend publiek tentoon kon spreiden was al te onweerstaanbaar, al deed hij zijn best om een stuurse houding aan te nemen.

Alles stond klaar: kaarsen, kommen, flessen met uiteenlopende vloeistoffen en zes hoopjes poeder – het goedje dat hij uit de fles cognac had gedestilleerd – plus nog een aantal scheikundige stoffen die Lower voor hem had gekocht en naar hem toe gestuurd.

'Zo, ik hoop maar dat u zich zult gedragen en mijn tijd niet verspilt met gebazel.' Verbeten keek hij ons aan, en Lower verzekerde hem dat wij zijn bezigheden zo geruisloos mogelijk zouden gadeslaan – een verklaring waar hijzelf noch Stahl ook maar een ogenblik geloof aan hechtte.

Nadat alles aldus was voorbereid, toog Stahl aan het werk. Het was een geweldige ervaring dit scheikundige procédé te observeren; en toen de man erbij begon te praten, merkte ik dat mijn afkeer van hem het moest afleggen tegen mijn bewondering voor zijn vernuftige en methodische aanpak. Het probleem, zei hij met een gebaar naar de hoopjes poeder, was volmaakt eenvoudig. Hoe bepalen wij waaruit dit bezinksel uit de cognacfles bestaat? We kunnen het bekijken, maar dat bewijst niets, want zoveel substanties zijn wit en kunnen tot poeder vermalen worden. We kunnen het wegen, maar wanneer je bedenkt hoeveel onzuiverheden erin voorkomen, dan bewijst dat nog bijna niets. We kunnen het proeven, maar die operatie zou – nog geheel afgezien van het feit dat het gevaarlijk zou kunnen zijn – niet veel uithalen, tenzij het bezinksel een unieke en herkenbare smaak bezat. Op grond van onze visuele waarneming kunnen we uitsluitend zeggen dat het bezinksel uit een witachtig poeder bestaat.

Daarom, zo zei hij, steeds meer op dreef rakend, moeten wij het goedje aan een nader onderzoek onderwerpen: als wij het bijvoorbeeld oplosten in wat salammoniak, dan kon het mengsel op verschillende wijzen reageren: het kon van kleur veranderen, of het kon warmte afgeven, of het kon gaan bruisen. Ook kon het poeder oplossen, of boven komen drijven, of in vaste vorm naar de bodem van de vloeistof zakken. Als we de proef met een andere stof herhaalden en het bezinksel zou op dezelfde wijze reageren, zouden we dan kunnen zeggen dat die twee identiek waren?

Ik stond al op het punt bevestigend te antwoorden, toen hij met zijn vinger zwaaide. Nee, zei hij. Natuurlijk niet. Als ze verschillend reageerden, dan zouden we de conclusie mogen trekken dat de beide stoffen niet identiek waren. Maar als ze op eendere wijze reageerden, dan konden we alleen maar zeggen dat het hier twee stoffen betrof die, wanneer ze met salammoniak werden gemengd, op eendere wijze reageerden.

Hij zweeg even terwijl wij dit tot ons lieten doordringen en hernam vervolgens zijn betoog. 'Ja, denkt u nu,' zei hij, 'hoe kunnen wij nu toch vaststellen wat voor stof dit is? En het antwoord is simpel: dat kunnen we niet. Dat heb ik u vorige week ook al gezegd. Wat de mensen ook mogen denken, er kan geen sprake zijn van zekerheid. Wij kunnen alleen zeggen dat een heel aantal aanwijzingen erop wijst dat we hier hoogstwaarschijnlijk met die en die substantie te maken hebben.'

Ik had nog niet veel ervaring met rechtbanken in Engeland, maar ik wist wel dat als iemand als Stahl op een rechtszitting in Venetië zou verschijnen en zo'n betoog zou houden, de partij die hij verdedigde net zo goed alle hoop kon laten varen.

'Dus hoe pakken wij dit aan?' luidde zijn retorische vraag, terwijl hij met zijn vinger zwaaide. 'We herhalen de proef telkens opnieuw, en als de twee stoffen na elke proef eender reageren, dan kunnen we daaruit concluderen dat de kans dat ze niet identiek zijn, zo klein is geworden dat het onredelijk zou zijn om te beweren dat ze verschillend zijn. Kunt u mij volgen?'

Ik knikte. Lower nam die moeite niet eens.

'Goed,' zei hij. 'Kijk, gedurende de laatste dagen heb ik mijn experimenten uitgevoerd op een stuk of tien substanties, en daaruit heb ik mijn conclusies getrokken. Ik kan die u hier nu alleen laten zien: ik heb geen tijd om alle proeven nog eens te herhalen. Ik heb hier glazen met vijf verschillende stoffen klaargezet, en wij zullen ons poeder nu aan alle vijf afzonderlijk toevoegen en vervolgens aan de procedure van het vergelijken beginnen. Het eerste bevat wat geest van salammoniak' – terwijl hij dit zei strooide hij er wat poeder in – 'het tweede bevat wijnsteenloog, dan krijgen we geest van vitriool, dan geest van zout en ten slotte viooltjessiroop. Verder heb ik hier een stukje heet ijzer. Ik hoop dat u hier de logica van inziet, dokter Lower?'

Lower knikte.

'Zou u uw vriend dan misschien de nodige uitleg willen geven?'

Lower zuchtte. 'Dit is toch geen les, wel?'

'Ik wil graag dat mensen de experimentele methode begrijpen. Te veel dokters begrijpen die niet; zij schrijven drankjes voor zonder dat ze de minste reden hebben om te denken dat ze misschien wel helpen.'

Lower kreunde en gaf zich gewonnen. 'Wat hij nu doet,' zei hij, 'is de poeders aan allerlei soorten stoffen blootstellen. Zoals u weet, zijn de essentiële bestanddelen van dingen die in de natuur voorkomen zout en aarde, die passief zijn, en water, alcohol en olie, die actief zijn. De combinatie van ingrediënten die hij heeft gekozen, bestrijkt bijgevolg al deze stoffen, en moet een algemeen beeld opleveren van elke vormvariant die de poeders maar kunnen aannemen. Hij beproeft ook de warmte, en dat is heel onlogisch van hem, want hij hoort niet tot degenen die geloven dat vuur een natuurlijk element is.'

Stahl lachte breed. 'Nee, inderdaad. De opvatting dat alle materie een bepaalde hoeveelheid vuur bevat die door verhitting vrij kan komen, vind ik niet overtuigend. Maar ik ben ervoor geporteerd om alle mogelijkheden te beproeven, vooral daar ik niet weet wat vuur is. Maar goed, genoeg gekletst. Als uw jonge vriend zich dit in zijn mooie hoofdje heeft gezet, kunnen we misschien beginnen.'

Hij tuurde eens nauwlettend onze kant op om te zien of wij goed opletten, wreef zich toen in de handen en pakte het eerste schaaltje op; hij hield het in het licht om het ons goed te laten zien.

'Eerst de salammoniak. U ziet dat die deeltjes van een licht bezinksel heeft geproduceerd die zich zo te zien niet meer bewegen. Hmm?'

Hij gaf het schaaltje aan ons en wij waren het erover eens dat de andere stof die hij ons liet zien, hetzelfde resultaat had opgeleverd.

'Goed, nu het wijnsteenloog. Een wit wolkje midden in de vloeistof, op gelijke afstand tussen oppervlak en bodem zwevend.'

Weer had de andere stof zich op precies dezelfde wijze gedragen.

'Vitriool. Een precipitaat dat harde kristallen tegen de wand van het glas heeft gevormd. En weer een overeenkomstig resultaat.'

'Zout.' Hij zweeg even en onderzocht het glas zorgvuldig. 'Een iets romig precipitaat, maar van zo geringe dikte dat je het gemakkelijk over het hoofd zou zien.'

'Viooltjes. Wat aardig. Een lichtgroene tinctuur. Bijzonder aantrekkelijk. Of twee zowaar, daar de stof die ik heb gekozen weer hetzelfde resultaat heeft opgeleverd. Ik hoop dat u al overtuigd begint te raken.'

Hij maakte een vergenoegd grommend geluid in onze richting, pakte toen een snufje van elk poeder en wierp dat telkens afzonderlijk op het roodhete ijzer. We keken toe hoe de poedertjes sisten en een dikke, witte walm afscheidden. Stahl snoof er eens aan en gromde weer iets. 'In geen van alle gevallen een vlam. Een zwakke lucht van – wat vindt u? – knoflook.'

Hij goot wat water op het stuk ijzer om het te laten afkoelen en wierp het toen achteloos uit het raam, zodat het ergens op de grond kwam te liggen waar het ons niet kon vergiftigen. 'Zo, dat was het dan. Meer tijd hoeven we er niet aan te verspillen. We hebben nu alles bij elkaar zes afzonderlijke proeven uitgevoerd, en in alle gevallen reageert de stof die u mij in de cognacfles hebt gebracht, op dezelfde manier als deze substantie hier. Als empirisch scheikundige, heren, geef ik u als mijn mening dat het hoogst onwaarschijnlijk is dat de stof uit de fles niet overeenkomt met die substantie.'

'Ja, ja,' zei Lower, die nu eindelijk zijn geduld verloor. 'Maar wat is die substantie van u dan?'

'Ah,' zei Stahl. 'De cruciale vraag. Mijn verontschuldigingen voor dit toneelstukje. Die heet witte arsenicum. Vroeger als gezichtspoeder gebruikt door domme en ijdele vrouwen, en in grote hoeveelheden heel fataal. Ook dat kan ik bewijzen, want ik heb nog een andere proef uitgevoerd.'

'Ik heb trouwens aantekeningen van dit alles,' zei hij en opende twee in papier gewikkelde pakjes. 'Twee katten,' zei hij en tilde de beesten elk bij hun staart op. 'Een witte en een zwarte. Allebei volmaakt gezond toen ik ze gisteravond ving. Ik heb de ene twee greinen poeder uit de fles toegediend en de andere dezelfde hoeveelheid arsenicum, beide hoeveelheden in wat melk opgelost. Allebei zijn ze, zoals u ziet, morsdood.'

'U kunt ze maar het best allebei meenemen,' vervolgde Stahl. 'U hebt, geloof ik, in de darmen van doctor Grove rondgepookt, dus wilt u misschien ook eens naar die van deze beesten kijken. Je weet maar nooit.'

Wij dankten hem uitvoerig voor zijn vriendelijkheid en Lower greep een staart in elke hand en begaf zich naar het laboratorium om de beesten te ontleden.

'En hoe luidt uw oordeel over dit alles?' vroeg hij toen we weer via High Street in de richting van Christ Church liepen. Nu we hadden vastgesteld dat de stof in de fles inderdaad arsenicum was – of om precies te zijn, dat die zich consequent als arsenicum gedroeg en zich nooit afwijkend van arsenicum gedroeg, zodat we in alle redelijkheid konden stellen dat die arsenicumachtig aandeed – en bovendien dat een kat die de substantie toegediend had gekregen, stierf op een wijze die bijzonder veel leek op de wijze waarop een kat stierf die arsenicum toegediend had gekregen, bevonden we ons op nog maar een pas afstand van een schrikbarende gevolgtrekking.

'Bijzonder boeiend,' zei ik. 'Vernuftig en volkomen bevredigend, zowel qua methode als qua tenuitvoerlegging. Maar ik moet mijn eindoordeel opschorten totdat we een kijkje in het inwendige van deze katten hebben genomen. Het syllogisme dat u ongetwijfeld in gedachten hebt, is nog niet helemaal volledig.'

'Arsenicum in de fles, en Grove dood. Maar is Grove door het arsenicum om het leven gekomen? U hebt volkomen gelijk. Maar u koestert net als ik een sterk vermoeden in welke richting de conclusies over de ingewanden van de katten zullen wijzen.'

Ik knikte.

'We beschikken over alle gegevens die erop duiden dat Grove vermoord is, behalve over die ene onontbeerlijke factor.'

'En dat is?' vroeg ik terwijl we achter elkaar door de nog onvoltooide en onwaardige ingang van het college liepen en het enorme, maar al even onaffe binnenplein overstaken.

'Wij hebben geen reden, en dat is nu juist het belangrijkste. Stahls probleem betreft het hoe en waarom, zo u wilt. Maar het heeft geen zin uit te zoeken hoe het is gebeurd als we niet kunnen zeggen waarom. Het feit van de misdaad en het motief om die te begaan is het enige dat we nodig hebben: de rest bestaat uit onbelangrijke details. *Qui prodest scelus, is fecit.* Degene die voordeel heeft van de misdaad, die heeft hem gepleegd.'

'Ovidius?'

'Seneca.'

'Ik geloof,' zei ik een beetje ongeduldig, 'dat u iets probeert te zeggen.'

'Dat is ook zo. Net zoals Stahl kan uitzoeken hoe bepaalde scheikundige stoffen zich met elkaar vermengen, maar geen idee heeft waarom, zo is het ook met ons gesteld. We weten nu hoe Grove is gestorven, maar we weten niet waarom. Wie zou er toch zoveel moeite voor over hebben gehad om hem te vermoorden?'

'*Causa latet, vis est notissima,*' citeerde ik op mijn beurt, en het deed me deugd dat ik hem nu eens te slim af was.

'De oorzaak is verborgen...? Suetonius?'

'"Maar het effect is duidelijk." Ovidius. Die had u moeten kennen. Wij hebben het feit althans vastgesteld – als de katten eraan toe zijn zoals wij vermoeden. De rest ligt niet op ons terrein.'

Hij knikte. 'Uw methode van redeneren omtrent uw bloed in aanmerking genomen vind ik dat merkwaardig. U bent helemaal op uw uitgangspunt teruggekomen. In het ene geval had u een hypothese en zag u de noodzaak niet in tot voorafgaande aanwijzingen. In dit geval beschikt u over het voorafgaande bewijs en ziet u geen noodzaak tot een hypothese.'

'Ik zou even gemakkelijk kunnen zeggen dat u hetzelfde hebt gedaan. Bovendien wijs ik de noodzaak tot nadere uitleg niet van de hand. Ik zeg alleen maar dat het niet onze taak is om die te formuleren.'

'Dat is waar,' gaf hij toe, 'en misschien dat mijn misnoegdheid op ijdelheid neerkomt. Maar ik ben van mening dat als onze wijsbegeerte niet ook de belangrijke vragen kan beantwoorden, zij waarschijnlijk niet veel zal veranderen. Zowel het waarom als het hoe. Als de wetenschap zich tot het hoe beperkt, dan betwijfel ik of hij ooit serieus zal worden genomen. Wilt u het onderzoek van de katten bijwonen?'

Ik schudde mijn hoofd. 'Ik zou het graag willen. Maar ik moet mijn patiënte gaan opzoeken.'

'Goed. Komt u misschien ook naar het huis van Boyle wanneer u zover bent? En voor vanavond heb ik een grote traktatie in petto. Wij moeten ons niet te zwaar laten belasten door onze vele experimenten. Verstrooiing is ook noodzakelijk, dunkt me. O ja, ik wil u iets vragen.'

'En dat is?'

'Ik maak geregeld een rondreis door de provincie; Boyle had het daar al over toen u pas was aangekomen, als u het zich nog herinnert. Omdat ik niet in de stad mag praktiseren, moet ik er wel op uit om wat geld te verdienen, en op het ogenblik zit ik erg krap. Het is een goed werk voor een christen en levert ook flink wat op, en dat is een aangename combinatie. Op marktdagen huur ik een kamer, hang een bord op, en wacht tot de duiten binnenrollen. Ik was van plan morgen te vertrekken. Ergens in de buurt van Aylesbury wordt straks iemand opgehangen, en ik wil een bod uitbrengen op het lijk. Hebt u zin om mee te gaan? Er is meer dan genoeg te doen voor ons allebei. U kunt een week lang een paard huren en op die manier wat van het land zien. Kunt u tanden en kiezen trekken?'

Ik steigerde bij het idee. 'Volstrekt niet,' zei ik.

'O nee? Dat is anders niet moeilijk. Ik neem een tang mee, en als u wilt kunt u daarmee oefenen.'

'Dat bedoelde ik niet. Ik bedoel dat ik geen barbier ben. Neemt u mij niet kwalijk dat ik het zeg, maar ik loop het gevaar dat ik de toorn van mijn vader over me afroep wanneer ik voor dokter ga spelen, en er zijn dingen waartoe ik mij nooit zal verlagen.'

Ditmaal was Lower eens niet beledigd. 'Dan zal ik niet veel aan u hebben,' zei hij opgeruimd. 'Maar hoort u eens, ik ga naar stadjes met hooguit een paar honderd inwoners. De mensen komen uit dorpen die mijlen in de omtrek liggen en die willen een volledige behandeling. Ze willen adergelaten worden, gepurgeerd en opengesneden; ze willen dat je over hun aambeien wrijft en hun tanden trekt. Het is hier Venetië niet, waar je ze even naar de barbier op de hoek kunt sturen. U bent de enige behoorlijk opgeleide figuur die ze tot volgend jaar te zien zullen krijgen, tenzij er een of andere rondreizende kwakzalver langskomt. Dus als u meegaat, dan laat u uw waardigheid hier achter, net als ik. Niemand zal er iets van merken en ik beloof dat ik het niet aan uw vader zal vertellen. Zij willen van een kies af, dus grijpt u naar de tang. U zult er plezier in hebben; zulke dankbare patiënten krijgt u nooit weer.'

'En mijn patiënte dan? Die zou ik bij mijn terugkomst toch niet dood willen aantreffen.'

Lower fronste zijn voorhoofd. 'Daar had ik niet aan gedacht. Maar ze hoeft toch niet verzorgd te worden, wel? Ik bedoel, u kunt niet veel anders doen dan afwachten of ze blijft leven. En als u nog meer behandelingen op haar toepaste, dan zouden die het experiment bederven.'

'Dat is waar.'

'Ik zou Locke wel kunnen vragen om eens bij haar langs te gaan. Ik merkte dat u hem niet zo mocht, maar hij is heus een beste vent en een goede arts. En we blijven maar vijf of zes dagen weg.'

Ik twijfelde en wilde bovendien niet dat zo iemand als Locke op de hoogte werd gebracht van mijn werk, al wist ik dat Lower veel respect voor de man had, en daarom hield ik mijn mening voor me. 'Laat ik erover nadenken,' zei ik. 'Dan zeg ik het u vanavond.'

'Uitstekend. Goed, de katten wachten. En daarna zullen we, dunkt me, wel naar de magistraat moeten om hem te vertellen wat we hebben ontdekt. Al vermoed ik niet dat hij daar erg veel belangstelling voor zal hebben.'

⁓

En zo klopten we drie uur later aan bij het huis van de magistraat in Holywell om hem mee te delen dat doctor Robert Grove naar de mening van twee doktoren aan een arsenicumvergiftiging was overleden. De maag en de darmen van de katten hadden wat dat betreft duidelijk uitsluitsel gegeven; er was geen enkel verschil te zien geweest tussen de beide stellen en bovendien kwam het ruwe oppervlak precies overeen met wat we bij Grove hadden waargenomen. De conclusie was onontkoombaar, op welke theoretische benadering je je ook beriep: die van monsieur Descartes of die van lord Bacon.

Sir John Fulgrove ontving ons nadat we maar heel even hadden moeten wachten; we werden in het vertrek gelaten dat hij als zijn studeerkamer gebruikte en voorts als geïmproviseerde rechtszaal voor kleinere zaken. Zo te zien maakte hij zich grote zorgen, en dat was geen wonder. Iemand als Woodward kon een ambtenaar en zelfs een magistraat die zijn toorn

opwekte, het leven erg zuur maken. Onderzoek doen naar een doodsoorzaak stond gelijk aan de beschuldiging dat er een moord was gepleegd; sir
John moest nu wel met een overtuigende zaak bij de rechter van instructie
aankomen; en daartoe had hij iemand nodig die hij kon beschuldigen.

Toen wij hem verslag uitbrachten van onze onderzoekingen en gevolgtrekkingen, leunde hij voorover en deed ingespannen zijn best te begrijpen
wat wij zeiden. Ik had echt medelijden met hem; het was tenslotte een uitzonderlijk netelige zaak. Ik moet hem nageven dat hij ons allebei nauwkeurig uitvroeg over onze methoden en over de manier waarop wij tot onze
conclusies waren gekomen, en dat hij ons verscheidene keren onze meer
ingewikkelde werkwijzen liet uitleggen totdat hij ze volkomen begreep.

'U gelooft dus dat doctor Grove overleden is als gevolg van het drinken
van arsenicum, opgelost in een fles cognac. Is dat juist?'

Lower, die steeds het woord deed, knikte. 'Jawel.'

'Maar u weigert erover na te denken hoe die arsenicum in de fles was
beland? Heeft hij die er misschien zelf in gestopt?'

'Dat is twijfelachtig. Hij was diezelfde avond nog voor de gevaren van
het gebruik ervan gewaarschuwd, en had gezegd dat hij het nooit meer zou
gebruiken. En wat die fles betreft, de heer Cola hier kan u op dat stuk misschien van dienst zijn.'

Ik legde dus uit dat ik had gezien hoe Grove de fles onder aan de trap had
opgepakt toen hij met mij meeliep naar de poort. Ik voegde er echter aan
toe dat ik niet zeker wist of dat dezelfde fles was, en natuurlijk ook niet of
het vergif er toen al in zat.

'Maar wordt dit vergif voor medicinale doeleinden gebruikt? Behandelde u hem, mijnheer Cole?'

'Cola.'

Lower legde uit dat het goedje soms werd gebruikt, maar nooit in zulke
hoeveelheden, en ik zei dat ik niet veel meer had gedaan dan het geneesmiddel eraf spoelen dat hij op dat ogenblik gebruikte, om het oog de gelegenheid te geven vanzelf beter te worden.

'U behandelde hem, u hebt die avond met hem gedineerd en u bent
waarschijnlijk de laatste geweest die hem heeft gezien voordat hij stierf?'

Ik beaamde kalm dat dat wellicht het geval was. De magistraat maakte
een grommend geluid. 'Dat arsenicum,' vervolgde hij, 'wat is dat precies?'

'Het is een poeder,' zei Lower. 'Van een mineraal, bestaande uit zwavel
en caustische zouten. Het is heel duur en vaak moeilijk te vinden. Het
komt uit zilvermijnen in Duitsland. Of het kan worden gemaakt door
operment met zouten te veredelen. Met andere woorden...'

'Dank u,' zei de magistraat, en hij hield zijn handen in de hoogte om Lowers zoveelste college af te weren. 'Dank u. Ik bedoel: waar is het te verkrijgen? Verkopen apothekers het bijvoorbeeld? Maakt het deel uit van de *materia medica* van artsen?'

'O, natuurlijk. Over het algemeen hebben artsen het, dunkt me, niet in voorraad. Het wordt maar zelden gebruikt, en zoals ik al zeg, het is duur. Doorgaans wenden zij zich tot een apotheker wanneer ze het middel nodig hebben.'

'Dank u zeer.' De magistraat dacht met gefronst voorhoofd na over wat wij hem hadden verteld. 'Ik zie niet in hoe uw inlichtingen, al zijn ze wellicht ook nog zo waardevol, van nut zouden kunnen zijn wanneer de zaak ooit tot een proces mocht leiden. Ik zie de waarde ervan uiteraard in, maar ik betwijfel of een gezelschap gezworenen dat begrip zou hebben. U weet wat dat vaak voor mensen zijn, Lower. Als een zaak van zulke oppervlakkigheden afhing, dan zouden ze vast en zeker iedereen tegen wie wij een beschuldiging inbrachten, vrijspreken.'

Lower trok een ontevreden gezicht, maar gaf toe dat sir John gelijk had.

'Vertelt u mij eens, mijnheer Cole...'

'Cola.'

'Cola. U bent Italiaan, geloof ik?

Ik zei van ja.

'Bent u ook dokter?'

Ik antwoordde dat ik de geneeskunst had bestudeerd, maar er geen diploma in had behaald, en dat ik niet de bedoeling had als arts te gaan werken om aan de kost te komen. Mijn vader, vervolgde ik, wilde niet hebben...

'U bent dus bekend met de werking van arsenicum?'

Ik had er niet het flauwste vermoeden van waar deze reeks vragen toe leidde en ik antwoordde heel opgewekt dat dat zo was.

'En u geeft toe dat u Grove wellicht als laatste in leven hebt gezien?'

'Wellicht, ja.'

'Dus als u – neemt u mij niet kwalijk dat ik even wat bespiegel – als u bijvoorbeeld zelf het vergif in de fles had gedaan en hem die had gegeven toen u daar kwam eten, dan zou er niemand zijn die uw verhaal in twijfel zou trekken?'

'Vergeet u nu niet iets, sir John?' zei Lower vriendelijk. 'Namelijk dat als u geen reden voor een bepaalde daad kunt aanvoeren, u die daad ook niet aan iemand kunt toeschrijven. En de logica sluit het bestaan van zo'n reden uit. Mijnheer Cola verblijft pas sinds een paar weken in Oxford, ja zelfs in dit land. Hij had Grove pas één keer voor die avond ontmoet. En ik moet zeggen dat ik bereid ben ten volle voor hem in te staan, en datzelfde zou gelden, dat weet ik zeker, voor de heer Robert Boyle als hij hier was.'

Dit doordrong de man van de ongerijmdheid van zijn vragen, kan ik tot mijn genoegen zeggen, al herstelde dat hem niet in mijn achting. 'Mijn verontschuldigingen, mijnheer. Het was niet mijn bedoeling u te kwetsen. Maar het is mijn plicht een onderzoek uit te voeren, en het spreekt vanzelf dat ik personen die zich in de buurt van de gebeurtenis hebben opgehouden, moet ondervragen.'

'Dat is volkomen begrijpelijk. Ik verzeker u dat u zich niet hoeft te verontschuldigen,' antwoordde ik zonder veel oprechtheid. Zijn opmerkingen hadden mij bijzonder ontsteld, zo erg zelfs dat ik er na aan toe was hem op een zwakke stee in zijn redenering te wijzen – namelijk dat ik niet noodzakelijkerwijs de laatste persoon was die Grove in leven had gezien, want het scheen dat iemand Sarah Blundy zijn kamer in had zien gaan nadat ik bij de poort afscheid van hem had genomen.

Ik was me er echter van bewust dat als een Italiaan en paap de ideale verdachte van een moord had geleken, de dochter van een non-conformist van losse zeden en met bovendien een opvliegend karakter, een heel geschikte opvolgster als verdachte zou zijn. Ik koesterde niet het verlangen mij aan alle verdenking te onttrekken door met een beschuldigende vinger in haar richting te wijzen. Zij was weliswaar in staat tot zoiets, geloofde ik, maar afgezien van de praatjes was er niet veel dat erop wees dat zij hier iets mee te maken had. Ik meende dat ik er goed aan deed het zwijgen te bewaren zolang die situatie niet was veranderd.

Ten slotte gaf de magistraat elke poging om nog meer te zeggen op en hij hees zich uit zijn zetel. 'Wilt u mij verontschuldigen? Ik moet met de lijkschouwer spreken en hem waarschuwen. Vervolgens moet ik nog enkele mensen ondervragen en bovendien rector Woodward zien te kalmeren. Zou u, dokter Lower, zo goed willen zijn hem te vertellen wat u mij hebt verteld? Ik zou het prettig vinden als hij tot de overtuiging kwam dat ik niet uit kwaadaardigheid jegens de universiteit handelde.'

Lower knikte onwillig en ging zijns weegs om zich van die taak te kwijten, en ik kon de rest van de dag besteden zoals ik maar wilde.

❧

Ik verloor niet uit het oog dat al zulke opschudding als de dood van doctor Grove mijn aandacht maar afleidde van mijn werkelijke besognes, die er in de eerste plaats uit bestonden dat ik de financiële belangen van mijn familie behartigde. Hoewel ik daar in dit relaas niet over heb uitgeweid, had ik veel werk verzet, en Boyle was zo vriendelijk geweest nog meer voor me te doen. Het nieuws was echter ontmoedigend en mijn inspanning had weinig tastbaars opgeleverd. Boyle had, zoals hij mij had beloofd, een bevriende advocaat in Londen geraadpleegd, en die had gezegd dat ik mijn tijd maar zou verspillen als ik me voor deze zaak bleef inzetten. Zonder enig tastbaar bewijs dat mijn vader eigenaar was van de helft van de onderneming, zou ik geen enkele kans hebben een rechtbank zover te krijgen dat ze hem het eigendomsrecht op de halve firma toewezen. Ik deed er het best aan alle activa die verloren waren gegaan, maar af te schrijven in plaats van nog meer kapitaal in een hopeloze onderneming te steken.

Daarom schreef ik onmiddellijk een brief aan mijn vader, waarin ik hem vertelde dat als hij geen documenten ter zake in Venetië had, het ernaar uitzag dat het geld voorgoed verloren was gegaan en dat ik net zo goed naar huis kon terugkeren.

Toen ik deze brief had verzegeld en per koninklijke post verzonden (het kon me niets schelen of hij door de regering werd gelezen, en daarom had ik besloten de extra onkosten voor een particuliere verzending te vermijden), keerde ik terug naar de winkel van Crosse om de tijd met conversatie te passeren en een tas geneesmiddelen gereed te maken voor het geval ik mocht besluiten met Lower mee te gaan, hoewel ik er al toe overhelde dat niet te doen.

'Ik wil niet mee. Maar als u ervoor zou kunnen zorgen dat ze morgenochtend klaarliggen, enkel voor alle zekerheid...'

Crosse nam mijn lijst in ontvangst en opende zijn grootboek bij de bladzijde waarop mijn eerdere aankopen vermeld stonden. 'Ik zal ze voor u opzoeken,' zei hij. 'Er komt niets bijzonder zeldzaams of waardevols aan te pas, dus dat is geen grote moeite.'

Hij wierp me even een merkwaardige blik toe, alsof hij op het punt stond iets te zeggen, maar bedacht zich en keek weer in het grootboek.

'Maakt u zich geen zorgen over de betaling,' zei ik. 'Ik weet zeker dat Lower of desnoods Boyle voor mijn kredietwaardigheid wil instaan.'

'Natuurlijk. Natuurlijk. Dat staat buiten kijf.'

'Is er iets anders wat u zorgen baart? Zegt u mij dat dan, alstublieft.'

Hij dacht nog even na en hield zich nog enkele seconden onledig met een paar flesjes vloeistof die hij op de toonbank zette voordat hij een besluit vatte. 'Ik heb daarstraks met Lower gepraat,' begon hij, 'over zijn experimenten in verband met de dood van doctor Grove.'

147

'Ah, ja,' zei ik, in de mening dat hij nog wat verhalen wilde horen van iemand die in staat was hem op interessante kletspraat te onthalen. 'Een uiterst boeiende man, die Stahl, zij het wat lastig in de omgang.'

'Kloppen zijn gevolgtrekkingen, denkt u?'

'Ik kan geen fouten in zijn methode aanwijzen,' antwoordde ik, 'en zijn reputatie spreekt voor zichzelf. Waarom vraagt u dat?'

'Arsenicum dus? Is hij daardoor aan zijn eind gekomen?'

'Ik zie geen enkele reden om daar ook maar de geringste twijfel over te koesteren. Bent u het er niet mee eens?'

'O nee. Helemaal niet. Maar ik vroeg me af, mijnheer Cola...'

Hij wilde iets zeggen, maar veranderde van gedachten en schudde zijn hoofd. 'Och nee, het is niets,' antwoordde hij. 'Niets bijzonders. Ik vroeg me enkel af waar die arsenicum dan vandaan was gekomen. Ik zou het vreselijk vinden als die uit mijn winkel afkomstig was.'

'Het lijkt me niet dat we daar ooit achter zullen komen,' antwoordde ik. 'Bovendien, het is toch de taak van de magistraat om zoveel mogelijk boven water te krijgen, hoor ik, en geen mens zou u ooit iets kwalijk nemen. Ik zou me daar geen zorgen over maken.'

Hij knikte. 'U hebt gelijk. Volkomen gelijk.'

Toen zwaaide de deur open en Lower kwam de winkel binnensnellen, vergezeld, zag ik tot mijn leedwezen, door Locke. Allebei droegen ze hun fraaiste overjas en Lower durfde weer zijn pruik te dragen. Ik neeg voor hen allebei.

'Sinds ik uit Parijs ben vertrokken, heb ik niet meer twee eleganter uitgedoste heren gezien,' zei ik.

Lower lachte breed en maakte op zijn beurt een nijging – een lastige beweging, daar hij zich nog steeds zo onzeker voelde dat hij daarbij zijn pruik met zijn ene hand op zijn plaats hield.

'Het toneelstuk, mijnheer Cola, het toneelstuk!'

'Welk toneelstuk?'

'Daar heb ik u toch over verteld? Of ben ik dat vergeten? De verstrooiing die ik u had beloofd. Bent u gereed? Bent u niet opgewonden? De hele stad komt. Gaat u mee. Het begint over een uur, en als wij ons niet haasten, krijgen we niet de beste plaatsen.'

Zijn opgeruimde stemming en gehaaste optreden zorgden ervoor dat alle andere besognes onmiddellijk van me afvielen en zonder ook nog maar een gedachte aan Crosse en diens air van vage ongerustheid te wijden, wenste ik hem goedemiddag en vergezelde mijn vriend naar buiten.

Voor een gevoelig iemand die de geraffineerde geneugten van het Italiaanse en Franse toneel heeft ondergaan, is de gang naar een toneelstuk in Engeland een enigszins schokkende ervaring, die hem er voor alles aan herinnert hoe kortgeleden eerst dit volk van eilanders zijn barbaarse levenswijze heeft afgelegd.

Het ligt niet zozeer aan hun gedrag, hoewel ordinaire lieden onder het publiek aan één stuk door luidruchtig waren en sommige vertegenwoordigers van de betere standen zich, moet ik zeggen, ook lang niet rustig gedroegen. Dit was een gevolg van de onstuimige geestdrift die het toneelgezelschap wekte. Het was pas enkele jaren geleden dat dergelijke evenementen opnieuw waren toegestaan, en de vreugde omdat ze nu eens naar iets heel nieuws konden kijken, had de hele stad tot een uitgelaten stemming opgezweept. Het scheen dat zelfs de studenten hun boeken en dekens hadden verkocht om de schandalig dure kaartjes te kunnen kopen.

Daarbij was de voorstelling zelf niet al te vreselijk, ook al maakte die een verschrikkelijk boerse indruk en deed hij eerder aan de vaudeville ter gelegenheid van carnaval denken dan aan serieus toneel. Nee, het is veeleer het soort stuk dat de Engelsen bewonderen dat onthult wat voor onbeschaafd en gewelddadig volk zij eigenlijk zijn. Het was geschreven door een man die niet ver van Oxford vandaan had gewoond en die helaas, dat was duidelijk, niet had gereisd en evenmin de beste schrijvers had bestudeerd, want het ontbrak hem aan alle bedrevenheid in het schrijven, aan elk gevoel voor een draad in het verhaal, en zeker aan elk fatsoen.

Zo had hij de drie eenheden die Aristoteles ons terecht heeft bijgebracht om ervoor te zorgen dat een stuk begrijpelijk blijft, al bijna meteen in het eerste toneel overboord geworpen. Het stuk speelde zich niet af op één plaats, maar begon op een kasteel (geloof ik), verplaatste zich toen naar een of ander heidegebied en vervolgens naar een stuk of twee slagvelden, en het eindigde ermee dat de schrijver probeerde een toneel in elke stad in Engeland te situeren. Hij maakte zijn verkeerde aanpak nog erger door de eenheid van tijd overboord te zetten – tussen twee tonelen kon er een minuut, een uur, een maand of (voor zover ik begreep) wel vijftien jaar verstreken zijn zonder dat het publiek daarvan op de hoogte was gesteld. Wat ook ontbrak was de eenheid van handeling, want de hoofdintrige werd telkens tijdenlang verwaarloosd en ondergeschikte intriges traden dan op de voorgrond, alsof de schrijver de bladzijden van een stuk of wat toneelstukken had genomen, die in de lucht had gegooid en ze vervolgens aan elkaar had geplakt in de volgorde waarin ze op de grond waren gevallen.

De taal was nog erger; een deel ervan ontging me doordat de spelers de kunst van het voordragen niet verstonden, maar praatten alsof ze ergens met vrienden in een kamer zaten, of in een kroeg. Maar goed, de ware wijze van toneelspelen, namelijk stilstaand en met het gezicht naar het publiek de mensen bekoren met de kracht en de schoonheid van de redekunst, was hier ook ternauwernood op zijn plaats, daar er niets schoons voor het voetlicht te brengen viel. Wat de spelers wél te bieden hadden, was een adembenemend smerig soort taal. Vooral bij één toneel, waarin de zoon van een of andere edelman waanzin voorwendt en op een heideveld in de regen rondspringt en vervolgens de koning ontmoet, die ook gek is geworden en bloemen in zijn haar heeft gestoken (gelooft u mij, ik scherts niet), verwachtte ik helemaal dat de dames door beschermende echtgenoten de zaal uit zouden worden geloodst. Maar nee, ze vertoonden terwijl ze daar zaten te kijken louter tekenen van plezier, en het enige dat een *frisson* van geschokte verbazing teweegbracht, was de aanwezigheid van actrices op het podium, iets wat niemand ooit eerder had gezien.

Ten slotte was daar nog het geweld. Joost mag weten hoevelen er in dat stuk over de kling zijn gejaagd; naar mijn mening verklaart dat volkomen waarom de Engelsen zo berucht zijn om hun gewelddadige inslag, want hoe zouden ze ook anders kunnen zijn wanneer zulke stuitende voorvallen als verstrooiing worden gebracht? Zo worden een edelman op het toneel bijvoorbeeld de ogen uitgestoken – zomaar voor de ogen van het publiek, en op een manier die niets aan de verbeelding overlaat. Wat voor doel kan er toch gediend worden met dit soort flagrante en onnodige grofheid, behalve dat het publiek wordt gekwetst en gechoqueerd?

Eigenlijk was het enige werkelijk interessante aan het gebeuren – dat zich zo lang voortsleepte dat de laatste scènes zich in een gezegende duisternis afspeelden – dat het mij een panoramische blik op de plaatstelijke gemeenschap vergunde, daar bijna niemand de verleiding had kunnen weerstaan zich te goed te komen doen aan de troep die hier werd opgediend. Roddelkous Wood was er, en rector Woodward en de strenge, koude Wallis, die mij aan het diner zo had gekweld en diezelfde avond het slachtoffer was geworden van Prestcott. Thomas Ken was er, en verder Crosse, Stahl en nog vele andere mensen die ik bij vrouw Jean had gezien.

En nog veel meer waren er, om nog maar te zwijgen van de studenten, die ik nog nooit had gezien, maar die mijn vriend goed kende. Tijdens een van de vele pauzes onder de voorstelling zag ik bijvoorbeeld een magere, hologige man pogingen in het werk stellen om met Wallis te praten. De laatste keek boos en gegeneerd en draaide zich toen abrupt om.

'Aha,' zei Lower, belangstellend toekijkend, 'Wat zijn de tijden veranderd.'

Ik verzocht om enige uitleg.

'Hmm? O ja, dat weet u zeker niet,' zei hij, met zijn ogen almaar op het tafereel gericht dat zich voor hem afspeelde. 'Hoe zou u ook? Zegt u mij eens, wat vindt u van dat mannetje? Acht u het mogelijk iemands karakter aan zijn uiterlijk af te lezen?'

'Ja, ik meen van wel,' zei ik. 'Als dat niet zo is, dan verspillen heel wat schilders hun tijd en vertellen ze ons leugens.'

'Goed, slaat u dan maar aan het interpreteren. We kunnen een experiment uitvoeren om te zien of die theorie klopt. Of hoe goed u die kunst verstaat.'

'Nu,' zei ik, de man nogmaals zorgvuldig bestuderend toen hij ootmoedig naar zijn plaats terugliep en zonder een klacht te uiten ging zitten. 'Ik ben geen schilder en weet niet veel van die kunst af, maar hij is een man van halverwege de veertig, die het gedrag vertoont van iemand die geboren is om te dienen en te gehoorzamen. Geen man die ooit gezag of macht heeft uitgeoefend. Niet door de fortuin begunstigd, al is hij ook niet arm. Een heer, maar van een minder slag.'

'Geen slecht begin,' merkte Lower op. 'Gaat u door.'

'Geen man die gewend is zijn wil door te zetten. Zonder de manier van doen of het aanzien van iemand die een wervelende indruk op de wereld zou kunnen maken. Eerder omgekeerd: zijn gedrag doet denken aan iemand die altijd over het hoofd zal worden gezien en genegeerd.'

'Aha. Nog meer?'

'Hij is het type van de natuurlijke smekeling,' zei ik, langzamerhand geestdrift voor mijn onderwerp opvattend. 'Dat zie je aan de manier waarop hij de ander benaderde en aan de manier waarop hij die afwijzende reactie slikte. Kennelijk is hij zo'n bejegening gewend.'

Lower knikte. 'Uitstekend,' zei hij.

'Had ik het goed?'

'Laten we het erop houden dat het een boeiende reeks waarnemingen was. Ah, het stuk begint weer. Prachtig.'

Ik kreunde inwendig: hij had gelijk, de spelers kwamen weer op, maar ditmaal gelukkig voor de ontknoping. Zelf had ik het beter aangepakt: in plaats van dat er een in moreel opzicht bevredigend einde volgt, sterven de koning en de heldin juist op het ogenblik waarop elke redelijke toneelschrijver zou inzien dat ze in leven moeten blijven, omdat het stuk anders geen enkele moraal te bieden heeft. Maar ja, tegen die tijd zijn alle anderen ook al dood – het toneel is aan het eind min of meer een knekelhuis, dus ik neem aan dat zij maar besloten dat voorbeeld te volgen, bij gebrek aan iemand om mee te kunnen praten.

Verdoofd kwam ik naar buiten; sinds we Grove hadden ontleed had ik niet meer zoveel bloed gezien. Gelukkig stelde Lower onmiddellijk een herberg voor. Omdat ik een straf glas van node had om bij te komen, opperde ik niet eens bedenkingen toen Locke en Wood besloten met ons mee te gaan: niet mijn idee van ideaal gezelschap, maar na een dergelijke voorstelling was ik desnoods met Calvijn zelf een glas gaan drinken.

We liepen naar de andere kant van de stad en gingen in de Fleur-de-Lys zitten, en inmiddels had Lower Locke verslag gedaan van mijn opmerkingen over het gedrag van de man in de schouwburg; dit leverde enkel een honende glimlach op.

'Als ik het mis heb, dan moet u mij dat nu eens zeggen,' zei ik, een tikkeltje aangebrand, want ik vond het helemaal niet aangenaam om op deze manier als bron van vermaak te worden gebruikt. 'Wie was die man?'

'Vooruit, Wood. U bent de vergaarbak van alle praatjes die hier de ronde doen. Vertelt u het hem.'

Kennelijk content omdat hij in ons gezelschap was opgenomen en zijn ogenblik van aandacht savourerend nam Wood een slok uit zijn beker en riep in de richting van het dienluikje dat hij een pijp wilde. Ook Lower riep om een pijp, maar ik weigerde. Niet dat ik er bezwaar tegen heb 's avonds wat tabak te gebruiken, vooral niet wanneer mijn darmen wat stroef werken, maar soms zit er aan pijpen die al te vaak zijn gebruikt door de klanten van herbergen een smaak van zurig speeksel. De meeste mensen storen zich daar niet aan, dat weet ik wel, maar ik vind dat niet prettig en rook alleen mijn eigen pijp.

'Welnu,' begon Wood op zijn pedante toontje toen hij opnieuw van bier was voorzien en de brand in zijn pijp had gestoken, 'dat mannetje, dat zo duidelijk een mislukkeling is, zo duidelijk een geboren dienaar, zo duidelijk een natuurlijke smekeling, is in werkelijkheid John Thurloe.'

Toen zweeg hij met het oog op het dramatische effect, alsof ik nu helemaal onder de indruk moest zijn. Op iets bitsere toon dan strikt noodzakelijk was, vroeg ik hem wie die John Thurloe dan wel was.

'Nooit van hem gehoord?' zei hij verbaasd. 'Heel wat mensen in Venetië hebben wel van hem gehoord. En mensen overal elders in Europa. Bijna tien jaar lang heeft die man links en rechts in dit land en in andere landen alle mogelijke mensen vermoord, bestolen, gechanteerd en gemarteld. Eens – en niet eens zo heel lang geleden – hield hij het lot van hele koninkrijken in zijn hand en speelde hij met vorsten en staatslieden alsof het louter marionetten waren.'

Weer zweeg hij even, en eindelijk besefte hij dat hij zich niet duidelijk uitdrukte. 'Hij was Cromwells secretaris van staat,' legde hij uit alsof hij het tegen een kind had. Werkelijk, die man ergerde me. 'En het hoofd van zijn geheime dienst. Verantwoordelijk voor de taak over de veiligheid van de Britse Republiek en het leven van Cromwell te waken, een taak waar hij zich met veel succes van heeft gekweten, want Cromwell is in zijn bed gestorven. Zolang John Thurloe er was, kwam er geen huurmoordenaar in de buurt. Overal had hij zijn spionnen: als er sprake was van een samenzwering van de koningsgezinden, dan wist John Thurloe daar al van voordat ze er zelf van hadden gehoord. Sommige van hun samenzweringen heeft hij zowaar zelf op touw gezet, heb ik gehoord: louter vanwege het plezier waarmee hij ze dan kon oprollen. Zolang hij het vertrouwen van Cromwell genoot, bestonden er geen grenzen aan wat hij kon uithalen. Helemaal geen grenzen. Volgens de verhalen is het Thurloe geweest die Jack Prestcotts vader ertoe heeft overgehaald de koning te verraden.'

'Dat mannetje?' vroeg ik verbaasd. 'Maar als dat zo is, hoe kan het dan dat hij hier rondloopt en naar toneelstukken gaat? Elke regering met enig verstand zou hem toch zeker zo snel mogelijk hebben opgehangen?'

Wood haalde zijn schouders op; hij gaf niet graag toe dat hij iets niet wist. 'Een staatsgeheim. Maar hij leidt een teruggetrokken bestaan, een paar mijl hiervandaan. Naar verluidt gaat hij met niemand om en heeft hij zich verzoend met de regering. Al die mensen die hem omzwermden toen hij nog aan de macht was, herinneren zich nu natuurlijk zijn naam niet eens meer.'

'John Wallis kennelijk incluis.'

'Ah, ja,' zei Wood met twinkelende ogen, 'die ook niet. Doctor Wallis is iemand met een fijne neus voor de macht. Hij ruikt waar de macht zit. Ik weet wel zeker dat een staatsman voor het eerst een flauw vermoeden van zijn naderende ondergang krijgt, wanneer John Wallis hem niet langer het hof maakt.'

Iedereen hoort graag verhalen over verborgen en duistere gebeurtenissen, en ik was al niet anders. Woods verhaal over Thurloe verschafte me enig inzicht in het koninkrijk. De teruggekeerde koning voelde zich blijkbaar zo veilig dat hij zulke lieden zonder vrees hun vrijheid gunde, of hij was zo zwak dat hij hen niet voor het gerecht kon slepen. In Venetië was het wel anders toegegaan: daar was Thurloe allang door de Adriatische vissen verzwolgen.

'En die Wallis? Een intrigerende figuur...'

Maar meer kreeg ik niet te horen, want een jongeman in wie ik de bediende van de magistraat herkende, kwam op onze tafel toe en bleef ongemakkelijk staan wachten, tot Lower hem uit zijn lijden hielp door hem te vragen wat hij voor boodschap had.

'Ik ben op zoek naar mijnheer Cola en dokter Lower, mijnheer.'

Wij maakten ons bekend. 'En wat wilt u?'

'Sir John verzoekt u zich onmiddellijk in Holywell bij hem aan huis te vervoegen.'

'Nu?' vroeg Lower. 'Ons allebei? Het is al over negenen en we hebben nog niet gegeten.'

'Ik meen dat de zaak niet kan wachten. Het gaat om iets bijzonder dringends,' zei de knaap.

'Nooit een man laten wachten als het in zijn macht ligt je te laten ophangen,' zei Locke bemoedigend. 'We kunnen maar beter gaan.'

Het huis in Holywell deed warm en uitnodigend aan toen wij er aankwamen en in de hal wachtten voordat we weer in het ondervragingsvertrek werden gelaten. Het vuur laaide op in de schouw en ik warmde me ervoor, weer eens beseffend hoe koud het 's winters in dit land was en hoe slecht mijn eigen vertrekken werden verwarmd. Ook had ik, zo merkte ik, een reusachtige honger.

De magistraat was bepaald stugger dan die ochtend. Toen alle plichtplegingen achter de rug waren, ging hij ons voor het vertrekje in en vroeg ons te gaan zitten.

'U werkt dus tot laat in de avond, sir John,' zei Lower gemoedelijk.

'Niet omdat ik dat graag wil, dokter,' antwoordde hij. 'Maar het betreft hier een zaak die geen uitstel duldt.'

'Dan moet het wel iets ernstigs zijn.'

'Dat is het zeker. Het betreft Crosse. Hij kwam me vanmiddag opzoeken en ik wil me graag op de hoogte stellen van zijn achtergrond, want hij is geen heer, al is hij ongetwijfeld in alle opzichten een uiterst betrouwbaar man.'

'Vraagt u ons maar. Goeie, ouwe Crosse? Hij is beslist een voortreffelijk man en geeft maar zelden het verkeerde gewicht, en dan ook nog alleen aan klanten die hij niet kent.'

'Hij had zijn grootboek uit de winkel meegebracht,' zei de magistraat, 'en daarin staat heel duidelijk opgetekend dat er vier maanden geleden een aanzienlijke hoeveelheid arsenicum is aangekocht door Sarah Blundy, een dienstmeisje alhier.'

'Aha.'

'Blundy was diezelfde dag vanwege haar onhebbelijke gedrag door Grove ontslagen,' vervolgde de magistraat. 'Zij is afkomstig uit een gewelddadige familie.'

'Vergeeft u mij dat ik u in de rede val,' zei Lower. 'Maar hebt u het meisje er al naar gevraagd? Wellicht kan zij een volmaakt simpele verklaring geven.'

'Zeker. Nadat ik met Crosse had gepraat, ben ik daar regelrecht naartoe gegaan. Zij zegt dat ze het poeder in opdracht van doctor Grove had gekocht.'

'Dat zou waar kunnen zijn. Het zou niet meevallen dat tegen te spreken.'

'Misschien. Ik ben van plan te kijken of doctor Grove er een huishoud-boek op na hield. Het poeder kostte bijna een schelling, en een zo dure aan-koop zou heel goed aangetekend kunnen zijn. Kunt u voor Crosse instaan? Heeft hij een goede naam en is hij niet iemand die uit kwaadaardigheid een vals getuigenis aflegt?'

'O nee. In dat opzicht is hij uiterst betrouwbaar. Als hij zegt dat het meis-je arsenicum heeft gekocht, dan heeft zij dat ook gekocht,' zei Lower.

'Hebt u het meisje al rechtstreeks beschuldigd?'

'Nee,' antwoordde sir John. 'Daarvoor is het nog te vroeg.'

'Denkt u dat dit een mogelijkheid is?'

'Misschien. Mag ik u vragen waarom u geen van beiden melding tegen mij hebt gemaakt van het bericht dat men haar die nacht de kamer van Grove binnen heeft zien gaan?'

'Het is niet mijn taak kletspraatjes te rapporteren,' zei Lower streng. 'En niet de uwe om ze te herhalen, mijnheer.'

'Dat zijn het niet,' antwoordde sir John. 'Rector Woodward heeft het me verteld en hij heeft Ken laten komen om hem de beschuldiging te laten her-halen.'

'Ken?' vroeg ik. 'Weet u zeker dat hij de waarheid sprak?'

'Ik heb geen reden om zijn woorden in twijfel te trekken. Ik weet wel dat Grove en hij het met elkaar aan de stok hadden, maar ik kan niet geloven dat hij over zo'n belangrijke kwestie zou liegen.'

'En wat zei het meisje?'

'Ze ontkende het, natuurlijk. Maar ze wilde ook niet zeggen waar ze dan wel was.'

Ik herinnerde me dat ze dat mij ook niet had willen zeggen, en voor het eerst raakte mijn hart vervuld van akelige voorgevoelens. Het zou immers de moeite waard zijn ook de gruwelijkste verdorvenheid op te biechten als die bekentenis dit soort argwaan zou verdrijven. Wat had het meisje toch uitgevoerd, aangenomen althans dat zij niet loog om haar schuld te verhelen?

'In dat geval staat haar verklaring dus tegenover die van Ken,' zei Lower. 'Zijn verklaring legt natuurlijk meer gewicht in de schaal,' merkte de magistraat op. 'En uit de praatjes die ik heb gehoord, valt dunkt me op te maken dat het meisje een reden had, hoe ontaard ook, om een dergelijke daad te plegen. Ik begrijp dat u de moeder behandelt, mijnheer Cole?'

Ik knikte.

'Ik raad u aan daar onmiddellijk een einde aan te maken. U dient zo weinig mogelijk contact met haar te onderhouden.'

'Nu gaat u uit van de veronderstelling dat zij schuldig is,' zei ik verschrikt, omdat het gesprek duidelijk een bepaalde wending nam.

'Ik geloof dat ik het eerste begin van een rechtszaak kan zien opdoemen. Maar de uitspraak of zij al of niet schuldig is, hoort niet tot mijn taak, kan ik tot mijn genoegen zeggen.'

'De moeder heeft nog steeds een dokter nodig,' zei ik. Ik voegde er niet aan toe dat mijn experiment ook constante aandacht behoefde.

'Ik ben er zeker van dat een andere arts die zorg ook op zich kan nemen. Ik kan het u niet verbieden, maar ik verzoek u met klem oog te hebben voor het netelige van de situatie. De kwestie-Grove zal ongetwijfeld ter sprake komen als u het meisje ontmoet. Als zij verantwoordelijk voor de daad is, dan zal zij beslist willen weten hoe het er met het onderzoek voor staat, en of u vermoedt wat er gebeurd is. U zou dan in de positie kunnen komen dat u moet huichelen, hetgeen onwaardig is, of dat u inlichtingen loslaat die ertoe zouden kunnen leiden dat zij de vlucht neemt.'

Hier kon ik althans de zin van inzien. 'Maar als ik plotseling mijn bezoeken zou staken, dan zou dat ook haar argwaan kunnen wekken.'

'In dat geval,' zei Lower opgeruimd, 'zult u met mij mee moeten komen op mijn tournee. U bent dan niet in haar buurt en het meisje zal niets verdachts aan uw afwezigheid bespeuren.'

'Als u maar terugkomt. Mijnheer Lower, bent u bereid borg te staan voor uw vriend? Ervoor te zorgen dat hij naar Oxford terugkeert?'

Daar stemde Lower vlot mee in en toen wij het huis verlieten, hadden zij alles onder elkaar geregeld zonder mij ook maar in enig opzicht naar mijn mening te hebben gevraagd. De volgende dag zou ik, scheen het, aan mijn rondreis beginnen en Lower zou Locke overhalen om de zorg voor mijn patiënte op zich te nemen en de nodige aantekeningen te maken over haar toestand. Dit hield onvermijdelijk in dat we hem moesten vertellen wat we hadden gedaan en dat stemde me onbehaaglijk, maar voor zover ik kon beoordelen zat er niets anders op. Hij ging zijns weegs om zijn vriend op te zoeken en ik keerde, met bezwaard gemoed en als gevolg van de wending der gebeurtenissen somber gestemd, naar mijn vertrekken terug.

15

ONDANKS HET ONZALIGE BEGIN ervan bleek de medische rondreis van de week daarop aanvankelijk heel heilzaam voor mijn verontruste geestestoestand. Ik ontdekte dat de sfeer van Oxford zich in maar heel korte tijd aan mij had meegedeeld, zodat ik al even zwaarmoedig was geworden als de meeste inwoners van de stad. Er is iets aan de hand met die plaats; er hangt daar iets vochtigs in de lucht wat de levensgeesten onderdrukt, en dat werkt weer bijzonder benauwend op de ziel. Al geruime tijd houd ik er een theorie over het weer op na die ik, zo God mij spaart, in de toekomst graag eens verder zou ontwikkelen. Ik geloof werkelijk dat het natte en kleurloze klimaat het de Engelsen tot in eeuwigheid onmogelijk zal maken veel opzien te baren in de wereld, tenzij zij hun eiland voor zonniger oorden verlaten. Zou je hen naar Amerika of naar Indië verplaatsen, dan is hun karakter zodanig dat zij de hele wereld zouden kunnen regeren; maar als je hen laat zitten waar ze zitten, dan zijn ze gedoemd weg te zakken in lethargie. Ik heb hier persoonlijk ervaring mee opgedaan: mijn gewoonlijk zo opgeruimde aard werd ontmoedigd als gevolg van mijn verblijf aldaar.

Toen ik echter op een dag die na een lange, grimmige winter als de eerste voorjaarsdag aandeed, op een paard door het platteland reed dat meteen begint zodra je over de oude, gevaarlijk uitziende brug na het Maria Magdalena-college bent gereden, werkte dat als een wonderbaarlijk, versterkend middel. Bovendien was de wind eindelijk van het noorden naar het westen gekrompen, waardoor hij de ongezonde inwerking van dat soort bijzonder ondermijnende lucht tenietdeed. Ik moet hier nog aan toevoegen dat het vooruitzicht dat ik een paar dagen niets met Sarah Blundy of met het lijk van Robert Grove te maken zou hebben, ook een weldadige invloed had.

Lower had de expeditie al lang tevoren voorbereid en zette mij die eerste morgen tot spoed aan; we joegen de paarden voort totdat we laat in de middag in Aylesbury, in het volgende graafschap, aankwamen. We namen onze intrek in een herberg, waar we bleven uitrusten tot de terechtstelling, die de volgende morgen zou worden voltrokken. Ik woonde het gebeuren niet bij, daar ik geen genoegen schep in dergelijke taferelen, maar Lower ging er wel heen: het meisje had een erbarmelijk pleidooi gehouden, zei hij, en had het mededogen van het publiek volkomen verspeeld. Het was een gecompliceerde zaak geweest en de stad was geenszins overtuigd geweest van haar schuld. Ze had een man vermoord die haar volgens haar zeggen verkracht had, maar de heren gezworenen achtten dat een leugen, aangezien zij zwanger was geraakt, en zoiets kan niet gebeuren zonder dat de vrouw genot aan de daad beleeft. Onder gewone omstandigheden zou de galg haar dankzij haar toestand bespaard zijn gebleven, maar zij had het kind verloren, en daarmee ook elk verweer tegen de beul. Een ongelukkige afloop, die degenen die in haar schuld geloofden, als goddelijke ingreep zagen.

Lower verzekerde mij dat zijn aanwezigheid onontbeerlijk was; zo'n terechtstelling was een afschuwelijk gezicht, maar een van de vele vragen die hem fascineerden was op welk ogenblik de dood precies intrad. Dit had rechtstreeks te maken met onze experimenten met de lijster in de luchtpomp. De meeste gehangenen stikken langzaam in de strop en nu was het een kwestie van het grootste gewicht voor hem – en voor de geneeskunde in het algemeen – hoelang de ziel erover deed om het lichaam te verlaten. Hij was, zo verzekerde hij me, een groot deskundige op dat gebied. Daarom stelde hij zich vlak naast de boom op om daar aantekeningen te kunnen maken.

Ook kreeg hij zijn lijk, nadat hij de gezagsdragers een fooi had gegeven en de familie een pond had betaald. Hij liet het overbrengen naar een apotheker, die hij kende, en nadat hij op zijn manier had gebeden en ik op de mijne, togen we aan het werk. We ontleedden haar daar enigszins – ik haalde het hart eruit en hij kliefde de schedel open en maakte enkele prachtige schetsen van de hersenen – en vervolgens sneden we de rest aan stukken en stopten de verschillende onderdelen in een aantal grote vaten alcohol, die de apotheker, zo beloofde hij, bij Crosse zou afleveren. Ook schreef hij een brief aan Boyle, waarin hij hem vertelde dat de vaten onderweg waren en dat ze onder geen beding geopend mochten worden. 'Ik denk niet dat hij er erg mee in zijn schik zal zijn,' zei hij toen hij zijn handen had gewassen en wij ons in de herberg hadden teruggetrokken om ons te laven aan spijs en drank. 'Maar waar had ik ze anders naar toe kunnen sturen? Mijn college verbiedt me lijken binnen zijn muren te bewaren, en als ik het naar iemand anders had gestuurd, dan zou die zich er waarschijnlijk op storten voordat ik terug ben. Sommige lieden kennen wat dat betreft geen schaamte.'

Het heeft weinig zin de rest van onze rondreis tot in detail te beschrijven. Zodra wij ons in de verschillende herbergen langs onze route hadden neergelaten, kwamen de patiënten in groten getale toestromen, en tien dagen later keerde ik vijfenzestig schellingen rijker terug. Het gemiddelde honorarium bedroeg vier duiten; niemand betaalde ooit meer dan een schelling en zes duiten en wanneer ik in natura werd betaald, moest ik de verschillende ganzen en eenden en kippen met korting aan plaatselijke handelaren verkopen (één gans hebben we opgegeten, maar ik kon tenslotte moeilijk met een hele boerenmenagerie op sleeptouw naar Oxford terugkeren). Dit alles geeft misschien enigszins een idee van het aantal patiënten dat ik heb behandeld.

Ik zal hier de gebeurtenissen van een bepaalde dag verhalen, omdat die van grote betekenis waren. Die dag speelde zich af in Great Milton, een kleine nederzetting ten oosten van Oxford waar wij ons naartoe hadden begeven omdat een verre verwant van Boyle daar een huis bezat, zodat we daar op een gerieflijk bed konden rekenen en op een gelegenheid de luizen kwijt te raken die we in de loop der voorafgaande dagen hadden opgedaan. Om ongeveer zeven uur 's morgens kwamen we er aan en allebei gingen we regelrecht naar onze eigen kamer in de naburige herberg, terwijl de herbergier een boodschapper het dorp rondstuurde om van onze aanwezigheid kond te doen. Nauwelijks hadden we ons gereedgemaakt, of de eerste patiënt meldde zich, en toen hij was afgehandeld (Lower sneed een aambei in zijn fondament open, een behandeling waar hij bijzonder opgewekt op reageerde), had er zich al een rij voor de deur gevormd.

Die ochtend trok ik vier kiezen, tapte ik verscheidene pinten bloed af (met subtiele ideeën over de geneeskrachtige werking van allerlei middelen kom je op het platteland niet ver; men wilde adergelaten worden, en daarmee uit), verbond ik wonden, proefde ik pis, smeerde ik de nodige zalfjes op en beurde ik zeven schellingen. Een korte onderbreking voor ons middagmaal en daar gingen we weer: zweren openprikken, etter wegvegen, gewrichten in de kom duwen, en elf schellingen en acht duiten. En al die tijd lieten we ons niets gelegen liggen aan Lowers verheven theorieën over de nieuwe geneeskunde. De patiënten hadden geen belangstelling voor de heilzame werking van geneeskrachtige, scheikundige stoffen en keken neer op alles wat maar nieuw was. Dus schreven we geen zorgvuldig samengestelde mengsels van kwik en antimoon voor, maar deden wij als de meest bekrompen discipelen van Galenus ons best de harmonie der lichaamsvochten te herstellen en raadpleegden we de sterren met een hartstocht die Paracelsus zelf waardig was. Als het maar werkte, want wij hadden geen tijd om nieuwe behandelmethoden te overwegen en het ontbrak ons aan de reputatie om ze te kunnen toepassen.

Allebei waren we aan het eind van die dag uitgeput, en desondanks moesten we via de achterdeur naar buiten sluipen om de patiënten die nog op hun beurt wachtten te ontlopen. Het oude echtpaar dat het huishouden bestierde had ons, toen wij ons tussen de middag aan hen hadden voorgesteld, een warm bad beloofd en ik had dat aanbod gretig aangenomen: sinds het najaar daarvoor was ik niet meer van top tot teen met water in aanraking geweest, en ik meende dat niet alleen mijn gestel wel zo'n beurt kon gebruiken, maar dat ook mijn geestelijke veerkracht er met sprongen van vooruit zou gaan. Ik ging als eerste, met medeneming van de fles cognac om tijd uit te sparen, en toen ik het bad achter de rug had, voelde ik me enorm opgeknapt. Lower stond minder zorgeloos tegenover een bad, maar zijn huid jeukte zo erg van de luizen dat zelfs hij besloot dat hij het er maar op zou wagen.

Ik strekte me uit in een stoel terwijl Lower in de kuip ging zitten, en ik sliep al bijna toen vrouw Fenton, de dienstmaagd, me kwam zeggen dat er een boodschap voor me was. Gebracht door een bediende van het naburige kapittelhuis.

Ik kreunde. Dit soort dingen gebeurde voortdurend; de landadel en families van de betere standen wilden ook wel gebruikmaken van de diensten van een rondreizend arts, maar achtten het natuurlijk beneden hun waardigheid om samen met het grauw op hun beurt te wachten. Dus stuurden ze dan een boodschap om ons mee te delen dat onze aanwezigheid verlangd werd. Wij bezochten hen in plaats van zij ons, en we berekenden hun een fiks bedrag voor dit voorrecht. Lower nam steeds het grootste gedeelte van deze opdrachten voor zijn rekening, daar hij Engelsman was en zich met het oog op de toekomst connecties wilde verwerven, en ik gunde hem die taak graag.

Ditmaal zat hij echter in het bad en de bediende zei trouwens nadrukkelijk dat men vooral van mijn diensten gebruik wenste te maken. Ik voelde me gevleid, al stond ik er ook weer eens verbaasd van hoe snel nieuwtjes zich op het platteland verspreiden, en ik haalde vlug mijn tas. Ik legde een briefje voor Lower neer dat ik gauw terug zou komen.

'Wie is je meester?' vroeg ik bij wijze van poging tot beleefde conversatie toen we terugliepen naar de hoofdstraat van het dorp en toen via een smallere weg naar links. Mijn leermeesters hadden me deze aanpak dikwijls aangeraden: door het personeel zorgvuldig allerlei vragen te stellen, is het vaak mogelijk al een volledige diagnose te stellen voordat je de patiënt zelfs nog maar hebt gezien, waardoor je je een geweldige reputatie kunt verwerven.

Ditmaal leverde deze techniek niet veel op, daar de bediende, een oude maar krachtig gebouwde man, helemaal geen antwoord gaf. Hij zei zelfs geen stom woord totdat we helemaal naar een huis van middelmatige groot-te aan de buitenkant van het dorp waren gelopen, door de grote deur naar binnen waren gegaan en ik in de door de Engelsen als salon betitelde kamer was gelaten, een vertrek dat dient om gasten te ontvangen. Hier verbrak hij zijn stilzwijgen: hij vroeg me te gaan zitten en verdween.

Ik deed wat me verzocht was en wachtte geduldig tot de deur openging en ik mij in het gezelschap bevond van de meest prominente moordenaar van Europa, als ik Woods verhalen althans moest geloven.

'Goedenavond, dokter,' zei John Thurloe op kalme en welluidende toon. 'Heel vriendelijk van u dat u bent gekomen.'

Hoewel ik hem nu eerst naar behoren kon bestuderen, hield ik vast aan mijn oorspronkelijke beoordeling. Zelfs nu ik op de hoogte was van zijn reputatie, zag hij er nog steeds niet uit als een snode tiran. Hij had waterige ogen die telkens knipperden als waren ze niet aan het licht gewend, en ver-toonde de lankmoedige uitdrukking van iemand die er wanhopig naar ver-langde opgemerkt te worden en vriendelijk bejegend. Als iemand op mijn opinie had aangedrongen, had ik hem bestempeld als een zachtmoedige geestelijke die ergens in een arme parochie een rustig, maar waardig leven leidde, vergeten door zijn meerderen.

Maar Woods beschrijving had diepe indruk op me gemaakt en bijna met ontzag vervuld staarde ik hem nu aan.

'U bent toch dokter Cola, nietwaar?' vervolgde hij daar ik niets zei. Ten slotte zag ik kans ja te antwoorden en hem te vragen wat hem scheelde.

'Ah, het gaat niet om een lichamelijk probleem,' zei Thurloe met een zwakke glimlach. 'Eerder om een zielenprobleem, zou je kunnen zeggen.'

Ik merkte op dat ik eigenlijk niet bevoegd was op dat terrein.

'Zeker. Maar wellicht bent u toch in staat mij enige hulp te bieden. Mag ik openhartig met u spreken, dokter?'

Ik bracht mijn handen uit elkaar als om te zeggen: tja, waarom niet?

'Goed. Ik heb een gast, ziet u, die met grote moeilijkheden te kampen heeft. Ik kan niet zeggen dat hij hier welkom is, maar u weet wat gastvrij-heid inhoudt. Hij is afgesneden van de omgang met zijn medemensen en heeft niet genoeg aan mijn gezelschap. Dat kan ik hem niet verwijten, want ik ben geen interessante causeur. Weet u trouwens wie ik ben?'

'Men heeft mij gezegd dat u de heer Thurloe bent, de secretaris van staat onder Cromwell.'

'Dat klopt. Deze gast van mij heeft inlichtingen van node die ik hem niet kan verschaffen, en hij zegt dat u hem wellicht kunt helpen.'

Ik had natuurlijk geen idee waar hij het over had. Daarom zei ik maar dat ik hem graag van dienst zou zijn. Maar Great Milton was toch niet zo radicaal afgesneden van de buitenwereld, vervolgde ik. Thurloe gaf me niet rechtstreeks antwoord.

'Ik begrijp dat u een heer gekend hebt die Robert Grove heette. Een *Fellow* van New College, die onlangs is overleden. Klopt dat?'

Dat Thurloe hiervan had gehoord, verbaasde me; maar ik zei ja, inderdaad.

'Ik hoor dat men in het duister tast omtrent de oorzaak van zijn dood. Zou u mij misschien de omstandigheden uit de doeken willen doen?'

Ik zag geen reden waarom ik dat niet zou doen, dus vertelde ik in het kort wat er was voorgevallen, van Lowers onderzoek tot en met Sarah Blundy's gesprek met mij en met de magistraat. Thurloe zat onbewogen in zijn stoel terwijl ik praatte, verroerde zich nauwelijks en wekte de indruk van de meest volmaakte zielenrust. Ik kon bijna niet zeggen of hij luisterde of zelfs nog wakker was.

'Aha,' zei hij toen ik mijn verhaal had beëindigd. 'Dus als ik u goed begrijp had de magistraat, toen u uit Oxford vertrok, dat meisje Blundy ondervraagd, maar meer niet?'

Ik knikte.

'Dan verbaast het u zeker niet te horen dat haar twee dagen geleden moord met voorbedachten rade op doctor Grove ten laste is gelegd? En dat zij nu in de gevangenis zit in afwachting van de rechtszitting?'

'Daar sta ik van te kijken,' antwoordde ik. 'Ik wist niet dat het Engelse gerecht zo snel werkte.'

'Gelooft u dat het meisje schuldig is?'

Wat een vraag. Die had ik mijzelf al vele malen tijdens mijn tocht gesteld.

'Ik weet het niet. Dat is een probleem voor het gerecht, niet voor het redelijke verstand.'

Hier glimlachte hij om, alsof ik een sarcastische opmerking had gemaakt. Later vertelde Lower me dat hij vele jaren advocaat was geweest voordat hij als gevolg van de opstand zo'n machtige positie had verworven.

'Vertelt u mij dan eens in gemoede wat u ervan denkt.'

'De hypothese luidt dat Sarah Blundy doctor Grove heeft vermoord. Wat voor aanwijzingen bestaan daarvoor? Er is sprake van een motief, daar hij haar uit haar dienstbetrekking bij hem heeft ontslagen, al worden domestieken menigmaal ontslagen en nemen maar weinigen op zo'n manier wraak. Zij heeft zich arsenicum aangeschaft op de dag dat zij ontslagen is. Ze is op de avond van Groves dood in New College geweest en heeft dat zeer tegen haar zin toegegeven. Deze aanwijzingen ondersteunen in ieder geval de naar voren gebrachte hypothese.'

'Uw methode vertoont anders wel een zwakke plek. U noemt niet alle aanwijzingen. Alleen maar de aanwijzingen die de hypothese ondersteunen. Zoals ik het begrijp, ondersteunen andere feiten een tweede mogelijkheid, namelijk dat u hem ook vermoord kunt hebben, daar u hem als laatste hebt gezien, en tevens toegang had tot het vergif, als u hem van het leven had willen beroven.'

'Ik had het inderdaad kunnen doen, maar ik weet dat ik dat niet heb gedaan, en ik had daar ook geen reden toe. Evenmin als doctor Wallis of Lower of Boyle.'

Hij accepteerde dit argument – al begreep ik zelf niet waarom ik dit tegen hem zei – en knikte. 'Het is dus de combinatie van feiten van uiteenlopende aard die u belangrijk acht. En u komt tot de slotsom dat zij inderdaad schuldig is.'

'Nee,' zei ik. 'Die conclusie wil ik liever niet trekken.'

Thurloe deed alsof hij verbaasd opkeek. 'Maar dat is toch in strijd met de wetenschappelijke methode? U moet die conclusie aanvaarden zolang u niet over een andere hypothese beschikt.'

'Ik aanvaard die als mogelijkheid, maar zou niet graag op grond ervan handelen zolang hij niet betrouwbaarder is.'

Langzaam stond hij op, op de manier van oude mensen die zich daartoe gedwongen zien als gevolg van hun stijve gewrichten. 'Neemt u een glas wijn, dokter. Ik kom dadelijk terug om het nog eens met u over deze kwestie te hebben.'

Ik schonk mezelf een glas wijn in en herzag mijn oordeel over hem. Een bevel was een bevel, hoe vriendelijk het ook werd uitgesproken: Thurloe, zo concludeerde ik, was beminnelijk omdat hij zich nooit anders had hoeven te gedragen. Geen ogenblik kwam het bij me op om te zeggen dat Lower mij verwachtte, dat ik honger had, of dat ik geen enkele reden zag waarom ik hier duimen zou zitten draaien in afwachting van het ogenblik dat het hem behaagde mij opnieuw te woord te staan. Wel een halfuur zat ik daar voordat hij terugkwam.

Toen het eindelijk zover was, had hij Jack Prestcott bij zich, de man wiens gevangeniscel en ketenen nog maar een vage herinnering vormden, en die nu gegeneerd grijnzend achter Thurloe aan de kamer binnenkwam.

'Ah,' zei hij opgewekt toen ik hem met onverholen verbazing aanstaarde, want hij was wel de laatste van wie ik had verwacht dat ik hem ooit terug zou zien, laat staan in zulke omstandigheden. 'De Italiaanse anatoom. Hoe gaat het, beste dokter?'

Thurloe schonk ons allebei een droevige glimlach en maakte een nijging. 'Ik laat u nu alleen voor een gesprek onder vier ogen,' zei hij. 'Aarzelt u niet mij te roepen wanneer u mij wilt spreken.'

En hij verliet het vertrek; ik zat nog steeds als een idioot te staren. Prestcott, die forser was dan ik me herinnerde, en in elk geval heel wat opgeruimder dan tijdens onze laatste ontmoeting, wreef zich eens in de handen, schonk zich uit een kruik op het buffet een glas bier in en ging tegenover me zitten, waarna hij mijn gezicht aandachtig bestudeerde op zoek naar eventuele tekenen van gevaar.

'Het verbaast u mij te zien. Uitstekend. Ik ben blij dat te horen. U moet toegeven dat dit een goede plek is om me te verbergen, nietwaar? Wie zou er ooit aan denken hier naar mij op zoek te gaan, wat?'

Zo te zien was hij in een puik humeur; hij deed denken aan iemand die totaal geen zorgen had, zeker niet aan een man die vermoedde dat hij binnenkort opgehangen zou worden. Wat deed hij toch in het huis van een man als Thurloe, vroeg ik me af.

Heel eenvoudig,' zei hij. 'Mijn vader en hij kenden elkaar in zekere zin. Ik heb me aan zijn genade overgeleverd. Wij verschoppelingen moeten elkaar bijstaan, nietwaar?'

'Maar wat wilt u van mij? Het is toch gevaarlijk voor u mij te laten weten dat u hier bent?'

'We zullen wel zien. Thurloe heeft me verteld wat u hebt gezegd, maar zou u het erg vinden de hele geschiedenis nog eens door te nemen?'

'Welke geschiedenis?'

'Die geschiedenis met Grove. Hij heeft me altijd vriendelijk bejegend en was de enige sterveling in Oxford voor wie ik genegenheid koesterde. Het deed mij veel verdriet toen ik hoorde wat er was gebeurd.'

'Als ik bedenk hoe lelijk u hem zou hebben behandeld als hij u op die avond van uw ontsnapping had opgezocht, dan kan ik dat maar moeilijk geloven.'

'O, dat,' zei hij verachtelijk. 'Ik heb Wallis geen haar gekrenkt toen ik hem vastbond, en bij die goeie ouwe Grove zou ik dat ook niet hebben gedaan. Wat moet een mens dan? Sterven op het schavot om maar vooral niet onbeleefd te zijn? Ik moest daar weg, en dat was mijn enige kans. Wat zou u hebben gedaan?'

'Om te beginnen had ik nooit iemand gemolesteerd,' antwoordde ik.

Die opmerking wuifde hij weg. 'Denkt u nu even na. Thurloe zegt dat de magistraat een ogenblik een dreigend oog op u heeft laten vallen. Als hij u nu in de kluisters had geslagen – dat had heel goed gekund, weet u, want een paap zou een alom goedgekeurde keus zijn geweest. Wat zou u dan doen? Stil blijven zitten afwachten en maar hopen dat de heren gezworenen een verstandig gezelschap zouden zijn? Of zou u tot de slotsom komen dat ze hoogstwaarschijnlijk een stelletje dronken nietsnutten zouden zijn die u voor de grap zouden ophangen? Ik mag dan een vluchteling zijn, maar ik leef tenminste nog. Alleen zit het me dwars dat Grove dood is, en als ik kon zou ik graag hulp bieden. Dus vertelt u mij: wat is er gebeurd?'

Weer vertelde ik het hele verhaal. Prestcott ontpopte zich als een dankbaarder gehoor; hij schoof heen en weer in zijn stoel, stond op om zijn glas nog eens te vullen en slaakte telkens lovende of afkeurende kreten. Ten slotte had ik mijn verhaal voor de tweede keer beëindigd.

'En nu, mijnheer Prestcott,' zei ik streng, 'moet u mij eens vertellen wat dit alles moet voorstellen.'

'Wat dit moet voorstellen,' zei hij, 'is dat ik nu heel wat meer begrijp dan een ogenblik geleden. De vraag is: wat moet ik nu doen?'

'Ik kan u niet van advies dienen zolang ik niet weet wat u bedoelt.'

Prestcott slaakte een diepe zucht en keek mij recht in de ogen. 'U weet dat dat kind Blundy zijn snolletje was?'

Ik zei dat ik dat verhaal had gehoord, maar voegde eraan toe dat het meisje dat ontkende.

'Ja, natuurlijk. Maar het is waar. Ik weet dat, omdat wij vorig jaar een tijdje met elkaar zijn gegaan, voordat ik wist wat voor schepsel zij was. Toen heeft ze zich op Grove gestort en heeft hem, die arme oude stakker, in haar netten verstrikt. Dat was geen ingewikkeld karwei; hij had oog voor vrouwelijk schoon en zij kan heel inschikkelijk zijn als ze wil. Ze was woedend toen hij haar wegstuurde. Ik ben haar vlak daarna tegengekomen en gelooft u mij, zo'n griezelig gezicht had ik van mijn levensdagen nog niet gezien. Ze zag eruit als een duivelin en gromde en grauwde als een beest. Dat zou ze hem betaald zetten, zei ze. Dat zou hem nog duur komen te staan.'

'En daarmee bedoelde ze?'

Hij haalde zijn schouders op. 'Indertijd meende ik dat dat enkel een staaltje van overdreven aanstellerij was, typisch voor een vrouw. Enfin, kort daarna overkwam me dat betreurenswaardige voorval en ik belandde in de gevangenis, zodat ik het contact met de buitenwereld kwijtraakte. Totdat ik ontsnapte. Toen ik het kasteel uit liep, had ik geen idee wat ik moest. Ik had geen geld, geen behoorlijk stel kleren, niets. En ik dacht dat ik maar beter kon onderduiken voor het geval er alarm zou worden geslagen. Dus ging ik naar het huisje van de Blundy's. Ik was daar wel eerder geweest, dus ik wist waar het was.'

Stilletjes was hij via het modderige steegje naar Sarahs deur gegliped en had door het raam gegluurd. Het was daar binnen heel donker en hij had aangenomen dat er niemand was. Hij had wat rondgescharreld op zoek naar iets eetbaars en zat net een korst brood te verorberen toen Sarah terugkwam.

'Ze was in zo'n uitgelaten stemming dat het mij beangstigde,' bekende hij. 'Het verbaasde haar natuurlijk mij daar te zien, maar toen ik zei dat ik haar geen kwaad zou doen en niet van plan was om lang te blijven, voelde ze zich opgelucht. Ze had een klein zakje bij zich en omdat ik dacht dat daar misschien wel wat eetbaars in zat, nam ik haar dat af.'

'Zij gaf het u?'

'Nou, nee. Ik moest het haar met geweld afpakken.'

'En ik neem aan dat er niets eetbaars in zat?'

'Nee. Er zat geld in. En een ring. De zegelring van Grove,' zei hij, en hij zweeg even om zijn zak te doorzoeken. Hij haalde er een pakje in gekleurd papier uit, dat hij zorgvuldig uitpakte. Er zat een ring in met een bewerkte blauwe steen eraan.

'Die herinner ik me nog goed,' zei hij toen ik de ring van hem had aangenomen om hem eens goed te bekijken. 'Ik heb hem bij ontelbaar veel gelegenheden aan zijn vinger gezien. Hij deed hem nooit af, en daarom was ik benieuwd hoe Sarah Blundy eraan was gekomen. Zij weigerde me antwoord te geven, en daarom heb ik haar een paar klappen gegeven, totdat ze snauwde dat ik daar niets mee te maken had en dat Grove hem toch niet meer nodig had.'

'Zei ze dat? Dat Grove hem toch niet meer nodig had?'

'Ja,' zei Prestcott. 'Ik had wel andere dingen aan mijn hoofd, dus ik stond daar toen niet zo bij stil. Maar nu is het natuurlijk wel heel belangrijk. De vraag is: wat moet ik nu doen? Ik kan toch moeilijk mijn getuigenis aanbieden, want dan zal de magistraat me vriendelijk bedanken en mij ook ophangen. Daarom vroeg ik me af of u deze ring en mijn relaas zou willen accepteren. Wanneer u straks terug bent en met sir John Fulgrove hebt gesproken, dan ben ik, met enig geluk, allang weg.'

Met de ring in mijn hand dacht ik ingespannen na; het verbaasde me dat ik er zo weinig voor voelde te geloven wat ik net had gehoord. Geeft u mij uw woord dat wat u me nu vertelt waar is?'

'Absoluut,' antwoordde hij onmiddellijk oprecht.

'Ik zou hier welwillender tegenover staan als u zelf niet ook een geweld-dadige inslag had.'

'Die heb ik niet,' zei hij, licht kleurend en zijn stem verheffend. 'En ik voel me gepikeerd door die opmerking. Alles wat ik heb gedaan, was bedoeld om mijn eigen naam en die van mijn familie te beschermen. Er bestaat geen enkele overeenkomst tussen mijn geval, dat een erekwestie betreft, en dat van haar, dat op liederlijkheid en diefstal neerkomt. Sarah Blundy zal dit weer doen, gelooft u mij, dokter. Zij erkent geen wetten en geen beperkingen. U kent haar en haar slag niet zoals ik.'

'Ze is een wilde tante,' gaf ik toe. 'Maar ik heb haar ook beleefd en plichtsgetrouw meegemaakt.'

'Ja, wanneer ze wil,' zei hij laatdunkend. 'Maar zij kent geen greintje plichtsgevoel jegens haar meerderen. Dat moet u zelf toch ook ontdekt hebben.'

Ik knikte. Dat was zeker waar. En ik dacht weer aan mijn hypothese. Ik had meer bewijzen gewild die onweerlegbaar met de waarheid overeen-kwamen en nu geloofde ik dat ik ze had. Prestcott had er niet veel bij te win-nen wanneer hij zich meldde; veeleer had hij juist alles te verliezen. Het viel me moeilijk hem niet te geloven, en hij sprak met zo'n intense overtuiging dat ik me bijna niet kon voorstellen dat hij niet de waarheid zei.

'Ik zal met de magistraat gaan praten,' stelde ik voor. 'Ik zal niet zeggen waar u bent, maar hem enkel dit verhaal vertellen. Hij is dunkt me een betrouwbaar man en erop gebrand deze zaak met bekwame spoed af te ron-den. Menigeen aan de universiteit neemt aanstoot aan zijn bemoeienis, en uw getuigenverklaring zou hem heel goed van pas komen. Wie weet neemt hij een welwillende houding tegenover u aan. U moet zich natuurlijk aan Thurloes advies in dezen houden, maar ik zou u afraden halsoverkop te vluchten.'

Prestcott liet hier zijn gedachten over gaan. 'Misschien. Maar u moet mij beloven dat u voorzichtig zult zijn. Als iemand als Lower wist waar ik was, dan zou hij me aangeven. Daar is hij toe verplicht.'

Met grote tegenzin beloofde ik hem dat, en hoewel ik me vanwege mijn verplichtingen jegens Lower niet aan mijn woord heb gehouden, kan ik althans zeggen dat ik Prestcott daar geen kwaad mee heb berokkend.

⁓

Mijn besluit om mijn woord gestand te doen had tot gevolg dat mijn betrekkingen met Lower er op een bedroevende wijze op achteruitgingen, want omdat hij aannam dat ik al die tijd bij een waardevolle en lucratieve cliënt had vertoefd, kwam hij weer in de greep van die afgunstige zwaarmoedigheid. Ik heb wel vaker mensen ontmoet die tot op zekere hoogte zo van stemming veranderden, maar nooit heb ik zo iemand als Lower meegemaakt, wiens humeur van het ene ogenblik op het andere kon omslaan, zonder enige waarschuwing of gegronde reden.

Twee keer was hij nu al tegen me uitgevallen en had hij zijn sombere stemming op mij botgevierd, en vanwege mijn vriendschappelijke gevoelens voor hem had ik dat geslikt; de derde keer was het het ergst en tevens was dat de laatste keer. Net als alle Engelsen dronk hij ontstellend veel, en tijdens mijn afwezigheid had hij zich daarmee onledig gehouden, zodat hij toen ik terugkwam driftig gestemd was. Toen ik binnenkwam, zat hij met zijn armen om zich heen geslagen alsof hij het koud had bij de haard en onheilspellend staarde hij mij aan. Toen hij begon te praten, gooide hij de woorden eruit alsof ik zijn ergste vijand was.

'Waar hebt u in godsnaam gezeten?'

Hoewel ik veel zin had om alles te vertellen, antwoordde ik dat ik een patiënt had opgezocht die mij had ontboden.

'U bent onze afspraak niet nagekomen: dat ik zulke patiënten voor mijn rekening zou nemen.'

'Wij hadden helemaal geen afspraak,' zei ik verbijsterd. 'Al gun ik u die patiënten graag. Maar u zat in bad.'

'Ik had me wel afgedroogd.'

'En aan die patiënt had u niets gehad.'

'Dat beoordeel ik zelf wel.'

'Goed, spreekt u dan nu maar uw oordeel uit. Het was John Thurloe, en voor zover ik kon zien, verkeert hij in blakende gezondheid.'

Lower snoof spottend. 'U kunt niet eens goed liegen. Goeie god, wat ben ik toch doodziek van dat gezelschap van u, met uw rare manieren en geaffecteerde uitspraak. Wanneer gaat u eens terug naar huis? Ik zal blij zijn als u ophoepelt.'

'Lower, wat is er toch?'

'Doet u nu maar niet of u zich bezorgd maakt over mij. U hebt alleen maar belangstelling voor uzelf. Ik heb u onvervalste vriendschap betoond; u onder mijn hoede genomen toen u hier pas was aangekomen, u met de meest vooraanstaande personen in kennis gebracht, mijn ideeën met u gedeeld, en moet je zien hoe u mij dat vergoedt.'

'Ik ben u ook dankbaar,' zei ik, en langzamerhand begon ik boos te worden. 'Oprecht dankbaar. En ik heb mijn best gedaan om alles wat mij geschonken is, ook te verdienen. Heb ik mijn ideeën niet ook met u gedeeld?'

'Uw ideeën!' zei hij vol verachting. 'Dat zijn geen ideeën. Dat zijn fantasietjes, onbeduidende onzingedachten zonder ook maar enige grondslag, enkel en alleen bij wijze van vermaak bij elkaar verzonnen.'

'Dat is volslagen onrechtvaardig. Dat weet u best. Ik heb helemaal niets gedaan waarvoor ik uw woede verdien.'

Maar mijn tegenwerpingen bleven volkomen vruchteloos. Net als de keer daarvoor was alles wat ik zei en wat ik deed onbelangrijk; de storm was opgestoken en moest nu uitrazen, en ik kon er evenveel aan doen om hem te kalmeren als een boom die door een orkaan werd geteisterd. Ditmaal werd ik echter boos en ik voelde me verbolgen, en ik deed geen pogingen meer hem milder te stemmen, maar zijn onrechtvaardige gedrag trof me des te pijnlijker en ik ging dwars tegen zijn uitbarsting in.

Ik zal hier niet herhalen wat we zeiden; het enige dat ik ervan wil zeggen is dat het te ver ging. Lower werd steeds bozer en ik, niet in staat de oorzaak te doorgronden, wond me al even erg op. Ik weet alleen dat ik hem deze keer met alle geweld verzet wilde bieden, en deze vastberaden houding van hem zweepte hem op tot nog uitzinniger woedeaanvallen. Ik was een dief, zei hij, een charlatan, een fat, een paap en een onbetrouwbare en achterbakse leugenaar. Als alle buitenlanders gaf ik de voorkeur aan het mes in de rug boven een eerlijke manier van doen. Ik was natuurlijk van plan me als arts in Londen te vestigen, zei hij, en mijn nadrukkelijke verklaring dat ik uitsluitend van zins was Engeland zo spoedig mogelijk te verlaten, maakte hem alleen maar nog razender.

Onder andere omstandigheden had mijn eer geëist dat ik hem tot een duel uitdaagde, en dat opperde ik ook, maar daarmee haalde ik me nog meer hatelijkheden op de hals. Ten slotte trok ik me terug, uitgeput en hongerig, want we hadden onze strijd geen ogenblik onderbroken om te eten. Ik ging erg neerslachtig naar bed, want ik had hem graag gemogen en ik besefte nu dat er van vriendschap tussen ons nooit meer sprake kon zijn. Mijn omgang met hem had me tot voordeel gestrekt, dat was zeker waar; maar de prijs die ik nu moest betalen was te hoog. Ik was er zeker van dat mijn vader mij, wanneer hij mijn brieven ontving, zou toestaan om te vertrekken, en ik bedacht dat het misschien maar het beste zou zijn om op die beschikking vooruit te lopen. Ik was echter vastbesloten het experiment met vrouw Blundy waaraan ik begonnen was af te maken; als de vrouw in leven bleef en ik er de doeltreffendheid van kon aantonen, dan zou ik althans iets meer dan enkel bittere gevoelens als gevolg van dit verblijf oogsten.

16

DE VOLGENDE OCHTEND was Lower natuurlijk een en al berouw en verontschuldiging, maar dit keer hielp dat niets. Onze vriendschap was onherstelbaar beschadigd: *Fides unde abiit, eo nunquam redit*, zoals Publius Syrus stelde. Nu ik het besluit had gevat om te vertrekken, voelde ik me minder geneigd de inschikkelijke woorden te laten horen die een dergelijke verzoening eiste, en hoewel ik zijn verontschuldigingen formeel accepteerde, kon mijn hart zich daar niet bij aansluiten.

Ik geloof dat hij dat besefte, en onze reis terug naar Oxford verliep in stilzwijgen en onder onbehaaglijke gesprekjes. Ik miste onze gemoedelijke toon erg, maar kon niets doen om onze vroegere kameraadschap te herstellen; Lower schaamde zich denk ik, want hij wist dat hij zich onvergeeflijk had gedragen. Bijgevolg betoonde hij me telkens kleine attenties om zich weer bij me in de gunst te dringen, maar toen zijn pogingen zonder succes bleven, verviel hij in een neerslachtige stemming.

Er stond me echter nog één ding te doen dat ik aan mijn eer verplicht was, want hoewel ik Prestcott mijn woord had gegeven, was mijn verplichting jegens Lower in mijn ogen iets wat zwaarder woog. Ik wist niet veel van de wet af, maar ik wist wel dat ik hem op de hoogte moest stellen van wat er bij Thurloe was voorgevallen, want het was niet in de haak geweest als hij het van de magistraat of via praatjes in de kroeg had gehoord. Hij luisterde ernstig toen ik het verhaal deed.

'En dat hebt u mij niet verteld? Beseft u wel wat u hebt gedaan?'

'Wat dan?'

'U hebt ervoor gezorgd dat u nu net zo schuldig bent als zij. Misschien dat u nu ook wordt opgehangen als Prestcott gegrepen wordt. Is dat dan niet bij u opgekomen?'

'Nee. Wat had ik dan moeten doen?'

Hij dacht na. 'Dat weet ik niet. Maar als de magistraat tot de slotsom komt dat hij Prestcott in handen moet krijgen en hij is gevlucht, dan verkeert u in een netelig parket. Gelooft u hem?'

'Ik kan me niet voorstellen waarom ik dat niet zou doen. Hij had er niets bij te winnen. Ik zou hem nooit hebben gevonden als hij me niet had laten roepen. Bovendien is daar Groves ring. Sarah Blundy zal moeten verklaren hoe zij daaraan is gekomen.'

'U weet zeker dat dat zijn ring is?'

'Nee. Maar als dat zo is, dan is er altijd wel iemand die dat kan bevestigen. Wat denkt u?'

Lower peinsde even. 'Ik denk,' zei hij toen, 'dat als die ring van Grove is en Prestcott op de een of andere manier in de gelegenheid kan worden gesteld zijn getuigenis af te leggen, dat het meisje dan aan de galg zal belanden.'

'Gelooft u dat zij schuldig is?'

'Ik zou liever zelf hebben gezien hoe het kind op zijn kamer de arsenicum in de fles deed. Of het uit haar eigen mond hebben vernomen. Zoals Stahl zegt: zekerheid bestaat niet, maar langzamerhand begin ik te denken dat het waarschijnlijk is dat zij verantwoordelijk is voor de moord.'

Allebei aarzelden we op dat ogenblik, daar we beseften dat we zoetjesaan weer op onze vertrouwelijke toon waren overgegaan, en onmiddellijk maakte een onbehaaglijk gevoel daar een eind aan. Op dat ogenblik kwam mijn besluit vast te staan, want ik besefte dat ik, uit vrees dat hij weer zou uitbarsten, nooit meer ongedwongen met hem zou kunnen praten. Lower wist maar al te goed wat voor gedachten er door mijn hoofd gingen en hij verviel in een somber stilzwijgen op zijn paard, dat roffelend over de slijkerige weg draafde. Ik ben ervan overtuigd dat hij meende dat hij hij er verder niets aan kon doen: hij had zich verontschuldigd voor de woorden die hij had gesproken en zag er niet de noodzaak van in zich te verontschuldigen voor wat hij nog niet had gezegd.

⁓

Ik heb al vermeld dat ik een niet al te hoge dunk van het toneelspel in Engeland had: ik vond het verhaal langdradig, het spelen afschuwelijk en de voordracht miserabel. Met de rechtszittingen was het heel anders gesteld; die verschaften alle prachtvertoon en dramatische effecten die het theater moest ontberen, daar ze ook beter werden uitgevoerd en men zich daar met meer overtuiging uitdrukte.

Het schouwspel van zo'n periodiek geding kent nergens op het vasteland zijn weerga; zelfs de Fransen, die toch dol zijn op weids vertoon, houden er in hun rechtsstelsel niet zo'n ontzagwekkend spektakel op na. Het indrukwekkende zit hem in de eerste plaats hierin, dat er hier sprake is van mobiele rechtspraak; kleine vergrijpen worden behandeld door magistraten, maar belangrijker zaken door vertegenwoordigers des konings, die er bij geregelde tussenpozen vanuit Londen op uit worden gestuurd. Zij maken een rondreis door het land en hun aankomst gaat met veel pracht en praal gepaard. De burgemeester wacht de stoet op bij de stadsgrens, de plaatselijke landeigenaren sturen er koetsen achteraan en het volk stelt zich op langs de straten waardoor de rijtuigen zich naar het gerechtsgebouw begeven; hier worden de ingewikkelde proclamaties voorgelezen die de rechters het gezag verlenen om zoveel wetsovertreders op te hangen als hun maar goeddunkt.

Misschien dat ik hier eerst moet uitleggen hoe de Engelsen zulke zaken aanpakken, want hun methode is al even zonderling als vele andere handelwijzen in dat land. Je zou denken dat een geleerde rechter net als overal elders zou volstaan, maar dat is niet het geval. Want nadat men dergelijke personen heeft benoemd, geeft men alle gezag in handen van een groep van twaalf mannen, die willekeurig gekozen zijn en niets van rechtskwesties af weten. Bovendien is men buitensporig trots op dit bizarre stelsel en vereert men deze groep gezworenen als de grondslag van zijn vrijheid. Deze mannen luisteren naar de argumenten die tijdens de zitting naar voren worden gebracht en stemmen over het vonnis. Doorgaans wordt een zaak aanhangig gemaakt door de eisende partij, of in het geval van een moord door familieleden of door een magistraat die uit naam van de koning optreedt. Omdat Grove geen familie had, was in dit geval de magistraat gehouden het proces op kosten van het rijk voor te bereiden.

De toebereidselen voor zo'n periodiek geding zijn talrijk en de kosten aanzienlijk, en daarom was High Street min of meer verstopt van het vele volk toen we terugkwamen. Ik vond die aanblik fascinerend, maar Lower werd er alleen maar chagrijnig van. Het was al laat, geen van beiden hadden we nog gegeten en we stonden in tweestrijd of we eerst halt zouden houden om ons te laven, dan wel rechtstreeks zouden doorrijden naar het huis van sir John Fulgrove in Holywell. We besloten tot dat laatste, niet het minst omdat ik me ook ongerust maakte over vrouw Blundy: wat haar dochter ook mocht hebben gedaan, zij was nog altijd mijn patiënte en mijn enige hoop op roem. En ik verlangde ernaar van Lowers gezelschap verlost te worden.

Sir John ontving me onmiddellijk – een aspect van het Engelse rechtsstelsel waar ik veel bewondering voor heb. Ik heb nooit veel te maken gehad met onze Venetiaanse rechterlijke ambtenaren, maar ik weet dat zij geloven dat ze het aanzien van het gerecht bevorderen door het de mensen zo lastig mogelijk te maken. Ook hij luisterde met belangstelling naar mijn verhaal, zij het zonder veel dankbaarheid. Zijn gedrag was bepaald erg veranderd gedurende de periode dat ik weg was geweest, en hij spreidde helemaal niet meer die prettige minzaamheid tentoon die mij eerder ten deel was gevallen.

'Het was uw plicht deze kwestie onmiddellijk aan overheidspersonen te rapporteren,' zei hij. 'Thurloe is een verrader en had al jaren geleden opgehangen moeten worden. En nu vertelt u mij dat hij vluchtelingen onderdak verleent? Wel, de man denkt zeker dat hij onder en boven de wet staat.'

'Uit de verhalen die ik hoor,' zei ik rustig, 'maak ik op dat dat ook zo is.'

Sir John trok een bars gezicht. 'Dit is een onduldbare toestand. Hij rebelleert openlijk tegen 's konings regering, en die doet daar niets aan.'

'Het is niet mijn bedoeling hem te verdedigen,' zei ik, 'want als de helft van wat ik over hem heb gehoord waar is, dan dient hij onverwijld te worden opgehangen. Maar in dit geval denk ik niet dat hij Prestcott schuldig acht aan de misdaden waarvan hij wordt beschuldigd. En door hem in de buurt te houden, heeft hij toch iets verdienstelijks gedaan, als de man een belangrijke getuigenverklaring over doctor Grove kan afleggen.'

De magistraat gromde iets.

'Meent u dat dit verhaal onbelangrijk is?'

'Nee, natuurlijk niet.'

'Het meisje zal dus terechtstaan?'

'Ja. Op de laatste dag van het geding zal zij voorgeleid worden.'

'Wat wordt haar ten laste gelegd?'

'Klein verraad.'

'Wat is dat?'

'Grove was haar meester; het is niet van belang dat zij ontslagen was, want in de hoedanigheid van haar meester is hij vermoord. Dat is een daad van verraad, want een meester is als een vader voor zijn kinderen, of als de koning voor zijn volk. Het is de gruwelijkst denkbare misdaad; nog veel erger dan moord. En er staat een veel zwaardere straf op. Wanneer zij schuldig wordt bevonden, komt ze op de brandstapel.'

'U twijfelt niet aan haar schuld?'

'O nee. Mijn naspeuringen hebben aan het licht gebracht dat zij zo'n verdorven, zo'n kwalijk individu is, dat het een wonder mag heten dat zij nooit eerder ontmaskerd is.'

'Heeft ze bekend?'

'Welnee. Ze ontkent alles.'

'En wat gaat u met mijn inlichtingen doen?'

'Ik ben voornemens,' zei hij, 'met een paar soldaten regelrecht naar Milton te rijden, waar ik Prestcott zowel als zijn beschermer in de boeien zal slaan; vervolgens sleep ik hen mee terug en gooi hen hier in de gevangenis. We zullen eens zien of Thurloe dit keer aan het gerecht kan ontsnappen. Maar nu moet u mij verontschuldigen. Ik heb haast.'

~

Nadat ik mij van deze onrustbarende taak had gekweten, keerde ik terug naar High Street, waar me verteld werd dat Boyle ten huize van zijn zuster in Londen ziek was geworden en van plan was daar nog enkele dagen te blijven. Toen ging ik naar Tillyard, om daar mijn maag te vullen en de laatste nieuwtjes te horen. Locke was er ook, en zo te zien was hij ontzettend blij me te kunnen begroeten; ik was minder ingenomen met zijn aanblik.

'De volgende keer wanneer u een patiënt hebt, mijnheer Cola,' zei hij zodra ik zat, 'weest u dan zo goed haar voor uzelf te houden. Ik heb verschrikkelijk veel met haar te stellen gehad. Ze is achteruitgegaan sinds u bent vertrokken.'

'Het spijt me dat te moeten horen. Hoe komt dat precies?'

Hij haalde zijn schouders op. 'Ik heb geen enkel idee. Maar ze is wat verzwakt. Het is begonnen op de dag dat die dochter van haar gearresteerd is.'

Bereidwillig vertelde hij me alle bijzonderheden, daar hij de vrouw net een bezoek bracht toen het zich had voorgedaan. Het bleek dat er een gerechtsdienaar naar het huis was gekomen om Sarah op te halen, en hij had haar voor de ogen van haar moeder geboeid en meegesleurd. Sarah was niet rustig meegegaan; zij had gekrijst en de man gekrabd en gebeten tot ze tegen de grond was gedrukt en vastgebonden; en ook daarna was ze nog blijven krijsen, zodat hij haar ook nog de mond had moeten snoeren. De moeder had gepoogd uit haar bed te komen en Locke had al zijn kracht moeten aanwenden om haar terug te duwen.

'Al die tijd schreeuwde het arme mens maar dat haar dochter niets had gedaan en dat ze haar met rust moesten laten. Ik moet zeggen dat toen ik dat meisje zo tekeer zag gaan, ik graag wilde geloven dat ze iemand had vermoord. Zo'n gedaanteverwisseling heb ik nog nooit bij een mens gezien. Het ene ogenblik was ze nog volkomen rustig en vriendelijk en het volgende een krijsend, razend monster. Wat een gruwelijk spektakel. En sterk dat ze was! Weet u dat er drie volwassen mannen aan te pas kwamen om haar tegen de grond te drukken toen haar de ketenen werden aangelegd?'

Ik gromde iets. 'En haar moeder?'

'Die kroop helemaal in elkaar in haar bed en begon natuurlijk te huilen, en daarna werd ze veel zwakker en helemaal neerslachtig.' Hij zweeg even en keek me openhartig aan. 'Ik heb gedaan wat ik kon, maar dat had geen enkele uitwerking; gelooft u mij als ik u dat verzeker.'

'Ik zal haar moeten opzoeken,' zei ik. 'Dit is iets waar ik al sinds het ogenblik dat ik van de arrestatie hoorde, tegen opzie. Ik ben erg bang dat de toestand van de moeder er alleen maar op achteruit kan gaan, tenzij we tot een drastische ingreep overgaan.'

'Hoezo?'

'De transfusie, mijnheer Locke. De transfusie. Denkt u daar eens aan. Ik was er niet zeker van, maar ik vroeg me af of de toestand van het meisje misschien van invloed zou zijn op die van de moeder, nu hun levensgeesten zo met elkaar vermengd zijn in haar lichaam. Sarah kan de gevolgen ongetwijfeld verdragen; maar haar moeder is zoveel ouder en zwakker dat ik er niet aan twijfel dat haar toestand daardoor verslechterd is.'

Locke leunde achterover in zijn stoel met zijn wenkbrauwen opgetrokken tot een uitdrukking die op hautaine laatdunkendheid leek te wijzen, maar waarvan ik langzamerhand begon te beseffen dat dat zijn gebruikelijke uitdrukking was wanneer hij in gedachten verzonken was. 'Fascinerend,' zei hij ten slotte. 'Dat experiment van u heeft alle mogelijke consequenties. Wat bent u van plan?'

Treurig schudde ik mijn hoofd. Ik weet het niet. Ik heb geen enkel idee. Wilt u mij verontschuldigen? Ik moet haar onmiddellijk gaan opzoeken.'

Dat deed ik, en dit bezoek bevestigde mijn angstigste verwachtingen. De vrouw was inderdaad verzwakt; de vooruitgang die haar wond had gemaakt was tot stilstand gekomen en het bedompte vertrekje was vervuld van de stank van ziekte. Zij was echter bij bewustzijn en was nog niet al te erg achteruitgegaan. Door haar nauwkeurig aan de tand te voelen kwam ik erachter dat zij nu al bijna twee dagen niet meer had gegeten; het meisje dat Lower had ingehuurd om op haar te passen had haar post in de steek gelaten toen Sarah in hechtenis was genomen, daar zij weigerde in het huis van een moordenares te verblijven. Het geld had ze natuurlijk niet teruggegeven.

Het kwam mij voor dat de narigheid voor een deel voortvloeide uit de omstandigheid dat de vrouw honger had; zij moest goed en geregeld eten wilde ze ook maar enige kans op herstel hebben, dus het eerste dat ik deed was regelrecht naar een eethuisje stappen en brood en vleesnat voor haar bestellen. Dit gaf ik haar, lepel voor lepel, eigenhandig te eten, voordat ik de wond onderzocht en opnieuw verbond. Die zag er niet zo erg uit als ik had gevreesd. In dat opzicht had Locke zich althans keurig van zijn taak gekweten.

Toch had zij niet zo ziek moeten zijn. De honger en de ontzetting waarmee ze haar dochter weggevoerd had zien worden, hadden haar ongetwijfeld diep neerslachtig gestemd, maar ik was er zeker van – mijn hele theorie hing er zelfs van af – dat er zich een verbinding had gevormd tussen haar en het dochterlijke bloed dat nu door haar aderen stroomde. En als het feit dat haar dochter in een van ratten vergeven gevangenis was geworpen een dergelijke uitwerking kon hebben, dan stond ons duidelijk nog heel wat ergers te wachten.

'Ik smeek u, beste dokter,' zei ze toen ik klaar was, 'hoe is het met mijn Sarah, weet u dat ook?'

Ik schudde mijn hoofd. 'Ik kom net terug uit de provincie en weet nog minder dan u. Het enige dat ik heb gehoord is dat zij zal moeten voorkomen. Hebt u nog niets van haar gehoord?'

'Nee. Ik kan daar niet heen en zij kan hier niet naartoe komen. En er is niemand die een briefje voor me wil wegbrengen. Ik aarzel een beroep te doen op uw goedheid...'

De moed zonk me in de schoenen. Ik wist wat ze nu zou zeggen en ik zag erg op tegen dat verzoek.

'... Maar u kent haar een beetje. U weet wel dat zij nooit zoiets zou kunnen doen. Haar hele leven heeft ze nog nooit iemand een haar gekrenkt, integendeel zelfs; ze staat er juist om bekend – zelfs mijnheer Boyle kent haar – dat zij altijd bereid is mensen beter te maken en dat ook kan. Ik weet wel dat u niets voor haar kunt doen, maar zou u haar niet willen opzoeken en haar zeggen dat het met mij goed gaat en dat ze zich om mij geen zorgen moet maken?'

Het allerliefst had ik dat geweigerd en gezegd dat ik niets meer met het meisje te maken wilde hebben. Ik kon het echter niet over mijn hart verkrijgen die wrede woorden te zeggen; die hadden de oude vrouw nog erger verzwakt. En als mijn theorie klopte, dan zou de moeder meer kans op herstel hebben naarmate de dochter opgewekter gestemd was. Daarom stemde ik met het verzoek in. Ik zou een bezoek aan de gevangenis brengen, aangenomen althans dat ik erin zou mogen, en de boodschap overbrengen.

❦

Ik hoop dat ik een goed leven heb geleid en dat de Heer mijn pogingen om me aan Zijn wetten te houden erkent, zodat de beproevingen van eeuwigdurende folteringen mij bespaard blijven, want als de hel ook maar half zo afgrijselijk is als de cellen van een Engelse gevangenis op de dag voor een periodiek geding, dan is dat een waarlijk verschrikkelijk oord. Op het kleine voorplein van het kasteel was het veel voller dan de vorige keer toen ik daar was geweest; er heerste een drukte van belang van de door elkaar krioelende mannen en vrouwen die gevangenen kwamen bijstaan of zich enkel hadden laten aantrekken door de kans nieuwe te zien arriveren. Wanneer de rechters naar de stad komen, worden die ongelukkige stumpers van heinde en verre aangevoerd, zodat ze ieder op hun beurt terecht kunnen staan en hun lot vernemen. De gevangenis, die de laatste keer dat ik er was bijna leeg was geweest, zat nu tjokvol; de stank van de vele lijven was overweldigend en de geluiden die al die zieke, koude en radeloze stakkers voortbrachten klonken erg aangrijpend. Hoezeer vele van de daar ondergebrachte sujetten hun lot ook verdienden, onwillekeurig voelde ik medelijden met hen, en een ogenblik werd ik zelfs door een vlaag van panische angst bestormd dat ik misschien wel voor een gevangene zou worden aangezien en dat men zou weigeren mij weer te laten gaan wanneer ik me van mijn taak had gekweten.

De mannen en vrouwen worden natuurlijk van elkaar gescheiden, en het armere slag moet zich behelpen in twee grote ruimten. Het enige meubilair daarin bestaat uit strozakken van ruwe jute waar ze op kunnen liggen, en het gerinkel van de zware ijzeren ketenen der gevangenen wanneer ze woelden en draaiden in een vruchteloze poging een gemakkelijker houding te vinden, klonk luidruchtig op de achtergrond toen ik me voorzichtig een weg zocht tussen de massa lijven door. Het was er bitter koud, want de ruimte lag ter hoogte van het oppervlak van de slotgracht, en eeuwen vocht dropen langs de wanden. Het enige licht viel naar binnen door een paar ramen die zo hoog in de muur zaten dat alleen een vogel erbij had gekund. Ik bedacht dat het maar goed was dat de periodieke zitting al gauw plaats zou vinden, want anders zou een ondervoed en armzalig gekleed meisje als Sarah Blundy al lang voordat de beul een kans had gekregen aan vlektyfus zijn bezweken.

Het duurde even voordat ik haar had gevonden, want zij zat met haar armen om haar benen geslagen en haar hoofd gebogen, zodat alleen haar lange, bruine haar te zien was, tegen de klamme muur. Ze zat zacht bij zichzelf te zingen, een droevig gehoor in dat verschrikkelijke oord: het treurige klaaglied van een gekooide vogel die aan zijn vrijheid terugdacht. Toen ik haar begroette, duurde het een ogenblik voordat zij haar hoofd ophief. Merkwaardig genoeg stemde het mij bijzonder neerslachtig en ongerust toen ik zag dat er niets restte van haar gebruikelijke gedrag. Ze was niet langer brutaal en hooghartig, maar stil en passief, als was ze verstoken van de lucht die ze evenzeer nodig had als de lijster in Boyles luchtpomp. Zij antwoordde niet eens toen ik vroeg hoe het met haar ging: ze haalde enkel haar schouders op en sloeg haar armen vast om zich heen, alsof ze haar best deed elk beetje warmte vast te houden.

'Het spijt me dat ik niets voor je heb meegebracht,' zei ik. 'Als ik dit had geweten, dan was ik wel met een paar dekens en eten gekomen.'

'Dat is vriendelijk,' antwoordde ze. 'Maar wat eten betreft hoeft u geen moeite te doen: de universiteit houdt er een armenfonds op na en mevrouw Wood, bij wie ik in dienst ben, is zo aardig mij elke dag een maaltijd te komen brengen. Maar een paar warme kleren zouden me heel welkom zijn. Hoe gaat het met mijn moeder?'

Ik krabde eens aan mijn hoofd. 'Dat is de voornaamste reden waarom ik hier ben gekomen. Zij heeft me gevraagd je te zeggen dat je je geen zorgen om haar moet maken. En daar kan ik enkel mijn eigen aansporingen aan toevoegen. Je zorgen doen haar geen goed, ze kunnen zelfs een slechte invloed op haar hebben.'

Ze keek me strak aan en zag dwars door mijn woorden heen de bezorgdheid op mijn gezicht. 'Het gaat niet goed met haar, hè?' vroeg ze onomwonden. 'Zegt u mij de waarheid, dokter.'

'Nee,' antwoordde ik openhartig, 'het gaat niet zo goed met haar als ik wel had gehoopt. Ik maak me zorgen om haar.' Tot mijn ontzetting verborg ze haar hoofd weer tussen haar handen en ik zag haar lichaam schokken en hoorde haar snikken van pure ellende.

'Kom kom,' zei ik. 'Zo erg is het ook weer niet. Ze heeft een terugval gehad, dat is alles. Maar ze leeft nog en ze heeft altijd nog Lower en mij, en nu ook Locke, en allemaal verlangen we niets liever dan haar in leven te houden. Je moet je geen zorgen maken. Dat is helemaal niet aardig tegenover degenen die zo hun best voor haar doen.'

Eindelijk wist ik haar, na nog meer van zulke opbeurende woorden, op andere gedachten te brengen en met ogen die nog rood zagen van het huilen hief ze haar hoofd op en ze veegde haar neus af aan haar blote arm.

'Ik ben hier gekomen om je gerust te stellen,' zei ik, 'niet om ervoor te zorgen dat je je nog meer van streek zou maken. Let jij nu maar op jezelf en denk aan je proces; daarmee heb je meer dan genoeg aan je hoofd. Laat je moeder maar aan ons over. In de omstandigheden waarin je nu verkeert, kun je trouwens toch verder niets beginnen.'

'En straks?'

'Wat straks?'

'Wanneer ik ben opgehangen.'

'Zeg, nu loop je wel wat op de feiten vooruit!' riep ik uit met heel wat meer opgeruimdheid dan ik voelde. 'Je hebt de strop nog niet om je nek, hè.' Ik vertelde haar maar niet dat haar lot nog weleens veel erger zou kunnen uitpakken dan dat ze alleen werd opgehangen.

'Iedereen heeft zijn oordeel al klaar,' zei ze rustig. 'Dat heeft de magistraat me verteld toen hij me vroeg te bekennen. De gezworenen zullen me zeker schuldig bevinden en de rechter zal me zeker laten ophangen. Wie zou nu zo iemand als ik geloven wanneer ik niet kan bewijzen dat ik onschuldig ben? En wat zal er dan van mijn moeder worden? Hoe houdt zij zich dan in leven? Wie zal er dan voor haar zorgen? Wij hebben geen familie en helemaal geen middelen van bestaan.'

'Wannéér ze herstelt,' zei ik ernstig, 'zal zij ongetwijfeld ergens een geschikte betrekking vinden.'

'De vrouw van een fanaticus en de moeder van een moordenares? Wie zou haar werk geven? En u weet net zo goed als ik dat zij nog in geen weken zal kunnen werken.'

Ik kon niet zeggen dat dit een schijnprobleem was, daar de kans groot was dat zij binnen en week dood zou zijn. En God mag me vergeven, maar ik kon geen andere troost voor haar verzinnen.

'Mijnheer Cola, ik moet u iets vragen. Hoeveel betaalt dokter Lower?'

Het duurde een ogenblik voordat ik begreep waar zij het over had. 'Je bedoelt...?'

'Ik begrijp dat hij lijken opkoopt,' zei ze, beangstigend kalm nu. 'Hoeveel betaalt hij? Want ik ben bereid hem het mijne af te staan als hij de zorg voor mijn moeder op zich wil nemen. Kijkt u toch niet zo onbehaaglijk. Dat is het enige dat ik nog kan verkopen, en mijn lichaam heb ik straks toch niet meer nodig,' besloot ze nuchter.

'Ik... ik... ik weet het niet. Dat hangt af van de toestand van... eh...'

'Wilt u het hem vragen? Men denkt dat ik mijn lichaam tijdens mijn leven verkocht heb, dus zal het toch wel nauwelijks een schandaal zijn als ik het ook weer verkoop wanneer ik dood ben.'

Zelfs Lower, denk ik, zou moeite hebben gehad met zo'n gesprek; ik merkte dat het mijn krachten verre te boven ging. Kon ik zeggen dat zelfs Lower geen belangstelling zou hebben voor wat er na de brandstapel nog van haar zou resten? Ik stamelde dat ik het ter sprake zou brengen, maar verlangde er wanhopig naar om op een ander onderwerp over te gaan.

'Je moet de hoop niet laten varen,' zei ik. 'Denk je er al over na wat je gaat zeggen?'

'Hoe kan ik dat nu?' vroeg ze. 'Ik weet amper wat me ten laste wordt gelegd; ik heb ook geen idee wie er belastende feiten tegen me gaat inbrengen. Ik heb niemand aan mijn kant, tenzij iemand als u, dokter, bereid is te verklaren dat ik van onbesproken gedrag ben.'

De fractie van een seconde dat ik aarzelde, zei haar genoeg. 'Ach ja,' zei ze zacht. 'Ziet u wel? Wie zal mij helpen?'

Intens keek ze me aan terwijl ze mijn antwoord afwachtte. Ik wilde niet reageren; het was niet mijn bedoeling geweest hier te komen, maar op de een of andere manier kon ik geen weerstand aan haar bieden. 'Ik weet het niet,' zei ik eindelijk. 'Ik zou het graag hebben gewild, maar ik kan geen verklaring verzinnen voor de ring van doctor Grove.'

'Wat voor ring?'

'De ring die van zijn lijk gestolen is en door Jack Prestcott ontdekt is. Hij heeft me daar alles over verteld.'

Op het ogenblik dat mijn antwoord tot haar doordrong wist ik zonder een spoor van twijfel dat mijn verdenking terecht was en dat de magistraat zijn werk goed had gedaan. Zij had Grove vermoord. Toen de portee van mijn woorden met een schok tot haar doordrong werd ze bleek. Bijna alle andere dingen had ze op de een of andere manier kunnen verklaren, maar tegen deze beschuldiging kon ze geen verweer vinden.

'Nu, Sarah?' vroeg ik toen ze bleef zwijgen.

'Het ziet ernaar uit dat ik hopeloos in de val zit. Ik vind dat het tijd wordt dat u weggaat.' Dat was een gelaten, zielige verklaring, typisch de uitlating van iemand die besefte dat haar daden eindelijk definitief waren bewezen.

'Wil je me geen antwoord geven? Ook al wil je dan niets tegen mij zeggen, als je straks terechtstaat, zul je wel een verklaring móeten afleggen. Dus hoe ga je je verdedigen tegen de beschuldiging dat je Grove uit wraakzucht hebt vermoord en zijn lijk hebt geplunderd toen het op de grond lag?'

De wervelwind waardoor ik op dat ogenblik werd overvallen, is een van de meest schokkende dingen geweest die mij in mijn leven zijn overkomen. Plotseling was het met haar nederigheid gedaan en kwam de ware aard van het meisje boven: met een van haat en woede vertrokken gezicht deed ze een uitval naar me en met van wilde waanzin vervulde ogen klauwde ze met haar nagels naar mijn gezicht. Gelukkig hielden de ketenen om haar pols en enkel haar tegen, want ik zweer dat ze me anders de ogen had uitgekrabd. Nu viel ik achterover en belandde boven op een kwalijk riekende oude vrouw, die onmiddellijk haar hand in mijn jas stak om mijn beurs te grijpen. Ik slaakte een kreet van angst en enkele seconden later kwam er een cipier binnensnellen om mij te ontzetten; hij deelde de gevangenen een trap uit en ranselde Sarah af met een knuppel om haar rustig te krijgen. Gillend viel zij terug op de strozak en daarop begon ze zo hard te jammeren als ik nog nooit iemand had horen jammeren.

Ontzet staarde ik naar het monster daar voor me, maar vervolgens vermande ik me om de bezorgde cipier te verzekeren dat ik, afgezien van een schram op mijn wang, ongedeerd was gebleven, en op veilige afstand ging ik in die smerige lucht naar adem staan snakken.

'Als ik nog iets van twijfel over je koesterde,' zei ik, 'dan is het daar nu mee gedaan. Vanwege je moeder zal ik met Lower praten. Maar verder moet je niets van me verwachten.'

En ik vertrok, zo blij dat ik aan dat helleoord en de duivels die het bewoonden was ontsnapt dat ik regelrecht naar de dichtstbijzijnde kroeg liep om bij te komen. Een halfuur later beefden mijn handen nog.

～

Ik hoefde me nu niet meer te bekommeren om de vraag of het meisje al of niet schuldig was, maar ik kan niet zeggen dat ik in ook maar enig ander opzicht tot rust was gekomen. Integendeel: als je in aanraking komt met zoiets intens kwaadaardigs, geeft dat je een enorme schok, en ik kon het schouwspel waarvan ik getuige was geweest niet zomaar vergeten. Toen ik de kroeg verliet had ik dringend behoefte aan gezelschap om mijn gedachten te laten afleiden van de beelden en geluiden die ik had moeten waarnemen. Als mijn omgang met Lower ongedwongener was gewwest, dan had zijn natuurlijke manier van doen mij er wel bovenop geholpen. Maar ik koesterde niet het minste verlangen hem op te zoeken, en liet dat dan ook na totdat het verzoek van het meisje me te binnen schoot; omwille van mijn patiënte en omdat ik het het meisje had beloofd, voelde ik me verplicht de boodschap over te brengen, hoe vruchteloos die wellicht ook zou zijn.

Op de plaatsen waar Lower zich anders altijd ophield, was hij echter niet te vinden, en ook was hij niet op zijn kamer in Christ Church. Ik vroeg naar hem, en eindelijk vertelde iemand me dat hij hem iets van een uur eerder in het gezelschap van Locke en de wiskundige Christopher Wren had gezien. Omdat Wren nog steeds vertrekken in Woodham bewoonde, moest ik het daar misschien eens proberen.

Ik was er toch al op gespitst die jongeman eens te ontmoeten, want tijdens mijn verblijf in Oxford had ik veel over hem gehoord, en bijgevolg begaf ik mij daarheen en vroeg aan de poort waar hij was en of hij bezoek had. Hij had enkele vrienden op bezoek, werd mij gezegd, en hij had verzocht niet gestoord te worden. Poortwachters zeggen dat natuurlijk altijd, dus schonk ik geen aandacht aan zijn opmerking, liep vlug de trap op naar de kamer in het poortgebouw waar Wren woonde, klopte aan en ging naar binnen.

De schok die ik nu te verwerken kreeg, was enorm. Wren, een kleine, slanke man met golvende lokken en een niet onprettig gelaat, keek ontstemd op toen ik de kamer binnentrad en vervolgens bleef staan staren naar het tafereel vlak voor mij. Locke vertoonde een soort grijns, als een kind dat op een stoute streek is betrapt en blij is dat de hele wereld nu zal horen hoe ondeugend het is. Mijn vriend, mijn goede vriend Lower, had althans het fatsoen in verlegenheid te raken en zich te generen nu zijn gedrag zo duidelijk aan het licht kwam dat er niet de minste twijfel over kon bestaan wat hier gebeurde.

Want op een brede, grenenhouten tafel midden in de kamer lag een hond vastgebonden; zielig jankend en van ellende met zijn ogen rollend probeerde het beest zich uit alle macht los te rukken. Naast hem lag er nog een, die zich minder heftig verzette tegen de marteling die hij moest ondergaan. Een lange, dunne buis liep van de hals van het ene beest naar die van het andere, en het bloed dat was gaan vloeien toen men bij beide een snee in de hals had gemaakt, was op Lockes voorschoot en op de vloer gespat.

Zij waren bezig een bloedtransfusie uit te voeren. Bezig mijn experiment in het geheim te herhalen. En ze hielden hun werkzaamheden voor mij verborgen, voor degene die bij uitstek gerechtigd was op de hoogte te worden gesteld van wat ze daar uitvoerden. Ik kon niet geloven dat ik zozeer was verraden.

Lower herstelde zich het eerst. 'Neemt u mij niet kwalijk, heren,' zei hij zonder zelfs maar de wellevendheid op te brengen mij aan Wren voor te stellen. 'Ik zal mij even moeten verwijderen.'

Hij deed zijn voorschoot af, wierp dat op de vloer en vroeg me hem naar de tuin te vergezellen. Ik maakte met moeite mijn blik los van het tafereel dat zo'n aanslag had gedaan op mijn humeur en volgde hem boos de trap af.

Gedurende enkele ogenblikken liepen we door de tuin, waar we kriskras langs buxushagen en gazonnetjes wandelden, en ik deed er het zwijgen toe: ik wachtte af tot hij een verklaring voor zijn gedrag zou geven.

'Niet mijn schuld, Cola,' zei hij na een tijdje. 'Maar wilt u mijn excuses aanvaarden? Het was onvergeeflijk van me om me zo te gedragen.'

Ik was de schok nog steeds niet te boven en kon geen woorden vinden.

'Kijk, Locke vertelde Wren van het experiment dat wij – u – voor vrouw

Blundy hadden ontworpen, en hij vond dat zo opwindend dat hij het met alle geweld wilde herhalen. Dat doet geen greintje afbreuk aan uw eigen experiment, heus. Wij laten ons enkel in uw kielzog meedrijven en proberen de meester te evenaren.'

Hij lachte eens schaapachtig en keek me aan om te zien hoe ik zijn verontschuldiging opnam. Ik had me vast voorgenomen een koele houding te blijven aannemen.

'Had u dan niet het minuscule beetje wellevendheid in acht kunnen nemen mij althans op de hoogte te stellen, als u het dan niet kon opbrengen mij er ook bij te noden?'

De glimlach maakte plaats voor een scheef gezicht. 'Dat is waar,' zei hij. 'En het spijt me echt verschrikkelijk. Ik héb naar u gezocht, maar wist niet waar u was. En Wren wil vanmiddag terug naar Londen, begrijpt u wel...'

'Dus verraadt u uw ene vriend om de andere ter wille te zijn,' onderbrak ik hem koel.

Deze gerechtvaardigde opmerking bracht hem erg van zijn stuk en hij wendde boosheid voor. 'Wat verraad? Wanneer een idee is ontstaan, blijft het toch niet het eigendom van degene die het als eerste heeft bedacht? Wij ontkennen uw prestatie niet, en ook waren we niet van plan ons experiment voor u geheim te houden. U was er niet; meer valt er niet over te zeggen. Voordat ik Wren vanmorgen tegenkwam, had ik er geen idee van dat hij er zo op gebrand zou zijn de proef ook uit te voeren.'

Hij praatte op zo'n dwingende toon dat ik al mijn twijfel voelde wegebben. Ik wilde hem zo graag geloven en hem nog als mijn vriend beschouwen dat ik geen kans zag nog langer vast te houden aan mijn overtuiging dat ik was verraden. Maar toen herinnerde ik me weer die verschrikte en betrapte uitdrukking op zijn gezicht toen ik de kamer in was gekomen, een betrouwbaarder schuldbekentenis dan alles wat ik op Sarah Blundy's gezicht had gelezen.

'Wij zijn niet van plan dit zomaar zonder uw voorkennis en toestemming wereldkundig te maken,' vervolgde hij toen hij zag dat hij nog steeds geen bres had geslagen in mijn afwerende houding. 'En u moet toch toegeven dat dit een betere manier is om het te doen. Als wij... u... een verslag van uw ontdekking zou schrijven waaruit blijkt dat de transfusie eerst is uitgeprobeerd op een vrouw, dan wordt u als roekeloze en gevaarlijke figuur afgedaan. Maar als u dat artikel vooraf laat gaan door verslagen van transfusies tussen honden, dan zullen de afkeurende reacties veel minder uitgesproken zijn.'

'En was u daar dan mee bezig?'

'Zeker, natuurlijk,' zei hij, aangemoedigd nu hij mijn woede zag zakken. 'Ik heb u al gezegd dat ik mijn hart vasthoud wanneer dit te gauw bekend wordt. Het moet op deze manier gebeuren, en hoe eerder, hoe beter. Het spijt mij – het spijt me echt heel erg – dat u er niet bij was. Aanvaardt u toch alstublieft mijn nederigste verontschuldigingen. En uit naam van Locke en Wren bied ik u ook die van hen aan, want zij hebben geen ogenblik de bedoeling gehad u onheus te behandelen.'

Hij boog diep en omdat hij geen hoed op had, nam hij met een zwaai zijn pruik af. Ik kon een zwak glimlachje niet onderdrukken bij dit absurde schouwspel, maar ditmaal was ik vastbesloten me niet door zo'n list te laten vermurwen.

'Toe nu,' zei hij, ontmoedigd door mijn reactie. 'Vergeeft u mij?'

Ik knikte. 'Goed dan,' zei ik kortaf, hoewel dit een van de grootste leugens was die ik ooit heb verteld. Maar ik had nog altijd zijn bijstand nodig en kon, als de bedelaar naar vriendschap die ik nu was, niets anders doen dan op z'n minst de schijn ophouden van een vriendelijke houding. 'Laten we er maar niet langer over praten, anders krijgen we maar weer onenigheid.'

'Waar was u anders?' vroeg hij. 'We hebben heus naar u uitgekeken.'

'Bij vrouw Blundy, die ziek is en nog steeds zieker wordt. En bij haar dochter.'

'In het kasteel?'

Ik knikte. 'Ik had geen zin om te gaan, maar de moeder smeekte me erom. En het heeft me bijzonder gerustgesteld. Als ooit een sterveling tot moord in staat is geweest, dan is het wel dat meisje. Ik koester nu geen enkele twijfel meer, al vermoed ik dat zij de daad zal ontkennen, en ik zou me er nog geruster op voelen als zij uit eigen beweging bekende. Maar in mijn ogen is het nu duidelijk dat ze die morgen naar Tillyard is gegaan om Grove geld te vragen waarmee zij haar moeder kon helpen, en dat ze toen nul op het rekest heeft gekregen. Daarom heeft ze het gewoon genomen: ze heeft hem vermoord en iets uit zijn kamer gestolen. Het is verschrikkelijk dat de kinderlijke gehoorzaamheid zo'n verdorven en verwrongen vorm kan aannemen.'

Lower knikte. 'Heeft zij u dat verteld?'

'O nee,' zei ik. 'Ze wil niets toegeven. Maar ze wil nog een goede daad doen, wie weet uit wroeging, want een andere reden kan ik er niet voor verzinnen.'

Vlug vertelde ik Lower dat zij hem haar lijk wilde aanbieden als hij als tegenprestatie ermee instemde haar moeder te behandelen en te verzorgen.

Lower keek verbaasd en – ik vind het akelig om het te moeten zeggen – bepaald gretig bij het idee dat hij op deze manier van haar kon profiteren.

'Hoe gaat het met de moeder?'

'Ik betwijfel of zij een langdurige belasting voor uw beurs zal betekenen,' zei ik. 'Dat is ook iets waar ik met u over moet praten. Zij gaat achteruit, en als het meisje sterft, dan denk ik dat doordat de levensgeesten bij de een uitdoven, de ander daar noodlottige gevolgen van zal ondervinden.'

Hij keek nadenkend toen ik hem van mijn angst vertelde, en van de enige remedie die volgens mij nog uitkomst zou kunnen bieden. 'Zij moet meer bloed krijgen, Lower,' zei ik, 'en wel van iemand anders, iemand die sterk en gezond genoeg is om de inwerking van de levensgeesten van het meisje teniet te doen. En vlug ook. Als Sarah morgen berecht wordt, dan zal ze de dag daarna sterven. Er is niet veel tijd meer.'

'Daar bent u van overtuigd?'

'Volkomen, ja. Zij is toch al gelijk op met de levensgeesten van het meisje achteruitgegaan; de tekenen zijn duidelijk waarneembaar. Ik kan me geen enkele andere oorzaak voorstellen.'

Hij gromde iets. 'U bedoelt dat u het vandaag wilt doen.'

'Ja. Omwille van haar en omwille van onze vriendschap zou ik u met klem voor het laatst om uw hulp willen verzoeken.'

Terwijl hij zijn gedachten over mijn redenatie liet gaan, liepen wij quasi-vriendschappelijk nog een rondje door de tuin.

'Misschien hebt u gelijk,' zei hij ten slotte. 'Tenzij er sprake is van iets waar wij niets vanaf weten.'

'Als we dat iets niet kennen, dan kunnen we er ook geen rekening mee houden,' merkte ik op.

Nog een grommend geluid en hij slaakte een diepe zucht: het teken dat hij een besluit had genomen. 'Goed dan,' zei hij. Vanavond. Ik kom dan met een van de tuinlieden van het college, iemand die beslist zijn mond zal houden.'

'Waarom niet vanmiddag?'

'Omdat ik het meisje nog wil spreken. Als ik haar in handen wil krijgen, dan heb ik een naar behoren ondertekende én door een getuige medeondertekende brief van die strekking nodig. Dat kost tijd, en het zal moeten gebeuren voordat het proces begint. Weet u dat ze op de brandstapel komt?'

'Ja, dat heeft de magistraat me verteld.'

'De kans dat ik nog veel aan haar heb is maar klein, tenzij ik sir John ertoe kan overhalen zijn best te doen bij de rechter.'

Hij neeg. 'Maar maakt u zich geen zorgen. We krijgen het karwei wel op tijd voor elkaar. Komt u na het diner bij me in de Engel. Dan zullen we haar moeder behandelen.'

∽

De rest van die dag bracht ik al brieven schrijvend en in een zwaarmoedige stemming door. Nu ik had besloten zo gauw te vertrekken als mijn verplichtingen me dat toestonden, verlangde ik ernaar zo snel mogelijk af te reizen. Alleen de weduwe Blundy hield me daar nog vast, want nu had ik gezien wat er gebeurde wanneer ik haar niet zelf bezocht. Ik schepte geen vreugde in Sarah Blundy's lot, koesterde nog maar weinig optimisme over haar moeder en aan het vertrouwen in mijn vriend was een eind gekomen. Ik wilde zijn stellige verzekering dat hij me niet in de steek zou laten graag aanvaarden, en dat had ik zelfs al gedaan, maar het zaad van de twijfel was al gezaaid en ik verkeerde in een verontruste stemming.

Ik ben geen trots man, maar ik waak angstvallig over mijn eer en trouw. En Lower had die twee eigenschappen op het spel gezet door toe te geven aan Wrens verzoek en mijn rechten aan zijn laars te lappen. Hij had zijn misstap dan wel toegegeven, maar daarmee had hij de mij aangedane belediging nog niet uitgewist, terwijl het wantrouwen dat zijn opvliegendheid al bij me had gewekt, zich nu helemaal niet meer liet wegredeneren.

Met andere woorden, ik was somber gestemd toen Lower de Engel kwam binnenstappen met een broodmagere en ziekelijk uitziende stumper in zijn kielzog die hij aan me voorstelde als een van de onderhoveniers van zijn college. Voor een schelling zou hij zijn bloed aan vrouw Blundy afstaan.

'Maar aan hem hebben we niets!' riep ik uit. 'Moet je hem zien. Het zou me niets verbazen als hij nog ongezonder was dan vrouw Blundy. Het zou beter zijn haar bloed aan hem toe te dienen. Ik wilde een sterk iemand hebben, met veel levenskracht.'

'Hij is reusachtig sterk. Ja toch?' zei hij, zich nu voor het eerst tot de man wendend. De laatste merkte dat Lower zich zijn kant op had gewend, schonk hem een glimlach die de vele open plekken in zijn gebit onthulde en hinnikte als een paard.

'Het is zijn grote verdienste,' zei Lower toen de man gretig van een kruik bier van twee pinten dronk, 'dat hij doofstom is. Wallis heeft geprobeerd hem te leren spreken, maar dat heeft niets opgeleverd. Schrijven kan hij ook niet. Dat betekent dat we zeker kunnen zijn van zijn geheimhouding,

187

begrijpt u wel? En dat is belangrijk, dat moet u toegeven. Die familie wordt al genoeg met de vinger nagewezen, en als het algemeen bekend werd dat de moeder met behulp van zulke middelen in leven werd gehouden, dan zou het me niet verbazen als zij naast haar dochter op de brandstapel zou belanden. Hier, kerel. Nog eentje.'

Hij wenkte om nog een kruik, die al spoedig voor de stumper werd neergezet. 'Hij moet eerst een beetje drinken,' zei hij. 'Ik wil niet dat hij wegholt wanneer hij ziet waar het experiment uit bestaat.'

Ik was er niet erg mee ingenomen, al zag ik dat hij gelijk had met zijn opmerking. Maar het zegt wel iets over de verandering die mijn houding had ondergaan, dat ik het motief wantrouwde dat achter dit gebruik stak van iemand die naderhand niet kon vertellen wat er was gebeurd.

'Bent u naar de gevangenis geweest?'

Hij sloeg zijn ogen ten hemel. 'God, ja,' zei hij. 'Wat een dag heb ik achter de rug.'

'Was ze van gedachten veranderd?'

'Niet in het minst. We hebben een in gepaste termen opgestelde brief geschreven – wist u trouwens dat zij net zo goed kan lezen en schrijven als u en ik? Ik stond verbaasd – en hebben die door een getuige laten ondertekenen. Dat was geen probleem. Nee, het was de magistraat.'

'Verzette hij zich tegen het idee? Waarom?'

'Omdat ik hem er niet van heb kunnen overtuigen dat hij ook maar enige verplichting tegenover het meisje had. Een vermaledijd vervelende toestand, als ik het zo eens mag zeggen.'

'Dus daarmee is de kous af? Geen lijk?'

Hij keek me wanhopig aan. 'Ook al zou ik haar krijgen, dan zou ik haar, als ik klaar was, toch op de brandstapel moeten afleveren. De magistraat wilde me haar alleen tijdelijk afstaan. Maar dat zou altijd nog beter dan niets zijn geweest. Straks ga ik nog een keer naar hem toe om te zien of ik hem niet alsnog kan overhalen.'

Hij wierp een blik op de tuinman, die al een eind was gevorderd met zijn derde kruik bier. 'Enfin, vooruit maar. Laten we de zaak afhandelen voordat hij laveloos is. Weet u dat ik langzamerhand doodziek word van die familie?' zei hij terwijl we de arme stakker overeind sjorden. 'Hoe eerder ze allebei dood zijn, hoe beter. O, verdomme nog aan toe! O, Cola, het spijt me.'

Zowel zijn uitleg als zijn verontschuldiging was gerechtvaardigd. Want de halve gare had kennelijk ook al gedronken voordat hij met Lower was meegekomen, en de zes pinten die hij tijdens ons gesprek had gedronken, waren hem te veel geworden. Met een onnozele glimlach die in een ver-schrikte uitdrukking overging zakte hij in elkaar en braakte over Lowers schoenen. Lower sprong aan de kant en zag het tafereel walgend aan; ver-volgens gaf hij de stakker een trap en stelde vast dat hij buiten westen was.

'Wat doen we nu?'

'Die wil ik niet gebruiken,' zei ik. 'We zouden hem er eerst heen moeten dragen. Het is al moeilijk genoeg met iemand die meewerkt.'

'Hij leek anders volkomen nuchter toen we het college uit liepen.'

Treurig schudde ik mijn hoofd. 'Dit is uw schuld, Lower. U wist hoe belangrijk dit was, en u hebt het laten afweten.'

'Ik heb me al verontschuldigd.'

'Daar schiet ik niets mee op. Nu zullen we de behandeling tot morgen moeten uitstellen. We mogen hopen dat zij het nog zo lang volhoudt. Dit oponthoud zou weleens haar einde kunnen betekenen.'

'Ik denk dat uw behandeling dat in elk geval zal bewerkstelligen,' zei hij koel.

'Dat heb ik u nog niet eerder horen zeggen.'

'U hebt nooit iets gevraagd.'

Ik deed mijn mond al open voor een antwoord, maar liet het er maar bij. Wat had het voor zin? Om redenen die ik niet kon doorgronden, vatten wij bijna alles wat we tegen elkaar zeiden op als kleinerende opmerking of bele-diging. Daar hij weigerde zijn gedrag te verklaren en ik waarachtig niet ver-mocht in te zien wat er verkeerd was aan dat van mij, kon ik verder niets doen.

'Ik ga niet met u redetwisten,' zei ik. 'U hebt me toegezegd dat u mij bloed zult bezorgen, en ik houd u aan die belofte. Daarna kan er een einde komen aan onze samenwerking, zoals u kennelijk wenst. Brengt u hem morgen dan mee, na het proces?'

Hij maakte een stijve nijging en beloofde dat hij me niet nogmaals zou teleurstellen. Wanneer de rechtszitting voorbij was, moest ik naar het huis-je van vrouw Blundy gaan en daar op hem wachten. Dan zou hij met de tuinman komen en we zouden de behandeling uitvoeren. Er was nog tijd genoeg.

17

DE VOLGENDE MIDDAG om een uur stond Sarah Blundy in Oxford terecht voor de moord op doctor Robert Grove. De toeschouwers stonden te popelen; de zitting beloofde heel wat schandalig vermaak op te leveren en bovendien was er de dag daarvoor niemand tot de galg veroordeeld, zodat de rechter aan het eind van de zitting geen zwarte kap had gedragen, maar het traditionele paar witte handschoenen uitgereikt had gekregen dat liet zien dat zijn handen niet met bloed bezoedeld waren. Maar dat soort clementie werd gevaarlijk geacht, want de ontzagwekkende macht van de wet vraagt om offers. Een zo'n zitting zonder doodvonnissen was best, maar twee achter elkaar zouden opgevat worden als teken van zwakte. Bovendien vertelde Wood, iemand die onverdroten zittingen bijwoonde, me vlak voordat we door het gedrang van de menigte van elkaar werden gescheiden, dat de rechter dit ook besefte: die middag zou er iemand aan de galg bungelen. Allebei wisten we, denk ik, wie dat zou zijn.

Er ging een verwachtingsvol gemompel op toen een lijkbleke Sarah de rechtszaal werd binnengeleid en met haar gezicht naar de menigte opgesteld om naar de met heldere stem voorgelezen aanklachten te luisteren die tegen haar werden ingebracht. Dat zij, Sarah Blundy, daar zij geen godsvrucht kende, maar zich door de inblazingen van de duivel had laten beïnvloeden en verleiden, in het vijftiende jaar van de regering van onze vorst de koning in New College in de stad Oxford een snode, moedwillige en verraderlijke aanval had gepleegd op de Weleerwaarde Heer Robert Grove, aan voornoemd college verbonden en haar vroegere meester. Sarah Blundy voornoemd was in het bezit geweest van arsenicum, dat Sarah Blundy voornoemd op snode, moedwillige en verraderlijke wijze en met boze opzet in een fles had gedaan en dat zij Robert Grove voornoemd daaruit had laten drinken, zodat Robert Grove voornoemd vergiftigd was geworden en was overleden. Zodat Sarah Blundy voornoemd zich op de hierboven vermelde snode, moedwillige en verraderlijke wijze en met voorbedachten rade te buiten is gegaan aan moord en doodslag, en daarmee de door onze soevereine Heer en diens vorstelijke macht en waardigheid ingestelde orde heeft verbroken.

Een goedkeurend gemompel, dat de rechter ertoe bracht met strenge blik op te kijken, steeg uit de menigte op toen ze naar deze beschuldiging luisterde; het duurde even voordat de orde was hersteld – niet dat die tijdens een Engelse rechtszitting ooit zozeer heerst. Daarop wendde de rechter, die mij niet als een zeer geducht uitziend man voorkwam, zich tot Sarah en vroeg haar het woord te nemen.

Zij gaf geen antwoord, maar bleef met gebogen hoofd staan.

'Kom, kind,' zei de rechter, 'je moet het woord voeren, hè. Of je nu bekent of ontkent, het is mij hetzelfde. Maar je moet iets zeggen, want anders zal het je kwalijk vergaan.'

Nog steeds zei ze niets en er daalde een afwachtende stilte over het publiek neer; iedereen keek naar haar zoals ze daar stond, met haar hoofd gebogen om haar doodsangst en haar schaamte te verhullen. Ik voelde een golf van mededogen bij me opkomen, want wie zou er nu niet het zwijgen toe doen wanneer hij moederziel alleen oog in oog stond met de angstwekkende macht van het gerecht?

'Ik zal je eens wat zeggen,' zei de rechter met een bezorgd gezicht, vrezend dat de zitting verstoord zou worden. 'We zullen de tegen je ingebrachte aanklachten en getuigenverklaringen laten voorlezen. Misschien dat je dan kunt concluderen wat voor kans je hebt om aan je straf te ontkomen. Wat zeg je daarvan? Mijnheer? Bent u gereed?'

De aanklager, een opgewekte geest, door de magistraat in de arm genomen om deze taak op zich te nemen, sprong overeind en boog onderdanig. 'De reputatie van vriendelijk man die Uwe Edelachtbare geniet, komt u alleszins toe,' zei hij, en de menigte begon te klappen om dit gevoelen te onderstrepen.

De man naast me, die zo dicht tegen me aan geperst stond dat ik hem kon voelen ademhalen, fluisterde me in het oor dat dit de volle waarheid was; de wet schrijft voor dat personen die zijn gezag negeren door te weigeren een verklaring af te leggen, bijzonder hardvochtig worden behandeld en bedolven onder gewichten tot ze toegeven, of bezwijken aan de druk die op hun borst wordt uitgeoefend. Niemand heeft veel op met deze gang van zaken, maar het is de enige manier om korte metten te maken met weerspannig gedrag. Dat de rechter het meisje om zo te zeggen een tweede kans gunde, was werkelijk uitzonderlijk barmhartig van hem. Mijn buurman –

kennelijk een geregeld bezoeker van rechtszittingen – zei dat hij nooit eerder van zo'n vriendelijk gebaar had gehoord.

De aanklager begon zijn zaak uiteen te zetten: hij was dan wel niet het slachtoffer van de misdaad, zei hij, maar bij moordzaken kon het slachtoffer uiteraard niet zelf voor de rechter verschijnen; vandaar dat hij hier nu stond. Zijn taak was niet zwaar, want het was duidelijk genoeg te zien wie deze laaghartige daad had gepleegd.

Naar zijn mening, zei hij, zouden de heren gezworenen er niet de minste moeite mee hebben het juiste vonnis uit te spreken. Want het was een iegelijk bekend – en de stad wist dit allang, hij hoefde haar er niet aan te herinneren – dat Sarah Blundy een hoer was, afkomstig uit een onbeheerste en gewelddadige familie. Zo weinig kende zij haar plaats, zo slecht was zij opgevoed en zo onkundig was zij van elk zedelijk beginsel en ieder greintje fatsoen dat de gedachte aan moord haar in het geheel niet schokte; dit was het soort monsters dat werd voortgebracht door ouders die zich van God hadden afgewend, in een land dat zijn wettige koning had afgewezen.

De rechter – duidelijk geen wreed man en strikt rechtvaardig – onderbrak de aanklager om hem te danken en vroeg zich af of hij nu misschien kon beginnen. Fraaie toespraken konden wel tot het einde wachten, als ze zover kwamen.

'Zeker, zeker. Goed, zij is dus een hoer; wij beschikken over wel onderbouwde aanwijzingen dat zij die arme doctor Grove had verleid en hem in haar netten had verstrikt. We hebben een getuige die dit kan bevestigen, een zekere Mary Fullerton...' Op dat ogenblik begon een jong meisje onder het publiek breed te lachen en zette een hoge borst op. '... die bereid is onder ede te verklaren dat zij doctor Grove op een dag enige spijzen op zijn kamer bracht en dat hij haar voor Blundy aanzag, haar beetgreep en haar op wellustige wijze begon te strelen, alsof zij daar volkomen aan gewend was.'

Sarah keek op en staarde nors naar Mary Fullerton, wier glimlach verdween toen zij die blik voelde.

'Ten tweede zijn wij ervan op de hoogte dat doctor Grove het meisje, toen deze beschuldigingen bekend werden, ontsloeg, omdat hij de verleiding verre van zich wilde houden en wilde terugkeren tot een deugdzame levenswandel. En dat zij hier bittere wrok over koesterde.

Ten derde beschikken wij over de getuigenverklaring van de heer Crosse, apotheker, dat Sarah Blundy op de dag van haar ontslag in zijn winkel arsenicum heeft gekocht. Ze zei dat doctor Grove haar daarom had verzocht, maar in doctor Groves huishoudboek komt geen enkele vermelding voor van een dergelijke uitgave.

Ten vierde beschikken wij over het getuigenis van signor Marco da Cola, een Italiaanse heer van onbesproken gedrag, die bereid is u te vertellen dat hij voor de gevaren van dit poeder heeft gewaarschuwd en doctor Grove heeft horen zeggen dat hij het nooit meer zou gebruiken – enkele uren voordat hij eraan zou overlijden.'

Aller ogen, ook die van Sarah, rustten nu op mij en ik sloeg mijn blik neer om het verdriet in haar ogen niet te zien. Het was waar, woord voor woord; maar op dat ogenblik wenste ik vurig dat dat niet zo was.

'Vervolgens beschikken wij over het getuigenis van de heer Thomas Ken, geestelijke, dat het meisje diezelfde avond in New College is gezien, en we zullen aantonen dat zij, hoewel ze dit ontkent, ten stelligste weigert te zeggen waar ze dan wel was; er heeft zich bovendien niemand anders gemeld om te zeggen waar zij was.

Ten slotte beschikken we over een bewijs van onweerlegbare aard, want wij hebben een getuige, de heer Jack Prestcott, een jongeheer die aan de universiteit studeert en die bereid is te getuigen dat zij hem diezelfde avond haar daad heeft opgebiecht en hem een ring heeft laten zien die zij van het lijk had gestolen. Een ring waarvan men heeft vastgesteld dat het doctor Groves eigen zegelring was.'

De hele zaal, leek het wel, hield op dat ogenblik de adem in, daar iedereen wist dat het getuigenis van een heer inzake een dergelijk geval niet licht zou worden betwist. Sarah wist dat ook; want haar hoofd zonk bij deze woorden nog lager op haar borst en haar schouders zakten slap neer met een beweging die erop leek te wijzen dat zij alle hoop nu had laten varen.

'Edelachtbare,' hernam de advocaat, 'de tegen de verdachte pleitende overwegingen betreffende haar motief, aard en positie zijn al even zwaarwegend als de specifieke getuigenverklaringen. Daarom lijdt het voor mij niet de minste twijfel dat, wat voor verklaring het meisje ook aflegt – ja zelfs als zij in het geheel geen verklaring aflegt –, de uitslag vast zal staan.'

Stralend keek de aanklager om zich heen om het applaus van de zaal in dank te aanvaarden; hij maakte even een statig handgebaar en ging zitten. De rechter wachtte tot de stilte enigszins was weergekeerd en richtte zijn aandacht toen op Sarah.

'Nu, kind? Wat heb je te zeggen? Je bent, dunkt me, op de hoogte van de gevolgen van je eventuele verklaringen?'

Sarah zag eruit alsof ze elk ogenblik in elkaar kon zakken, en hoewel ik niet veel genegenheid meer voor haar voelde, vond ik wel dat het vriendelijk zou zijn geweest haar een stoel aan te bieden.

'Toe, meisje,' riep iemand vanuit de zaal. 'Doe je mond open. Heb je je tong soms verloren?'

'Stilte!' bulderde de rechter. 'Nu?'

Sarah hief haar hoofd op en nu kon ik pas goed zien hoe verschrikkelijk ze eraan toe was. Haar ogen zagen rood van het huilen, haar gezicht was bleek en heur haar was sprieterig en vuil van de gevangenis. Een grote bloeduitstorting op haar wang die het gevolg was van het pak ransel dat de cipier haar had gegeven toen ze mij was aangevlogen, was blauw geworden. Haar mond trilde toen ze poogde te spreken.

'Wat? Wat?' zei de rechter, zich vooroverbuigend en zijn hand bij zijn oor houdend. 'Je moet echt iets harder spreken.'

'Ik ben schuldig,' fluisterde ze, waarna ze in onmacht viel en het publiek in afkeurend gejoel en teleurgesteld gefluit uitbarstte omdat het zijn vermaak zijn neus voorbij zag gaan. Ik probeerde naar haar toe te lopen, maar zag daar door het gedrang van al die lijven geen kans toe.

'Mond dicht,' schreeuwde de rechter. 'Allemaal. Stilte.'

Eindelijk kwamen ze weer tot rust en de rechter keek om zich heen. 'Het meisje heeft schuld bekend,' verkondigde hij. 'Dat is een grote zegen, daar we nu vlug voort kunnen gaan. Heren gezworenen, is iemand van u het hier niet mee eens?'

De gezworenen schudden allen somber het hoofd.

'Heeft iemand anders nog iets te zeggen?'

Er klonk een ruisend geluid uit de menigte op toen iedereen zich omdraaide om te kijken of er nog iemand het woord zou nemen. Toen zag ik dat Wood was opgestaan: met een rood gezicht van gêne om zijn vermetele daad en om het gejoel en gefluit dat hem ten deel viel.

'Stil nu,' zei de rechter. 'Laten we niet overijld te werk gaan. 'Zegt u uw mening maar, mijnheer.'

Arme Wood, hij was geen advocaat en had niets van het zelfvertrouwen van zelfs maar zo iemand als Lower, laat staan van een Locke. Maar hij was de enige die voor het meisje in de bres sprong en probeerde iets positiefs over haar te zeggen. Deze poging was tot mislukken gedoemd, zelfs Demosthenes was hier hoogstwaarschijnlijk niet in geslaagd, en ik ben er zeker van dat Wood zo handelde uit edelmoedigheid, niet uit een waarachtig geloof in zijn zaak. En hij bewees het meisje er niet eens een dienst mee, want hij werd zozeer overrompeld door het plotselinge, felle schijnsel van ieders aandacht dat hij in zijn zenuwen een onsamenhangend betoog afstak; het kwam er eigenlijk op neer dat hij er met een zachte stem, die haast tot geen mens doordrong, maar wat op los stond te bazelen. Het publiek maakte er een eind aan; het gejouw begon achteraan en daarna volgde het gejoel en gefluit, totdat zelfs de meest begenadigde redenaar zich niet meer verstaanbaar had kunnen maken. Ik geloof dat Locke degene was die een eind maakte aan deze jammerlijke vertoning door hem met verrassend zachte hand omlaag te trekken. Ik zag de miserabele en neerslachtige uitdrukking waaruit het besef van zijn mislukking sprak op het gezicht van de arme man, en ik had met hem te doen omdat hij zich zo schaamde, maar tegelijkertijd verheugde ik me er evenzo over dat het ogenblik voorbij was.

'Ik dank u voor uw welsprekend betoog,' zei de rechter, schaamteloos het publiek in de kaart spelend en niet bij machte de verleiding te weerstaan om hem nog erger te vernederen. 'Ik zal uw woorden in overweging nemen.'

Daarop pakte hij de zwarte fluwelen kap en zette die op zijn hoofd; intussen klonk er een verwachtingsvol gezwatel op uit de menigte, wier mededogen was omgeslagen in een intens kwaadaardige stemming. 'Aan de galg met haar,' riep een stem achteraan.

'Stilte,' zei de rechter, maar het was te laat. Aldus aangemoedigd gingen meer mensen meedoen en daarna nog meer, en binnen luttele seconden was de zaal vervuld van het geluid van de bloeddorst die soldaten tijdens de strijd bevangt, of jagers die in de buurt van hun prooi komen. 'Aan de galg met haar, breng haar om.' Telkens en telkens opnieuw klonk deze ritmische deun, waarbij men hard stampte en floot. Het kostte de rechter wel een paar minuten voordat hij de orde had hersteld.

'Zo is het genoeg,' zei hij streng. 'Zo, is zij al bijgekomen? Kan ze me horen?' vroeg hij de griffier, die zijn stoel had afgestaan, opdat Sarah daarin gezet kon worden.

'Ik geloof het wel, Edelachtbare,' zei de griffier, hoewel hij haar uit alle macht rechtop moest houden en haar al een paar keer een klap had toegediend om haar bij te brengen. 'Goed. Sarah Blundy, luister nu aandachtig naar mij. Je hebt een zeer gruwelijke daad gepleegd en het vonnis dat door de wet wordt voorgeschreven voor een vrouw die een dergelijke verraderlijke moord pleegt, is onvermijdelijk. Je zult op een brandstapel worden gezet en levend worden verbrand.'

Hij zweeg even en keek de gerechtszaal rond om te zien hoe dit werd ontvangen. Men reageerde niet geestdriftig; al werd die straf ook noodzakelijk geacht, de brandstapel schonk de Engelsen niet al te veel voldoening, en er daalde een gelaten stemming over het publiek neer.

'Daar je echter schuld hebt bekend,' vervolgde de rechter, 'en de rechtbank veel moeite hebt bespaard, zijn wij voornemens genade voor recht te laten gelden. Jou zal de gunst worden verleend te worden opgehangen voordat je lichaam wordt verteerd, zodat het lijden dat je moet ondergaan getemperd wordt. Aldus luidt je vonnis, en God zij je ziel genadig.'

Hij stond op en ontbond de zitting, dankbaar gestemd vanwege zo'n kortstondige en bevredigende middag. Het publiek zuchtte alsof het uit een opwindende droom ontwaakte, rekte zich eens uit en begon de zaal te verlaten, terwijl twee gerechtsdienaren de nu bewusteloze Sarah wegdroegen en naar het kasteel terugbrachten. Het hele proces had nog geen uur geduurd.

18

Mɪ𝗃ɴ sᴏᴍʙᴇʀᴇ sᴛᴇᴍᴍɪɴɢ ᴡᴇʀᴅ er nog aanmerkelijk erger op toen ik enkele uren later vrouw Blundy opzocht, want zij voerde een strijd die ze zienderogen verloor.

'Het spijt me vreselijk, dokter.' Haar stem klonk nog zwakker dan eerst, bijna als een zacht gejammer, zo gemeen sneed de pijn door haar heen. Maar ze hield zich flink en deed haar best dat niet te laten merken, opdat ik dat niet als kritiek op mijn verrichtingen zou opvatten.

'Ik ben degene die zich moet verontschuldigen,' zei ik toen ik haar had onderzocht en vastgesteld hoe erg ze eraan toe was. 'U had nooit zo lang alleen mogen worden gelaten.'

'Hoe gaat het met Sarah?' vroeg ze, en dat was nu net de vraag die ik duchtte. Ik had me al voorgenomen haar niet de waarheid te vertellen: niet alleen dat ze schuldig was bevonden, maar dat ze bovendien had bekend.

'Het gaat goed met haar,' zei ik. 'Zo goed als we maar mogen hopen.'

'En wanneer staat zij terecht?'

Ik slaakte een zucht van verlichting; zij was haar gevoel voor tijd kwijtgeraakt en had vergeten welke dag het was; dit maakte mijn taak heel wat lichter.

'Binnenkort,' zei ik. 'En ik weet zeker dat het goed zal komen. Bepaalt u uw aandacht toch bij uw eigen moeilijkheden; dat is de beste hulp die u haar kunt geven, want ze mag nergens door afgeleid worden wil ze haar verstand bij elkaar houden.'

Daar nam zij tenminste genoegen mee, en voor het eerst van mijn leven had ik het gevoel dat het soms beter is om te liegen dan om de waarheid te vertellen. Net als bij de meeste mensen, denk ik, was het er van jongs af aan bij me ingehamerd dat respect voor de waarheid de elementairste karaktertrek van een heer was; maar dat is niet juist. Soms is het onze plicht om te liegen, wat de gevolgen voor onszelf ook mogen zijn. Mijn leugentje stelde haar tevreden; de waarheid had haar laatste uren tot een hel gemaakt. Ik ben er trots op dat ik haar dat heb bespaard.

Daar er niemand anders in de buurt was, moest ik alles zelf doen; terwijl ik zo bezig was hoopte ik alleen maar dat Lower gauw zou komen, zodat we de taak die we voor de boeg hadden, konden aanvatten. Hij was al aan de late kant, en ik maakte me zorgen. Het is naargeestig en akelig werk om wonden schoon te maken en pus weg te vegen en de patiënt te eten te geven wanneer je weet dat dat alles alleen de schone schijn dient, om verlichting te brengen terwijl de onontkoombare afloop al wenkt. De levensgeesten van de dochter, een in alle opzichten sterkere kracht, werkten ondermijnend op de moeder in. Haar gezicht zag asgrauw, zij had pijn in haar gewrichten en last van krampaanvallen in haar darmen; ze lag te trillen en had het afwisselend warm en koud.

Toen ik klaar was, werd ze overvallen door een reeks hevige rillingen en tandenklapperend kroop ze in elkaar, hoewel ik een vuur had aangelegd en het voor het eerst bijna warm was in het vertrek.

Wat moest ik doen? Ik maakte al aanstalten om te vertrekken om naar Lower op zoek te gaan en hem aan zijn verplichtingen te herinneren, maar dit had tot gevolg dat zij voor het eerst sinds ik binnen was gekomen, merkbaar in beweging kwam. Ze nam mijn pols in een verbazend krachtige greep en weigerde die los te laten.

'Gaat u toch niet weg,' fluisterde ze rillend. 'Ik ben bang. Ik wil niet alleen sterven.'

Ik kon het niet over mijn hart verkrijgen om weg te gaan, al had ik ook niet de minste lust om te blijven, en mijn aanwezigheid zou geen enkel verschil maken zolang Lower er niet was. Hoe voortreffelijk mijn experiment ook was geweest en hoeveel hoop voor de toekomst het ook inhield, hij en de dochter hadden het tenietgedaan, en zo dadelijk zou zij verantwoordelijk zijn voor het verlies van nog een leven.

En dus bleef ik, en al die tijd probeerde ik een verschrikkelijke gedachte die langzamerhand tot zekerheid werd, te verdringen: namelijk dat Lower me in de steek zou laten op het ogenblik dat ik zijn hulp het meest nodig had. Ik stookte het vuur nog eens op en joeg er die nacht meer hout doorheen dan de Blundy's gedurende de zes maanden tevoren hadden opgebruikt, en ik bleef in mijn mantel gewikkeld op de grond zitten terwijl zij af en toe wegsukkelde in een ijlende koorts en daar dan weer uit opdook.

En wat een waanzinnige verhalen over haar man en dochter sloeg ze uit wanneer ze bij zinnen was. Herinneringen, godslasterlijke uitlatingen, vrome uitdrukkingen en leugens liepen dwars door elkaar heen, zodat ik het een nauwelijks van het ander kon onderscheiden. Ik probeerde niet te luisteren en deed mijn best haar woorden niet te veroordelen, want ik wist dat de duivels die ons allen ons leven lang achtervolgen, tijdens zulke ogenblikken hun kans schoon zien en door onze mond spreken, waardoor we woorden uiten die we nooit zouden erkennen als we onszelf in de hand hadden. Daarom dienen wij het oliesel toe: om de ziel van die demonen te reinigen, zodat die het lichaam gelouterd verlaat, en daarom is het protestantste geloof zo wreed, omdat het de mens die laatste barmhartige daad ontzegt.

En nog steeds begreep ik niets van de moeder en de dochter, want eerder noch later heb ik ooit zulke innemende en verdorven trekken op een dergelijke manier verenigd gezien. Ik begreep er nog steeds niets van toen ik, door die uitzinnige verhalen uitgeput, vlak na de oude vrouw in slaap viel in die warme, van lucht verstoken kamer. Ik droomde van mijn vriend, en af en toe werd ik die nacht door een of ander geluid opgeschrikt, en dan werd ik wakker met het idee dat hij was gekomen. Maar telkens besefte ik dat het enkel een uil of een ander beest was geweest, of het knappende geluid waarmee een blok in het vuur was opengesprongen.

⟍⟋

Het was nog donker toen ik wakker werd; ik giste dat het een uur of zes was, zeker niet later. Het vuur was intussen bijna uitgegaan en het was weer kil in het vertrekje. Ik rakelde het zo goed mogelijk weer op en deze krachtsinspanning hielp mijn gewrichten wat losser te worden, want die waren nog stijf van de slaap. Toen pas onderzocht ik mijn patiënte. Zo te zien was er weinig aan haar toestand veranderd, misschien was zij er zelfs iets beter aan toe, maar ik wist dat ze beslist niet bestand was tegen ook maar de minste belasting.

Hoewel mijn vertrouwen in hem was geslonken, wenste ik toch dat ik Lower nu bij me had om me met raad en daad bij te staan. Maar zelfs ik kon nu niet langer het feit loochenen dat hij me in de steek had gelaten: ik was op mezelf aangewezen en had niet veel tijd meer om te handelen. Ik weet niet hoelang ik daar zo besluiteloos heb gestaan, hopend dat mijn enige andere mogelijkheid niet nodig zou zijn. Ik bleef te lang aarzelen; mijn hoofd werkte kennelijk niet naar behoren, want ik bleef maar wezenloos naar mijn patiënte staren, totdat ik door een in de verte opklinkend gesuizel tot mezelf werd gebracht. Met een ruk ging ik tot handelen over toen het tot me doordrong wat dat was. Het geluid van stemmen, massa's stemmen, dat steeds krachtiger werd.

Nog voordat ik de deur open had gegooid om me ervan te vergewissen, wist ik dat het geluid van de kant van het kasteel kwam. De menigte stroomde al toe en ik zag de eerste dunne vingers van de dageraad aan de hemel. Er viel geen tijd meer te verliezen en ik had geen enkele andere mogelijkheid meer, dus ik kon mijn taak geen seconde meer uitstellen.

Ik bracht mijn instrumenten in gereedheid voordat ik vrouw Blundy wakker maakte en legde de pennen en de linten en het lange, zilveren buisje zo neer dat ik ze met één hand kon hanteren. Ik deed mijn jas uit, stroopte mijn mouw op en zette het krukje zo dicht mogelijk bij het bed.

Toen maakte ik haar wakker. 'Zo, mevrouw,' zei ik, 'we moeten aan het werk. Hoort u mij?'

Zij staarde naar de zoldering en knikte. 'Ik hoor u, dokter, en ik beveel mij in uw handen. Is uw vriend gekomen? Ik kan hem niet zien.'

'We moeten zonder hem te werk gaan. Maar dat zal geen verschil maken. U moet bloed hebben, en gauw ook; waar het vandaan komt, is niet belangrijk. Zo, geeft u mij uw arm.'

Het was veel moeilijker dan de eerste keer; omdat ze zo uitgeteerd was, bleek het waanzinnig lastig om een geschikte ader te vinden, en ik verspilde heel wat tijd door de pen wel vijf keer in haar arm te steken en hem er weer uit te halen voordat ik tevreden was. Ze verdroeg het geduldig, als merkte ze ternauwernood wat er gebeurde en voelde ze niets van de stekende pijn waaraan ik haar in mijn haast onderwierp. Toen bracht ik mezelf in gereedheid: ik sneed me in mijn vlees en stak de pen zo vlug als ik maar kon naar binnen terwijl haar bloed langs haar arm sijpelde.

Toen het bloed eenmaal onbelemmerd en gestaag uit mijn arm vloeide, ging ik er beter bij zitten, pakte het zilveren buisje en stak dat in de pen. Het bloed vloeide er snel doorheen en spoot er aan de andere kant in een warme, rode straal uit die de dekens onderspatte, terwijl ik mijn best deed het buisje vlak voor de pen in haar arm te krijgen.

Toen was het voor elkaar, de verbinding was tot stand gebracht en toen ik zag dat er geen obstakels in de weg zaten, begon ik te tellen. Vijftien minuten, dacht ik, en ik slaagde erin de oude vrouw een glimlach te schenken. 'Bijna klaar,' zei ik. 'Nu komt alles goed met u.'

Zij glimlachte niet terug en ik bleef tellen; ik voelde het bloed al pulserend uit me wegstromen en deed mijn uiterste best om stil te blijven zitten. Naarmate de seconden verstreken, nam het lawaai van de kant van het kasteel op de achtergrond almaar in volume toe. Toen ik bijna tien minuten had zitten tellen, barstte er een enorm gebrul los, dat vervolgens wegebde tot het doodstil was. Ik trok de pennen uit onze armen en verbond de wonden om het bloeden te stelpen. Dat viel niet mee; in mijn eigen arm had ik een grote ader aangeboord en ik verloor nog steeds meer bloed voordat ik de wond met een verband had kunnen afsluiten; het bloed bleef er echter doorheen sijpelen en had al een grote vlek teweeggebracht voordat ik zeker wist dat ik succes had gehad.

Toen was ik klaar en er viel niets meer voor me te doen. Ik haalde eens diep adem om te proberen het duizelige gevoel in mijn hoofd te verjagen, en intussen stopte ik mijn instrumenten weer in mijn tas, almaar hopend dat ik er op tijd bij was geweest. Toen begon het lawaai van de kant van het kasteel opnieuw, en ik draaide me om en keek naar mijn patiënte. Haar lippen hadden een blauwige kleur aangenomen, zag ik, en terwijl de trommels in de verte roffelden, pakte ik haar hand en zag dat de vingers ook een andere kleur hadden gekregen. Het tromgeroffel werd steeds intenser en zij begon te schokken en het uit te schreeuwen van de martelende pijn en vertwijfeld naar adem te snakken. Het gebrul van de menigte nam in kracht toe en werd welhaast oorverdovend, en zij kromde haar rug en riep met een krachtige, heldere stem waarin geen spoor van angst of pijn meer doorklonk: 'Sarah! Mijn god! Wees mij genadig.'

Toen stilte. Het lawaai van de kant van het kasteel hield op; aan het rochelende, verstikte geluid in de keel van de magere vrouw kwam een einde en ik wist dat ik de hand van een lijk vasthield. Alleen een plotselinge, reusachtige donderslag en het geluid van hevige regen die op het dak begon te kletteren hielden me gezelschap.

Ik was te laat geweest; de levensgeesten van de dochter waren met zo'n kracht en geweld uit haar lichaam gerukt dat dit verzwakte lichaam dat niet had verdragen; de moeder was erdoor van het leven beroofd. Mijn bloed had niet genoeg tijd gekregen om haar de kracht te verschaffen die ze nodig had. Mijn eigen besluiteloosheid en Lowers verzuim hadden al mijn inspanning tenietgedaan.

Ik weet niet hoelang ik daar met haar hand in de mijne ben blijven zitten, nog hopend dat ik me had vergist en dat zij alleen maar in onmacht was gevallen. Vagelijk was ik me bewust van nog meer tumult van de kant van het kasteel, maar ik lette er niet erg op. Toen drukte ik haar de ogen toe, kamde heur haar en trok de miserabele dekens zo goed mogelijk recht. Ten slotte knielde ik, hoewel zij niet hetzelfde geloof had beleden als ik en mij misschien wel zou hebben veracht om mijn pogingen, bij het bed neer om voor beider ziel te bidden. Ik geloof dat ik ook voor mezelf heb gebeden.

⚬⚬⚬

Vermoedelijk heb ik dat ellendige huisje zo'n uur later voor de laatste keer verlaten. Ik was niet in de stemming om Lower verwijten te maken; veeleer bespeurde ik een felle en overstelpende honger die zich mengde met mijn wanhoop, en daarom ging ik naar een taveerne om voor het eerst sinds bijna een hele dag iets te eten. Terwijl ik daar zo zat, helemaal opgaand in mijn misère en mijn gedachten, luisterde ik met een half oor naar de gesprekken die aan alle kanten om me heen gevoerd werden; die klonken opgewekt en vrolijk en waren zo tegenovergesteld aan mijn gevoelens dat ik me meer dan ooit een vreemdeling voelde.

Op dat ogenblik had ik een gloeiende hekel aan de Engelsen vanwege hun ketterse geloof en de manier waarop ze een terechtstelling tot een feestelijk gebeuren maakten door die op de marktdag uit te voeren, zodat de kooplui er garen bij sponnen. Ik walgde van hun bekrompenheid en die overtuigdheid van hun eigen gelijk; ik haatte Lower vanwege zijn opvliegendheid en de manier waarop hij me had gehoond en verraden en in de steek gelaten. En ter plekke nam ik me voor dit vreselijke stadje en dit naargeestige, wrede land te verlaten. Ik had hier niets meer te zoeken. Ik had mijn patiënte en zij was dood. Ik had mijn opdracht van mijn vader, maar die was zinloos. Ik had mijn vrienden, maar die, zo bleek nu, waren toch geen vrienden meer van me. Het was tijd om te vertrekken.

Dankzij dit besluit voelde ik me wat beter. Desnoods kon ik binnen een dag mijn bezittingen bij elkaar pakken en vertrekken, maar eerst, besefte ik, diende ik iemand op de hoogte te stellen van het overlijden van vrouw Blundy. Ik wist niet precies wat er nu met haar stoffelijk overschot moest gebeuren, maar ik was vastbesloten dat zij geen armenbegrafenis zou krijgen. Ik zou Lower vragen me deze ene laatste dienst nog te bewijzen, het geld aan te nemen dat ik nog net bezat en erop toe te zien dat ze met de nodige ceremoniën ter aarde werd besteld.

Dit besluit bracht me weer tot mezelf, of misschien kwam dat doordat ik wat had gegeten en gedronken. Ik hief mijn hoofd op en kreeg nu pas oog voor alles wat er om me heen gebeurde. En besefte dat men het over de terechtstelling had.

Ik kon niet precies vaststellen wat er was gebeurd, maar het was duidelijk dat de gebeurtenis met een of ander schandaal gepaard was gegaan; toen ik

Wood ergens in een hoekje zag zitten, vroeg ik hem bijgevolg hoe het met hem ging en of hij ook wist wat er was gebeurd.

We hadden elkaar tot dan toe pas een paar keer ontmoet en het was ongetwijfeld onbeleefd van me om hem aan te spreken, maar ik wilde zo verschrikkelijk graag weten wat er was gebeurd, en Wood was er maar al te zeer op gebrand mij het verhaal te vertellen.

Zijn ogen schitterden van genoegen om het schandaal, en met een wel bijzonder ongepast air van onderdrukte opwinding vroeg hij me bij hem te komen zitten, zodat hij me alles kon vertellen.

'Is het gebeurd?' vroeg ik.

Ik dacht dat hij misschien gedronken had, al was het nog vroeg, want hij lachte uitbundig om mijn vraag. 'O ja,' zei hij. 'Het is zeker gebeurd. Zij is gestorven.'

'Dat spijt me voor u,' zei ik. 'Werkte zij niet voor uw familie? Dat moet heel akelig zijn geweest.'

Hij knikte. 'O ja. Vooral voor mijn arme moeder. Maar het recht moet zijn loop hebben, en dat is geschied.' Weer lachte hij, en ik had zin om hem een klap te geven vanwege zijn harteloosheid.

'Is ze waardig gestorven? Vertelt u mij dat,' vroeg ik. 'Ik voel me van streek, want de moeder van het meisje is zojuist ook gestorven, en ik heb haar bijgestaan in haar laatste ogenblikken.'

Merkwaardig genoeg werd hij hier erg door getroffen, veel erger dan door de terechtstelling van zijn eigen dienstmeisje. 'Dat is heel droevig,' zei hij zacht, plotseling volkomen nuchter. 'Ik heb haar gekend en ik vond haar een interessant en zachtaardig iemand.'

'Vertelt u mij toch alstublieft,' herhaalde ik, 'wat er gebeurd is.'

En Wood stak van wal. Hoezeer het verhaal inmiddels was opgesmukt, het bleef een ontstellende geschiedenis, die iedereen die er een rol in had gespeeld, tot oneer strekte, behalve dan Sarah Blundy zelf, die zich als enige waardig en onberispelijk had gedragen. Naar Woods zeggen hadden alle anderen zich te schande gemaakt.

Hij zei dat hij even voor vieren naar het voorplein van het kasteel was gekomen om zich van een goed uitzicht te verzekeren. Hij was beslist niet de eerste geweest, en als hij maar een halfuur later was gekomen, dan had hij het grootste gedeelte van wat er was gebeurd niet kunnen volgen. Al lang voordat de plechtigheid begon, stond het voorplein stampvol met ingetogen, sombere mensen die allen naar de boom keken waar het touw, dat aan een sterke tak was bevestigd, al uit hing; een ladder was tegen de stam gezet. Enkele tientallen meters verderop hielden de cipiers de mensen op een afstand van de brandstapel die het lijk van het meisje later moest verteren. Sommige mensen namen graag een stuk hout mee bij wijze van aandenken en anderen om zich er thuis aan te warmen, en bij verschillende gelegenheden in het verleden was de voltrekking van zo'n straf al uitgesteld omdat er zoveel hout was meegenomen dat het lijk niet verbrand had kunnen worden.

Op het ogenblik dat het eerste licht zich had vertoond, was er ergens een deurtje opengegaan en een zwaar geketende Sarah Blundy, wier haar op haar achterhoofd bij elkaar was gebonden, was rillend in een dun katoenen hemd naar buiten geleid. De menigte toeschouwers, zei hij, was helemaal stil geworden bij die aanblik, want ze was een bekoorlijk meisje en het was bijna niet te geloven dat iemand met zo'n frêle voorkomen zo'n vreselijke straf kon verdienen.

Toen had Lower zich naar voren gedrongen en de beul een paar woorden toegefluisterd, waarna hij een beleefde nijging had gemaakt voor het meisje, dat nu naar voren werd geleid.

'Heeft ze nog iets gezegd?' vroeg ik. 'Heeft ze nog eens schuld bekend?' Merkwaardig genoeg vond ik het op dat ogenblik belangrijk om te horen dat zij werkelijk schuldig was. Haar bekentenis in de gerechtszaal had mij erg gerustgesteld, want dat was het laatste dat ik nog wilde weten: geen mens bekent een zo zware misdaad als hij niet schuldig is, want daarmee laat je alle hoop op leven varen. Dat staat gelijk met zelfmoord, de ergste zonde die er bestaat.

'Dat geloof ik niet,' zei hij. 'Maar ik kon niet alles horen. Ze praatte heel zacht, en hoewel ik er vlakbij stond, kon ik het meeste niet verstaan. Maar zij erkende dat zij een van de ergste zondaren ter wereld was en zei dat ze om vergeving bad, hoewel ze wist dat ze die niet verdiende. Het was een korte toespraak, die in goede aarde viel. Toen bood een predikant uiteraard aan om samen met haar te bidden, maar ze wees hem af en zei dat ze niets van zijn gebeden wilde weten. Hij hoort tot die nieuwe geestelijken die door de koning zijn aangesteld en houdt er heel andere opvattingen op na dan Sarah en haar familie. Dat veroorzaakte natuurlijk weer enige opschudding. Sommige toeschouwers joelden afkeurend, maar een flink aantal – vooral de ruwere klanten – prees haar vanwege haar moed.'

Dit was niets ongewoons, vertelde hij. Het was de taak van de Kerk op zulke ogenblikken op de voorgrond te treden en het sprak vanzelf dat het de veroordeelde vrijstond – tenslotte had deze toch bijna niets te verliezen – nog een laatste uitdagend gebaar te maken als die daar lust toe had. Sarah bad alleen, op haar knieën in de modder en met een kalmte en waardigheid die de menigte toeschouwers een welwillend gemompel ontlokte. Toen stond ze op en knikte naar de beul. Haar handen werden vastgebonden en ze werd de ladder op geholpen tot haar hals zich op dezelfde hoogte bevond als het touw. Daar werd ze door de beul tegengehouden en hij begon de strop te knopen.

Zij bewoog haar hoofd even heen en weer om het zich zo gemakkelijk mogelijk te maken, en toen was het zover. Ze had geweigerd haar hoofd op wat voor wijze dan ook te laten verhullen of bedekken en de menigte viel stil toen ze haar haar ogen zagen sluiten en haar lippen bewegen, zodat de naam van God de laatste klank zou zijn die haar over de lippen kwam. Toen begonnen de tamboers aan hun roffel en aan het eind daarvan duwde de beul haar zonder plichtplegingen van de ladder.

Daarop was het onweer losgebarsten en binnen een paar minuten stond het hele terrein onder een laag modderwater; de stortbui was zo hevig dat het bijna onmogelijk was geweest te zien wat er gebeurde.

Wood zweeg even om nog een slok te nemen. 'Ik heb een hekel aan terechtstellingen,' zei hij, en hij veegde zijn mond af aan zijn mouw. 'Ik ga er natuurlijk wel naar kijken, maar ik heb er heus een hekel aan. Ik ken ook niemand die er anders over denkt, of daartoe in staat is wanneer hij er eenmaal eentje heeft gezien. Die manier waarop het gezicht vertrekt en de tong naar buiten komt, is zo verschrikkelijk dat je begrijpt waarom ze er doorgaans op staan dat het hoofd bedekt wordt. En dan die lucht, en die rukkende en trekkende armen en benen.' Hij huiverde. 'Laat ik erover ophouden. Want het heeft niet lang geduurd, en toen het gebeurd was, stortte Lower zich naar voren en liet haar lossnijden. Wist u dat hij het lijk had gekocht en iets van een regeling met de rechter had getroffen, zodat híj het in handen zou krijgen en niet de hoogleraar?'

Ik knikte. Zoiets moest hij volgens mij inderdaad hebben gedaan.

'Het is op de meest verschrikkelijke manier toegegaan, want de universiteit had ervan gehoord en de hoogleraar geneeskunde meende dat er afbreuk werd gedaan aan zijn privileges. Vandaar dat hij ook was komen aanzetten, om op te eisen wat hem rechtens toekwam. Er ontstond een handgemeen in de modder. U zult het niet geloven. Twee ordehandhavers van de universiteit die op de vuist gingen om het lijk in de wacht te slepen, op afstand gehouden door een stuk of vijf vrienden van Lower, die Locke zei hem te helpen het lijk op te tillen en van het voorplein te dragen. Ik geloof niet dat veel mensen precies in de gaten hadden wat er gaande was, maar degenen die het wel zagen, werden woedend en begonnen met stenen te gooien. Er was vast een rel ontstaan als de meeste mensen zich niet door de regen hadden laten verdrijven.'

Ik denk dat dit de genadeslag voor mijn vriendschap met Lower is geweest. Ik wist wel wat hij zou zeggen: dat een lijk een lijk was; maar zijn optreden had iets gevoelloos, dat mij met weerzin vervulde. Ik geloof dat dat kwam doordat hij mij in de steek had gelaten om zijn eigen carrière te bevorderen, en dat hij, voor de keus gesteld mij behulpzaam te zijn bij de behandeling van de moeder of de dochter in de wacht te slepen om haar te kunnen ontleden, tot dat laatste had besloten. Nu zou hij zijn boek over de hersenen afkrijgen, dacht ik grimmig. Mocht het hem vooral tot voordeel strekken.

'Dus Lower kreeg zijn zin?'

'Niet helemaal. Hij heeft het lijk meegenomen naar het huis van Boyle en wordt daar nu min of meer belegerd. De ordehandhavers van de universiteit hebben zich bij de magistraat beklaagd en gezegd dat als zij het lijk niet mogen hebben, een ander het ook niet mag krijgen. De magistraat is nu van gedachten veranderd en eist het terug. Lower heeft tot dusver geweigerd het af te staan.'

'Waarom?'

'Omdat hij, denk ik, bezig is het lijk te ontleden zoveel hij maar kan in de tijd die hem vergund wordt.'

'En Boyle dan?'

'Die is gelukkig in Londen. Hij zou het verschrikkelijk vinden om tegen zijn zin bij zo'n affaire betrokken te raken.' Hij stond op. 'Ik ga naar huis. Als u mij zou willen verontschuldigen...'

Ik pakte me zo goed mogelijk in en trotseerde de regen om via High Street naar het huis van de apotheker te lopen. Daar hield Crosse samen met de jongen die hij in dienst had voor het mengen van de bestanddelen der geneesmiddelen, de wacht voor de deur, en vastberaden zag hij erop toe dat er niemand binnenkwam tenzij Lower daar toestemming toe had gegeven. Dat gold ook voor mij. Ik kon het niet geloven toen hij zijn hand tegen mijn borst hield en zijn hoofd schudde. 'Het spijt me oprecht, mijnheer Cola,' zei hij. 'Maar hij is onvermurwbaar. U noch een van de andere heren hier mag hem bij zijn werkzaamheden onderbreken.'

'Dat is ongehoord!' riep ik uit. 'Wat gebeurt daar?'

Crosse haalde zijn schouders op. 'Ik geloof dat mijnheer Lower ermee heeft ingestemd dat hij het lijk aan de beul zal teruggeven, zodat het in overeenstemming met het vonnis kan worden verbrand. Zolang die heer niet komt opdagen, ziet hij geen reden waarom hij niet de onderzoekingen zou uitvoeren die hij nuttig acht. Hij heeft maar heel weinig tijd, vandaar dat hij onder geen beding wenst te worden gestoord. Ik weet zeker dat hij onder normale omstandigheden blij was geweest met uw medewerking.' Hij voegde eraan toe dat het hem droevig had gestemd wat hem over onze onenigheid ter ore was gekomen, en dat hij zich nog steeds als mijn vriend beschouwde. Dit was een vriendelijk gebaar.

En dus moest ik, als de eerste de beste burger, blijven staan wachten tot het Lower behaagde mij te ontvangen, al bewees Crosse mij ten slotte de gunst me toe te staan binnen te wachten, zodat ik niet buiten op en neer hoefde te stampen totdat de beul zijn buit kwam opeisen.

Toen kwam Lower naar beneden; hij zag er moe en afgetobd uit, en zijn handen en voorschoot zaten nog onder het bloed. Toen de menigte hem binnen ontwaarde, voer er een lichte schok door de groep.

'Bent u bereid zich te voegen naar het bevel van de magistraat?' vroeg de beul.

Lower knikte, maar greep de beul bij de mouw toen die aanstalten maakte om met zijn helpers naar boven te gaan.

'Ik ben zo vrij geweest een kist voor het lijk te bestellen,' zei hij. 'Het zou niet netjes zijn haar in deze toestand naar buiten te dragen. De kist zal hier zo zijn; u kunt beter nog even wachten.'

De beul verzekerde hem dat hij in zijn leven al vele gruwelijke dingen had aanschouwd en dat hij hier ook geen last van zou hebben. 'Ik dacht eigenlijk aan de toeschouwers,' zei Lower toen de beul de trap opliep. Lower volgde hem, en daar er niemand was om mij tegen te houden, volgde ik Lower.

Eén blik en de beul veranderde van gedachten; hij werd zelfs lijkbleek van wat hij nu zag. Want Lower had het precieze vakmanschap dat zijn ontledingen anders altijd kenmerkte ditmaal geheel laten varen. In zijn haast om de organen die hij voor zijn werkzaamheden moest hebben eruit te halen, had hij het lijk in vier stukken gesneden en het met woest geweld opengekliefd; het hoofd had hij verwijderd en opengezaagd om de hersenen eruit te halen, waarbij hij het gezicht er in zijn haast had afgerukt, en de stukken en brokken had hij achteloos op een stuk jute op de grond gegooid. Die mooie, prachtige ogen, die mij de eerste keer toen ik haar zag zo hadden bekoord, waren uit de kassen gerukt; pezen en spieren hingen uit de armen als waren die door een wild beest onder handen genomen. Her en der slingerden met bloed besmeurde messen en zagen, en verder plukken van het lange, donkere, glanzende haar dat hij eraf had gesneden om bij de schedel te komen. Overal lagen stinkende plassen bloed. Een grote emmer bloed dat hij haar had afgetapt, stond in een hoek naast een stel glazen potjes, gevuld met zijn trofeeën. En de lucht was onbeschrijflijk.

Ergens in een hoek lag het katoenen hemd dat zij aan had gehad in elkaar gefrommeld, bevlekt en besmeurd als gevolg van haar laatste beproeving.

'Goeie god!' riep de beul uit, en vol afgrijzen keek hij Lower aan. 'Dit zou ik nu mee naar buiten moeten nemen en aan de menigte laten zien. Dan zou u samen met haar op de brandstapel belanden, en dat is zonder meer wat u verdient.'

Lower haalde vermoeid en onverschillig zijn schouders op. 'Dit dient het algemeen belang,' zei hij. 'Ik voel me niet gedwongen me te verontschuldigen, tegenover u noch tegenover anderen. U en die onnozele magistraat zouden zich moeten verontschuldigen. Ik niet. Als ik meer tijd had gehad...'

Ik stond in een hoek en voelde de tranen opwellen, zo vermoeid en droevig stemde het me al mijn hoop en vertrouwen de bodem ingeslagen te zien. Ik kon niet geloven dat deze man, die ik mijn vriend had genoemd, op zo'n harteloze manier te werk had kunnen gaan, dat hij een kant van zichzelf had laten zien die hij tot dan toe zo goed verborgen had gehouden. Ik houd er geen sentimentele opvattingen over het lichaam op na wanneer de ziel er eenmaal uit is weggevlogen; ik ben van mening dat het gepast en volstrekt eerbaar is er gebruik van te maken voor wetenschappelijke doeleinden. Maar dat dient wel met een nederige instelling te geschieden, met respect voor iets wat naar Gods beeld is geschapen. Om er zelf beter van te worden had Lower zich tot het peil van een slager verlaagd.

'Zo,' zei hij, mij nu voor het eerst aankijkend, 'wat voert u hier uit?'

'De moeder is gestorven,' zei ik.

'Dat doet me verdriet.'

'En terecht, want dat komt door u. Waar was u gisteravond? Waarom bent u niet gekomen?'

'Het zou toch niets hebben geholpen.'

'Dat zou het wel,' zei ik. 'Als zij maar genoeg levensgeesten had gehad om die van haar dochter af te zwakken. Ze stierf zodra haar kind was opgehangen.'

'Onzin. Pure, onwetenschappelijke, bijgelovige onzin,' zei hij, op stang gejaagd door mijn vaste verlangen hem onder het oog te brengen wat hij had gedaan. 'Dat weet ik zeker.'

'Dat weet u niet. Het is de enige verklaring. U bent verantwoordelijk voor haar dood en ik kan u dat niet vergeven.'

'O, dan niet,' zei hij kortaf. 'Klampt u zich maar vast aan die verklaring van u en aan mijn verantwoordelijkheid, als u dat zo graag wilt. Maar komt u mij op dit ogenblik niet lastigvallen.'

'Ik wens uw redenen te vernemen.'

'Gaat u weg,' zei hij. 'Ik ben niet van plan u redenen of verklaringen te geven. U bent hier niet meer welkom, mijnheer. Gaat u weg, zeg ik. Mijnheer Crosse, zou u deze buitenlandse heer uitgeleide willen doen?'

～

De redekaveling ging nog iets langer door, maar in wezen waren dit de laatste woorden die hij tot mij heeft gesproken. Sindsdien heb ik nooit meer iets van hem vernomen, en daarom kan ik nog steeds niet verklaren hoe zijn vriendschappelijke houding in een kwaadaardige heeft kunnen omslaan, en zijn edelmoedigheid in de grootst mogelijke wreedheid. Was de beloning zo hoog? Vierde hij zijn afkeer van zijn eigen daden bot op mij, om zo niet voor zijn eigen verkeerde gedrag te hoeven uitkomen? Maar er was één ding dat ik al spoedig zeker wist: dat hij niet was komen opdagen om mij met vrouw Blundy te helpen, was een moedwillige zet geweest. Hij had gewild dat mijn experiment zou mislukken, want dan kon ik niet beweren dat ik er succes mee had gehad.

Ik ben er nu vrijwel zeker van dat hij toen al wist wat hij zou gaan doen. Misschien dat hij toen al aan het stuk begonnen was dat een jaar later in de *Handelingen* van het Koninklijk Genootschap is verschenen. 'Een verslag van de transfusie van bloed' door Richard Lower, waarin hij nauwkeurig verslag deed van zijn samen met Wren uitgevoerde experimenten op honden; het werd gevolgd door een tweede stuk waarin hij een transfusie tussen twee mensen beschreef. En hoe edelmoedig erkende hij toch de hulp die hij van Wren had gekregen. Hoe openlijk verklaarde hij dat hij veel aan Locke te danken had. Wat een heer was hij toch.

Maar geen woord over mij, en ik weet nu zeker dat Lower zich al had voorgenomen dat hij geen woord van erkentelijkheid aan mij zou besteden. Alles wat hij in het verleden had gezegd over andere mensen die net eerder waren erkend dan hij, over buitenlanders en zijn afkeer van al die lieden, kwam nu weer bij me boven en ik besefte dat iemand die minder naïef was dan ik, al veel eerder op zijn hoede zou zijn geweest.

Maar ik vind het nog steeds schokkend dat hij bereid was zover te gaan om mij mijn faam te ontstelen, want om ervoor te zorgen dat mijn aanspraken niet in overweging zouden worden genomen, verspreidde hij lelijke verhalen over me onder zijn vrienden: hij zei dat ik een charlatan was, een dief en een nog ergere bedrieger. Men geloofde dat hij er op het nippertje in was geslaagd mij te beletten zijn idee te stelen in plaats van andersom, en dat hij het geluk had gehad dat mijn dubbelhartigheid op het laatste ogenblik aan het licht was gekomen.

Ik verliet Oxford diezelfde dag nog, reisde naar Londen en een week later ging ik scheep op een Engelse koopvaarder naar Antwerpen, waar ik vervolgens een schip vond dat me naar Livorno bracht. In juni was ik weer thuis. Ik heb mijn land nooit meer verlaten en de wijsbegeerte heb ik al tijden geleden laten varen voor de respectabeler bezigheden van een heer van stand; nog steeds vind ik het pijnlijk om in gedachten terug te keren naar die duistere, vreselijke tijden.

Eén laatste ding heb ik echter nog verricht voordat ik vertrok. Lower kon ik het niet vragen, dus ging ik bij Wood langs, die nog steeds bereid was mij te ontvangen. Hij vertelde me dat Sarahs stoffelijk overschot die middag, toen ik mijn bullen pakte, was verbrand en dat alles nu eindelijk achter de rug was. Alleen hij en de beul hadden bij de brandstapel gestaan, en die had wild en woest opgelaaid. Het had hem pijn gedaan om erbij te zijn, maar hij had gemeend dat hij haar die laatste dienst verschuldigd was.

Ik gaf hem een pond en vroeg hem voor de begrafenis van vrouw Blundy te zorgen, zodat haar een massagraf bespaard zou blijven.

Hij stemde ermee in dat hij die zorg op zich zou nemen. Ik weet niet of hij woord heeft gehouden.

De grote opdracht

De Waandenkbeelden van de Grot zijn de
Waandenkbeelden van iedere Mens afzonderlijk; allen
hebben wij onze eigen Spelonk, die het Licht van de
Natuur van Richting en Aard doet veranderen als Gevolg
van de verschillende Gewaarwordingen die zich voordoen
in een bevooroordeelde of vooringenomen Geest.

Francis Bacon, *Novum Organum Scientarum*
Deel II, Aforisme V

I

HET IS IETWAT VERBAZINGWEKKEND, enigszins gênant zelfs, te merken
dat je je amper de gezichten en feiten meer herinnert die als een stel geesten
uit de nevelen van een ver verleden opdoemen. Dat is namelijk iets wat mij
is overkomen toen ik een manuscript las, geschreven door dat merkwaardige Venetiaantje Marco da Cola en mij onlangs toegestuurd door Richard
Lower. Ik had nooit vermoed dat hij zo'n formidabel, zij het ook selectief
geheugen had. Misschien dat hij steeds aantekeningen heeft gemaakt, in de
verwachting dat hij daar na zijn terugkeer zijn landgenoten mee zou vermaken. Zulke herinneringen van reizigers zijn hier heel geliefd; wie weet
geldt hetzelfde voor de Venetianen, hoewel ik hoor dat zij een bekrompen
volkje zijn, ervan overtuigd dat niets dat zich meer dan tien mijl van hun
stad vandaan bevindt, de moeite waard is.

Dit manuscript was, zoals ik al zei, een verbazingwekkend geval, zowel
de aankomst ervan als de inhoud, want al geruime tijd had ik niets meer
van Lower vernomen. Wij verkeerden min of meer in dezelfde kringen, hij
en ik, toen we allebei in Londen aan onze carrière werkten, maar daarna
scheidden zich onze wegen. Ik deed een goed huwelijk, met een vrouw die
nog flink wat toevoegde aan mijn bezit, en begon om te gaan met personen
uit de hoogste kringen. Terwijl Lower op de een of andere manier bleef steken, omdat hij verzuimde zich geliefd te maken bij degenen die het beste in
staat waren hem vooruit te helpen. Ik weet niet hoe dat kwam. Hij had
bepaald iets kribbigs, een eigenschap die een dokter niet siert, en misschien
had hij zijn hoofd te veel bij zijn wijsbegeerte in plaats van bij zijn beurs om
zich in de wereld te onderscheiden. Maar dankzij mijn trouw en verdraagzaamheid telt hij de familie Prestcott althans nog onder zijn weinige
patiënten.

Ik begrijp dat Lower Cola's woorden inmiddels ook al naar Wallis heeft
gestuurd, al is die langzamerhand ook oud en blind, en nu dagelijks diens

mening verwacht. Ik kan me wel voorstellen hoe die zal uitvallen: Wallis *triumphans*, of een variatie daarop. Dat ik de moeite neem een waarheidsgetrouwe versie van de gebeurtenissen te geven, dient alleen om de zaak recht te zetten. Het zal een niet geheel en al samenhangend relaas worden, daar ik vaak word onderbroken door allerlei zakelijke beslommeringen, maar ik zal mijn best doen.

Allereerst moet ik stellen dat ik Cola heel graag mocht; hij maakte een lompe indruk, maar zelf verbeeldde hij zich dat hij een *galant* was, en gedurende zijn korte verblijf in Oxford was hij dankzij zijn opzichtige kledij en het spoor van parfum dat hij trok, een enigszins vermakelijke figuur. Voortdurend draaide hij kleine pirouettes en maakte hij nijgingen en ongerijmde plichtplegingen, heel anders dan de meeste Venetianen, die zich, begrijp ik, meestal juist op hun ernst beroemen en met een scheef oog naar de Engelse uitbundigheid kijken.

Ik wil niet beweren dat ik iets van zijn woordenwisseling met Lower begrijp; hoe mensen slaags kunnen raken vanwege zulke beuzelarijen, ontgaat me. Het heeft toch heus iets onwaardigs wanneer twee heren van stand ruziemaken over het recht als de beste ambachtsman van hen tweeën gezien te worden; Lower heeft er nooit iets over tegen me gezegd en ik kan niet beoordelen of er al of niet sprake is van iets waar hij zich voor moet schamen. Maar los van deze venijnige en malle geschiedenis: die Venetiaan had heel wat lofwaardige eigenschappen, en het is jammer dat ik hem niet in ongedwongener omstandigheden heb ontmoet. Ik wilde wel dat ik nu eens met hem kon praten, want ik zou hem heel wat willen vragen. In de eerste plaats begrijp ik niet waarom hij – en dat is zijn opvallendste verzuim – nergens in zijn terugblik vermeldt dat hij mijn vader had gekend. Dat is vreemd, want de paar keer dat we elkaar hebben ontmoet, hebben we het veel over mijn vader gehad en hij liet zich dan in hartelijke bewoordingen over hem uit.

Aldus luidt mijn oordeel over de Venetiaan: op grond van wat ik van hem heb af geweten. Ik vermoed dat doctor Wallis een ander beeld van hem zal schilderen. Ik heb nooit begrepen waarom die eerzame geestelijke zo'n afkeer van de man had, maar ik ben er aardig zeker van dat hij daar geen noemenswaardige reden toe had. Wallis was met een aantal vreemde obsessies behept, en natuurlijk ook met een enorme aversie jegens alle papen, maar vaak zat hij er eenvoudig volkomen naast, en dit was een van die gelegenheden.

Het is algemeen bekend dat doctor Wallis, voordat Newton hem in de schaduw stelde, als de voortreffelijkste wiskundige werd beschouwd die dit land ooit had voortgebracht, en die reputatie heeft zijn verborgen verrichtingen voor de regering en de kwaadaardige trekjes in zijn karakter gemaskeerd. Eerlijk gezegd heb ik nooit helemaal begrepen wat die twee toch voor geweldigs gepresteerd hebben: ik kan optellen en aftrekken om de boekhouding van mijn landgoed kloppend te krijgen, en ik kan op een paard wedden en mijn winst berekenen, maar ik kan niet inzien waarom een mens meer zou moeten weten. Iemand probeerde eens me de ideeën van Newton uit de doeken te doen, maar die hadden niet bijster veel om het lijf. Het bewijs dat dingen vallen, of zoiets. Omdat ik de dag daarvoor nog op een ongelukkige manier van mijn paard was getuimeld, antwoordde ik dat ik al wel genoeg bewijs op mijn achterste meedroeg. En wat de oorzaak aangaat: het was toch duidelijk dat de dingen vallen omdat God ze zwaar heeft gemaakt.

Maar hoe slim hij ook was op het gebied van dit soort kwesties, Wallis had er geen slag van iemands karakter te beoordelen en heeft vreselijke vergissingen begaan. Omdat die arme Cola een paap was en vertwijfeld zijn best deed bij iedereen in het gevlij te komen, nam Wallis aan dat daar een of ander sinister motief achter stak. Ik persoonlijk neem de mensen zoals ze zijn, en Cola heeft me nooit een haar gekrenkt. En dat hij een paap was – dat is zijn probleem; als hij verkiest in de hel te branden, dan kan ik niets ondernemen om hem te redden. In weerwil van zijn beminnelijke gedrag was het mij duidelijk dat Cola in heel wat opzichten een dwaas was, een levend voorbeeld van het verschil tussen geleerdheid en wijsheid. Ik houd er de theorie op na dat al te veel geleerdheid het verstand in verwarring brengt. Wanneer een mens er zoveel kennis in propt, dan vergt dat zoveel inspanning dat er niet genoeg ruimte overblijft voor het gezonde verstand. Lower was bijvoorbeeld een razend knappe man, maar heeft niets bereikt; terwijl ik, zonder noemenswaardige opleiding, een vooraanstaande positie heb bekleed, vrederechter ben en voorts parlementslid. Ik woon in dit enorme huis, speciaal voor mij gebouwd, en word omzwermd door domestieken, van wie sommigen zowaar mijn bevelen opvolgen. Een fraaie prestatie, lijkt me toch, voor iemand die, buiten zijn schuld, zo arm als een kerkrat is geboren en eens op het nippertje aan het lot van Sarah Blundy is ontsnapt.

Die jonge vrouw was namelijk een slet en een heks, ondanks haar mooie gezichtje en haar merkwaardige manier van doen, waardoor Cola zozeer werd bekoord. Nu ik een bedaagder leeftijd heb bereikt en dichter tot God ben genaderd, sta ik verbaasd van de roekeloosheid waarmee ik destijds mijn ziel in gevaar heb gebracht door met haar om te gaan. Daar ik echter een rechtvaardig man ben, moet ik nu de zuivere waarheid zeggen: wat haar andere misdaden ook mogen zijn geweest en hoezeer zij ook verdiende te sterven, Sarah Blundy heeft niet doctor Robert Grove vermoord. Dat weet ik heel zeker, want ik weet ook wie hem wel vermoord heeft. Als Cola wat bijbelvaster was geweest, dan had hij beseft dat het bewijs te vinden was in die aantekenboekjes van hem, die hij altijd bij zich had om er de woorden van anderen in te noteren. Hij vermeldt dat Grove tijdens het diner in New College een woordenwisseling had met Thomas Ken, die met de woorden 'Romeinen 8:13' de zaal uit stormde. Cola herinnerde zich die opmerking en tekende hem op, maar zag de reikwijdte ervan over het hoofd; trouwens, ook de betekenis van dat diner zelf zag hij over het hoofd, want hij heeft niet eens ingezien waarom hij eigenlijk uitgenodigd was. Wat staat er namelijk in die passage? In tegenstelling tot hem heb ik de moeite genomen dat op te zoeken, en de woorden bevestigden de mening die ik er al die jaren op na heb gehouden: 'Want indien gij naar het vleesch leeft, zoo zult gij sterven.' Mijn vriend Thomas was ervan overtuigd dat Grove inderdaad naar het vlees leefde, en een paar uur later is hij gestorven. Als ik niet beter had geweten, dan had ik dat als een opmerkelijke voorspelling bestempeld.

Ik wil graag geloven dat Thomas, voordat hij tot zijn daad overging, op ondraaglijke wijze was gekweld, want ik kende Groves eigenschappen en tekortkomingen maar al te goed. Zelf had ik als kind vreselijk te lijden gehad van zijn hatelijke opmerkingen; een van zijn taken in het huis van sir William Compton bestond er namelijk uit dat hij mij lesgaf, en hoewel ik hem goed genoeg kende om in te zien dat ik daar wel bij voer (zodra ik zo groot was dat ik niet langer door hem werd geslagen, want hij had reusachtig sterke armen), wist ik ook hoe kwetsend zijn geestigheden konden zijn. Thomas – arme, trage, eerlijke Thomas – was een al te gemakkelijk doelwit voor zijn uitvallen. Hij heeft mijn vriend zo vaak getreiterd dat ik bijna zou beweren dat Grove zelf zijn lot over zich heeft afgeroepen.

En ik? Ik moet nu verslag doen van mijn reizen, niet van eentje, maar van een heel aantal, alle ongeveer in dezelfde tijd ondernomen, toen ik succes en (hoe durf ik dat te zeggen?) mijn verlossing najoeg. Een gedeelte van wat ik ga zeggen is eigenlijk al bekend. Een gedeelte dat alleen mijzelf bekend is, zal grote consternatie teweegbrengen onder de atheïsten en spotters. Ik twijfel er niet aan dat wat ik nu ga zeggen, door ontwikkelde personen zal worden weggehoond, dat zij zullen lachen om mijn stijl, en de waarheid die in mijn verhaal steekt zullen negeren. Maar dat is hun zorg, want ik zal de waarheid vertellen, of ze dat nu op prijs stellen of niet.

2

HET IS MIJN WENS MIJN VERSLAG van alles wat er gebeurd is, in heldere bewoordingen te stellen en me niet op te houden met de malle stijl waaraan zogenaamde schrijvers die hun best doen zich valse roem te verwerven, zich te buiten gaan. God verhoede dat ik ooit de schande moet meemaken dat ik een boek het licht doe zien vanwege het geld, of dat iemand van mijn familie zich zozeer verlaagt. Hoe weet je ooit wie het zou kunnen lezen? Geen enkel waardevol boek is, dunkt me, ooit geschreven met het oog op geldelijk gewin; van tijd tot tijd zie ik me gedwongen naar iemand te luisteren die 's avonds bij wijze van tijdverdrijf voorleest, en over het algemeen vind ik dat alles volkomen ongerijmd. Al die ingewikkelde en vergezochte beeldspraak en verborgen betekenissen. Zeg wat je wilt zeggen en houd dan je mond, zo luidt mijn motto, en boeken zouden beter uitvallen – en een stuk korter – als meer mensen naar mijn raad luisterden. In een fatsoenlijk boek over het boerenbedrijf of over de kunst van het vissen steekt meer wijsheid dan in de vernuftigste van die wijsgeren. Als ik mijn zin kon doorzetten, dan zou ik dat hele stel bij het krieken van de dag op een paard zetten en ze een uur lang door bossen en velden laten galopperen. Dan zou al die onzin misschien voor een deel uit die benevelde breinen wegwaaien.

Ik zal mijn gedrag dus in een eenvoudige en onopgesmukte stijl uiteenzetten en ik schaam me niet wanneer ik zeg dat mijn relaas de uitdrukking zal vormen van mijn karakter. Ik verbleef in Oxford, daar ik voorbestemd was voor de balie, en ik was bestemd voor de balie omdat ik, hoewel ik de oudste en enige zoon in de familie was, zelf in mijn onderhoud zou moeten voorzien, zozeer waren wij als gevolg van vele tegenslagen in verval geraakt. De Prestcotts waren een heel oud geslacht, maar hadden tijdens de oorlogen veel te verduren gekregen. Mijn vader, sir James Prestcott, had zich bij de koning aangesloten toen die nobele heer in 1642 in Northampton tot opstand opriep, en gedurende de hele burgeroorlog heeft hij dapper gestreden. Dit bracht enorme kosten met zich mee, daar hij een heel peloton cavalerie uit eigen zak onderhield, en het duurde niet lang of hij zag zich genoodzaakt zijn land te verpanden om geld bij elkaar te krijgen, erop vertrouwend dat dat een verstandige investering in de toekomst was. In die eerste tijd wijdde niemand een serieuze gedachte aan de mogelijkheid dat de strijd op iets anders dan de overwinning zou uitlopen. Maar mijn vader en ettelijke anderen hadden geen rekening gehouden met de starre houding van de koning en met de almaar toenemende invloed van de fanatici in het parlement. De oorlog ging maar door, het land had te lijden en mijn vader werd steeds armer.

Het was een ramp toen Lincolnshire – waar het grootste gedeelte van het familiebezit lag – geheel en al in handen van de Rondkoppen viel; mijn moeder belandde korte tijd in de gevangenis en een groot gedeelte van onze inkomsten werd in beslag genomen. Zelfs dit bracht mijn vaders vaste overtuiging niet aan het wankelen, maar toen de koning in 1647 gevangen werd genomen, besefte hij dat de zaak verloren was, en hij verzoende zich zo goed en zo kwaad als het ging met de nieuwe heersers van het land. Naar zijn mening had de koning zijn koninkrijk door zijn eigen domheid en verkeerde zetten verspeeld, en viel daar verder niets meer aan te doen. Vader was min of meer aan de bedelstaf geraakt, maar hij had het strijdperk althans met eer beladen verlaten en verlangde ernaar zijn oude leven weer op te vatten.

Tot aan de terechtstelling. Op die verschrikkelijke winterdag in 1649 was ik pas zeven, maar dat bericht staat me nog altijd voor de geest. Ik denk dat iedereen die toen leefde, zich nog precies kan herinneren wat hij uitvoerde toen hij hoorde dat de koning voor het oog van een juichende menigte was vermoord. Er is tegenwoordig niets dat mij er zozeer van doordringt dat de jaren verstrijken, als een ontmoeting met een volwassen man die zich met de beste wil van de wereld niet de afschuw kan herinneren die dat bericht teweegbracht. In de hele geschiedenis van de mensheid had er zich nog nooit zoiets voorgedaan, en ik herinner me nog levendig hoe de lucht verdonkerde en de aarde sidderde onder de donderslagen toen de woede der hemelen zich op het land ontlaadde. Dagenlang bleef het regenen: de hemel zelf weende om het zondige gedrag van de mensheid.

Net als elk ander had mijn vader niet geloofd dat dit ooit zou gebeuren. Hij had het mis. Hij heeft altijd een te hoge dunk van zijn medemensen gehad; misschien dat dat zijn ondergang is geworden. Goed, een moord misschien; zulke dingen gebeurden. Maar een rechtszitting? Uit naam van de gerechtigheid de man terechtstellen die daar nu juist de bron van was?

De van God gezalfde als een misdadiger op een schavot leiden? Zo'n gods-lasterlijke, heiligschennende vertoning was niet meer aanschouwd sinds Christus zelf aan het kruis had geleden. Engeland was wel diep gezonken: nooit had iemand ook maar in zijn ergste nachtmerries kunnen bevroeden dat het land zo diep in de zwavelpoel zou wegzakken. Op dat ogenblik schonk mijn vader al zijn trouw aan de jonge Karel II en hij zwoer dat hij zijn leven zou wijden aan het streven hem op de troon te herstellen.

Dit gebeurde korte tijd voor mijn vaders eerste ballingschap en voordat ik uit huis werd gedaan om elders onderwezen te worden. Ik werd officieel naar zijn kamer geroepen en met enige schroom begaf ik me ernaartoe, omdat ik aannam dat ik me zeker misdragen had, want hij was geen man die zich veel aan zijn kinderen wijdde; hij had het te druk met belangrijker zaken. Maar hij begroette me vriendelijk en stond me zelfs toe te gaan zitten, waarna hij me vertelde wat er in de wereld was gebeurd.

'Ik zal het land voor enige tijd moeten verlaten om te proberen verbete-ring te brengen in onze levensomstandigheden,' zei hij. 'Je moeder heeft beslist dat jij naar mijn vriend sir William Compton gaat om onderricht te krijgen van huisonderwijzers, terwijl zij naar haar familie terugkeert.

Een ding moet je goed onthouden, Jack. God heeft dit land tot een koninkrijk gemaakt, en als wij daarvan afdwalen, dan dwalen we af van Zijn wil: wanneer je de koning dient, de nieuwe koning, dan dien je je land en God in gelijke mate. Wanneer je daar je leven voor geeft, dan is dat een bagatel, en wanneer je daar je fortuin voor geeft is dat een nog onbeduiden-der kleinigheid. Maar geef nooit je eer op, want die behoort niet jou toe. Die is net zoiets als jouw plaats in de wereld: een geschenk van de Heer dat ik voor jou beheer, en waar jij later weer voor jouw kinderen over moet waken.'

Ik was destijds pas zeven, en nog nooit had hij zo serieus met me gepraat. Ik trok een ernstig gezicht, voor zover een kind dat althans kan, en zwoer dat hij later alle reden zou hebben trots op mij te zijn. Bovendien slaagde ik erin niet te huilen, al herinner ik me nog duidelijk hoeveel moeite dat me kostte. Dat was vreemd; ik had mijn leven lang maar weinig contact gehad met hem en mijn moeder, en toch zag ik zijn naderende vertrek met grote schrik en neerslachtige gevoelens tegemoet. Drie dagen later verlieten hij en ik ons huis, en nooit zijn we er als de eigenaren in teruggekeerd. Mis-schien dat de beschermengelen die naar men zegt over ons waken, dat wis-ten en daarom droevige muziek ten gehore brachten, die mijn luisterende ziel treurig stemde.

Gedurende de nu volgende acht jaren viel er weinig voor mijn vader te doen. De grote zaak was verloren en mijn vader was trouwens toch te arm om iets te kunnen uitrichten. Hij verkeerde in zulke benarde omstandigheden dat hij genoopt was in zijn levensonderhoud te voorzien door als militair te velde te trekken, iets wat zoveel royalistische heren toen deden. Eerst ging hij naar de Nederlanden en daarna stelde hij zich in dienst van Venetië en trok op tegen de Turken; hij deed mee aan de langdurige, ellendige belegering van Candia op Kreta. Toen hij echter in 1657 terugkwam, werd hij een vooraanstaand lid van het groepje patriotten dat later bekend kwam te staan als het Verzegeld Verbond, en dat zich onvermoeibaar beijverde om Karel uit zijn ballingschap terug te halen. Hij stelde zijn leven in de waagschaal, maar deed dat met vreugde. Het zou hem zijn leven kunnen kosten, maar zelfs zijn ergste vijand zou erkennen dat hij een oprecht en eerlijk man was geweest.

Helaas, mijn goede vader had het mis, want naderhand werd hij van het laaghartigste verraad beschuldigd, en die kwaadaardige leugen heeft hij nooit uit de wereld kunnen helpen. Nooit heeft hij geweten wie hem heeft beschuldigd, of zelfs maar waar de beschuldiging uit bestond, en daarom kon hij zich niet verdedigen en de aantijging weerleggen. Uiteindelijk heeft hij Engeland opnieuw verlaten, uit zijn eigen land verjaagd door het kwaadaardige gesis van de kwaadsprekers, en voordat zijn naam van die schandvlek is gereinigd, is hij gestorven. Ik heb eens gezien hoe een paard op mijn landgoed, een nobel en indrukwekkend dier, horendol werd gemaakt door de niet-aflatende, kwaadaardige aanvallen van vliegen die om hem heen zoemden. Hij rende weg om aan zijn kwelgeesten te ontsnappen, al wist hij niet waar ze zaten; wanneer hij met zijn staart zwiepte om er eentje te verjagen, kwamen er tien voor terug. Hij rende naar de andere kant van een weiland, viel en brak zijn been, en ik zag hoe de bedrukte stalknecht hem voor zijn eigen bestwil afmaakte. Zo worden grote en machtige geesten door kleingeestige en minderwaardige creaturen ten val gebracht.

Ik was net achttien toen mijn vader in zijn eenzame ballingschap stierf, en dat heeft me voor het leven getekend. De dag dat ik de brief ontving waarin mij verteld werd dat hij in een armengraf was gelegd, werd ik aangegrepen door een hevig verdriet, maar meteen daarop maakte een wilde woede zich van mijn ziel meester. Een armengraf! Lieve hemel, ook nu nog bezorgen die woorden mij koude rillingen. Dat die moedige krijgsman, die allervoortreffelijkste Engelsman op zo'n manier had moeten eindigen, gemeden door zijn vrienden en in de steek gelaten door zijn verwanten, die niet eens zijn begrafenis hadden willen bekostigen, en verachtelijk bejegend door degenen voor wie hij alles had opgeofferd, was meer dan ik kon verdragen. Uiteindelijk heb ik gedaan wat ik kon; ik heb nooit de plek gevonden waar hij was begraven en kon daarom niets voor zijn stoffelijk overschot doen, maar ik heb het fraaiste gedenkteken van de hele graafschap in onze kerk voor hem laten oprichten, en iedereen die bij me komt, neem ik er mee naartoe om het hen te laten bekijken en hen daar over zijn lot te laten bespiegelen. Het heeft me een fortuin gekost, maar ik betreur geen duit die ik eraan heb uitgegeven.

Ik wist weliswaar dat mijn familie aan lagerwal was geraakt, maar het was nog niet tot me doorgedrongen hoe zwaar wij te lijden hadden gehad, want ik meende dat ik, op mijn eenentwintigste verjaardag, het volle eigendomsrecht zou ontvangen van de landgoederen van mijn vader, die zogenaamd met behulp van een heel aantal juridische kunstgrepen behoed waren voor plunderingen van de kant van de regering. Ik wist natuurlijk dat ik dat land met zoveel schulden bezwaard in handen zou krijgen dat het me jaren zou kosten mijn reputatie als heer van consideratie in de graafschap te vestigen, maar dat was een taak die ik met liefde op me wilde nemen. Ik was zelfs bereid het desnoods verscheidene jaren als advocaat vol te houden om de rijkdom te vergaren waar advocaten op zo'n gemakkelijke wijze aan komen. De naam van mijn vader zou dan tenminste voortleven. Het einde van een mens is enkel de dood, en die wacht ons mettertijd allemaal, en we weten dat we het voorrecht genieten dat onze naam en eer voortleven. Maar het einde van een landgoed is de echte ondergang, want een landloze familie stelt niets meer voor.

Jonge mensen zijn simpel en gaan ervan uit dat alles wel goed zal komen; het bereiken van de mannelijke jaren komt er deels op neer dat men leert dat Gods wegen niet licht te doorgronden zijn. De gevolgen van mijn vaders ondergang werden mij pas duidelijk toen ik de beslotenheid van een thuis verliet waar ik, al was ik er dan niet gelukkig geweest, althans steeds behoed was gebleven voor de klappen van de buitenwereld. Vervolgens werd ik naar Trinity College in Oxford gestuurd, hoewel mijn vader een Cambridgenaar was geweest, want mijn oom had vastgesteld dat ik daar niet welkom zou zijn. Die beslissing heeft me geen leed bespaard, daar ik vanwege mijn achtergrond in Oxford al evenzeer werd afgewezen en veracht als me dat in Cambridge zou zijn overkomen. Ik had geen vrienden, want niemand kon de verleiding van een wrede houding weerstaan, en ik kon geen enkele belediging over mijn kant laten gaan. Ook was ik niet in de gelegenheid met mijn eigen slag om te gaan, want hoewel ik als onafhankelijk heer was ingeschreven, stond mijn huichelachtige, geldbeluste oom me ternauwernood genoeg middelen af om me in staat te stellen althans als beursstudent te leven. Bovendien gunde hij me geen greintje vrijheid; ik was de enige van mijn stand wiens weinige geld helemaal opging aan zijn leermeester, en zelfs dat moest ik hem afsmeken; ik was onderworpen aan de regels voor een beursstudent en mocht de stad niet zonder toestemming verlaten; ik werd er zelfs toe gedwongen colleges bij te wonen, hoewel een heer geen onderwijs hoefde te volgen.

Ik geloof dat menigeen mij op grond van mijn optreden als een boerse figuur beschouwt, maar dat ben ik beslist niet; die jaren hebben me geleerd mijn verlangens en onlustgevoelens verborgen te houden. Ik ontdekte al gauw dat ik een heel aantal vernederende en eenzame jaren zou moeten doormaken en dat ik daar niet veel aan kon veranderen. Het is niets voor mij om vruchteloos storm te lopen tegen een situatie waar ik toch niets aan kan veranderen. Maar ik nam goede nota van degenen die zich harteloos gedroegen, en verzekerde mezelf dat hun grofheid hun mettertijd nog zou berouwen. En menigeen is het ook aldus vergaan.

Ik geloof trouwens niet eens dat ik de verleidingen van het leven in de hogere kringen erg miste. Mijn attenties zijn altijd vooral op mijn eigen familie gericht geweest, en gedurende mijn kinderjaren was ik amper voorbereid op betrekkingen met mensen van allerlei slag. De reputatie die ik verwierf was die van een nurkse, norse vent, en hoe krachtiger die doorzette, hoe meer ik tot een eenzaamheid werd veroordeeld die alleen verbroken werd door de uitstapjes die ik onder de burgerij van de stad ondernam. Ik raakte er heel bedreven in me te vermommen: mijn toga liet ik thuis en ik liep zo vol zelfvertrouwen als burger op straat dat ik nooit vanwege de onbetamelijkheid van mijn kledij door de ordebewaarders van de universiteit staande ben gehouden.

Maar ook deze uitstapjes kenden hun beperkingen, want met mijn toga legde ik ook mijn krediet af, zodat ik contant moest betalen voor mijn genoegens. Het verlangen naar verstrooiing overviel me gelukkig maar zelden. Meestal hield ik me onledig met mijn studie en ik troostte mezelf met zoveel mogelijk onderzoek naar belangrijker zaken. Ik werd echter zwaar teleurgesteld in mijn verwachting dat ik spoedig zoveel van mijn vak af zou weten dat ik geld kon gaan vergaren, want gedurende al die tijd die ik aan de universiteit heb doorgebracht, heb ik op dat gebied niets geleerd, en door mijn medestudenten werd ik vanwege die verwachting lichtelijk bespot. Wijsbegeerte van het recht kreeg ik te over. Ik werd overvoerd met canoniek recht en met de leerstellingen van Thomas van Aquino en Aristoteles. Ik maakte oppervlakkig kennis met het Corpus Juris Civilis en kreeg de kunst van het disputeren enigszins onder de knie. Maar ik keek vruchteloos uit naar onderricht in de manier waarop je een procedure aanspande aan het hooggerechtshof, hoe je een testament aanvocht of naar de beschikkingen van een executeur-testamentair informeerde.

Tijdens mijn rechtenstudie besloot ik tot de meer rechtstreekse revanche die mijn vader niet had kunnen afdwingen, want niet alleen dat zijn ziel dat eiste – ik beschouwde dat ook als verreweg de snelste manier om de materiële problemen van mijn familie te boven te komen: ik wist zeker dat wanneer Zijne Majesteit eenmaal overtuigd was van de onschuld van de vader, hij de zoon schadeloos zou stellen. Aanvankelijk dacht ik dat die taak me licht zou vallen: voordat hij was gevlucht, had mijn vader als zijn oordeel uitgesproken dat Cromwells secretaris van staat John Thurloe degene was die de lasterpraat over hem had rondgestrooid teneinde tweedracht te zaaien in de koningsgezinde gelederen, en ik heb er nooit aan getwijfeld dat hij gelijk had. De geschiedenis vertoonde alle kenmerken van dat duistere en sinistere heerschap, dat altijd een mes in de rug had verkozen boven de oprechte, eerbare strijd. Maar ik was nog te jong om veel uit te richten, en bovendien nam ik aan dat Thurloe vroeg of laat zou worden berecht en dat de waarheid bekend zou worden. Ik zei het al: de jeugd is naïef en het geloof is blind.

Want Thurloe werd niet voor het gerecht gedaagd, hoefde niet het land te ontvluchten en er werd hem geen duit van zijn onrechtmatig verkregen vermogen afgepakt. De vergelijking tussen de vruchten van verraad en de beloning voor trouw viel wel bijzonder wrang uit. Op de dag aan het eind van 1662 dat ik hoorde dat er geen proces zou plaatsvinden, besefte ik dat een eventuele revanche alleen door mijzelf tot stand zou worden gebracht. Cromwells kwade genius mocht dan aan de wet ontsnappen, dacht ik, de gerechtigheid zou hij niet ontlopen. Ik zou de hele wereld laten zien dat sommige mensen in dit onteerde en ontaarde land nog wisten wat het begrip eer betekende. Wanneer je de puurheid van de jeugd bezit, is het nog mogelijk er zulke nobele en eenvoudige gedachten op na te houden. Dit is een ongerepte staat waar het leven ons langzaam maar zeker van ontdoet, en allemaal blijven we berooid achter als gevolg van dat verlies.

3

Op die dag is volgens mij de campagne begonnen die mij de daaropvolgende negen maanden geheel en al in beslag heeft genomen en die met mijn volledige rehabilitatie is geëindigd. Ik werd door bijna geen mens bijgestaan en op zoek naar het bewijsmateriaal dat ik nodig had reisde ik kriskras door het land, totdat ik eindelijk had begrepen wat er was gebeurd en tot daden kon overgaan. Ik werd beschimpt en vernederd door mensen die mij ofwel niet geloofden, ofwel alle reden hadden om mij van mijn taak af te houden. Desondanks hield ik vol, geschraagd door mijn plichtsgevoel en door de liefde van de voortreffelijkste vader die een mens maar kon hebben gehad. Ik peilde de diepe verdorvenheid van mensen die naar macht haken en zag in dat wanneer het principe van de afkomst ondermijnd raakt, de belangeloosheid die als enige factor een goede regeringsvorm kan waarborgen, op een noodlottige manier wordt gecompromitteerd. Als ook de eerste de beste zich macht kan verwerven, dan zal iedereen daar pogingen toe in het werk gaan stellen, en de regering is dan enkel nog een strijdperk waarin elk principe wordt opgeofferd aan het eigenbelang. De ordinairste elementen zullen zich als leider opwerpen, want de nobelste geesten zullen de goot mijden. Het enige dat ik voor elkaar kreeg, was een kleine overwinning in een oorlog die toch al verloren was.

Dergelijke gedachten waren in die dagen nog verre van me; ik liep door de straten, wijdde me aan mijn lessen en gebeden en lag 's nachts in bed naar het gesnurk en gesnuif te luisteren van de andere drie studenten die de kamer met mijn leermeester deelden. Een enkel besluit maar speelde me gedurig door het hoofd: dat ik Thurloe mettertijd in zijn nekvel zou grijpen en hem de keel afsnijden. Niettemin was ik ervan overtuigd dat hier meer dan louter wraak van node was; misschien dat die colleges in de rechten toch tot me waren doorgedrongen, of dat ik mijn vaders intense gevoel voor rechtvaardigheid in me had opgenomen zonder dat ik het had beseft.

Wat zou hij hebben gedaan? Wat zou hij hebben gewild? Dat waren de gedachten die mij onophoudelijk bezighielden. Als ik zonder bewijs toesloeg, dan bewerkstelligde ik enkel een pseudo-wraak, want ik wist zeker dat hij niet zou hebben gewild dat zijn enige zoon als de eerste de beste misdadiger aan de galg zou eindigen en daarmee het blazoen van de familie nog erger bezoedelen. Thurloe was nog altijd zo machtig dat ik hem niet rechtstreeks kon aanvallen. Als een jager die een listig hert besloop, moest ik hem in kringen benaderen, voordat ik de noodlottige, definitieve klap kon toebrengen.

Om mijn gedachten te ordenen besprak ik mijn problemen geregeld met Thomas Ken. Hij was destijds een van mijn weinige vrienden – misschien zelfs de enige – en ik vertrouwde hem volkomen. Hij was weleens langdradig gezelschap, maar allebei hadden we de ander nodig: we vulden elkaar aan. We kenden elkaar via onze familiebetrekkingen, uit de tijd voordat hij naar Winchester was gestuurd en vandaar naar New College teneinde carrière te maken in de Kerk. Zijn vader was advocaat geweest, en was bij vele gelegenheden geraadpleegd door mijn vader toen die zich tot taak had gesteld zich te verweren tegen dat stel roofzuchtige indringers uit Londen die voor de oorlog in de Venen waren neergestreken om die droog te leggen. Mijn vader wilde zijn eigen belangen beschermen, maar ook de rechten van de families die daar al sinds onheuglijke tijden hun koeien en schapen lieten grazen. Dat viel echter niet mee, want die uitzuigers van dieven traden op onder bescherming van de wet. Mijn vader wist dat de enige manier om een advocaat tegen te werken eruit bestond dat je een andere advocaat op hem losliet; vandaar dat die Henry Ken hem bij vele gelegenheden van advies heeft gediend, iets wat hij steeds op een eerlijke en doeltreffende manier heeft gedaan. De ijver van de een en de bedrevenheid van de ander, gecombineerd met het nimmer aflatende verzet van de boeren wier middelen van bestaan bedreigd werden, betekenden dat de droogmakerij maar weinig opschoot en dat de onkosten hoger uitvielen en de winst veel lager dan men had verwacht. Vandaar dat Thomas en ik op vriendschappelijke voet met elkaar omgingen, want het is bekend dat de trouw en dankbaarheid van mensen uit Lincolnshire onverbrekelijk is.

We vormden echter een merkwaardig stel, dat moet gezegd. Hij werd gekenmerkt door een strenge instelling en een domineeskarakter, hij dronk zelden, bad altijd en speurde voortdurend naar zielen die hij zou kunnen redden. Vergiffenis had hij tot godsdienst verheven; tegenwoordig is hij een onwankelbaar anglicaan, maar destijds helde hij tot afwijkende geloofsopvattingen over. Dat bestempelde hem in die dagen, toen haat werd aangezien voor standvastigheid en bekrompenheid als teken van trouw gold, uiteraard tot een verdachte figuur. Ik beken nu enigszins beschaamd dat ik er veel genoegen in schepte hem in verlegenheid te brengen, want hoe harder hij bad, hoe harder ik lachte, en hoe meer hij studeerde, hoe meer flessen ik opentrok om hem aan het blozen te krijgen. Eigenlijk zou Thomas het heerlijk hebben gevonden om zich aan wijntje en trijntje te wijden, evenals ik mijn uiterste best moest doen om me tegen de gevoelens van devote vrees te verweren die me vaak midden in de nacht bekropen. En wanneer hij weleens door een plotselinge woede-uitbarsting werd bevangen of zijn woorden een opwelling van wreedheid verrieden, kon iemand die hem met een zorgvuldig oog observeerde, zien dat zijn vriendelijkheid en zachtmoedige inslag geen natuurlijke gaven Gods waren, maar dat hij die moeizaam had bevochten op de duisternis die ergens diep in zijn ziel huisde.

Desondanks vond ik Thomas een geduldige en begripvolle vriend, en wij waren elkaar tot steun op de manier waarop dat wel vaker het geval is bij mensen van tegengesteld karakter. Ik gaf hem vaak raad wanneer hij met een theologisch probleem worstelde – en goede raad ook, mag ik wel zeggen, want hij is nu bisschop. En hij luisterde vaak met enorm geduld wanneer ik voor de vijftigste keer beschreef hoe ik John Thurloe de keel zou afsnijden.

Ik hoorde hem zuchten toen hij aanstalten maakte om weer met mij te redetwisten. 'Ik moet je eraan herinneren dat vergiffenis een van de gaven Gods is, en dat barmhartigheid op kracht duidt, niet op zwakte,' zei hij.

'Larie,' zei ik. 'Ik ben niet van plan ook maar iemand iets te vergeven en al evenmin voel ik me tot barmhartigheid geneigd. De enige reden waarom hij nog leeft, is dat ik nog niet het bewijs in handen heb dat ik nodig heb om ervoor te zorgen dat ik niet van moord word beschuldigd.' En vervolgens vertelde ik hem de hele geschiedenis opnieuw.

'Het probleem is,' zo besloot ik, 'dat ik niet weet wat me te doen staat. Wat vind jij?'

'Je wilt mijn weloverwogen oordeel horen?'

'Natuurlijk.'

'Aanvaard de wil van God, maak je studie af en word advocaat.'

'Dat bedoelde ik niet. Ik bedoelde: hoe kom ik aan dat bewijs? Als je mijn vriend bent, schuif die theologische betweterij dan even terzijde en help me.'

'Ik weet wel wat je bedoelt. Je wilt hebben dat ik je slechte raad geef, die alleen maar je ziel in gevaar kan brengen.'

'Precies. Dat wil ik.'

Thomas zuchtte. 'En gesteld dat je je bewijs vindt? Wat dan? Ga je dan een moord plegen?'

'Dat hangt af van de aard van het bewijs. Maar in het ideale geval zal ik dat doen, ja. Ik ga Thurloe vermoorden, net zoals hij mijn vader heeft vermoord.'

'Niemand heeft jouw vader vermoord.'

'Je weet best wat ik bedoel.'

'Jij beweert dat je vader is verraden en ten onrechte in ongenade is gevallen. Er is hem geen recht wedervaren. Zou het niet beter zijn die misstand recht te zetten door ervoor te zorgen dat het recht alsnog zijn loop heeft?'

'Jij weet evengoed als ik hoeveel het kost om iemand te vervolgen. Hoe moet ik dat ooit betalen?'

'Ik noem dat enkel als mogelijkheid. Wil je mij beloven dat als dat mogelijk is, je die weg bewandelt en de zaak niet in eigen hand neemt?'

'Als dat mogelijk is, en dat betwijfel ik, dan zal ik dat doen.'

'Goed zo,' zei hij opgelucht. 'In dat geval kunnen we beginnen met een plan de campagne voor je op te stellen. Tenzij je er al eentje hebt, natuurlijk. Vertel me eens, Jack – ik heb dit nooit eerder gevraagd, omdat de uitdrukking op je gezicht zulke vragen nu niet bepaald aanmoedigt. Maar waaruit bestond dat zogenaamde verraad van je vader dan eigenlijk?'

'Dat weet ik niet,' zei ik. 'Het klinkt absurd, maar daar heb ik nooit achter kunnen komen. Mijn voogd, sir William Compton, heeft sindsdien nooit meer tegen me gesproken; mijn oom weigert mijn vaders naam zelfs maar te noemen en mijn moeder schudt vervuld van verdriet haar hoofd en weigert zelfs de meest rechtstreekse vragen te beantwoorden.'

Thomas' ogen vernauwden zich bij het horen van die ongepolijste verklaring. 'Je hebt je misdadiger, maar je weet nog helemaal niet precies waaruit de misdaad heeft bestaan? Dat is toch een ongewone situatie voor een jurist, nietwaar?'

'Misschien. Maar dit zijn ongewone tijden. Ik ga ervan uit dat mijn vader onschuldig was. Ontken jij dat ik dat moet doen? En dat ik, zowel op het godsdienstige als op het juridische vlak, geen keus heb wat dit betreft? Nog geheel afgezien van het feit dat ik weet dat mijn vader in de verste verte niet in staat was tot zulk laaghartig gedrag.'

'Ik erken dat dat een noodzakelijk uitgangspunt is.'

'En je erkent ook dat John Thurloe als secretaris van staat verantwoordelijk is geweest voor alles wat tot de ondergang strekte van een ieder die Cromwells positie aanvocht?'

'Ja.'

'Dan kan het niet anders of Thurloe is schuldig,' luidde mijn eenvoudige conclusie.

'Waarom heb je dan nog bewijs nodig, als je juridische argumenten zo'n fraaie logica vertonen?'

'Omdat wij verwarde tijden beleven, waarin de wet tot werktuig is geworden van degenen die de macht bezitten, en zij alle mogelijke ingewikkelde regels uitvaardigen om aan hun straf te ontkomen. Daarom. En omdat mijn vaders goede naam zo erg geschonden is dat het onmogelijk is de mensen iets te doen inzien wat geen betoog behoeft.'

Thomas gromde iets ten antwoord, want hij wist niets van de wet af en geloofde dat die iets met gerechtigheid te maken had. Net als ikzelf ooit, voordat ik rechten was gaan studeren.

'Als ik binnen de perken van de wet wil zegevieren, dan moet ik eerst zien vast te stellen dat mijn vader een zodanig karakter bezat dat hij nooit zoiets had kunnen doen. Nu wordt hij als de grote verrader afgeschilderd; ik zal moeten ontdekken wie hem heeft verraden en met welk doel. Alleen dan zal een rechtbank naar me luisteren.'

'En hoe denk je dat aan te pakken? Wie zou je dat kunnen vertellen?'

'Niet veel mensen, en de meeste zitten ook nog aan het hof. Dat is alvast een probleem, want ik kan me met geen mogelijkheid permitteren daarheen te reizen.'

Thomas, die brave ziel, knikte meelevend. 'Het zou me een genoegen zijn als je je door mij liet bijspringen.'

'Dat is onzin,' zei ik. 'Kom, je bent nog armer dan ik. De Heer mag weten dat ik je dankbaar ben, maar ik vrees dat mijn behoeften jouw middelen verre te boven gaan.'

Hij schudde zijn hoofd en krabde zich aan de kin, iets wat hij altijd deed voordat hij met een vertrouwelijke mededeling op de proppen kwam.

'Mijn beste vriend, maak je geen zorgen. Mijn vooruitzichten zijn goed en ze worden alleen maar beter. Over negen maanden heeft lord Maynard Easton Parva te vergeven. Hij heeft de rector en dertien Fellows van dit college gevraagd hem een kandidaat aan te bevelen, en de rector heeft er al op gezinspeeld dat hij meent dat ik heel geschikt zou zijn, als ik tenminste duidelijk kan laten zien dat ik me helemaal bij de leer aansluit. Dat wordt nog een hele toer, maar ik zal mijn tanden op elkaar zetten, en dan sleep ik tachtig pond per jaar in de wacht. Dat wil zeggen, als ik doctor Grove kan beletten er met de buit vandoor te gaan.'

'Wie?' vroeg ik verbaasd.

'Doctor Robert Grove. Ken je hem?'

'Heel goed zelfs. Ik heb nog altijd een paar pijnlijke plekken als bewijs. Hij was de hulppriester bij sir William Compton toen ik naar die familie toe werd gestuurd. Hij is jarenlang mijn leermeester geweest. Het beetje dat ik weet, heeft hij erin gehamerd. Wat heeft hij hiermee te maken?'

'Hij is nu weer aan New College verbonden, en hij is op mijn prebende uit, hoewel hij geen enkel zicht op bevordering heeft, of het moest zijn dat er hem nog nooit eentje ten deel is gevallen. Maar eerlijk gezegd ben ik veel beter geschikt. Een gemeente heeft een jonge, flinke predikant nodig. Grove is een ouwe gek die alleen in opwinding raakt wanneer hij aan het vele onrecht denkt dat hem in het verleden is aangedaan.'

Ik lachte. 'Ik zou het afschuwelijk vinden om tussen Grove en iets waar hij zijn zinnen op heeft gezet in te staan.'

'Ik heb niet al te veel tegen hem,' zei Thomas, alsof ik op dat stuk gerustgesteld moest worden. 'Ik zou het fijn voor hem vinden als hij op een comfortabele prebende werd gestald, wanneer er twee te krijgen waren. Maar er is er maar een, dus wat moet ik? Ik heb die prebende harder nodig dan hij. Zeg Jack, kan ik je een geheim vertellen?'

'Ik zal je niet tegenhouden.'

'Ik wil trouwen.'

'O,' zei ik. 'Is dat het? En hoeveel brengt de dame in kwestie in?'

'Vijfenzeventig per jaar en een landhuis in Derbyshire.'

'Heel prettig,' zei ik. 'Maar je moet een prebende hebben om de vader over te halen. Ik snap het probleem.'

'En dat niet alleen,' zei hij zichtbaar gepijnigd. 'Ik mag natuurlijk niet trouwen zolang ik aan de universiteit verbonden ben, en ik kan pas de universiteit verlaten wanneer ik een prebende heb. En wat nog erger is,' besloot hij treurig, 'ik mag het meisje graag.'

'Wat vervelend nu. Wie is het?'

'De dochter van mijn tantes neef. Handelaar in wollen manufacturen in Bromwich. Een in alle opzichten solide man. En het is een gehoorzaam, zachtaardig, hardwerkend en mollig meisje.'

'Alles wat een echtgenote maar moet zijn. En haar tanden heeft ze ook nog, wil ik hopen.'

'De meeste, ja. En ze heeft ook geen pokken gehad. We zouden het goed met elkaar kunnen vinden, heb ik het gevoel, en haar vader heeft niet geprobeerd het me uit het hoofd te praten. Maar hij heeft duidelijk gesteld dat hij de verbintenis niet kon toestaan als ik haar erfdeel niet kon evenaren. Dat betekent een prebende, en omdat ik geen andere connecties heb, eentje die ik van New College krijg, of via de invloed van het college. En

Easton Parva is waarschijnlijk de enige die in de komende drie jaar vrij-komt.'

'Ah,' zei ik. 'Het zijn moeilijke tijden. Heb je al campagne gevoerd?'

'Zoveel mogelijk, ja. Ik heb met alle Fellows gepraat en merk dat ik in een goed blaadje sta. Een groot gedeelte heeft me zelfs te verstaan gegeven dat ik op hun steun kan rekenen. Ik heb alle vertrouwen in de uitslag. En het feit dat de geldschieters nu bereid zijn me geld te lenen, wijst erop dat mijn vertrouwen niet misplaatst is.

'En wanneer valt de beslissing?'

'In maart of april.'

'Dan raad ik je aan om voor alle zekerheid in de kerk te gaan wonen. Zeg de negenendertig geloofsartikelen in je slaap op. Prijs de aartsbisschop van Canterbury en de koning iedere keer wanneer je een glas wijn drinkt. Zorg ervoor dat er geen afwijkend geluid over je lippen komt.'

Hij zuchtte. 'Dat zal niet meevallen, vriend. Ik kan dat alleen omdat ik het bestwil van het land en de Kerk op het oog heb.'

Ik juichte zijn plichtsbesef toe. Denkt u niet dat ik zelfzuchtig was, maar ik was er erg op gebrand dat Thomas die betrekking in de wacht zou slepen, of dat hij althans zo lang mogelijk de favoriete kandidaat zou blijven. Als het gerucht zich zou verspreiden dat hij de prebende niet zou krijgen, dan zouden de geldschieters hun kistjes met een klap sluiten, en dat zou voor hem zowel als voor mij een ramp zijn.

'Dan wens ik je het aller-, allerbeste,' zei ik. 'En ik raad je nogmaals aan voorzichtig te zijn. Je hebt er een handje van te zeggen wat je denkt, en iemand die op een bevordering in de Kerk uit is, kan er geen gevaarlijker gewoonte op na houden.'

Thomas knikte en stak zijn hand in zijn zak. 'Hier, beste vriend. Neem dit maar.'

Het was een beurs met drie pond erin. Hoe moet ik het stellen? Ik voelde me overweldigd: door dankbaarheid om zijn edelmoedige gebaar zowel als door teleurstelling om zijn beperkte middelen. Een tien keer zo groot bedrag zou een eerste begin zijn geweest; en ook eentje van dertig keer zo groot had ik met gemak kunnen uitgeven. Maar tegelijkertijd was het ook weer zo dat die goeierd me alles had gegeven wat hij bezat en zijn eigen toe-komst met die gift op het spel had gezet. Begrijpt u wel hoezeer ik bij hem in het krijt stond? Onthoudt u dit goed; het is belangrijk. Ik neem mijn schulden even serieus als de krenkingen die me worden aangedaan.

'Ik kan je niet genoeg danken. Niet alleen voor het geld, maar ook omdat jij de enige bent die me gelooft.'

Als een echte heer deed hij mijn dankbaarheid met een schouderophalen af. 'Ik wilde dat ik meer kon doen. Maar laten we nu spijkers met koppen slaan. Wie zou je kunnen benaderen die jou kan vertellen wat je vader is overkomen?'

'Er is maar een handjevol mensen dat misschien iets weet. Sir John Russell hoorde daarbij, en ook Edward Villiers. En dan had je nog lord Mordaunt, die er zo wel bij is gevaren dat hij de koning weer op de troon heeft geholpen dat een gedeelte van zijn beloning uit de titel van baron en een sinecure op Windsor bestond. En dan kan ik natuurlijk ook sir William Compton proberen over te halen me iets te vertellen.'

'Windsor ligt hier niet ver vandaan,' merkte Thomas op. 'Amper een dagreis, en niet meer dan een paar dagen als je lopend gaat. Als lord Mordaunt daar te vinden is, dan zou dat de handigste plaats zijn om mee te beginnen.'

'En als hij me nu niet wil ontvangen?'

'Je kunt het hem altijd vragen. Maar ik raad je aan hem niet eerst aan te schrijven. Dat is wel onbeleefd, maar daarmee vermijd je de kans dat hij van tevoren van je komst hoort. Ga hem toch opzoeken. Dan kunnen we beslissen wat we daarna gaan doen.'

Wij. Zoals ik al zei: achter dat uitwendige voorkomen van de geestelijke stak een man die haakte naar het soort opwinding dat een portie brood en wijn nu eenmaal onmogelijk konden verschaffen.

4

GOED. MAAR VOORDAT IK GING, maakte ik kennis met moeder en dochter Blundy, die zo'n grote rol in Cola's verhaal spelen. Daarmee bracht ik een reeks gebeurtenissen op gang die mij de meest verschrikkelijke vijand opleverde; al mijn vernuft en kracht moest ik aanwenden bij mijn pogingen die te verslaan.

Ik weet niet wie deze schrijfsels van me zal lezen; wie weet niemand behalve Lower, maar ik besef dat ik op deze bladzijden heel wat handelingen zal boekstaven waar ik niet bijzonder trots op kan zijn. Voor sommige hoef ik me, dunkt me, niet te verontschuldigen; sommige kunnen nu niet meer worden hersteld; en nog weer andere kan ik althans van een toelichting voorzien. Mijn omgang met Sarah Blundy vloeide voort uit mijn onschuld en mijn jeugdige, lichtgelovige houding: op geen enkele andere wijze had zij mij in haar netten kunnen verstrikken en bijna geheel en al te gronde richten. Voor mijn zesde ben ik enige tijd opgevoed door een oudtante van moederszijde; een aardige dame, maar een echte plattelandsbewoonster, die eeuwig en altijd met brouwsels in de weer was en van alles plantte om de hele streek van geneesmiddelen te voorzien. Zij had een wonderbaarlijk boek, in velijn gebonden en in de loop der tijd grijs gebladerd, een erfstuk van haar grootmoeder, waarin recepten van allerlei kruiden stonden, die zij zelf maakte en iedereen verstrekte, aan adellijke personen en aan kleine luiden. Ze geloofde vast in toverij, en keek verachtelijk neer op al die moderne apostelen (zo noemde zij ze, want ze was geboren toen de grote Elizabeth nog mooi werd gevonden), die alles waarvan zij meende dat het vanzelf sprak, smalend afdeden. Proppen papier en wolken lezen en waarzeggerij met behulp van sleutels of de bijbel maakten toen deel uit van mijn opvoeding.

Wat de geestelijke stand ook mag beweren, ik moet zeggen dat ik de eerste man nog moet tegenkomen die werkelijk niet in geesten gelooft, of eraan twijfelt dat die een diepgaande invloed op ons leven uitoefenen. Iedereen die 's nachts weleens wakker heeft gelegen, heeft de geesten van de lucht voorbij horen varen; iedereen is weleens door het boze verzocht en menigeen is ooit gered door de nobele inwoners van de etherische ruimte die deze wereld omringt en ons met de hemel verbindt. Zelfs volgens hun eigen maatstaven hebben die zuurpruimen van geestelijken het mis, want zij baseren zich op de Schrift, en daarin staat duidelijk gesteld dat dergelijke wezens bestaan. Heeft Paulus het niet over 'engelenverering'? (Koloss. 2:18). Wat denken ze dan dat Christus in de Gadarese zwijnen heeft gedreven?

Het valt natuurlijk niet mee onderscheid te maken tussen engelen en boze geesten, want de laatste hebben er slag van zich te vermommen en vaak verleiden ze mannen (en vaker nog vrouwen) ertoe te geloven dat ze andere wezens zijn dan ze in werkelijkheid zijn. De grootst mogelijke voorzichtigheid is geboden wanneer we in contact komen met zulke wezens, want wij leveren ons aan hen over door ons aan hen te verplichten; en evenals een landheer of meester zijn schulden onthoudt, vergeten deze wezens, of ze nu goed of boos van aard zijn, nooit wat hun toekomt. Door naar de oude Blundy te gaan nam ik risico's die ik nu, als bezonnen man op leeftijd, zou mijden. Destijds was ik te onbekommerd en te ongeduldig om behoedzaam te werk te gaan.

De oude Blundy werkte als wasvrouw en stond bekend als een lastig mens; volgens sommigen was ze zelfs een heks. Dit laatste betwijfel ik; ik rook geen spoor van zwavel in haar nabijheid. Ooit had ik iemand ontmoet die zogenaamd een echte heks was en in 1654 niet ver hiervandaan verbrand is, en dat was echt een stinkende, oude kol. Nu denk ik dat die arme vrouw waarschijnlijk onschuldig was aan de aanklachten die haar op de brandstapel hebben gebracht; de duivel is veel te listig om zijn volgelingen zo gemakkelijk herkenbaar te maken. Hij maakt hen jong en mooi en verleidelijk: zo bekoorlijk dat een mensenoog vaak niet hun ware aard bespeurt. Zoals bij Sarah Blundy.

Enfin, de moeder was een vreemd, oud karonje; Cola's beschrijving van haar zit er volkomen naast. Zij was natuurlijk niet op haar best toen hij haar ontmoette, maar ik heb nooit een spoor bij haar gezien van dat meelevende begrip waar hij het over heeft, of van mildheid en vriendelijkheid. De ene vraag na de andere stelde ze me. Het was toch eenvoudig genoeg wat ik wilde weten, zei ik eindelijk. Wie heeft mijn vader verraden? Kon zij me helpen, ja of nee?

Dat hing er maar van af, zei ze. Verdacht ik bepaalde mensen? Dat was van invloed op wat zij deed. En op wat ze niet wilde doen.

Ik vroeg haar of ze dat wilde uitleggen. Ze zei dat ze voor echt moeilijke problemen bijzonder machtige geesten moest oproepen; dat kon wel, maar het was gevaarlijk. Ik zei dat ik bereid was dat risico te nemen, maar zij zei dat ze niet op geestelijke gevaren duidde; ze was bang dat ze zou worden gearresteerd en van zwarte magie beschuldigd. Per slot van rekening wist zij niet wie ik was. Hoe kon ze weten of ik niet door een magistraat was gestuurd om haar in de val te lokken?

Ik bezwoer mijn onschuld, maar ze liet zich niet vermurwen en herhaalde alleen maar haar vraag. Kende ik de identiteit van mijn doelwit, ja of nee? Zelfs maar vaag? Ik zei van nee.

'In dat geval kunnen we geen namen door water halen. We zullen moeten kijken.'

'In een kristallen bol?' hoonde ik, want ik had van dat soort dingen gehoord en was op mijn hoede om te vermijden dat ik zou worden beetgenomen.

'Nee,' antwoordde ze rustig. 'Dat is enkel onzin, iets voor beunhazen. In glazen bollen gaat geen enkele bijzondere eigenschap schuil. Een kom water is net zo goed. Wenst u eraan te beginnen?'

Ik knikte kort. Ze slofte weg om een kom water uit de put te halen en ik legde mijn geld op de tafel en voelde dat de huid in mijn handpalmen begon te prikken van het zweet.

Zij hield zich niet op met de poppenkast die sommige andere deskundigen erbij halen: ze gebruikte geen verduisterde kamers of toverspreuken en verbrandde geen kruiden. Ze zette alleen maar de kom op tafel en zei dat ik ervoor moest gaan zitten en mijn ogen dichtdoen. Ik hoorde haar het water erin gieten en tot Petrus en Paulus bidden – paapse woorden die uit haar mond vreemd aandeden.

'Zo, jongeman,' siste ze me in het oor toen ze klaar was, 'open je ogen en aanschouw de waarheid. Wees onwrikbaar en onbevreesd, want misschien komt deze kans nooit weer. Kijk in de schaal en zie.'

Hevig zwetend opende ik langzaam mijn ogen, boog me voorover en staarde aandachtig naar het kalme en rustige water op de tafel. Het glansde even op, alsof het door een of andere beweging was verstoord, maar die was er niet geweest. Toen zag ik het donkerder worden en van substantie veranderen, alsof het nu een gordijn was, of een draperie van stof. En ik begon iets te onderscheiden dat van achter die draperie te voorschijn kwam. Het was een jongeman met blond haar, die ik nooit eerder in mijn leven had gezien, al kwam hij me op de een of andere manier bekend voor. Hij was er maar heel even en verdween toen uit het gezicht. Maar het was genoeg geweest; zijn gelaatstrekken hadden zich al voorgoed in mijn geheugen vastgezet.

Toen glansde het gordijn opnieuw op en een andere figuur werd zichtbaar. Een oude man ditmaal, grijs van ouderdom en zorgen, gebogen onder der jaren last en zo treurig dat hij hartverscheurend was om aan te zien. Ik kon het gezicht niet duidelijk zien; er lag een hand overheen, net alsof de verschijning in opperste wanhoop over zijn gezicht wreef. In mijn wanhopige verlangen nog meer te zien hield ik mijn adem in. En beetje bij beetje gebeurde dat ook; langzaam schoof de hand weg en ik zag dat de wanhopige oude man mijn vader was.

Ik slaakte een kreet van smart toen ik dat zag en daarop maaide ik woedend de kom van de tafel, zodat hij door de kamer vloog en tegen de vochtige wand aan gruzelementen sloeg. Toen sprong ik op, slingerde de oude vrouw een belediging naar het hoofd en rende zo snel als ik kon dat walgelijke stulpje uit.

Drie dagen gingen eroverheen en verder kwamen de zorgvuldige bijstand van Thomas en de fles eraan te pas voordat ik mezelf weer was.

Ik hoop maar dat ik niet voor lichtgelovige figuur word aangezien als ik zeg dat deze vreemde ontmoeting de laatste keer is geweest dat ik mijn vader heb gezien; ik ben ervan overtuigd dat zijn ziel daar was, en dat de verstoring die ik teweeg heb gebracht, een grote rol heeft gespeeld in de gebeurtenissen die erop volgden. Ik kan me hem niet goed herinneren; na mijn zesde jaar heb ik hem nog maar enkele keren ontmoet, daar de oorlog inhield dat ik eerst naar de oudtante werd gestuurd die ik al heb genoemd, en vervolgens bij sir William Compton in Warwickshire in huis kwam, waar ik al die jaren huisonderwijs kreeg van doctor Grove.

Mijn vader deed zijn best zich af en toe van mijn vorderingen op de hoogte te komen stellen, maar zijn plichten zorgden ervoor dat dat maar zelden gebeurde. Het is maar één keer voorgekomen dat ik langer dan een dag in zijn gezelschap verkeerde, en dat was kort voordat hij tot zijn tweede en laatste periode van ballingschap werd gedwongen. Hij was alles wat een kind maar van een vader mocht hopen: streng, beheerst en zich ten volle bewust van de verplichtingen die een man ten opzichte van zijn stamhouder heeft. Hij heeft me maar weinig rechtstreeks bijgebracht; maar ik wist dat als ik maar half zo'n goede onderdaan kon zijn als hij, de koning mij dan (mocht hij ooit terugkeren) als een van zijn beste en trouwste dienaren zou beschouwen.

Hij was niet zo'n verwijfd stuk edelman zoals we ze dezer dagen aan het hof nuffig en met de neus in de wind zien rondparaderen en -trippelen. Hij meed fraaie kleren (hoewel hij er indrukwekkend uitzag als hij ze verkoos) en keek neer op boeken. Ook was hij geen groot causeur, die zijn uren aan loos gebabbel vergooide wanneer er praktische zaken moesten worden aangevat. Een krijgsman, kortom, en er is nooit een man geweest die op indrukwekkender wijze een aanval leidde. Hij was het spoor bijster in het chaotische wereldje van achterklap en samenzweringen dat de hoveling het hoofd moet kunnen bieden, te eerlijk om te huichelen, te openhartig om ooit te proberen bij iemand in het gevlij te komen. Dit waren zijn kenmerkende trekken, en als het noodlottige gebreken waren, dan kan ik toch niet zeggen dat ze hem tot een zwakke figuur bestempelden. Zijn trouw aan zijn vrouw was zo zuiver als een dichter zich maar zou kunnen voorstellen, en in het leger was zijn moed spreekwoordelijk. Het gelukkigst voelde hij zich op Harland House, ons grootste goed in Lincolnshire, en toen hij dat verliet, voelde hij evenveel verdriet als wanneer zijn vrouw was gestorven. Daar had hij alle reden toe, want het land in Harland Wyte bevond zich al generaties in onze familie; het wás familie van ons, zou je kunnen zeggen, en hij kende en beminde er elke vierkante duim.

De aanblik van zijn ziel die er zo ellendig aan toe was, wakkerde mijn geestdrift voor mijn taak weer aan, want het was duidelijk dat die werd gekweld door de onrechtvaardige behandeling waar hij nog steeds onder gebukt ging. Toen ik weer op krachten was gekomen, verzon ik een verhaal over een zieke tante van wie ik het een en ander verwachtte, teneinde toestemming van mijn leermeester te krijgen om de stad te verlaten, en op een zonnige morgen vertrok ik richting Windsor. Tot aan Reading nam ik de postkoets, want op die route heeft de universiteit geen monopolie en die ritten zijn nog betaalbaar, en daarna liep ik de nog resterende vijftien mijl. Die nacht sliep ik in een veld, want daarvoor was het nog net warm genoeg en ik wilde niet onnodig geld uitgeven, maar mijn ontbijt gebruikte ik in een taveerne in de stad, zodat ik me wat kon afborstelen en een doekje over mijn gezicht kon halen en met een redelijk presentabel voorkomen voor den dag kon komen. Van de kroegbaas hoorde ik dat lord Mordaunt – aan wie de stad, zoals ik ontdekte, een vreselijke hekel had vanwege zijn gebrek aan spilzucht – inderdaad officieel aanwezig was op het kasteel, nadat hij pas drie dagen daarvoor uit Tunbridge Wells was teruggekeerd.

Het had geen zin om te talmen; nu ik zo ver was gevorderd, zou het wel erg dom zijn geweest om nog langer te aarzelen. Zoals Thomas had gezegd: een weigering was het ergste dat me kon overkomen. Dus beende ik vermetel en wel naar het kasteel, waarna ik de volgende drie uur in een antichambre doorbracht terwijl mijn verzoek om een onderhoud via een heel legertje lakeien werd doorgegeven.

Ik was dankbaar voor mijn ontbijt, daar het al ver na het uur van het middagmaal was toen ik antwoord kreeg. Voordat het zover was, liep ik op en neer in afwachting van de minzame reactie van de machtige heer, en ik zwoer dat ik degenen die mij om mijn bescherming zouden vragen wanneer er een kentering in mijn lot was opgetreden, nooit zo zou bejegenen. Een belofte, moet ik zeggen, die ik zodra ik daartoe de gelegenheid kreeg, heb verbroken, omdat ik toen langzamerhand het doel inzag van dat eindeloze gewacht: het legt de juiste grenzen vast, brengt bij degenen die om gunsten komen vragen, een gepaste eerbied teweeg en (uiterst praktisch) ontmoedigt iedereen behalve de meest serieuze figuren. En op het laatst kwam mijn beloning, toen een dienaar, vriendelijker nu dan eerst, de deur beleefd opende, boog en zei dat lord Mordaunt mijn verzoek om een gesprek inwilligde. Of ik maar mee wilde lopen...

Ik had al gehoopt dat simpele nieuwsgierigheid uiteindelijk juist deze reactie zou opleveren en was blij dat mijn vermoeden juist was gebleken. Het gebeurde niet vaak, stel ik me nu voor, dat iemand zich aanmatigde op zo'n wijze bij een adellijk heer aan te kloppen.

Ik wist niet veel af van de man naar wie ik toe was gereisd, alleen maar dat iedereen verwachtte dat hij een persoon van gewicht in de regering zou worden, op z'n minst voorbestemd was om secretaris van staat te worden, en binnen niet al te lange tijd zijn titel van baron zou inruilen voor die van graaf, omdat hij in een goed blaadje stond bij lord Clarendon, de voorzitter van het Hogerhuis en de machtigste man van het land. Destijds had hij dapper deelgenomen aan samenzweringen ten behoeve van de koning, en hij was een bijzonder gefortuneerd man uit een van de meest vooraanstaande families in het land, met een opvallend mooie en deugdzame vrouw en het soort knappe uiterlijk dat elke man een goede positie bezorgt. Zijn toewijding aan de koning was des te opmerkelijker omdat zijn familie zich voor zover dat ging steeds verre had gehouden van de strijd en er wonderwel in was geslaagd zich niet aan een bepaalde zijde te scharen en met hun fortuin intact de dans te ontspringen. Van Mordaunt zelf werd gezegd dat hij behoedzaam was wanneer hij anderen raad gaf, maar vermetel wanneer dat moest, en afkerig van elke vorm van partijstrijd en bekrompen gekibbel. Dit waren althans 's mans uiterlijke kanten. Zijn enige gebreken waren zijn ongeduld en kortaangebonden bejegening van mensen die hij onbekwaam achtte: maar dat laatste was een noodlottige tekortkoming, want zulke lieden liepen er heel wat rond aan het hof, en nog meer die vrienden van Clarendon een kwaad hart toedroegen.

Ik liep door een reeks vertrekken totdat ik eindelijk bij hem werd gebracht: een gewichtige en in mijn ogen onnodig pompeuze gang van zaken. Het laatste vertrek althans was heel klein en gerieflijk, een studeerkamer vol stapels papieren en met boekenplanken langs de wanden. Ik neeg voor hem en wachtte af tot hij me zou aanspreken.

'Ik vermoed dat u de zoon van sir James Prestcott bent, is dat juist?'

Ik knikte. Hij was een man van gemiddelde lengte met een welgevormd gelaat, dat alleen ontsierd werd door een onevenredig kleine neus. Hij had een fraai figuur, vooral zijn benen; hij bewoog zich elegant, en met hoeveel indrukwekkend ceremonieel hij de kennismaking ook had ingekleed, dat schoof hij terzijde zodra het onderhoud aanving, en hij begon op de meest beminnelijke toon te converseren, waarmee hij de geruchten als zou hij trots en hooghartig zijn, logenstrafte. Toen ik wegging, bewonderde ik de man om zijn scherpzinnigheid; hij kwam me voor als een waardig wapenbroeder van mijn vader, en ik geloofde dat elk evenveel eer was aangedaan door het vertrouwen en de genegenheid van de ander. Het contrast met een man als Thurloe kon niet uitgesprokener zijn, dacht ik: de een was lang, blond en oprecht, als een oude Romein qua houding en optreden, en de ander verschrompeld en krom, iemand die altijd in het geniep te werk ging, nooit openlijk iets deed en altijd slinkse wegen bewandelde.

'Een ongebruikelijke benaderingswijze, op het onhebbelijke af,' merkte hij streng op. 'Ik neem aan dat u een gegronde reden hebt.'

'Een uiterst gegronde reden, heer,' zei ik. 'Het spijt mij zeer dat ik u lastig kom vallen, maar ik heb niemand anders tot wie ik mij kan wenden. Alleen u kunt me helpen, als u daartoe bereid bent. Van mijn kant kan ik u niets aanbieden, maar ik verlang ook niet veel van u. Ik wil graag een stukje van uw tijd; dat is alles.'

'U kunt toch niet zo dom zijn dat u protectie van mij verwacht? In dat opzicht kan ik u niet helpen.'

'Ik wil graag praten met mensen die mijn vader gekend hebben. Om zijn eer van blaam te zuiveren.'

Hij gaf deze opmerking zijn volle overweging en verwerkte alle implicaties die erin besloten lagen voordat hij, vriendelijk maar behoedzaam, antwoord gaf. 'Dat is lofwaardig van een zoon, en begrijpelijk van een kind wiens goede fortuin daarvan afhangt. Maar ik denk dat u een zware opgave te wachten staat.'

In het verleden had ik, wanneer ik zulke opmerkingen te horen kreeg, de hebbelijkheid in een wilde woede uit te barsten en er dan allerlei boze opmerkingen uit te gooien; als jongen ben ik menigmaal met een blauw oog en een bloedneus huiswaarts gekeerd. Maar ik wist dat zulk gedrag me hier niet te stade zou komen: ik wilde hulp hebben, en die zou ik alleen krijgen door me beleefd en eerbiedig te gedragen. Dus slikte ik mijn boosheid in en bewaarde een rustig gezicht.

'Het is een opgave waartoe ik verplicht ben. Ik geloof dat mijn vader onschuldig was aan welke wandaad dan ook, maar ik weet niet eens waarvan hij beschuldigd is. Het is mijn recht dat te weten, en mijn plicht de beschuldigingen te weerleggen.'

'Uw familie zal u toch...'

'Zij weten maar heel weinig en vertellen me nog minder. Vergeeft u mij dat ik u onderbreek, heer. Mijn oprechtste verontschuldigingen. Maar ik moet uit de eerste hand horen wat er gebeurd is. Daar u een van de sleutelfiguren bent geweest in Zijne Majesteits Grote Onderneming en bekendstaat om uw rechtvaardigheid, dacht ik dat ik u het eerst zou benaderen.'

Een subtiel vleierijtje op zijn tijd smeert de radertjes van een conversatie, weet ik; ook wanneer ze als zodanig worden herkend, geven dergelijke opmerkingen blijk van een besef van erkentelijkheid. Het enige waar het op aankomt is dat de complimentjes er niet al te dik bovenop liggen en niet al te schel klinken.

'Denkt u ook dat mijn vader schuldig was?'

Met nog steeds een uitdrukking van lichte verbazing vanwege het feit dat dit gesprek zelfs maar plaatshad, dacht Mordaunt over deze vraag na. Hij liet mij een hele tijd wachten, zodat de vriendelijkheid van de dienst die hij me bewees, ten volle tot me was doorgedrongen en me dankbaar had gestemd toen hij in een gerieflijke stoel ging zitten en me vervolgens te kennen gaf dat hij mij ook toestond plaats te nemen.

'Denk ik dat uw vader schuldig was?' herhaalde hij nadenkend. 'Ik vrees van wel, jongeman. Ik heb mijn uiterste best gedaan om aan zijn onschuld te geloven. Die opinie was ik verschuldigd aan een dapper kameraad, ook al waren wij het maar zelden over iets eens. Ikzelf heb namelijk nooit ook maar enige rechtstreekse aanwijzing bespeurd dat hij een verrader was. Begrijpt u hoe wij indertijd te werk gingen? Heeft hij u dat verteld?'

Ik vertelde hem dat ik min of meer in het wilde weg bezig was; ik had mijn vader nog maar zelden ontmoet nadat ik een leeftijd had bereikt waarop dergelijke kwesties begrijpelijk voor me werden, en toen had hij even weinig tegenover zijn familie losgelaten als – daar ben ik van overtuigd – tegenover elk ander. De mogelijkheid bestond altijd dat wij door soldaten zouden worden opgehaald, en voor ons eigen bestwil zowel als voor dat van hemzelf wilde hij dat wij zo weinig mogelijk wisten.

Mordaunt knikte en dacht even na. 'U moet begrijpen,' zei hij rustig, 'dat ik – zeer tegen mijn zin – tot de slotsom ben gekomen dat uw vader een verrader was.' Ik maakte al aanstalten om hier iets tegen in te brengen, maar hij hield zijn hand in de hoogte om me het zwijgen op te leggen. 'Nee. Laat u mij uitpraten. Dat betekent niet dat ik niet blij zou zijn als mijn ongelijk aan het licht kwam. Ik heb altijd de indruk gehad dat uw vader een nobel man was, en de gedachte dat dat een schijnvertoning was geweest, vond ik schokkend. Men zegt wel dat 's mensen ziel in het gelaat weerspiegeld wordt, en dat wij daar alles kunnen lezen wat er in zijn hart geschreven staat. Maar niet in zijn geval. Bij uw vader heb ik verkeerd gelezen. Dus als u kunt bewijzen dat dat niet zo was, dan zal ik u zeer erkentelijk zijn.'

Ik dankte hem voor zijn openhartigheid; dit was voorwaar de eerste keer dat ik zo'n evenwichtige toegewijdheid aan een rechtvaardig oordeel tegenkwam. Ik dacht bij mezelf dat als ik deze man tot andere gedachten kon brengen, ik dan heel sterk zou staan; hij zou geen onrechtvaardig oordeel vellen.

'Welnu,' vervolgde hij, 'hoe denkt u precies te werk te gaan?'

Ik herinner me niet precies meer wat ik zei, maar ik vrees dat het van een roerende naïviteit getuigde. Iets in de trant van dat ik de ware verrader zou opsporen, en hem zou dwingen te bekennen. Ik voegde eraan toe dat ik er al zeker van was dat John Thurloe degene was die overal achter stak, en dat ik van plan was hem te doden wanneer ik over genoeg bewijs beschikte. Hoe ik mijn opmerkingen ook mag hebben geformuleerd, ze ontlokten Mordaunt een lichte zucht.

'En hoe denkt u te voorkomen dat u zelf aan de galg eindigt?'

'Ik moet aantonen dat de bestaande bewijzen niet deugen, lijkt me.'

'Over welke bewijzen hebt u het nu?'

Ik boog mijn hoofd toen mijn enorme onwetendheid mij tot mijn bekentenis dwong: 'Dat weet ik niet.'

Lord Mordaunt keek me enige tijd oplettend aan, al had ik niet kunnen zeggen of zijn blik medelijden of verachting verriet. 'Misschien,' zei hij, 'zou u er iets aan hebben als ik u iets over die tijd vertelde, en wat ik van de gebeurtenissen van toen af weet. Ik zeg dat niet omdat ik geloof dat u gelijk hebt, maar u hebt wel het recht te weten wat er is gezegd.'

'Dank u, heer,' zei ik alleen maar, en de dankbaarheid die ik hem toen toedroeg was onverdeeld en ongeveinsd.

'U bent te jong om zich er veel van te herinneren en was stellig te jong om er iets van te begrijpen,' begon hij, 'maar tot het allerlaatste ogenblik leek het of de zaak van Zijne Majesteit in dit land gedoemd was helemaal verkeerd af te lopen. Een paar mensen bleven tegen de tirannie van Cromwell strijden, maar alleen omdat zij meenden dat ze dat hoorden te doen, niet omdat ze ook maar enige hoop op succes koesterden. Het aantal mensen dat schoon genoeg kreeg van het despotisme nam van jaar tot jaar toe, maar ze waren te angstig om zonder lichtend voorbeeld iets te kunnen uitrichten. Die rol van lichtend voorbeeld werd door een handjevol trouwe onderdanen op zich genomen, en een van hen was je vader. Zij kregen de naam van Verzegeld Verbond, omdat ze hecht met elkaar waren verbonden door hun genegenheid voor elkaar en voor hun koning.

Zij bereikten niets, behalve dan dat ze de hoop levend hielden in de harten der mensen. Ze deden wel van alles; er ging amper een maand voorbij zonder dat er een of ander plan ten uitvoer werd gebracht – hier een opstand, daar een moord. Als al die plannen verwezenlijkt waren, dan was Cromwell al tien keer dood geweest voordat hij in zijn bed stierf. Maar er gebeurde niets van enig belang, en altijd was daar Cromwells leger, een massieve kracht die zich tegen iedereen keerde die op verandering uit was. Tenzij dat leger verslagen kon worden, was de weg naar de Restauratie voorgoed afgesloten, en het machtigste leger ter wereld versla je niet met behulp van hoop en speldenprikjes.'

Ik denk dat ik mijn wenkbrauwen fronste vanwege zijn kritiek op die heroïsche, eenzame mannen en hun strijd, en hij merkte dat en glimlachte meewarig. 'Ik bedoel dat niet kleinerend,' zei hij zacht. 'Ik vertel alleen maar de waarheid. Als u uw zaak oprecht bent toegedaan, dan moet u alles horen, de goede én de slechte dingen.'

'Verschoning. U hebt natuurlijk gelijk.'

'Het Verzegeld Verbond had geen geld, omdat de koning geen geld had. Goud kan wel trouw kopen, maar trouw op zichzelf kan geen musketten kopen. De Fransen en de Spanjaarden hielden de koning heel krap – ze gaven hem net genoeg voor zijn levensonderhoud, maar niet genoeg om ook maar iets te ondernemen. Niettemin bleven wij steeds goede hoop koesteren, en mij werd de taak toevertrouwd 's konings aanhangers in Engeland te organiseren, zodat ze konden optreden wanneer de omstandigheden mochten veranderen. Ik had onbekend moeten zijn aan Thurloes ministerie, daar ik te jong was geweest om aan de strijd deel te nemen en die jaren in Savoie had doorgebracht om daar onderwijs te genieten. Desondanks werd al gauw bekend wie ik was: ik werd verraden en ik kan alleen maar verraden zijn door een lid van het Verzegeld Verbond dat wist wat ik deed. Want samen met een heel aantal kameraden ben ik precies op het ogenblik dat ze wisten dat wij bezwarende documenten bij ons hadden, door Thurloes mannen opgepakt.'

'Neemt u mij niet kwalijk,' zei ik, het er dom genoeg voor de tweede keer op wagend hem in de rede te vallen, hoewel ik had gezien dat hij die eerste keer al gepikeerd was geweest. 'Maar wanneer is dat geweest?'

'In 1658,' zei hij. 'Ik zal u niet met de bijzonderheden lastigvallen, maar mijn vrienden, en vooral mijn geliefde vrouw, hebben zich geruïneerd aan steekpenningen en de groep rechters die mij aan de tand voelde zo in verwarring gebracht dat ik werd losgelaten, en ik was er al vandoor voordat ze beseften hoezeer ze zich hadden vergist. De anderen zijn er niet zo gelukkig afgekomen. Ze zijn gemarteld en opgehangen. En wat nog belangrijker was, al mijn inspanning voor 's konings zaak was voor niets geweest: de nieuwe organisatie waarvoor ik me zoveel moeite had getroost, was al tenietgedaan voordat die nog maar iets had kunnen uitrichten.'

Hij zweeg even en was zo hoffelijk een dienaar te vragen mij enkele koeken en een glas wijn te brengen, en vervolgens vroeg hij me of ik deze geschiedenis ooit eerder had gehoord. Dat had ik niet, en dat zei ik ook. Ik had graag gezegd dat ik het spannend vond om zulke verhalen over gevaar en moed te horen, en dat ik wenste dat ik ouder was, zodat ik samen met hem de gevaren het hoofd had kunnen bieden. Ik ben blij dat ik dat niet heb gedaan; hij zou die opmerkingen maar kinderlijk hebben gevonden, en dat waren ze ook bepaald. In plaats daarvan concentreerde ik me op de gewichtige gebeurtenissen die hij beschreef en stelde hem enkele vragen naar zijn vermoedens.

'Die had ik niet. Ik dacht enkel dat ik geplaagd werd door de vreselijkste rampspoed. Het kwam toen geen ogenblik bij me op dat het gevaar waarin ik had verkeerd, misschien wel opzettelijk teweeg was gebracht. In ieder geval was het een paar maanden later plotseling met al mijn gedachten over deze kwestie gedaan, toen we het heerlijke bericht hoorden dat Cromwell dood was. Dat herinnert u zich zeker nog wel?'

Ik glimlachte. 'O, zeker. Wie zou zich dat niet herinneren? Ik geloof dat dat de gelukkigste dag van mijn leven is geweest, en ik was vervuld van hoop voor mijn land.'

Mordaunt knikte. 'Dat waren we allemaal. Dat was een geschenk van God, en eindelijk hadden we het gevoel dat de voorzienigheid met ons was. Onmiddellijk voelden we ons veel opgeruimder en al onze energie vlamde weer op, ook al werd zijn zoon Richard tot Protector uitgeroepen. En die hoop gaf aanleiding tot een nieuw plan, zonder dat er zelfs maar bevel toe was gegeven: een manier om het regime althans wakker te schudden. Er zou op verschillende plaatsen in het land tegelijk opstand uitbreken, aangesticht door een krijgsmacht die zo groot was dat hij niet kon worden genegeerd. Het leger van de Republiek zou zich moeten opsplitsen om er korte metten mee te maken en dat, zo hoopte men, zou de weg vrijmaken voor een gezwinde landing van 's konings troepen in Kent en een snelle opmars naar Londen.

Zou dat zijn gelukt? Misschien niet, maar ik weet wel dat iedereen die erbij betrokken was, tot de laatste man, deed wat hij kon. Wapens die jarenlang met het oog op zo'n dag opgeslagen hadden gelegen, werden uit diverse bergplaatsen te voorschijn gehaald; mannen van allerlei rangen en standen verklaarden in het geheim dat ze bereid waren op te marcheren. Hoog en laag verpandde zijn land en smolt zijn goud en zilver teneinde ons van geld te voorzien. Er heerste zo'n opgewonden en verwachtingsvolle stemming dat zelfs de twijfelmoedigste figuren door al die geestdrift werden meegesleept en meenden dat het uur van de bevrijding eindelijk was aangebroken.

En wéér werden we verraden. Plotseling verschenen er overal waar opstanden zouden uitbreken soldaten. Alsof er toverij in het spel was wisten ze waar er wapens lagen en waar er geld was verborgen. Ze wisten wie er tot officier was benoemd en wie de plannen en lijsten van de krijgsmacht bezat. De hele onderneming, die er bijna een jaar over had gedaan om verwezenlijkt te worden, werd in nog geen week onder de voet gelopen en verpletterd. Slechts één gedeelte van het land reageerde snel genoeg; sir George Booth in Cheshire bracht zijn troepen op de been en deed zijn plicht. Maar hij stond er helemaal alleen voor en moest aanzien hoe het leger, aangevoerd door een generaal die alleen de mindere was van Cromwell zelf, in zijn geheel in de pan werd gehakt. Het was een slachting; iedereen werd genadeloos over de kling gejaagd.'

Er viel een stilte in de kamer toen hij was uitgesproken en helemaal verlamd door zijn verhaal zat ik erbij. Waarlijk, zoiets verschrikkelijks had ik niet verwacht. Ik had natuurlijk wel van die mislukte opstand van sir George gehoord, maar nooit had ik kunnen bevroeden dat die het gevolg was van verraad. En geen ogenblik vermoedde ik dat dit de misdaad was waar mijn vader van werd beschuldigd. Als hij daar verantwoordelijk voor was geweest, dan had ik hem eigenhandig opgehangen. Maar ik had nog niets gehoord dat erop wees dat hij de schuldige was.

'Wij hebben niet onbesuisd zomaar iemand beschuldigd,' vervolgde Mordaunt toen ik dit opmerkte. 'En uw vader leidde de campagne die erop gericht was de man die hier verantwoordelijk voor was te ontmaskeren. Zijn verontwaardiging en woede waren angstaanjagend om te aanschouwen. Maar het bleek dat hij dubbelspel speelde; uiteindelijk hebben we documenten ontvangen van bevriende regeringsleden waaruit zonneklaar bleek dat die verrader uw vader zelf was. Toen hij begin 1660 met de bewijzen geconfronteerd werd, is hij naar het buitenland gevlucht.'

'De zaak is dus nooit opgehelderd?' zei ik. 'Maar hij heeft ook niet de kans gekregen de aantijgingen naar behoren te weerleggen.'

'Daar zou hij alle kans toe hebben gehad als hij in Engeland was gebleven,' antwoordde Mordaunt, zijn voorhoofd fronsend vanwege de zweem van scepticisme in mijn stem. 'Maar die documenten waren denk ik onbetwistbaar. De ene brief na de andere in een geheimschrift dat alleen hij gebruikte, was erbij; tijdens bijeenkomsten met hoge bewindslieden gemaakte aantekeningen van allerlei gesprekken waar gegevens in voorkwamen die alleen hij kon hebben geweten. Bewijzen van betaling...'

'Nee!' schreeuwde ik bijna. 'Dat wens ik niet te geloven. U zegt, u durft mij te zeggen dat mijn vader zijn vrienden voor geld heeft verkocht?'

'Ik vertel u iets wat duidelijk te zien is,' zei Mordaunt streng, en ik wist dat ik de grenzen van het fatsoen had overschreden. Zijn welwillende houding tegenover mij hing nu aan een zijden draadje, en ik haastte me mijn verontschuldigingen aan te bieden voor mijn onbehouwen gedrag.

'Maar de voornaamste beschuldiging tegen hem kwam van de regering? Dat geloofde u?'

'Regeringsdocumenten, maar niet van de regering. John Thurloe was niet de enige die er spionnen op na hield.'

'Het is nooit bij u opgekomen dat die papieren u met opzet zijn toegespeeld? Om met de beschuldigende vinger naar de verkeerde man te kunnen wijzen en onenigheid te kunnen zaaien?'

'Natuurlijk wel,' zei hij bits, en ik kon zien dat ik hem begon te vervelen. 'Wij zijn uiterst behoedzaam te werk gegaan. En als u mij niet gelooft, dan moet u ook maar andere bondgenoten van hem opzoeken; dan zullen ook zij u eerlijk vertellen wat ze weten.'

'Dat zal ik doen. Waar kan ik die mensen vinden?'

Lord Mordaunt keek me afkeurend aan. 'U hebt bepaald hulp nodig. In Londen, knaap. Of liever gezegd in Tunbridge Wells, met het oog op het seizoen. Waar ze nu net als elk ander druk met hun ellebogen werken.'

'En mag ik u nog eens komen opzoeken?'

'Nee. En bovendien wil ik niet hebben dat het bekend wordt dat u hier bent geweest. Ik raad u aan de nodige kiesheid in acht te nemen en zorgvuldig op te letten met wie u praat; dit is nog altijd een delicate kwestie, waar de mensen met bittere gevoelens aan terugdenken. Ik wil niet dat het bekend wordt dat ik u heb geholpen oude wonden open te rijten die maar beter vergeten kunnen worden. Dat ik vandaag zelfs maar met u gepraat heb, is alleen maar vanwege mijn herinnering aan de man die ik dacht dat uw vader was. En ik wil graag een wederdienst van u.'

'Alles wat maar in mijn vermogen ligt.'

'Ik geloof dat uw vader schuldig was aan een verschrikkelijke misdaad. Als u ook maar enig bewijs vindt waaruit blijkt dat ik het bij het verkeerde eind heb, dan moet u mij dat onverwijld vertellen, en ik zal dan alles in het werk stellen om u te helpen.'

Ik knikte.

'En als u tot de bevinding komt dat mijn conclusies juist waren, dan moet u mij dat ook vertellen. Dan kan ik in vrede rusten. Ik voel me gekweld door de mogelijkheid dat een nobel man ten onrechte beschuldigd is. Als u zich ervan kunt vergewissen dat hij schuldig was, dan zal ik dat geloven. En zo niet...'

'Dan?'

'Dan heeft een nobel man geleden en is een schuldig man vrijuit gegaan. Dat is een kwaad dat moet worden rechtgezet.'

5

DE TOCHT NAAR TUNBRIDGE WELLS kostte me vier dagen, daar ik om
Londen heen liep in plaats van erdoorheen, maar ik heb geen ogenblik spijt
gehad van al die tijd, ook al was ik erop gebrand vlug op te schieten. De
nachten waren nog warm en de eenzaamheid vervulde mijn hart van een
kalmte die ik maar zelden eerder had beleefd.

Ik dacht veel na over wat Mordaunt had gezegd en besefte dat ik vooruitgang had geboekt: ik wist nu waarvan mijn vader was beschuldigd én ik
wist hoe die beschuldigingen wereldkundig waren geraakt: door middel
van vervalste documenten, afkomstig uit Thurloes ministerie. Die op te
sporen zou nu deel uitmaken van mijn queeste. Maar bovendien wist ik nu
dat er inderdaad sprake was geweest van een hooggeplaatste verrader die
van veel zaken op de hoogte was; als het niet om mijn vader ging, dan was
het aantal mensen die het wel konden zijn, maar klein – slechts een handjevol in vertrouwen genomen mannen had de opstand in 1659 op zo'n groot-
scheepse wijze kunnen verraden. Ik had zijn gezicht in de kom water van de
oude Blundy gezien; nu moest ik zijn naam nog ontdekken. Ik wist hoe het
was gedaan en waarom; met enig geluk zou ik ook nog ontdekken wie het
was geweest.

Ik had gemakkelijk gezelschap kunnen vinden, want er waren heel wat
mensen op reis, maar ik ontweek alle pogingen mij tot omgang met anderen te bewegen en sliep 's nachts in mijn eentje in een deken gewikkeld in de
bossen en kocht telkens leeftocht in de dorpen en stadjes waar ik doorheen
kwam. Er kwam pas een einde aan die behoefte aan eenzaamheid van me
toen ik de rand van Tunbridge en de drukte van postkoetsen en rijtuigen
bemerkte, de eindeloze stoet wagens die levensmiddelen aanvoerden om in
de behoeften van de hovelingen te voorzien, de almaar toenemende aantal-
len marskramers, muzikanten en domestieken die daarheen trokken in de
hoop wat geld te beuren door hun waren en diensten te verkopen. Gedu-

rende de laatste twee dagen had ik mijns ondanks toch een reisgezellin, daar een jong hoertje, Kitty genaamd, zich bij me aansloot en me in ruil voor bescherming haar diensten aanbood. Zij kwam uit Londen en was de dag tevoren overvallen, en die ervaring wilde ze niet nog eens meemaken. Die eerste keer had ze geluk gehad, want afgezien van een paar blauwe plekken had ze geen zichtbare kwetsuren opgelopen, maar ze was wel bang. Had ze een tand verloren of haar neus gebroken, dan zouden haar inkomsten daar zwaar onder te lijden hebben gehad, en zij verstond geen ander vak om op terug te vallen.

Ik stemde ermee in haar te beschermen, want het schepsel had iets vreemd fascinerends; een plattelandsjongen als ik had nooit eerder zo'n uit het ontaarde stadsleven afkomstige verschijning aanschouwd. Zij was heel anders dan ik op grond van allerlei sensationele verhalen zou hebben verwacht; ze was zelfs heel wat fatsoenlijker dan menige deftige dame die ik in mijn latere leven heb ontmoet, en ook niet minder deugdzaam, vermoed ik. Ze was ongeveer net zo oud als ik en de bastaard van een soldaat, door haar moeder in de steek gelaten omdat die bang was geweest dat ze getuchtigd zou worden. Hoe ze was grootgebracht weet ik niet, maar ze was er des te verstandiger en listiger om. Ze had niet de minste notie van het begrip eerlijkheid en al haar ethische beginselen lagen in haar verplichtingen besloten. Hielp je haar en de haren, dan stond ze bij je in het krijt; krenkte je haar, dan krenkte zij jou. Dat was het alfa en omega van haar ethische wereld, en wat die aan christelijke normen ontbeerde, werd ruimschoots gecompenseerd door praktische ideeën. Dit was althans een gedragscode die zij in acht kon nemen, al was het ook nog zo'n simpel geheel.

Ik moet hier opmerken dat ik die nacht voordat we in Tunbridge aankwamen, geen gebruik maakte van de diensten die zij me kon aanbieden; mijn angst voor een druiper en een zekere somberheid vanwege wat me de dag daarop te wachten stond beroofden me van alle animo; maar we aten samen, praatten wat en vielen later onder dezelfde deken in slaap, en hoewel zij de draak met me stak, geloof ik dat dit haar heel wel aanstond. Vlak voor de stad namen we als goede vrienden afscheid van elkaar en uit angst dat ik in haar gezelschap zou worden gezien, bleef ik nog wat talmen.

Net als mijn vader ben ik nooit iemand geweest die zich gemakkelijk aan hoven beweegt of er dat soort manieren op na houdt; ik heb zelfs altijd de smetten van de ontaarding gemeden die dergelijke kringen aankleven. Ik ben geen puritein, maar een heer van stand hoort een bepaalde mate van fatsoen tentoon te spreiden, en het hof had in die tijd weldra alle schijn laten varen dat het de degelijke waarden hooghield die een land bewoonbaar maken. Tunbridge schokte mij mateloos. Ik was er ten volle op voorbereid (want tegen die tijd verspreidde zich het ene gerucht na het andere) de dames van het hof ongemaskerd en zelfs voorzien van pruiken, parfum en schmink in het openbaar te zien rondwandelen; maar ik was ontsteld toen ik ontdekte dat de bereden koninklijke lijfwacht ze ook droeg.

Zulke dingen gingen mij echter ternauwernood aan; ik was daar niet gekomen om een wervelende indruk te maken, te duelleren, met mijn vlijmscherpe geestigheden geen stuk heel te laten van andere mensen of me via slinkse wegen een betrekking te veroveren. Daartoe bezat ik de middelen ook niet. Om aan een betrekking te komen die vijftig pond per jaar opbracht, moest een vriend van me bijna zevenhonderdvijftig pond aan steekpenningen neertellen, alles tegen rente geleend, en nu ziet hij zich dus gedwongen de regering voor meer dan tweehonderd pond op te lichten om een fatsoenlijk leven te kunnen leiden en zijn schulden af te betalen. Ik bezat amper genoeg om het baantje van 's konings rattenvanger te kopen, laat staan een betrekking die mijn positie in de samenleving waardig was. En vanwege het feit dat ik mijn vaders zoon was, zou al het geld van de wereld me zelfs dat nederige baantje nog niet hebben opgeleverd.

Na mijn aankomst kon ik niet in de stad blijven, omdat het er te duur was; iedereen in die plaats wist wel dat Tunbridge niet lang meer in de mode zou blijven en dat het hof zijn wispelturige aandacht al spoedig op een ander oord zou laten vallen. Het was een lelijke kleine nederzetting, met de baden als enige aantrekkelijkheid, maar die waren dat jaar *à la mode*. Alle fatten en malloten liepen daar rond, en maar bazelen dat ze zich zoveel beter voelden omdat ze dat smerig smakende modderwater dronken, terwijl ze intussen almaar met hun ellebogen werkten om maar zo dicht mogelijk in de buurt van invloedrijke personen te komen. Aan alle kanten werden ze omzwermd door ambachtslieden, als vliegen die hun best deden hun zoveel mogelijk geld uit de zak te kloppen. Ik kan niet zeggen welke partij erger was: allebei maakten ze me misselijk. De prijzen waren schandalig, maar desondanks werden alle kamers moeiteloos verhuurd aan hovelingen die bereid waren een lieve som neer te tellen om maar in de buurt van Zijne Majesteit te verblijven; sommigen bivakkeerden zelfs in tenten op de meent in de buurt. Tijdens mijn korte verblijf daar heb ik nooit ook maar een glimp van de koning opgevangen. Ik geneerde me zo voor mijn kleding dat ik nooit naar een lever ben geweest, en maakte me er zorgen over dat ik beledigd zou worden wanneer mijn naam bekend werd. Ik had een taak te volbrengen en voelde er niets voor dat de rapier van een of andere fat een voortijdig einde aan mijn leven zou maken. Als ik in het openbaar werd beledigd, zou ik een duel moeten eisen, en ik wist heel goed dat ik het dan bijna zeker zou verliezen.

Daarom vermeed ik alle drukbezochte oorden en de elementen die zich daar ophielden en bepaalde me tot de mindere taveernes aan de rand van de stad, waar de livreiknechten en lakeien naartoe kwamen wanneer ze hun werkzaamheden achter de rug hadden om er te dobbelen en te drinken en verhalen over de groten dezer wereld uit te wisselen. Eén keer zag ik mijn reisgezellin, maar zij was zo vriendelijk mij niet in het openbaar te groeten, al wierp ze me wel een brutale knipoog toe toen ze me voorbijliep aan de arm van een deftige oude heer, die zich er kennelijk niet voor schaamde zijn liederlijke inslag in het openbaar tentoon te spreiden.

Van het personeel hoorde ik al dadelijk dat als ik met mijn voogd William Compton had willen praten, mijn tocht vergeefs was geweest, want hij was er niet. Zijn uitzichten op een hogere positie waren volkomen verkeken als gevolg van een geschil met Clarendon, de voorzitter van het Hogerhuis, over jachtrechten in het woud van Wychwood, en zolang lord Clarendon de lakens uitdeelde in de regering, kon Compton wel fluiten naar een hogere positie. Kennelijk besefte hij dit heel goed, en daarom had hij besloten zich alle uitgaven te besparen, zich mokkend op zijn kasteel terug te trekken en niet eens de moeite te nemen ten hove te verschijnen.

Twee andere leden van het kabaal waren er echter wel, maar ik hoorde al spoedig dat Edward Villiers en John Russell, die in tijden van tegenspoed gezworen kameraden waren geweest, als gevolg van de zegeningen van hun succes erger verdeeld waren geraakt dan Thurloe ooit met zijn geïntrigeer voor elkaar had weten te krijgen. Villiers hoorde bij de partij van lord Clarendon, waar lord Mordaunt hem binnen had gehaald, terwijl Russell, een familielid van de hertog van Bedford, zich aan de kant van de oppositie had geschaard, wier enige punt van aandacht hun afschuw van Clarendon was. Een machtige positie heeft tot gevolg dat nobele mannen, die zich op het slagveld trouw, edelmoedig en dapper gedragen, als kleine kinderen gaan kibbelen wanneer ze aan het hof komen te vertoeven.

Desalniettemin had ik twee mensen ontdekt die ik kon benaderen, en ik vond dat ik heel wat had gehad aan de avond die ik in de taveerne had doorgebracht met het aanhoren van borrelpraat. Ik had grote zin om Villiers te benaderen, daar hij heel duidelijk het oor had van machtige personen, maar na enig beraad besloot ik toch met een gemakkelijker karwei te beginnen, en dus ging ik de volgende morgen op weg naar Russell om mijn opwachting bij hem te maken. Ik wilde dat ik dat nooit had gedaan. Liever zou ik zwijgend aan deze gebeurtenis voorbijgaan, daar die geen fraai beeld schildert van iemand die qua afkomst een heer is, maar ik ben in een stemming om alles te vertellen, 'met wratten en al', zoals Cromwell zei. Russell weigerde met me te praten. Ik wilde wel dat dit alles was; maar hij wees me af op een wijze die erop was berekend mij te vernederen, hoewel ik hem of de zijnen nooit iets had misdaan. Pas enkele maanden later ontdekte ik waarom mijn naam hem ertoe had gebracht zich zo te gedragen.

Dit gebeurde er: ik kwam om zeven uur 's morgens aan, ging het eenvoudige gedeelte van zijn herberg binnen en vroeg de herbergier zijn bediende te sturen, zodat ik om een onderhoud kon verzoeken. Geen gepaste handelwijze, dat weet ik wel, maar iedereen die weleens op een onderhoud aan een reizend hof heeft gewacht, weet dat formeel gedrag daar niet al te zeer in zwang is. Enkele tientallen mensen zaten overal om me heen: sommigen wachtten tot hun bepaalde gunsten ten deel zouden vallen, anderen aten alleen iets voordat ze eropuit gingen om het onderhoud van anderen bij te wonen. Het vertrek was vervuld van het geroezemoes van lagere hovelingen die hun best deden hun eerste stap te zetten op de lange, glibberige ladder die naar hogere posities en regeringsambten leidt. In zekere zin was ik ook zo iemand, en dus ging ik net zo geduldig als zij zitten wachten. In deze eenzame positie – want niemand is eenzamer dan een rekestrant in een vertrek vol rekestranten – zat ik een halfuur lang op antwoord te wachten. Toen een uur, toen nog een halfuur. Na tienen kwamen er twee mannen de trap af die mijn kant op liepen. Het gezwatel in het vertrek hield op: iedereen nam aan dat ik nu met succes het eerste stadium van mijn verzoek had afgerond, en uit een mengeling van nieuwsgierigheid en afgunst wilde men zien wat er zou gebeuren.

Het was volmaakt stil in het vertrek, zodat iedereen de boodschap die mij nu werd overgebracht hoorde; de huisknecht sprak zelfs met zo luide stem dat hij dit effect moedwillig teweegbracht.

'U bent Jack Prestcott?'

Ik knikte en kwam overeind.

'De zoon van James Prestcott, de moordenaar en verrader?'

Ik voelde mijn maag samentrekken toen ik buiten adem van de schok weer ging zitten, wel wetend dat er nog meer zou komen, terwijl ik niets kon doen om de klap te ontlopen.

'Sir John Russell zendt u zijn groeten en vraagt me u te zeggen dat de zoon van een hond ook een hond is. Hij heeft me opgedragen u eerbiedig te vragen uw verraderlijke aanwezigheid uit dit gebouw te verwijderen, en nooit de onbeschaamdheid te hebben hem nogmaals te benaderen. Doet u dat wel, dan zal hij u laten afranselen. Verlaat u deze gelegenheid of laat u in de goot smijten, zoals met uw laaghartige vader had moeten gebeuren.'

Er heerste een volkomen stilte. Ik voelde hoe dertig paar ogen mij doorboorden toen ik mijn hoed greep en struikelend en helemaal niets meer ziend naar de deur liep; alleen een paar vluchtige indrukken drongen nog tot me door. Een treurige, bijna meelevende uitdrukking op het gezicht van de eerste huisknecht en het keiharde voorkomen van de andere, die het heerlijk vond me te vernederen. En de kwaadaardig triomfantelijke blik in de ogen van sommige rekestranten en de gretige belangstelling van andere, die bedachten hoe ze dit verhaal de volgende paar weken telkens en telkens weer zouden vertellen. En het bloed dat bonkend door mijn hoofd joeg toen de woede en haat mijn ziel bestormden; en het gevoel of mijn schedel zou openspringen van de razende gevoelens die er daarbinnen heersten. Toen ik de deur bereikte, was ik me nergens meer van bewust en ik weet niet eens meer hoe ik weer op mijn troostende, anonieme en ellendige brits boven de stallen van de taveerne ben beland.

Hoelang ik daar heb gelegen weet ik niet, maar het moet geruime tijd zijn geweest: ik neem aan dat er (ik deelde de ruimte met nog een stuk of vijf anderen) voortdurend geloop is geweest, maar daarvan is helemaal niets tot mij doorgedrongen. Het enige dat ik weet is dat er, toen ik weer bij zinnen kwam, stoppels op mijn kin zaten, mijn armen en benen slap aanvoelden en ik me moest scheren voordat ik mijn gezicht weer in het openbaar kon vertonen. Het water uit de put was ijskoud, maar ik bood een redelijk beschaafde aanblik toen ik naar de herberg ging, die aan de andere kant van de binnenplaats lag. Ik was half vergeten wat er was gebeurd, maar ik stond nog niet binnen of alles kwam in één keer weer bij me boven. Een doodse stilte, gevolgd door een verstolen lachje. Ik ging een kroes bier bestellen en de man naast me draaide me zijn rug toe op de wrede wijze die grove lieden zo gemakkelijk afgaat – hoewel dat misschien, gelet op het voorbeeld dat ze van hun meerderen hadden gekregen, ook weer niet zo verbazingwekkend was.

～

Het valt niet mee zulke vernederingen opnieuw te beleven, en ook nu nog voel ik mijn hand beven terwijl ik mijn pen in de inkt doop en deze woorden neerschrijf. Zovele jaren zijn voorbijgegaan, jaren die zoveel goeds en barmhartigs hebben gebracht, maar dat ogenblik steekt nog steeds en maakt me nog altijd boos. Ik heb gehoord dat het hart van een heer kwetsbaarder is voor zulke wonden dan dat van gewone mensen, omdat zijn eer groter is, en misschien is dat waar. Ik zou mijn queeste hebben voortgezet als ik ook maar enigszins had gedacht dat die ergens toe diende. Ik wist echter dat mijn onderneming door dit voorval op de klippen was gelopen; ik zou Edward Villiers nu onmogelijk kunnen benaderen met ook maar een sprankje hoop op een beleefde ontvangst, en ik voelde er niets voor nog een tweede keer afgewezen te worden. Er zat niets anders op dan die stad maar zo gezwind mogelijk te verlaten, al nam ik me vast voor om, voordat het zover was, nog een blik te werpen op het gezicht van John Russell, om te zien of het overeenkwam met de verschijning die ik in de kom water van vrouw Blundy had gezien. Mordaunts gelaat had er geen overeenkomst mee vertoond en daar was ik van harte blij om, en ik wist al dat Villiers er ook anders uitzag. Ik moet bekennen dat ik eigenlijk hoopte dat Russell, die al genoeg had gedaan om zich mijn levenslange vijandschap op de hals te halen, zijn zonde nog zou verergeren en mijn queeste versimpelen.

Helaas, het mocht niet zo zijn; vele uren lang bracht ik verdekt opgesteld voor de herberg door en ook (zo onopvallend mogelijk, om niet te worden herkend) voor de plaatsen van samenkomst van de beau monde, waar ik somber naar de geluiden van jolijt daarbinnen luisterde, en tot op de huid natregende terwijl ik daar koppig en geduldig bleef staan. Ten slotte werd ik tot op zekere hoogte beloond. Een koopman in een kraampje had ik wat geld gegeven om me sir John Russell te laten aanwijzen wanneer hij te voorschijn zou komen, en toen ik al bijna de hoop had opgegeven, gaf hij me een por in mijn ribben en siste me in het oor: 'Daar heb je 'm, met opschik en al.'

Ik keek, half en half verwachtend een mij al bekend gezicht de stoep te zien afkomen. 'Waar?' vroeg ik.

'Daar. Dat is hem,' zei de handelaar, en hij wees naar een korte en dikke man met een roze gezicht en een verwarde, ouderwetse snor. Diep teleurgesteld keek ik toe hoe dit heerschap (dat me onbetrouwbaar noch bekend voorkwam) in een wachtende koets stapte. Hij was niet de man die dat mens Blundy me had laten zien.

'Toe dan,' zei de man, 'gaat u dan uw brief afgeven.'

'Mijn wat?' vroeg ik, daar ik volkomen was vergeten dat dit zogenaamd de reden was geweest waarom ik had willen weten wie hij was. 'O, dat. Later misschien wel.'

'Zenuwachtig, wat? Snap ik. Maar laat ik je dit zeggen, jonge mijnheer, van dit stelletje krijg je niks gedaan als je je plannen niet uitvoert.'

Ik besloot dit ongevraagde, maar waarschijnlijk goede advies ter harte te nemen door mijn tassen te pakken en de stad te verlaten. Dat wat ik zocht, was daar niet te vinden.

6

HET IS HALVERWEGE DE MIDDAG en men deelt me mee (zo gaat dat tegenwoordig, hoort u wel: men deelt me iets mee) dat we morgenochtend naar mijn buitenplaats vertrekken; ik heb niet veel tijd om mijn relaas voort te zetten. Ik heb mijn hoofd al laten scheren voor die vermaledijde, domme pruik, de kleermaker is al geweest en aan alle kanten gonst het van de drukke bezigheden. Er valt zoveel te regelen en in gereedheid te brengen, en al die dingen zijn stomvervelend. Dit soort vervelende, kleine details zijn ternauwernood relevant voor mijn verhaal, maar ik merk deze hebbelijkheid steeds vaker bij mezelf op. Kindsheid, neem ik aan; ik begin te merken dat ik me gemakkelijker kan herinneren wat er al die jaren geleden gebeurd is dan wat ik eergisteren deed.

Om naar mijn verhaal terug te keren: ik kwam in Oxford terug met een sterk gevoel van wrok in mijn hart. Ik was meer dan twee weken weg geweest en gedurende die tijd was de stad volgestroomd met studenten en Oxford was niet meer het rustige, landelijke plaatsje dat het het grootste gedeelte van het jaar is. Gelukkig betekende dit dat degenen wier hulp ik nodig had er nu ook waren. Een van hen was uiteraard Thomas, wiens talent om met al of niet valse argumenten te strooien uiterst fijn was geslepen dankzij de studie van de godgeleerdheid en de logica die hij verrassend goed aan studenten onderwees, iets wat voor mij van essentieel belang was; hij kon sneller dan wie ook die ik maar kende, een stapel papieren doornemen en er een bepaalde betekenis uit peuren. De andere figuur was een merkwaardig ventje met wie hij op een dag bij me kwam aanzetten. Hij heette Anthony Wood.

'Hier,' zei Thomas toen hij Wood op mijn kamer aan me voorstelde, 'is het antwoord op al je problemen. Wood is een groot geleerde en zou je heel graag helpen bij je naspeuringen.'

Cola geeft een korte beschrijving van hem, en dat is een van de weinige passages waar ik maar weinig op zijn schrijftrant kan aanmerken; nooit heb ik een belachelijker figuur ontmoet dan Anthony Wood. Hij was heel wat ouder dan ik, misschien iets van tweeëndertig, maar vertoonde al de gebogen rug en de ingevallen wangen van de boekenwurm. Zijn kleren waren monsterlijk – zo oud en gelapt dat het moeilijk te zeggen viel hoelang ze al uit de mode waren – zijn kousen waren versteld en hij had er een handje van zijn hoofd in zijn nek te gooien en als een paard te hinniken wanneer hij iets grappig vond. Een onaangenaam, raspend geluid dat iedereen in zijn gezelschap plotseling ernstig stemde, omdat ze bang waren dat ze anders iets geestigs zouden zeggen en op dat gelach zouden worden getrakteerd. Dit trekje in combinatie met zijn onelegante bewegingen – alles aan hem trok en schudde aan één stuk door – begon me te irriteren zodra ik hem zag, en het kostte me de grootste moeite mijn geduld te bewaren.

Maar Thomas zei dat hij nuttig zou zijn, dus liet ik na hem belachelijk te maken. Toen deze connectie eenmaal was aangeknoopt, bleek het helaas moeilijk er weer een eind aan te maken. Als alle geleerden is Wood arm en voortdurend op zoek naar weldoeners: kennelijk denken ze allemaal dat anderen maar voor hun verstrooiing moeten betalen. Van mij heeft hij nooit een cent gekregen, maar dat heeft hem nooit doen wanhopen. Hij komt me nog altijd stroop om de mond smeren, in de hoop dat er misschien een geldstuk uit mijn zak in zijn met inktvlekken bezaaide handen rolt, en herinnert me aan één stuk door aan de dienst die hij me jaren geleden heeft bewezen. Een paar dagen geleden is hij hier zowaar nog geweest, daarom ligt hij me nog zo vers in het geheugen, maar hij zei toen niets van belang. Hij is bezig een boek te schrijven, maar wat zegt dat nu? Sinds ik hem ken is hij al aan een en hetzelfde bezig, en zo te horen nadert het nog steeds zijn einde niet. Verder hoort hij tot dat slag pezige mannetjes die schijnbaar nooit ouder worden, alleen maar een iets krommere rug en nog wat meer rimpels in hun gezicht krijgen. Wanneer hij een kamer binnenkomt, is het net alsof de helft van mijn leven nooit plaats heeft gehad, of alleen maar een droom is geweest. Mijn eigen kwalen zijn dan het enige dat me eraan herinnert.

'Mijnheer Wood is een goede vriend van me,' legde Thomas uit toen hij de uitdrukking van weerzin en ongeloof zag waarmee ik de kerel opnam. 'Elke week maken we samen muziek. Hij is iemand met veel historische belangstelling, en in de loop der jaren heeft hij veel kennis vergaard over de oorlogen.'

'Bijzonder boeiend,' zei ik droogjes. 'Maar ik vermag niet in te zien in welk opzicht hij mij zou kunnen helpen.'

Nu nam Wood het woord met die hoge piepstem van hem: hij houdt er zo'n onberispelijke, geaffecteerde manier van praten op na, net zo keurig netjes als een aantekenboekje en ook geen grein interessanter.

'Ik heb de eer gehad heel wat mensen te ontmoeten die zich in de oorlog en in bestuurlijk opzicht hebben onderscheiden,' zei hij. 'Ik bezit een gedegen kennis van de tragische geschiedenis van dit land, die ik u met genoegen ter beschikking zou stellen, opdat u kunt vaststellen wat er van uw vader is geworden.'

Ik zweer dat hij almaar zo bleef praten – al zijn zinnen waren net zo volmaakt als zijn gedragingen grotesk. Ik wist niet goed wat ik van dat aanbod moest denken, maar Thomas zei dat ik het beslist moest aannemen, daar Wood al bekendstond om zijn genuanceerde oordeel en zijn formidabele kennis. Als ik iets wilde weten over een bepaalde gebeurtenis of over een bepaald iemand, dan moest ik me allereerst tot Wood wenden; dat zou me heel wat tijd schelen.

'Goed dan,' zei ik. 'Maar ik wens duidelijk te stellen dat u niemand iets moet vertellen van uw onderzoek. Er zijn heel wat mensen die mijn vijand zouden worden als ze wisten wat ik deed. Ik wil hen aanpakken door heimelijk te werk te gaan.'

Wood stemde hier onwillig mee in, en ik zei dat ik hem mettertijd alle feiten en inlichtingen zou verstrekken, zodat hij mijn bevindingen zou kunnen aanvullen met zijn eigen conclusies. Toen werkte die attente Thomas hem de kamer uit en ik schonk mijn vriend een wrange en verwijtende blik.

'Thomas, ik weet wel dat ik alle hulp moet aannemen die ik kan krijgen, maar...'

'Je hebt het mis, vriend. Op een dag zal Woods kennis waarschijnlijk van cruciaal belang voor je zijn. Je moet hem niet vanwege zijn uiterlijke voorkomen verwerpen. Ik heb trouwens nog iemand bedacht die je van nut kan zijn.'

Ik kreunde. 'Wie mag dat dan wel zijn?'

'Doctor John Wallis.'

'Wie?'

'Hij is hoogleraar meetkunde en vroeger genoot hij dankzij zijn bedrevenheid in het oplossen van geheimschriften het speciale vertrouwen van de Republiek Venetië. Van menige geheime brief van de koning heeft hij Thurloes dienst de inhoud kunnen verschaffen, zegt men.'

'Dan had hij opgehangen moeten worden...'

'En volgens de geruchten verricht hij nu dezelfde werkzaamheden voor de regering van Zijne Majesteit. Lord Mordaunt heeft je toch verteld dat de documenten die de beschuldigingen tegen je vader behelsden, in een bepaald geheimschrift waren gesteld? Als dat zo is, dan weet doctor Wallis daar misschien iets vanaf. Als je hem kunt overhalen je te helpen...'

Ik knikte. Misschien dat een van die ideeën van Thomas nu bij wijze van uitzondering eens nuttig zou zijn.

⸺

Voordat Wood of Wallis veel had kunnen uitrichten om mij te helpen, kreeg ik de gelegenheid Thomas iets te vergoeden van het vele wat ik hem verschuldigd was, door hem te behoeden voor de gevolgen van een van de absurdste staaltjes van onbezonnen gedrag. De omstandigheden waren bijzonder vermakelijk, zij het ook een tikkeltje verontrustend. Iedereen wist dat ouwe kwaker Tidmarsh er een of andere zonderlinge schuilkerk op na hield in zijn huisje bij de rivier. Een clandestiene geschiedenis natuurlijk, en gelet op de moeilijkheden die ze al hadden veroorzaakt, hadden ze genadeloos moeten worden onderdrukt. Maar nee, af en toe werden er een paar opgesloten en vervolgens werden ze weer losgelaten en stond het hun vrij hun walgelijke praktijken weer op te vatten. Het leek zelfs wel of ze daar trots op waren, en in hun godslasterlijke verwatenheid vergeleken ze hun eigen lijden met dat van Onze Lieve Heer zelf. Sommigen beweerden zowaar (heb ik gehoord) in hun arrogantie dat zij de Heer waren, renden hoofdschuddend rond en deden net of ze mensen konden genezen. In die dagen wemelde het overal van dergelijke krankzinnigen. Ze in de gevangenis opsluiten is niet de juiste manier om zulke lieden aan te pakken; halve maatregelen wakkeren hun trots alleen maar aan. Laat ze met rust of knoop ze op, zo denk ik erover. Of nog beter: stuur ze naar Amerika en laat ze van honger omkomen.

Enfin, een paar avonden later liep ik in de buurt van het kasteel toen ik een heleboel lawaai en het geluid van rennende voeten hoorde. Het leek erop dat de magistraat eindelijk eens had besloten in te grijpen. Overal sprongen er fanatici uit de ramen, die dan alle kanten op renden, als mieren wier nest verstoord was. Laat u overigens nooit door die mensen wijsmaken dat ze rustig psalmen zingend blijven zitten wanneer ze worden gearresteerd. Ze zijn net zo bang als elk ander.

Ik stond dit tijdverdrijf vrolijk en wel gade te slaan, totdat ik tot mijn grote verbazing mijn vriend Thomas min of meer uit het raam van Tidmarsh' huis zag vallen en een steegje in rennen.

Onmiddellijk zette ik hem na; dat zou elke vriend hebben gedaan. Van alle stompzinnige mensen, dacht ik, was hij misschien nog wel de allerstompzinnigste. Moest je hem toch zien; dat zette zijn toekomst op het spel door uitgerekend op het ogenblik dat er een absoluut conformistische houding van hem werd gevergd die belachelijke vroomheid van hem uit te leven.

Hij was geen sportman en ik haalde hem zonder enige moeite in. Hij viel bijna flauw, de stakker, toen ik hem bij de schouder greep en tegenhield.

'Waar ben jij in godsnaam mee bezig?'

'Jack!' zei hij, enorm opgelucht. 'Godzijdank. Ik dacht dat het de nachtwacht was.'

'Dat had ook eigenlijk gemoeten. Je bent zeker gek geworden.'

'Nee. Ik...'

De verklaring van zijn ongerijmde gedrag werd echter plotseling afgebroken, want daar verschenen twee mannen van de nachtwacht in het zicht. We bevonden ons in een steegje en als we het op een rennen hadden gezet, had dat ons niets geholpen. 'Houd je mond dicht, leun op mijn schouder en laat alles aan mij over,' fluisterde ik toen ze naderbij kwamen.

'Goeienavond, heren,' riep ik, de woorden lallend uitsprekend alsof ik stomdronken was.

'Wat voeren jullie tweeën hier wel uit?'

'Ah,' zei ik. 'Zijn we soms weer te laat voor de avondklok?'

'Studenten, hè? Welke colleges?' Hij tuurde eens naar Thomas, die helaas helemaal geen dronken indruk maakte. Als hij maar een beetje ervaring had gehad met een benevelde toestand, dan had hij misschien beter gedaan alsof.

'Waar heb je de afgelopen twee uur gezeten?'

'Samen met mij in de taveerne,' zei ik.

'Dat geloof ik niet.'

'Hoe durft u aan mijn woorden te twijfelen?' antwoordde ik vastberaden. 'Waar denkt u dan dat we zijn geweest?'

'Op een clandestiene bijeenkomst.'

'U maakt zeker een grapje?' zei ik, en ik gaf een fraai staaltje van hilariteit weg bij het horen van dat ongerijmde idee. 'Zie ik er soms uit als een fanaticus? We zijn dan misschien dronken, maar niet van Gods woord, kan ik tot mijn genoegen zeggen.'

'Ik bedoelde hem.' Hij wees naar een almaar erger verblekende Thomas.

'Die?' riep ik. 'Och lieve deugd, welnee. Hij heeft vanavond wel ogenblikken van vervoering beleefd, maar die waren niet door de Heer geïnspireerd. Maar ik weet zeker dat de dame in kwestie bereid zou zijn voor zijn vroomheid in te staan. Laat u zich niet van de wijs brengen door dat voorkomen van de geestelijke.'

Thomas bloosde om mijn woorden, maar gelukkig werd dat als gêne opgevat.

'En ik heb kaartgespeeld, en met enig succes ook.'

'Zo.'

'Jawel. En ik voel me in een geweldige stemming; ik wil mijn geluk met de hele wereld delen. Hier, mijnheer. Neemt u deze schelling van me aan en drinkt u eens op mijn gezondheid.'

Hij nam het geldstuk aan, bekeek het een fractie van een seconde en daarop won zijn begeerte het van zijn plichtsgevoel. 'En mocht u achter kwakers aan zitten,' vervolgde ik vrolijk toen het eenmaal in zijn zak zat, 'ik heb nog geen drie minuten geleden twee van die sombere types die straat daarin zien hollen.'

Breed lachend keek hij me aan, zodat zijn tandeloze kaken zichtbaar werden. 'Dank u, jongeheer. Maar de avondklok is ingegaan. Als u hier nog bent wanneer ik terugkom...'

'Weest u niet bang. Maar gaat u er nu snel achteraan, anders loopt u ze nog mis.'

Ik slaakte een enorme zucht van verlichting toen hij wegrende en wendde me toen tot Thomas, die duidelijke tekenen van een aanval van misselijkheid vertoonde.

'Die schelling ben je mij nu schuldig,' zei ik. 'Zo, laten we maken dat we wegkomen.'

Zwijgend liepen we terug naar New College; ik moest met hem praten, maar dat kon met geen mogelijkheid in mijn eigen kamer, omdat ik daar samen met mijn leermeester huisde – en die lag al in bed, stelde ik me voor. Maar Thomas, die nu als hogere docent aan een welgesteld college verbonden was, mocht het gebouw betreden en verlaten zonder zich iets aan te trekken van de avondklok, die mij het leven zo zuur maakte. Zijn kamer was weliswaar klein en benauwd, maar hij hoefde hem niet met zijn studenten te delen – een luxueuze nieuwe maatregel, die tot heel wat commentaar aanleiding had gegeven toen hij was ingevoerd.

'Je bent zeker niet goed snik, vriend,' zei ik heftig toen de deur dicht was. 'Wat voerde je daar in 's hemelsnaam uit? Vier je ideeën toch in het geheim bot als dat zo nodig moet; maar om er zo mee te koop te lopen en gevangenisstraf te riskeren wanneer je tegelijkertijd probeert een prebende en een vrouw in de wacht te slepen – dat is waanzin.'

'Ik was niet...'

'Nee, natuurlijk niet. Je zat gewoon puur toevallig tussen die bende kwakers, zonder te weten wat voor types dat waren, en je klom uit het raam en rende weg omdat je aan wat beweging toe was.'

'Nee,' zei hij. 'Ik was daar welbewust. Maar ik had een gegronde reden.'

'Daarvoor is geen enkele reden goed genoeg.'

'Ik ging daar met iemand praten. Om hun vertrouwen te winnen.'

'Waarom?'

'Omdat ik bang ben dat ik die prebende misschien toch niet krijg.'

'Dat zal ook zeker niet gebeuren als je je zo gedraagt.'

'Luister je nu eens naar me?' smeekte hij. 'Grove doet zijn uiterste best om zijn zin te krijgen en is nu bezig verscheidene van de Fellows van wie ik aannam dat ze aan mijn kant stonden, voor zijn zaak te winnen. En nu praat hij met de rector.'

'Wat kan hij dan zeggen?'

'Dat ligt voor de hand. Dat hij al oud is en vrijgezel, terwijl ik ongetwijfeld zal trouwen en een gezin stichten. Anders dan ik is hij al met weinig tevreden, en een derde gedeelte van de inkomsten die de prebende hem oplevert, zal hij aan het college schenken.'

'Kan hij dat doen?'

'Als hij hem krijgt, kan hij doen wat hij maar wil; het is zijn geld. Hij redeneert dat het beter is tweederde van tachtig pond per jaar te ontvangen dan helemaal niets. En Woodward is altijd op de kas van het college bedacht.'

'En jij kunt niet met hetzelfde aanbod op de proppen komen?'

'Nee, natuurlijk niet,' zei hij bitter. 'Ik wil trouwen. De vader van het meisje is alleen bereid de verbintenis te steunen als ik het volle bedrag krijg. Hoe zou jij reageren als ik kwam aanzetten met de mededeling dat ik een derde deel had weggeschonken?'

'Zoek dan een andere vrouw,' opperde ik.

'Jack, ik ben op haar gesteld. Ze is een goede partij en die prebende komt mij toe.'

'Ik begrijp je probleem. Maar het ontgaat me wat dat te maken heeft met geklim uit ramen.'

'Grove is niet geschikt om een gemeente onder zijn hoede te krijgen. Hij zal de Kerk oneer aandoen en zijn goede naam door het slijk halen. Ik weet dat heel goed, maar zolang hij geen prebende aangeboden kreeg, was dat niet mijn zaak.'

'Ik kan je nog steeds niet volgen.'

'Hij is een geilaard. Dat weet ik. Hij bedrijft ongeoorloofde omgang met dat dienstmeisje van hem, en dat is een schande voor zijn college en voor zijn Kerk. Het is wanstaltig. Als zijn bedrog bewezen wordt, dan zal het college niet zijn goede naam in gevaar brengen door hem een gemeente toe te vertrouwen. Ik probeerde daarginds achter de waarheid te komen.'

'Op een bijeenkomst van de kwakers?' vroeg ik ongelovig. Het verhaal werd steeds gekker.

'Dat dienstmeisje gaat daar soms naar toe, en men zegt dat zij zelfs veel in haar zien,' zei hij. 'Ze geniet een geweldige reputatie bij hen om redenen waar ik niets van begrijp. Ik dacht dat als ik daar nu heen ging, ik misschien haar vertrouwen kon winnen...'

Ik vrees dat ik op dat ogenblik in lachen uitbarstte. 'O, Thomas, beste vriend van me. Echt iets voor jou, om op je knieën te proberen een meisje te verleiden.'

Hij werd pioenrood. 'Ik probeerde niets van dien aard.'

'Ach nee, natuurlijk niet. Wie is dat kind trouwens?'

'Een meisje Blundy. Sarah Blundy.'

'Die ken ik,' zei ik. 'Ik dacht dat dat een heel oppassend meisje was.'

'Dat bewijst alleen maar hoe beperkt je observatievermogen is. De vader heeft de kogel gekregen vanwege muiterij of zoiets, de moeder is een heks en het meisje heeft een deel van haar leven bij een satanisch genootschap doorgebracht en zich sinds haar tiende gretig aan iedereen gegeven die haar maar wilde hebben. Ik heb van die mensen gehoord, en van de dingen die ze uithalen. Heus, ik zeg je: ik huiver al bij de gedachte dat ik met haar moet praten.'

'Ik weet zeker dat als je psalmen zou zingen en om haar verlossing zou bidden, je wonderen bij haar zou bereiken,' zei ik. 'Maar weet je het wel zeker? Ik heb dat meisje ontmoet, en de moeder ook. Voor de dochter van een heks is ze wel erg knap, en voor een duivelse slet ongewoon beleefd.'

'Ik heb het niet mis.'

'Heb je met haar gepraat?'

'Ik heb nog niet de kans gehad. Het gaat erg merkwaardig toe op die bijeenkomsten. We zaten met z'n allen in een kring, met dat kind Blundy in het midden.'

'En toen?'

'En toen niets. Het leek net of iedereen wachtte tot ze iets zou zeggen, maar zij zat daar maar. Dat ging iets van een uur zo door. Toen hoorden we buiten geschreeuw en iedereen ging er in paniek vandoor.'

'Aha. Maar zelfs al komt jouw overtuiging met de waarheid overeen, dan nog zal het je nooit lukken iets uit haar te krijgen,' zei ik. 'Waarom zou ze je iets vertellen? Het zit haar kennelijk niet dwars en blijkbaar heeft ze het geld nodig. Waarom zou ze haar betrekking op het spel zetten om jou een plezier te doen?'

'Volgens mij moet zij hem wel heimelijk verachten. Ik dacht dat als ik haar beloofde dat het geen onaangename gevolgen zou hebben, zij haar plicht wel zou inzien.'

'Ik denk dat een paar geldstukken haar misschien eerder tot andere gedachten zullen brengen. Zeg Thomas, weet je wel zeker dat je je niet vergist? Je vergeet dat doctor Grove mijn leermeester is geweest, en in al die vier jaar heb ik nooit een spoor van wellustigheid bij hem ontdekt.'

Ik weet zeker dat Thomas ervan overtuigd was dat zijn optreden onbaatzuchtig was. Hij wilde oprecht dat de gemeenteleden van Easton Parva de allerbeste predikant zouden krijgen en was er zeker van dat hij die iemand was. Natuurlijk wilde hij graag dat salaris hebben, en de vrouw en de bruidsschat die daarbij hoorden, maar enkel en alleen omdat dat hem tot een betere zielenherder van zijn gemeente zou maken. Hij werd door rechtschapenheid gedreven, niet door begeerte. Daardoor is alles ook zo ongelukkig afgelopen. Simpele zelfzuchtigheid brengt minder narigheid teweeg dan vertwijfelde rechtschapenheid.

Wat mijzelf betreft: ik geef openlijk toe dat mijn eigen optreden door zelfzuchtigheid werd gedreven. Ik had een geldbron nodig en met het oog daarop moest ik ervoor zorgen dat Thomas iets van geld in handen kreeg. Bovendien was hij destijds mijn enige vriend, en ik voelde me aan hem verplicht. Voor zijn eigen bestwil zowel als het mijne, zo stelde ik vast, had hij het soort hulp nodig dat alleen ik kon verschaffen.

'Hoor eens, vriend, ga weer aan je studie en hou je voortaan verre van dit soort avonturen, want daar ben je helemaal niet op berekend. Ik zal dat kind Blundy weleens voor je aanpakken, en voordat je het weet vertelt ze mij alles wat ik maar wil weten.'

'En hoe leg je dat aan?'

'Dat zeg ik niet. Maar als je om vergeving van mijn zonden bidt, dan zul je de komende paar weken heel wat werk te verzetten krijgen.'

Als altijd leek hij geschokt door mijn gebrek aan eerbied, en daar had ik juist ook op gehoopt. Het was zo gemakkelijk hem in dat opzicht van zijn stuk te brengen. Vrolijk lachend liet ik hem alleen, zodat hij kon gaan slapen, ging terug naar mijn college, klom ongezien over de muur en sloop zachtjes de kamer van mijn snurkende leermeester in.

7

Ik GING OP BEZOEK BIJ John Wallis, wiskundige en godgeleerde, zoals Thomas me met klem had aangeraden; destijds wist ik nog niet veel anders van die grote geestelijke af dan dat hij niet al te geliefd was, al schreef ik dat toe aan het feit dat hij door Cromwell aan Oxford was opgedrongen. Zijn gebrek aan populariteit vloeide grotendeels voort uit de omstandigheid dat Wallis tijdens de algemeen heersende zuivering van puriteinen toen de koning was teruggekeerd, om onverklaarbare redenen niet alleen zijn betrekking had behouden, maar zelfs allerlei bewijzen van de gunst van officiële zijde had ontvangen. Velen van degenen die voor de koning hadden geleden en niet zo waren beloond, koesterden hier bittere wrok om.

In mijn verwatenheid zocht ik hem thuis op, want hij was een welgesteld man en hield er vertrekken op het college op na, een groot huis aan Merton Street en verder geloof ik ook nog een huis in Londen. Zijn huisknecht nam aan dat ik een student was die onderricht wilde ontvangen en het kostte me enige moeite een onderhoud te verkrijgen.

Wallis ontving me onmiddellijk, en dat was een vriendelijk gebaar dat indruk op me maakte; mindere godheden aan de universiteit hadden me in het verleden zonder enige reden wel uren laten wachten. Bijgevolg voelde ik mijn hoop toenemen toen ik mijn opwachting bij hem maakte.

Ik denk dat iedereen tegenwoordig een bepaald beeld van zulke mensen in zijn hoofd heeft. De geestelijke heeft rode wangen van het al te goede leven; de natuurvorser is een verstrooide, ietwat sjofel uitziende figuur met zijn jas verkeerd dichtgeknoopt en zijn pruik schots en scheef op zijn hoofd. Als zulke lieden al bestaan, dan hoorde professor doctor dominee John Wallis daar niet toe, want hij was een man die volgens mij gedurende zijn hele leven nooit iets over het hoofd heeft gezien of vergeten. Hij was een van de koelste, meest angstaanjagende mensen die ik ooit heb ontmoet. Hij zat doodstil, nam me op toen ik binnenkwam en gaf enkel met een knikje te kennen dat ik moest gaan zitten. Nu ik er eens over nadenk, heeft een roerloze houding iets heel welsprekends. Thurloe zat bijvoorbeeld ook heel stil, maar de tegenstelling tussen die twee had niet uitgesprokener kunnen zijn. Misschien klinkt dit vreemd uit juist mijn mond, maar Thurloes onbeweeglijkheid had iets nederigs. Wallis had het onbeweeglijke van een slang die zijn prooi opneemt.

'Zo, mijnheer?' vroeg hij na een tijdje met ijzig zachte stem. Ik merkte op dat hij enigszins lispelde, waardoor dat beeld van een slang zich nog sterker aan me opdrong. 'U wilt mij spreken, niet ik u.'

'Ik kom u om een gunst vragen, mijnheer. Het gaat om een privékwestie.'

'Ik hoop niet dat u onderricht wenst.'

'O Heer, nee.'

'Slaat u in mijn aanwezigheid geen godslasterlijke taal uit.'

'Mijn excuses, mijnheer. Maar ik weet niet goed hoe ik moet beginnen. Ik had gehoord dat u mij misschien kon helpen.'

'Van wie?'

'Van mijnheer Ken, magister van deze universiteit en...'

'Mijnheer Ken is mij bekend,' zei Wallis. 'Een non-conformistische geestelijke, nietwaar?'

'Hij doet zijn uiterste best om gehoorzaam te zijn.'

'Ik wens hem het beste. Hij beseft ongetwijfeld dat wij ons dezer dagen niets minder dan een volmaakt volgzame houding kunnen permitteren.'

'Ja, mijnheer.' Dat 'we' viel me op. Tenslotte was het nog maar kort geleden dat Wallis zelf een non-conformistische geestelijke was geweest, en dat had hem geen windeieren gelegd.

Onbewogen zat Wallis erbij, zonder mij ook maar enigszins op weg te helpen.

'Mijn vader was sir James Prestcott...'

'Ik heb van hem gehoord.'

'Dan weet u ook dat hij van snode daden is beticht, waarvan ik weet dat hij ze nooit heeft gepleegd. Ik ben ervan overtuigd dat zijn ondergang het resultaat was van een samenzwering, door John Thurloe op touw gezet om de identiteit van de werkelijke verrader te verbergen, en ik ben van plan dat te bewijzen.'

Weer vertoonde Wallis geen enkel gebaar: geen bemoedigend en geen afkeurend; hij zat daar maar zonder met zijn ogen te knipperen totdat ik me helemaal rood voelde worden omdat ik zo'n dom figuur sloeg, en in mijn gêne begon ik te zweten en te stotteren.

'Hoe denkt u dat te gaan bewijzen?' zei hij na een tijdje.

'Iemand moet de waarheid kennen,' zei ik. 'Ik hoopte dat u, daar u in contact hebt gestaan met het ministerie van Thurloe...'

Wallis bracht zijn hand omhoog. 'Houdt u op, mijnheer. U hebt, dunkt me, een overdreven voorstelling van mijn werkzaamheden. Ik heb voor de Republiek brieven ontcijferd wanneer ik niet aan die taak kon ontkomen, en wanneer ik er zeker van was dat mijn natuurlijke trouw aan de zaak van Zijne Majesteit op geen enkele wijze gevaar liep aangetast te worden.'

'Natuurlijk,' mompelde ik, bijna bewondering voelend voor het gemak waarmee hij deze flagrante leugen over zijn dunne lippen kreeg. 'Dus ik ben verkeerd ingelicht, en u kunt mij niet helpen?'

'Dat zei ik niet,' vervolgde hij. 'Ik weet weinig, maar als ik wil, kan ik misschien veel te weten komen. Over wat voor papieren van uw vader uit die periode beschikt u?'

'Over geen enkel,' zei ik. 'En ik geloof ook niet dat mijn moeder die heeft. Waarom wilt u die zien?'

'Geen kist? Geen boeken? Geen brieven? U moet erachter zien te komen waar hij zich steeds heeft opgehouden. Want als hij volgens de verhalen in Londen vertoefde om zich met Thurloe te verstaan, en u kunt bewijzen dat hij elders was, dan bewijst u uw zaak daar een grote dienst mee. Is dat niet bij u opgekomen?'

Ik liet als een lastige schooljongen mijn hoofd hangen en bekende dat ik daar nooit aan had gedacht. Wallis bleef me maar aan de tand voelen en me de meest ongerijmde vragen stellen over bepaalde boeken, al herinner ik me nu niet meer de details. Mijn aanpak bestond uit een meer directe confrontatie; dat muggenzifterige doorzoeken van papieren en boeken lag me niet. Misschien, dacht ik, zou die kennis van Wood toch nog dienstig blijken.

Wallis knikte voldaan. 'Schrijf uw familie en vraag hun wat zij hebben. Breng dan alles naar mij toe en ik zal alle materiaal bekijken. Misschien dat ik dan verband kan leggen met dingen die ik weet.'

'Dat is vriendelijk van u.'

Hij schudde zijn hoofd. 'Nee. Als er zich een verrader aan het hof bevindt, dan is het beter wanneer we dat weten. Maar weest u ervan verzekerd, mijnheer Prestcott, dat ik alleen bereid ben u te helpen wanneer u kunt bewijzen dat u het bij het rechte eind hebt.'

～

Langzamerhand was het al winter geworden; voor mijn gevoel drong de tijd, en elke dag opnieuw voelde ik mijn taak zwaar op me drukken, want de herinnering aan mijn vader spoorde me aan om handelend op te treden. Daarom begon ik aanstalten te maken om op reis te gaan, en van toen af heb ik enkele maanden bijna zonder onderbreking gereisd, totdat alles tot klaarheid was gekomen. Ik trok rond tijdens een van de ergste winters die ik me maar kan herinneren, en vervolgens opnieuw gedurende het voorjaar, voortgedreven door mijn plichtsgevoel en mijn verlangen naar de waarheid. Ik reisde alleen, met niet veel meer dan mijn mantel en een ransel, en ging meestal te voet; ik sjokte langs wegen en karrensporen, meed de enorme plassen die alle weggetjes in die tijd van het jaar blank zetten en zocht een rustplaats in dorpen en steden of onder bomen en heggen wanneer ik geen andere keus had. Het was een tijd waarin ik door de grootst mogelijke bezorgdheid en angst werd gekweld; vaak betwijfelde ik tot het allerlaatste ogenblik of ik wel zou kunnen slagen, en ik maakte me er zorgen over dat het me onmogelijk zou blijken mijn vele vijanden te verslaan. Toch denk ik er ook met dierbare gevoelens aan terug, al komt dat misschien enkel door het warme licht waarin jeugdherinneringen zich aan de ouderdom voordoen.

Voordat ik vertrok, moest ik mijn belofte om Thomas te helpen nog gestand doen. Het was gemakkelijk genoeg Sarah Blundy tegen het lijf te lopen, maar een gesprek met haar aanknopen was moeilijker. Om zes uur 's morgens ging zij de deur uit om naar de Woods in Merton Street te gaan, waar ze elke dag behalve de maandag werkte; die dag was aan doctor Grove gewijd. Hier bleef ze tot zeven uur 's avonds. Elke zondag kreeg ze vier uur vrijaf en eens in de zes weken had ze een hele dag vrij. Ik wist precies dat ze elke woensdag inkopen voor het gezin ging doen op Gloucester Green, een braakliggend stuk land aan de rand van de stad waar boeren hun producten mochten verkopen. Daar kocht ze alles wat het gezin nodig had, en vervolgens moest ze (want mevrouw Wood was een notoire schraapster) alles zelf mee terugdragen, daar ze geen geld meekreeg om daar iemand voor in de arm te nemen.

Dit was mijn geschiktste gelegenheid, stelde ik vast. Op een onopvallende afstand volgde ik haar naar de markt, wachtte tot ze haar inkopen had gedaan en zorgde er daarna voor dat ik haar juist tegenkwam op het ogenblik dat ze me worstelend met twee enorm zware manden vol levensmiddelen voorbijkwam.

'Juffrouw Blundy, nietwaar?' zei ik met een verheugde uitdrukking op mijn gezicht. 'U zult zich mij ongetwijfeld niet herinneren. Ik heb enige maanden geleden het genoegen gesmaakt uw moeder te raadplegen.'

Zij wierp heur haar uit haar gezicht en keek me eens vorsend aan, waarna ze langzaam knikte. 'O ja,' zei ze ten slotte. 'Dat is waar. Ik hoop dat u geen spijt hebt gehad van uw uitgave.'

'Ik heb er veel aan gehad, dank u. Heel veel. Ik vrees alleen dat ik me niet behoorlijk heb gedragen. Ik was toen erg ongerust en van streek, en dat is ongetwijfeld tot uiting gekomen in mijn gebrek aan manieren.'

'Zeker,' zei ze. 'Dat is zo.'

'Staat u mij toe,' zei ik, 'dit althans enigszins goed te maken. Laat mij uw manden dragen. Ze zijn veel te zwaar voor u.'

Zonder zelfs maar eerst te doen of ze dat aanbod afsloeg, gaf zij ze onmiddellijk allebei aan mij. 'Dat is vriendelijk van u,' zei ze met een zucht van verlichting. 'Dit is het gedeelte van de week waar ik het minst op gesteld ben. Als u maar niet een heel andere kant op moet.'

'In het geheel niet.'

'Hoe weet u dan waar we heen gaan?'

'Het doet er niet toe,' zei ik haastig om mijn vergissing te verdoezelen. 'Ik heb toch niets om handen en ik zou graag bereid zijn deze manden helemaal naar het topje van Heddington Hill te dragen als dat me het genoegen van uw gezelschap verschafte.'

Zij wierp haar hoofd in haar nek en lachte. 'Dan hebt u beslist niet veel om handen. Gelukkig zal ik niet zo'n zwaar beroep doen op uw behulpzaamheid. Ik ben enkel op weg naar Merton Street.'

De manden waren ongelooflijk zwaar, en ik was er half en half verbolgen over dat het meisje ze me allebei zo prompt had toegestoken. Eentje was toch meer dan genoeg geweest. En wat nog erger was: ze zag met nauw verholen hilariteit toe hoe ik voortzwoegde met de last die zij als vanzelfsprekend had gedragen.

'Wordt u daar goed behandeld?' vroeg ik onder het lopen – ik moeizaam voortploeterend en zij met lichte en gemakkelijke tred.

'Mevrouw Wood is een goede meesteres,' antwoordde ze. 'Ik heb niets te klagen. Hoezo? Was u van plan mij een betrekking aan te bieden?'

'O nee. Ik kan me geen personeel veroorloven.'

'U bent student, is het niet?'

Ik knikte. Gelet op mijn toga, die in de krachtige bries om me heen wapperde, en op mijn baret, die elk ogenblik gevaar liep in de goot te waaien, was dat niet zo'n scherpzinnige vraag.

'Studeert u voor geestelijke?'

Ik lachte. 'Lieve hemel, nee zeg.'

'Staat u afwijzend tegenover de Kerk? Heb ik het misschien tegen een heimelijke katholiek?'

Ik liep rood aan van woede om deze opmerking, maar herinnerde me nog bijtijds dat ik deze ochtend niet voor mijn plezier op deze wijze doorbracht.

'Zeker niet,' zei ik, 'ik mag dan een zondaar zijn, maar zo erg is het ook weer niet met me gesteld. Mijn afwijkende houding berust op iets geheel anders. Al valt mij geen enkele handeling te verwijten.'

'Dan feliciteer ik u.'

Ik slaakte een zucht. 'Ik feliciteer mezelf niet. Er bestaat hier een groep godvrezende mensen waarmee ik graag zou omgaan, maar ze wilden niet eens de gedachte overwegen mij in hun midden toe te laten. En ik kan niet zeggen dat ik hun dat kwalijk neem.'

'Wie zijn dat dan wel?'

'Dat moest ik maar liever niet zeggen,' zei ik.

'U zou me toch op z'n minst kunnen zeggen waarom u daar zo onwelkom bent.'

'Iemand als ik?' zei ik. 'Wie wil er nu contact met iemand die zich aan de monsterlijkste wandaden schuldig heeft gemaakt? Ik weet het, en ik heb er oprecht berouw van, maar ik kan dat wat ik ben geweest niet uitwissen.'

'Ik dacht altijd dat heel wat van die groepen zondaren juist verwelkomden. Het heeft toch niet veel zin alleen reine lieden te verwelkomen? Die zijn toch al verlost.'

'Dat is natuurlijk ook de gedachte die ze rondbazuinen,' zei ik met veel vertoon van bittere gevoelens. 'In werkelijkheid wenden ze zich af van de mensen die hen waarlijk nodig hebben.'

'Hebben ze u dat gezegd?'

'Dat hoefde niet eens. Ik zou iemand als ik ook beslist niet opnemen. En als ze dat zouden doen, dan zouden ze ongetwijfeld voortdurend bang zijn dat ik voor ontwrichting in hun groep zou zorgen.'

'Is uw leven dan zo verschrikkelijk geweest? Dat kan ik me maar moeilijk voorstellen, want u kunt niet ouder zijn dan ik.'

'Maar u bent ongetwijfeld in een rechtschapen en vroom gezin opgevoed,' merkte ik op. 'Dat geluk heb ik helaas moeten ontberen.'

'Mijn ouders zijn een zegen voor me geweest, dat is waar,' zei ze. 'Maar u kunt ervan op aan dat een groep die u zou afwijzen, niet de moeite waard zou zijn om toe te behoren. Kom, mijnheer, zegt u mij over welke groep u het hebt. Dan kan ik daar misschien eens poolshoogte voor u nemen. Hun vragen of u welkom zou zijn, als u zelf te verlegen bent om hen te benaderen.'

Dankbaar en opgetogen keek ik haar aan. 'Zou u dat willen doen? Ik durf het u bijna niet te vragen. Het gaat om een man die Tidmarsh heet. Ik heb gehoord dat hij een innig vrome predikant is, en dat hij de weinige mensen in Oxford die niet verdorven zijn, om zich heen heeft verzameld.'

Zij bleef staan en staarde me aan. 'Maar hij is een kwaker,' zei ze kalm. 'Weet u wel waar u zich mee inlaat?'

'Wat bedoelt u?'

'Zij mogen dan Gods uitverkorenen zijn, maar Hij stelt hen wel zwaar op de proef. Als u met hen omgaat, dan verliest u alle bescherming waarover u dankzij uw afkomst kunt beschikken. Dan wordt u in de gevangenis gegooid en afgeranseld en op straat bespuwd. Misschien moet u zelfs uw leven geven. En ook als u gespaard blijft zullen uw vrienden en verwanten u mijden, en de hele wereld zal u verachten.'

'U wilt mij dus niet helpen?'

'U moet heel zeker weten wat u doet.'

'Hoort u erbij?'

Even vloog er een uitdrukking van argwaan over haar gezicht, maar toen schudde ze haar hoofd. 'Nee,' zei ze. 'Ik ben niet opgevoed met het idee dat ik moeilijkheden moest veroorzaken. Naar mijn idee is dat even hoogmoedig als opzichtige kledij.'

Ik schudde mijn hoofd om die opmerking. 'Ik wil niet beweren dat ik u begrijp. Maar ik heb dringend hulp van node.'

'Zoekt u die dan elders,' zei ze. 'Als God u iets opdraagt, dan moet u gehoorzamen. Maar zorgt u er wel eerst voor dat u weet wat Hij wil. U bent een jonge heer, die kan beschikken over alle voordelen die die stand met zich meebrengt. Gooit u die niet in een opwelling weg. Denkt u eerst goed na en bidt intens. Hun weg is niet de enige die tot verlossing leidt.'

Wij waren door St Aldates gekomen en vervolgens door Merton Street en waren voor de deur van het huis van haar meesteres blijven staan terwijl zij die nadrukkelijke raad uitdeelde. Ik stel me voor dat ze enkel probeerde zichzelf te dekken, maar desondanks leek haar advies me verstandig. Als ik een onstuimige knaap was geweest die op het punt stond een ernstige fout te begaan, dan had ze me wel tot nadenken gestemd.

Enigszins onbehaaglijk ging ik mijns weegs, een stemming die ik nu begrijp. Ik was bezig haar te bedriegen en zij beantwoordde mijn bedrog met vriendelijkheid. Dat stemde me heel verward, totdat ik nadien merkte dat haar listigheid de mijne verre overtrof.

8

HET VIEL ME NIET MOEILIJK gedurende de volgende paar weken enkele toevallige ontmoetingen met haar te arrangeren, en langzaam maar zeker won ik haar vriendschap. Ik zei tegen haar dat ik had besloten haar raad op te volgen, maar dat mijn ziel nog steeds gefolterd werd. Alle preken van de wereld vermochten mij niet met de staatskerk te verzoenen. Ik was erachter gekomen dat haar vader een extremist van het ergste soort was geweest, steeds zo druk bezig het vermoorden van landheren en de vestiging van de Republiek te propageren dat hij geen tijd had voor Christus. Bijgevolg moest ik het een en ander veranderen aan mijn strategie om haar voor me in te nemen.

'Wanneer ik aan de gevoelens van hoop denk die tot voor een paar jaar nog in de wereld bestonden,' zei ik, 'dan voel ik een diep verdriet. Eens zo algemeen heersende idealen worden nu overboord geworpen en veracht, en de wereld is een speelbal van hebzucht en eigenbelang.'

Zij staarde me ernstig aan, alsof ik een diepzinnige waarheid had gesproken, en knikte. We liepen door St Giles; ik was erin geslaagd haar die avond tegen het lijf te lopen toen ze vanuit een eethuis met het avondmaal van de Woods huiswaarts keerde. Het rook heerlijk, warm en smakelijk, en door die geurige damp liep het water me in de mond. Ik kon zien dat zij ook honger had.

'Wat ga je doen als je dit hebt afgeleverd?'

'Dan ben ik vandaag verder klaar,' zei ze. Het was al donker en koud.

'Ga dan met me mee. Laten we samen gaan eten. Ik zie wel dat je net zoveel honger hebt als ik, en je zou me een gunst bewijzen als je me gezelschap hield.'

Ze schudde haar hoofd. 'Dat is aardig van je, Jack. Maar je moet niet met me gezien worden. Onze reputaties zouden er niet op vooruitgaan.'

'Heb jij dan een reputatie? Daar weet ik niets van. Ik zie alleen maar een mooie vrouw met een lege maag. Maar als het je zorgen baart, dan kunnen we wel naar een gelegenheid gaan die ik ken, waar wij tweeën bij de rest van de gasten als heiligen afsteken.'

'En hoe ken jij zulke gelegenheden?'

'Ik zei al dat ik een zondaar was.'

Ze glimlachte. 'Ik kan het me niet veroorloven.'

Ik maakte een luchtig gebaar. 'Dat bespreken we later nog weleens, als je je maag gevuld hebt.'

Nog steeds aarzelde ze. Ik boog me over de schaal met eten die zij droeg en snoof eens diep. 'Ah, de geur van die jus, waar stukken vlees in liggen,' zei ik verlangend. 'Stel je je niet onmiddellijk een bordvol voor, met vers, knapperig brood erbij en een pul? Een hoog opgetast bord, de damp die ervan opstijgt, het water dat je in de mond...'

'Stop!' riep ze, in lachen uitbarstend. 'Goed dan. Ik ga mee, als je maar ophoudt met dat gepraat over eten.'

'Goed,' zei ik. 'Lever je maaltijd dan af en kom met me mee.'

We liepen langs het Maria Magdalena-college, staken de rivier over en gingen naar een klein kroegje aan de rand van de stad. Niemand van de universiteit, zelfs studenten niet, kwam hier ooit eten, daar het overal te ver vandaan lag en een te beroerde reputatie had. Ook het eten was er abominabel. Vrouw Roberts was een slechte kokkin én een smerig mens, en het eten had veel weg van de vrouw zelf: het stond stijf van het vet en verspreidde een smerige lucht. Sarah trok een onbehaaglijk gezicht in het kleine vertrekje waar zij de brij opschepte, maar ze at ervan met de eetlust van iemand die maar zelden genoeg te eten kreeg. Vrouw Roberts' voornaamste verdienste was dat het bier dat ze schonk sterk en goedkoop was, en ik vind het jammer dat die tijd voorgoed voorbij is. Nu het bier door zakenlieden wordt gebrouwen, die hun best doen vrouwen te beletten hun zelfgebrouwen bier te verkopen, zijn de hoogtijdagen van dit land in mijn ogen voorbij.

De positiefste eigenschap van het brouwsel was dat toen Sarah er een pint of twee van had gedronken, ze spraakzaam werd en openstond voor al mijn vragen. Voor zover ik me herinner, stuurde ik verder het gesprek. Toen ik ernaar vroeg, vertelde ze dat ze niet alleen voor de familie Wood werkte, maar ook werk had gekregen bij doctor Grove. Zij deed maar weinig voor hem, maakte alleen zijn kamer schoon, legde zijn vuur aan en maakte elk maankwartier een bad voor hem klaar – want hij was uiterst proper op zichzelf –, en hij betaalde gul. De enige moeilijkheid, zei ze, was zijn verlangen haar bij de staatskerk te halen.

Ik zei dat die Grove wel een huichelaar was als hij dat zei, want hij had de reputatie dat hij in het geheim een paap was. Als ik soms had gedacht dat ik haar hiermee uit haar tent zou lokken, dan had ik het mis, want zij fronste haar voorhoofd en schudde heftig haar hoofd. Als hij dat al was, zei ze, dan had zij daar nooit iets van gemerkt, niet op zijn kamer en niet aan zijn manier van doen.

'En laat hij je hard werken?'

Integendeel, verzekerde ze. Hij had haar altijd ontzettend aardig behandeld, terwijl ze hem tegen allerlei andere mensen uiterst onaangenaam had zien optreden. Ze maakte zich er echter grote zorgen over dat hij binnenkort een prebende op het land zou krijgen. Pas een paar dagen tevoren had hij haar verteld dat het bijna zeker was.

Hier schrok ik heel erg van; ik wist al wel dat Grove geen enkele blaam trof wat zijn geloof aanging – waarschijnlijk hield hij zich zelfs stipter aan de kerkleer dan Thomas zelf – en het leek me onwaarschijnlijk dat de vermoedens van mijn vriend ook maar ergens op stoelden. Ik zou het meisje ook niet kunnen overhalen om hem voor geld op valse gronden aan te geven. Zij had iets eerlijks.

'Hij kan onmogelijk erg goed zijn in het leiden van een gemeente,' zei ik. 'Dat komt natuurlijk doordat hij zo lang aan de universiteit heeft gezeten. Anders zou hij wel uitkijken om zijn kamers te laten schoonhouden door een mooie, jonge vrouw. Daar moeten wel praatjes van komen.'

'Er is niets om over te praten, dus waarom zou ook maar iemand die moeite nemen?'

'Ik weet het niet, maar gebrek aan bewijs heeft volgens mij nog nooit een roddelkous ontmoedigd. Vertel me eens wat over die reputatie van je waar ik zo voor moet uitkijken,' zei ik, want ik dacht dat als ik zou kunnen bewijzen dat Grove welbewust een non-conformistisch iemand aan zijn boezem koesterde, dat ook heel goed zou uitkomen. Ze vertelde me over haar vader, zo te horen het meest pikzwarte monster dat ooit had geleefd, en een muiter, atheïst en oproerkraaier. Ondanks haar beschrijving viel me op dat het enige dat je in zijn voordeel kon zeggen, was dat hij een dapper soldaat was geweest. Zij wist niet eens waar hij was begraven, daar hij zo'n laaghartig sujet was geweest dat hij niet eens een gewijd graf had gekregen. Dat ongeluk hadden we althans met elkaar gemeen.

Ik denk dat ze me toen al had betoverd, want merkwaardig genoeg voelde ik me tot haar aangetrokken, ondanks haar vrijmoedige toon, die me toch had moeten afstoten. We hadden merkwaardig veel met elkaar gemeen; zij werkte voor Grove, ik was zijn pupil geweest. Allebei onze

271

vaders hadden een inslechte reputatie, en hoewel die van de mijne onge-rechtvaardigd was, wist ik wat het was om onder zoiets gebukt te gaan. En anders dan zoveel non-conformisten vertoonde zij niet de brandende ogen en het humorloze optreden van de fanaticus. Ook was ze niet lelijk, zoals zovelen van dat volkje, wier ziel tot Jezus trekt omdat er hier op aarde geen man rondloopt die naar hun lichaam verlangt. Tijdens het eten vertoonde zij verbazingwekkend verfijnde en natuurlijk aandoende manieren, en ook toen ze iets op had bleef ze zich goed gedragen. Ik had mijn leven lang maar weinig met vrouwen gepraat, omdat ze of te goed beschermd werden of van te lage afkomst waren om een behoorlijk gesprek mee te kunnen voeren, en mijn ervaring met het hoertje vlak buiten Tunbridge en de manier waarop ze mij had uitgelachen, zat me dwars.

Toen we van tafel opstonden begeerde ik haar langzamerhand, en van-zelfsprekend meende ik dat haar bereidheid om met mij in zo'n kroeg te gaan eten en haar openhartige manier van praten erop wezen dat zij zich evenzeer tot mij aangetrokken voelde. Ik wist in ieder geval wel van het bestaan van mensen zoals zij, en ik had verhalen gehoord over hun losse zeden. Ik was nog des te meer op haar gebrand omdat ik toch niets aan haar had; in Thomas' gedachten over Grove stak niets waars en zij wilde niets over hem loslaten. Wat was ik toch een stommeling dat ik zo dacht, want haar val stond al op het punt dicht te klappen: ongetwijfeld als zo vaak tevo-ren. Ik meende dat ik de charmante verleider speelde en haar met mijn wel-willende aandacht vereerde; in werkelijkheid maakte zij juist gebruik van mijn jeugdige leeftijd en goede vertrouwen en was ze bezig mij tot de zon-den te verleiden die zij willens en wetens voor haar eigen duivelse doelein-den zou gebruiken.

Het was al over achten en donker toen we opstapten, en daarom zei ik dat we het beste over het veld van Christ Church terug konden lopen om zo de nachtwacht te vermijden. 'Een paar weken geleden ben ik gesnapt toen ik me niet aan de avondklok hield,' zei ik. 'Ik kan het me niet veroorloven me nog eens te laten snappen. Kom met me mee; dat is veiliger voor je.'

Zij ging hier zonder morren op in, en we glipten langs de Botanische Tuin en liepen het veld op, waarna ik mijn arm om haar middel legde. Zij verstijfde enigszins, maar maakte geen bezwaar. Toen we midden op het veld stonden en ik zeker wist dat er niemand in de buurt was, hield ik stil, nam haar in mijn armen en probeerde haar te kussen. Onmiddellijk begon ze tegen te spartelen, dus klemde ik haar vaster in mijn armen: daarmee liet ik haar zien dat enig verzet weliswaar normaal was, maar dat ze nu ook weer niet hoefde te overdrijven. Ze bleef echter maar tegenspartelen, en haar gezicht afwenden en daarna begon ze me ook nog met de vlakke hand te slaan en me aan mijn haar te trekken. Daardoor verloor ik mijn geduld. Ik lichtte haar beentje en duwde haar tegen de grond. Nog steeds bleef ze tegenspartelen, zodat ik me razend maakte om haar gedrag en me genoodzaakt zag haar een paar klappen toe te dienen.

'Hoe durf je?' riep ik verontwaardigd uit toen ze haar verzet even staakte. 'Ben je met een maaltijd dan nog niet genoeg betaald? Denk je soms dat de zon voor niets opgaat? Wie denk je wel dat je bent? Heb je dan plannen om me op een andere manier te betalen?'

Weer begon ze tegen te spartelen, dus drukte ik haar tegen de koude, vochtige grond, trok haar dunne rok omhoog en maakte me gereed. Mijn bloed gistte langzamerhand, want haar weigerachtigheid had me boos gemaakt én opgewonden, en ik kende geen genade. Misschien dat ik haar pijn heb gedaan, ik weet het niet, maar dat is dan haar eigen schuld geweest. Toen ik klaar was, was ik tevreden en zij was helemaal murw. Zij draaide me haar rug toe, bleef op het koude gras liggen en er kwam geen protest over haar lippen.

'Zo,' zei ik. 'Vanwaar toch al dat misbaar? Voor zo iemand als jij kan dit toch onmogelijk een verrassing zijn. Of dacht je dat ik je mee uit eten nam vanwege je conversatie? Kom zeg, als ik op een gesprek uit was geweest, dan was ik wel met een van mijn kameraden op stap gegaan, en niet met een dienstmeisje met wie ik niet in gezelschap mag worden gezien.'

Ik schudde haar eens speels door elkaar, alweer goedgemutst. 'Maak toch niet zo'n ophef. Hier heb je nog een dubbeltje extra. Maak je toch niet zo dik. Je bent toch geen maagd die er in waarde op achteruit is gegaan?'

Toen draaide die kenau zich om en gaf me een klap in mijn gezicht, en vervolgens haalde ze haar klauwen over mijn wang en trok zo hard aan mijn haar dat ze er zowaar een pluk uit trok. Nog nooit van mijn leven was ik zo behandeld, en van pure schrik stokte de adem me in de keel. Ik moest haar nu natuurlijk wel een lesje leren, al deed dat me geen enkel genoegen. Ik heb er nooit plezier in gehad andere mensen te slaan, ook personeel niet, hoezeer ze dat ook mochten hebben verdiend. Dat is een van mijn ergste zwakheden, en ik vrees dat ze me daarom minder respect toedragen dan ze zouden moeten.

'Zo dan,' zei ik toen zij met haar hoofd tussen haar handen gehurkt op het gras zat. 'De volgende keer wil ik dit soort gekheid niet meer zien.' Ik moest me bukken en in haar oor praten om me ervan te vergewissen dat ze me hoorde. Het viel me op dat ze niet huilde. 'Voortaan heb je me met het nodige respect te behandelen. Goed, ik zal je laten zien dat we weer vrienden zijn: neem dit geld eens aan. En nu is alles vergeven en vergeten, niet-waar?'

Daar zij weigerde op te staan, liet ik haar alleen om haar te laten voelen dat ik niet vatbaar was voor dat soort geflikflooi. De avond was niet zo nuttig gebleken als ik me had voorgesteld – het probleem doctor Grove was nog niet opgelost, maar tenminste op een aangename manier geëindigd. Vanuit mijn ooghoeken merkte ik zelfs een vreemde uitdrukking op haar gezicht op toen ik opstapte; bijna een glimlach, dacht ik. Die glimlach is me nog lange tijd bijgebleven.

9

.

DAARMEE HAD IK DE ZAAK van me afgezet, als ik die nacht niet een erg verontrustende droom had gehad. Ik klom een trap op en bovenaan was een grote, eiken deur, die onwrikbaar dichtzat. Dat joeg me angst aan, maar ik verzamelde al mijn kracht en stootte hem open. Het had de slaapkamer moeten zijn, maar in plaats daarvan stond ik in een donkere, hete kelder.

Ik aanschouwde daar een verschrikkelijk tafereel; mijn vader lag op een bed, zo naakt als Noach, en zat onder het bloed. Sarah Blundy, helemaal in het wit en weer met diezelfde glimlach, stond met een mes in haar hand over hem heen gebogen. Toen ik binnenkwam, wendde ze zich bedaard mijn kant op. 'Aldus sterft een eerbaar man,' fluisterde ze.

Ik schudde mijn hoofd en wees beschuldigend naar haar. 'Jij hebt hem vermoord,' zei ik.

'O nee.' En ze knikte me toe. Ik sloeg mijn ogen neer en in mijn hand lag de met bloed besmeurde dolk die zijzelf een ogenblik tevoren nog had vastgehouden. Ik probeerde hem te laten vallen, maar hij wilde niet van mijn hand loslaten.

Dat was het einde van mijn droom; als er nog meer was, dan kan ik me dat niet meer herinneren. Ik werd angstig wakker, en het kostte me heel wat moeite mijn gedachten te bevrijden van de sluier die die droom eroverheen had geworpen; dat was vreemd, want ik had nooit eerder veel aandacht aan zulke hersenschimmen besteed en zelfs altijd iedereen uitgelachen die er veel waarde aan hechtte.

Ik vroeg Thomas wat hij van dromen dacht toen ik hem ontmoette en we een kroes bier in een taveerne gingen drinken, en natuurlijk nam hij de kwestie op zoals hij alles opnam: ernstig. De betekenis van dromen, zo zei hij, hing van mijn gestel af. Hoe was die droom precies gegaan?

Natuurlijk liet ik de achtergrond ervan achterwege; hij stond uitzonderlijk afwijzend tegenover alle ontucht, en ik had geen lust om met hem te redetwisten over beuzelarijen.

'Vertel me eens, neig jij tot overheersing van de cholerische gemoedsgesteldheid?' vroeg hij toen ik uitgepraat was.

'Nee,' zei ik. 'Eerder tot die van de melancholische.'

'Ik neem aan dat je niet veel van dromen af weet?'

Dat gaf ik toe.

'Je moet ze bestuderen,' zei hij. 'Ik persoonlijk vind ze maar bijgelovige onzin, maar het lijdt geen twijfel dat ordinaire lieden geloven dat je er van alles en nog wat uit kunt halen. Eens zal dergelijke domheid misschien veroordeeld worden; een fatsoenlijke priester hoort beslist nooit zulke larie te bestuderen. Maar die tijd is nog niet aangebroken, dus we moeten op onze hoede zijn.'

'Kijk,' zei hij, warmlopend voor zijn onderwerp en met zijn magere zitvlak in zijn stoel heen en weer schuivend, zoals hij altijd deed wanneer hij zich opmaakte om een lange verhandeling te houden. 'Dromen zijn het gevolg van uiteenlopende oorzaken, die weer op elkaar inwerken. Meestal is er sprake van een overheersende oorzaak, en die dienen we af te zonderen teneinde de ware aard van de verschijning vast te stellen. Eén zo'n oorzaak bestaat uit dampen die van de maag naar de hersenen opstijgen, waardoor die laatste te zeer verhit raken; een dergelijk verschijnsel doet zich voor wanneer je je aan eten en drinken te buiten bent gegaan. Heb je dat gedaan voordat je die droom kreeg?'

'Volstrekt niet,' zei ik, terugdenkend aan mijn maaltijd bij vrouw Roberts.

'Een tweede oorzaak is een verstoring van je gemoedsgesteldheid, maar daar je zegt dat de melancholie bij jou overheerst, moeten we die ook uitsluiten; dit is kennelijk een droom waarin het cholerische element zijn invloed uitoefent: de gal is als gevolg van zijn eigen kleur geneigd zwarte dromen te veroorzaken.

Daarmee hebben we alleen de geestelijke invloed nog over; met andere woorden, een droomgezicht dat door engelen ingegeven is bij wijze van waarschuwing, of door de duivel als kwelling en verzoeking. Waar hij ook vandaan mag komen, die droom voorspelt niets goeds; het meisje is nauw verbonden met de dood van een man, een vader. Van een moord dromen is iets verschrikkelijks; zoiets duidt op ontberingen en gevangenschap. Vertel me nog eens, wat heb je nog meer in die droom gezien?'

'Het mes, het meisje, het bed en mijn vader.'

'Dat mes is ook een kwaad voorteken. Glansde het en was het scherp?'

'Dat moet wel.'

'Een mes wil zeggen dat vele kwaadwillige mensen zich tegen je hebben gekeerd.'

'Dat weet ik al.'

'Het voorspelt ook dat wanneer er een rechtszaak tegen je loopt, je die waarschijnlijk zult verliezen.'

'En het bed?' vroeg ik, me steeds ellendiger voelend bij het vooruitzicht dat hij voor me etaleerde.

'Bedden hebben natuurlijk te maken met je huwelijksvooruitzichten. En dat het lijk van je vader erin ligt, beduidt ook weer helemaal niets goeds. Zolang hij er is, zul je nooit trouwen; zijn lichaam verhindert dat.'

'En dat betekent dat geen enkele vrouw uit de hogere kringen de zoon van een verrader als ik zou willen aanraken,' riep ik uit. 'Ik heb heus geen hemelse boodschapper van node om me dat te laten vertellen.'

Thomas keek in zijn bierpul. 'En dan heb je nog dat meisje,' zei hij. 'Haar aanwezigheid stelt me voor een raadsel. Want de droom zegt duidelijk dat zij jouw rampspoed én je rechter is. En dat kan niet. Je kent haar toch ternauwernood, en ik vermag niet in te zien waarom we je huidige moeilijkheden haar zouden kunnen verwijten. Kun jij me dat verklaren?'

Hoewel ik meer wist dan ik Thomas zonder wroeging kon vertellen, kon ik dit niet verklaren. Nu kan ik dat wel, want ik heb lang en ingespannen over deze kwestie nagedacht. Het is me duidelijk dat mijn eerste bezoek aan de weduwe Blundy een verstoring van het evenwicht bij de geesten teweeg heeft gebracht, een toestand van afhankelijkheid waardoor ik in verwarring ben geraakt, en dat ik me, door me met de dochter te amuseren, in mijn domheid in de val heb laten lokken. Dat ik destijds door de inblazingen van een duivel tot mijn wandaad ben gekomen en zo in haar netten verstrikt ben geraakt, is nu al even duidelijk.

De strekking van de droom was eigenlijk heel simpel, als ik maar over het vernuft had beschikt om hem te begrijpen. Want daar bleek duidelijk uit dat het meisje me in haar netten had gelokt om mij van mijn queeste af te brengen: als ik er niet in slaagde mijn vaders naam van alle blaam te zuiveren, dan zou ik hem inderdaad vermoorden. Toen ik dat eenmaal begreep, voelde ik me in mijn voornemen gesterkt en aangemoedigd.

Een dergelijk inzicht viel mij natuurlijk niet meteen ten deel, want ik heb nooit beweerd dat ik een scherpzinnig denker ben waar het om zulke zaken gaat. Ik heb – maar dat geldt voor alle mannen – geleerd van mijn ervaringen en van het toepassen van mijn gezonde verstand, een methode die ertoe leidt dat er uiteindelijk één verklaring overblijft die alles oplost. Destijds dacht ik er alleen maar aan dat het meisje misschien een of andere beuzelachtige klacht tegen me zou indienen bij de ordebewaarders van de universiteit, die niets moesten hebben van studenten die zich afgaven met de hoeren in de stad, en dat het onderzoek daarnaar me dan zou dwingen in de stad te blijven. Een of andere vorm van verdediging was nu geboden, en de aanval is de beste methode.

Toen ik bij Thomas was weggegaan en door Carfax liep, kwam er een bijzonder vernuftige oplossing bij me op; om kort te gaan, ik gaf Mary, een groenteverkoopster op de markt en een van de oneerlijkste en vulgairste stukken verdriet die ik kende, wat geld om te zeggen dat zij op een dag wat vruchten bij Grove was gaan langsbrengen en toen door hem voor Sarah was aangezien. Zij was de kamer nog niet binnengekomen (moest zij van mij zeggen), of Grove was vanachteren op haar toe gestapt en was haar borsten gaan strelen. Toen zij daartegen protesteerde (nu beweerde ze dat ze een deugdzaam meisje was, iets wat beslist niet waar was) had Grove gezegd: 'Wat, kind? Je voelt niets voor iets waar je gisteren nog zo tuk op was?' En nog beter: ik zocht Wood op en vertelde hem een verhaal over doctor Grove en diens bronstige praktijken met zijn dienstmeisje. Het stond als een paal boven water dat dit verhaal zich binnen iets van een dag zou verspreiden en spoedig de Fellows van New College ter ore zou komen, zo'n uitstekende roddelkous was Wood.

Laat de slet maar klagen als ze wil, dacht ik. Niemand zal haar geloven, en het enige dat ze voor elkaar krijgt is dat ze zichzelf in opspraak brengt en zich met schande overlaadt. Nu ik er na al die jaren op terugkijk, kan ik er minder bewondering voor opbrengen. Mijn listige aanpak heeft Thomas niet die prebende opgeleverd, en hoewel hij misschien Sarah Blundy's wereldse wraak heeft afgeweerd, is zij daardoor in een nog kwaadaardiger razernij ontstoken.

⁓

Ik wist daar niets van toen ik Oxford enkele dagen later verliet – een gezegende bevrijding, want ik heb die stad altijd verafschuwd en al meer dan tien jaar ben ik er niet meer geweest – en geloofde eigenlijk dat ik tegelijkertijd van het meisje had geprofiteerd, mijzelf in bescherming had genomen én mijn vriend had geholpen. Die tevreden stemming hield niet lang aan nadat ik de grens met Warwickshire was overgestoken en me op weg had begeven naar mijn moeder, hoewel ik alwéér geen acht sloeg op het eerste teken dat er iets mis was. Ik gaf wat geld uit aan een rijtuig naar Warwick en wilde de laatste vijftien mijl lopen om me die uitgave te besparen; in een opgewekte stemming ging ik op weg, en na iets van een uur hield ik even stil om wat water te drinken en een stuk brood te eten. Het was een eenzaam plekje langs de weg en ik ging op een met gras begroeide rand zitten uitrusten. Even later hoorde ik wat geritsel in het struweel en ik stond op om poolshoogte te nemen, maar ternauwernood was ik vier passen in het kreupelhout gevorderd, of daar sprong met een duivelse schreeuw een bunzing omhoog die mijn hand openhaalde en me een diepe, hevig bloedende wond toebracht. Vol schrik en angst deinsde ik achteruit en struikelde over een wortel, maar het beest maakte geen gebruik van zijn voordelige positie. Onmiddellijk daarop was het spoorloos verdwenen, en als het bloed niet van mijn hand was gedropen, dan zou ik hebben gezworen dat ik het me had verbeeld. Ik hield mezelf natuurlijk voor dat het mijn eigen schuld was, dat ik waarschijnlijk te dicht bij de jongen van het beest was gekomen en daar duur voor had moeten betalen. Pas later kwam het bij me op dat ik in al die jaren dat ik al in dat gedeelte van de wereld woonde, nooit iemand had horen vertellen dat daar zulke beesten voorkwamen.

Later wist ik natuurlijk wel beter hoe het met dat beest zat, maar destijds nam ik het voorval alleen mezelf kwalijk; ik verbond mijn hand en zette de reis voort. Na een tocht van drie dagen kwam ik aan bij de familie van mijn moeder. Onze berooide toestand had haar geen enkele keus gelaten; zij moest zich wel aan hun barmhartigheid overleveren en ze hadden haar opnieuw opgenomen, maar niet op de manier waarop familie dat hoort te doen. Mijn moeder had hen destijds erg ontstemd door iemand te trouwen op wie zij haar zinnen had gezet, en geen ogenblik lieten ze haar vergeten dat haar verdriet in hun ogen de straf vormde voor haar ongehoorzaamheid.

Bijgevolg lieten ze haar een leven leiden dat niet veel beter was dan dat van een dienstmaagd. Weliswaar mocht zij aan de hoofdtafel aanzitten – zij hielden nog de oude, nu bijna vergeten gewoonte in ere om samen met de hele huishouding te eten –, maar zorgden er altijd voor dat zij aan het uiteinde zat en onderwierpen haar bijna dagelijks aan allerlei beledigende bejegeningen. Zij waren precies het type dat later bekend kwam te staan als de Weerhanen; als ze doctor Wallis ooit hadden ontmoet, dan hadden ze het goed met hem kunnen vinden. Onder Cromwell zong de familie zijn psalmen en prees de Heer. Onder Karel bekostigden ze de liturgische gewaden voor de familiepredikant en lazen ze elke avond uit de Schrift. Het enige waar ze geloof ik op neerkeken was de wereld der papen, want ze hadden een gloeiende hekel aan Rome en speurden voortdurend naar de verderfelijke tekenen van priesterstreken.

Ik ben altijd erg op dat huis gesteld geweest, maar ik geloof dat het inmiddels geheel is vernieuwd: afgebroken en volgens moderne principes opnieuw opgebouwd door een van Wrens ontelbare navolgers. Nu zijn de kamers regelmatig van vorm en goed geproportioneerd, en het licht stroomt ongetwijfeld naar binnen via de moderne schuiframen, de schoorstenen trekken naar behoren en de tocht blijft tot een minimum beperkt. Ik voor mij moet niet veel hebben van die geestdriftige neiging tot aanpassing aan alles wat vooraanstaande lieden in Europa ons aanprijzen als elegant. Al die symmetrie heeft iets vals. Vroeger was het huis van een heer de geschiedenis van zijn familie, en aan de vormen ervan kon je zien wanneer ze *in bonis* waren geweest en op uitbreiding gericht, of wanneer ze moeilijke tijden hadden beleefd. Die kronkelende groepen schoorstenen en gangen en naast elkaar geplaatste goten gaven het huis iets aardigs, een innemend soort slordigheid. Na Cromwells pogingen ons allen met behulp van zijn legers zijn eenvormigheid op te dringen, hadden we dat toch wel gezien, zou je zeggen. Maar als altijd loop ik uit de pas met de tijd. De oude huizen worden een voor een afgebroken en vervangen door prullige bouwsels, die het waarschijnlijk niet veel langer zullen volhouden dan de inhalige, arrogante nieuwe families die ze laten optrekken. Omdat ze zo vlug gebouwd zijn, kunnen ze al even snel weer weggevaagd worden, samen met alle mensen die erin huizen.

'Hoe kunt u zich zo'n vernederende bejegening laten welgevallen, mevrouw?' vroeg ik mijn moeder toen ik haar op een avond in haar kamer opzocht. Ik was er toen zes weken, en ik kon de verachtelijke vroomheid en de arrogante verwatenheid van die lieden niet langer verdragen. 'Zelfs het geduld van een heilige zou op de proef gesteld worden als hij elke dag opnieuw hun gevoel van superioriteit moest dulden. Om maar te zwijgen van hun onuitstaanbare verwijten en met een gepijnigd gezicht gepaard gaande vriendelijke gebaren.'

Zij keek op van haar borduurwerk en haalde haar schouders op. Ze had de gewoonte zo haar avonden door te brengen: ze maakte kleden die, zo vertelde ze me, eens van mij zouden zijn wanneer ik me een vrouw en een inkomen had verworven. 'Je moet niet lelijk over ze praten,' zei ze. 'Ze behandelen me meer dan edelmoedig. Tenslotte waren ze hier helemaal niet toe verplicht.'

'Uw eigen broer?' riep ik. 'Natuurlijk is hij hiertoe verplicht. Evenals uw echtgenoot ertoe verplicht zou zijn geweest als de rollen omgekeerd waren geweest.'

Een tijdje gaf zij geen antwoord en bepaalde zich bij haar werk, terwijl ik weer eens in het grote haardvuur staarde. 'Je hebt het mis, Jack,' zei ze eindelijk. 'Je vader heeft zich heel slecht tegenover mijn broer gedragen.'

'Ik weet zeker dat dat de schuld van mijn oom is geweest,' zei ik.

'Nee. Je weet hoe ik je vader vereerde, maar hij kon zich opvliegend en onbesuisd gedragen. Dit is een van die gelegenheden geweest. Hij had volkomen verkeerd gehandeld, maar weigerde dat toe te geven of het goed te maken.'

'Dat kan ik niet geloven,' zei ik.

'Je weet niet waar ik het over heb,' zei ze nog steeds geduldig. 'Ik zal je een voorbeeldje geven. Voordat je vader naar het buitenland was vertrokken om daar te vechten, stuurde de koning tijdens de oorlog gaarders rond om alle vooraanstaande families een heffing op te leggen. De aanslag die mijn broer ontving, was genadeloos en onrechtvaardig. Het spreekt vanzelf dat hij mijn echtgenoot aanschreef en hem verzocht voor hem te bemiddelen om te proberen het bedrag omlaag te krijgen. Maar hij schreef een heel beledigende brief terug waarin hij zei dat nu zoveel mensen hun leven gaven, hij er niet over dacht mijn broer te helpen voorkomen dat hij zijn zilver moest afstaan. Het zou helemaal geen grote moeite voor hem zijn geweest om dat voor zijn familie te doen. En toen het parlement op zijn beurt zijn heffing oplegde, moest je oom een groot stuk land verkopen, zo arm was hij geworden. Dat heeft hij je vader nooit vergeven.'

'Ik zou met een afdeling cavalerie voor de poort zijn verschenen om zelf het geld op te halen,' zei ik. 'De belangen van 's konings zaak waren toch belangrijker dan alle andere? Als meer mensen dat hadden ingezien, dan was het parlement verslagen.'

'De koning vocht ervoor om de wet in ere te houden, niet alleen maar om zich op de troon te handhaven. Wat had hij aan succes gehad als alles waarvoor hij streed daardoor teloor was gegaan? Zonder de meest vooraanstaande families van het rijk was de koning niemand; dat wij ons fortuin en onze invloed in stand hebben weten te houden, heeft zijn zaak evenzeer bevorderd als wanneer we voor hem hadden gevochten.'

'Dat kwam dan mooi uit,' smaalde ik.

'Ja,' zei ze. 'En toen deze koning terugkeerde, stond je oom klaar om zijn functie van magistraat aan te vangen en de orde te herstellen. Als mijn broer er niet was geweest, wie zou dan dit gedeelte van de wereld hebben bestuurd en ervoor gezorgd hebben dat onze mensen de koning weer welkom heetten? Je vader bezat geen rooie duit en geen invloed meer.'

'Ik heb liever een berooide held als vader dan een lafaard,' zei ik.

'Helaas stam je af van een berooide verrader en leef je van de vriendelijkheid van de rijke lafaard.'

'Hij was geen verrader. Juist u kunt dat toch niet geloven?'

'Ik weet alleen dat hij zijn familie ten verderve heeft gevoerd en zijn vrouw tot bedelares heeft gemaakt.'

'De koning heeft hem leven en eer geschonken. Wat kon hij anders?'

'Bespaar me toch je kinderlijke praatjes,' snauwde ze. 'En praat niet over dingen die je niet begrijpt. Een oorlog is geen geschiedenis van ridderlijke daden. De koning heeft meer genomen dan hij heeft gegeven. Hij was een dwaas, en je vader was een nog grotere dwaas dat hij hem steunde. Jarenlang heb ik schuldeisers moeten bedotten, soldaten steekpenningen moeten toestoppen en land van ons moeten verkopen om er maar voor te zorgen dat hij de aanzienlijke heer bleef. Ik heb moeten aanzien hoe ons kapitaal almaar slonk, enkel en alleen om hem in staat te stellen op dezelfde voet te leven als edelen met een tien keer zo groot inkomen. Ik heb moeten aanzien hoe hij een regeling met het parlement van de hand wees omdat de man die erop uit was gestuurd om met hem te onderhandelen, een Londense kaarsenmaker was en geen heer. Vooral dat laatste vertoon van eer is ons duur komen te staan, geloof dat maar. En toen wij tot een toestand van nijpende armoede waren vervallen, moest ik met niets anders dan de kleren die ik aanhad, bij mijn broer aankloppen en een beroep doen op zijn genade. Hij nam me op en kleedde en voedde me, terwijl je vader het beetje dat er nog van ons fortuin restte over de balk gooide. Hij bekostigt je opleiding, zodat je later in je levensonderhoud kunt voorzien, en hij heeft beloofd dat hij je zal helpen je in Londen te vestigen wanneer je klaar bent. En het enige dat hij van je terugkrijgt is verachting en kinderlijke opmerkingen. Je vergelijkt zijn eer met de eer van je vader. Zeg me, Jack, waarin steekt de eer van een armengraf?'

Verdoofd door haar heftigheid en zwaar teleurgesteld leunde ik achterover. Mijn arme vader, zelfs verraden door de enige die hem volstrekte gehoorzaamheid verschuldigd was. Mijn oom had zowaar kans gezien haar op te ruien. Ik verweet het haar niet; hoe kon een vrouw zulke druk ook weerstaan wanneer die gedurig werd uitgeoefend? Maar mijn oom verweet ik het wel, want hij had mijn vaders afwezigheid gebruikt om hem zwart te maken tegenover iemand die zijn naam tot haar laatste snik had horen te verdedigen.

'U praat alsof u zo dadelijk wilt zeggen dat hij wel degelijk een verrader was,' zei ik ten slotte, toen mijn hoofd niet meer tolde. 'Dat kan ik niet geloven.'

'Ik weet het niet,' zei ze. 'En daarom geloof ik maar de gunstigste versie. In het jaar voordat hij vluchtte heb ik hem ternauwernood gezien; ik weet dus niet wat hij toen deed.'

'Kan het u dan niets schelen wie hem heeft verraden? En zit het u niet dwars dat John Thurloe vrij rondloopt, hoewel hij schuldig is, terwijl uw eigen echtgenoot als gevolg van verraad in zijn graf ligt?'

'Neen, dat is alles verleden tijd en er valt niets meer aan te doen.'

'U moet mij vertellen wat u weet, hoe weinig dat ook mag zijn. Wanneer hebt u hem voor het laatst gezien?'

Lange tijd staarde zij naar het vuur in de schouw, dat almaar kleiner werd en maakte dat de kou ons lichaam begon te omhullen; het was altijd al een ijskoud huis geweest en zelfs in de zomer had je een zware overjas nodig wanneer je de belangrijkste kamers verliet. Nu het winter was, de bladeren waren gevallen en het begon te waaien, kwam het huis weer in de greep van de kilte.

Ik moest er eerst wel bij haar op aandringen voordat ze antwoord gaf op mijn vragen naar papieren en brieven en documenten waaruit misschien zou blijken wat er was gebeurd, want ik was Wallis' verzoek niet vergeten en wilde hem graag een dienst bewijzen als dat mogelijk was. Verscheidene keren begon ze over een ander onderwerp en probeerde ze mijn aandacht naar andere kwesties af te leiden, maar telkens hield ik voet bij stuk. Op het laatst zwichtte ze, in het besef dat dat gemakkelijker was dan wanneer ze zich bleef verzetten. Maar haar tegenzin was duidelijk merkbaar, en dat heb ik haar nooit helemaal vergeven. Ik zei dat ik vooral alles aan de weet moest komen over wat er rond januari 1660 was gebeurd, vlak voordat mijn vader was gevlucht en toen de samenzwering tegen hem een hoogtepunt had bereikt. Waar was hij toen? Wat had hij gedaan of gezegd? Had zij hem in die tijd weleens gesproken?

Ze zei van ja; dat was zelfs de laatste keer geweest dat ze hem had gesproken. 'Via een betrouwbare vriend ontving ik de boodschap dat je vader mij nodig had,' begon ze. 'Toen kwam hij hier op een nacht onaangekondigd aan. Hij heeft zich niet met je oom verstaan en heeft hier maar één nacht doorgebracht; toen is hij weer vertrokken.'

'Hoe was hij eraan toe?'

'Hij was heel ernstig en in gedachten verzonken, maar niet somber.'

'En had hij soldaten bij zich?'

Ze schudde haar hoofd. 'Nee, één man maar.'

'Wie was dat?' Ze schoof mijn vragen met een handgebaar terzijde.

'Die nacht bleef hij, zoals ik al zei, maar hij ging niet slapen; hij en zijn kameraad aten iets en daarna kwam hij bij me om te praten. Hij gedroeg zich heel geheimzinnig, paste goed op dat niemand ons hoorde en liet mij beloven dat ik mijn broer niets zou vertellen. En voordat je me dat vraagt: dat heb ik ook niet gedaan.'

Diep in mijn hart wist ik dat ik op het punt stond iets van ongeëvenaard belang te horen, en dat mijn vader had gewild dat mij dit later verteld zou worden; anders had hij mijn moeder wel laten zweren dat ze er geen woord over zou loslaten. 'Gaat u door,' zei ik.

'Hij had een heel diepgaand gesprek met me. Hij zei dat hij een vreselijke vorm van verraad had ontdekt, en dat dat hem zo'n vreselijke schok had bezorgd dat hij eerst niet had willen geloven wat zijn eigen ogen hem vertelden. Maar nu was hij zeker van zijn zaak en hij zou tot handelen overgaan.'

Ik slaakte bijna een kreet van ongeduld. 'Wat voor verraad? Wat ging hij dan doen? Wat had hij dan ontdekt?'

Mijn moeder schudde haar hoofd. 'Hij zei dat het zo erg was dat hij het niet aan een vrouw kon toevertrouwen. Je moet begrijpen dat hij me nooit geheimen had verteld of me ook maar ergens over in vertrouwen had genomen. Je moet je erover verbazen dat hij toen zoveel zei, niet dat hij maar zo weinig zei.'

'En dat was alles?'

'Hij zei dat hij mannen zou ontmaskeren en doden die een gruwelijk kwaad hadden bedreven; het was gevaarlijk, maar hij had alle vertrouwen dat hij zou slagen. Toen wees hij naar de man die al die tijd al in de hoek zat.'

'Zijn naam, mevrouw? Hoe heette hij?' Dan had ik althans iets van een houvast, dacht ik. Maar zij schudde haar hoofd weer. Ze wist het niet.

'Misschien dat hij Ned heette; ik weet het niet. Ik geloof dat ik hem al eens eerder had ontmoet, al voor de oorlog. Je vader zei dat je uiteindelijk alleen je eigen mensen kon vertrouwen en dat deze man zo iemand was. Als er iets niet volgens de plannen mocht verlopen, dan zou deze man naar mij toe komen en me een pakje geven dat alles bevatte wat hij wist. Ik moest daar goed op passen en het alleen gebruiken wanneer ik zeker wist dat ik dat veilig kon doen.'

'En verder?'

'Niets,' zei ze eenvoudig. 'Even daarna zijn ze vertrokken en ik heb hem nooit teruggezien. Een paar weken later ontving ik een bericht uit Deal: dat hij het land enige tijd moest verlaten, maar dat hij terug zou komen. In werkelijkheid is hij nooit teruggekomen, zoals je weet.'

'En die man? Die Ned?'

Ze schudde haar hoofd. 'Die is nooit gekomen, en ik heb nooit een pakje ontvangen.'

✑

Hoe teleurstellend het ook was dat mijn moeder niets bezat waarmee ik Wallis kon helpen, toch betekenden de inlichtingen die zij me had verstrekt een onverwachte meevaller. Ik had niet verwacht dat mijn moeder zulke dingen wist en had me slechts in tweede instantie tot haar gewend. Het is een droevige bekentenis voor een zoon, maar ik vond het steeds moeilijker haar wellevend te bejegenen, zozeer trok zij naar haar eigen familie, die alleen positief tegenover mijn vader had gestaan toen hij nog een degelijk landgoed bezat.

Nee, het doel waarmee ik naar Warwickshire was getrokken, was heel anders, want ik wilde de documenten raadplegen aangaande de beschikking omtrent mijn landgoed in Lincolnshire, zodat ik te weten zou komen wanneer ik mocht verwachten het in mijn bezit te krijgen. Ik wist dat het een ingewikkelde geschiedenis was geweest; dat had mijn vader me bij vele gelegenheden verteld. Toen de strijd serieus werd en zijn vertrouwen in de koning begon te slinken, wist hij heel goed dat er veel meer op het spel stond dan zijn eigen leven, en dat de hele familie zou kunnen worden weggevaagd. Daarom had hij een beschikking opgesteld die tot doel had zijn bezit te beschermen.

Kortom, hij volgde de nieuwste gewoonte in het land en legateerde het onroerend goed aan een lasthebber ten bate van hemzelf en, na zijn dood, van mij. Volgens een terzelfder tijd opgesteld testament werd mijn oom tot zijn executeur-testamentair benoemd en sir William Compton tot mijn voogd, die belast werd met de taak de persoonlijke eigendommen zowel als het onroerend goed naar behoren te beheren. Het klinkt ingewikkeld, maar tegenwoordig zal ieder vermogend man dit alles uitstekend begrijpen, want het is een heel gangbare methode geworden om een familie voor gevaar te behoeden. Destijds echter waren zulke ingewikkelde maatregelen nog bijna helemaal onbekend: er is niets dat mannen zo vernuftig maakt en advocaten zo rijk als een burgeroorlog.

Ik kon niet vragen of ik de papieren mocht inzien, daar mijn oom ze bewaarde, en het was niet erg waarschijnlijk dat hij mijn verzoek zou inwilligen. Bovendien wilde ik hem niet laten merken dat ik er belangstelling voor had, want dan zou hij misschien wel stappen ondernemen om de documenten te vernietigen of er ten eigen bate iets aan te veranderen. Ik was niet van plan me te laten bedriegen door mijn oom, voor wie bedrog een tweede natuur was.

Toen ik er die nacht zeker van was dat iedereen sliep, ging ik op onderzoek uit. Mijn ooms studeerkamer, waar hij alle zaken in verband met zijn bezit afhandelde en zijn rentmeester ontving, was onveranderd gebleven sinds de dagen toen hij me daar ontbood om me te bepreken over godvruchtig gedrag, en stilletjes sloop ik naar binnen – er onbewust aan denkend dat de deur een knerpend geluid maakte waar het hele huishouden gemakkelijk wakker van zou kunnen worden. Toen ik mijn kaars in de hoogte hield, kon ik de robuuste eiken tafel onderscheiden waarop elk jaar met Sint Michiel de gehele boekhouding werd uitgespreid, en ook de met ijzeren hoepels beslagen kisten waarin de juridische stukken en rekeningen werden bewaard.

'Ongelooflijk moeilijk, hè? Maak je maar geen zorgen, wanneer jij er straks over gaat, dan zul je ze wel begrijpen. Onthoud nu maar de gulden regels wat het beheer van bezit betreft: vertrouw nooit je rentmeesters en belast je pachters nooit al te zwaar. Uiteindelijk trek je dan aan het kortste eind.' Zo, herinnerde ik me, had mijn vader tegen me gesproken toen ik geloof ik vijf was, of misschien nog jonger. Ik was zijn werkkamer op Harland House binnengegaan omdat de deur openstond, hoewel ik wist dat dat verboden was. Te midden van stapels papieren zat mijn vader daar met de zandkoker vlak in de buurt, de opgewarmde was die diende om de zegels aan de documenten te hechten en de kaars die in de tocht stond te walmen. Ik verwachtte half en half dat ik een pak slaag zou krijgen, maar nee: hij keek op en lachte me toe, tilde me toen bij zich op schoot en liet mij de papieren zien. Wanneer hij meer tijd had, zei hij, zou hij mij mijn eerste lessen gaan geven, want een heer moest heel wat leren wilde hij slagen in het leven.

Die dag is nooit aangebroken, en bij die gedachte prikten de tranen in mijn ogen toen ik daar zo stond en me dat vertrek in mijn eigen huis herinnerde, het huis dat ik misschien voorgoed kwijt was geraakt en dat ik al meer dan tien jaar niets eens meer had gezien. Zelfs de lucht die er had gehangen kwam weer bij me boven, een krachtige en veilige lucht van leer en olie, en een tijdje bleef ik droevig staan, voordat ik weer tot mezelf kwam en me herinnerde dat ik een bepaalde taak moest volbrengen, en vlug ook.

Mijn oom bewaarde de sleutel van de schatkist in de zwaardenkast, en daar keek ik dan ook onmiddellijk toen ik me hersteld had. Gelukkig was zijn gewoonte niet veranderd en de grote, ijzeren sleutel lag op de gebruikelijke plaats. In een mum van tijd had ik de kist geopend en daarop ging ik aan de grote tafel zitten, zette de kaars goed neer, nam de documenten er een voor een uit en las ze door.

Verscheidene uren zat ik daar toen de kaars uitging. Het was een vervelend karwei, want de meeste bundels papieren waren niet interessant, en zodra ik ze had ontrold, legde ik ze opzij. Maar ten slotte stuitte ik op de bijzonderheden van de beschikking. Ook vond ik twintig pond, die ik na enig aarzelen bij me stak. Niet dat ik van zulk besmet geld afhankelijk wilde zijn, maar ik redeneerde dat het uiteindelijk rechtens aan mij toekwam, dus dat ik geen wroeging hoefde te voelen als ik het gebruikte.

Er zijn geen woorden waarmee ik ten volle de gruwelijke ontdekking die ik deed kan beschrijven, want die documenten verschaften een volledig en onbewogen verslag van de meest verachtelijke en volledige vorm van bedrog. Ik zal het in eenvoudige termen stellen, want hoe ik mijn woorden ook opsmuk, het effect zal er niet sterker op worden: al mijn onroerend goed was door sir William Compton, de man die tot taak had gekregen mijn belangen te beschermen, verkocht aan mijn oom, de man aan wie de zorg was toevertrouwd al mijn land onaangetast voor me te beheren. Dit doortrapte staaltje van zwendelarij was uitgevoerd zodra mijn vader in zijn armengraf was gelegd, want de laatste akte van verkoop was nog geen twee maanden na zijn dood gedateerd en ondertekend.

Kortom, al mijn bezit was me ontnomen.

Ik had mijn oom nooit graag gemogen en altijd al een hekel gehad aan zijn eigenwaan en zijn arrogante manier van doen. Maar nooit had ik er ook maar een flauw vermoeden van gehad dat hij tot zo'n monsterlijke vorm van verraad in staat was. Dat hij gebruik had gemaakt van de wanordelijke toestand waarin zijn familie verkeerde en die ten eigen bate had aangewend; dat hij mijn vaders overlijden en mijn minderjarigheid had gebruikt om een dergelijk goor plan uit te voeren; dat hij mijn moeder had gedwongen tot stilzwijgende medewerking aan de teloorgang van haar zoons belangen – dit alles was veel erger dan ik me ooit had kunnen voorstellen. Hij had aangenomen dat mijn leeftijd en gebrek aan middelen me zouden beletten terug te vechten. Ik nam me ter plekke vast voor dat hij spoedig zou ondervinden hoezeer hij het bij het verkeerde eind had.

Wat ik niet kon begrijpen waren de praktijken van sir William Compton, mijn voogd, en iemand die mij altijd bijzonder vriendelijk had bejegend. Als ook hij tegen mij had samengespannen, dan stond ik er volslagen alleen voor; maar ondanks wat ik hier duidelijk zag, kon ik niet geloven dat een man over wie mijn vader zich altijd in de meest lovende bewoordingen had uitgelaten en aan wiens zorg hij zelfs zijn stamhouder had toevertrouwd, zo dubbelhartig te werk kon zijn gegaan. Hij was een rondborstig, joviaal man, en behoorde tot de soort mensen die de ruggengraat van het land vormen met zijn robuuste eerlijkheid, door Cromwell zelf als 'die godvrezende royalist' omschreven: hij moest ook wel bedrogen zijn dat hij aldus had gehandeld. Als ik erachter kon komen hoe, dan zou ik mijn zaak daar verder mee helpen. Ik wist dat ik hem binnenkort ook aan de tand zou moeten voelen, maar voor die taak schrok ik terug zolang ik hem niet meer bewijzen kon overleggen. Want zodra mijn vader was gevlucht, was ik heengezonden van Compton Wynyates: ik wist niet wat voor ontvangst me daar te wachten zou staan en ik moet bekennen dat ik bang was voor zijn verachting.

Toen ik de kist dichtdeed en afsloot en vervolgens zachtjes naar mijn kamer terugsloop, wist ik dat mijn taak er enorm veel ingewikkelder op was geworden, en dat ik er nu zo alleen voor stond als ik nooit had kunnen dromen. Want ik was verraden door iedereen, zelfs door degenen die mij het meest na stonden, en kon alleen nog op mijn eigen vastberadenheid terugvallen. Bij elke stap die ik verzette werd mijn taak zwaarder en moeilijker, leek het wel, want nu moest ik niet alleen de man zien te vinden die mijn vader had verraden, maar ook degenen vernietigen die zo gezwind van zijn schande hadden geprofiteerd.

Het was nog niet bij me opgekomen dat die beide speurtochten weleens een en dezelfde konden zijn, en ook niet dat deze problemen, vergeleken bij de andere strijd die me even later in zijn volle omvang zou overvallen, maar beuzelachtig waren.

Al gauw kreeg ik zo'n vermoeden van wat me beschoren was, want zo'n twee uur voor zonsopgang sliep ik in. Ik wilde maar dat dat niet was gebeurd; ik had het huis onmiddellijk moeten verlaten en op weg moeten gaan, want dan had ik de meest afschrikwekkende ervaring van een nacht die toch al zo beangstigend was, gemeden. Ik weet niet hoelang ik had geslapen, maar het was nog donker toen ik wakker werd van een stem. Ik trok het bedgordijn weg en voor het venster zag ik de duidelijk omlijnde gestalte van een vrouw die zich naar binnen boog alsof ze buiten stond, hoewel mijn kamer op de eerste verdieping lag. Het gezicht kon ik niet onderscheiden, maar het golvende zwarte haar bevestigde onmiddellijk mijn vermoeden. Het was dat kind Blundy. 'Jongen,' siste ze, telkens en telkens opnieuw, 'je zult falen. Daar zal ik voor zorgen.' En met een zucht die eerder aan de wind deed denken dan aan een ademtocht, verdween ze.

Wel meer dan een uur zat ik huiverend in mijn bed totdat ik mezelf ervan had overtuigd dat het voorval enkel de koortsdroom was geweest van een chaotische en vermoeide geest. Ik hield mezelf voor dat deze droom, even-als de vorige, niets betekende. Ik herinnerde mezelf aan alle eerzame pries-ters die hadden gezegd dat het aanmatigend was geloof te hechten aan zulke hersenschimmen. Maar zij hadden het mis; ik twijfel er weliswaar niet aan of vele zogenaamde profeten die hemelse boodschappen in hun dromen hebben gezien, zijn onnozele en onbezonnen lieden die vapeurs met engelen verwarren en hun luimen met de Heer, maar sommige dro-men hebben inderdaad een geestelijke oorsprong. En niet alle komen ze van God. Toen ik ging liggen en de slaap weer probeerde te vatten, hield de wind die aan het raam rammelde me wakker en ik herinnerde me dat ik het niet had geopend voordat ik naar bed was gegaan. En nu stond het open, vastgezet en wel, en dat was niet het werk van mijn hand geweest.

Toen ik de volgende ochtend naar beneden ging, gooide ik mijn plannen om en vertrok zo vlug als ik maar voor mijn fatsoen kon. Ik nam geen afscheid van mijn moeder en zeker niet van mijn oom. Ik kon hen niet meer luchten of zien, en was bang dat me een of andere opmerking zou ontsnap-pen die zou onthullen dat ik hun samenzwering had ontdekt.

I O

IK ZAL HIER NIET DE WILDE EMOTIES beschrijven die er in me omgingen toen ik naar de grens tussen de graafschappen Warwickshire en Oxfordshire trok; dat mijn ziel brandde van verlangen naar wraak zal duidelijk zijn, en ik acht het niet nodig op papier te zetten wat elke man in mijn positie zou hebben gevoeld. Het is mijn taak te beschrijven wat ik deed, niet wat voor gevoelens ik over deze kwestie koesterde: de vluchtigheid van emoties veroorzaakt maar begrotelijk tijdverlies. In de geschiedenis van de mensheid zijn het altijd glorieuze daden geweest die de belangwekkende resultaten en de lessen voor het nageslacht hebben opgeleverd. Moeten wij weten wat er door Augustus heen ging toen hij het bericht kreeg dat dankzij de slag bij Actium zijn heerschappij zich tot de hele wereld uitstrekte? Zou het Cato's roem vergroten wanneer we op de hoogte zouden zijn van zijn gevoelens toen het mes zich in zijn borst boorde? Emoties zijn niets anders dan de lagen van de duivel, op ons afgestuurd om ons tot twijfel en onzekerheid te verleiden en alle verrichte daden, of ze nu goed of slecht zijn, te verdoezelen. Een verstandig man zal er, dunkt me, nooit veel aandacht aan besteden, want ze leiden hem alleen maar af, zijn alleen maar een vorm van overgave aan verwijfde sentimenten die voor de wereld verborgen dienen te blijven als men ze niet in bedwang kan houden en in zijn eigen hart bewaren. Het is onze taak onze hartstochten te overwinnen, en niet over de hevigheid ervan uit te weiden.

Ik zal hier daarom alleen vermelden dat het me kwelde dat ik, even snel als ik op het ene gebied vorderingen maakte, op het andere met geweld werd tegengewerkt. Hoe meer ik John Thurloe achtervolgde, hoe meer Sarah Blundy mij achtervolgde, want het ongeruste gevoel dat mij beklemde als gevolg van die reeks dromen en beproevingen, had ik nog steeds niet van me af weten te zetten, en terwijl ik in zuidelijke richting voortsjokte door het gebied waar de oorlog zich voor het grootste gedeelte had afgespeeld, liet ik mijn gedachten over dat gebrek aan harmonie gaan. Heel wat gebouwen en heel wat fraaie woonhuizen stonden er nog steeds ontredderd bij, daar de eigenaren, net als mijn eigen vader, niet langer het geld hadden om ze te restaureren. Landhuizen die afgebrand waren, of gesloopt vanwege de stenen, akkers die nog steeds braak lagen en overwoekerd waren geraakt door onkruid, want de pachters voeren niets uit wanneer er geen ferme hand is die hen op hun plaats houdt. Ik bracht een nacht door in Southam, aan een aanval van de melancholie ten prooi die mij altijd al had geteisterd, en ik gaf wat geld uit aan een aderlating, in de hoop dat ik daardoor mijn evenwicht zou hervinden en gesterkt zou worden. Vervolgens gaf ik, door deze ervaring verzwakt, nog meer uit aan mijn onderdak voor die nacht.

Dit was een fortuinlijke beslissing, want aan tafel hoorde ik dat hier pas een dag tevoren nog een magiër op doorreis was geweest, iemand die alles af wist van geneeswijzen en zaken die met de geest te maken hadden. De man die me dit vertelde – hij maakte er grapjes over, maar was inwendig bang – zei dat hij een Ier was en een paap, en dat hij een beschermengel had die ervoor zorgde dat hem nooit enig kwaad overkwam. Hij hoorde tot de *adepti*, en was iemand die genezing kon verschaffen door enkel over de aangetaste plek te strijken, en die voortdurend omgang had met geesten van uiteenlopende vorm, die hij kon zien zoals gewone mensen elkaar zien.

Voorts hoorde ik dat deze man in zuidelijke richting trok en van plan was Oxford aan te doen voordat hij naar Londen doorreisde, want hij was erop gebrand zijn diensten aan de koning zelf aan te bieden. Deze onderneming is, zo heb ik begrepen, op niets uitgelopen; zijn vermogen om door handoplegging genezing te bewerkstelligen (en dat was een kunst die hij heus verstond; ik heb het zelf gezien en vele anderen hebben het officieel bevestigd) werd als aanmatigend beschouwd, want hij beweerde dat hij met behulp van die methode ook scrofulose kon genezen, terwijl hij toch heel goed wist dat dat al sinds onheuglijke tijden het voorrecht van een koning was. Daar hij bovendien een Ier was, werd hij uiteraard als element gezien dat eropuit was de monarchie te ondermijnen, en na een kort verblijf werd hij gedwongen Londen te verlaten.

De volgende morgen ging ik daarom op pad in het vertrouwen dat mijn jonge benen en mijn vroege vertrek er weldra voor zouden zorgen dat ik die Valentine Greatorex inhaalde, zodat ik hem kon raadplegen over mijn problemen. Ik wist tenminste dat ik niet om zijn diensten hoefde te bedelen, want het geld uit de kist van mijn oom zat nog in mijn gordel, en eindelijk zou ik me eens elke prijs kunnen veroorloven die er van me verlangd werd.

Al na enkele uren haalde ik hem in bij een dorp vlak voor de grens met Oxfordshire; hij had zijn intrek genomen in een herberg en toen ik dat had gehoord, nam ik daar zelf ook een kamer en liet toen het bericht aan hem overbrengen dat ik een onderhoud met hem wenste. Onmiddellijk werd ik bij hem genood.

Met kloppend hart begaf ik me naar deze ontmoeting; want ik mocht dan al eens een magiër hebben ontmoet, een Ier was ik nog nooit tegengekomen. Ik wist natuurlijk dat dat vreselijke mensen waren, wild en ongehoorzaam en met een wanstaltige wreedheid behept. De verhalen over de bloedbaden die ze de laatste jaren onder die arme protestanten hadden aangericht, lagen me nog vers in het geheugen, en de manier waarop ze ondanks de tuchtiging die Cromwell hen bij Drogheda en op nog andere plaatsen had toegediend, de strijd nog almaar voortzetten, bewees dat die bloeddorstige en kwaadaardige wezens amper menselijke trekken bezaten. Ik geloof werkelijk dat Cromwell één keer de spontane steun van de Engelsen heeft genoten: namelijk toen hij erop uittrok om die moordzuchtige beesten eens mores te leren.

De heer Greatorex voldeed echter niet aan mijn beeld van een magiër en al evenmin aan dat van een Ier. Ik had me hem voorgesteld als een oude, gebogen figuur met knalrood haar en wilde, starende ogen. In werkelijkheid was hij echter niet veel meer dan een jaar of tien ouder dan ik en vertoonde hij het voorkomen van een heer: zijn elegante en precieuze gebaren en de ernstige uitdrukking op zijn gelaat zouden zelfs een bisschop hebben gesierd. Zolang hij nog niets had gezegd, had hij voor een welvarende handelaar uit een willekeurig stadje in het land kunnen doorgaan.

Zijn stem was echter heel ongewoon en een dergelijk geluid had ik nooit eerder gehoord, al weet ik nu dat die zachte dictie en muzikale toon kenmerkend zijn voor die lieden die honingzoete woorden bezigen om hun ware aard te verbergen. Hij bestookte me met vragen waarvan de woorden zacht over me heen streken, en ik ontspande me zozeer dat ik me op het laatst van helemaal niets anders in het vertrek meer bewust was dan van zijn stem en de zachte uitdrukking in zijn ogen. Ik geloof dat ik toen heb begrepen hoe een konijn zich wel moet voelen wanneer het door de ogen van de slang tot een roerloze houding wordt gedwongen, en hoe Eva zich heeft gevoeld en bereid was alles te doen om de slang maar te behagen en nog meer vleiende woorden van het beest te horen te krijgen.

Wie was ik? Waar kwam ik vandaan? Hoe had ik van hem gehoord? Waarover wilde ik hem raadplegen? Dit waren allemaal noodzakelijke vragen, die in niets verschilden van de vragen die de weduwe Blundy me had gesteld om zich ervan te vergewissen dat ik niet was gestuurd om haar in de val te laten lopen. Ik gaf volledige antwoorden, totdat we het over mijn ontmoeting met Sarah Blundy kregen. Toen leunde Greatorex voorover in zijn stoel.

'Laat ik u wel vertellen, mijnheer,' zei hij zacht, 'dat het een grote vergissing is om mij leugens te vertellen. Ik vind het niet prettig om misleid te worden. Het interesseert mij niet hoe slecht u zich hebt gedragen, al zie ik wel dat u dat meisje schandelijk hebt misbruikt.'

'Dat is niet waar,' wierp ik tegen. 'Zij wilde best; dat kan niet anders, en achteraf heeft ze alleen maar gedaan alsof om mij nog meer geld af te troggelen.'

'Dat u haar niet hebt gegeven.'

'Ik ben edelmoedig genoeg geweest.'

'En nu bent u bang dat u behekst wordt. Vertelt u mij uw dromen.'

Ik vertelde ze hem en vermeldde ook de bunzing. Hij luisterde rustig naar alle tekenen die ik opsomde.

'Was het niet bij u opgekomen dat de dochter van die wijze vrouw misschien wel bij machte was om zulke dingen uit te voeren?' Ik zei van nee; maar zodra hij die gedachte opperde, namelijk dat Sarah Blundy er verantwoordelijk voor was, besefte ik dat dat voor de hand had gelegen, en ik wist dat mijn onvermogen om dat in te zien deel uitmaakte van de betovering.

'En hebt u sindsdien met haar gesproken?' vervolgde Greatorex. 'Misschien dat zoiets niet strookt met uw gevoel van waardigheid, maar vaak is de beste manier om zulke kwesties de wereld uit te helpen, het weer goed te maken. Als zij uw verontschuldigingen aanvaardt, dan moet zij elke verwensing die zij over u heeft uitgesproken herroepen.'

'En als ze die niet aanvaardt?'

'Dan zijn er andere maatregelen van node. Maar dit is de beste eerste stap.'

'Ik geloof dat u bang voor haar bent. U meent dat u niet tegen haar op kunt.'

'Ik weet niets van de kwestie af. Als zij werkelijk over zoveel macht beschikt, dan zou het inderdaad moeilijk zijn. Ik zie er niets schandelijks in om dat toe te geven. Duistere krachten zijn sterk. Maar ik heb me al vaker met zulke lieden gemeten, en ik geloof dat ik even vaak de overwinning heb behaald als de nederlaag geleden. Zo, vertelt u mij eens. Wat bezit zij van u?'

Ik zei dat ik die vraag niet begreep, maar toen hij die had uitgelegd, beschreef ik de manier waarop zij haar nagels over mijn gezicht had gehaald en een pluk haar uit mijn hoofd had getrokken. Ik was nog niet uitgepraat, of hij kwam op me toe. Voordat ik had kunnen reageren trok hij een mes en greep me bij mijn haar, terwijl hij in een moeite door het mes over de rug van mijn hand haalde. Vervolgens rukte hij zonder plichtplegingen een lok haar van me uit.

Ik sprong op en begon hem uit alle macht en met inzet van al mijn vernuft stijf te vloeken – de toverkracht van zijn stem was ogenblikkelijk teloorgegaan. Greatorex nam echter weer plaats alsof er niets bijzonders was gebeurd en bleef zitten wachten totdat ik mezelf weer in bedwang had.

'Mijn excuses,' zei hij toen ik tot bedaren was gekomen. 'Maar ik moest wat bloed en haar hebben waar ik onder dezelfde omstandigheden als zij aan was gekomen. Hoe pijnlijker de wijze waarop de relikwie is veroverd, hoe meer kracht hij bezit. Ik denk dat dat er de oorzaak van is waarom men zoveel kracht toeschrijft aan de relikwieën van heiligen, en waarom men de overblijfselen van martelaren die onder folterende pijn zijn gestorven, als de effectiefste beschouwt.'

Ik hield mijn bebloede hand tegen mijn hoofd en keek hem woedend aan. 'Paapse onzin,' snauwde ik. 'En nu?'

'Nu? Nu gaat u een paar uur weg. Om er zeker van te zijn dat u inderdaad behekst wordt en dat niet alleen maar gelooft, en om te ontdekken waaruit de tegen u gerichte krachten bestaan, moet ik uw horoscoop trekken. Dit is de betrouwbaarste, ja zelfs de enige manier om in het duister door te dringen. Wilden de rechtbanken maar vaker gebruikmaken van mensen zoals ik, dan zou de werking van het rechtsstelsel des te betrouwbaarder zijn. Maar in deze dwaze tijd ziet men dat met een afkeurend oog aan. De gevolgen zullen ernaar zijn.'

'Ik heb gehoord dat er nog nooit een heks door de sterke arm in de kraag is gevat. Gelooft u dat?'

'Sommigen zijn ongetwijfeld per ongeluk bestraft. Maar kan de sterke arm dergelijke mensen grijpen als zij dat niet willen? Nee, dat geloof ik niet.'

'Dus die vrouwen die de laatste tijd op de brandstapel zijn beland? Zijn die vals beschuldigd?'

'Voor het grootste gedeelte wel. Niet opzettelijk, lijkt me. Maar er zijn zoveel bewijzen dat de duivel onder ons verkeert, dat we hun bestaan niet kunnen loochenen. Een verstandig man kan niet anders dan tot de slotsom komen dat de macht van de boze al een hele tijd probeert christelijke vrouwen te verleiden en daarbij gebruikmaakt van de troebelen waarvan de zielen der mensen zo onrustig zijn geworden. Wanneer het gezag teloor is gegaan, ziet Satan zijn kans schoon. Bovendien luidt het enige zinnige argument tegen hekserij dat vrouwen geen ziel bezitten en de duivel daarom niets te bieden hebben. Maar dat is iets wat door het gezag ten stelligste wordt weersproken.'

'Er valt dus niets aan te doen, meent u? Zulke mensen kan niets in de weg worden gelegd?'

'Niet door u advocaten.'

'Hoe weet u dat ik advocaat ben?'

Hij glimlachte, maar negeerde de vraag. 'Het hele bestaan is een strijd tussen het licht en het donker. Alle krachtmetingen die voor de mensheid van belang zijn geweest, zijn geleverd zonder dat de meeste mensen zelfs maar wisten dat ze plaatshadden. God heeft speciale gaven meegegeven aan Zijn dienaren op aarde: aan de tovenaars, de witte heksen, de *adepti* of hoe je ze maar noemen wilt. Dat zijn mensen met geheime kennis, die al van generatie op generatie belast zijn met de taak Satan te bestrijden.'

'U bedoelt alchemisten, dat soort mensen?'

Hij trok een verachtelijk gezicht. 'Ooit heb ik dat soort mensen misschien ook bedoeld. Maar hun gaven en vermogens zijn tanende. Zij proberen tegenwoordig te verklaren hoe alles in elkaar zit, ze doen geen onderzoek naar de kracht die ervan uitgaat. De alchemie is een ambachtelijk vak geworden, waar alle mogelijke brouwsels en drankjes aan te pas komen die kunnen verklaren hoe de dingen zijn opgebouwd, maar dat de grotere problemen, namelijk waar alles toe dient, uit het oog verliest.'

'Bent u alchemist?'

Hij schudde zijn hoofd. 'Nee. Ik ben astroloog, of waarzegger zo u wilt. Ik heb de vijand bestudeerd en ik ken zijn kracht. Mijn gaven zijn beperkt, maar ik weet wat ik kan. Als ik u kan helpen, dan zal ik dat graag doen. Zo niet, dan zal ik u dat zeggen.'

Hij stond op. 'Goed, vertelt u mij alles wat ik moet weten, en laat u me dan een paar uur met rust. Ik moet het precieze tijdstip en de plaats van uw geboorte weten. Ik moet het tijdstip en de plaats van uw gemeenschap met het meisje weten, en verder het tijdstip van uw dromen en uw ontmoetingen met beesten.'

Ik gaf hem alles op wat hij moest weten en hij stuurde me uit wandelen in de buurt van het dorp, iets wat ik maar al te graag deed, want ik wist dat hier een van de grote veldslagen van de oorlog had plaatsgehad, en dat mijn vader daar een voortreffelijke en nobele rol in had gespeeld door de koning zo goed van advies te dienen dat de dag was geëindigd met de verovering van alle kanonnen van de vijand en de dood van een groot gedeelte van zijn troepen. Als de koning mijn vader dichter bij zich in de buurt had gehouden en niet op de raad van hoger geboren, maar minder ervaren mannen had vertrouwd, dan was alles misschien anders gelopen. Maar de koning was zich steeds meer gaan verlaten op laffe pennenlikkers als Clarendon, die er alleen maar op uit waren zich over te geven en niet te vechten.

In het noordelijke gedeelte van Oxfordshire heb je laaggelegen, welig land, prima terrein voor landbouw én cavalerie, en dat het vruchtbare grond was kon je zelfs zien nu alles dood was, de akkers er bruin en stil bij lagen en de bomen al hun bladeren kwijt waren. De heuvels geven troepen de mogelijkheid zich enigszins schuil te houden zonder dat ze hen in hun bewegingen belemmeren, en de bossen zijn niet al te groot, zodat je er gemakkelijk langs kunt trekken. Ik liep het dorp uit en volgde de rivier, me voorstellend hoe de beide legers langzaam stroomopwaarts waren gekropen, de koning aan de ene kant en generaal Waller en de opstandelingen aan de andere, elkaar als hanen in een strijdperk opnemend in de hoop een vergissing te bespeuren die hun een kleine voorsprong zou verschaffen. Mijn vader is degene die het advies heeft gegeven dat die hele dag heeft bepaald: hij drong er bij de koning op aan dat die de voorhoede verder liet oprukken en de achterhoede tot een langzamer tempo dwong, zodat er middenin een opening zou ontstaan die een man als Waller, zo wist hij, nooit zou kunnen weerstaan. En jawel, Waller stuurde een flink gedeelte van zijn cavalerie en al zijn stukken geschut bij Croperdy over het bruggetje, en ze krioelden nog wanordelijk door elkaar omdat ze de gelederen hadden moeten verbreken om over te steken, toen de dappere graaf van Cleveland, die van deze tactiek op de hoogte was gesteld, hen overviel en in de pan hakte.

Het moet voor een toeschouwer een geweldige dag zijn geweest; om te zien hoe de cavalerie, nog zo verre verwijderd van zijn huidige, geparfumeerde ontaardheid, in volmaakte slagorde aanviel met sabels die opglansden in de zon, want ik herinner me dat mijn vader zei dat het een warme, wolkeloze dag hartje zomer was geweest.

'Vertel mij eens,' vroeg ik een boer die me voorbijkwam en me de sombere blik vol norse argwaan toewierp waarop alle dorpelingen vreemdelingen onthalen: 'Waar is de boom waaronder de koning op de dag van de veldslag zijn diner gebruikte?'

Hij trok een zuur gezicht en maakte al aanstalten om me voorbij te lopen, maar ik greep hem bij de arm en hield voet bij stuk. Hij knikte in de richting van een weggetje. 'Aan het eind van dat pad staat een eikenboom in het weiland,' zei hij. 'Daar heeft die tiran zitten eten.'

Ik gaf hem een klap in zijn gezicht vanwege zijn onbeschaamde opmerking. 'Pas op je tong, hè,' waarschuwde ik hem. 'Zo praat je niet in mijn bijzijn.'

Hij haalde zijn schouders op, alsof mijn berisping hem niets zei. 'Ik spreek de waarheid,' zei hij, 'en dat is mijn plicht én mijn recht.'

'Jij hebt geen rechten, en je enige plicht bestaat eruit dat je gehoorzaamt,' antwoordde ik. 'De koning heeft strijd geleverd om ons allen te bevrijden.'

'En op die dag is al mijn gewas vertrapt, is mijn zoon omgekomen en hebben zijn soldaten mijn huis geplunderd. Wat voor reden heb ik dan om achter hem te staan?'

Ik haalde uit om hem nog een klap te geven, maar hij doorzag mijn bedoeling en deinsde met de staart tussen de benen achteruit, als een hond die te vaak slaag heeft gehad, dus gaf ik het ongelukkige mannetje een teken dat hij uit mijn ogen moest verdwijnen. Maar hij had mijn stemming bedorven; mijn plan om te gaan staan op de plaats waar de koning eens had gestaan, zodat ik de sfeer van die tijd kon inademen, kwam me nu minder aantrekkelijk voor en nadat ik nog een ogenblik geaarzeld had, ging ik terug naar de herberg, in de hoop dat Greatorex zijn taak beëindigd had.

Dat was echter niet het geval, en hij liet me nog een goed uur wachten voordat hij de trap afkwam met de vellen papier waarop in zijn priegelschrift zogenaamd mijn hele verleden en toekomst stonden genoteerd. Zijn houding en stemming waren nu geheel anders, ongetwijfeld om mij angst in te boezemen en zo zijn honorarium te kunnen opschroeven; eerst had hij een ontspannen indruk gemaakt en mijn verhaal niet helemaal serieus aangehoord, maar nu vertoonde hij een hevig gefronst voorhoofd en wekte de indruk dat hij erg ontstemd was.

Ik had me voordien nooit met astrologie ingelaten en heb dat na die tijd ook nauwelijks gedaan. Het kan me niets schelen wat de toekomst zal brengen, want in grote trekken weet ik dat al. Ik heb mijn eigen plaats en als de tijd daar is, morgen of over dertig jaar zal ik, zo God het wil, sterven. Astrologie is alleen nuttig voor mensen die hun eigen positie niet kennen of niet weten hoe het hun verder zal vergaan; de populariteit van de astrologie is een kenmerk van een volk in nood en een getourmenteerde samenleving. ongetwijfeld is dat de reden waarom lieden als Greatorex ten tijde van de troebelen zo gewild waren, want destijds kon een mens het ene ogenblik een edelman zijn en het volgende een volslagen nietige figuur. Ik twijfel er niet aan dat wanneer het principe van de nivellering onder ons de overhand krijgt en meer mensen enkel vanwege hun verdiensten aanspraak maken op een hogere positie, de waarzeggers daar des te meer garen bij zullen spinnen. In ieder geval was dat de reden waarom ik hem toen nodig had en waarom ik zulke mensen wegstuurde toen ik hen niet langer van node had. Iemand die waarlijk Gods wil aanvaardt kan, denk ik nu, geen geloof hechten aan de astrologie, want alles wat gebeurt vloeit voort uit de goedheid van de Voorzienigheid; als wij dat aanvaarden, dan horen we niet meer te willen weten.

'Nu?' vroeg ik toen hij zijn papieren had gerangschikt. 'Hoe luidt het antwoord?'

'Dat is verontrustend en zorgbarend,' zei hij met een theatrale zucht. 'En ik weet niet goed wat ik ervan moet denken. Wij beleven bijzonder vreemde tijden, en de hemelen zelf getuigen van grote wonderen. Zelf weet ik dit: er bestaat een leermeester, iemand van oneindig veel groter formaat dan ik, die me dit misschien kan verklaren als ik hem kan vinden; uitgerekend met dat doel heb ik Ierland verlaten, maar tot dusver heb ik geen succes gehad.'

'Ja, het zijn inderdaad zware tijden,' zei ik droogjes. 'Maar mijn horoscoop dan?'

'Die baart me grote zorg,' zei hij, me aanstarend alsof hij me zojuist had leren kennen, 'en ik weet niet goed wat voor raad ik u moet geven. Het lijkt erop dat u voor iets groots in de wieg bent gelegd.'

Misschien dat dit de praatjes zijn van alle waarzeggers, dat weet ik niet, maar ik had het gevoel dat hij de waarheid sprak en dat dat inderdaad zo was; wat voor groters bestond er tenslotte dan de grootse taak die ik op me had genomen? Dat Greatorex dat bevestigde, sterkte mij enorm in mijn zelfvertrouwen.

'U bent geboren op de dag van Edgehill,' vervolgde hij, 'een vreemde en angstaanjagende dag; aan de hemel heerste verwarring en het wemelde er van de voortekenen.'

Ik merkte maar niet op dat je toch geen deskundige hoefde te zijn om dat in te zien.

'En u bent niet ver van de slag geboren,' vervolgde hij. 'Dat betekent dat uw horoscoop beïnvloed is door de grote gebeurtenissen die daar plaatshadden. U weet natuurlijk dat de horoscoop van de cliënt die van zijn geboorteland snijdt?'

Ik knikte.

'Welnu, u bent geboren onder het teken van de Schorpioen met uw ascendant in het teken van de Weegschaal. Goed, gaan we over op de vraag die u stelde: u stelde die om precies twee uur, en voor dat tijdstip heb ik de horoscoop getrokken. Het duidelijkste teken van hekserij doet zich voor wanneer de dominante planeet van het twaalfde huis zich in het zesde bevindt, of als één planeet de ascendant en het twaalfde huis beheerst, en dat kan gebeuren wanneer de eigenlijke ascendant wordt onderschept – dan kan er sprake zijn van hekserij. Als het omgekeerde echter het geval is en de dominante planeet van de ascendant zich in het twaalfde of zesde huis bevindt, dan bewijst dat dat de cliënt zijn problemen door zijn eigen halsstarrigheid heeft veroorzaakt.'

Ik slaakte een diepe zucht: het begon me te berouwen dat ik me had overgeleverd aan een magiër die jargon bezigde. Kennelijk bespeurde Greatorex mijn verachting.

'Neemt u dit niet lichtvaardig op, mijnheer,' zei hij. 'U denkt dat dit tovenaarskunsten zijn, maar dat is niet zo. Dit is wetenschap van het zuiverste water, de enige manier die de mens ter beschikking staat om de geheimen van de ziel en de tijd zelf te doorgronden. Alles geschiedt met behulp van de meest verfijnde berekeningen en als het zo is dat alles van hoog tot laag met elkaar verbonden is, zoals alle christenen horen te geloven, dan is het duidelijk dat de studie van het ene wel de waarheid omtrent het andere aan het licht moet brengen. Zei de Heer niet: "Dat er lichten zijn in het uitspansel des hemels, om scheiding te maken tussen den dag en tussen den nacht, en dat ze zijn tot tekenen?" Daar komt de astrologie eigenlijk op neer: dat we de tekenen lezen die God ons in Zijn wijsheid heeft gegeven om ons te geleiden, als we er tenminste acht op willen slaan. In theorie is dat eenvoudig, maar in de praktijk valt het niet mee.'

'Ik twijfel er geen ogenblik aan dat dat waar is,' zei ik. 'Maar de bijzonderheden vervelen me. Het zijn de antwoorden die me het meest bezighouden. Word ik behekst of niet?'

'U moet mij een volledig antwoord gunnen, want een gedeeltelijk antwoord is geen antwoord. Wat mij de grootste zorg baart is de conjunctie van uw geboortehoroscoop en de hedendaagse horoscoop; want die spreken elkaar op een merkwaardige manier tegen. Zoiets heb ik nooit eerder gezien.'

'En?'

'De hedendaagse horoscoop geeft duidelijk aan dat er sprake is van een of andere vorm van hekserij, want Venus, die uw twaalfde huis beheerst, staat ontegenzeglijk in het zesde huis.'

'Het antwoord luidt dus ja.'

'Een beetje geduld alstublieft. Uw geboortehoroscoop plaatst de ascendant ook in het twaalfde huis, en dat wijst erop dat u hoogstwaarschijnlijk degene bent die uw eigen rampspoed teweegbrengt. De oppositie tussen Jupiter en Venus bewerkt dat u geneigd bent uw problemen zonder enige grond te vergroten, en de conjunctie van de maan in het negende huis en in Vissen betekent dat u licht vatbaar bent voor fantastische ideeën die u tot onbesuisde handelingen aanzetten.

En dat wijst erop dat bij deze geschiedenis voorzichtigheid geboden is, en het voorzichtigste dat u kunt doen, is dat u uw misstap erkent. Want u hebt een misstap begaan, en haar woede heeft de gerechtigheid achter zich, wie of wat zij ook mag zijn. De gemakkelijkste oplossing bestaat eruit dat u die niet bestrijdt, maar dat u om vergeving vraagt.'

'En als zij weigert?'

'Dat zal niet gebeuren wanneer uw berouw oprecht is. Ik zal het nog duidelijker stellen. De factor die op hekserij wijst, staat in exacte oppositie tot de conjunctie van uw moeilijkheden, veroorzaakt door Mars in het tweede huis.'

'En wat betekent dat?'

'Dat betekent dat die twee aspecten van uw leven een en hetzelfde zijn. Uw angst dat u behekst wordt en alles wat u mij over uw andere moeilijkheden vertelt, is nauw met elkaar verbonden, zozeer zelfs dat het een het ander ís.'

Ik staarde hem onthutst aan, want hij had hetzelfde over mijn horoscoop gezegd als Thomas over mijn droom. 'Maar hoe is dat dan mogelijk? Ze heeft mijn vader nooit gekend, en dat had ook nooit gekund. Zij heeft toch zeker niet het vermogen invloed uit te oefenen op zulke belangrijke zaken?'

Hij schudde zijn hoofd. 'Ik constateer de situatie, ik kan geen verklaring leveren. Maar ik moet u wel met klem aanraden om mijn advies ter harte te nemen. Dit meisje, of deze heks zoals u haar noemt, vermag meer dan alles en iedereen die ik ooit ben tegengekomen.'

'Nog meer dan u.'

'Veel meer,' zei hij plechtig. 'En ik schaam me er niet voor dat toe te geven. Ik zou het evenmin tegen haar willen opnemen als ik van het hoogste klif zou willen springen. En dat kunt u ook maar beter niet willen, want al uw overwinningen zullen illusies blijken en uw nederlaag zal totaal zijn. Elk tovermiddel dat ik u aan de hand doe om tegen haar in te zetten, zal maar weinig uithalen, al heeft het dan misschien tijdelijk effect.'

'Geeft u mij toch voor de zekerheid iets, dan weet ik wat ik moet doen.'

Hij dacht een ogenblik na, als trok hij mijn plotselinge geestdrift in twijfel. 'Belooft u mij plechtig dat u mijn raad ter harte zult nemen en het meisje eerst zult benaderen?'

'Natuurlijk, wat u maar wilt,' zei ik haastig. 'Waaruit bestaat dat tovermiddel dan? Geeft u het mij.'

'U zult het zelf moeten doen.' Hij overhandigde me een fiool met het haar en het bloed dat hij mij op zo'n gewelddadige manier had ontfutseld. 'Dit is zilver, het metaal van de maan. Er zit een afspiegeling in van wat zij van u bezit. U moet of uw eigen haar en bloed van haar zien terug te krijgen en dat vernietigen teneinde het doelwit van haar toverkunsten te elimineren, of u moet, als dat niet lukt, deze fiool met haar urine en bloed vullen. Begraaf haar bij afnemende maan; zolang de fiool niet wordt gevonden, zal zij geen macht over u hebben.'

Ik nam de fiool aan en borg die zorgvuldig weg in mijn tas. 'Dank u, mijnheer. Ik ben u zeer dankbaar. Zo, wat ben ik u schuldig?'

'Ik ben nog niet uitgepraat. Er is sprake van nog een kwestie van veel ernstiger aard.'

'Me dunkt dat ik wel genoeg gehoord heb, dank u. Ik heb mijn middel en verlang verder niets van u.'

'Luister, vriend, u bent onbezonnen en dom en u luistert niet goed naar mensen die wijzer zijn dan u. Doet u dat nu wél, want er staat veel op het spel.'

'Goed dan. Steekt u maar van wal.'

'Ik herhaal nogmaals dat het meisje op wie al uw aandacht gericht is, geen gewone heks is – als ze er tenminste eentje is. U vroeg mij daarstraks of ik er bang voor was de strijd aan te binden met heksen, en het antwoord luidt nee; over het algemeen niet. Maar in dit geval koester ik wel grote vrees. Laat u zich niet met dat schepsel in, moet ik u dringend verzoeken. En dan is er nog iets.'

'En wat is dat wel?'

'Anderen kunnen u uw fortuin en middelen van bestaan ontnemen, uw leven zelfs. Maar uw grootste vijand bent uzelf, want alleen u bezit het vermogen uw eigen ziel te gronde te richten. Gaat u zorgvuldig te werk. Sommige mensen zijn al vanaf hun geboorte gedoemd, maar ik ben van mening dat niets volkomen voorbeschikt is, en dat wij voor een andere weg kunnen kiezen als we dat willen. Ik vertel u wat er kán gebeuren, niet wat er móét gebeuren.'

'Nu kraamt u onzin uit, om mij bang te maken en meer geld in de wacht te slepen.'

'Luistert u eens,' zei hij, vooroverleunend en mij strak aanstarend om me aan zijn wil te onderwerpen. 'De conjunctie bij uw geboorte is vreemd en angstaanjagend, en u moet op uw hoede zijn. Ik heb zoiets één keer eerder gezien. Ik wil dat nooit weer zien.'

'En wanneer is dat geweest?'

'In een boek dat ik maar één keer heb mogen inkijken.'

'Het was het eigendom van Placidus de Tito, en hij had het uiteindelijk geërfd van Julius Maternus zelf, misschien wel de grootste magiër aller tijden. Er stonden vele horoscopen in die uit verschillende perioden dateerden. De geboortehoroscoop van Augustus kwam erin voor, die van Constantijn de Grote, van Augustinus en van ontelbaar veel pausen. Er zaten krijgslieden en geestelijken bij, en politici en doktoren en heiligen. Maar ik heb er maar één bij gezien die op die van u leek, en u moet daar lering uit trekken als u kunt en als u wilt. Ik zeg u nogmaals dat als u geen acht slaat op mijn waarschuwingen, er nog heel wat meer op het spel staat dan alleen uw leven.'

'En van wie was die horoscoop?'

'Hij keek mij ernstig aan, als durfde hij het niet goed te zeggen. 'Die was van Judas Iskariot,' zei hij zacht.

$$\backsim$$

Ik ben ten volle bereid toe te geven dat ik die man tot in mijn ziel geschokt verliet, doodsbang voor wat hij me had verteld en van top tot teen in zijn ban. Ik wil er zelfs aan toevoegen dat er heel wat tijd overheen ging voordat ik mijn geestelijke evenwicht had hervonden, en in staat was na te denken over wat hij had gezegd en dat voor het grootste gedeelte af te doen als onzinnige kletspraat. Ik moest hem nageven dat hij zijn vak verstond, want een klein beetje kennis had hij aangelengd met een flinke portie onbeschaamdheid teneinde een bijzonder machtig wapen te smeden dat hem in staat stelde lichtgelovige lieden grote sommen gelds af te dwingen. Na een tijdje kon ik zelfs al lachen om de manier waarop hij mij naar zijn pijpen had laten dansen, want ik had hem echt geloofd; hij had mijn angst en ongerustheid geroken en daar gebruik van gemaakt om zich te verrijken.

Hoe hij dat heeft gedaan en hoe al dat soort lieden te werk gaan, wordt na enig nadenken duidelijk; de vragen die hij me stelde vertelden hem alles wat hij moest weten en vervolgens hulde hij alles wat ik al had gezegd in zijn tovenaarstaaltje, en daar deed hij nog wat van die doodgewone raadgevingen bij die mijn moeder me ook had kunnen geven. Voeg daar nog enkele duistere verwijzingen naar occulte teksten aan toe en u hebt de volmaaktste vorm van bedrog – het is maar al te gemakkelijk om daarvoor te bezwijken en er komt een grote mate van karaktervastheid aan te pas om zich ertegen te verweren.

Desondanks heb ik me ertegen weten te verweren, al bedacht ik dat er toch enige pareltjes staken tussen de prullige praatjes waarop hij me had onthaald. Aanvankelijk boezemde het idee dat ik dat kind om vergeving moest vragen me niets dan weerzin in, maar verstandiger gedachten kregen de overhand toen ik hotsend en botsend naar Oxford terugreisde. Wat had ik per slot van rekening anders op het oog dan de smet op het blazoen van mijn familie te verwijderen en terug te veroveren wat mij toebehoorde? Als dit meisje daar op de een of andere manier aan te pas kwam, dan was het het best als haar kwaadaardige invloed zo gauw mogelijk teniet werd gedaan. Ik had eigenlijk niet al te veel vertrouwen in de toverkracht van de man; hij had me maar weinig opmerkelijks verteld en veel wat kennelijk niet klopte. Misschien dat ik mijn toevlucht zou moeten nemen tot zijn toverkunsten, maar ik had daar niet al te veel fiducie in en kwam tot de gevolgtrekking dat als ik het meisje benaderde, hoe pijnlijk dat ook mocht zijn, dat de beste en de meest rechtstreekse manier zou zijn om het probleem uit de wereld te helpen.

Desondanks besloot ik de kwestie eerst met Thomas te bespreken, en onmiddellijk na mijn terugkeer ging ik bij hem langs om te kijken hoe het er met zijn campagne voor stond. Geruime tijd kreeg ik niet de kans om over mijn eigen problemen te beginnen, zo ellendig was hij eraantoe. Ik hoorde dat mijn krijgslist om hem te helpen niet de vruchten had afgeworpen die ik op het oog had, want toen doctor Grove de geruchten over zijn onzedelijke gedrag had vernomen, had hij het meisje weggestuurd, en zijn optreden werd veeleer gezien als een opoffering die hij zich vastberaden getroostte dan als teken dat hij schuld bekende.

'Ze zeggen al dat hij die prebende waarschijnlijk krijgt,' zei Thomas somber. 'Van de dertien Fellows hebben er al vijf hun steun aan hem toegezegd, en sommigen op wie ik had gerekend kijken me niet meer recht in de ogen. Hoe kan dat toch zo zijn gekomen, Jack? Jij weet beter dan de meeste mensen wat voor iemand hij is. Vanochtend heb ik de rector nog gevraagd of hij me gerust kon stellen, maar hij gedroeg zich heel stijf en onvriendelijk tegen me.'

'Het ligt aan de veranderde tijden,' zei ik. 'Je moet niet vergeten dat heel wat oude vrienden van Grove een invloedrijke betrekking bekleden die hun nauw contact met de regering verschaft. Zelfs de rector moet er in zulke tijden voor waken dat hij geen machtige lieden mishaagt. Hij is hier door het parlement aangesteld, dus moet hij duidelijk laten merken dat hij zich naar het nieuwe regime schikt, om te voorkomen dat hij door de koning wordt weggestuurd. Maar wanhoop niet,' zei ik hatelijk, want zijn bedrukte gezicht en diepe zuchten begonnen me op de zenuwen te werken. 'Alles is nog niet verloren. Je hebt nog een paar weken. Je moet opgewekt blijven, want er is niets waar mensen minder van moeten hebben dan bij elke maaltijd opnieuw een verwijtend gezicht te zien. Dat zou hen alleen nog maar hardvochtiger stemmen.'

Ook deze wijze woorden werden met een zucht begroet. 'Ja, je hebt natuurlijk gelijk,' zei hij. 'Ik zal mijn best doen een gezicht te trekken alsof een armoedig leven me koud laat en het me veel genoegen verschaft de minder geschikte gegadigde te zien winnen.'

'Precies. Daar gaat het om.'

'Bezorg me dan wat afleiding,' zei hij. 'Vertel me of je iets bent opgeschoten. Ik hoop dat je mijn eerbiedige groeten aan je moeder hebt overgebracht?'

'Zeker,' antwoordde ik, hoewel ik dat was vergeten. 'Ik was er niet geweldig mee ingenomen haar weer te zien, maar ik heb heel wat interessants opgestoken van mijn reisje. Ik heb bijvoorbeeld ontdekt dat mijn eigen voogd, sir William Compton, zich ertoe heeft laten overhalen met mijn oom onder één hoedje te spelen om mij mijn bezit afhandig te maken.'

Ik zei dit zo luchthartig als ik maar kon, al werd mijn hart door bittere gevoelens overstelpt toen ik hem de toestand uitlegde. Het tekende hem ten voeten uit dat hij een vriendelijke uitleg aan het gebeurde wenste te geven.

'Misschien dacht hij dat dat de beste oplossing was? Als er zoveel schulden op het goed rustten, zoals je zei, dan bestond het gevaar dat jij als schuldenaar in de gevangenis zou worden geworpen zodra je meerderjarig werd, en dan was dat toch een vriendelijk gebaar van zijn kant.'

Ik schudde heftig mijn hoofd. 'Er steekt meer achter, dat weet ik zeker,' zei ik. 'Waarom was hij zo graag bereid te geloven dat mijn vader, zijn beste vriend, aan zo'n misdaad schuldig was? Wat was hem verteld? Wie had hem dat verteld?'

'Misschien moet je hem dat maar vragen.'

'Dat ben ik ook van plan, als ik eenmaal zover ben. Maar eerst moet ik nog een paar andere kwesties regelen.'

～

Nadat ik die avond een hele tijd had staan wachten, trof ik Sarah Blundy; ik had erover gedacht naar haar huisje te gaan, maar was tot de conclusie gekomen dat ik het niet kon opbrengen moeder en dochter tegelijk tegemoet te treden, en daarom had ik wel meer dan een uur aan het eind van het steegje staan wachten voordat zij te voorschijn kwam.

Ik moet toegeven dat mijn hart snel klopte toen ik haar benaderde en dat ik spinnijdig was geworden van het lange wachten. 'Juffrouw Blundy,' zei ik, van achteren op haar toe lopend.

Vlug draaide ze zich om en met een paar ogen die onmiddellijk gloeiden van de meest boosaardige haat deed ze een paar stappen achteruit. 'Blijf uit mijn buurt,' grauwde ze, en ze vertrok haar mond tot een lelijke, woeste uitdrukking.

'Ik moet met je praten.'

'Ik heb je niets te zeggen, en jij mij ook niet. Laat me met rust.'

'Dat kan ik niet. Ik moet met je praten. Ik smeek je mij alsjeblieft aan te horen.'

Zij schudde haar hoofd en wilde zich al omdraaien en doorlopen. Hoewel ik het vreselijk vond om dat te doen, rende ik langs haar heen om haar de weg te versperren, en ik trok een smekend gezicht.

'Juffrouw Blundy, ik bezweer je, luister toch naar mij.'

Misschien dat mijn gezicht overtuigender aandeed dan ik dacht, want zij hield stil en met een uitdagende uitdrukking op haar gezicht – waar, zo constateerde ik met plezier, ook enige angst op stond te lezen – wachtte ze af.

'Nou? Ik luister. Spreek op en laat me dan met rust.'

Ik haalde eens diep adem voordat ik mezelf ertoe kon brengen de woorden uit te spreken. 'Ik kom je om vergiffenis vragen.'

'Wat?'

'Ik kom je om vergiffenis vragen,' herhaalde ik. 'Ik bied je mijn verontschuldigingen aan.'

Nog steeds zei ze niets.

'Neem je mijn verontschuldigingen aan?'

'Moet dat?'

'Ja, dat moet. Ik sta erop.'

'En als ik dat nu weiger?'

'Dat zul je toch niet weigeren? Dat kun je niet weigeren.'

'Dat kan ik heel gemakkelijk.'

'Maar waarom?' riep ik uit. 'En hoe durf je zo'n toon tegen me aan te slaan? Ik kom hier als heer, hoewel ik daar helemaal niet toe verplicht ben, en verlaag me ertoe mijn fout te erkennen, en dan waag jij het me af te wijzen?'

'Je bent dan misschien als heer geboren; dat is je ongeluk. Maar je gedrag is dat van iemand van een veel lager niveau dan dat van andere mannen die ik ooit heb gekend. Je hebt mij aangerand, hoewel ik je daar geen enkele aanleiding toe had gegeven. Vervolgens heb je smerige en kwaadaardige geruchten over me verspreid, zodat ik uit mijn betrekking ben ontslagen en op straat word uitgejouwd en voor hoer uitgemaakt. Je hebt me van mijn goede naam beroofd, en de enige vergoeding die je me aanbiedt zijn je verontschuldigingen, volkomen nietszeggend en zonder enige oprechtheid uitgesproken. Als je dat berouw werkelijk in je ziel koesterde, dan zou ik die spijtbetuiging zonder moeite aanvaarden, maar dat is niet zo.'

'Hoe weet je dat?'

'Ik zie je ziel,' zei ze, en plotseling ging haar stem over in een gefluister waarvan mijn bloed verkilde. 'Ik weet wat die ziel van je voorstelt en wat voor vorm hij heeft. 's Nachts verneem ik zijn gesis en overdag bespeur ik de kou die ervan uitgaat. Ik hoor hem branden en ik kan de haat erin voelen.'

Had ik, of wie dan ook, een nog openlijker bekentenis nodig? De rustige manier waarop ze haar vermogens opbiechtte, joeg me een vreselijke angst aan en ik deed mijn best de wroeging te voelen die zij van me wilde. Maar op één punt had ze gelijk: ik voelde niet al te veel; dankzij haar demonen zag zij de waarheid.

'Je doet me gruwelijke dingen aan,' zei ik vertwijfeld. 'Daar moet een eind aan komen.'

'Wat voor gruwelijks je ook moet verduren, het is altijd minder dan je verdient zolang je niet tot inkeer komt.'

Zij glimlachte en de adem stokte me in de keel toen ik de uitdrukking op haar gezicht zag, want die bevestigde alles waar ik al bang voor was. Die vormde de duidelijkste schuldbekentenis die een rechtbank ooit heeft gehoord, en het speet me alleen dat er niemand anders in de buurt was die dat had kunnen zien. Het meisje zag dat ik het had begrepen, want ze gooide haar hoofd in haar nek en liet een schallend gelach horen.

'Laat me met rust, Jack Prestcott, voordat je nog ergere dingen overkomen. Wat gebeurd is, kun je niet ongedaan maken; daarvoor is het te laat, maar Onze Lieve Heer straft een ieder die Zijn geboden overtreedt en geen wroeging voelt.'

'Durf jij van de Heer te spreken? Hoe kun je Zijn naam zelfs maar over je lippen krijgen?' schreeuwde ik, ijzend van die godslastering. 'Wat heb jij met Hem te maken? Praat over je eigen meester, ontuchtige heks!'

Onmiddellijk bliksemden haar ogen van de meest onheilspellende woede en ze deed een stap vooruit, gaf mij een klap in het gezicht, greep me bij de pols en trok mijn gezicht naar het hare toe. 'Pas op,' siste ze met een dreigende stem, die eerder aan die van een officier van de Inquisitie deed denken dan aan haar eigen stemgeluid. 'Pas op dat je voortaan nooit meer zo'n toon tegen me aanslaat.'

Toen duwde ze me weg. Haar boezem zwoegde van de hevige gevoelens, en ook ik was ademloos van de schok die deze aanval me had bezorgd. En met haar vinger waarschuwend tegen me opgeheven liep ze weg; trillend bleef ik midden in de lege straat staan.

Nog geen uur later werd ik door hevige ingewandskrampen overvallen, waardoor ik dubbelgeklapt op de vloer belandde en zo hevig moest braken dat ik het niet eens kon uitschreeuwen van de pijn. Zij had haar aanval hernieuwd.

⁓

Met Thomas kon ik niet over deze kwestie praten; hij zou me niet de minste hulp kunnen bieden. Ik betwijfel of hij zelfs maar in geesten geloofde; in ieder geval was hij de mening toegedaan dat de enige juiste reactie uit bidden bestond. Maar ik wist dat dat niet voldoende was; ik had snel een krachtig tovermiddel nodig dat haar kunsten tenietdeed, maar er was geen enkele manier waarop ik daaraan kon komen. Wat moest ik doen, soms achter Blundy aan rennen en haar vragen of ze er bezwaar tegen had even in het flesje te plassen dat Greatorex me had gegeven? Dat zou waarschijnlijk op niets uitlopen; ook had ik geen zin om in haar huisje in te breken en het te doorzoeken op het tovermiddel dat zij volgens de Ier tegen mij gebruikte.

Ik moet hier op één ding wijzen, namelijk dat het verslag van mijn gesprek met Blundy tot in de kleinste bijzonderheden klopt; dat kan ook bijna niet anders, want haar woorden stonden jaren later nog steeds in mijn geheugen gegrift. Ik zeg dit omdat dit gesprek de bevestiging inhield van alles wat ik al wist en de rechtvaardiging van alles wat er daarna is gebeurd. Er kan hier geen sprake zijn van twijfel of van enig misverstand: zij dreigde me met nog vreselijker dingen en ze kon me op geen enkele andere manier kwaad doen dan door middel van haar hekserij. Ik hoef wat dat betreft geen overtuigend of klemmend betoog af te steken: zij heeft dat, zonder dat ze dat hoefde, heel openlijk toegegeven, en ik wist dat het slechts een kwestie van tijd was voordat ze haar belofte ten uitvoer zou brengen. Vanaf dat ogenblik wist ik dat ik in een strijd verwikkeld was die met de ondergang van een van ons beiden zou eindigen. Ik zeg dit zonder er doekjes om te winden, want ik wil duidelijk laten uitkomen dat ik geen enkele keus had: ik was wanhopig.

In plaats van Thomas zocht ik doctor Grove nu op, want ik wist dat hij nog steeds in de werking van het uitbannen van boze krachten geloofde.

Toen ik een jaar of vijftien was, had hij ons eens een college over dat onderwerp gegeven, nadat hij van een geval van hekserij in het naburige Kineton had gehoord. Hij hield ons ten strengste voor dat we ons niet met duivelse kunsten mochten inlaten, en die avond ging hij ons merkwaardig genoeg, maar het was een nobel gebaar, voor in een gebed voor de zielen van degenen die ervan werden verdacht dat ze een pact met het rijk der duisternis hadden gesloten. Hij zei dat de onoverwinnelijke Heer gemakkelijk de macht van Satan kan afweren als degenen die zich aan Hem hebben overgegeven dat tenminste oprecht verlangen. Een van zijn belangrijke geschilpunten met de puriteinen was zijn opvatting dat zij, door de rite van de geestenbanning geringschattend af te doen, niet alleen afbreuk deden aan de achting die het gewone volk de predikanten toedroeg (want het gewone volk was, wat hun zielenherders ook mochten zeggen, steeds in geesten blijven geloven), maar dat zij daarmee bovendien een machtig wapen dat in de nimmer eindigende strijd kon worden ingezet, overboord wierpen.

Eens toen ik via High Street liep, had ik in de verte een glimp van hem opgevangen, maar afgezien daarvan had ik hem al bijna drie jaar niet meer gezien, en ik stond verbaasd toen ik zijn gezelschap weer opzocht. Het lot was hem vriendelijk gezind geweest. Ik herinnerde me hem als iemand die amper genoeg te eten kreeg, met tot op de draad versleten kleren die hem een slag te groot waren en een treurige uitdrukking op zijn gezicht, maar nu zag ik me geconfronteerd met een gezette figuur, die kennelijk maar al te gretig de verloren tijd inhaalde waar het spijs en drank betrof. Ik mocht Thomas graag en wenste hem het beste toe, maar ik had het idee dat hij ten onrechte meende dat Grove niet geschikt was voor de prebende van Easton Parva. Ik zag al voor me hoe hij na een goed diner en een fles wijn naar de kerk waggelde om zijn kudde te onderhouden over de verdiensten van matigheid in alles. En wat zouden ze op hem gesteld raken, want iedereen mag graag zien dat een bepaald iemand bij de rol past die in het leven voor hem is weggelegd. De gemeente Easton zou, dacht ik zo, een gelukkiger oord worden als Grove er de scepter zwaaide dan met Thomas als geestelijk leider, al zou men dan met minder angstig ontzag voor de tuchtigende hand des Heren vervuld zijn.

'Het doet me deugd u in goede gezondheid te vinden, doctor,' zei ik toen hij me in zijn kamer liet, waar het al even vol lag met boeken en rondslingerende papieren als in zijn vertrekken op Compton Wynyates.

'Zeker, Jack, zeker,' riep hij, 'want ik hoef niet langer van die snotneuzen zoals jij te onderwijzen. En zo God het wil, hoef ik binnenkort helemaal niemand meer te onderwijzen.'

'Ik wens u geluk met uw ontsnapping aan de slavernij,' antwoordde ik, en hij gaf me met een gebaar te kennen dat ik een stapel boeken opzij moest zetten en gaan zitten. 'U schept zeker veel genoegen in uw verbeterde aanzien? Dat u het van familiepredikant tot eerste Fellow aan New College hebt gebracht is wel een enorme stap vooruit voor u. Niet dat we niet allemaal uiterst dankbaar waren voor uw vroegere rampspoed. Want hoe hadden we anders zo'n geleerde leermeester in ons midden kunnen hebben?'

Grove gromde iets, met het complimentje ingenomen, maar half en half vermoedend dat ik hem in de maling nam.

'Het is inderdaad een grote verbetering,' zei hij. 'Hoewel ik sir William dankbaar was voor zijn vriendelijkheid, want als hij me niet in zijn huishouden had opgenomen, was ik van honger omgekomen. Het is geen gelukkige tijd voor me geweest, dat besef je zeker wel. Maar ja, ook voor jou is dat een ongelukkige periode gebleken. Ik hoop maar dat het leven als student je beter bevalt.'

'Heel goed, dank u. Of liever gezegd: het beviel me. Op het ogenblik verkeer ik in grote moeilijkheden, en ik moet u dringend om hulp verzoeken.'

Bij het horen van deze onomwonden verklaring trok Grove een bezorgd gezicht en ernstig vroeg hij wat er aan de hand was. Ik vertelde hem alles.

'En wie is die heks?'

'Een vrouw genaamd Sarah Blundy. Ik zie dat u die naam kent.'

De naam was nog niet gevallen of Grove keek somber en boos, en ik bedacht dat ik er misschien beter aan had gedaan dit niet te zeggen; maar nee, het viel goed.

'Zij heeft me zojuist veel leed berokkend. Erg veel leed.'

'Ah ja,' zei ik vaag. 'Ik heb wat roddelpraatjes gehoord.'

'Heus? Mag ik vragen van wie?'

'Het stelde niets voor, louter borreltafelpraat. Ik hoorde het verhaal van een man die Wood heet. Ik heb hem onmiddellijk gezegd dat dat schandalige woorden waren. Het scheelde niet veel of ik had hem een draai om zijn oren gegeven, moet ik zeggen.'

Grove gromde iets en dankte me voor mijn vriendelijkheid. 'Niet veel mensen zouden op zo loffelijke wijze hebben gereageerd,' zei hij kortaf.

'Maar u begrijpt wel,' vervolgde ik om zijn voordelige positie uit te buiten, 'dat zij in elk opzicht een gevaarlijk individu is. Alles wat zij doet heeft onrust tot gevolg.'

'Die hekserij is door middel van de astrologie vastgesteld?'

Ik knikte. 'Ik stel geen absoluut vertrouwen in die Greatorex, maar hij hield vol dat ik behekst werd en dat zij enorm veel macht had. En van een andere bron kan geen sprake zijn. Voor zover ik weet heeft niemand anders reden om ook maar in enig opzicht wrok jegens me te koesteren.'

'En jij bent in je hoofd belaagd, en in je ingewanden? En ook door dieren, en je bent in dromen gekweld.'

'Verscheidene keren, ja.'

'Maar als ik me wel herinner, dan had je als kind ook zulke hoofdpijnaanvallen; is het niet zo, of speelt mijn geheugen me nu parten?'

'Alle mensen hebben weleens hoofdpijn,' zei ik. 'Ik was me er niet van bewust dat die van mij erger was.'

Grove knikte. 'Ik heb het idee dat jij een gekwelde ziel bent, Jack,' vervolgde hij vriendelijk. 'En dat doet me verdriet, want je was een vrolijk kind, al was je dan ook wild en ontembaar. Vertel me eens, wat zit je toch dwars dat je gezicht zo'n boze uitdrukking heeft aangenomen?'

'Er is een vloek over mij uitgesproken.'

'Afgezien daarvan. Je weet best dat er meer aan de hand is.'

'Moet ik het u nog vertellen? U bent toch zeker op de hoogte van de rampen die mijn familie hebben getroffen? Dat kan niet anders; u hebt lang genoeg in het gezin van sir William Compton vertoefd.'

'Je vader bedoel je?'

'Natuurlijk. En wat ik nog het vreselijkst vind is dat mijn familie, en vooral mijn moeder, het hele geval wenst te vergeten. De herinnering aan mijn vader wordt door die aantijging bezwadderd, en het lijkt wel of niemand anders dan ik bereid is hem te verdedigen.'

Ik had Grove denk ik niet goed beoordeeld, want opeens verwachtte ik half en half dat al die jaren weg zouden vallen en ik bespeurde het bange voorgevoel van een kind dat hij zijn stok weer zou pakken; het was maar goed dat hij beter in staat was mij als volwassene te bejegenen dan ik om als zo iemand te denken. Hij zei niet wat ik moest doen, stak geen preek tegen me af en trakteerde me ook niet op goede raad die ik niet wilde horen, maar zei heel weinig en luisterde goed naar me, en al die tijd dat we in zijn steeds donkerder wordende kamer zaten, stond hij niet eens op om een kaars aan te steken. Toen ik die avond in New College over mijn moeilijkheden sprak, besefte ik eigenlijk pas goed dat ik er door zovele geplaagd werd.

Misschien lag het aan Goves godsdienst dat hij er zo het zwijgen toe deed, want ik wist dat hij een voorstander was van de biecht en die ceremonie in het geheim verrichtte voor mensen die dat oprecht verlangden en van wie hij erop aankon dat ze hun mond zouden houden. Het kwam bij me op dat ik, als ik dat wilde, op dat ogenblik zijn kansen voorgoed zou kunnen ruïneren en Thomas zijn betrekking bezorgen. Ik hoefde hem alleen maar te vragen mij de biecht af te nemen en hem vervolgens bij het gezag aan te geven als crypto-katholiek. Dan zou hij zo gevaarlijk zijn dat hij niet voor zo'n beroeping in aanmerking kwam.

Ik heb het niet gedaan, en misschien is dat verkeerd van me geweest. Ik bedacht dat Thomas nog jong was en dat er zich mettertijd wel een nieuwe gemeente zou aandienen. Het is heel natuurlijk (weet ik nu) dat de jeugd haast heeft, maar eerzucht dient getemperd te worden door berusting en geestdrift door eerbied. Destijds dacht ik natuurlijk niet zo, maar ik wil graag geloven dat er meer dan de simpele gedachte aan mijn eigen belang achter mijn besluit stak om Grove te behoeden voor de schande die ik zo gemakkelijk over hem had kunnen afroepen.

Intussen kwam er wel terdege eigenbelang aan te pas, zoals ik nog zal laten zien; naderhand brak ik me zelfs het hoofd over de raadselachtige aard van de voorzienigheid die mij in zo'n vertwijfelde stemming naar hem toe had gevoerd, want mijn vertwijfeling heeft tot mijn verlossing geleid en Gods voorzienigheid heeft de vloek waaronder ik zuchtte in het middel doen verkeren dat mijn succes heeft bewerkstelligd. Het is opmerkelijk zoals de Heer kwaad in goed kan veranderen, zoals Hij een schepsel als Blundy kan gebruiken om een verborgen bedoeling te openbaren die volkomen tegengesteld is aan het oorspronkelijke leed. Nu de wonderen de wereld uit zijn, steken de ware mirakels geloof ik in zulke dingen.

Want weer onderrichtte Grove me, en wel met behulp van de onvolprezen methode van het dispuut, en nooit heb ik een betere les ontvangen. Wanneer mijn eigenlijke leermeesters zo doorkneed waren geweest, dan had ik me misschien zelfs wel met meer wilskracht aan mijn rechtsstudie gewijd, want onder zijn leiding begon ik, zij het ook vluchtig, iets te begrijpen van de bedwelmende drank die een bewijsvoering kan zijn; in het verleden had hij zijn onderricht tot feiten beperkt en ons onophoudelijk de regels van de grammatica en dergelijke ingepompt. Nu ik een man was geworden en ik de leeftijd had bereikt waarop rationeel denken mogelijk is (een verheven toestand, alleen de man gegeven, en door Gods wil aan kinderen, dieren en vrouwen ontzegd), behandelde hij me ook als zodanig. Hij was zo verstandig de dialectiek van de redenaar te gebruiken om de argumentatie te onderzoeken; hij schonk geen aandacht aan de feiten, daar die voor mij al te gevoelig lagen, en richtte zich uitsluitend op de manier waarop ik die naar voren bracht om mij te dwingen een nieuwe denkwijze te hanteren.

Hij wees me erop (zijn argumenten waren zo diepgaand van aard dat ik me de verschillende stadia van zijn redenering niet meer kan herinneren, vandaar dat ik hier alleen maar in grote trekken beschrijf wat hij zei) dat ik een *argumentum in tres partes* had voorgelegd; formeel was dat juist, zei hij, maar het miste de benodigde resolutie en daarom bezat het onvoldoende evolutie en vandaar weer te weinig logica. (Nu ik dit schrijf, besef ik dat ik kennelijk toch meer aandacht aan mijn lessen heb besteed dan ik had beseft, want de termen van de geleerde komen met een verbazend gemak weer bij me boven.) Het *primum partum* was mijn vaders schande. Het *secundum* was mijn berooide toestand als gevolg van het feit dat ik onterfd was. Het *tertium* was de vervloeking waaronder ik gebukt ging. De taak van de beoefenaar van de logica, zo betoogde hij, bestond eruit dat hij het probleem oploste en de verschillende gedeelten tot één enkele propositie verenigde, die vervolgens aan een onderzoek kon worden onderworpen.

'Zo,' zei hij, 'bekijk alles nu nog eens. Neem het eerste en tweede gedeelte van je bewijsvoering. Waaruit bestaat de rode draad die ze met elkaar verbindt?'

'Daar is mijn vader,' zei ik, 'die beschuldigd is en zijn land heeft verloren.'

Grove knikte, tevreden dat ik me althans de grondslag van de logica herinnerde en in staat was de verschillende elementen op de juiste wijze onder te brengen.

'Dan ben ikzelf daar, die als zoon tekortgedaan is. Dan is daar sir William Compton, die de executeur-testamentair van de nalatenschap was en mijn vaders strijdmakker in het Verzegeld Verbond. Dat is alles wat ik op het ogenblik kan bedenken.'

Grove boog zijn hoofd even. 'Heel goed,' zei hij. 'Maar je moet doorredeneren, want je beweerde dat zonder de beschuldiging, het eerste gedeelte dus, je land niet verloren was gegaan – het tweede deel. Is dat niet zo?'

'Zeker.'

'Welnu, was er hier sprake van een directe, dan wel van een indirecte causaliteit?'

'Ik geloof niet dat ik dat begrijp.'

'Je begaat een geringe denkfout; namelijk door te stellen dat het tweede een indirect gevolg was van het eerste, zonder dat je de mogelijkheid hebt onderzocht dat het verband wellicht een tegengestelde richting vertoont. Je kunt natuurlijk niet beweren dat het verlies van je land de schande van je vader teweeg heeft gebracht, want dat zou met het oog op de tijd onmogelijk zijn, en dus ongerijmd. Maar misschien zou je wél kunnen beweren dat het *vooruitzicht* dat het land verloren zou gaan, tot de beschuldiging heeft geleid, en dat die op zijn beurt tot het feitelijke verlies heeft geleid; het *idee* van de aliënatie heeft de *realiteit* bewerkstelligd door *middel* van de beschuldiging.'

Ik staarde hem verbijsterd aan toen die woorden met een schok tot me doordrongen, want hij had nu het vermoeden uitgesproken dat mij sinds die nacht in de werkkamer van mijn oom almaar was blijven kwellen. Zou dat waar kunnen zijn? Was het mogelijk dat de beschuldiging die mijn vader te gronde had gericht enkel en alleen door hebzucht was ingegeven?

'Wilt u zeggen...?'

'Ik zeg helemaal niets,' zei doctor Grove. 'Ik wil je alleen in overweging geven dat je je argumenten zorgvuldiger overdenkt.'

'U leidt mij om de tuin,' zei ik. 'Want u weet iets van deze geschiedenis af wat ik niet weet. U zou mijn gedachten niet in die richting hebben gedirigeerd als u daar geen gegronde reden voor had gehad. Ik ken u, doctor. En uit uw wijze van bewijsvoering volgt ook dat ik goed moet denken aan die andere voor de hand liggende mogelijkheid.'

'Namelijk?'

'Dat het verband tussen beschuldiging en aliënatie eruit bestaat dat mijn vader inderdaad schuldig was.'

Grove straalde. 'Uitstekend, jongeman. Ik ben bijzonder tevreden over je; je denkt nu met de afstandelijkheid van de ware beoefenaar van de logica. 'Welnu, zie je er nog meer? Blinde tegenspoed mogen we, dunkt me, uitschakelen; dat is het argument van de atheïst.'

Ik dacht lang en ingespannen na, want het deed me deugd dat ik hem tevreden had gestemd, en ik wilde nog meer lof oogsten; tijdens mijn lessen was dit me maar zelden overkomen en ik vond het een merkwaardige en hartverwarmende ervaring.

'Nee,' zei ik uiteindelijk. 'Dit zijn de twee hoofdcategorieën die in overweging moeten worden genomen. Al het andere moet onder een subklasse van de twee proposities vallen.' Ik zweeg een ogenblik. 'Ik wil me niet geringschattend over dit gesprek uitlaten, maar zelfs het deugdelijkste argument behoeft toch een zekere hoeveelheid feiten om het van enige grond te voorzien. En ik twijfel er niet aan of u wijst me er straks op een gegeven ogenblik op dat het daar op essentiële gebieden aan ontbreekt.'

'Je begint als een advocaat te praten, mijnheer,' zei Grove. 'Niet als een wijsgeer.'

'Dit is toch een gebied waar de rechtswetenschap van toepassing is? De logica kan je alleen tot een bepaald punt brengen. Er moet een manier zijn om onderscheid te maken tussen de beide proposities, die luiden dat mijn vader schuldig is of dat hij dat niet is. En dat is niet mogelijk met behulp van de metafysica alleen. Dus vertelt u mij alles. U weet iets van de omstandigheden af.'

'O nee,' zei hij. 'Van die dwaling zal ik je moeten terugroepen. Ik heb je vader maar één keer ontmoet en ik vond hem een knap en krachtig man, maar ik kan onmogelijk een oordeel over hem uitspreken, of zelfs maar een uitspraak over hem doen. En ik heb uitsluitend terloops van zijn schande gehoord, namelijk toen ik heel toevallig sir William tegen zijn vrouw hoorde zeggen dat hij zich verplicht voelde alles te vertellen wat hij wist.'

'Wat?' zei ik, zo onstuimig in mijn stoel naar voren schietend dat ik de man geloof ik angst aanjoeg. 'Wat hebt u gehoord?'

Met een oprecht onthutst gezicht vroeg Grove: 'Maar dit is iets wat je toch zeker al wel wist? Dat sir William degene is geweest die de beschuldigingen in de openbaarheid heeft gebracht? Destijds woonde jij daar ook in huis. Toen heb je toch wel iets gehoord van wat er omging?'

'Geen woord. Wanneer is dat geweest?'

Hij schudde zijn hoofd. 'Begin 1660, geloof ik. Ik kan het me niet precies herinneren.'

'Wat is er toen gebeurd?'

'Ik was in de bibliotheek op zoek naar een bepaald boek, want sir William had me voor de duur van mijn verblijf toestemming gegeven om van zijn boeken gebruik te maken. Het is geen bibliotheek van de beste kwaliteit, maar voor mij vormde hij een kleine oase in de woestijn, en ik ging me er dikwijls laven. Ongetwijfeld herinner je je het vertrek nog; voor het grootste gedeelte ligt het op het oosten, maar aan het eind ligt nog een gedeelte dat er loodrecht op staat; en daar bevindt zich de werkkamer waarin sir William alle zakelijke beslommeringen in verband met het goed afhandelde. Ik heb hem daar nooit gestoord, want hij ontstak altijd in een ontzaglijke woede wanneer hij met geld te maken had; dan drong zijn berooide toestand al te pijnlijk tot hem door. Iedereen wist dat je dan nog vele uren nadien uit zijn vaarwater moest blijven.

Bij die gelegenheid deed zijn vrouw dat niet, en daarom kan ik je dit nu vertellen. Ik heb maar weinig gezien en niet alles gehoord, maar doordat de deur op een kier stond zag ik die brave dame op haar knieën voor haar heer gemaal liggen en hem smeken nog eens zorgvuldig na te denken over wat hij ging doen.

"Mijn besluit staat vast," zei hij niet onvriendelijk, al was hij er niet aan gewend dat de juistheid van zijn optreden in twijfel werd getrokken. "Mijn vertrouwen is verraden en mijn leven verkwanseld. Dat een man zoiets heeft kunnen doen kun je je bijna niet voorstellen, maar dat een vriend het heeft gedaan is ondraaglijk. Zoiets kan niet ongestraft blijven."

"Maar weet u het zeker?" vroeg zijn huisvrouw. "Wanneer u een dergelijke beschuldiging inbrengt tegen een man als sir James, die al twintig jaar uw vriend is en wiens zoon u bijna als een eigen kind hebt opgevoed, dan mag er geen vergissing in het spel zijn. En u moet wel bedenken dat hij u tot een duel zal uitdagen; dat moet hij wel. En een dergelijke krachtmeting zou u verliezen."

"Ik zal niet tegen hem duelleren," antwoordde sir William, ditmaal op vriendelijker toon, want hij zag wel dat zijn vrouw zich zorgen maakte. "Ik erken mijn mindere bedrevenheid in de strijd. Maar ik heb er niet de minste twijfel over of mijn beschuldigingen komen geheel en al met de waarheid overeen. De waarschuwing van sir John Russell laat daar geen enkele twijfel over bestaan. De brieven, de documenten en de aantekeningen van de bijeenkomsten had hij van Morland; een groot gedeelte ervan kan ik op grond van mijn eigen kennis als authentiek bevestigen. Ik ken zijn handschrift en ik ken zijn geheime code."

Toen ging de deur dicht en daarna hoorde ik niets meer; maar de volgende paar dagen was de vrouw des huizes heel bedroefd en sir William was verstrooider dan anders. Aan het eind van die week vertrok hij in het diepste geheim naar Londen, en ik nam aan dat hij daar zijn vermoedens en de feiten die hij kende, aan personen in de kringen rond de koning heeft meegedeeld.'

Ik moest bijna lachen toen ik dit relaas hoorde, want ik herinnerde me die tijd nog goed. Sir William Compton was inderdaad op een ochtend van het huis weggegalopeerd. De hele huishouding was de paar dagen daarvoor inderdaad in een sombere stemming gedompeld geweest, alsof het lichaam een ziekte had overgenomen van het hoofd dat het regeerde, en ik herinnerde me weer dat sir William voor zijn vertrek met me had gepraat en gezegd had dat ik weldra weg zou moeten. Het was tijd, zei hij, dat ik naar mijn eigen familie terugging, want ik was oud genoeg om zelf mijn plichten na te komen. Mijn kindertijd was nu voorbij.

Drie dagen na de dag dat sir William bij het ochtendkrieken te paard was vertrokken, werd ik met al mijn bezittingen op een kar gezet en naar mijn oom gestuurd. Ik had niets bespeurd van de storm die vlak voor mijn neus op til was geweest.

∽

Maar nu wijk ik een heel eind van mijn verhaal af; ik moet nog meer over mijn gesprek met doctor Grove vertellen. Want op het stuk van het probleem waarvoor ik een beroep op hem deed, weigerde hij me te helpen. Hij wilde geen geestenbezwering uitvoeren, want net voor mij had Blundy zijn ziel bewerkt en daarmee bereikt dat hij nu zo zelfzuchtig was dat hij bang was dat hij zich op dit bijzonder delicate ogenblik tijdens zijn loopbaan aan kritiek zou kunnen blootstellen. Hoezeer ik ook mijn best deed, ik kon hem niet overhalen; het enige dat hij wilde zeggen was dat als ik hem een beter bewijs van de betovering kon verschaffen, hij er nog eens over zou nadenken. Zolang ik dat niet kon, was hij er alleen toe bereid samen met me te bidden. Ik wilde hem niet krenken, maar ik had bezwaar tegen het vooruitzicht een hele avond op mijn knieën door te brengen; bovendien hadden de nieuwe dingen die hij me had verteld, mijn zintuigen hevig geprikkeld en ik was bereid om alle bovenaardse zaken een tijdje opzij te schuiven.

Het was vooral belangrijk dat ik weer een nieuwe schakel aan mijn keten van bedrog had verworven, en ik voelde Grove duchtig aan de tand over deze zaak. 'Documenten die hij via Russell van Morland had ontvangen.' Dat betekende dat sir John die papieren alleen maar verder had gestuurd nadat hij ze van iemand anders had gekregen. Het leek erop dat hij het gerucht met genoegen had verspreid, maar dat hij het niet had bedacht. Was dat een gerechtvaardigde conclusie? Doctor Grove zei dat die inderdaad juist klonk, al was hij er zeker van dat Russell met de beste bedoelingen had gehandeld. Maar hij kon me verder niet helpen achter de bron te komen. Het was om razend van te worden; één woord van Russell zou mij zoveel moeite bespaard hebben, maar op grond van zijn gedrag in Tunbridge wist ik dat ik dat woord nooit over zijn lippen zou horen komen. Toen ik Groves kamer in New College verliet, bedacht ik dat het tijd was om Wood eens op te zoeken.

In mijn haast en opwinding vergat ik een belangrijk detail, maar zodra de zware, met nagels beslagen deur van Woods huis aan Merton Street werd opengetrokken, herinnerde ik me weer dat Sarah Blundy bij die familie werkte. Tot mijn opluchting deed echter niet het meisje open, maar Woods moeder, die er niet bijster mee ingenomen leek mij te zien, al was het nog niet laat.

'De complimenten van Jack Prestcott aan de heer Wood, en dat hij om de gunst van een onderhoud verzoekt,' zei ik. Ik zag wel dat ze al half en half van zins was me weg te sturen en te zeggen dat ik maar terug moest komen wanneer ik een afspraak had gemaakt, maar nee: ze liet zich vermurwen en gaf met een gebaar te kennen dat ik binnen moest komen. Enkele ogenblikken later kwam Wood, ook al met een niet al te vriendelijk gezicht, naar beneden. 'Mijnheer Prestcott,' zei hij toen we allebei hadden genegen, 'het verbaast me u hier te zien. Ik wilde wel dat ik meer tijd had gekregen om me op dit eervolle bezoek voor te bereiden.'

Ik sloeg geen acht op deze berisping en zei dat het om een urgente kwestie ging. Ik verbleef maar heel even in de stad. Wood, die oude zeur, jeremieerde nog wat en beweerde dat hij vreselijk veel zaken van belang aan zijn hoofd had, maar toen zwichtte hij en ging me voor naar zijn kamer.

'Het verbaast me dat ik dat kind Blundy hier niet zie,' zei ik toen we de trap beklommen. 'Ze werkt hier toch als dienstmeisje, niet?'

Wood trok een onbehaaglijk gezicht. 'Wij hebben de kwestie besproken,' zei hij, 'en vervolgens hebben we beslist dat het het best zou zijn haar te ontslaan. Waarschijnlijk een verstandig besluit, en stellig het beste met het oog op de reputatie van mijn familie. Toch ben ik er niet gelukkig mee. Mijn moeder was haar heel gunstig gezind. Opmerkelijk gunstig zelfs – ik zou er geen verklaring voor weten.'

'Misschien wordt zij behekst,' zei ik zo luchtig mogelijk. Wood schonk me een blik waaruit bleek dat ook hem al iets dergelijks door het hoofd had gespeeld. 'Misschien,' antwoordde hij langzaam. 'Merkwaardig, zoals we uiteindelijk allemaal als de slaaf van onze domestieken eindigen.'

'Van sommige domestieken dan,' zei ik. 'En sommige meesters.'

Een argwanende, tersluikse blik in mijn richting wees erop dat hij de kritiek had gehoord, maar die wenste af te weren. 'U bent hier niet gekomen om over het probleem te praten hoe men betrouwbare domestieken in dienst neemt, dunkt me,' zei hij.

Ik vertelde hem van mijn problemen en voorts iets van mijn gesprek met doctor Grove. 'Ik weet dat die dingen, vermoedelijk dezelfde documenten als waar lord Mordaunt het over had, door sir William openbaar zijn gemaakt. Ik weet nu dat hij ze via sir John Russell van iemand had die Morland heette. Dus wie is Morland?'

'O,' zei hij, als een verdwaalde mol door de kamer snellend en de ene stapel papieren na de andere doorzoekend tot hij op de stapel stuitte die hij moest hebben, 'dat is volgens mij niet zo'n groot mysterie. Dat moet wel Samuel Morland zijn.'

'En hij is...?'

'Hij is nu, zo heb ik begrepen, sir Samuel Morland. Dat is op zichzelf al heel opmerkelijk en geeft stof tot nadenken. Hij moet wel heel buitengewone diensten hebben verleend dat hij zozeer begunstigd is, vooral als je zijn verleden in aanmerking neemt. Een verrader in 's konings gelederen aan de kaak stellen zou zo'n dienst kunnen zijn geweest.'

'Of het opstellen van documenten waaruit iets dergelijks bleek.'

'O, zeker,' zei Wood, knikkend en snuffelend. 'Zeker, want Morland stond bekend om wat je als zijn schrijfkunst zou kunnen aanduiden. Hij heeft geloof ik enige tijd voor Thurloe gewerkt en zelfs geprobeerd hem op te volgen toen Thurloe er in de laatste dagen van de Republiek uit werd gegooid, als ik me het verhaal wel herinner. Vervolgens heeft hij zich, geloof ik, aan de kant van de royalisten geschaard. Die stap had hij niet op een gelukkiger tijdstip kunnen doen.'

'Dus het idee van vervalste documenten komt u niet ongerijmd voor?'

Wood schudde zijn hoofd. 'Uw vader was schuldig of hij was niet schuldig. Als hij niet schuldig was, dan moet er een of andere list zijn aangewend om de illusie van laakbaarheid tot stand te brengen. Maar de enige manier waarop u daarachter kunt komen is dunkt me dat u zich rechtstreeks tot Morland zelf wendt. Hij woont geloof ik ergens in Londen. Ik heb van Boyle gehoord dat hij zich onledig houdt met hydraulische toestellen die dienen om moerassen en dergelijke droog te leggen. Naar verluidt zijn ze heel vernuftig.'

Ik was bijna op mijn knieën gevallen om het malle mannetje voor zijn inlichtingen te danken, en ik had het fatsoen in gedachten toe te geven dat Thomas gelijk had gehad toen hij hem me aanbeval. Zo vlug als ik dat voor mijn fatsoen maar kon verliet ik dat huis.

De volgende morgen nam ik, na een als gevolg van mijn koortsachtige geest slapeloos doorgebrachte nacht, de postkoets naar Londen.

I I

Ik was nooit eerder in een grote stad geweest; Oxford was verreweg de indrukwekkendste stad die ik ooit had betreden. Het grootste gedeelte van mijn leven had ik doorgebracht op landgoederen waar dorpen van hoogstens een paar honderd zielen op lagen, of in marktstadjes als Boston of Warwick, met maar een paar duizend inwoners. In Londen (zo vertelde men mij, al geloof ik niet dat iemand dat zeker weet) woonden er toen iets van een half miljoen mensen. De stad overwoekerde het landschap als een enorme, bloedende wrat, en ze verziekte het land en vergiftigde een ieder die daar woonde. Eerst was ik enorm geboeid toen ik het leren gordijntje oplichtte om uit het raampje van de koets te turen, maar die verbazing sloeg in walging om toen ik oog kreeg voor de vreselijke ellende van het leven in zo'n oord. Ik ben niet wat je noemt een boekenman (dat zal langzamerhand duidelijk zijn), maar ik herinner me nog een regel van een gedicht dat ik in mijn jonge jaren van doctor Grove moest vertalen en dat me altijd is bijgebleven. De dichter herinner ik me niet, maar hij was duidelijk een wijs en nuchter man, want hij zei: 'Ik kan niet in de stad leven, want ik heb niet geleerd om te liegen.' En zo zal het altijd blijven; de eerlijkheid van de plattelander is in de stad in het nadeel, want dubbelhartigheid wordt daar gewaardeerd en eenvoud veracht; daar zorgt iedereen alleen voor zichzelf, en edelmoedigheid wekt alleen de lachlust.

Voordat ik naar sir Samuel Morland informeerde, bedacht ik dat ik me zo goed mogelijk moest concentreren en voorbereiden op het onderhoud dat ik voor de boeg had. Daarom pakte ik mijn ransel, stak de grote weg over die Londen met Westminster verbindt (er wordt daar echter zoveel gebouwd dat het binnenkort onmogelijk nog te zien zal zijn waar de ene stad eindigt en de andere begint) en liep in noordelijke richting om iets van een gelegenheid te vinden waar spijs en drank werd verkocht. Weldra bereikte ik een *Piazza* (zo heet dat, terwijl 'plein' toch goed genoeg zou moeten zijn voor een gewoon mens), dat naar ik heb gehoord voor geen enkel plein in Europa hoeft onder te doen. Op mij maakte het die indruk niet; de gebouwen zagen er ontoonbaar uit door het vuil dat overal rondslingerde: vrouwen verkochten er groente en overal trapte je in de drek en het afval. Er waren daar wel eethuizen, maar de prijzen waren van dien aard dat ik ontzet over de brutaliteit van de uitbaters wegliep. Om de hoek lag een straat waar het veel rustiger leek, maar daarin vergiste ik me, want deze Drury Lane werd beschouwd als een van de beroerdste en gevaarlijkste straten van de stad, waarin het wemelde van de lichtekooien en messentrekkers. Het enige dat ik zag was de schouwburg, die binnenkort zijn deuren zou openen, en ik werd een groepje spelers gewaar in het uniform dat hen van politiebescherming verzekerde; ontzettend potsierlijk zagen ze eruit.

Van Covent Garden liep ik naar Londen; onderweg liep ik alleen even een viezig steegje in de buurt van St Paul's Cathedral in om mijn bezittingen achter te laten in een sjofel, klein logement waarvan ik had gehoord dat het goedkoop en betrouwbaar was. Dat bleek waar, maar helaas gingen deze deugden niet gepaard met rust en netheid. De dekens krioelden van de luizen en zo te zien waren mijn toekomstige bedgenoten geen al te verfijnde beesten. Maar ik had toch al luizen in mijn haar, dus bedacht ik dat het niet veel zin had mijn geld uit te geven aan iets beters. Toen begon ik inlichtingen in te winnen over sir Samuel Morland. Het duurde niet lang of ik had zijn adres gevonden.

Het was een oud huis in een oeroude straat, en ik twijfel er niet aan of het behoorde tot de huizen die een paar jaar later bij de grote brand helemaal zijn verwoest, want het was een stokoud geval van hout en riet dat heel wat aantrekkelijker was geweest als er enige zorg aan het onderhoud was besteed. Ook dat is een probleem dat het stadsleven met zich meebrengt, want wanneer de eigenaren niet dezelfden zijn als de bewoners, dan worden gebouwen niet goed onderhouden. Ze beginnen te vermolmen en te verrotten, bezorgen de straat een zieke plek en worden een broedplaats voor ongedierte. Het straatje zelf was smal en donker als gevolg van de verdiepingen die naar voren overhelden en er heerste een liederlijk tumult dankzij de venters die er overal hun waren aan de man brachten. Ik keek uit naar een bord met een os, zoals mij was uitgeduid, maar dat was zo oud en verkleurd dat ik er al twee keer langs was gelopen voordat ik besefte dat het gehavende en geblutste stuk hout boven een van de deuren eens zo'n afbeelding had laten zien.

Toen de deur openging, werd me niet eens gevraagd wat er van mijn dienst was; zonder plichtplegingen werd ik binnengelaten.

'Is je meester thuis?' vroeg ik de man aan de deur, de schandaligst uitziende huisknecht die ik ooit was tegengekomen, smerig van top tot teen
en in beroerde kleren gestoken.

'Ik heb geen meester,' zei dit heerschap verwonderd.

'Vergeeft u mij. Dan ben ik hier zeker verkeerd. Ik ben op zoek naar sir
Samuel Morland.'

'Dat ben ik,' antwoordde hij, zodat het nu mijn beurt was verbaasd op te
kijken.

'Wie bent u?'

'Mijn naam is... eh... Grove,' zei ik.

'Het is me een genoegen met u kennis te maken, mijnheer Grove.'

'Dat genoegen is wederzijds, mijnheer. Mijn vader stuurt mij. Wij bezitten land in Dorset en hebben verhalen gehoord over uw vernuftige afwate-
ringsmethoden...'

Ik kon mijn leugen niet eens afmaken, want Morland greep mijn hand
en schudde die krachtig op en neer. 'Uitmuntend,' zei hij. 'Werkelijk uitmuntend. En nu wenst u zeker mijn toestellen te zien? En die te gebruiken
om uw land droog te leggen?'

'Eh...'

'Als ze het doen, wat? Ik doorzie uw gedachten volkomen, jongeman. Als
die uitvinder nu eens een bedrieger is? Beter om eerst eens poolshoogte te
nemen alvorens er geld voor uit te trekken. U voelt zich ertoe aangetrokken
omdat u van die vernuftige Hollanders hebt gehoord, die de opbrengst van
hun land hebben verhonderdvoudigd en moerasgebied in puike weide-
grond hebben omgetoverd, maar u kunt niet helemaal geloven dat dat hier
ook mogelijk is. U hebt gehoord van de afwateringswerkzaamheden in de
Venen en van het gebruik van pompen aldaar, maar u weet niet of die ook
geschikt zouden zijn voor u. Zo is het toch, waar of niet? Doet u maar geen
moeite het te ontkennen. U hebt geluk dat ik geen argwanend man ben en
dat ik mijn uitvindingen onbekommerd aan iedereen laat zien die ze graag
wil bekijken. Komt u maar mee,' zei hij opgewekt, en hij greep me weer bij
de arm en sleurde me mee naar een deur. 'Deze kant op.'

Enigszins overdonderd door zijn manier van doen werd ik vanuit de
kleine vestibule meegesleept naar een groot vertrek dat eraan grensde. Ik
vermoedde dat dit eens het huis was geweest van iemand als een koopman
in wol en dat deze kamer ooit als opslagplaats voor balen stof was gebruikt.
Het huis was beslist veel groter dan de voorgevel zou doen vermoeden (die
kooplui hangen altijd de armoedzaaier uit en verbergen hun rijkdom voor
de rest van de wereld). Er heerste een prettig en fris klimaat dankzij de wijd

openstaande deur aan het eind, die ondanks de tijd van het jaar zoveel licht naar binnen liet dat ik even verblind werd.

'Wat vindt u ervan? Indrukwekkend, hè?' zei hij, mijn door mijn verblinding veroorzaakte aarzeling voor verbazing aanziend. Toen ik weer goed kon zien, stond ik echter inderdaad verbaasd, want zo'n verzameling spullen en prullen had ik nog nooit van mijn leven gezien. Er stonden wel tien tafels, die stuk voor stuk bedolven waren onder vreemde instrumenten, flessen, kistjes en stukken gereedschap. Langs de muren waren stukken hout en metaal opgestapeld, en de vloer ging schuil onder houtkrullen en vettige plassen en stukken leer. Twee of drie knechten, waarschijnlijk de ambachtslieden die toestellen konden bouwen naar zijn ontwerp, waren druk in de weer bij werkbanken, waar ze metaal vijlden en hout schaafden.

'Ongelooflijk,' zei ik, daar hij kennelijk een goedkeurend geluid van me wilde horen.

'Kijk,' zei hij geestdriftig, me alweer van de verplichting ontslaand nog meer te zeggen. 'Wat vindt u hiervan?'

We stonden voor een fraai bewerkte eikenhouten tafel, waar niets anders op stond dan een merkwaardig toestelletje, niet veel groter dan de hand van een man, van prachtig gesmeed en gegraveerd koper. Erbovenop zaten elf wieltjes en in elk daarvan was een cijfer gekerfd. In het kastje van de machine eronder zat een langgerekte plaat die kennelijk weer andere knopjes aan het oog onttrok, want door kleine gaatjes die erin waren aangebracht, waren nog cijfers te zien.

'Prachtig,' zei ik. 'Maar wat is het?'

Hij lachte opgetogen om mijn onwetendheid. 'Dit is een rekenmachine,' zei hij trots. 'De beste ter wereld. Niet uniek, helaas, want een of ander Fransmannetje heeft er ook een, maar' – nu temperde hij zijn stem tot een vertrouwelijk gefluister – 'die van hem doet het niet zo goed. Niet zoals de mijne.'

'Wat doet u ermee?'

'Je rekent er uiteraard mee. Het principe is hetzelfde als dat van de blokjes van Napier, alleen veel vernuftiger. De twee raderwerkgedeelten geven getallen aan van een tot tienduizend, of waarden vanaf halve duiten, als je het toestel voor financiële doeleinden wilt gebruiken. De zwengel brengt ze in beweging door middel van een reeks radertjes, zodat ze in de juiste verhouding doordraaien. Met de wijzers van de klok mee als je wilt optellen, tegen de wijzers van de klok in om af te trekken. Mijn volgende machine, die nog niet helemaal af is, zal wortel kunnen trekken en getallen tot in de derde macht verheffen, en zelfs driehoeksmetingen verrichten.

'Heel handig,' zei ik.

322

'Inderdaad. Alle kantoren ter wereld zullen er binnenkort eentje bezitten, als ik een manier kan verzinnen om ze ervan op de hoogte te brengen. Ik zal een rijk man worden en de natuurwetenschappen zullen met sprongen vooruitgang boeken wanneer ze niet langer aangewezen zijn op deskundigen op het gebied van wiskundige berekeningen. Enige tijd geleden heb ik er eentje naar doctor Wallis in Oxford gestuurd, want hij is de grootste geleerde op dat terrein die er in dit land rondloopt.'

'Kent u doctor Wallis?' vroeg ik. 'Ik ben zelf ook met hem bekend.'

'O ja, al heb ik hem al een hele tijd niet meer gesproken.' Hij zweeg even en lachte bij zichzelf. 'Je zou kunnen zeggen dat wij in het verleden in zekere zin zaken met elkaar hebben gedaan.'

'Ik zal uw groeten overbrengen zo u dat wilt.'

'Ik denk niet dat hij die bijzonder op prijs zou stellen. Ik dank u niettemin voor het aanbod. Maar daarvoor komt u hier niet, weet ik. Komt u mee naar de tuin.'

De hemel zij dank keerden we zijn rekenmachines de rug toe en ik volgde hem naar buiten, waar hij bleef staan voor iets wat eruitzag als een groot vat waar aan de bovenkant een lange buis uitstak. Met een treurige en droefgeestige uitdrukking op zijn gezicht nam hij dit geval op, waarna hij zijn hoofd schudde en een diepe zucht slaakte.

'Wilde u mij dit laten zien?'

'Nee,' zei hij bedroefd, 'dit is iets wat ik mijns ondanks verder heb opgegeven.'

'Waarom? Werkt het niet?'

'Integendeel. Het werkt al te goed. Dit is een poging geweest om de kracht van kruit toe te passen op het probleem van het pompen. In de mijnbouw is dat namelijk een groot probleem. De diepte waarop mijnen tegenwoordig onder de grond liggen – soms wel meer dan vierhonderd voet – betekent dat het enorm veel inspanning kost om het water eruit te verwijderen, want dat moet over een even grote afstand naar boven worden getransporteerd. Weet u het gewicht van een vierhonderd voet lange buis water? Natuurlijk niet. Als u dat wel wist, dan zou u verbijsterd staan van de vermetelheid van iemand die zelfs maar over zo'n idee dacht. Kijk, ik was namelijk op het idee gekomen om een degelijk afgesloten, met lucht gevuld vat te laten afdalen in het water onder de grond, vanwaar een buis omhoogliep die in de openlucht uitkwam.'

Ik knikte, hoewel ik hem niet meer kon volgen. 'In het vat breng je een kleine hoeveelheid kruit tot ontploffing, waardoor de druk daarbinnen flink stijgt. Die druk plant zich met grote snelheid voort door de buis naar beneden en stuwt het water omhoog door de andere. Als je dit maar vaak genoeg herhaalde, zou je een ononderbroken stroming omhoog teweegbrengen.'

'Dat klinkt prachtig.'

'Zeker. Helaas heb ik nog geen methode kunnen bedenken die voor ontploffingen van de juiste hoedanigheid en duur kan zorgen. Of de buis knapt, en dat is gevaarlijk, of je krijgt één enkele dosis water die vijftig voet in de hoogte schiet, en dan niets meer. Ik heb octrooi op dit idee, dus ik loop niet het gevaar dat ik door mededingers voorbij word gestreefd, maar als ik geen oplossing verzin, dan zou een heel goed idee weleens verloren kunnen gaan. Ik heb erover gedacht warm water te gebruiken, want de damp die dan vrijkomt vergt een veel grotere ruimte – zo'n tweeduizend keer meer, wist u dat? – en ontwikkelt een nietsontziende kracht. Kijk, als ik nu een manier kon vinden om de damp door de buis naar beneden te persen, of in een of ander pompmechanisme, dan zou dat de kracht opleveren die benodigd is om het water naar boven te duwen.'

'En het probleem?'

'Het probleem is dat je de hete damp de vereiste kant opstuwt en niet een willekeurige andere kant op.'

Ik begreep nauwelijks een woord van wat hij zei, maar zijn levendigheid en geestdrift waren zo intens dat ik geen enkele manier kon verzinnen om de woordenstroom dië zijn mond verliet af te dammen. Bovendien leek mijn bereidheid om hem aan te horen hem voor me in te nemen, waardoor het er waarschijnlijker op werd dat hij me de inlichtingen zou verstrekken die ik wilde hebben. Ik bestookte hem dus met een spervuur van vragen en wendde een uiterst oprechte belangstelling voor al deze verschijnselen voor, die anders alleen maar mijn verachting hadden gewekt.

'Dus u hebt geen pomp die het goed doet, bedoelt u?' vroeg ik ten slotte.

'Geen pomp? Natuurlijk wel. Pompen genoeg. Alle mogelijke soorten pompen. Baggerkettingen en zuigpompen en balgpompen. Ik heb alleen nog geen *doeltreffende* pomp, geen elegante pomp, eentje die de hem opgedragen taak op een eenvoudige en nette manier uitvoert.'

'En hoe staat het met die Venen? Wat gebruikt u daar?'

'O, dat,' zei hij, bijna verachtelijk. 'Dat is weer een heel andere geschiedenis. Qua techniek niet erg interessant.' Hij keek me even aan en herinnerde zich weer waarvoor ik was gekomen. 'Maar daarom des te geschikter om er geld in te steken, want nieuwe uitvindingen hoeven er niet aan te pas te komen. Het probleem is maar simpel, begrijpt u, en simpele problemen kunnen het best een simpele oplossing krijgen. Vindt u ook niet?'

Dat vond ik ook.

'Een groot gedeelte van dat veen,' zei hij, 'ligt beneden de zeespiegel en zou zich dus eigenlijk onder water moeten bevinden, evenals het grootste gedeelte van de Nederlanden; want als dat niet zo was, dan zouden ze hun naam moeten veranderen.'

Hij gniffelde even om zijn grapje en ik deed beleefd mee. 'Kijk, het is gemakkelijk genoeg om ervoor te zorgen dat er geen water meer binnenkomt door dijken te bouwen; de Hollanders doen dat al eeuwen, dus dat kan niet al te moeilijk zijn. Het probleem is: hoe verwijder je het water dat er al is?'

Ik biechtte op dat ik dat niet wist, en dat deed hem deugd.

'Rivieren vormen de eenvoudigste oplossing; je graaft een nieuwe rivier en het water stroomt terug. Buizen zijn ook een mogelijkheid. Houten buizen onder de grond die het water opvangen en afvoeren. Het probleem is alleen dat dat duur is en langzaam gaat. Bovendien ligt het omringende land (weet u nog wel?) hoger, en dat geldt ook voor de zee. Dus waar moet dat water naartoe?'

Ik schudde mijn hoofd weer. 'Nergens naartoe,' zei hij heftig. 'Het kan nergens heen, want water stroomt nooit omhoog. Dat weet iedereen. Daardoor komt het ook dat een groot gedeelte van dat veenland nog niet geheel is drooggelegd. Met mijn pompen kan dat probleem overwonnen worden, begrijpt u wel, en in de krachtmeting tussen de wensen van de mens en die van de natuur kan de natuur ertoe gedwongen worden zijn overwicht prijs te geven. Want dan zal het water inderdaad omhoogstromen en afgevoerd worden, zodat er bruikbaar land overblijft.'

'Voortreffelijk,' zei ik. 'En heel lucratief.'

'O, zeker. De heren die samen een compagnie hebben opgericht om hun land droog te leggen, zullen daar bijzonder wel bij varen. En ik hoop er zelf ook iets aan over te houden, want ik heb daar ook een stuk land: in Harland Wyte. Mijnheer? Wordt u niet goed?'

Ik had bijna het gevoel of ik een stomp in mijn maag had gehad, want de naam Harland Wyte, het land van mijn familie, de kern van mijn vaders bezittingen, was zo onverwacht gevallen dat ik even verstomd stond, en ik vrees dat ik me bijna verried toen ik zo opeens verbleekte en naar lucht hapte.

'Vergeeft u mij, sir Samuel,' zei ik, 'maar soms heb ik even last van aanvallen van duizeligheid. Het gaat zo over.' Ik glimlachte geruststellend en deed net of ik me weer had hersteld. 'Harland Wyte, zegt u? Dat ken ik niet. Bezit u dat al lang?'

Hij grijnsde listig. 'Een paar jaar pas. Het was een geweldig koopje, want het ging voor maar weinig geld van de hand en ik had meer oog voor de waarde van dat land dan degenen die het verkochten.'

'Dat zal best. Wie verkocht het dan?'

Maar hij wuifde mijn vraag weg en liet zich niet uit zijn tent lokken: hij weidde liever uit over zijn slimheid dan over zijn schandelijke gedrag. 'Straks is de drooglegging voltooid, en dan verkoop ik het door en strijk een aardige winst op. Zijne Genade de hertog van Bedford heeft ermee ingestemd het te kopen, want hij heeft al het land eromheen voor het grootste gedeelte in zijn bezit.'

'Ik wens u geluk met uw goede gesternte,' zei ik. Nu wilde ik het eens over een andere boeg gooien.

'Vertelt u mij eens, hoe kent u doctor Wallis eigenlijk?' vroeg ik. 'Ik vraag dat omdat hij mijn leermeester is geweest. Raadpleegt hij u op het stuk van experimenten en wiskundige problemen?'

'Goeie hemel, nee. Ik ben weliswaar zelf wiskundige, maar ik geef zonder aarzelen toe dat hij in alle opzichten mijn meerdere is. Nee, onze band was van een veel wereldser aard, want gedurende een bepaalde tijd waren wij allebei in dienst van John Thurloe. Ik was in het geheim natuurlijk een aanhanger van de koning, terwijl doctor Wallis in die dagen een echte cromwelliaan was.'

'Het verbaast me dat te horen,' zei ik. 'Alles wijst erop dat hij nu een trouw onderdaan is. Bovendien, wat voor diensten zou een predikant en wiskundige nu zo iemand als Thurloe kunnen bewijzen?'

'O, heel wat uiteenlopende diensten,' zei Morland met een glimlach om mijn onschuld. 'Doctor Wallis kon als geen ander in dit land geheimschriften ontwerpen én ontcijferen. Ik geloof niet dat hij het ooit heeft moeten laten afweten; volgens mij heeft hij nog nooit iemand op zijn pad ontmoet die de kunst van de cryptografie beter beheerste. Thurloe heeft jarenlang gebruikgemaakt van zijn diensten; hele bundels brieven werden naar Oxford opgestuurd, en de vertaling arriveerde dan per kerende koets. Opmerkelijk. Wij hadden gedurig de neiging 's konings aanhangers te zeggen dat ze hun tijd niet moesten verspillen aan brieven in geheimschrift, want als wij er de hand op legden, kon Wallis ze steevast vertalen. Als hij uw leermeester is, dan moet u hem eens vragen of u er een paar mag zien; hij zal ze zeker nog hebben, al loopt hij natuurlijk niet te koop met dergelijke bewijzen van zijn vroegere werkzaamheden.'

'En u hebt Thurloe dus ook gekend? Dat moet wel heel bijzonder zijn geweest.'

Hij voelde zich gevleid door dit compliment en dat zette hem ertoe aan te proberen mij nog meer te imponeren. 'Zeker. Ik ben bijna drie jaar lang zijn rechterhand geweest.'

'Bent u familie van hem?'

'O lieve hemel, nee. Ik was als afgezant naar Savoie gestuurd, waar ik een goed woordje moest doen voor de vervolgde protestanten. Ik ben daar verscheidene jaren geweest en heb er ook de ballingen in de gaten gehouden. Ik heb dus nuttig werk verricht, zodat men mij ging vertrouwen en me een goede positie aanbood toen ik terugkwam. En dat vertrouwen heb ik genoten tot het ogenblik dat ik uit vrees voor mijn leven moest vluchten, omdat het bekend werd dat ik geheime inlichtingen aan Zijne Majesteit had doorgegeven.'

'Zijne Majesteit heeft wel geluk met zijn dienaren,' zei ik, de man plotseling verachtend vanwege zijn zelfvoldane houding.

'Alleen volstrekt niet met alle. Voor elke trouwe aanhanger zoals ik was er wel een andere die hem zonder zich te bedenken voor een zak soevereinen zou hebben verkocht. Ik heb de ergste ontmaskerd door ervoor te zorgen dat sommige van de documenten die Wallis leverde, de koning onder ogen kwamen.'

Ik was er nu bijna, dat wist ik zeker. Als ik me nu maar rustig kon houden, zodat ik niet zijn argwaan wekte, dan kon ik stellig ongehoorde nieuwe feiten uit hem lospeuteren.

'U liet doorschemeren dat doctor Wallis en u niet meer goed met elkaar konden opschieten. Komt dat door wat er in die tijd is gebeurd?'

Hij haalde zijn schouders op. 'Het doet er niet meer toe. Dat alles is nu verleden tijd.'

'Vertelt u het mij toch,' drong ik aan en de woorden waren nog niet over mijn lippen, of ik wist dat ik te ver was gegaan. Morlands ogen vernauwden zich en zijn air van excentrieke goedgemutstheid vloeide weg als zure wijn uit een fles. 'Misschien dat u zich daar in Oxford voor meer dingen bent gaan interesseren dan alleen voor uw studie, jongeman,' zei hij rustig. 'Ik zou u de raad willen geven terug te gaan naar dat goed van u in Dorset en u daarmee onledig te houden, als zo'n landgoed tenminste inderdaad bestaat. Het is gevaarlijk voor een mens om zich met kwesties in te laten die hem niet aangaan.'

Hij pakte me bij de elleboog en probeerde me naar de voordeur te loodsen. Ik schudde hem verachtelijk af en keek hem recht in het gezicht. 'Nee,' zei ik, erop vertrouwend dat ik hem gemakkelijk de baas kon en dat ik de dingen die ik weten wilde wel met enig geweld uit hem zou krijgen als dat me uitkwam, 'ik wil weten...'

Die zin bleef onafgemaakt. Morland klapte in zijn handen en onmiddellijk ging de deur open en een onbehouwen uitziende man kwam de kamer in, met een dolk opvallend in zijn gordel. Hij zei niets, maar bleef zijn orders staan afwachten.

Ik weet niet of ik het van een dergelijke figuur had kunnen winnen; het is mogelijk, maar het was al even wel mogelijk dat dat niet het geval was. Hij had iets van een ex-soldaat en was stellig veel ervarener in de kunst van het schermen dan ik.

'U moet mijn gedrag verontschuldigen, sir Samuel,' zei ik, me zo goed mogelijk beheersend. 'Maar uw verhalen fascineren mij enorm. Het is waar dat ik in Oxford heel wat heb gehoord dat me sterk interesseert, maar dat zal voor alle jongemannen gelden. U moet de geestdrift en de nieuwsgierigheid van de jeugd maar door de vingers zien.'

Mijn woorden verzoenden hem niet. Nu zijn argwaan gewekt was, liet die zich niet meer in slaap sussen. Gedurende zijn jaren van bedrog en dubbelhartigheid had hij ongetwijfeld de waarde van geheimhouding leren kennen, en hij zou zich er niet toe laten verleiden ook maar enig risico te nemen. 'Laat deze heer even uit, Michael,' zei hij tegen de huisknecht. Toen neeg hij beleefd voor me en trok zich terug. Een ogenblik later stond ik weer in de rumoerige straat, mezelf vervloekend vanwege mijn stomme aanpak.

⁓

Het was me wel duidelijk dat ik naar Oxford terug diende te keren. Mijn speurtocht liep ten einde en het antwoord op de nog resterende vragen lag in dat graafschap. Het was echter al te laat om te vertrekken, want de volgende postkoets ging pas de dag daarop. Was ik minder uitgeput geweest, dan hadden de voortdurend toehappende vlooien in de strozak waar ik samen met anderen op lag mijn zintuigen geprikkeld en het rumoer van mijn kamergenoten me walging ingeboezemd. Maar nu had ik nergens last van toen ik eenmaal mijn geldbuidel veilig aan mijn gordel had vastgemaakt en mijn dolk demonstratief onder mijn kussen had gelegd, zodat iedereen kon zien dat ze zich ervoor moesten wachten misbruik te maken van mijn slaap. De volgende ochtend beuzelde ik als een echte heer die niets om handen had wat rond, ik dronk een pint bier bij mijn brood en ging de taveerne pas uit toen de zon al hoog aan de hemel stond.

Daar ik niets beters te doen had, speelde ik voor de buitenman die de bezienswaardigheden kwam bekijken, en ik bracht een bezoek aan St Paul's Cathedral – een schandalig bouwvallig gevaarte, dat als gevolg van de plunderingen van de puriteinen niets meer had van zijn vroegere glorie, hoewel het in zijn vervallen toestand altijd nog glorieuzer aandeed dan het lelijk gevormde, bizarre geval dat er nu voor in de plaats komt. Ik keek naar de boekverkopers en de pamflettenventers die op het voorplein bijeenkwamen en luisterde naar de stadsomroepers en dienders die de lijst opdreunden van de misdaden en overtredingen die de oogst van de voorafgaande nacht in dit verschrikkelijke oord vormden. Zoveel diefstallen, overvallen en relletjes dat je zou denken dat de hele stad wel de hele nacht moest zijn opgebleven om zich aan dat alles schuldig te maken. Toen liep ik naar Westminster, zag het paleis en staarde vol ontzag omhoog naar het raam vanwaar koning Karel zijn wrede martelaarsdood tegemoet was geschreden; dat raam was nu ter herinnering aan die vreselijke daad van een floers van zwart krip voorzien en ik peinsde een ogenblik over de straffen die de natie vanwege die zondige handeling te verduren had gekregen.

Van dit soort verstrooiing werd ik weldra moe en daarom kocht ik nog wat brood bij een straatventer en liep terug door Covent Garden, dat al evenmin als de dag tevoren een aangename indruk op me maakte. Ik had honger en probeerde te bedenken of ik het enorme bedrag zou uitgeven dat ik voor een pint wijn in dat oord zou moeten neertellen, toen ik een licht tikje op mijn arm voelde.

Ik was niet zo'n boerenkinkel dat ik niet besefte wat er nu waarschijnlijk stond te gebeuren, en ik draaide me vliegensvlug om en greep naar mijn mes, maar ik aarzelde toen ik een fraai uitgedoste, jonge dame vlak naast me zag staan. Ze had een deugdzaam gezicht, alleen werd dat zozeer aan het oog onttrokken door een pruik en schoonheidsvlekjes en rouge en blanketsel dat Gods gaven aan haar amper te onderscheiden waren. Het opmerkelijkst aan haar was wel de doordringende lucht van parfum, die haar natuurlijke geur zozeer overstemde dat je je in een bloemenwinkel waande.

'Mevrouw?' zei ik koel toen zij haar wenkbrauwen optrok en glimlachte om mijn schrik.

'Jack!' riep het schepsel. 'Je wilt toch niet zeggen dat je mij bent vergeten?'

'U kent mij kennelijk.'

'Nu, misschien dat jij mij dan bent vergeten, maar ik heb nooit de hoffelijke manier kunnen vergeten waarop jij me destijds onder de sterren bij Tunbridge bescherming hebt geboden,' zei ze.

Toen wist ik het weer: het jonge hoertje. Maar wat was ze veranderd, en hoewel haar lot er zichtbaar op vooruit was gegaan, was zij in mijn ogen niet ten goede veranderd.

'Kitty,' zei ik, toen haar naam me eindelijk te binnen schoot. 'Wat een deftige dame ben je geworden. Vergeef me dat ik je niet herkende, maar je hebt zo'n gedaanteverwisseling ondergaan dat je me dat niet kwalijk kunt nemen.'

'Natuurlijk niet,' zei ze, op geaffecteerde wijze een waaier voor haar gezicht heen en weer bewegend. 'Al noemt niemand die me werkelijk kent, mij dame. Ik was een hoer en nu heb ik het tot maîtresse gebracht.'

'Mijn gelukwensen,' zei ik, want ze meende kennelijk dat die op hun plaats waren.

'Dank je. Hij is een nobel man, met goede connecties en uiterst gul. En al te weerzinwekkend is hij ook niet; ik mag echt van geluk spreken. Als het me meezit, geeft hij me straks genoeg om me een echtgenoot te kopen voordat hij genoeg van me krijgt. Maar vertel me eens, wat sta je hier als een boerenpummel midden op straat om je heen te staren? Jij hoort hier toch niet?'

'Ik keek uit naar iets te eten.'

'Dat is hier in overvloed te krijgen.'

'Ik kan – wil – me dat niet permitteren.'

Ze lachte vrolijk. 'Maar ik kan en wil dat wel.'

En met een brutaal air dat me de adem benam, haakte ze haar arm door de mijne en voerde me mee terug naar een koffiehuis aan de Piazza waar zij een vertrek apart verlangde en opdracht gaf dat haar daar spijs en drank werden gebracht. De bediende voelde zich in de verste verte niet gepikeerd door een dergelijk verzoek, maar gaf er juist onderdanig gehoor aan, alsof zij werkelijk een belangrijke dame was, en enkele ogenblikken later zaten we in een ruim vertrek op de eerste verdieping op het gewoel neer te kijken.

'Heeft niemand hier bezwaar tegen?' vroeg ik angstig, bezorgd als ik was dat haar heer in een vlaag van jaloezie misschien wel een stelletje huurmoordenaars op me af zou sturen. Het duurde een ogenblik voordat het tot haar doordrong wat ik bedoelde, maar toen lachte ze weer.

'O nee,' zei ze. 'Hij kent me zo goed dat hij wel weet dat ik mijn vooruitzichten nooit door zoiets onbezonnens zou bederven.'

'Mag ik de naam van je weldoener weten?'

'Natuurlijk. Die kent iedereen. Het is lord Bristol, een gastvrije en hooggeplaatste gunsteling van de koning, al is hij ook nogal oud. Ik heb hem in Tunbridge aan de haak geslagen, dus je ziet wel dat ik alle reden heb om je dankbaar te zijn. Ik was daar nauwelijks een dag of ik ontving een bericht waarin me om een ontmoeting werd verzocht. Ik deed mijn uiterste best bij hem in de smaak te vallen: ik hield hem steeds aangenaam bezig en meende dat het daarmee was afgelopen. Maar vervolgens verlangt hij opeens mijn gezelschap in Londen en biedt me een lief sommetje.'

'Is hij verliefd op je?'

'Hemel, nee. Maar als warmbloedig man is hij met een oude zuurpruim van een vrouw gezegend, en hij is doodsbang voor ziektes. Het is allemaal haar idee geweest; zij kreeg me het eerst op straat in het oog en heeft toen zijn aandacht op me gevestigd.'

Ze dreigde me met haar vinger. 'Je ziet eruit of je op het punt staat een preek tegen me af te steken, Jack Prestcott. Schei uit, wat ik je bidden mag, want anders erger je me maar. Jij bent zo deugdzaam dat je niet anders kunt dan krachtig je afkeuring uitspreken, maar wat wil je dan dat ik doe? Ik verkoop mijn lichaam voor een klein beetje rijkdom en weelde. Overal om me heen zie ik priesters en dominees die hun ziel voor hetzelfde verkopen. Ik bevind me in goed gezelschap, en een zondares meer of minder in zo'n menigte valt toch nauwelijks op? Ik wil maar zeggen, Jack, dat deugdzaamheid een eenzame toestand betekent in deze tijd.'

Ik wist niet goed wat ik moest zeggen op deze onomwonden, verdorven uiting. Ik kon haar houding niet goedkeuren,, maar ik voelde me niet geneigd haar te veroordelen, want dat had het einde van onze kennismaking betekend, en ondanks alles stelde ik haar gezelschap op prijs. En nog des te meer omdat zij, om te laten zien dat ze in goeden doen was, de fijnste spijzen en wijn voor me bestelde, en erop aandrong dat ik zoveel at en dronk als mijn maag en hoofd maar konden verdragen. Al die tijd babbelde ze met me over de kletspraatjes die in de stad de ronde deden en over de onstuitbare opkomst van haar minnaar aan het hof, zodat hij (zei ze) de enige serieuze rivaal van lord Clarendon was waar het om 's konings gunst ging.

'Natuurlijk, Clarendon is een nuttige figuur,' zei ze, voorgevend dat ze alles af wist van de geheime affaires van de regering. 'Maar de hele wereld weet dat zijn zwaarwichtige plichtstatigheid de koning horendol maakt, terwijl de vrolijkheid van lord Bristol Zijne Majesteit vermaakt. En dit is een koning die altijd offers brengt op het altaar van de verstrooiing. Lord Clarendon is kwetsbaar; er is niet veel voor nodig om hem te wippen, en dan ben ik, na lady Castlemaine, de tweede hoer van het koninkrijk. Het is jammer dat Bristol een paap is; dat zit hem erg in de weg, maar ook daar valt misschien wel een mouw aan te passen.'

'Denk je dat zoiets zal gebeuren?' vroeg ik, tegen wil en dank gefascineerd. Het is merkwaardig hoe kletspraatjes over de groten dezer aarde ieders belangstelling altijd opeisen.

'O ja. Dat hoop ik. Niet alleen met het oog op lord Clarendon, maar vanwege nog zoveel andere dingen.'

'Ik denk niet dat hij je bezorgdheid in dank zal afnemen.'

'Dat zou hij anders wel moeten,' zei ze, een ogenblik ernstig. 'Werkelijk waar. Want ik heb zorgwekkende dingen gehoord. Hij heeft heel wat machtige lieden boos gestemd, en sommigen zijn minder vreedzaam en edelmoedig dan lord Bristol. Als hij zijn macht niet verliest, dan ben ik bang dat hem op een dag iets nog ergers zal overkomen.'

'Onzin,' zei ik. 'Misschien dat hij zijn macht kwijtraakt, maar hij is een oude man en zulke dingen zijn niet meer dan natuurlijk. Maar hij zal altijd rijk en invloedrijk blijven en in een gunstige positie verkeren. Mensen zoals hij, die nooit een zwaard hanteren of hun moed op de proef stellen, overleven altijd alles en hebben succes, terwijl nobeler mannen afvallen.'

'Aha,' zei ze. 'Dat komt recht uit het hart, zou ik zeggen. Ben je daarom in Londen?'

Ik was vergeten dat ik haar al van mijn speurtocht had verteld, en knikte. 'Ik ben hier om inlichtingen in te winnen over een man genaamd sir Samuel Morland. Heb jij weleens van hem gehoord?'

'Ik geloof van wel. Is hij niet iemand die zich bezighoudt met mechanische toestellen? Hij benadert vaak mensen aan het hof om te proberen hun invloed aan te wenden voor een of ander plan.'

'Heeft hij ook machtige beschermheren?' vroeg ik. Het is altijd goed om te weten wat voor vlees je in de kuip hebt; het zou een hele schrik zijn als je ontdekte dat de man die je wilt aanvallen, beschermd wordt door een veel machtiger iemand.

'Niet dat ik weet. Ik geloof dat hij nogal opgaat in een associatie die tot doel heeft moerasland droog te leggen, zodat hij de hertog van Bedford misschien kent, maar meer zou ik niet over hem kunnen zeggen. Wil je dat ik mijn oor te luisteren leg? Dat zou vrij gemakkelijk voor me zijn, en ik zou je die dienst met plezier bewijzen.'

'Ik zou je diep dankbaar zijn.'

'Goed, meer aanmoediging heb ik niet nodig. Het zal gebeuren. Zou je vanavond naar mijn vertrekken willen komen? 's Morgens houd ik lady Castlemaine gezelschap en 's middags mijn heer, maar de avonden zijn van mezelf, en dan ben ik vrij om te ontvangen wie ik maar wil. Zo luidt onze verstandhouding, en ik moet mensen uitnodigen, alleen al om te laten zien dat ik hem aan onze overeenkomst houd.'

'Het zou me een genoegen zijn.'

'En nu hoop ik dat je verkwikt en uitgerust bent, want ik zal je moeten verlaten.'

Ik stond op en maakte een diepe nijging om haar voor haar vriendelijkheid te danken, en ik was zo stoutmoedig haar de hand te kussen. Zij lachte vrolijk. 'Hou op, mijnheer,' zei ze. 'Je laat je om de tuin leiden door de uiterlijke schijn.'

'Niet in het minst,' zei ik. 'Jij bent een echtere dame dan heel wat dames die ik heb ontmoet.'

Ze bloosde en stak de draak met me om haar genoegen vanwege dit compliment te verbergen. Toen stevende ze het vertrek uit, vergezeld van het zwarte knechtje dat haar ten geschenke was gegeven en dat steeds bij ons gesprek aanwezig was geweest. Haar heer was gemakkelijk en minzaam, zei ze, maar daarom hoefde ze nog niet onnodig zijn ongenoegen te wekken.

❧

Het was koud en al donker en daarom passeerde ik de uren die ik nog moest wachten in een koffiehuis in de buurt van St Paul's-Cathedral, waar ik de couranten las en naar de gesprekken van anderen luisterde – en opnieuw raakte ik vervuld van afkeer van de stad en haar inwoners. Al die branie, al die snoeverij, al die tijd die men daar verkwist aan loos en onnozel gebabbel, dat nergens anders toe dient dan om zijns gelijken in rang te imponeren en door middel van uiterlijk vertoon de aandacht te trekken van hoger geplaatste personen. Want kletsverhalen in de stad vormen handelswaar die gekocht en verkocht kan worden; als men die waar niet bezit, dan fabriceert men die, net als valsemunters die specie maken van metaalslakken. Ik werd tenminste met rust gelaten, want niemand zocht mijn gezelschap, en daar was ik oprecht blij om. Anderen brengen deze gelegenheden tegenwoordig geregeld een bezoek en verlagen zich daar in wat zij als goed gezelschap aanduiden, maar ik mijd die ordinaire en publieke oorden.

De tijd verstreek, zij het ook langzaam, en eindelijk brak het uur van mijn afspraak aan. Ondanks onze zeer verschillende stand – iets wat mij toch een aangenaam gevoel van superioriteit had moeten bezorgen –, zag ik tegen dit bezoek op. Londen heeft een ondermijnende invloed op respect voor wat dan ook. Wie je bent is minder belangrijk dan wat je lijkt; een bedrieger zonder enige achtergrond kan een heer van een eeuwenoud geslacht om de tuin leiden wanneer hij beter gekleed is en er innemende manieren op na houdt. Als ik het voor het zeggen had, zou ik de regels waar de grote koningin zo aan hechtte weer in ere herstellen: een koopman mag

333

zich niet als heer kleden en dient de prijs te betalen voor elke vorm van vrij-postige imitatie, want daarmee pleegt hij bedrog, dat als zodanig dient te worden bestraft, evenals hoeren zich schuldig maken aan bedrog wanneer zij hun ware aard verhullen.

In Kitty's geval had een verdorven levenswijze haar groot voordeel opge-leverd; ik gaf niet graag toe dat iets goeds uit iets slechts kon voorkomen, maar zij leidde een leven dat in vele opzichten een verschijnsel liet zien dat wij tegenwoordig *goût* moeten noemen. Ik moet zeggen dat ik blij ben dat wij Engelsen nog zo'n krachtig volk zijn dat we woorden van de Fransen moeten lenen om zulke onzin aan te duiden. Vele van haar collegaatjes van de lichte cavalerie zouden op vulgaire wijze met de opbrengst van hun over-winningen hebben gepronkt, maar zij leefde eenvoudig, met degelijk eiken meubilair in plaats van met de vergulde spullen van de vreemdeling, en eenvoudig tapijtwerk aan de wanden om de warmte vast te houden, geen protserige kleden. Het enige stuk dat van flagrante ijdelheid getuigde, was een portret van haarzelf aan een van de wanden, dat de schaamteloze tegen-hanger vormde van dat van haar heer aan de wand ertegenover, alsof zij man en vrouw waren. Naar mijn smaak was dat iets aanstootgevends, maar toen ze mijn afkeurende blik bemerkte, verzekerde ze me dat het een geschenk was en dat ze er niets anders mee had kunnen doen.

'Zeg Jack,' zei ze toen we elkaar hadden begroet en waren gaan zitten, 'ik moet even serieus met je praten.'

'Zeker.'

'Ik moet je, als je dat niet erg vindt, om een grote gunst vragen bij wijze van wederdienst voor de inlichtingen die jij graag wilt hebben.'

'Je hoeft me alleen maar om een gunst te vragen,' zei ik lichtelijk gepi-keerd. 'Daarvoor hoef je niet te marchanderen.'

'Dank je. Ik wil graag dat je nooit iemand vertelt waar wij elkaar hebben ontmoet.'

'Zoals je wilt,' zei ik.

'Dat is nooit gebeurd. Je hebt misschien in Kent op de openbare weg een jong hoertje ontmoet, maar dat ben ik niet geweest. Ik kom tegenwoordig uit een fatsoenlijk, maar arm gezin in Herefordshire, en ben destijds door mijn heer als ver familielid van zijn vrouw naar Londen meegenomen. Wie ik was en wat ik was is niet bekend, en dat moet zo blijven.'

'Het schijnt je anders niet al te veel kwaad te hebben gedaan.'

'Nee. Maar dat zou wel gebeuren wanneer ik niet langer zijn bescher-ming geniet.'

'Denk je op die manier aan hem?'

'Natuurlijk. Hij zal me niet wreed behandelen, denk ik. Hij zal me wel een jaargeld toekennen, en ik heb intussen al een flink bedrag bijeengespaard. Wanneer ik straks te oud ben, bezit ik de middelen om in mijn levensonderhoud te voorzien. Maar dan? Ik zal dan wel moeten trouwen; maar ik haal nooit een goede partij binnen als mijn verleden bekend is.'

Ik fronste mijn wenkbrauwen. 'Je denkt erover te trouwen? Heb je dan een aanbidder?'

'O, stoeten,' zei ze met een innemend lachje. 'Al heeft geen van hen het nog gewaagd zijn bedoelingen kenbaar te maken; dat zou veel te vermetel zijn. Maar een vrouw met enig bezit – en dat ben ik straks –, die uitzicht kan bieden op connecties met een van de machtigste mannen van het koninkrijk? Ik ben bijzonder de moeite waard, tenzij iemand mijn kansen tenietdoet door ondoordachte uitlatingen. Ik kan anders niet zeggen dat een huwelijk me aantrekkelijk voorkomt.'

'Voor de meeste vrouwen is dat een droom.'

'Om mijn moeizaam verdiende kapitaaltje aan mijn echtgenoot af te staan? Niets te kunnen ondernemen zonder zijn toestemming? Het risico te lopen mijn eigen geld kwijt te raken wanneer hij sterft? O, ja hoor. Een schone droom.'

'Je steekt de draak met me,' zei ik ernstig.

Zij lachte weer. 'Tja. Maar mijn positie in het huishouden van mijn toekomstige echtgenoot legt meer gewicht in de schaal wanneer ik Katherine Hannay, dochter van de heer John Hannay te Hereford ben, dan het voormalige hoertje Kitty.'

Ik zal wel een somber gezicht hebben getrokken, want het viel niet mee aan dat verzoek te voldoen. Stel dat ik vernam dat zij een heer van stand zou trouwen, al behoorde die dan ook niet tot mijn kennissenkring? Was het dan niet mijn plicht hem te waarschuwen? Kon ik werkeloos toezien hoe een man zijn goede naam op het spel zette en voorgoed met het gevaar zou leven dat de waarheid aan het licht kwam?

'Ik vraag je niet om je goedkeuring en ook niet om je bescherming. Het gaat me er alleen om dat je zwijgt,' zei ze zacht.

'Wel,' zei ik, 'het lijkt erop dat wij in een tijd leven waarin hoeren dames worden en dames voor hoer spelen. Iemands afkomst doet er niets meer toe en zijn uiterlijk bepaalt alles. Ik zou niet weten waarom jij niet een even goede echtgenote zou worden als menige echte dame. En daarom geef ik je mijn woord, juffrouw Katherine Hannay van Hereford.'

Ik schonk haar niet weinig met die woorden, en zij stelde ze erg op prijs. Ik voelde me dan ook erg bezwaard toen ik me enkele jaren later verplicht voelde erop terug te komen, toen ik hoorde dat zij met sir John Marshall zou trouwen, een heer met enig bezit in Hampstead. Ik stond voor de kwellende vraag wat ik moest doen, en slechts met de grootst mogelijke tegenzin kwam ik tot de slotsom dat mijn plicht me voorschreef de man in kwestie te berichten wat ik af wist van de vrouw die dreigde gebruik te maken van zijn goede naam.

Maar gelukkig stond dit alles pas veel later te gebeuren; op dat ogenblik was zij mij hoogst dankbaar, want anders zou ze me niet hebben geholpen.

'Ik hoop dat mijn bescheiden ontdekkingen een vergoeding kunnen vormen voor deze tweede vriendelijke daad die je mij bewijst. Ik betwijfel het ten zeerste, maar ik zal je vertellen wat ik te weten ben gekomen en straks zal ik je voorstellen aan de heer George Collop, die heeft toegezegd dat hij hier een glaasje zal komen drinken.'

'Wie is dat?'

'Hij is de belastinggaarder van de hertog van Bedford. Een machtig man, want hij beheert een van de grootste fortuinen van het land.'

'Dan hoop ik maar dat hij eerlijk is.'

'Dat is hij. En overdreven trouw. En bovendien competent. Daarom krijgt hij dan ook bijna honderd pond per jaar in klinkende munt, met daarbovenop nog eens alle kosten die hij voor zijn levensonderhoud nodig heeft.'

Ik was onder de indruk. Mijn vader had altijd zelf zijn beheer gevoerd, en hij had het zich trouwens ook nooit kunnen permitteren zoiets uit te geven aan eén man die dat werk voor hem deed.

'Desondanks zijn er heel wat mensen die hem met genoegen het dubbele zouden betalen, want hij heeft de hertog nog rijker gemaakt dan die al was. Men zegt dat Zijne Genade niet licht een nieuwe pofbroek zal kopen zonder eerst de heer Collop te raadplegen.'

'Waaruit bestaat zijn band met sir Samuel Morland?'

'Uit veenland,' zei ze. 'Hij houdt toezicht op de onderneming van de hertog die tot doel heeft de Venen droog te leggen. Hij weet daar meer vanaf dan wie ook, vandaar dat hij ook het een en ander van sir Samuel af weet.'

'Aha. Wat ben je nog meer voor me te weten gekomen?'

'Niet zo heel veel. Die Morland heeft zich sinds de terugkeer van Zijne Majesteit enkele toelagen en sinecures verworven, maar hij pocht op een groot aantal dat hem nooit is toegekend. Het schijnt dat hij meende dat hij zich zo verdienstelijk had gemaakt dat geen beloning groot genoeg zou zijn. Lord Bristol is het echter niet met dat oordeel eens.'

'Verklaar je iets nader, Kitty,' zei ik. 'Dit is misschien een juridische kwestie. Ik kan het me niet veroorloven ook maar iets in duistere bewoordingen schuil te laten gaan.'

'Dit heb ik vanmiddag van mijn heer gehoord,' zei ze. 'Je weet wel, nietwaar, dat hij een van 's konings trouwste volgelingen was en met het oog op diens belang jarenlang onder ballingschap en een berooide toestand heeft gezucht. Hij koestert geen hoge dunk van degenen die op het laatste ogenblik voor de andere kant kozen. Hij zegt dat hij zeker weet dat Morland sir Mordaunt heeft ontmoet toen ze allebei in Savoie vertoefden. Hij was betrokken bij de arrestatie van Mordaunt en andere samenzweerders en heeft een rol gespeeld in het proces dat tot gevolg heeft gehad dat Mordaunt is vrijgesproken. Ook vertelde hij me terloops dat Morland bijna al zijn beloningen en toelagen te danken heeft aan het specifieke verzoek daartoe van lord Mordaunt. Wel merkwaardig, om dergelijke gunsten te bewijzen aan de man die toch zijn best heeft gedaan om jou aan de galg te krijgen. Dat is toch eerder iets wat je voor een man zou doen met wie je door een jarenlange vriendschap verbonden was. Dat zei mijn heer.'

Ik keek haar geruime tijd strak aan toen zij dit had gezegd, en zij knikte me ernstig toe. 'Je moet zelf je conclusies maar trekken,' zei ze. 'Ik vroeg er mijn heer naar, maar hij wilde me niet rechtstreeks antwoorden; hij zei enkel dat iets wat duidelijk voor de hand ligt, meestal ook waar is.'

'Wat bedoelde hij daarmee?'

'Hij zei dat hij me niet verder kon helpen, want het zou als aanval op 's konings eerste dienaar gezien worden als hij beschuldigingen uitte tegen Mordaunt: die twee zijn zo nauw met elkaar verbonden dat kritiek op de een een aanval op de ander inhoudt. Maar hij wenst je het beste. Wat is er toch aan de hand, Jack?'

De opluchting die ik bij het horen van deze woorden voelde was zo enorm dat ik met mijn armen om me heen voorover in mijn stoel moest leunen, zozeer had ik het gevoel dat ik wel zou kunnen ontploffen van pure vreugde. Eindelijk was ik iemand op het spoor gekomen die datgene zou kunnen bevestigen waarvan ik altijd had geweten dat het de waarheid was, en eindelijk had ik de aanwijzing te pakken die ik moest hebben. Het was wel merkwaardig om die uit zo'n bron te vernemen; dat de oplossing, of de nu bijna bereikte oplossing van mijn moeilijkheden uit de mond van een lichtekooi moest komen. Maar aldus is het geschied, want de engelen des Heren kunnen evenveel vreemde gedaanten aannemen als de dienaren van de duivel.

Nu wist ik wie die tegen mijn vader gerichte beschuldigingen had verzonnen, Ik wist wie de verrader was, en nu moest ik nog weten waarom juist mijn vader uit allerlei mogelijke kandidaten was gekozen om een dergelijke behandeling te ondergaan. Ik was nu bijna zover dat ik Thurloe met zijn eigen schanddaden kon confronteren en het recht had hem te doden. Ik viel op mijn knieën en kuste haar telkens en telkens opnieuw de hand, totdat ze in lachen uitbarstte en hem wegtrok.

'Kom, kom,' zei ze vrolijk, 'wat heb ik toch gezegd dat ik zozeer bewierookt word?'

'Je hebt een eind gemaakt aan jaren van zielenpijn en de goede naam van mijn familie in ere hersteld. Met een beetje geluk blijk je straks ook mijn fortuin en mijn vooruitzichten te hebben hersteld,' zei ik. 'Als er iets is wat bewieroking verdient, dan is het beslist dat.'

'Dank je vriendelijk, mijnheer,' zei ze. 'Al kan ik niet inzien dat ik zoiets verdienstelijks heb gedaan. Het enige dat ik heb gedaan, is dat ik de woorden van mijn heer heb herhaald.'

'Dan dank ik hem via jou. Hij moet wel de vriendelijkste en beste meester zijn die een man – of vrouw – maar kan hebben. Het is misschien wel een vrijpostig gebaar van mijn kant, maar als de gelegenheid zich mocht voordoen dat dat kan worden gedaan zonder dat er een gênante situatie ontstaat, breng dan alsjeblieft mijn dankbaarheid aan hem over en maak hem duidelijk dat ik, mocht hij een bepaalde dienst van mij verlangen, die met de grootste bereidwilligheid zal uitvoeren.'

'Dat zal ik zeker doen. Blijf je nog lang in Londen?'

'Ik moet morgen vertrekken.'

'Jammer. Ik zou je graag aan hem voorstellen. De volgende keer moet je me eerst schrijven, dan zal ik ervoor zorgen dat je openlijk als vriend door hem wordt erkend.'

'Als vriend is te veel gevraagd, denk ik,' zei ik. 'Maar ik zou al dankbaar zijn als ik als iemand werd gezien voor wie hij belangstelling heeft.'

'Het zal gebeuren. En daar,' zei ze toen ze een zwaar geklos de trap op hoorde komen, 'hebben we ongetwijfeld de heer Collop.'

Hij was een man van nederige afkomst; dat was duidelijk zodra hij in de kamer stond en een diepe buiging maakte voor de naar zijn idee hooggeboren dame die hem begroette. Hij bewoog zich op een onbeholpen manier, zijn taal klonk grof en hij had een zwaar Dorset-accent. Het scheen dat hij de zoon was van een pachtboer en alles op alles had gezet om met behulp van zijn bekwaamheden de aandacht van lord Bristol op zich te vestigen. Alles goed en wel, maar de prijs was wel hoog, want het moest erg vervelend zijn geweest om naar dat met een rollende *r* uitgebrachte gedreun te luisteren. Het zei heel wat over zijn uitstekende eigenschappen als financieel beheerder, want er was geen sprake van andere waarop hij kon bogen.

De vele jaren die hij in de onmiddellijke nabijheid van de adel had doorgebracht, hadden zijn manieren nauwelijks bijgeschaafd of zijn spreekstijl verfijnd; hij hoorde tot dat lagere slag dat prat gaat op zijn onbehouwen gedrag. Dat je verachting koestert voor de verwijfdheid van de stad en het hof is één ding, maar om je te verzetten tegen de fundamentele eigenschappen die een goede afkomst verraden is wel iets heel anders. Aan de wijze waarop hij zich met zoveel geweld in een stoel liet ploffen dat de poten doorbogen, en vervolgens een doek te voorschijn haalde om na zijn beklimming van de trap zijn gezicht af te wissen – want hij was een zware, gezette man met een rood gezicht en een dooraderde neus – liet Collop duidelijk zien dat hij geen zier om manieren gaf. Alleen in de vorm van zijn overdreven hoffelijkheid jegens Kitty deed hij iets van een concessie. Tegenover mij deed hij geen enkele.

'Deze heer, mijnheer eh... Grove,' begon Kitty met een glimlach in mijn richting, 'is bijzonder geboeid door de drooglegging van de Venen,' zei ze. 'En daarom heb ik u gevraagd u hier vanavond eens met hem te verstaan, daar er niemand is die daar meer vanaf weet dan u.'

'Dat is waar,' zei hij, en meer zei hij niet, daar hij dit een afdoende bijdrage tot de conversatie achtte.

'Zijn vader bezit een heel drassig stuk land en vroeg zich af of de machines van sir Samuel Morland er misschien goede diensten zouden bewijzen. Hij heeft daar veel over gehoord, maar weet niet hoe hij holle retoriek moet onderscheiden van waarheidsgetrouwe beschrijvingen.'

'Tja,' zei hij, en zweeg toen weer, opgaand in gepeinzen over zo'n gewichtige kwestie.

'Mijn vader,' bracht ik te berde, verlangend Kitty enigszins te ontlasten van haar zware taak de conversatie gaande te houden, 'maakt zich er bezorgd over dat de machines grote uitgaven met zich mee zullen brengen die wellicht weggegooid geld zullen blijken. Hij is er bijzonder op gebrand de waarheid in dezen te vernemen, maar acht sir Samuel zelf een minder eerlijk man.'

Collop schudde heel even van een binnenpretje. 'Dat kan uitkomen,' zei hij ten slotte. 'En ik kan u niet helpen, daar wij geen gebruikmaken van zijn machines.'

'Maar ik had juist de indruk dat hij een grote rol in het project speelde.'

'Hij is het soort man dat zich allerlei belangrijke airs aanmeet die nergens op slaan. In werkelijkheid investeert hij er alleen maar in. Sir Samuel bezit zo'n driehonderd morgen in Harland Wyte, en dat stuk grond is tien keer zoveel waard als het bedrag dat hij ervoor heeft neergeteld wanneer het straks is drooggelegd. Het stelt natuurlijk niet veel voor naast het bezit van lord Bristol, dat negentigduizend morgen beslaat.'

Ik hapte naar lucht van verbazing, iets wat Collop tevreden waarnam.

'Jawel, het is een enorme onderneming. Alles bij elkaar zo'n driehonderdzestigduizend morgen. Onvruchtbaar land, dat dankzij het vernuft van de mens en Gods genade veel zal opleveren. Dat doet het zelfs al.'

'Zo onvruchtbaar is het toch niet? En de mensen die daar al wonen dan? Dat zijn er dunkt me heel wat.'

Hij haalde de schouders op. 'Een paar, die daar moeizaam hun kostje bij elkaar scharrelen. Maar die worden verwijderd wanneer dat noodzakelijk is.'

'Dat moet ontzettend duur worden.'

'Zeker. En heel wat mensen hebben geld in de onderneming gestoken, hoewel de opbrengst zo onbetwistbaar vaststaat dat het nauwelijks risico met zich meebrengt, behalve dan voor zover dorpelingen of landeigenaren het werk ophouden.'

'Het project is dus niet volkomen zeker?'

'Elk probleem kan worden overwonnen. Als lieden die daar clandestien zitten bezwaar maken, dan worden ze eraf gegooid; als landeigenaren weigeren mee te werken, dan vinden we wel manieren om hun bezwaren te ondervangen. Sommige eerlijk, andere' – en zijn ogen twinkelden van hilariteit – 'en andere minder eerlijk.'

'Maar er zijn toch zeker geen landeigenaren die bezwaar maken?'

'Daar zou u nog verbaasd van staan. Vanwege alle mogelijke minderwaardige en onnozele redenen werpen mensen al meer dan dertig jaar hindernissen voor ons op. Maar met de meeste daarvan worden korte metten gemaakt nu het probleem Prestcott uit de weg is geruimd.'

Toen ik die woorden hoorde begon mijn hart veel vlugger te kloppen, en het kostte me grote moeite niet een kreet van verbazing te slaken. Gelukkig was Collop niet een opmerkzaam man, en toen Kitty de schok zag die er door mij heen voer, leidde zij hem maar liefst tien minuten lang af met onbeduidende hofroddels.

'Maar ik heb u onderbroken, beste mijnheer,' zei ze even later opgewekt. 'U vertelde ons over uw strijd. Wie was die man die u daarnet noemde, Prestwick, geloof ik?'

'Prestcott,' verbeterde Collop haar. 'Sir James Prestcott. Al jarenlang een doorn in ons vlees.'

'Heeft hij nog niet de voordelen ingezien van een bestaan als rijk man? Merkwaardig hoe sommige mensen eerst bepraat moeten worden.'

Collop gniffelde. 'O nee. Hij kende de voordelen van een welgesteld leven. Zijn afgunst was het probleem.'

Kitty trok een vragend gezicht en Collop was maar al te graag bereid haar van dienst te zijn, zich er volstrekt niet van bewust dat hij zichzelf en anderen met elk smerig woord dat hem over de lippen kwam, telkens veroordeelde.

'Hij had niet zoveel voordeel van de landverdeling en vreesde de intocht van machtiger heren in een streek waarin zijn familie al generaties lang de eerste viool speelde. Daarom heeft hij de plaatselijke bevolking ertoe aangezet ons werk schade toe te brengen. Wij bouwden dijken en het grauw ging er 's nachts op uit en maakte er gaten in, zodat het land weer onderstroomde. We sleepten hen voor de rechter en hij als magistraat bevond hen allen onschuldig. Zo ging dat jarenlang door.

Toen begonnen de troebelen en die sir James begaf zich in ballingschap. Maar de oorlog zorgde er ook voor dat de geldvoorziening opdroogde, en een deel van zijn land liep trouwens dwars door de loop van een rivier die wij moesten graven; hij wilde dat niet aan ons verkopen. Zonder dat land zou een hele rivier verlegd moeten worden, of we moesten zo'n vijftienduizend morgen land prijsgeven.'

'Dan was het toch het best geweest om meer te bieden?'

'Hij wilde niets aannemen.' Met een zelfgenoegzaam lachje zwaaide Collop met zijn vinger. 'Maar dan openbaart de goedertierenheid des Heren zich,' zei hij. 'Want wat ontdekken we wanneer we de wanhoop nabij zijn? Dat die nobele sir James al die tijd eigenlijk een verrader is. De neef van lord Bristol, sir John Russell, had het van sir Samuel Morland zelf, en die kon alle inlichtingen verschaffen die wij maar nodig hadden om Prestcott nogmaals naar het buitenland te laten vluchten. De beheerder van zijn goed zag zich gedwongen alles te verkopen om een bankroet te vermijden, en wij hebben onze rivier laten graven waar we die moesten hebben.'

Ik kon er geen ogenblik langer tegen naar dit grove, zelfvoldane gezicht te kijken en was echt bang dat ik hem, als ik nog veel meer hoorde, ter plekke aan mijn dolk zou rijgen. Er verscheen een rood waas voor mijn ogen en mijn hoofd tolde toen ik naar het raam liep. Ik kon bijna niet eens meer denken, zo intens was de pijn die mijn hoofd in een stalen greep nam. Terwijl ik naar adem snakte, voelde ik de parels zweet over mijn voorhoofd stromen en op mijn kleren druppelen. Dat ik hier gedwongen werd te luisteren naar deze gore man zonder enige achtergrond, die vertelde hoe hij de ondergang van mijn vader teweeg had gebracht vanwege de winst die dat hem opleverde, boezemde mij tot in merg en been walging in. Ik kon me er niet eens over verheugen dat ik nu zoveel dichter bij mijn doel was, want nu ik had ontdekt dat de motieven zo laaghartig en goedkoop waren, trilde ik van verdriet. Nu wist ik eindelijk waarom sir John Russell in Tunbridge Wells geweigerd had zelfs maar een blik op mij te werpen; hij had de schaamte niet overleefd.

'Voelt u zich niet wel, mijnheer?' hoorde ik Kitty ergens in de verte bezorgd vragen, daar zij kennelijk mijn gezicht had zien verbleken toen ik bij het raam was gaan staan in een poging me te beheersen. Het was net of ze ergens heel ver weg klonk; ze moest die woorden verscheidene malen herhalen voordat ik erop kon reageren.

'Jawel, dank u. Het is een aanval van migraine, daar ben ik vatbaar voor. Ik denk dat het van de stadslucht komt en van de warmte in uw vertrekken. Daar ben ik niet aan gewend.'

Collop had althans het fatsoen aan te bieden zich onmiddellijk te verwijderen. Ik hoorde hoe zij hem vormelijk en hoffelijk voor zijn bezoek dankte en haar knechtje opdracht gaf hem uit te laten. Er ging heel wat tijd overheen, geloof ik – misschien waren het minuten, maar het kunnen evengoed uren geweest zijn – voordat ik bij machte was dat raam te verlaten. Zij had inmiddels een koud kompres klaargemaakt dat ze op mijn voorhoofd legde, en een glas gekoelde wijn ingeschonken dat mij weer bij zinnen moest brengen. Eigenlijk was ze een van nature vriendelijke vrouw, een van de vriendelijkste die ik ooit heb gekend.

'Ik moet je mijn verontschuldigingen aanbieden,' zei ik ten slotte. 'Ik vrees dat ik je in de grootst mogelijke verlegenheid heb gebracht.'

'Niet in het minst,' antwoordde ze. 'Blijf maar liggen tot je denkt dat je je weer kunt bewegen. Ik heb de strekking van zijn woorden niet helemaal begrepen, maar ik zag wel dat ze je een enorme schok bezorgden.'

'Dat is ook zo,' zei ik. 'Een ergere schok dan ik me ooit had kunnen voorstellen. Ik had natuurlijk moeten weten dat er iets zo laaghartigs achter die hele geschiedenis stak, maar ik ben zo lang op zoek geweest dat ik, toen ik het ontdekte, volslagen overrompeld werd. Ik ben geloof ik niet iemand die een werkelijke crisis aankan.'

'Zou je het me willen vertellen?' zei ze terwijl ze mijn voorhoofd weer afsponsde. Ze zat vlak bij me en haar parfum stond me niet langer tegen, maar had juist een precies tegengestelde werking; ook de warmte van haar boezem tegen mijn arm wekte allerlei diep in mijn binnenste verborgen gevoelens tot leven. Ik pakte haar hand die op mijn borst rustte en trok die naar me toe, maar voordat ik meer uiting had kunnen geven aan mijn verlangens, stond zij op en met een droevig, en volgens mij weemoedig glimlachje liep ze terug naar haar stoel.

'Je hebt een schok gehad,' zei ze. 'Het is beter daar niet een vergissing op te laten volgen. Ik denk dat je al meer dan genoeg vijanden hebt, en dat je niet je best moet doen er nog meer te maken.'

Zij had natuurlijk gelijk, al had ik kunnen antwoorden dat het weinig verschil zou maken als ik er nog eentje toevoegde aan die grote verzameling. Maar zij was niet bereid op mijn avances in te gaan; dat zou me niets hebben uitgemaakt bij de Kitty die ik oorspronkelijk had gekend, maar ik verkeerde al evenzeer onder de invloed van de tijd als elk ander. Ik kon haar slechts als dame van stand bejegenen, en daarom liet ik af, al was me, als ik had doorgezet, een hoognodige bevrijding ten deel gevallen.

'Nu? Ga je me nog uitleggen waarom je zo bleek werd?'

Ik aarzelde en schudde mijn hoofd. 'Nee,' zei ik, 'dat gaat al te ver. Niet dat ik je niet in vertrouwen wil nemen, maar ik ben bang dat er iets bekend wordt over mijn naspeuringen. Ik wil niemand van tevoren waarschuwen. Maar zeg je heer dat ik hem diep dankbaar ben en het voornemen koester onverwijld overeenkomstig zijn woorden te handelen.'

Zij aanvaardde dit en wist haar nieuwsgierigheid op waardige wijze te beteugelen. Ik had mijn taak erop zitten en maakte me op om te vertrekken. Telkens en telkens weer dankte ik haar voor haar vriendelijkheid en hulp, en ik wenste haar het beste voor de toekomst. Bij ons afscheid drukte ze een lichte kus op mijn wang – dat was geloof ik de eerste keer dat een vrouw zoiets bij me deed, want mijn moeder had me nooit aangeraakt.

12

DE REIS TERUG NAAR OXFORD gaf me de tijd om alles te overdenken wat
ik had gehoord en opgestoken, al bleef de boze kracht die me al zo lang vervolgde nog almaar rondkolken. De paarden glipten uit hun tuig en moesten door de koetsier bij elkaar gehaald worden; er brak een plotselinge en
volkomen onvoorspelbare regenbui los, die de weg in een zompige, onbe-
gaanbare zee van modder veranderde; en wat nog het griezeligst was: toen
een van de passagiers het leren gordijntje oplichtte, vloog er een reusachtige kraai de koets in, die daar in paniek begon rond te fladderen en ons pikte
en met zijn vleugels sloeg – mij nog het meest –, voordat iemand hem de
nek omdraaide en het kadaver naar buiten gooide. Ik was niet de enige die
in deze incidenten meer zag dan louter tegenslag; een predikant die ook
naar Oxford reisde, maakte zich al even ongerust en merkte zelfs op dat
men zulke vogels in de oudheid als boze voortekenen opvatte, en als de
afgezanten van kwaadaardige geesten. Ik zei maar niet dat hij dichter bij de
waarheid zat dan hij wel wist.

Deze voortdurende verwijzingen naar het duister waarnaar ik terugkeerde, drukten zwaar op me, maar ik wist ze voldoende van me af te zetten
om telkens en telkens weer de waslijst van wandaden door te nemen die
dankzij mijn onderzoekingen aan het licht waren gekomen. Toen ik in
Oxford aankwam, stond alles me duidelijk voor ogen en de hele geschiedenis was zo helder en doorzichtig als een voor de rechter gebrachte zaak. Een
fraai pleidooi had hij opgeleverd, al heb ik nooit een reden gehad om dat af
te steken. Ik vrees dat ik wel enige consternatie in de koets teweeg heb
gebracht toen we hotsend en botsend naar Oxford reden, want ik ging
zozeer in mijn gedachten op dat ik waarschijnlijk een paar keer hardop heb
gepraat en dramatische gebaren met mijn armen heb gemaakt om de
opmerkingen te benadrukken die ik bij mezelf maakte.

Maar hoewel ik in gedachten nergens voor terugschrok, wist ik dat ik er nog niet was. Een volmaakt pleidooi, vlekkeloos opgezet en uitgewerkt, dat tot een in logisch opzicht onvermijdelijke conclusie leidt, kan het in een dispuut, waar een krachtige opbouw altijd het pleit wint, uitstekend doen. Maar in de rechtszaal is zoiets van minder nut, wat de retorici ook over hun kunst mogen beweren. Nee; ik had ook getuigenverklaringen nodig, en bovendien de uitspraken van mensen die qua positie niet onderdeden voor de heren die ik zou beschuldigen. Ik kon er tenslotte niet op rekenen dat Morland of Mordaunt de waarheid zou spreken, en sir John Russell had me volmaakt diets gemaakt waar zijn voorkeur lag. Thurloe zou niets ten gunste van me zeggen en doctor Grove kon ook niet veel voor me doen.

Dit betekende dat ik sir William Compton moest gaan opzoeken. Hij was, dat wist ik zeker, een uiterst oprecht en eerlijk man, en de gedachte dat mijn wantrouwen ten aanzien van hem stellig misplaatst was, luchtte me enorm op. Het zou onmogelijk zijn geweest hem over te halen om eerloos te handelen, en ik was er zeker van dat hij pas met de verkoop van mijn land had ingestemd toen hij ervan overtuigd was dat mijn vader zo'n grote zonde had begaan dat hij verder geen rekening met mijn familie hoefde te houden. De gedachte dat je verraden was door een man die je je vriend noemde, was natuurlijk een akelige klap geweest. En als hij geloofde dat mijn vader, zijn beste kameraad, een verrader was, dan zouden anderen dat ook geloven: stellig was hij juist daarom gekozen als degene die die praatjes moest verspreiden.

Ik kon niet rechtstreeks naar hem toe reizen, want het was zulk slecht weer dat de wegen bijna onbegaanbaar waren, en bovendien waren mijn verplichtingen aan de universiteit langzamerhand gaan dringen. Ik had een groot gedeelte van de colleges gemist en zag me gedwongen dat als een snotneus van een schooljongen recht te zetten voordat ik opnieuw kon vertrekken. Daartoe was niet veel anders benodigd dan mijn aanwezigheid, maar er zat niets anders op. Een week of twee rustig nadenken zou me geen kwaad doen, al wilde mijn onstuimige temperament natuurlijk zo snel mogelijk een punt achter de zaak zetten.

Mijn weinige vrienden lieten me langzamerhand in de steek, zozeer gingen ze op in hun eigen beuzelarijen. Dat zat me erg dwars, en het allertreurigst was wel de verstrooide reactie van Thomas: toen ik bij hem langsging, vroeg hij niet eens hoe het met me ging of hoe het er met mijn speurtocht voor stond. Ik had nog geen voet bij hem over de drempel gezet, of hij stortte zich in een bittere jammerklacht over doctor Grove, waarbij hij zo'n gewelddadige instelling verried dat de uiteindelijke afloop van deze geschiedenis me helemaal niet zo had hoeven verbazen.

Kortom, het begon hem duidelijk te worden dat zijn aanspraken op de prebende opzij geschoven zouden worden ten gunste van doctor Grove. De tijden waren sneller aan het veranderen dan hij had gedacht. Volgens de nieuwe wetten in verband met de staatskerk die de regering had ingevoerd, was bijna elke afwijking van de starre rechtzinnigheid van de anglicaanse Kerk strafbaar. Independenten, presbyterianen en eigenlijk iedereen behalve mensen die praktisch katholiek waren (in de ogen van mijn vriend dan) dienden te worden verpletterd en uitgehongerd, en elke kans op promotie moest hun worden ontzegd.

Zelf verwelkomde ik deze wetgeving als iets wat al veel eerder had moeten worden ingevoerd. Allerlei sektarische facties hadden het onder Cromwell uitstekend gedaan en ik zag geen enkele reden waarom hun toegestaan zou moeten worden nog almaar te blijven floreren. Al meer dan twintig jaar hadden we die arrogante vlerken verdragen, die iedereen die het niet met hen eens was, verjaagd en het leven zuur gemaakt hadden zolang ze daar de macht toe hadden; dus waarom zouden ze klagen wanneer die macht zich al even voortvarend tegen henzelf keerde?

Thomas zag dat natuurlijk niet zo. Naar zijn mening hing het heil van het land ervan af of hij tachtig pond per jaar zou krijgen en de toestand van huwelijksgeluk bereiken die daarmee gepaard zou gaan. Hij kon niet inzien dat hij gevaar zou opleveren, en hoe meer het ernaar ging uitzien dat zijn eerzuchtige verlangen niet zou worden bevredigd, hoe meer voedsel dat gaf aan zijn verzet tegen Grove, dat zoetjesaan van een afwijkend standpunt overging in afkeer, en uiteindelijk in een brandende en wilde haat.

'Het ligt aan het college,' zei hij. 'En vooral aan de rector. Ze zijn zo voorzichtig; zo vastbesloten geen aanstoot te geven of zich ook maar de lichtste kritiek van wie dan ook op de hals te halen dat ze bereid zijn de belangen van die gemeente opzij te schuiven en een man als Grove te beroepen.'

'Weet je dat wel zeker?' vroeg ik. 'Heeft de rector dat met zoveel woorden tegen je gezegd?'

'Dat hoeft hij niet,' zei Thomas, een en al afkeer. 'Hij is juist een veel te doortrapt man om ooit iets rechtstreeks te zeggen.'

'Misschien dat hij er niets over heeft te zeggen,' opperde ik. 'Dat de rector dat ambt niet kan vergeven.'

'Zijn invloed zal de doorslag geven. Lord Maynard heeft om de mening van het college gevraagd voordat hij de gemeente aan iemand geeft, en die mening zal hem via de rector worden meegedeeld,' zei Thomas. 'Lord Maynard komt binnenkort naar het college, dan moeten we met z'n allen dineren en dan zal de rector de mening van de Fellows bekendmaken.

Jack,' zei hij wanhopig, 'ik weet niet wat ik moet doen. Ik heb niemand anders die als beschermheer voor me kan optreden. Ik ben niet zo iemand als Grove, die op de welwillende gezindheid van heel wat vooraanstaande families zou kunnen rekenen als hij erom vroeg.'

'Kom, kom,' zei ik opgewekt, al begon zijn zelfzuchtige houding me te ergeren. 'Zo erg is het allemaal nog niet. Je hoort nog altijd tot de meest vooraanstaande docenten van dit college, en het kan niet anders of een zo geleerd en rechtschapen man zal zich een plaats in de wereld veroveren. Je moet de groten dezer aarde met dezelfde geestdrift voor je proberen te win- nen als waarmee je je op je studie toelegt, want het een is niets waard zonder het ander. Jij weet net zo goed als ik dat omgang met degenen die je hoger- op kunnen helpen, de enige manier is waarop een verdienstelijk man een bepaalde plaats in de wereld kan bemachtigen. En jij hebt die wereld, als ik zo vrij mag zijn, verwaarloosd ten gunste van je studie.'

Ik bedoelde dat niet als kritiek, al klonk die er misschien wel in door. In ieder geval ging Thomas bij het horen van deze kritiek meteen op zijn ach- terste benen staan, zo teergevoelig was hij en zo lichtgeraakt reageerde hij op een gerechtvaardigd verwijt.

'Wil je beweren dat het mijn eigen schuld is dat ik straks op zo'n manier tekort word gedaan? Dat ik er verantwoordelijk voor ben dat mijn rector straks iemand anders benoemt in plaats van mij?'

'Nee,' antwoordde ik. 'Helemaal niet. Hoewel een wat eleganter optre- den misschien meer van je collega's ertoe had overgehaald je zaak te steu- nen. Ik wil alleen maar zeggen dat je geen enkele poging in het werk hebt gesteld om anderen voor je in te nemen. Je moet toch vaak genoeg horen van personen die ambten kunnen vergeven. Heb je die aangeschreven? Gebruikgemaakt van de gelegenheid hun zoons onderwijs te geven wan- neer ze naar deze stad komen? Heb je weleens een preek van je uitgegeven en iemand van invloed aangeboden het werk aan hem op te dragen? Heb je de geschenken uitgedeeld en de attenties bewezen die verplichtingen scheppen? Nee. Dat heb je niet. In je trots heb je alleen maar gestudeerd, en gedacht dat dat genoeg was.'

'Dat zou ook zo moeten zijn. Ik zou niet gedwongen moeten zijn bui- gingen en strijkages te maken. Ik ben een dienaar des Heren, geen hove- ling.'

'Daar heb je nu je verwaande en arrogante houding. Waarom zou jij zo anders zijn dan elk ander? Denk je soms dat je zulke geweldige eigenschap- pen hebt, dat je deugdzaamheid zo groot is en je geleerdheid zo diepgaand dat je er je neus voor kunt optrekken om net als gewone mensen om een gunst te verzoeken? En mochten je zuiverheid en verhevenheid niet voortkomen uit blinde trots, dan kun je er toch heus zeker van zijn dat andere mensen denken van wel.'

Het was wel hardvochtig wat ik zei, maar het kon niet anders, en als ik me er al bewust van was dat ik hem kwetste, dan heb ik dat met de beste bedoelingen gedaan. Thomas was een nobel man, maar miste alle wereldse eigenschappen en was daarom helemaal niet geschikt voor de anglicaanse Kerk. Ik zeg dit niet bij wijze van scherts; want de Kerk vormt de beste weerspiegeling van Gods bedoelingen op aarde, en Hij is degene geweest die de mens alles heeft verordineerd naar Zijn wil. Het was Thomas' plicht steun te zoeken bij anderen, evenals lieden die lager in rang waren dan hij, op hun beurt steun hoorden te zoeken bij hem. Hoe kan een beschaafde samenleving anders blijven functioneren, wanneer er geen sprake is van een constante stroom van gunsten van de een naar de ander, van hoog naar laag? Dacht hij soms dat de groten dezer aarde hem om de eer zouden verzoeken hem hun bescherming te mogen verlenen? Zijn weigering wees niet alleen op een gebrek aan nederigheid; in de grond van de zaak was die zelfs goddeloos.

Misschien dat het verkeerd van me was dat alles tegen hem te zeggen; in ieder geval heb ik er fout aan gedaan hem hier steeds opnieuw op te wijzen, want ik weet zeker dat het Thomas in de richting heeft gedreven van de ramp die zo'n rol speelde in het relaas van Cola. Maar tijdens gesprekken gaat het vaak zo dat mensen die een ander hebben gekwetst, zichzelf gerust proberen te stellen door het nog erger te maken.

'Thomas,' zei ik vriendelijk, omdat ik meende dat het maar het beste was als hij zich zo spoedig mogelijk bewust werd van de waarheid, 'Grove is ouder dan jij en kan meer rechten doen gelden. De dertien mannen die dit college besturen kennen hem al jaren, terwijl jij een betrekkelijke nieuwkomer bent. Hij heeft de moeite genomen lord Maynard aangenaam te bejegenen, en jij niet. En hij heeft het college een gedeelte van de inkomsten van het ambt aangeboden, en dat is iets wat jij niet kunt doen. Ik wilde wel dat het anders was, maar je moet het feit onder ogen zien: jij krijgt die prebende niet zolang Grove leeft en die zelf wil hebben.'

Had ik de gevolgen geweten, dan had ik natuurlijk niet zo gesproken, maar hij was zo'n zachtaardig iemand dat ik er geen ogenblik bij stilstond dat dit besef hem tot zo'n euveldaad zou kunnen aanzetten. Bovendien: als ik steeds zo intens met hem was blijven omgaan, dan geloof ik niet dat doctor Grove zou zijn gestorven. Het is bekend dat gevoelens van wrok die niet geuit worden, steeds meer ruimte in de ziel gaan innemen; een dergelijke kwaal had ik immers zelf ook meegemaakt. Had Thomas mijn bezonnenheid en zelfbeheersing tot steun gehad, dan had zijn borst zich niet gevuld met zo'n buitensporige haat dat hij tot die verschrikkelijke stap is overgegaan. Of dan had ik misschien althans zijn bedoeling bespeurd en ervoor gezorgd dat hij zijn plan niet kon uitvoeren.

Maar ik zat in die tijd in de gevangenis en kon niets uitrichten om hem tegen te houden.

⁓

Ik zie dat ik ternauwernood doctor Wallis meer te berde heb gebracht sinds ik verslag heb gedaan van mijn bezoek aan zijn huis in Merton Street, en daarom moet ik dat nu met enkele woorden doen om 's mans kwade trouw duidelijk te maken. Want volgens Morland had hij althans iets af geweten van het tegen mijn vader gerichte complot, en dus had hij faliekant tegen me gelogen over die kwestie. Hij had me gevraagd documenten op te sporen die aan mijn vader hadden behoord, terwijl hij alles wat hij nodig had al in zijn schrijftafel had liggen. Ik besloot hem met zijn dubbelhartigheid te confronteren en schreef hem een beleefde brief waarin ik hem mijn complimenten overbracht en in kiese bewoordingen om een onderhoud verzocht, maar ik ontving een laatdunkend antwoord. Een paar dagen later besloot ik daarom een bezoek bij hem af te leggen.

Hij was destijds gehuisvest in New College, want er werden allerlei werkzaamheden aan zijn huis uitgevoerd die het onbewoonbaar maakten, en zijn eigen college kon hem geen vertrekken bieden die met zijn positie in overeenstemming waren. Zijn vrouw was naar Londen gestuurd, en Wallis was van plan om, zodra de collegeperiode ten einde was, ook naar die stad te vluchten. Ik bemerkte met een zeker plezier dat hij nu vlak naast doctor Grove huisde, want ik kon me geen twee heren voorstellen van wie het onwaarschijnlijker leek dat ze elkaar beschaafd zouden bejegenen.

Wallis was slechtgeluimd, want hij was iemand die duidelijk geen enkele vorm van ongemak verdroeg. Dat hij uit zijn eigen huis was gezet, min of meer verstoken was van domestieken en tot gezelschap veroordeeld dat hij niet gewend was doordat hij in het college moest eten wanneer hij de keuken niet kon overhalen hem zijn maaltijd op zijn kamer te brengen – dat alles had geen positieve invloed op zijn humeur. Dit zag ik zodra ik binnenstapte en bijgevolg was ik erop voorbereid dat ik door hem zou worden gemaltraiteerd. Hij sloeg beurtelings een beestachtig onvriendelijke, een beledigende en een dreigende toon aan, en het werd zo erg dat het me berouwde dat ik hem had benaderd.

Om kort te gaan: hij veegde me de mantel uit omdat ik hem had geschreven en zei dat ik geen enkel recht op zijn hulp kon doen gelden. Dat hij tegen wil en dank had beloofd mij ter wille te zullen zijn als ik hem van de nodige documenten kon voorzien, maar zich er nu verschrikkelijk aan ergerde dat hij op deze manier werd lastiggevallen.

'Ik heb u al gezegd dat ik niets heb,' zei ik. 'Alles wat mijn vader bezat is verloren gegaan. Het lijkt er zelfs op dat u meer papieren bezit dan ik, want mij is verteld dat u de documenten hebt ontcijferd die de tegen mijn vader ingebrachte beschuldigingen behelsden.'

'Ik?' vroeg hij met een en al gespeelde verbazing. 'Waarom denkt u dat?'

'Sir Samuel Morland heeft enkele brieven die u onder handen hebt gehad aan de koning doorgegeven. In die brieven stond zogenaamd te lezen dat mijn vader een verrader was. Ik geloof dat die in geheimschrift opgestelde brieven op bevel van Thurloe zijn geschreven. Ik zou ze graag willen zien, zodat ik dat kan aantonen.'

'Heeft Samuel u dit alles verteld?'

'Hij heeft me een hele reeks leugens opgedist. Dit is een waarheid waar ik zelf achter ben gekomen.'

'Mag ik u dan feliciteren?' zei hij, plotseling vriendelijk. 'Het lijkt erop dat u scherpzinniger bent dan ik, want ik heb nooit een ogenblik vermoed dat ik door Thurloe of Samuel om de tuin was geleid.'

'Wilt u ze mij geven?'

'Helaas, dat zal niet gaan, jongeman. Ik heb ze niet.'

'U moet ze hebben. Morland zei...'

'Samuel is een grote fantast. Het is mogelijk dat het waar is wat u zegt en dat Samuel mij op die manier heeft bedrogen. Maar ik heb de oorspronkelijke brieven niet in mijn bezit.'

'Waar zouden ze dan zijn?'

Hij haalde zijn schouders op en aan zijn bewegingen en de manier waarop zijn ogen de mijne ontweken, zag ik dat hij loog. 'Als ze nog bestaan, dan vermoed ik dat Thurloe ze heeft. Als u zoveel geduld kunt betrachten, dan zal ik eens discreet mijn licht opsteken...'

Ik betuigde hem uitvoerig mijn dank en hij sprak zijn al evenzeer gehuichelde bewondering voor mij uit, en daarmee verliet ik zijn kamer, er volkomen van overtuigd dat Wallis die brieven ergens bewaarde.

Gedurende verscheidene dagen na dit bezoek moest ik het bed houden, wat ik heel vreselijk vond. Ik kende echter de oorzaak van deze kwaal, en wist heel goed dat ik, wanneer ik een arts liet komen, alleen maar van de regen in de drup zou raken, dus bleef ik liggen lijden totdat de aandoening goeddeels voorbij was en mijn hoofd weer zo helder was geworden dat ik me kon bewegen. Een groot gedeelte van de tijd lag ik te bidden, en ik kwam tot de ontdekking dat die gezegende bezigheid een hele troost voor me was, die mijn ziel tot rust bracht en me met een grote en vreemde kracht vervulde, zodat ik weer opgewassen was tegen de taak die mijn vader me had opgedragen.

Het was de tweede dag van maart toen ik eindelijk op weg ging naar Compton Wynyates; nog voor zonsopgang glipte ik uit het bed van mijn leermeester, ik kleedde me aan op het portaal om de andere studenten die daar lagen te slapen en te snurken niet te storen, en hulde me in de dikste en warmste kleren die ik maar had. Ik trok een paar stevige schoenen van een van mijn medestudenten aan dat ik enkele dagen eerder heimelijk had gepast. Ik verkeerde in grote nood. Er heerste een vreselijke kou, die erger was dan wat we in jaren beleefd hadden, en zonder degelijke hoge schoenen zou ik ondraaglijke pijn hebben geleden. Een handwerksman die met een partij handschoenen en andere goederen naar Yorkshire reisde, haalde ik over om mij tot aan Banbury achter in zijn wagen te laten zitten; in ruil hiervoor hielp ik duwen wanneer de kar in de modder vast kwam te zitten, en toen hij moe werd, mende ik de paarden een tijdje.

Vanaf Banbury ging ik te voet verder en 's avonds laat kwam ik bij Compton Wynyates aan, lang nadat het donker was ingevallen. Via de imposante voordeur liep ik naar binnen en ik klapte in mijn handen om de bediende te roepen die mijn aankomst moest aankondigen. Ik deed dat met veel vertoon van branie, maar ik was erg zenuwachtig, want ik had geen idee of ik al of niet hartelijk ontvangen zou worden. In mijn achterhoofd bewaarde ik nog almaar de herinnering aan de ontvangst die sir John Russell me had bereid; ik zou het niet kunnen verdragen ook door sir William te worden afgewezen.

Maar ik werd spoedig gerustgesteld, want hij kwam gezwind naar beneden om mij persoonlijk te begroeten en hij putte zich uit in verzekeringen dat ik welkom was. Als hij al een grief koesterde vanwege mijn naam, dan kwam die niet aan de oppervlakte.

'Het verbaast me anders je te zien, Jack,' zei hij hartelijk. 'Wat voert je hierheen? Het collegejaar is toch nog niet afgelopen en jij studeert toch nog? Het verwondert me dat je toestemming hebt gekregen om de stad te verlaten. Dat soort toegeeflijkheid had je in mijn tijd nog niet.'

'Dit was een geval van speciale dispensatie, en ik heb een aardige leermeester,' zei ik.

'Nu, het doet me genoegen dat je er bent,' zei hij. 'Ik heb je al veel te lang niet gezien. We hebben een heerlijk vuur in de salon, dus kom je maar vlug warmen. In deze hal is het steenkoud.'

Ik was sprakeloos van opluchting om deze ontvangst en berispte mezelf omdat ik aan zijn vriendelijkheid had getwijfeld. Sir William was een van nature aimabel man, en in dat opzicht was hij op en top de landheer. Hij was kort van stuk en zwaargebouwd en had een hoogrode gelaatskleur, en hij werd gekenmerkt door een eenvoudig en openhartig karakter dat maakte dat hij zich vol trouwe toewijding inzette voor de beginselen en mensen die hij in zijn hart had gesloten.

Op dat ogenblik had ik het te koud en voelde ik me te moe om daar verder bij stil te staan. Ik liet me door hem meevoeren naar het grote haardvuur en in een stoel zetten binnen de grote kring van warmte, die zo'n heerlijk contrast vormde met de kilte in het gedeelte van het vertrek dat buiten de invloed van de vlammen viel. Hier kreeg ik door een dienaar warme wijn en iets te eten voorgezet, en ik werd met rust gelaten tot ik mijn maal had beëindigd. Sir William verontschuldigde zich en zei dat hij enige geringe besognes had die geen uitstel duldden, maar dat hij over een halfuur terug zou zijn.

Ik was bijna in slaap toen hij terugkeerde; niet dat hij zo lang was weggebleven, maar de warmte en de wijn hadden me bedwelmd en me van het besef doordrongen hoe verschrikkelijk moe ik was. Bovendien stemde het me ook enigszins treurig dat ik daar zo heerlijk warm zat. Nog niet zo lang tevoren was dit mijn thuis geweest, en ik merkte dat ik het, ondanks alles wat er was gebeurd, nog steeds als zodanig beschouwde. Ik had langer in de schoot van zijn familie verkeerd dan in die van de mijne; dit huis kende ik beter dan de woonst die zelfs in naam niet langer de mijne was. Aan een conflict van sluimerende emoties ten prooi zat ik rustig voor het vuur van mijn wijn te drinken en over deze vreemde toestand te peinzen, totdat de terugkeer van sir William me weer tot een zeker vertoon van kwiekheid dwong.

Nu dien ik eerst terug te keren tot een bepaalde, essentiële doelstelling van mijn relaas, of althans tot de kwestie die mij ertoe heeft genoopt naar pen en papier te grijpen. Ik moet mijn betrekkingen met signor Marco da Cola en de waarde van zijn verhaal uiteenzetten. Zoals ik al veel eerder in mijn relaas heb opgemerkt, vind ik zijn memoires uiterst merkwaardig, want daarin weidt hij uitgebreid uit over beuzelarijen, terwijl hij kwesties van veel groter belang scrupuleus negeert. Ik weet niet, en na al die tijd kan dat me nog minder schelen, waarom hij dat heeft gedaan; mij gaat het er alleen maar om de passages in zijn verslag recht te zetten die rechtstreeks met mij te maken hebben.

De eerste betreft die avond in sir Williams huis, want toen die bij het haardvuur terugkeerde, had hij Marco da Cola aan zijn zijde.

Ik moest wel aannemen dat hij een gegronde reden had om de geschiedenis van zijn aankomst in Engeland verdraaid weer te geven, want ik kan getuigen dat die onjuist is. Hij kan niet zijn aangekomen op de wijze die hij vermeld heeft; hij is niet vanuit Londen min of meer regelrecht naar Oxford getrokken. Hij was al ruim tien dagen daarvoor in dit land. Een merkwaardig manneke vond ik hem ook; zijn kleren, lavendelblauw en paars en van de meest merkwaardige snit, trokken veel aandacht in een dergelijk oord, en de geur van parfum die zijn binnenkomst in het vertrek al geruime tijd voorafging, was werkelijk onvergetelijk. Toen hij me later samen met Lower in de gevangenis kwam opzoeken, kon ik al lang voordat de cipier de deur van mijn cel openmaakte vaststellen wie die bezoeker was, zo'n sterke lucht gaf hij af.

Toch mocht ik hem, hoe vreemd hij ook was, en pas later ontdekte ik dat er meer met hem aan de hand was dan een vlugge beoordeling had doen vermoeden. Om te beginnen was hij kort van stuk en corpulent; hij had vrolijke ogen en lachte gauw. Alles vermaakte hem en alles trok zijn aandacht. Hij zei niet veel, daar hij niet zo bedreven was in het Engels (zij het ook veel beter dan ik me eerst verbeeldde), en zat er rustig bij, voortdurend knikkend en waarderend gniffelend om ons gesprek, alsof hij de beste grappen van de wereld hoorde en de geestigste conversatie aller tijden.

Eén keer maar tijdens die ontmoeting vermoedde ik heel even dat hij iets verborg; toen sir William en ik zaten te praten, zag ik zijn ogen oplichten en razendsnel een listige uitdrukking over dat ronde, argeloos uitziende gelaat glijden. Maar wie let er nu op zulke kleinigheden wanneer het geheel juist op het tegenovergestelde duidt? Het was enkel het licht dat me parten speelde; een weerkaatsing van de vlammen in die schemerdonkere kamer en anders niets.

Daar hij niet in staat of bereid was een kloek aandeel aan het gesprek te leveren, praatten sir William en ik maar met elkaar, en langzaam maar zeker vergaten we bijna de aanwezigheid van de vreemdeling in ons midden. Sir William had hem aan me voorgesteld als iemand met wie hij handelscontacten had, want als hoofd van het arsenaal (zijn schamele beloning voor de moeite die hij zich ten behoeve van de koning had getroost) was hij in aanraking gekomen met vele handelaren uit het buitenland, en het scheen dat Cola's vader op het gebied van dat soort zaken een machtig man was. Bovendien, zo zei sir William, waren hij en zijn familie al die jaren grote aanhangers geweest van de goede zaak, en nu wilden zij natuurlijk graag enkele van de goederen leveren die Zijne Majesteit nodig had.

Ik wenste hun allebei alle goeds toe en hoopte dat ze in gelijke mate van de samenwerking zouden profiteren, want sir Williams positie mocht hem dan niet al te veel aanzien bezorgen, die bood wel uitzicht op aanzienlijke rijkdom. Een toegewijd hoofd van het arsenaal die alle steekpenningen en winst opstreek die hem maar werden aangeboden, kon in korte tijd een flink fortuin vergaren aan de logistiek van het leger, en sir William was niet geheel en al ontevreden met zijn positie. Zijn behoefte aan geld, dat dient gezegd, was in die tijd groter dan zijn eer.

Ik geloof dat ik wel kan begrijpen waarom de aanwezigheid van zo'n man met discreet stilzwijgen omgeven diende te worden, al komt de kiese manier waarop Cola die kwestie zo lang na dato nog verborgen houdt, me bijzonder overdreven voor. Want sir William was (zoals ik al eerder heb vermeld) in een geschil met lord Clarendon verwikkeld, en iemand die de toorn van de voorzitter van het Hogerhuis wekte, diende bijzonder op zijn tellen te passen waar het de uitvoering van zijn ambt betrof. Dat Clarendon zelf zo vrolijk de schatkist plunderde sinds de koning was teruggekeerd deed er niet toe; zijn vijanden dienden scherp op te letten, want dat wat bij Clarendons vrienden werd aangemoedigd, werd gebruikt om zijn vijanden ten val te brengen. Hoe geïsoleerder zijn positie werd, hoe heviger de aanvallen werden op een ieder die hem graag afgezet wilde zien. De gewoonste dingen konden tot wapen worden omgesmeed, want Clarendon was niet voor niets advocaat. De vruchten van je ambt plukken kon in een mum van tijd als omkoperij en corruptie worden betiteld, en dergelijke beschuldigingen hebben al menig fatsoenlijk man zijn ambt ontrukt.

'Zo, en nu, Jack,' zei sir William nadat we een tijdje met elkaar hadden gepraat, 'moet je me toestaan in alle ernst iets te zeggen. En blijf alsjeblieft luisteren totdat ik ben uitgesproken.'

Ik knikte.

'Je bent je ongetwijfeld maar al te zeer bewust van de ernstige kwestie die zich tussen je vader en mij heeft voorgedaan. Ik wil graag heel duidelijk stellen dat ik jou in genen dele met die gebeurtenissen associeer, ook al ben je zijn zoon. Je zult altijd welkom blijven in dit huis en mijn vriend zijn.'

Al stond ik ook nog zo vierkant achter mijn vader, ik was me bewust van de waarlijk nobele aard van die verklaring, als die tenminste uit een oprecht hart kwam. Ik neigde ertoe te geloven dat dat inderdaad het geval was, want het ontbrak hem aan het raffinement om goed te huichelen, en ook aan het verstokte gemoed dat nodig was om zich zo wreed met een ander te amuseren. Dit maakte hem tot een trouwe vriend en een slecht lid van een complot. De eenvoudige aard van zijn eigen ziel had tot gevolg dat hij geen erg had in de laaghartige motieven van anderen, waardoor hij een volmaakt geschikt werktuig vormde voor lieden die het niet zo nauw namen met de waarheid wanneer dat hun beter uitkwam.

'Ik dank u voor die woorden,' gaf ik ten antwoord. 'Een dergelijke vriendelijke ontvangst had ik niet van u verwacht. Ik was bang dat bepaalde omstandigheden bittere gevoelens tussen ons hadden doen rijzen.'

'Dat was ook zo,' antwoordde hij ernstig. 'Maar dat is een vergissing geweest van mijn kant. Ik wilde dat je uit mijn ogen verdween, omdat ik niet tegen de herinneringen kon die jouw aanwezigheid bij me wakker riep. Ik zie nu in dat dat wreed van me was. Jij hebt me nooit kwaad gedaan en je hebt meer te verduren gekregen dan wie ook.'

Bij het horen van deze verklaring schoten de tranen me in de ogen, want het was al heel lang geleden sinds iemand zo vriendelijk met me had gesproken. Ik wist hoe ver zijn edelmoedigheid ging, want hij koesterde een onwrikbaar geloof in de schuld van mijn vader, en merkwaardig genoeg droeg ik hem daarom des te meer respect toe. Het kan niet gemakkelijk zijn het kind van een man van wie je meent dat hij je zozeer heeft gekwetst, in de armen te sluiten.

'Dat is zeker waar. En ik meen dat mij veel meer is aangewreven dan billijk is. Dat is ook de aanleiding tot mijn bezoek. U was de beheerder van mijn erfenis, maar een erfenis is er niet. Mijn land bevindt zich nu in andere handen en mijn positie is teloorgegaan. U was misschien van oordeel dat alle banden van trouw tussen u en mijn vader geslaakt waren, maar uw taak als beheerder bleef toch bestaan. Hoe kan het dan dat ik nu geen rooie duit bezit? Ik zie aan uw gezicht dat deze vraag u van uw stuk brengt, en ik wil in geen enkel opzicht beschuldigingen tegen u naar voren brengen, maar u moet toch toegeven dat dit geen ongerechtvaardigde vraag is.'

Hij knikte bedaard. 'Dat is waar, al verwondert het me niet dat je dit vraagt, maar dat je het antwoord niet al weet.'

'Ik heb begrepen dat er niets voor mij overschiet. Klopt dat?'

'Je bezit is erg geslonken, dat is waar; maar dat er niets van overschiet, is niet waar. Er rest je nog genoeg om je opnieuw een positie op te bouwen als je nijver te werk gaat. En geen betere gelegenheid om je reputatie te vestigen, dan bij de balie, en geen beroep dat beter geschikt is om rijkdom te vergaren dan dat van advocaat. Lord Clarendon,' zei hij met een verachtelijk lachje, 'heeft dat onbetwistbaar aangetoond.'

'Maar het landgoed is verkocht, terwijl het toch onvervreemdbaar was. Hoe heeft dat kunnen gebeuren?'

'Omdat je vader met alle geweld wilde hebben dat het werd afgestaan als onderpand voor zijn schulden.'

'Dat kon hij toch niet doen?'

'Nee. Maar ik wel.'

Ik staarde hem aan toen hij dit toegaf, en er verscheen een onbehaaglijke uitdrukking op zijn gezicht.

'Ik had geen keus. Je vader heeft me erom gesmeekt. Hij zei dat ik als vriend en kameraad de plicht had hem te helpen. Toen hij zijn land had vastgezet, zodat het, mocht hij met tegenslagen te kampen krijgen, niet in beslag kon worden genomen, ontdekte hij dat hij het ook niet meer kon gebruiken om aan geld te komen. Hij wilde beslist hebben dat ik ten behoeve van hem optrad en de lening goedkeurde. Het enige dat van me gevraagd werd, was dat ik de papieren tekende.'

'En dat hebt u gedaan.'

'Ja. En later ben ik tot de ontdekking gekomen dat hij mij niet onberispelijk heeft behandeld. Evenmin als zijn geldschieters, want hij had verscheidene leningen tegelijk opgenomen en het landgoed vele malen in pand gegeven. Na het debâcle moest ik constateren dat ik aansprakelijk was voor de schulden. Als ik zelf een welgesteld man was geweest, dan had ik misschien hulp kunnen bieden, maar je weet dunkt me wel het een en ander af van mijn situatie. En om heel eerlijk te zijn was ik destijds niet in de stemming om me edelmoedig op te stellen.'

'Het landgoed werd dus verbeurd verklaard.'

'Nee. We hebben ons best gedaan het voor jouw familie te behouden. Je oom heeft het gekocht en ik heb aangedrongen op het beding dat, als jij ooit in de positie zou komen dat je er klinkende munt voor kon geven, hij je het land terug zou verkopen. Ook hebben we een schikking getroffen met de geldschieters; een gunstige schikking, mag ik wel zeggen, want zij gingen ermee akkoord dat ze veel minder zouden ontvangen dan waar ze recht op hadden; enkel een gedeelte van het land hoefde aan mensen buiten de familie te worden verkocht.'

'Waaronder Harland Wyte, dat straks het meest zal opbrengen wanneer het is drooggelegd. Hoe komt het dat dat is verkocht aan de man die die aantijgingen tegen mijn vader heeft verzonnen?'

Sir William keek verbaasd toen hij hoorde hoe ver mijn kennis ging, en hij zweeg even voordat hij verder sprak.

'Nee,' zei hij even later. 'Sir Samuel heeft niet bijzonder nobel gehandeld, moet ik zeggen, maar wij hadden niet veel keus. Je moet niet vergeten dat de onthullingen omtrent je vader aanvankelijk maar aan heel weinig mensen bekend waren en dat het noodzakelijk was dat dat zo bleef. Zodra zijn geldschieters ook maar iets van het geval hadden opgevangen, hadden ze zich onmiddellijk boven op ons gestort. Wij hadden tijd nodig, en we moesten ervoor zorgen dat Morland zich stilhield. Het spijt me te moeten zeggen dat hij er wel iets voor vroeg toen hij daarmee instemde. De verkoop van Harland Wyte tegen een voor hem gunstige prijs heeft ons acht weken opgeleverd die we konden gebruiken om bepaalde maatregelen te treffen.'

Diepbedroefd boog ik mijn hoofd, want nu twijfelde ik er niet in het minst meer aan dat hij mij de volle waarheid vertelde, althans zoals hij die zag. Daar was ik bijzonder blij om; ik was in de loop van de paar maanden daarvoor zoveel dubbelhartigheid tegengekomen dat ik niet langer verwachtte ooit nog een eerlijk man te ontmoeten en al te zeer geneigd was, vrees ik, om argwaan te koesteren. Sir William was op zijn beurt even erg verraden als mijn vader destijds, want zijn nobele houding was voor boosaardige doeleinden aangewend. Ik wist dat ik hem dat vroeg of laat zou moeten vertellen, dat ik hem dan de hele schandalige geschiedenis uit de doeken zou moeten doen en hem onder het oog brengen wat hij in alle onschuld en met de beste bedoelingen had aangericht. Dat baarde me zorgen, want ik was bang dat zijn hart daarvan zou breken. En ook wist ik dat ik, al evenzeer als die snode mannen, de vlammen van zijn toorn flink moest aanwakkeren om hem ertoe te brengen dat hij zijn uiterste best zou doen het onrecht waarin ook hij de hand had gehad, ongedaan te maken.

Het leek me niet raadzaam het gesprek die avond nog veel langer voort te zetten; ik wilde niet een te gretige indruk maken en bovendien was ik ontzettend moe. Even later deed ik daarom mijn mantel aan, pakte een kaars en ging van het warme vuur op weg naar de kamer die ik altijd had gebruikt. Die was al voor me in gereedheid gebracht, want waarschijnlijk had sir William tijdens zijn korte afwezigheid een dienstmaagd uit haar bed geroepen; er brandde zelfs een vuurtje in de open haard, al verschafte dat meer troost dan warmte. Ik rilde in dat benauwde kamertje, maar was, toen ik neerknielde om mijn gebed te zeggen, niettemin dankbaar dat ik niet in een van die imposante, spelonkachtige vertrekken sliep die meer geëerde gasten toegewezen kregen. De Italiaanse heer, dacht ik, zou het die nacht zwaar te verduren krijgen. Toen ik mijn gebeden had gezegd en in de serene stemming verkeerde die zo vaak over een gelovig mens komt wanneer hij in oprechte ootmoed zijn dankgebed heeft opgezonden, was ik eigenlijk van plan me zo warm mogelijk in te pakken en regelrecht in bed te stappen. Maar ik was vuil van de reis en besloot, zij het ook ongaarne, eerst nog mijn gezicht te wassen. Op de kist bij het grote raam was een kom water gezet en nadat ik de luiken voor de vensters stevig had gesloten, brak ik het dunne laagje ijs en stak mijn gezicht pardoes in het bitter koude water.

Toen werd ik op ruwe wijze herinnerd aan de veelvormige aard van mijn rampspoed. Zelfs na al die jaren kan ik het niet opbrengen de obscene beelden te beschrijven die in die kom water, uitsluitend verlicht door de flakkerende kaars op de kist, werden opgeroepen. De wellustige en smerige martelingen die mij voor ogen werden getoverd waren van dien aard dat alleen de meest toegewijde slaaf van Lucifer ze zou kunnen hebben verzonnen; die op een christelijk mens los te laten om zijn ziel na het gebed te kwellen, was wel een bijzonder doortrapte euveldaad. De geluiden die door mijn hoofd galmden toen ik over die kom stond gebogen, er wanhopig naar verlangend mijn blik los te rukken, maar niet bij machte een vin te verroeren, maakten dat ik kreten van angst en ontzetting slaakte. En tegelijkertijd (ik beken het) werd ik gefascineerd door de taferelen die ik waarnam. Zelfs de zielen van reine en onschuldige wezens werden aan de verdorvenste gewelddaden blootgesteld en gedwongen van die onterende handelingen te genieten. Ik zag het beeld van mijn vader – niet hijzelf, maar een duivel in zijn gedaante – uitgestrekt terneerliggen terwijl Sarah Blundy hem op de walgelijkst denkbare manier bevredigde. Alle mogelijke demonen voerden vlak voor mijn ogen wulpse dansjes uit, in de stellige overtuiging dat ik keek en me verlustigde in de martelingen die zij verzonnen. Ik kon geen woord uitbrengen en had de kracht niet om me van dat smerige gedoe te verwijderen, hoewel ik er niet meer tegen kon. Ik was niet genoeg op mijn hoede geweest en had gemeend dat de agressie nu misschien wel ten einde was, dat dat kind Blundy misschien tot bedaren was gekomen of het idee van wraak had laten varen. Nu beschikte ik over het bewijs dat ik nodig had dat zij zich enkel had voorbereid op een nog kwaadaardiger aanval. En het leek wel of ik niet eens het enige slachtoffer was, als de macht van haar duivelse meesters zo ver reikte dat zelfs degenen die toch onaantastbaar voor elk kwaad hoorden te zijn en onvatbaar voor pijn, gemarteld konden worden.

Niet dan met bovenmenselijke inspanning rukte ik me los van die monsterlijke aanblik, waarna ik de kom op de grond smeet en me in een hoekje van de kamer neerwierp, waar ik hijgend bleef liggen, niet bij machte te geloven dat het allemaal voorbij was. Een groot gedeelte van die nacht ben ik daar, geloof ik, blijven liggen, zonder een vin te verroeren, totdat mijn ledematen op het laatst helemaal stijf waren en mijn lichaam ijskoud. Toen ik er niet langer tegen kon en de pijn het won van mijn angst, stond ik op en nam er uitgebreid de tijd voor om te controleren of de ramen stevig dichtzaten, en ik sleepte de kist naar de andere kant van de kamer om de deur zo degelijk te barricaderen dat het zelfs de duivel zelf moeite zou hebben gekost om zich toegang tot de kamer te verschaffen. Toen probeerde ik de slaap te vatten, maar ik was bang voor het ogenblik dat de kaars eindelijk sputterend zou uitgaan. Nooit eerder was ik bang geweest voor het donker. Die nacht joeg het me de stuipen op het lijf.

13

IK VOELDE ME NOG BEVERIG van angst en slaapgebrek toen Marco da Cola de ochtend daarop een gesprek met me aanknoopte. Ik reageerde niet erg levendig, daar ik nog helemaal in beslag werd genomen door de aanval waaraan ik ten slachtoffer was gevallen, maar zijn koppig volgehouden pogingen dwongen me er op het laatst toe zo beleefd mogelijk terug te praten. Het eerste dat hij zei terwijl hij me met zijn twinkelende ogen aankeek en nogal wezenloos glimlachte, was dat hij had begrepen dat mijn vader sir James Prestcott was.

Ik verwachtte niet anders dan dat hij me aan de tand zou voelen over mijn vaders ondergang en dus antwoordde ik op uiterst koele toon. Hij trok echter niet het ernstige en treurige gezicht dat zo kenmerkend is voor mensen die een ander met hun mededogen willen bevoogden, maar leefde juist enorm op toen hij mijn antwoord hoorde.

'Dat is werkelijk uitmuntend,' zei hij met zo'n zwaar accent dat hij amper verstaanbaar was. 'Waarlijk uitmuntend.'

Stralend van genoegen keek hij me aan.

'Mag ik vragen waarom u dat zegt? Dat is niet een reactie die ik de laatste tijd veel gehoord heb.'

'Omdat ik uw bijzonder bewonderenswaardige vader enkele jaren geleden heb gekend. Het stemde me erg bedroefd toen ik van zijn rampspoed hoorde. Staat u mij toe u mijn oprechte deelneming te betuigen met het verlies van een man die een volmaakte vader moet zijn geweest.'

'Dat was hij zeker, en ik dank u,' zei ik. Ik had al een hekel gekregen aan het fatterige vreemdelingetje, want in gewone omstandigheden boezemen zulke lieden me grote weerzin in. In dit geval echter, bespeurde ik, diende ik mijn mening te herzien. Er bestonden maar weinig mensen die vriendelijk genoeg waren om zelfs maar te erkennen dat ze mijn vader gekend hadden, laat staan dat ze hem prezen.

'Vertelt u mij hoe u hem hebt ontmoet,' zei ik. 'Ik weet niets af van die tijd toen hij buitenslands vertoefde, behalve dat hij zich gedwongen zag zijn diensten als krijgsman voor geld aan te bieden.'

'Hij heeft ze Venetië aangeboden,' zei Cola, en dat was een weldaad voor de stad, want hij was een nobel en dapper man. Als er meer mensen waren zoals hij, dan zou de Ottomaan nu niet het hart van Europa bedreigen.'

'Dus uw staat waardeerde hem? Dat doet me deugd.'

'O, zeer. En hij was al even geliefd bij de officieren als bij de gewone soldaten; hij was dapper, maar nooit roekeloos. Toen hij besloot terug te keren, troostten degenen onder ons die uw koning een goed hart toedroegen zich met de gedachte dat ons verlies uw vorst tot voordeel zou strekken. Het valt me moeilijk te geloven dat de man die ik heb gekend, in staat is geweest tot wat voor laaghartige handelingen dan ook.'

'U moet niet alle verhalen geloven die u hoort,' verzekerde ik hem. 'Ik ben ervan overtuigd dat mijn vader het slachtoffer is geworden van een verschrikkelijke misdaad. Met een beetje geluk heb ik binnenkort het bewijs in handen.'

'Daar ben ik blij om,' zei Cola. 'Oprecht blij. Er is niets dat mij meer genoegen zou doen.'

'U bent zelf krijgsman geweest?'

'Hij aarzelde een ogenblik alvorens antwoord te geven op mijn vraag. 'De laatste jaren heb ik onder andere een medische opleiding gevolgd,' zei hij. 'Een hoogst onmilitaire bezigheid. En ik houd me voornamelijk bezig met kwesties van wetenschappelijke aard. Ik had veel bewondering voor uw vader, maar heb nooit veel genegenheid voor zijn beroep gekoesterd.'

En het manneke ging zijns weegs, zodat ik de gelegenheid had de hemel te danken dat mijn vaders karakter zodanig was geweest dat het onveranderlijk een gunstige indruk had gemaakt op mensen die niet door het gif van het gerucht waren aangetast.

Sir William had het huis al verlaten; hij bestierde zijn goed met grote ijver, want hij meende vast dat het zijn plicht was persoonlijk op zulke zaken toe te zien. Bovendien had hij daar plezier in, en hij was nog des te gelukkiger geweest als hij zich geheel en al aan rustieke bezigheden had kunnen wijden. De lucratieve werkzaamheden aan het hof waren echter niet te versmaden, en op z'n minst vier keer per jaar moest hij naar Londen reizen om toezicht te houden op de uitoefening van zijn ambt. Bijna elke dag haalde hij, wat voor weer het ook mocht zijn, enkele van zijn lievelingshonden op en dan ging hij 's morgens al vroeg op pad om bezoekjes af te leggen, goede raad uit te delen en bevelen te geven. Tegen het middaguur kwam hij, rood aangelopen van alle lichamelijke inspanning, weer terug, louter tevredenheid en voldoening uitstralend, waarna hij at en een dutje deed. 's Avonds hield hij zich bezig met de administratie die een landgoed van enige omvang altijd met zich meebrengt, en hij controleerde of zijn vrouw het huishouden naar behoren bestuurde. Deze onwrikbaar vaste procedure volgde hij elke dag opnieuw, en ik denk dat hij elke dag vast in slaap viel wanneer hij naar bed was gegaan, in het volle vertrouwen dat hij zich onberispelijk van zijn vele plichten had gekweten. Zijn leven was, dunkt me, volmaakt bewonderenswaardig en gelukkig zolang het vreedzame ritme van zijn vaste gangen maar niet werd verstoord door iets onwelkoms wat daar inbreuk op maakte.

Dit was de reden waarom ik niet eerder dan die avond met hem kon praten, toen hij na het beëindigen van zijn werkzaamheden opnieuw de joviale en spraakzame gastheer werd. Toen lady Compton zich had teruggetrokken, was Cola degene die het onderwerp ter sprake bracht en erop wees dat ik overtuigd was van mijn vaders onschuld. Toen sir William die opmerking hoorde, betrok zijn gezicht onmiddellijk helemaal.

'Ik verzoek je dringend, Jack,' zei hij, 'om je toch over die geschiedenis heen te zetten. Je moet weten dat ik degene was die het bewijs van je vaders schuld heeft ontvangen, en ik kan je oprecht verzekeren dat ik niet zo had gehandeld als ik niet volkomen zeker van mijn zaak was geweest. Dat was de vreselijkste dag van mijn leven; en ik zou heel wat gelukkiger zijn geweest als ik gestorven was voordat ik achter dat geheim was gekomen.'

Alweer voelde ik geen woede bij me opkomen, iets wat eerder zo vaak wél was gebeurd. Ik wist dat deze vriendelijke man in alle oprechtheid sprak. Ook wist ik dat hij een onschuldig slachtoffer was geweest, al evenzeer verraden als mijn vader, want hij was er onder valse voorwendsels toe overgehaald zijn beste kameraad een mes in de rug te planten. Het was dan ook met het grootste leedwezen dat ik hem antwoordde.

'Ik vrees, mijnheer, dat ik weldra van u zal moeten vragen nog meer verdriet te verdragen. Want ik heb nu op een haar na het bewijs bijeen dat het waar is wat ik zeg. Ik ben ervan overtuigd dat de brieven die u van mijn vaders schuld overtuigden, vervalsingen waren en door Samuel Morland waren gefabriceerd om de ware verrader te beschermen. Ze zijn aan u gegeven omdat uw eerlijkheid zo onbetwistbaar vaststond dat een beschuldiging uit uw mond des te eerder zou worden geloofd.'

Bij het horen van deze woorden werd sir William ontzettend somber, en toen ik was uitgesproken heerste er een volmaakte stilte in dat vertrek.

'Heb je daar bewijs voor?' vroeg hij ongelovig. 'Ik kan het niet geloven;

dat een man in koelen bloede zoiets zou kunnen beramen is voor mij ondenkbaar.'

'Op het ogenblik is mijn bewijs nog niet volledig. Maar ik ben er zeker van dat wanneer ik het naar behoren kan overleggen, ik John Thurloe ertoe kan bewegen het te bevestigen. En als dat gebeurt, dan twijfel ik er niet aan of Morland zal zijn kompaan verkopen om zijn eigen nek te redden. Maar ik zal ook u nodig hebben om enkele gedeelten van de geschiedenis te bevestigen. Ik heb het idee dat mijn vader als slachtoffer is gekozen omdat dat de familie Russell in staat stelde mijn vaders bezwaar tegen hun snode praktijken uit de weg te ruimen. U bent de enige die kan zeggen dat de inlichtingen oorspronkelijk afkomstig waren van sir John Russell en dat hij ze van Morland had. Bent u bereid dat te zeggen?'

'Van ganser harte,' zei hij heftig. 'En nog meer ook. Als wat jij nu zegt waar is, dan zal ik hen allebei met mijn eigen handen wurgen. Minder verdienen ze niet. Maar denk toch alsjeblieft niets slechts van sir John als dat niet hoeft. Ik zag zijn gezicht toen hij het nieuws vertelde, en het was duidelijk dat hij het afschuwelijk vond.'

'Dan kan hij goed toneelspelen.'

'En ook heeft hij zich via zijn familie enige tijd garant gesteld bij de geldschieters van je vader, zodat het goed voor de beste prijs verkocht kon worden. Had hij dat niet gedaan, dan had jij nu verschrikkelijk in het nauw gezeten.'

Vooral dat laatste maakte me boos; het idee dat ik een dergelijk man dankbaar moest zijn, was om woedend van te worden, en de listige manier waarop hij zijn plunderingen met behulp van een façade van onzelfzuchtige deugdzaamheid had verheeld, maakte me meer dan misselijk. Het kostte me de grootste moeite niet ter plekke op te springen, en alle Russells aan de kaak te stellen en sir William zelf de mantel uit te vegen vanwege zijn onnozel aandoende, lichtgelovige blindheid.

Toch lukte dat me, al liet ik Cola wel meer dan een halfuur met hem converseren voordat ik mezelf weer zo vertrouwde dat ik opnieuw het woord nam. En toen zei ik alleen maar dat ik zeker wist, absoluut zeker, dat mijn uitspraak juist was. En dat ik hem dat mettertijd zou bewijzen.

'Wat voor bewijs heb je tot dusver verzameld?'

'Van alles,' zei ik, niet genegen in bijzonderheden te treden en hem te ontstemmen met het bericht dat ik de zaak nog niet rond had. 'Maar nog niet genoeg. Die vervalste brieven bezit ik niet; wanneer ik die eenmaal heb, dan kan ik Thurloe rechtstreeks aanvallen.'

'En waar zijn die dan?'

Ik schudde mijn hoofd.

'Vertrouw je me niet?'

'Ik vertrouw u volkomen. U bent degene die in deze wereld voor mij het dichtst een vader benadert nu mijn eigen vader overleden is. Ik koester eerbied en ontzag voor u vanwege alles wat u voor mij hebt gedaan. En ik zou u tot geen enkele prijs willen belasten met de kennis die ik bezit. Ik ben er trots op dat ik me aan het gevaar blootstel door deze mannen aangevallen te worden, want zij weten dat ik hen op het spoor ben. Maar ik ben niet van plan zonder gegronde reden anderen aan gevaar bloot te stellen.'

Dat deed hem genoegen, en hij zei dat als mijn vader inderdaad zo schuldeloos was als ik meende, ik hem als zoon eer aandeed. Toen sloeg het gesprek andere paden in en de Italiaan, die gretig verlangde meer te weten te komen over vreemde landen, bestookte sir William en mij met serieuze vragen over Engeland en de wijze waarop het werd geregeerd. Sir William vertelde hem veel en ik hoorde ook heel wat, want ik wist wel dat hij lord Clarendon niet mocht, maar ik had altijd gedacht dat hun wederzijdse afkeer louter een persoonlijke kwestie was. Dat was niet het geval, en ik ontving mijn eerste voortreffelijke les in de politiek van het land, want hij deed me nu uit de doeken hoe Clarendon, een man met een geringe achtergrond, zich op zijn naburige landgoed zozeer door zijn expansiedrang liet leiden dat hij tot ver in het land dat tot dan toe altijd in de invloedssfeer van de familie Compton had gelegen, zijn belangen najoeg: helemaal tot aan de andere kant van Oxfordshire en ook nog tot in Warwickshire.

'Bij de laatste verkiezingen had hij de onbeschaamdheid te eisen, er absoluut op te staan, dat een van zijn creaturen als parlementslid vanuit de graafschap Warwick zou worden afgevaardigd, want, zo zei hij, het was van essentieel belang dat er mannen met het hart op de juiste plaats in het Lagerhuis kwamen te zitten, zodat zij 's konings belangen konden bevorderen. Alsof mijn familie niet weet en niet altijd al heeft geweten wat zijn plichten haar voorschrijven. Hij heeft het op een akkoordje gegooid met de commissaris des Konings van Oxfordshire en deelt op het ogenblik steekpenningen uit aan de landheren van Warwickshire.'

'Ik heb begrepen dat hij met zijn gezondheid sukkelt,' zei Cola. 'Als dat waar is, dan zal hij zich niet lang meer in die positie kunnen handhaven.'

'Dat kan ik alleen maar hopen,' antwoordde mijn voogd. 'Want hij is eropuit mijn familie te gronde te richten.'

'Dat verbaast me niets,' zei ik treurig. 'Zijn vrienden hebben al kans gezien die van mij te gronde te richten.'

Toen hielden we hierover op, want sir William gaf blijk van grote neerslachtigheid om dit idee, en Cola was zo vriendelijk naar de jongste oorlogen te informeren. Sir William begon herinneringen op te halen aan de veldslagen en de heldendaden waarvan hij getuige was geweest; Marco da Cola vertelde over de oorlog van zijn land op Kreta en over het dappere verzet dat het de beestachtige Turk bood. Ik kon geen geschiedenissen over dappere daden bijdragen en luisterde daarom naar hun verhalen, me al die tijd koesterend in het besef dat zij mijn aanwezigheid accepteerden en me een volwassen man onder zijns gelijken voelend. Kon het maar altijd zo zijn, dacht ik. Dan zou ik me gelukkig voelen en me niets anders meer wensen. Een haardvuur, een goed glas en aangenaam gezelschap is alles wat een man nodig heeft om zich content te voelen. Dat alles heb ik nu, en de toekomst waar ik die avond even een glimp van opving, is in alle opzichten even voortreffelijk als ik me hem toen voorstelde.

⌒∽⌒

Ik had nog lange tijd in dat huis kunnen blijven, en niet dan met de grootste tegenzin verliet ik het; de taken die mij wachtten waren ontzagwekkend en het vooruitzicht dat ik de strijd opnieuw zou moeten aanbinden kon me niet bekoren. Maar ik bedacht dat hoe eerder ik begon, hoe beter, en toen Cola zich in zijn slaapvertrek had teruggetrokken en sir William naar zijn werkkamer was teruggegaan om nog enkele zakelijke besognes af te handelen, wachtte ik nog iets van een halfuur en toen glipte ik zachtjes de deur uit en via de grote voordeur naar buiten.

Het was pikdonker toen ik begon te lopen, en de maan en zelfs niet een ster waren te zien. Alleen omdat ik het huis zo goed kende slaagde ik erin het karrenspoor te vinden dat naar de weg leidde; de kleine fakkel die ik van het haardvuur had meegenomen verschafte me ternauwernood genoeg licht om verder dan een paar el voor me uit te zien. Het was ook nog koud, en de bevroren grond knerpte onder mijn voeten. Aan alle kanten om me heen fladderden er nachtvogels, en de dieren zwierven door hun nachtelijke domein – op zoek naar prooi of trachtend aan hun lot te ontsnappen.

Ik was niet bang en voelde me zelfs niet ongerust. Ik heb gehoord dat dat niet gewoon is, want vaak bespeuren wij voortekenen van naderend gevaar; het prikt dan in onze nek en onze hoofdhuid jeukt. Zo niet in mijn geval; het enige dat me bezighield was dat ik het hek moest vinden en de weg naar Banbury, en ik moest me er zo intens op concentreren dat ik op het pad bleef en de sloten aan weerskanten die ik me herinnerde meed, dat ik aan niets anders kon denken.

Pas toen het geluid weerklonk, werd die behoedzame stemming doorbroken, en zelfs toen reageerde ik nog niet meteen, want ik dacht – als ik al iets dacht – dat een vos of das net buiten het bereik van het licht van mijn fakkel mijn pad had gekruist. Pas op het allerlaatste ogenblik gilden al mijn zintuigen dat ik in levensgevaar verkeerde en ze dwongen me razendsnel weg te springen voor de afzichtelijke boze geest die uit de grond oprees en mij de weg versperde.

Het spook had de gedaante aangenomen van een man, maar dergelijke verschijningen zijn nooit volmaakt, en een nauwlettend oog ziet altijd in welk opzicht de imitatie tekortschiet. In dit geval waren het de bewegingen, steeds rukkerig en onregelmatig, die het feit verrieden dat hier een monster stond, en geen menselijk wezen. Het had gepoogd de gedaante van een oude heer aan te nemen, maar het zat onder de smerige etterbuilen en vertoonde overal afzichtelijke gebreken, en het liep met een kromme rug en hobbelige pas. En de ogen – een merkwaardig verschijnsel, en ik heb nooit begrepen hoe dat kon – waren zo zwart als pek, maar lichtten fel op in het donker, en heel in de diepte zag ik er de vlammen van de hel zelf in branden. De geluiden die het maakte om mij te vleien en in te palmen en te hypnotiseren tot ik het vertrouwde, waren nog het allerweerzinwekkendst. Ik geloof eigenlijk dat het niet sprak; zijn smeekbeden deden eerder aan als het gesis van een slang en het gepiep van een vleermuis dat in mijn hoofd klonk, niet in mijn oren. 'Nee, Jack,' siste het, 'je moet nog niet weggaan. Blijf toch bij me. Kom met me mee.'

Ik herinnerde me de visioenen die ik de nacht tevoren had gezien, huiverde om de gedachte die uit die woorden sprak, en dwong mezelf ertoe die onbeschaamde opdringerigheid te negeren. Ik probeerde een kruis te maken met mijn vingers en hield hem dat voor, maar dit symbool van het lijden van Onze Lieve Heer ontlokte het enkel een smalend giebellachje. Ik begon het onzevader op te zeggen, maar aan mijn kurkdroge mond en schrale lippen ontsnapte geen geluid.

En in blinde angst week ik steeds verder achteruit, waarbij ik voortdurend mijn ogen op het mij achtervolgende beest gericht hield en doodsangsten uitstond dat het me elk ogenblik kon beetgrijpen en me de ziel uit het lijf rukken.

Ik beval het me met rust te laten, maar zijn enige reactie was een gruwelijke lach en een zuigend geluid, net als dat waarmee een moeras een schaap in de diepte trekt, en ik voelde iets kouds en klams aan mijn arm toen het een broodmagere hand naar me uitstrekte. Ik sprong achteruit en haalde uit met mijn dolk, eerder in de hoop dat ik daarmee te kennen gaf dat ik van plan was me te verzetten dan in de verwachting dat ik me zo afdoend kon verdedigen. Maar mijn kloekmoedigheid en ongevoeligheid voor de vleierij van het monster hadden kennelijk toch enige uitwerking, want de duivel moet het hebben van de bereidwillige overgave van zijn slachtoffers, en heeft moeite met hen die zijn pluimstrijkerijen oprecht afwijzen. Klokkend van verbazing om mijn onwrikbare gedrag week het monster een eindje naar achteren, zodat ik mijn kans schoon zag. Ik gebruikte dezelfde hand om het verder van me af te duwen – een vergissing, want het droeg een smerige lucht van verrotting met zich mee die niet dan met moeite afgewassen kon worden – en ik rende het voorbij in de richting van het hek.

Ik weet niet waar ik langs ben gerend, want ik was maar op één ding bedacht: de afstand tussen mij en dat afzichtelijke gedrocht zo groot mogelijk te maken. Eindelijk kwam ik uit bij de rivier die daar stroomt en ik liep naar de waterkant om mijn hand erin te houden en de stank die mijn neusgaten nog vulde eraf te spoelen. Ik hijgde helemaal van angst en van het rennen en waarschijnlijk heb ik wel meer dan een uur, in elkaar gedoken tegen een bootje dat voor de nacht op de kant was getrokken, naar het water zitten staren. Op het laatst heb ik, ervan overtuigd dat het gevaar nu stellig geweken was, mezelf opgepord en ik ben weer gaan lopen, rustig maar wel op hernieuwde aanvallen voorbereid.

Zo'n halfuur later hoorde ik de honden. Na een poosje haalden ze me in, en toen ik met bruut geweld op de grond was gewerkt, getrapt en beschimpt, kreeg ik tot mijn enorme verbijstering en ongeloof te horen dat sir William op beestachtige wijze was gemolesteerd en dat ik voor die daad verantwoordelijk werd gehouden.

14

IK GELOOF NIET DAT IK AL TE LANG stil hoef te staan bij die gebeurtenissen. De behandeling die mij ten deel viel was abominabel en de tegen mij ingebrachte beschuldigingen waren schandalig. Het is niet meer dan noodzakelijk en redelijk dat misdadigers op dergelijke wijze worden behandeld, maar dat men een heer van stand op zo'n brute manier opsluit en vernedert, dat gaat alle begrip te boven. De periode die ik in afwachting van mijn proces heb doorgebracht, was bijzonder akelig, en toen ik daar verzwakt terneerlag, rook dat kind Blundy haar kans en ik werd tot de rand van de waanzin gedreven door de niet-aflatende kwellingen en visioenen die zij dag en nacht op mij afstuurde.

Ik was er wel op voorbereid geweest dat de heks nog een aanval op me zou ondernemen, maar had me niet gerealiseerd dat zij over zo'n invloed en zo'n kwaadaardige wilskracht beschikte. Ik heb er eerst eens goed over moeten nadenken voordat ik ten volle begreep wat er was gebeurd, maar toen was de verklaring niet al te moeilijk meer. Dat sir William mij het huis had horen verlaten en poolshoogte was gaan nemen lijdt geen twijfel; en op dat ogenblik heeft een duivel op zo doortrapte wijze zijn gedaante aangenomen dat mijn ogen de vermomming niet konden waarnemen; maar toen ik het monster met mijn dolk had gestoken, was het gedaan met de betovering en de duivelse gedaante verdween in het niets. Het was een duivels snode aanval, want de heks had tegen die tijd beseft dat zij mij niet kon vernietigen. Daarom is ze op het idee gekomen anderen voor haar te laten handelen: als zij ervoor zorgde dat ik aan de galg belandde, dan was haar opzet daar volmaakt mee gediend.

Toen ik in de cel werd geworpen en met ketenen aan de muur werd gekluisterd, besefte ik al gauw dat zij, tenzij ik buitengewoon veel geluk had, in haar opzet zou slagen. Want ik had sir William inderdaad gestoken en hem op het randje van de dood gebracht, en wat nog erger was, hij had het overleefd, en zou nu ongetwijfeld zeggen dat ik hem zonder enige waarschuwing had aangevallen. Mijn verdediging stelde niets voor, want wie zou mij geloven als ik de waarheid vertelde?

En vele dagen lang zat er niet veel anders voor me op dan maar in mijn weerzinwekkende cel af te wachten. Ik bleef niet van bezoekers verstoken, maar die brachten me weinig troost. Mijn dierbare oom schreef me om te zeggen dat hij zijn handen helemaal van me aftrok en me in geen enkel opzicht zou helpen. Thomas deed zijn best, al zag ik de veroordeling op zijn gezicht. Maar hij deed althans wat hij kon, wanneer hij zijn gedachten tenminste even los kon maken van het feit dat de definitieve krachtmeting met Grove om de prebende voor de deur stond: die zou plaatshebben wanneer lord Maynard op het college kwam dineren.

Toen kwam Lower, vergezeld van Marco da Cola.

Ik zal de beschrijving van Lowers onbeschaamde verzoek om mijn lijk niet herhalen; die van Cola is nauwkeurig genoeg. Bij die eerste gelegenheid liet de Italiaan niet merken dat hij me kende, en ook ik wendde voor dat ik hem nooit eerder had ontmoet, daar hij dat kennelijk wenste. Maar diezelfde middag keerde hij alleen terug met als voorwendsel dat hij me een kruik wijn kwam brengen, en we hadden een gesprek, in de loop waarvan hij me verteld heeft wat er die verschrikkelijke nacht was voorgevallen.

Hij had het enkel van horen zeggen, zei hij; zelf had hij niets van enig belang gezien of gehoord. Pas door de plotselinge opschudding – schreeuwende mensen, jammerende vrouwen en blaffende honden – was hij wakker geschrokken en vervolgens was hij uit zijn bed gekomen om op onderzoek uit te gaan. Daarna was hij enkel en alleen in beslag genomen door sir William en diens wond, want die hele nacht had hij zich tot het uiterste ingespannen, en het was uitsluitend aan hem te danken dat sir William niet was overleden. Hij verzekerde me dat sir William zou herstellen, en dat hij zelfs al zo goed vooruit was gegaan dat hij, Cola, zich gerechtigd had gevoeld hem verder aan de hoede van zijn vrouw toe te vertrouwen.

Ik zei dat ik me daar van harte over verheugde. Hoewel het er niet naar uitzag dat de boodschap erg welkom zou zijn, verzocht ik hem toch sir William over te brengen dat ik blij was dat hij in veiligheid verkeerde en dat ik volslagen onschuldig was aan het gebeurde; ook zou ik graag van hem horen of hij zich bewust was van het bedrog dat er met zijn lichaam gepleegd was. Hij beloofde dat hij dat zou doen, en daarna herhaalde ik (daar ik mijn ontsnappingsplan inmiddels klaar had) met klem mijn verzoek of doctor Grove me zo spoedig mogelijk kon komen opzoeken.

Ik was verbaasd toen Wallis de avond daarop verscheen in plaats van

Grove, maar ik zag al vlug in dat deze gelukkige samenloop van omstandig-heden nieuwe mogelijkheden bood. Hij hoorde me uit over sir William en stelde me een enorme hoeveelheid zinledige en nergens op slaande vragen over Marco da Cola, die zo stompzinnig waren dat ik niet de moeite zal nemen ze hier te boekstaven. Natuurlijk vertelde ik hem zo weinig als ik maar kon, maar met behulp van onbeduidende aanwijzingen en wenken hield ik het gesprek op subtiele wijze gaande, tot ik er zeker van was dat de cipier te dronken was om nog scherp uit zijn ogen te kunnen kijken. Toen overmeesterde ik hem, knevelde hem – ik moet bekennen dat ik de kno-pen steviger aantrok dan ik bij Grove zou hebben gedaan – en ging mijns weegs. Hij was zo overrompeld en verontwaardigd dat ik bijna van plezier in lachen was uitgebarsten. Het was zo eenvoudig in zijn werk gegaan dat ik bijna niet kon geloven dat ik zo enorm had geboft.

Nu ik wist dat Wallis veilig opgeborgen was, had ik een gelegenheid waarop ik nooit had durven hopen, want ik wist dat zijn kamer open zou staan voor mijn hoffelijke bezoek. Dwars door de stad liep ik naar New College en ik gebruikte zijn sleutel om via de hoofdpoort binnen te komen. Ook deze taak was zo eenvoudig dat ik ging geloven dat ik onder speciale bescherming stond: de deur van zijn kamer zat niet op slot, het bureau was gemakkelijk te openen en de bundel brieven – zowaar voorzien van het opschrift 'Sir Ja. Prestcott' – lag in de tweede la; een stuk of wat zulke onbe-grijpelijke vellen dat ik aannam dat dit de in geheimschrift gestelde epistels waren die ik zocht. Uit veiligheidsoverwegingen stopte ik ze onder mijn hemd en opgetogen over mijn succes maakte ik aanstalten om weer te ver-trekken.

Ik hoorde de zachte, maar ijselijke kreet toen ik op het portaal stond en naar beneden wilde gaan. Onmiddellijk bleef ik stokstijf staan, er eerst van overtuigd dat de duivels weer achter me aan zaten, en toen ik mezelf op dat stuk gerustgesteld had, bang dat het met mijn geluk gedaan was en dat het lawaai de aandacht zou trekken en mijn ontdekking tot gevolg zou hebben. Ik durfde geen vin te verroeren, hield mijn adem in en wachtte; maar het binnenplein bleef er even rustig en verlaten bij liggen als eerst.

Ik was ook onthutst; het geluid duidde op hevige pijn, en het kwam dui-delijk uit de kamer van doctor Grove, die vlak tegenover die van Wallis lag. Enigszins beverig klopte ik op de binnendeur – de imposante buitenste deur zat niet op slot –, duwde die toen zachtjes open en tuurde naar binnen.

Grove leefde nog, maar ook maar net, en de hartverscheurende aanblik ontlokte een gekweld protest aan mijn mond. Zijn gezicht stond verwron-gen van de vreselijkste pijn en met al zijn ledematen trekkend en schokkend kronkelde hij over de vloer als een waanzinnige die aan een aanval van stuipen ten prooi was gevallen. Hij keek naar me toen ik een kaars aanstak aan het haardvuur en die boven hem hield, maar ik geloof niet dat hij me herkende. Met onvaste hand wees hij naar iets op de tafel in de hoek, maar toen viel hij, terwijl er schuim en speeksel uit zijn openhangende mond klokte, weer op de grond en gaf de geest.

Zo'n verschrikkelijk einde had ik nog nooit meegemaakt, en ik bid vurig dat een dergelijke aanblik mijn ogen nooit meer zal belagen. Ik stond versteend en durfde me niet te verroeren; enerzijds was ik bang dat hij dood was en anderzijds dat hij weer tot leven zou komen. Niet dan met de grootste inspanning rukte ik me los uit mijn trance en keek naar dat iets waar hij met dat laatste, zielige gebaar naar had gewezen. De fles en het glas op de tafel bevatten nog een grote hoeveelheid vloeistof. Ik snoof er eens voorzichtig aan en kon er niets levensgevaarlijks aan bespeuren, maar het was op z'n minst waarschijnlijk dat er gif stak achter het tafereel waar ik zojuist getuige van was geweest.

Toen hoorde ik de voetstappen de trap opkomen en een intense angst omknelde mijn hart even krachtig als mijn hand een mes omknelde dat ik op Groves schrijftafel had zien liggen.

Almaar luider werden ze, de eerste trap op; toen bleven ze even op het tussenoverloopje staan, en vervolgens kwamen ze de tweede trap op. Dat kon Wallis toch niet zijn, dacht ik. Hij kon onmogelijk zijn ontsnapt. En ik wist dat als er iemand deze kamer in zou komen, ik hem zou moeten doden.

De stappen klonken nog luider, stopten op het portaal en er volgde een langdurige stilte voordat het donderende geklop op de deur van Groves kamer weerklonk. Misschien dat dat niet zo was; misschien dat het enkel een licht tikje was, maar in mijn oren klonk het zo luid dat het de doden uit hun graven had kunnen wekken. Daar stond ik dan in het donker, enkel verlicht door het flakkerende vuurtje in de haard, en ik bad wanhopig dat de bezoeker mocht denken dat Grove er niet was en weg zou gaan. Maar in mijn zenuwen en mijn inspanning om me stil te houden, kreeg ik juist het omgekeerde voor elkaar, want ik stootte even tegen een boek op zijn tafel, zodat het met een plof op de vloer viel.

Al mijn gebeden en wensen waren vruchteloos gebleken; er viel even een stilte en toen hoorde ik de deurklink bewegen, het onmiskenbare geluid van de deur zelf die piepend openging drong tot me door, en daarna hoorde ik een voet op een van de losse en krakende planken in de vloer neerkomen.

Toen ik zag dat de bezoeker een lantaarn bij zich had, en zo dadelijk het lijk van Grove en daarna mij zou zien, wist ik dat ik me niet langer verborgen kon houden. Ik greep hem bij de keel en duwde hem achterwaarts de kamer uit.

Mijn tegenstander was niet al te sterk, en in zijn verbazing en angst bood hij bijna helemaal geen verzet. Het kostte me amper enkele seconden om hem op het portaal tegen de grond te werken, op te passen dat de lantaarn niet het hele gebouw in brand stak en toen te kijken wie het was.

'Thomas!' riep ik in opperste verbazing toen het zwakke licht van de lantaarn over zijn asgrauwe, angstige gezicht speelde.

'Jack?' fluisterde hij hees, nog erger onthutst. 'Wat doe jij hier?'

Ik liet hem vlug los, klopte hem af en verontschuldigde me ervoor dat ik hem zo ruw had behandeld. 'Wat ik hier doe? Heel eenvoudig,' zei ik. 'Ik ben ontsnapt. Maar ik geloof dat jij mij ook wel enige uitleg verschuldigd bent.'

Zijn hoofd knakte neer toen ik dat zei, en hij keek alsof hij op het punt stond in tranen uit te barsten. Het was wel vreemd, dit hele gesprek: een predikant en een vluchteling, vlak naast elkaar op het portlaal met elkaar fluisterend terwijl maar een paar voet van hen vandaan een nog warm lijk lag.

Ik mag wel zeggen dat de uitdrukking op zijn gezicht hem in elke gerechtszaal in het land aan de galg had gebracht, zelfs als de gezworenen niet de lange en bittere geschiedenis hadden gekend die tot deze gebeurtenis had geleid.

'O, lieve God, help mij,' riep hij. 'Wat moet ik doen? Je weet wat ik heb gedaan?'

'Demp je stem toch,' zei ik korzelig. 'Ik ben niet met al die moeite ontsnapt om me vervolgens te laten pakken omdat jij zo hard jammert. Wat gebeurd is, is gebeurd. Je hebt je ongelooflijk stom gedragen, maar je kunt niet meer terug. Je kunt het niet meer ongedaan maken.'

'Waarom heb ik het gedaan? Ik zag de rector daar staan, en voordat ik wist wat ik deed, had ik hem aangeklampt en hem een heel pak leugens over dat dienstmeisje opgedist.'

'Wat? Thomas, waar heb je het over?'

'Over Blundy. Dat meisje. Ik heb tegen de rector gezegd dat Grove zijn belofte had verbroken en dat ik haar vannacht stiekem zijn kamer in had zien sluipen. Toen besefte ik...'

'Ja, ja. Laten we het daar nu niet over hebben. Wat kwam je hier eigenlijk doen?'

'Ik wilde hem spreken voordat het te laat was.'

'Nu is het te laat.'

'Maar er moet toch iets zijn wat ik kan doen?'

'Hou op met die kinderachtige praatjes,' snauwde ik. 'Natuurlijk niet. Geen van beiden hebben we ook maar enige keus. Ik moet er nu als de wind vandoor; jij moet naar je kamer terug en gaan slapen.'

Maar hij bleef maar met zijn handen om zijn knieën geklemd op de grond zitten. 'Thomas, doe wat ik zeg,' beval ik. 'Laat het maar aan mij over.'

'Het was zijn schuld,' kermde hij. 'Ik kon er niet meer tegen. Zoals hij me behandelde...'

'Hij zal die vergissing niet nog eens maken,' antwoordde ik. 'En als je je rustig houdt, dan zien we je nog eens met een bisschopsmijter. Maar niet als je in paniek raakt, en alleen als je je mond houdt.'

Ik kon er niet tegen nog langer in die kamer te blijven, en daarom trok ik hem overeind en duwde hem de deur uit. Samen slopen we de trap af en beneden wees ik in de richting van zijn vertrek.

'Ga terug naar je kamer en probeer wat te slapen, vriend. Beloof me dat je niets zult zeggen en niets zult doen voordat je het met mij hebt besproken.'

Alweer liet de stakker als een schooljongen zijn hoofd hangen.

'Thomas? Luister je?'

'Ja,' zei hij, eindelijk zijn ogen naar me opslaand.

'Herhaal dan wat ik zeg en zweer dat je nooit iets over deze avond zult loslaten. Anders belanden we allebei aan de galg.'

'Dat zweer ik,' zei hij met doffe stem. 'Maar Jack...'

'Stil. Laat alles nu maar aan mij over.'

Hij knikte.

'Zul je doen wat ik zeg?'

Nog een knikje.

'Goed zo. Ga dan nu maar. Tot ziens, vriend.'

En ik gaf hem een duw in de rug om hem aan het lopen te krijgen en wachtte tot hij halverwege het binnenplein was. Toen ging ik terug naar de kamer van Grove, waar ik zijn sleutel pakte om de deur te kunnen afsluiten, en verder zijn zegelring.

Het plan dat kant-en-klaar bij me was opgekomen, was zo eenvoudig en af dat het aan een goddelijke inblazing te danken moet zijn geweest, want ik moet zo bescheiden zijn toe te geven dat ik zo'n volmaakt plan nooit zonder hulp van buitenaf had kunnen verzinnen. Wat er was gebeurd was volmaakt duidelijk, en dat wordt ook bevestigd door Cola's relaas. Want dat was de dag dat lord Maynard was komen dineren, en dat de grote krachtmeting tussen Grove en Thomas ter verovering van zijn gunst had plaatsgegrepen. Zoals te verwachten was geweest, had Thomas zich qua geestigheid en denkkracht de mindere betoond en was hij vernederd. Hij was al nooit bedreven geweest in de kunst van het debatteren, maar hij had zich er zo grondig op voorbereid en had zich zo zenuwachtig gemaakt over de ontmoeting dat hij amper in staat was geweest een mond open te doen. Grove was juist wel klaar voor de strijd, want hij had Cola al ontmoet en wist dat hij de Italiaan als het volmaakte middel kon gebruiken om een staaltje weg te geven van zijn rechtzinnige geloof en vastberaden verdediging van de Kerk.

De Italiaan had dus gedacht dat hij een gesprek over wijsbegeerte voerde, terwijl Grove al die tijd zat te bewijzen dat hij geschikt was voor een eigen gemeente door het oneens te zijn met alles wat de ander zei. Dat was gemakkelijk genoeg geweest, want Grove had Thomas uitgeschakeld door hem te negeren en hem met krenkende opmerkingen te bestoken tot Thomas wanhopig was geworden omdat hij almaar werd onderbroken en de zaal uit was gelopen, ik vermoed om te voorkomen dat iemand zijn tranen zou zien. Ik denk dat hij van wanhoop buiten zichzelf was en niet lang daarna tot de maar half overdachte, vertwijfelde daad is overgegaan Grove bij de rector aan te geven. Toen besefte hij dat het niet lang zou duren of deze verklaring zou als leugen aan de kaak worden gesteld, en als kwaadaardige leugen bovendien, en daarom is hij nog een – noodlottige – stap verder gegaan.

Geen nobele daad voor een geestelijke, en toch wist ik dat Thomas vele goede eigenschappen bezat; dat had hij me vaak genoeg laten zien. Maar ook als dat niet het geval was geweest, was ik aan hem verplicht en hem mijn hulp verschuldigd, want niet alleen was hij een vriend van me, maar bovendien was hij volstrekt niet in staat voor zichzelf op te komen.

De mogelijkheid dat ik nu tegelijkertijd mijn eigen zaak kon dienen, wees erop dat er een of andere beschermengel om me heen zweefde die me van alles influisterde.

Nu moet ik echter tot mijn verhaal terugkeren en vertellen dat het volgens de klok van de Mariakerk negen uur was toen ik Groves kamer met zijn zegelring in mijn zak verliet, en ik wist dat ik nog acht uur de tijd had voordat de cipier naar mijn cel in het kasteel kwam en zou ontdekken dat ik ontsnapt was. Ik kon gaan en staan waar ik wilde en bezat een volledige vrijheid van handelen. Wat ik op dat ogenblik dolgraag had gewild, was Sarah Blundy vermoorden, want het was me al een hele tijd duidelijk dat alleen de dood van een van ons beiden een einde kon maken aan deze duivelse krachtmeting.

Ik wist natuurlijk wel dat dat onmogelijk was. Ik kon haar evenmin eigenhandig vermoorden als zij mij. Anderen moesten dat doen, en net zoals zij een val voor mij had gezet om mij aan de galg te krijgen, kon ik nu, op mijn beurt, haar in de val laten lopen.

Het liep tegen middernacht, denk ik, toen ik me een weg zocht door de versterkingen die nog steeds om de stad heen lagen en mijn best deed de nachtwacht te mijden. In ieder geval hoorde ik het treurige gelui van de grote klokken van de stad toen ik vlug door de velden liep, evenwijdig aan de weg naar Londen die ik pas voorbij Heddington durfde te gebruiken. De dageraad begon juist boven de horizon te rijzen toen ik het dorp Great Milton naderde.

15

IK WACHTTE TOT ER EEN GROOT DEEL van de ochtend was verstreken en gebruikte die tijd om het huis ongezien te observeren teneinde vast te stellen hoeveel mensen er woonden en wat eventueel mijn beste ontsnappingsroute zou zijn, mocht de noodzaak zich voordoen. Toen maakte ik me met bonzend hart op; ik liep naar de deur en klopte aan. Het was aangenaam warm in de hal, die wonderlijk genoeg verre van weelderig aandeed. Ik wist natuurlijk dat Thurloe er gedurende zijn machtige jaren als trawant van Cromwell voor had gezorgd dat hij zo rijk als Croesus werd, en ik was van mijn stuk gebracht toen ik zag dat hij zo bescheiden woonde. Al die tijd dat ik daar vertoefde heb ik maar één huisknecht gezien, en al was het een gerieflijk huis, het was lang niet zo groot en schitterend als ik had verwacht. Maar ik nam aan dat ook dit weer zo'n voorbeeld was van de arrogante nederigheid van de puriteinen, die zo graag met hun vroomheid en verachting voor wereldse zaken te koop liepen. Ikzelf heb ze daarom altijd verafschuwd: met hun ene hand grepen ze wat ze grijpen konden en met de andere baden ze. Het is de plicht van aanzienlijke personen om een bepaalde staat te voeren, ook al voelen ze daar misschien niets voor.

De huisknecht, een oud mannetje dat met zijn ogen knipperde als een uil die plotseling aan het licht was blootgesteld, zei dat zijn meester het druk had met zijn kasboeken en dat ik in de grote salon moest wachten. Mijnheer Thurloe zou ingenomen zijn met een bezoeker die hem kwam verstrooien, zei hij. Alleen niet met deze, dacht ik bij mezelf terwijl ik zijn aanwijzingen opvolgde en de ruime, warme kamer aan de oostkant van het huis in liep. Niet met deze.

Een paar minuten later kwam hij binnen, een broodmagere man met lang, dun haar boven een hoog voorhoofd. Zijn huid was bleek, bijna doorzichtig, en afgezien van de rimpels bij zijn ogen leek hij jonger dan ik wist dan hij moest zijn. Nu ik wist wat er was gebeurd en dat hij zoveel mensen, goede en boze, naar zijn pijpen had laten dansen, was ik half en half van zins er geen gras over te laten groeien en hem ter plekke aan mijn mes te rijgen. Hij zou er gauw genoeg achter komen wie zijn belager was geweest, dacht ik, wanneer de vlammen eenmaal aan zijn ziel lekten.

Bij elke stap echter die hij in mijn richting deed, voelde ik mijn vastberadenheid verder wegebben. Maandenlang had ik 's nachts wakker gelegen en me voorgesteld hoe ik bliksemsnel mijn vaders zwaard trok, dat in zijn hart stak en een enkel toepasselijk woord sprak terwijl hij, met een uitdrukking van bangelijke lafheid op zijn gezicht, jammerend om genade en snotterend van angst de laatste adem uitblies; en al die tijd stond ik onverzoenlijk vlak naast hem. Ik had geen zwaard, maar het mes van Grove kon ook goede diensten bewijzen.

Maar zoiets is gemakkelijker gezegd dan gedaan. Een man tijdens het gevecht doodsteken wanneer men van vurige hartstocht bezeten is, is één ding; iemand uit de weg ruimen in een vredige salon waar het vuur in de schouw gezellig knettert en de geur van brandend appelhout in de lucht hangt, is iets heel anders. Voor het eerst werd ik door twijfel bekropen: als ik een man doodstak die zich niet kon verdedigen, zou ik me dan niet tot zijn niveau verlagen? Zou ik geen afbreuk doen aan mijn grootse daad als ik die op zo'n onbetamelijke wijze uitvoerde?

Ik vermoed dat ik me daar nu niet meer zozeer om zou bekommeren, al valt dat, daar het niet waarschijnlijk is dat ik ooit weer in zo'n situatie terecht zal komen (de Heer is mij gunstig gezind), gemakkelijk genoeg te zeggen, terwijl het moeilijk te bewijzen is. Misschien zijn het inderdaad mijn twijfel en aarzelende houding geweest die me tot die van God gegeven verdraagzaamheid hebben geïnspireerd.

'Goedemorgen, mijnheer, u bent welkom,' zei hij rustig, mij intussen nieuwsgierig opnemend. 'Ik zie dat u het koud hebt; staat u mij toe u een verkwikkend glas te laten brengen.'

Ik had het liefst naar hem gespuwd en gezegd dat ik weigerde met een man als hij te drinken. Maar de woorden bleven me in de keel steken, en in mijn zwakheid en verwarring stond ik daar zonder een stom woord te zeggen, terwijl hij in zijn handen klapte en de huisknecht vroeg een kruik bier te brengen.

'Gaat u toch zitten, mijnheer,' zei hij na een langdurige stilte en nadat hij me opnieuw zorgvuldig had bestudeerd, want in mijn gebruikelijke beleefdheid was ik opgesprongen om voor hem te nijgen toen hij binnenkwam. 'En past u toch op dat u zich niet aan uw eigen dolk spietst.'

Dit alles zei hij met een wrang glimlachje, en ik bloosde en stotterde als een schooljongetje dat betrapt was toen hij van alles door het lokaal gooide.

'Hoe heet u? Ik geloof dat ik uw gezicht ken, maar tegenwoordig zie ik zo weinig mensen meer dat ik mezelf soms aanpraat dat ik volslagen vreemdelingen herken.' Hij had een zachte, vriendelijke en geschoolde stem, een heel ander geluid dan ik had verwacht.

'U kent mij niet. Mijn naam is Prestcott.'

'Ah. En u komt hier om mij te doden, is het niet?'

'Jawel,' zei ik stijfjes, almaar erger in de war rakend.

Weer viel er een langdurige stilte; Thurloe legde een bladwijzer in zijn boek, sloot het en legde het zorgvuldig op de tafel. Toen legde hij zijn handen in zijn schoot en keek me nogmaals aan.

'Nu? Gaat u uw gang. Ik zou het vervelend vinden u nodeloos op te houden.'

'Wilt u niet weten waarom?'

Het leek bijna of hij zich over die vraag verbaasde, en hij schudde zijn hoofd. 'Alleen als u mij dat wenst te vertellen. Straks sta ik van aangezicht tot aangezicht met de Heer en spant Hij de vierschaar over mij, dus van wat voor belang is daarnaast dan het hoe en waarom van de mens? Neemt u toch een glas bier,' voegde hij eraan toe en hij schonk me een glas in uit de bolle aardewerken kruik die de huisknecht had gebracht.

Ik deed het glas met een schouderophalen af. 'Het is heel belangrijk,' zei ik gemelijk, nog terwijl ik sprak beseffend dat ik steeds verder afweek van het gedrag dat ik me had voorgesteld.

'Dan luister ik,' zei hij. 'Al begrijp ik niet wat ik u kan hebben misdaan. U bent toch te jong om mijn vijand te kunnen zijn geweest?'

'U hebt mijn vader vermoord.'

Bij het horen van die verklaring trok hij een ongerust gezicht. 'O ja? Dat kan ik me niet herinneren.'

Eindelijk praatte hij op een toon die mij boos maakte, en ik wist dat dat noodzakelijk was wilde ik mijn plan kunnen uitvoeren.

'Vermaledijde leugenaar! Natuurlijk weet u dat nog. Sir James Prestcott, mijn vader.'

'O,' zei hij rustig. 'Ja. Natuurlijk herinner ik me hem. Maar ik meende dat u iemand anders bedoelde; ik heb uw vader nooit een haar op zijn hoofd gekrenkt. Niet dat ik dat op een gegeven ogenblik niet geprobeerd heb, natuurlijk; hij behoorde tot dat handjevol dienaren van de koning die geen stommelingen waren.'

'En daarom hebt u hem te gronde gericht. U kon hem niet arresteren of met hem strijden, dus toen hebt u de geest van de mensen met leugens vergiftigd en hem op die manier gefnuikt.'

'U houdt mij verantwoordelijk?'

'Ja.'

'Goed dan. Als u het zegt,' zei hij bedaard en deed er weer het zwijgen toe. Alweer had hij me op het verkeerde been gezet. Ik weet niet wat ik had verwacht: een heftige ontkenning of een hemeltergende verdediging van zijn daden. Ik had beslist niet verwacht dat hij de indruk zou wekken dat het hem niets kon schelen.

'Verdedigt u zich,' zei ik driftig.

'Waarmee? Ik heb niet uw mes of uw kracht, dus als u mij wilt doden, dan zal dat u niet moeilijk vallen.'

'Ik bedoel: verdedigt u uw daden.'

'Waarom? U hebt al vastgesteld dat ik schuldig ben, dus ik vrees dat mijn zwakke argumenten u niet tot andere gedachten zullen brengen.'

'Dat is niet eerlijk!' riep ik uit, meteen beseffend dat dit het soort kinderlijke opmerking was dat een man als mijn vader nooit zou hebben gemaakt.

'Dat zijn maar weinig dingen,' zei hij.

'Mijn vader was geen verrader,' zei ik.

'Dat kan waar zijn.'

'Wilt u beweren dat u hem niet te gronde hebt gericht? Verwacht u van mij dat ik dat geloof?'

'Ik heb niets beweerd. Maar omdat u het vraagt: nee. Alleen heb ik er natuurlijk niet veel invloed op of u mij gelooft.'

Pas later in mijn leven – zo laat dat het me niet meer baatte – heb ik begrepen hoe Thurloe tot zo'n vooraanstaande positie was opgeklommen dat hij de enige in het hele land was die Cromwell tegen durfde te spreken. Je gaf hem een stomp en Thurloe stond weer op, beminnelijk en redelijk en met kalme stem. Je bleef hem stompen uitdelen en hij bleef maar overeind komen, steeds vriendelijk en geen ogenblik zijn beheersing verliezend, totdat jij je op het laatst schaamde en naar hém luisterde. En wanneer je dan het spoor bijster was, haalde hij je doodeenvoudig over tot zijn standpunt. Hij wierp zich nooit op je en drong je nooit zijn standpunten op, maar vroeg of laat liepen je boosheid en verzet stuk op zijn halsstarrige houding.

'U hebt dat met anderen gedaan, en dan verwacht u dat ik geloof dat u dat niet met mijn vader hebt gedaan?'

'Welke anderen?'

'U hebt niet gezegd dat hij onschuldig was. Dat had u kunnen doen.'

'Ik had niet als taak ervoor te zorgen dat mijn vijanden een sterk geheel vormden. En bovendien, wie zou mij hebben geloofd? Denkt u soms dat een door mij opgestelde verklaring van eerlijkheid zijn naam zou hebben gezuiverd? Als de partij van de koning onderling tegen elkaar van leer wenste te trekken en het tegen schimmen wenste op te nemen, wat kon dat mij dan schelen? Hoe zwakker ze waren, hoe beter.'

'Zo zwak dat de koning nu op zijn troon zit en u hier een obscuur leven leidt,' hoonde ik, me er niet alleen van bewust dat zijn argumenten deugdelijk waren, maar ook dat die nooit een ogenblik bij me opgekomen waren, zo duidelijk en onomstotelijk had zijn schuld voor mij vastgestaan.

'Alleen omdat de Protector is gestorven en hij dacht... Enfin, het doet er ook niet toe,' zei hij zacht. 'Er was sprake van een vacuüm, en de natuur heeft een afschuw van een vacuüm. Karel heeft zijn troon niet teruggveroverd; hij is teruggezogen door krachten die veel groter waren dan de invloed die hij in zijn eentje had kunnen aanwenden. En het staat nog te bezien of hij sterk genoeg is om zijn troon te behouden.'

'U zult wel blij zijn geweest,' zei ik heel sarcastisch.

'Blij?' herhaalde hij peinzend. 'Nee, natuurlijk niet. Ik had me er tien jaar lang voor ingezet Engeland tot een stabiele natie te maken waarin geen tirannie voorkwam, en het was niet prettig toe te zien hoe al die inspanning als kaf op de wind vervloog. Maar ik was ook weer niet zo erg uit het veld geslagen als u zich misschien voorstelt. De legers rukten op en de partijgeschillen die alleen Cromwell had kunnen sussen ontwikkelden zich alweer. Het was of de koning, of oorlog. Ik heb me niet tegen Karel gekeerd. En ik had dat best kunnen doen, weet u. Had ik dat gewild, dan lag Karel nu al jaren in zijn graf.'

Hij zei dat op zo'n bedaarde en nuchtere toon dat het gruwelijke van wat hij daar zei gedurende een ogenblik niet ten volle tot me doordrong. Toen stokte de adem me in de keel. Dit kleine manneke had in alle ernst gewikt en gewogen, alsof het een beleidskwestie betrof, of zijn wettige vorst, door God gezalfd, zou worden gespaard of gedood. Karel, bij de gratie van Thurloe koning van Engeland. En ik wist dat hij louter en alleen de waarheid sprak: ik was er zeker van dat de Protector en hij ooit samen die koers hadden overwogen. Als zij die hadden verworpen, dan was dat niet omdat ze voor zo'n misdaad terugdeinsden – ze hadden er al zoveel gepleegd –, maar omdat die hun niet goed uitkwam.

'Maar dat wenste u niet.'

'Nee. De Republiek heeft overeenkomstig de wet gehandeld, en als gevolg daarvan hevig geleden. Wat was het niet veel gemakkelijker geweest als Karel senior aan een raadselachtige ziekte was bezweken, zodat onze handen voor het oog van het publiek schoon waren gebleven, hoe schandelijk we ons in het geheim ook mochten hebben gedragen. Maar we hebben hem berecht en terechtgesteld...'

'Vermoord, bedoelt u.'

'... en hem in het openbaar *terechtgesteld*, zonder ook maar een ogenblik te verhelen wat we deden. Hetzelfde geldt voor de andere verraders – trouwe patriotten zullen dat nu wel zijn – die zijn opgepakt. Noem mij er één die in het geheim is vermoord zonder dat hij in het openbaar berecht was.'

Iedereen wist dat dat er duizenden waren geweest; maar daar ze in het geheim uit de weg waren geruimd, kende ik hun namen natuurlijk niet, en dat zei ik ook.

'Aha. Dus ik heb talloos veel mensen ter dood gebracht, maar u kunt er niet eentje noemen. Studeert u geen rechten, mijnheer Prestcott?'

Ik zei dat dat, met het oog op de rampspoed die onze familie was overkomen, inderdaad de studie van mijn keuze was.

'Ik vroeg het me al af. Ik ben zelf advocaat geweest, weet u, voordat ik in dienst van de overheid trad. Ik hoop van harte dat het lot van uw familie zich ten goede keert, want ik geloof niet dat u dat beroep veel eer zult aandoen. Uw pleidooi deugt niet erg.'

'Wij zijn hier niet in een rechtszaal.'

'Nee,' beaamde hij. 'U bevindt zich in mijn salon. Maar als u wilt, kunt u die in een rechtszaal veranderen, en u kunt dan uw eerste rede houden. Ik zal daarop antwoorden en dan kunt u een besluit nemen. Toe maar; het is een gul aanbod. U mag als openbaar aanklager, rechter, de gezworenen en (als u uw zaak wint) als beul optreden. Zo'n gelegenheid zal een man van uw leeftijd niet vaak krijgen.'

Om de een of andere reden ondervroeg ik hem niet eens meer. Het was nu te laat voor de stoutmoedige daad die ik op het oog had gehad. Ik wilde nu alleen nog dat hij mijn gelijk erkende en ik wilde hem horen toegeven dat hij mijn straf verdiende. Daarom stemde ik met zijn voorstel in – en daarom denk ik nu nog steeds dat hij het bij het verkeerde eind had. Ik zou wél een goede advocaat zijn geworden, al ben ik diep dankbaar dat ik me nooit tot dat niveau heb verlaagd.

'Tja,' begon ik, 'het zit zo...'

'Nee, nee, nee,' onderbrak hij me vriendelijk. 'We zijn hier in een rechtszaal, mijnheer. Dat is een stijl die nergens naar lijkt. Begint u een betoog toch nooit met: "Tja, het zit zo..." Wordt er aan de universiteit geen onderwijs meer gegeven in de retorica? Zo, begint u nu zoals het hoort, en let u er steeds op dat u de rechter eerbiedig bejegent – ook al is hij een oude gek – en de gezworen alsof u zeker weet dat zij een gezelschap van louter Salomo's zijn, ook al hebt u hun die ochtend nog steekpenningen toegestopt. Begint u opnieuw. En niet verlegen zijn; je kunt niet verlegen zijn als je het wilt winnen.'

'Edelachtbare, heren gezworen,' begon ik. Na al die jaren sta ik er nog steeds verbaasd van hoe ootmoedig ik hem gehoorzaamde.

'Al veel beter,' zei hij. 'Gaat u verder. Maar u moet proberen uw stem wat indrukwekkender te laten klinken.'

'Edelachtbare, heren gezworen,' zei ik gewichtig en enigszins ironisch, want ik wilde niet de indruk wekken dat ik zonder enige wrevel meedeed aan deze komedie. 'Gij zit hier om uw oordeel uit te spreken over een der boosaardigste euveldaden in de geschiedenis van de mensheid; want de beklaagde die hier voor u zit wordt niet alleen maar diefstal of de in een vlaag van drift gepleegde moord op een man ten laste gelegd, maar ook de ijskoude en moedwillige ondermijning van een heer die zo nobel en zo achtenswaardig was dat hem op geen enkele andere wijze schade kon worden berokkend.

Genoemde heer, sir James Prestcott, kan u zelf niet vertellen van de hem aangedane krenkingen. Dat moet zijn familie op de traditionele wijze voor hem doen, zodat zijn roep om gerechtigheid van gene zijde van het graf tot bedaren kan komen en zijn ziel in vrede kan rusten.'

'Heel goed,' zei Thurloe. 'Een voortreffelijk begin.'

'Als rechter moet ik de beklaagde verzoeken er het zwijgen toe te doen. Als dit een rechtbank is, dan dienen de correcte vormen in acht te worden genomen.'

'Mijn verontschuldigingen.'

'Ik vraag u niet deze man te veroordelen zonder dat ik eerst alle feiten van de zaak uiteenzet; dat is namelijk het enige dat ik hoef te doen om u van het besef te doordringen dat deze man zonder enige twijfel schuldig is. Ik zal de zaak uiteenzetten en daarna zwijgen: bombastische, retorische argumenten zijn hier geenszins van node.

De nobele inborst, de trouw en de moed van sir James Prestcott waren van dien aard dat hij alles opofferde voor de zaak des konings en bereid was nog meer te geven. Toen de meeste mensen de zaak hadden opgegeven, keerde hij uit zijn ballingsoord terug om zich in te zetten voor de Restauratie, waarvan wij allen thans de zegening ondervinden. Sommigen schaarden zich aan zijn zijde in deze strijd, zij het dat maar weinigen zulks van ganser harte deden, en een enkeling handelde uitsluitend zo omdat hij bedacht was op zijn eigenbelang. Sommigen verrieden hun vrienden en de goede zaak om er zelf beter van te worden, en wanneer Thurloe dergelijke mensen tegenkwam, maakte hij gebruik van hen, en vervolgens beschermde hij hen door ervoor te zorgen dat de schuld voor wat zij teweeg hadden gebracht, op anderen werd geworpen. Zijn belangrijkste aanbrenger, en de man die gestraft had moeten worden voor de daden die mijn vader te gronde hebben gericht, was John Mordaunt.'

Ik zweeg even om te kijken of mijn diepgaande kennis hem misschien ook een schok had bezorgd. Maar nee; zonder een vin te verroeren en zonder ook maar enig teken van belangstelling zat hij erbij.

'Laat ik u het geval uiteenzetten. Mordaunt was de jongste zoon van een adellijke familie die er zorgvuldig voor oppaste tijdens de oorlog voor een bepaalde kant te kiezen en eropuit was te profiteren van de partij die als overwinnaar uit de strijd zou komen. Mordaunt was zogenaamd voor de koning, maar was nog te jong om actief aan de strijd deel te nemen en werd, als zoveel adellijke jongelui, naar het buitenland gestuurd om daar in alle veiligheid rond te reizen. In het bijzonder ging hij naar Savoie, waar hij Samuel Morland ontmoette, een man die toen al voor de Republiek werkte.

Mordaunt had zich toen al met 's konings zaak verbonden en Morland met die van Cromwell. Wanneer die twee met elkaar zijn gaan samenwerken om zich een betere positie te verschaffen is onzeker, maar ik vermoed dat alles min of meer in kannen en kruiken was toen sir Samuel in 1656 naar Engeland terugkwam. Korte tijd daarna kwam Mordaunt ook naar Engeland terug, waar hij zich onder de royalisten een zekere faam verwierf als gevolg van zijn competentie, intelligentie en scherpzinnigheid, die in aanzienlijke mate werden bevorderd door de onafgebroken stroom inlichtingen waar Morland hem van voorzag. Maar de prijs die de royalisten voor zijn reputatie hebben betaald, was wel hoog, want Mordaunt kocht die door alle door 's konings aanhangers beraamde samenzweringen te verraden.

Op een gegeven ogenblik maakten de verraders een ernstige vergissing en in 1659 werd Mordaunt bij een arrestatiegolf van royalisten opgepakt. Het is ondenkbaar dat een man met een genadeloze macht als John Thurloe een zo belangrijk man als Mordaunt had laten lopen wanneer die werkelijk 's konings zaak had gediend. Maar werd Mordaunt net als zijn twee kompanen naar de galg gevoerd? Werd hij aan een stoel gebonden en gemarteld, zodat men zijn waardevolle geheime kennis te weten kwam? Werd hij op z'n minst nauwlettend bewaakt? Welnee. Nog geen zes weken later werd hij vrijgelaten, volgens de verhalen omdat de gezworenen waren omgekocht door zijn vrouw.

Het had, dunkt me, wel een enorme som aan steekpenningen gevergd om een gezworene zover te krijgen dat hij het risico durfde te nemen de gevaarlijkste man van Engeland te laten lopen en zich Thurloes toorn op de hals te halen. Maar in werkelijkheid hoefden er geen steekpenningen aan te pas te komen; de gezworenen was van tevoren gezegd hoe ze moesten stemmen, en die aanwijzingen volgden ze op zonder dat ze ervoor betaald werden; Mordaunt keerde in het strijdperk terug met een nog grotere reputatie vanwege zijn vermetelheid en moed, en zijn positie was voortaan onaantastbaar.

Langzamerhand was het de royalisten duidelijk dat er inderdaad sprake was van een verrader, die dus ontmaskerd diende te worden. Thurloe begon bijgevolg een plan uit te broeden om de aandacht op anderen te richten en zijn eigen inlichtingenbron te beschermen. Vandaar dat hij een reeks documenten liet opstellen die de aandacht van de ware verrader moesten afleiden. Daartoe werd gebruikgemaakt van een geheimschrift dat mijn vader altijd aanwendde, en de brieven behelsden gegevens die mijn vader bekend moesten zijn. Maar waarom moest hij nu net mijn vader hebben en niet een van de andere royalisten, die evengoed zouden hebben voldaan?

Misschien dat Thurloe in dit opzicht vrijgepleit kan worden, want ik geloof dat de hebzucht van Samuel Morland hierin een rol heeft gespeeld: hij heeft in enorme mate van mijn vaders schande geprofiteerd, wel wetende dat de familie Russell hem goed zou belonen als hij hen hielp de obstakels die hun plannen met de Venen in de weg stonden, uit de weg te ruimen. Hij benaderde die familie en zei hun dat sir James Prestcott wel kon worden geëlimineerd als dat tot een lucratieve onderneming kon worden gemaakt. Sir John Russell hoorde de inlichtingen die Morland hem verschafte gretig aan en begon die wijd en zijd te verspreiden, en met zijn vurig gebrachte argumenten wist hij sir William Compton zover te krijgen dat die zijn beste vriend aangaf en te gronde richtte.

En zo is het tweede aspect van het plan, dat erop gericht was mijn vader van diens goede naam én zijn bezit te beroven, tot stand gebracht. Ik weet niet of hij zich ooit had voorgesteld dat zoveel machtige lieden zijn val begeerden, ja zelfs nodig hadden. Thurloe, die de regering wilde beschermen; Mordaunt en Morland, wier toekomst ervan afhing dat hij de schuld van hun daden in de schoenen geschoven kreeg; en de machtige familie Russell, die zo de vrijheid verkreeg die ze van node hadden om de Venen droog te leggen. Iedereen spon garen bij dit plan, en de kosten waren gering. Het leven en de eer van maar één enkele man dienden te worden opgeofferd.

Het is onmogelijk op een zodanige wijze geuite beschuldigingen te pareren; er was geen sprake van officiële tenlasteleggingen, dus hoe konden ze worden weerlegd? Er kwam geen bewijsmateriaal aan te pas, dus hoe had hij kunnen bewijzen dat het om vervalste documenten ging? Daarom trok mijn vader zich terug met een waardigheid die voor lafheid werd aangezien. Hij vluchtte om aan lasterpraat, gevangenisstraf op valse gronden en zelfs het mes van de huurmoordenaar te ontkomen, en dit werd als schuldbekentenis opgevat. En al die tijd bewaarde Thurloe, de aanstichter van zijn rampspoed en de enige man die zijn naam van alle smetten had kunnen zuiveren, het stilzwijgen en zei geen woord. Wie anders kon zo'n snood plan hebben beraamd? En wie anders beschikte over de middelen om het uit te voeren? Alleen John Thurloe, die alles wist en alles zag en de drijvende kracht was achter alle verborgen dingen die plaatsgrepen.

En ik, heren gezworenen, verkeer in de behoeftige toestand die u voor zich ziet. Ik ben verstoken van financiële middelen, van connecties en van alle invloed behalve die van mijn betoogkracht, mijn onwankelbare geloof in de rechtvaardigheid van mijn zaak en de nobele houding van deze rechtbank. Ik ben er zeker van dat dit meer dan genoeg zal zijn.'

Heb ik dit woord voor woord zo gezegd? Nee; natuurlijk niet; ik weet zeker dat mijn jeugdige leeftijd mijn tong heeft doen struikelen en dat mijn rede niet half zo zelfverzekerd heeft geklonken. Mijn vrienden die boeken lezen, zeggen dat de geschiedschrijving ook zo te werk gaat. Zelfs grote historici schrijven op wat spelers op het wereldtoneel hadden moeten zeggen en niet wat ze hebben gedaan. Zo is het mij ook vergaan, en als ik mijn relaas in de loop der jaren heb verfraaid en bijgeschaafd, dan verontschuldig ik me daar niet voor. Ik herinner me die gelegenheid echter alsof ik werkelijk op die manier had gesproken, ingetogen maar bevlogen, vurig maar beheerst, voor hem staand en hem strak in het gelaat kijkend, er merkwaardig op gebrand hem ervan te overtuigen dat wat ik zei waar was, maar vervuld van het besef dat ik er al evenzeer op gebrand was mezelf te overtuigen.

Hij antwoordde niet meteen, dat herinner ik me duidelijk. Hij bleef juist onaangedaan zitten – met zijn boek op zijn schoot en bedaard knikkend. Na een tijdje, toen er geen ander geluid had geklonken dan het geknetter en gesis van de blokken in de haard, begon hij aan een antwoord, waarbij hij ons toneelstuk voortzette.

'Ik zal mijn geleerde aanklager niet het neerbuigende compliment maken dat hij een fraaie rede heeft gehouden, uitgesproken op de oprechte toon die alleen een zoon kan opbrengen. Ik twijfel niet aan de eerlijkheid van zijn woorden; ook zijn moed en vurig verlangen naar gerechtigheid staan buiten kijf en het is in een zo jeugdig iemand te prijzen dat hij, door niemand gesteund, zo'n zware taak op zijn schouders neemt.

Dit is echter een rechtbank, waar gevoelens geen rol mogen spelen. Daarom moet ik erop wijzen dat de argumenten die voor mijn schuld pleiten niet overtuigend zijn en het aangevoerde bewijs ongefundeerd is. Het woord van een vader legt veel gewicht in de schaal bij een zoon, maar niet bij een rechtbank. Als men zijn eigen overtuigingen als vaststaande feiten geaccepteerd wenst te zien, dient men zijn requisitoir op heel wat meer te grondvesten dan louter op de verklaringen van de man die beschuldigd wordt. Dat ik een onschuldig man te gronde zou hebben gericht is een zware aantijging, die niet onweerlegd mag blijven.

Sir James Prestcott is van verraad beschuldigd en te gronde gericht. Ik geef toe dat het voor de hand ligt juist mij daarvan te verdenken. Vele jaren lang ben ik verantwoordelijk geweest voor de veiligheid van de regering, en ik ontken niet dat de methoden die ik gebruikte talrijk en van velerlei aard waren. Dat was noodzakelijk, want er werden inderdaad samenzweringen tegen ons gesmeed; zovele zelfs dat ik ze me niet meer alle voor de geest kan halen. Telkens weer trachtten onruststokers het land in de gruwelijke ellende van oorlog en burgertwist te dompelen. Mijn taak was het dat te voorkomen, en van die taak heb ik mij naar mijn beste kunnen gekweten.

Bevond er zich een spion, een verrader in 's konings gelederen? Natuurlijk; en niet één, maar zeer vele. Er zijn altijd mensen die bereid zijn hun vrienden voor geld te verkopen, maar vaak had ik geen behoefte aan de waar die zij trachtten te slijten. De royalisten waren altijd de onnozelste samenzweerders. Aan die voorgenomen opstanden namen zoveel lieden met een losse tong deel dat we wel stokdoof hadden moeten zijn om er niets van te horen. De aan mij toegeschreven satanische listigheid was vleiend, maar ongegrond: ik heb mijn succes voor het grootste gedeelte uitsluitend te danken gehad aan de lichtzinnigheid dergenen die zich als mijn tegenstander opstelden.

Wat Samuel Morland aangaat – al geruime tijd wilde ik hem uit mijn dienst verwijderen. Hij was niet geheel en al van talent gespeend, maar als gevolg van zijn hebzucht en onbetrouwbaarheid was hij niet bijzonder nuttig voor me. Ik kon dat echter niet doen, daar hij de beschikking had over onze bruikbaarste spion die verslag uitbracht over het doen en laten van 's konings aanhangers, een man die hij Barrett noemde.

Van alle inlichtingenbronnen die de regering ter beschikking stonden was deze Barrett verrreweg de beste. We hoefden maar een vraag te stellen of Barrett verschafte ons via Samuel het antwoord. En Samuel weigerde te zeggen wie deze man was. Als ik een eind maakte aan Samuels diensten, raakte ik daarmee ook die Barrett kwijt, en Samuel was wel zo scherpzinnig dat hij besefte dat dat de enige reden was waarom ik zijn aanwezigheid tolereerde. Vaak vroeg ik me af of hij die man soms ook inlichtingen toespeelde, en ik droeg er zorg voor dat hij zo weinig mogelijk te horen kreeg over het doen en laten van ons ministerie. Zolang zijn werkzaamheden me niet al te onvoordelig uitkwamen, weerhield ik hem er niet van.

Wie was die Barrett? U hebt volkomen gelijk; ook ik concludeerde dat het om John Mordaunt ging en liet hem arresteren, zodat ik hem persoonlijk aan de tand kon voelen en kon proberen rechtstreeks met hem te gaan samenwerken, waardoor ik Samuel Morland niet meer nodig zou hebben. Maar Mordaunt ontkende alles; of hij vermoedde een valstrik, of hij was inderdaad onschuldig, of hij bleef Samuel trouw. Enfin, ik kreeg niets uit hem los.

Hiermee heb ik een vergissing begaan, want nu had ik mijn vijandige houding tegenover Samuel kenbaar gemaakt, en toen hij zijn kans schoon zag, heeft hij tegen me samengespannen en het voor elkaar gekregen dat ik tijdelijk van mijn ambt werd ontheven. Toen ik mijn positie herkreeg, liep hij uit vrees voor mijn wraak over naar de partij des konings en gaf uw vader aan om aldus geaccepteerd te worden.

U ziet het; het is niet mijn wens hier uw standpunt te betwisten dat de verrader John Mordaunt was en dat uw vader is opgeofferd om hem te beschermen, al zou ik graag, als ik daar de tijd voor had, enkele bijzonderheden willen betwisten.

Eén uitspraak echter bestrijd ik, en wel omdat uw bewijsvoering daar geheel en al op berust en ik kan bewijzen dat die ondeugdelijk is. U zegt dat ik uw vaders val teweeg heb gebracht, dat ik de valse brieven heb opgesteld en verspreid, en ik verklaar zonder meer dat ik dat niet alleen niet gedaan heb, maar dat ik dat ook nooit had kunnen doen, want toen die gebeurtenis plaatsgreep, speelde ik niet langer een rol van betekenis in de regering en oefende ik er geen invloed meer op uit.

Eind 1659 heeft de Republiek mij uit zijn dienst ontslagen, toen Richard Cromwell tot de slotsom was gekomen dat hij zijn positie als Protector niet langer kon handhaven en de strijd opgaf. Betreurenswaardig was dat; hij was niet van talent verstoken. Samen met hem verloor ik alle macht en vele maanden lang heb ik geen invloed uitgeoefend. En juist in die periode zijn de documenten die betrekking hadden op uw vader overhandigd aan sir

John Russell, die ze weer doorgaf aan sir William Compton. Dit is een feit en anders niets. Ik zei al dat er een ernstige onvolkomenheid in uw redenering stak, en dit is die fout. Hoezeer u ook gelijk mag hebben met uw requisitoir, ik kan niet verantwoordelijk zijn geweest voor de ondergang van uw vader.'

Wat een simpele vergissing had ik gemaakt, maar die trof me als een mokerslag. In weerwil van al mijn serieuze nasporingen had ik nooit een ogenblik stilgestaan bij de chaos waarmee de laatste dagen van de Republiek gepaard waren gegaan, bij de onafgebroken machtsstrijd en het onderlinge verraad van de oude kompanen die toen alles op alles hadden gezet om hun huid te redden en hun op verdorven grondslagen gefundeerde bouwsel voor de vernietiging te behoeden. Cromwell overleed, zijn zoon volgde hem op, verloor zijn macht en werd vervangen door kabalen van fanatici in het parlement. En in de loop van die roerige toestand was Thurloe enige tijd zijn greep op de gang van zaken kwijtgeraakt. Dat wist ik wel, maar ik had het niet belangrijk geacht; ik had me niet om feiten en data bekommerd. En vanaf het ogenblik dat ik was gaan praten, had Thurloe bedaard zitten wachten tot mijn welsprekende betoog was afgelopen, wel wetende dat hij mijn gehele, zorgvuldig opgebouwde requisitoir met een ademstootje omver kon blazen.

'U wilt dus beweren dat Morland degene is geweest die de ondergang van mijn vader heeft bewerkstelligd?'

'Dat zou een mogelijke interpretatie zijn,' zei Thurloe ernstig. 'Op grond van de bewijzen die u hebt aangevoerd, ligt die inderdaad voor de hand.'

'Wat moet ik nu doen?'

'Ik dacht dat u hier was gekomen om mij te doden, niet mij om goede raad te vragen.'

Hij wist dat hij buiten schot was. Eigenlijk had hij me met zoveel woorden verteld dat ik bij twee gelegenheden, namelijk toen ik Mordaunt opzocht en later Morland, de twee schuldigen binnen handbereik had gehad. De een had ik zowaar dankgezegd en hem alle goeds toegewenst toen ik afscheid van hem nam. De ander had ik louter als werktuig gezien, als begerige kleine zielepoot misschien, maar louter als bron van inlichtingen en meer niet. Ik voelde me een idioot en schaamde me ervoor dat deze man inzag hoe stom ik was geweest en mijn domme streken zo bedaard uiteen had gezet.

'Het wordt tijd hier een punt achter te zetten,' hernam Thurloe. 'Acht u mij schuldig of niet? Ik heb gezegd dat de beslissing aan u is. Ik zal me bij uw uitspraak neerleggen.'

Ik schudde mijn hoofd en tranen van teleurstelling en schaamte welden in mijn ogen op.

'Dat is niet voldoende, mijnheer,' drong hij aan. 'U moet een uitspraak doen.'

'Niet schuldig,' mompelde ik.

'Pardon? Ik hoorde het niet goed.'

'Niet schuldig!' schreeuwde ik. 'Niet schuldig, niet schuldig, niet schuldig. Hoort u het nu?'

'Heel goed, dank u. Goed, daar u nu uw toewijding aan een rechtvaardige gang van zaken hebt betoond – en ik realiseer me terdege hoe zwaar die u is gevallen – zal ik u de mijne betonen. Als u mijn goede raad op prijs stelt, zal ik u die geven. Vertelt u mij alles wat u hebt gedaan, gelezen, gezegd en gezien. Dan zal ik nagaan of er een manier is waarop ik u kan helpen.'

Hij klapte weer in zijn handen en opnieuw verscheen de huisknecht, wie ditmaal om enkele spijzen en wijn werd verzocht en om nog meer hout voor het vuur. En toen begon ik te praten en alles uit de doeken te doen: ik begon bij het begin en liet alleen achterwege dat ik door lord Bristol geholpen was. Ik had beloofd dat ik niets zou zeggen en voelde er niets voor een toekomstige weldoener boos te maken door mijn woord te breken. Ik vertelde hem zelfs dat ik behekst was door Sarah Blundy en dat ik vastbesloten was onze krachtmeting eens en voorgoed te beëindigen. Op dit onderwerp ging ik echter niet verder door, daar ik wel aan zijn gezicht zag dat hij niet in zulke dingen geloofde.

'U hebt een groot goed te vergeven doordat u de mogelijkheid hebt lord Mordaunt te beschuldigen, want ettelijke mensen hebben een hekel aan hem en hij werkt nauw samen met lord Clarendon. U moet uw handelsartikelen aan de juiste personen verkopen, dan kunt u daar een hoge prijs voor bedingen.'

'Aan wie dan?'

'Ik neem aan dat sir William Compton u begrijpelijk genoeg zal willen vervolgen vanwege uw overval. Daar ook hij een gloeiende hekel aan lord Clarendon heeft, acht hij het misschien de moeite waard van zijn proces tegen u af te zien als u een bijdrage zou leveren aan de ondergang van zijn grotere vijand. En als de positie van Clarendons vriend Mordaunt wordt ondermijnd, dan wordt die van Clarendon ook in belangrijke mate ondergraven. Nog heel wat meer personen dan sir William Compton zouden u daar uitvoerig voor danken. U moet hen benaderen en vaststellen wat zij u daarvoor bieden.'

'Dat is allemaal goed en wel,' zei ik, want na zovele teleurstellingen waagde ik het amper nog hoop te koesteren. 'Maar ik ben op de vlucht. Ik kan niet naar Londen of zelfs naar Oxford gaan zonder dat ik gearresteerd word. Hoe kan ik dan iemand benaderen?'

De luisterrijke macht van 's konings gerechtigheid deed hij echter met een schouderophalen af. Mensen als Thurloe, merkte ik nu, beschouwen de wet niet als iets bijzonder belangrijks. Als zijn vijanden hem te gronde wilden richten, dan zou het feit dat hij volgens de wet onschuldig was, hem niet het leven redden; en als hij maar machtig genoeg was, dan zou hij, hoe schuldig hij ook mocht zijn, geen enkel gevaar lopen. De wet was een machtsmiddel, meer niet. En hij bood me een gevaarlijk akkoord aan, een verschrikkelijke keus. Ik was op gerechtigheid uit, maar Thurloe zei dat dat iets onbestaanbaars was, en dat elke beweging op een machts-conflict neerkwam. Als ik mijn positie wilde herstellen, dan diende ik mijn vijanden op dezelfde manier omlaag te halen als waarop zij mijn vader omlaag hadden gehaald. Ik kon mijn oogmerk bereiken, maar alleen door het uiteindelijke doel ervan te laten varen. Het kostte me vele dagen denken en bidden om zijn voorstel te overwegen, maar toen nam ik het aan.

Vervolgens ondernam Thurloe de tocht naar Oxford, waar hij de kwes-tie met Wallis besprak nadat ze elkaar bij de toneelvoorstelling hadden ont-moet. Ik werd door akelige voorgevoelens geplaagd, maar hij zei me dat het verreweg het gemakkelijkst was om via Wallis contact te leggen met perso-nen in de regering die mij zouden kunnen helpen. Hoewel ik Wallis in de gevangenis nogal had gemaltraiteerd, dacht Thurloe kennelijk niet dat het hem moeite zou kosten zich van Wallis' medewerking te verzekeren. Hij nam echter niet de moeite me uit te leggen waarom dat zo was.

'Nu?' vroeg ik gretig toen ik na Thurloes terugkomst eindelijk bij hem werd geroepen. 'Is Wallis bereid me te helpen?'

Thurloe glimlachte. 'Misschien: als er een uitwisseling van gegevens tot stand kan worden gebracht. U noemde een Italiaanse heer die u bij sir Wil-liam Compton had ontmoet.'

'Cola, ja. Een bijzonder welgemanierd man als je bedenkt dat hij uit het buitenland komt.'

'Ja. Cola. Doctor Wallis is er bijzonder in geïnteresseerd uw mening over hem te vernemen.'

'Die heeft hij me al eerder gevraagd, maar ik begrijp niet waarom hij daar zo'n enorme belangstelling voor heeft.'

'Dat hoeft u in het geheel niet bezig te houden. Bent u bereid onder ede te verklaren wat u van die man af weet? En alle andere vragen die hij u eventueel zal stellen naar waarheid te beantwoorden?'

'Als hij me wil helpen, dan doe ik dat natuurlijk. Daar steekt toch geen kwaad in. Wat krijg ik ervoor terug?'

'Ik heb begrepen dat Wallis in staat is u cruciale inlichtingen te verschaffen omtrent het pakje dat uw vader van plan was naar uw moeder te sturen. Dat pakje behelsde alles wat hij wist van Mordaunt en diens werkzaamheden. Wie hij heeft gesproken, wat hij heeft gezegd, en alle gevolgen van dien. Als u dat in uw bezit hebt, zult u het pleit moeiteloos winnen.'

'Hij wist dat dus al die tijd al? En hij heeft daar niets van gezegd.'

'Hij heeft het niet zelf in zijn bezit, en hij is een duister en geslepen man. Hij zal nooit iets voor niets geven. Gelukkig hebt u nu iets te bieden. Maar hij kan u zeggen wie u moet benaderen om het in handen te krijgen. Goed, stemt u met dat aanbod in?'

'Ja,' zei ik geestdriftig. 'Natuurlijk. Van ganser harte. Vooral als hij alleen maar op inlichtingen van mijn kant uit is als tegenprestatie. Voor zo'n beloning zou hij mijn leven mogen vragen, en ik zou het hem met liefde geven.'

'Uitstekend,' zei Thurloe, glimlachend van genoegen. 'Dat is dan afgesproken. Dan moeten we nu de dreiging van de wet uit de weg ruimen en uw bewegingsvrijheid herstellen. Ik heb uw vrees voor die vrouw genoemd, die Sarah Blundy, en ook de ring van Grove die u hebt. De vrouw is nu gearresteerd op verdenking van moord.'

'Het doet me deugd dat te horen,' zei ik, en mijn hart jubelde het nog meer uit. 'Ik heb u verteld hoe ik weet dat zij hem heeft vermoord.'

'U zult als getuige à charge optreden, uw rechtsgevoel zal opgemerkt worden en men zal alle aanklachten tegen u intrekken. Bent u bereid voor mij te zweren dat dit meisje Grove werkelijk heeft vermoord?'

'Ja.' Dat was een leugen, ik weet het, en terwijl ik die uitspraak deed vond ik het verschrikkelijk dat ik dat moest doen.

'Dan zal alles goed komen. Maar alleen, herhaal ik, wanneer u alle vragen beantwoordt die Wallis u stelt.'

Mijn hart barstte welhaast van vreugde toen ik bedacht hoezeer ik in alle opzichten triomfeerde. Waarlijk, dacht ik, ik ben wel gezegend dat mij zo onmiddellijk zoveel wordt gegeven. Eén ogenblik was ik in de wolken, maar toen verloor ik de moed weer. 'Het is een valstrik,' zei ik. 'Wallis zal me niet helpen. Dit is enkel een lokmiddel om mij zover te krijgen dat ik terugga naar Oxford. Dan word ik weer in de gevangenis gegooid en ik eindig aan de galg.'

'Dat gevaar bestaat, maar ik geloof dat Wallis een belangrijker prooi op het oog heeft dan u.'

Ik snoof eens. Het was gemakkelijk genoeg, dacht ik, om je rustig en afstandelijk te gedragen bij de gedachte dat iemand anders door het hennepen venstertje zou kijken. Ik had weleens willen weten hoe hijzelf tegen de gang naar de boom met de strop aankeek.

～

De volgende zet kwam enkele dagen later. Ik was, zij het met tegenzin, het feit gaan accepteren dat ik het risico moest nemen mij aan Wallis ter beschikking te stellen, maar de moed had me verlaten, en dit was de besluiteloze stemming waarin ik verkeerde toen Thurloe zachtjes de kamer binnentrad waarin ik mijn dagen doorbracht en verklaarde dat er bezoek voor me was.

'Een zekere signor Marco da Cola,' zei hij met een glimlachje. 'Eigenaardig, zoals die man op de meest onverwachte plaatsen opduikt.'

'Is hij hier?' vroeg ik, verbaasd opstaand. 'Waarom?'

'Omdat ik hem heb uitgenodigd. Hij verblijft hier in de buurt en toen ik dat hoorde, bedacht ik dat ik beslist eens kennis moest maken met die heer. Hij is bijzonder charmant.'

Ik stond erop dat ik Cola te spreken zou krijgen, want ik wilde alles horen. Thurloe was degene die opperde dat hij wellicht ideaal zou zijn als contactpersoon via wie ik de magistraat in Oxford kon benaderen, want ik denk dat zelfs hij Wallis niet zozeer vertrouwde als hij wel beweerde.

Ik hoef hier niet te rechtvaardigen, hoop ik, wat ik hem heb verteld. Ik heb genoeg verteld om te laten zien op welke manier ik wel moest ontsnappen aan de vloek die er op mij rustte en hoe beperkt mijn middelen waren. Ik had Sarah Blundy erom gesmeekt of zij de betovering kon opheffen, maar was hooghartig afgewezen. Met behulp van haar listen en lagen had ze mij zover gekregen dat ik mijn eigen voogd had gemolesteerd; alle pogingen van magiërs, predikanten en wijze mannen waren op niets uitgelopen en bijna dagelijks werd ik – al heb ik dat niet zo vaak in mijn relaas vermeld – belaagd door vreemde verschijnselen, en mijn nachten waren telkens één lange kwelling waarin ik aan de vreselijkste beproevingen blootstond, zodat ik nooit eens vredig kon slapen. Zij bleef me maar genadeloos achtervolgen, wie weet in de hoop dat ik krankzinnig zou worden en mezelf van het leven zou beroven. Nu had ik de kans terug te slaan: eens en voorgoed. Ik kon me onmogelijk veroorloven die kans te laten lopen. En bovendien moest ik Thomas toch trouw blijven.

Dus vertelde ik Cola dat ik na mijn ontsnapping haar huisje had bezocht en haar daar wild en opgewonden had zien binnenkomen. Ik vertelde hem dat ik de ring van Grove in een zak van haar jurk had gevonden en die onmiddellijk had herkend en hem haar had afgepakt. Dat zij bleek was geworden toen ik had willen weten hoe zij daaraan kwam. En dat ik bereid was dit alles bij de gelegenheid van haar proces te getuigen. Ik geloofde het bijna zelf toen ik mijn verhaal had gedaan.

Cola stemde ermee in dit alles aan de magistraat over te brengen en stelde me zelfs gerust met de opmerking dat hij zeker wist dat mijn bereidheid me in naam van de gerechtigheid te melden, ook al stelde ik mezelf daardoor aan gevaar bloot, me in de toekomst stellig te stade zou komen.

Ik dankte hem en koesterde zelfs zulke hartelijke gevoelens voor hem dat ik het niet kon laten hem ook iets te vertellen van wat ik wist.

'Zegt u mij eens,' vroeg ik, 'waarom is Wallis toch zo in u geïnteresseerd? Bent u met elkaar bevriend?'

'O nee,' zei hij. 'Ik heb hem maar één keer ontmoet, en toen was hij erg onhebbelijk.'

'Hij wil met mij over u praten. Ik weet niet waarom.'

Cola herhaalde dat hij dat ook niet begreep, schoof de kwestie toen terzijde en vroeg wanneer ik naar Oxford dacht te komen.

'Ik denk dat het het best is te wachten tot vlak voor het proces. Ik hoop dat de magistraat me op borgtocht vrijlaat, maar ik ben niet in een stemming dat ik een ander licht vertrouw.'

'Dus dan gaat u Wallis opzoeken?'

'Dat is wel bijna zeker, ja.'

'Goed. Ik zou u daarna graag ontvangen om de gelukkige afloop te vieren.'

En hij ging. Ik vermeld dit alleen om te laten zien dat er heel wat was wat Cola niet in zijn relaas opneemt, hoewel hij toch verslag uitbrengt van gesprekken. Voor het overige klopt zijn verhaal echter grotendeels. De magistraat arriveerde met opgestreken zeilen en was van harte geneigd Thurloe én mij te arresteren, tot hij van de getuigenverklaring hoorde die ik ten nadele van Blundy kon afleggen; toen was hij een en al vriendelijkheid en inschikkelijkheid – al vermoed ik zo dat Wallis toen al met hem had gepraat en hem had verteld dat sir William waarschijnlijk zijn aanklacht tegen mij zou intrekken; dat heeft de laatste een paar dagen daarna inderdaad gedaan. Toen wachtte ik tot het bericht kwam dat het proces zou beginnen, waarop ik naar Oxford terugreisde.

Het bleek dat ik niet als getuige hoefde op te treden, daar de vrouw de misdaad bekende – een verbazingwekkende zet, daar zij, zoals ik al zei, onschuldig was. Maar er pleitte zoveel tegen haar, en misschien besefte ze dat alles verloren was. Het kon me niets schelen; ik was alleen maar blij dat ze zou sterven en dat ik geen meineed hoefde te plegen.

De dag daarop werd Blundy opgehangen en onmiddellijk voelde ik hoe haar kwaadaardige geest mijn ziel losliet – het was als de eerste vlaag koele, frisse wind nadat een onweer alle drukkende benauwdheid uit de lucht heeft verdreven. Toen pas besefte ik hoezeer zij me had gekweld, en hoeveel ze onafgebroken van mijn ziel had gevergd.

～

Ook mijn geschiedenis eindigt hier eigenlijk, want de rest valt buiten het bestek van Cola's verslag, en een groot gedeelte van mijn eigen triomf is al genoegzaam bekend. Cola heb ik nooit teruggezien, want kort daarna is hij uit Oxford vertrokken, maar Wallis was bijzonder ingenomen met wat ik hem vertelde en hij verschafte me alle inlichtingen die ik van node had. Nog geen maand later was mijn naam in ere hersteld, en het mocht dan niet verstandig worden worden geacht om Mordaunt rechtstreeks te vervolgen – het was hem voorgoed onmogelijk gemaakt zijn invloed verder uit te breiden. De man die ooit de machtigste politicus in het land had zullen worden, eindigde zijn dagen in armetierige onbekendheid, gemeden door zijn oude vrienden, van wie er ettelijke wisten hoe het met hem zat. De protectie van vele hooggeplaatste personen verschafte mij de beloningen waar ik dankzij mijn geboorte en positie recht op had, en ik maakte met zoveel succes gebruik van mijn goede gesternte dat ik weldra kans zag mijn bezit opnieuw op te bouwen. En na verloop van tijd heb ik even buiten Londen een landhuis laten bouwen, waar mijn walgelijke oom me nu het hof komt maken in de hoop dat ik iets van mijn zegeningen aan hem zal afstaan. Het behoeft geen betoog dat hij telkens met lege handen vertrekt.

Ik heb in mijn leven veel gedaan waar ik berouw van heb en er is veel wat ik, als ik er de kans toe kreeg, nu anders zou doen. Maar mijn taak was van het allerhoogste gewicht en ik ben er gerust op dat ik ben vrijgepleit van alle ernstige vergrijpen. De Heer is goed geweest en hoewel geen mens die verdient, is mijn verlossing geen onverdiend geschenk geweest. Ik zou nooit zoveel hebben bezeten en zo'n zielenrust hebben gekend, als ik niet door Zijn genadige voorzienigheid gezegend was geworden. In Hem stel ik al mijn vertrouwen, en ik heb slechts getracht Hem zo goed mogelijk te dienen. Mijn rehabilitatie bewijst me dat ik me verzekerd mag achten van Zijn gunst.

Een dienstwillig karakter

*De Waanideeën van het Theater zijn de Hersenspinsels die
zich vanuit de uieenlopende Leerstukken van Wijsgeren en
de vervormde Wetten van Demonstratie in de menselijke
Geest hebben genesteld. Alle wijsgerige Stelsels zijn tot
dusverre even zovele Toneeluitvoeringen geweest,
die niets dan denkbeeldige en theatrale
Werelden hebben laten zien.*

Francis Bacon, *Novum Organum Scientarum*,
Deel II, Aforisme VII.

I

NU IK DE VERZAMELDE AANTEKENINGEN van de paap Marco da Cola heb
ontvangen, acht ik het noodzakelijk daar mijn mening over te geven, teneinde te voorkomen dat nog meer mensen in de toekomst op zijn hemeltergende schrijfsels stuiten en geloven wat hij zegt. Laat ik derhalve duidelijk
stellen dat die Cola een verderfelijke, arglistige en arrogante leugenaar is. De
lichtgelovige naïviteit, de jeugdige geestdrift en de openhartigheid die hij in
zijn relaas aan den dag legt, zijn niets dan de monsterlijkste vormen van
bedrog. Satan is een meester in het misleiden, en ook zijn dienaren heeft hij
zijn valse kunstgrepen bijgebracht. 'Zij zijn uit den vader den duivel; en hij
is een leugenaar en de vader der leugen' (Joh. 8:44). Ik ben voornemens de
dubbelhartigheid die hij in deze herinneringen van hem, in dit waarheidsgetrouwe verslag (zoals hij beweert) van een reis naar Engeland, onthult, in
zijn volle omvang aan de kaak te stellen. Want Cola was een allerverderfe-
lijkst man, een buitengewoon genadeloze moordenaar en een enorme
bedrieger. Alleen aan de genade van de voorzienigheid heb ik het te danken
dat ik die nacht toen hij me probeerde te vergiftigen de dans ben ontspron-
gen, en het is een rampzalig ongeluk geweest dat Grove de fles meenam en in
mijn plaats is gestorven. Ik had half en half wel een aanslag verwacht sinds
hij in Oxford was aangekomen, maar ik had eerder aan zoiets als een mes in
de rug gedacht; geen ogenblik had ik me zo'n laffe aanslag voorgesteld, en ik
was er niet op voorbereid. Wat dat meisje betreft, die Sarah Blundy – ik had
haar wel voor de strop willen behoeden als dat mogelijk was geweest, maar
dat lag niet in mijn vermogen. Een onschuldig mens is gestorven, het
zoveelste van Cola's slachtoffers, maar er waren er nog veel meer gestorven
als ik me niet stil had gehouden. Het was geen gemakkelijk besluit, maar ik
pleit mezelf vrij van elk onrecht. Het gevaar was niet gering en zelf heb ik
ook niet weinig geleden.

Ik zeg dit kalm en weloverwogen, al kost dat me ook grote moeite, want

toen ik dit manuscript in handen kreeg, bezorgde dat me de grootst mogelijke schok. Lower had beslist niet het voornemen gehad het me toe te sturen; pas toen ik van het bestaan ervan hoorde verlangde ik het te zien, en ik
gaf hem duidelijk te verstaan dat ik geen weigering zou dulden. Ik was van
plan het manuscript als puur bedrog aan de kaak te stellen, daar ik niet kon
geloven dat het echt was, maar nu ik het heb gelezen, weet ik dat mijn vermoeden niet juist was. In tegenstelling tot wat ik geloofde en in weerwil
van de verzekeringen van degenen die ik om gegronde redenen meende te
kunnen vertrouwen, is het duidelijk dat Marco da Cola nog leeft.

Ik weet niet hoe dat mogelijk is en ik zou beslist wensen dat dat niet zo
ware, want ik heb alles in het werk gesteld om hem te doen sterven, en ik
wist zeker dat ik daarin was geslaagd; men heeft me verteld dat hij was mee-
getroond naar de reling van het schip dat hem naar de overkant van de
Noordzee zou brengen en toen in het water was geduwd, opdat zijn daden
bestraft werden en hem voorgoed de mond werd gesnoerd. De kapitein zelf
heeft me verteld dat hij het schip vele minuten lang met de kop in de wind
had gelegd, tot de man onder de golven was verdwenen. Deze gedachte
heeft me al die jaren althans enige troost verschaft, en het is wreed dat die
zekerheid me op zo ruwe wijze ontrukt is, want dat manuscript laat duidelijk en onmiskenbaar zien dat degenen die ik vertrouwde, me hebben voor-
gelogen en dat mijn zege op bedrog is uitgelopen. Ik weet niet waarom,
maar het is nu te laat om nog achter de waarheid te komen. Al te velen van
degenen die het antwoord wellicht hadden geweten zijn overleden en ik
dien thans nieuwe meesters.

Ik heb het idee dat ik mezelf nader moet verklaren; let wel, ik zeg niet 'me
rechtvaardigen', want ik meen dat ik gedurende mijn gehele carrière consequent heb gehandeld. Ik weet dat mijn vijanden me niet geloven en ik vermoed dat het slecht ingelichte geesten niet geheel en al duidelijk is geweest
dat ik in de loop van mijn carrière in dienst van de overheid (als je die aldus
kunt aanduiden) steeds in alle redelijkheid te werk ben gegaan. Hoe is het
mogelijk, zeggen zij, dat een man lid is van de anglicaanse Kerk en van de
presbyteriaanse, een trouw aanhanger van de martelaar Karel is, vervolgens
Oliver Cromwells meest vooraanstaande medewerker op het gebied van de
cryptografie, en de geheimste brieven van de koning ontcijfert om het parlement te helpen, daarna tot de staatskerk terugkeert en ten slotte zijn capaciteiten gebruikt om de monarchie nogmaals te verdedigen wanneer die
hersteld is? Is dat geen hypocrisie? Is dat geen pure zelfzuchtigheid? Aldus
die onwetende lieden.

En mijn antwoord daarop luidt: neen. Dat is het niet, en iemand die zich honend over mijn handelingen uitlaat weet weinig af van de moeilijkheden die het met zich meebrengt de geestelijke toestand van een staatsbestel dat door ziekte is aangetast weer in evenwicht te brengen.

Sommigen zeggen dat ik geregeld van de ene dag op de andere van partij veranderde, steeds om mijn eigen belangen te dienen. Maar gelooft u werkelijk dat ik louter genoegen had hoeven nemen met de leerstoel in de meetkunde aan de universiteit van Oxford? Was ik werkelijk eerzuchtig geweest, dan had ik toch op z'n minst een bisschopsambt nagestreefd. En meent u niet dat ik dat niet had kunnen krijgen; ik heb het nooit nagestreefd. Ik heb me niet laten leiden door zelfzuchtige eerzucht, en mijn studiën heb ik eerder verricht om me nuttig te maken dan om faam te verwerven. Ik heb te allen tijde getracht mijn handelingen te baseren op gematigde principes en me te voegen naar het over ons gestelde gezag. Sinds mijn vroegste jeugd, toen ik de verborgen patronen in de wiskunde ontdekte en me erop toelegde die te ontraadselen, koester ik een hartstochtelijke voorliefde voor orde, want daarin ligt de vervulling van Gods plan met ons allen. De vreugde om een elegant opgelost wiskundig vraagstuk en de pijn om de aanblik van de verstoorde natuurlijke harmonie bij de mens vormen de twee zijden van dezelfde medaille; in beide gevallen, zo meen ik, heb ik mij aan een rechtvaardige zaak verbonden.

Bovendien verlangde ik geen faam en grote naam als beloning; die meed ik zelfs, want ze zijn niets dan ijdelheid, en het stemde me tevreden wanneer anderen vooraanstaande posities in Kerk en staat verkregen: ik wist dat mijn geheime invloed veel meer gewicht in de schaal legde dan hun positie. Anderen liet ik maar praten; mijn taak was het te handelen, en dat heb ik naar mijn beste kunnen gedaan; Cromwell heb ik gediend omdat zijn ijzeren vuist bij machte was orde in het land te scheppen en een eind te maken aan het gekibbel tussen de verschillende partijen toen niemand anders dat kon, en de koning heb ik gediend toen die door God beschikte rol na de dood van Cromwell hém toeviel. En beide heren heb ik goed gediend; en bepaald niet omwille van henzelf, maar omdat ik daarmee mijn God diende, en dat heb ik pogen te doen in alles wat ik ondernam.

Het enige waar ik voor mezelf naar streefde, was dat ik met rust gelaten mocht worden, zodat ik door middel van de raadselen van de wiskunde de goddelijke wil kon benaderen. Maar daar ik God én het Rijk én de wijsbegeerte dien, heb ik me vaak genoopt gezien dat soort zelfzuchtigheid opzij te schuiven. Nu er iemand anders is die mij zal overvleugelen, evenals David Saul overvleugelde of Alexander Philippus, gaat dat me zonder moeite af: destijds was dat een hard gelag. Newton zegt dat hij zo ver ziet

omdat hij op de schouders van reuzen staat. Ik hoop dat het niet een te ijdele indruk maakt wanneer ik zeg dat mijn schouders tot de sterkste behoren
die zijn faam ondersteunen, en ik moet altijd aan een uitspraak van Dida-
cus Stella denken (al ben ik ook weer te bescheiden om die in het openbaar
te herhalen), namelijk dat een dwerg die op de schouders van een reus staat,
vaak verder kan zien dan de reus zelf. Zelf had ik nog heel wat verder kunnen zien, als mijn plichtsgevoel me niet zo dringend allerlei andere zaken
had opgedragen.

Nu dat alles al zovele jaren geleden gebeurd is, menen ettelijke mensen
dat het herstel van het koninkrijk heel simpel in zijn werk is gegaan. Cromwell stierf en vervolgens kwam de koning terug. Ik wilde wel dat het zo
ongecompliceerd was verlopen: de geheime geschiedenis van die gedenkwaardige gebeurtenis is maar weinigen bekend. Aanvankelijk dacht ik dat
de koning zich hoogstens zes maanden zou handhaven, of als hij geluk had
een jaar, voordat de partijstrijd opnieuw in al zijn hevigheid zou losbarsten.
Het leek me dat hij vroeg of laat voor zijn erfgoed zou moeten strijden. Het
land verkeerde al twintig jaar in een staat van beroering; oorlog en twist
hadden gewoed, bezit was vernietigd, de rechtmatige heersers van het land
waren ter dood gebracht en verbannen en alle standen waren door elkaar
gehutseld. 'Ik zag een goddeloze, een geweldenaar, die zich uitbreidde als
een weelderige woekerplant' (Ps. 37:35). Zouden lieden die aan gezag en
rijkdom gewend waren geweest, die speeltjes zomaar weer opgeven? Kon je
werkelijk verwachten dat het niet-betaalde en afgedankte leger de terugkeer van de koning en de teloorgang van alles wat het met zoveel moeite tot
stand had gebracht in alle rust zou accepteren? En mocht men hopen dat
's konings aanhangers één geheel zouden blijven vormen wanneer de kansen die zich aan hen voordeden zo geweldig waren? Alleen mensen zonder
macht begeren die niet; degenen die ermee in aanraking zijn geweest, hunkeren er steeds sterker naar erdoor omarmd te worden.

Engeland was een natie die op het scherp van de snede balanceerde, van-
buiten en vanbinnen door vijanden omringd: bij het geringste vonkje konden de vlammen weer oplaaien. En in dit kruitvat waren de machtigste
mannen van het koninkrijk in een strijd om de gunst van de koning verwikkeld die maar door één persoon kon worden gewonnen. Clarendon,
Bristol, Bennet; de hertog van Buckingham, de beide Cavendish', Coven-
try, Ormonde, Southampton; de gunst van Zijne Majesteit kon niet allen
omvatten, en maar één iemand kon voor hem regeren, want geen van hen
duldde iemand naast zich. De strijd werd in het verborgene uitgevochten,
maar de gevolgen ervan zogen heel wat mannen mee; ik hoorde daar ook

bij, en ik nam de taak op me de vlammen te temperen voordat alles zou worden verteerd. Ik vlei me met de gedachte dat ik daar ondanks de pogingen van Marco da Cola goed in ben geslaagd. Aan het begin van zijn manuscript zegt hij dat hij veel weg zal laten, maar geen dingen van belang. Dat is zijn eerste grote leugen. Hij vertelt juist niets van belang; dat zal ik moeten doen teneinde zijn verraderlijke inborst aan de kaak te stellen.

⁓

Mijn betrokkenheid bij de kwestie die die Cola verborgen probeert te houden, dateert van bijna twee jaar voordat hij hier voet aan wal zette: toen ik naar Londen reisde om een vergadering van gelijkgezinde natuurvorsers in Gresham College bij te wonen. Deze organisatie, die later ons Koninklijk Genootschap is geworden, is tegenwoordig niet meer wat ze geweest is, ondanks de aanwezigheid van sterren als Newton. Destijds was dat één gistend kluwen van kennis, en alleen iemand die erbij is geweest weet wat een opgewonden geroezemoes en sfeer van ingespannen geestesarbeid er tijdens die eerste bijeenkomsten heersten. Van die geest is niets meer over, en die zal ook wel nooit terugkeren, vrees ik. Wie kan dat stel – Wren, Hooke, Boyle, Ward, Wilkins, Petty, Goddard en nog zovele andere namen die altijd zullen voortleven – naar de kroon steken? Tegenwoordig zijn ze net een legertje mieren bij elkaar, voortdurend met hun bonte steentjes en kevertjes in de weer, almaar meer vergarend, maar nooit ergens over nadenkend en zich afwendend van God. Geen wonder dat ze langzamerhand veracht worden.

Destijds was het echter niets dan vreugdevol optimisme wat de klok sloeg; de koning zat weer op zijn troon, er heerste opnieuw vrede in het land en de hele wereld van de experimentele wijsbegeerte lag klaar om onderzocht te worden. Wij hadden, denk ik, hetzelfde gevoel als de bemanning van Cabot toen die voor het eerst de Nieuwe Wereld ontwaarde, en de opwinding die onze vele verwachtingen teweegbrachten, maakte ons dronken. De bijeenkomst zelf verliep voortreffelijk, zoals het de gelegenheid betaamde; de koning zelf woonde hem bij, en hij schonk ons genadiglijk een scepter om daarmee de koninklijke minzaamheid uit te drukken waarmee hij onze strevingen ondersteunde, en voorts waren er ook ettelijke uiterst machtige ministers gekomen – sommigen van hen werden nadien tot onze gelederen toegelaten toen het Koninklijk Genootschap officieel werd opgericht, al dient gezegd dat zij weinig anders bijdroegen dan een luisterrijke naam.

401

Nadat Zijne Majesteit een charmante rede had gehouden en wij allen in de gelegenheid waren gesteld persoonlijk voor hem te nijgen, en Hooke een van zijn meest vernuftige (en opvallende) toestellen had gedemonstreerd om de koninklijke verbeelding te boeien, werd ik benaderd door een man van gemiddelde lengte met vlugge, donkere ogen en een hooghartige manier van doen. Over de rug van zijn neus droeg hij een langwerpig, zwart lapje dat (naar verluidt) een wond afdekte die hij had opgelopen toen hij voor wijlen de vorige koning vocht. Ik persoonlijk ben daar niet zo zeker van; niemand heeft die befaamde kwetsuur ooit gezien, en dat lapje vestigde eerder de aandacht op zijn trouw dan dat het een wond afdekte. Destijds stond hij bekend als Henry Bennet, al kende de hele wereld hem later als de graaf van Arlington, en hij was juist teruggekeerd van het gezantschap in Madrid (maar dat was toen nog niet algemeen bekend). Ik had vage berichten gehoord dat hij zich met de taak had belast de stabiliteit van het koninkrijk zeker te stellen, en het zou niet lang duren of ik zag dit ten volle bevestigd. Om kort te gaan, hij verzocht me hem de volgende morgen te komen bezoeken in zijn huis aan de Strand, daar hij kennis met mij wenste te maken.

De volgende morgen maakte ik bijgevolg mijn opwachting bij hem, half en half verwachtend dat ik midden in een formeel lever zou belanden, met stoeten smekelingen en rekestranten die stuk voor stuk op de aandacht uit waren van een man die nauwe banden met het hof onderhield. Er waren inderdaad enkele mensen, maar niet veel, en bovendien werden ze genegeerd. Hieruit trok ik de conclusie dat Bennets ster nog niet zo hoog was gerezen, of dat hij, om redenen die hijzelf het best kende, zijn connecties en zelfs zijn aanwezigheid in Londen enigszins stilhield.

Ik kan niet zeggen dat hij een innemend iemand was; hij hield er zelfs een formele manier van doen op na die aan het groteske grensde, zozeer was hij erop gespitst alle subtiele details van de etiquette in acht te nemen en duidelijk onderscheid te maken tussen de verschillende gradaties in rang. Dit was het gevolg, geloof ik, van een al te langdurig verblijf in Spanje, een land dat een notoire hang heeft tot dit soort excessen. Hij nam de moeite me uit te leggen dat hij me een stoel met een beklede zitting had gegeven, daar dat met mijn waardigheid als doctor aan de universiteit overeenkwam; anderen moesten het kennelijk met een harde zitting stellen of blijven staan, al naargelang hun positie. Het zou onverstandig van me zijn geweest te laten doorschemeren dat ik zulke angstvallig in acht genomen etiquette potsierlijk vond; ik wist niet wat hij wilde en de regering stond op het punt een visitatiecommissie naar de universiteit te sturen teneinde de academici die door de Republiek waren benoemd, te lozen. Daar ik ook zo was benoemd, was Bennet iemand die ik niet voor het hoofd moest stoten. Ik wilde mijn betrekking niet kwijtraken.

'Hoe denkt u over de toestand van het koninkrijk van Zijne Majesteit?' vroeg hij me abrupt, want hij was er de man niet naar om al te veel tijd te besteden aan pogingen zijn gasten op hun gemak te stellen of hun vertrouwen te winnen. Dit is een kunstgreep die vaak wordt gehanteerd door mannen met macht, heb ik gemerkt.

Ik antwoordde dat Zijne Majesteits onderdanen zich er uiteraard over verheugden dat hij weer veilig op de troon zat die hem rechtens toekwam. Bennet snoof spottend.

'Hoe verklaart u dan het feit dat wij zojuist nog weer een half dozijn fanatieke sujetten hebben moeten ophangen omdat ze een samenzwering tegen de regering hadden gesmeed?'

'Dit is een boos geslacht,' zei ik (Luc. 11:29).

Hij wierp me een bundel papieren toe. 'Wat vindt u daarvan?'

Ik bekeek ze zorgvuldig en snoof toen minachtend. 'Brieven in geheimschrift,' zei ik.

'Kunt u ze lezen?'

'Op dit ogenblik niet, nee.'

'Zou u ze eventueel kúnnen lezen? De betekenis ervan ontwarren?'

'Als er geen sprake is van speciale moeilijkheden kan ik dat, ja. Ik heb heel wat ervaring op dat gebied.'

'Dat weet ik. Voor Thurloe, nietwaar?'

'Ik heb nooit inlichtingen verstrekt die de partij des konings hadden kunnen schaden, al lag het in mijn vermogen die niet weinig kwaad te berokkenen.'

'Bent u nu bereid tot het heil ervan bij te dragen?'

'Natuurlijk. Ik ben Zijne Majesteits trouwe dienaar. Ik hoop dat u zich herinnert dat ik mijn lot onmiskenbaar in de waagschaal heb gesteld door in het geweer te komen tegen de moord op de vorige koning.'

'Op dat stuk hebt u aan de roepstem van uw geweten gevolg gegeven, maar u ging ook weer niet zover dat u uit uw ambt stapte of een bevordering afwees wanneer die u werd aangeboden, meen ik me te herinneren,' antwoordde hij koel en op een manier die me niet al te veel hoop gaf dat ik zijn gunst zou kunnen verwerven. 'Enfin. U zult ingenomen zijn met de gelegenheid te laten zien hoe ver uw trouw gaat. Brengt u mij die brieven morgenochtend ontcijferd en wel terug.'

En daarmee werd ik heengezonden, niet wetend of ik mijn geluk moest zegenen of mijn rampspoed vervloeken. Ik ging terug naar de herberg waarin ik in Londen meestal mijn intrek nam – dit was voordat ik na de dood van de vader van mijn vrouw mijn huis aan Bow Street kocht – en toog aan het werk. Het kostte me de hele dag en het grootste gedeelte van de nacht om de brieven te ontcijferen. De kunst van het ontcijferen is een gecompliceerde zaak, en werd dat juist in die tijd nog des te meer. Vaak is het louter een kwestie van erachter zien te komen hoe een letter of groepje letters door iets anders wordt vervangen: door simpelweg het een in plaats van het ander te zetten, kom je er bijvoorbeeld achter dat *a* voor 'de' staat; *4* voor 'koning', *d* = l, *f* = d, *h* = on, *g* = i, *v* = s en *c* = n; en dan is het eenvoudig genoeg om vast te stellen dat a4gvgcdhfh betekent dat de koning in Londen is. U ziet wel dat de methode om de ene letter door de andere te vervangen eenvoudig genoeg is (dit is de methode die de royalisten in de oorlog het liefst gebruikten: het spijt me te moeten zeggen dat zij nogal simpele zielen waren), maar de werkwijze waarbij je een letter nu eens in plaats van een andere letter zet en dan weer in plaats van een lettergreep of een heel woord, is al moeilijker. Desondanks werpt die nog niet al te veel problemen op. Het wordt pas moeilijker wanneer de waarde die aan een letter wordt toegekend, constant verandert – een methode die in Engeland voor het eerst is ingevoerd door lord Bacon, maar eigenlijk, heb ik gelezen, al meer dan honderd jaar geleden is uitgevonden door iemand uit Florence en nu door de Fransen tot hun uitvinding wordt uitgeroepen: zij zijn een onbeschaamde natie die zich er niet bij kan neerleggen dat iets niet uit hun land afkomstig is. Wat niet van hen is, stelen ze; zelf heb ik daar ook last van gehad toen een miserabel klerkje, Fermat genaamd, waagde te beweren dat mijn studie over niet-restloos deelbare getallen van hém was.

Ik zal trachten een en ander te verklaren. Deze methode berust op het principe dat zender en ontvanger over dezelfde tekst beschikken. Het bericht begint met een groepje cijfers als bijvoorbeeld 124,4: dat betekent dat de sleutel begint op bladzijde 124, woord vier van de tekst. Laten we aannemen dat die bladzijde zo begint: 'En Hatach ging naar Mordechai op het stadsplein voor de poort des konings' (Ester 4:6, een enigszins raadselachtige passage, waarover ik een exegetische preek heb gehouden die binnenkort zal worden uitgegeven). Het vierde woord, 'naar,' is het beginpunt en je vervangt de *a* door de *n*, waardoor je het volgende alfabet verkrijgt:

a b c d e f g h i j k l m n o p q r s t u v w x y z
n o p q r s t u v w x y z a b c d e f g h i j k l m

zodat de boodschap 'de koning is in Londen' nu wordt: qrxbavatvfvaybaqra. Het is belangrijk dat je na een bepaald aantal letters, meestal vijfentwintig, naar het volgende woord opschuift, in dit geval dus Mordechai, en opnieuw begint, zodat de m = a, o = b enzovoort. Variaties op deze methode zijn natuurlijk ook mogelijk. Maar het gaat erom dat je ervoor zorgt dat de waarde van de letters zo vaak verandert dat je bijna onmogelijk achter de betekenis kunt komen wanneer je niet over de tekst beschikt waarop het geheimschrift berust. Later zal ik nog uitleggen waarom dit belangrijk was.

Ik maakte me er zorgen over dat de geschriften die ik had gekregen tot dit type behoorden; wellicht had ik ze dan uiteindelijk kunnen ontcijferen, maar niet in de tijd die mij vergund was. Ik mag dan prat gaan op mijn talenten, maar daar heb ik ook enige reden toe; er is maar één tekst geweest die mijn krachten te boven ging, en dat geval heeft zich in speciale – zij het belangrijke – omstandigheden voorgedaan, waar ik het later nog over zal hebben. Maar telkens wanneer me een brief in geheimschrift wordt overhandigd, besef ik dat dat bittere gevoel waarmee je het moet laten afweten, mij weer kan overkomen, want ik ben niet onfeilbaar en het aantal mogelijke combinaties is min of meer oneindig. Zelf heb ik ook codes ontworpen die onleesbaar zijn wanneer men niet over de teksten beschikt die nodig zijn voor het ontcijferen ervan, dus het is heel goed mogelijk dat anderen dat ook kunnen; het verbaast me zelfs dat ik niet vaker verslagen ben, want het is gemakkelijker een onaantastbare code te ontwerpen dan om er een bres in te slaan. In het geval van Bennet was de fortuin mij gelukkig gunstig gezind: de opstellers hadden een al even onnozele code gehanteerd als de royalistische samenzweerders destijds. Maar weinig mensen leren van hun fouten, is mijn ervaring. Elk epistel was in een andere code opgesteld, maar die waren niet ingewikkeld van aard en ze werden lang genoeg gebruikt om mij in staat te stellen de betekenis te ontdekken. De volgende ochtend om zeven uur maakte ik bijgevolg weer mijn opwachting bij Bennet en overhandigde hem de vruchten van mijn arbeid.

Hij nam ze aan en wierp een blik op het afschrift in het net dat ik had vervaardigd. 'Wilt u er een korte samenvatting van geven, doctor?'

'Het gaat kennelijk om een verzameling brieven aan een bepaald individu, waarschijnlijk in Londen,' zei ik. 'Ze vermelden alle een datum: 12 januari. In twee ervan worden wapens genoemd, maar in de andere niet. In één ervan komt het Koninkrijk Gods voor, en ik ga ervan uit dat dat de mogelijkheid van papen uitsluit en erop wijst dat de schrijvers aanhangers zijn van de Vijfde Monarchie, of groepen die aan hen gelieerd zijn. Bepaalde passages lijken erop te wijzen dat twee van de brieven uit Abingdon komen, en ook dat wijst in de richting van een gezagsondermijnende herkomst van de brieven.'

Hij knikte. 'En uw conclusies?'

'Dat deze zaak nader onderzoek behoeft.'

'Dat klinkt wel erg nonchalant.'

'De brieven zelf bewijzen niets. Had ik ze geschreven en was ik gearresteerd, dan had ik me verdedigd door te beweren dat ze alle over de bruiloft van mijn neef gingen.'

Bennet snoof verachtelijk.

'Het zij verre van mij u van advies te dienen, mijnheer, maar haastige spoed is zelden goed. Ik vermoed dat u deze geschriften via geheime wegen hebt verkregen?'

'Wij hebben een informant, dat klopt.'

'Dus als u toeslaat, kunt u niet langer gebruikmaken van uw informant, want dan is het duidelijk dat u wist waar u moest zijn. Kijk, mijnheer, het is heel waarschijnlijk dat deze brieven erop wijzen dat er een of andere opstand ophanden is, dat die in verschillende delen van het land zal beginnen en vanuit de hoofdstad wordt geleid.'

'Daar maak ik me nu juist zorgen om,' zei hij.

'Gebruikt u uw informant om erachter te komen waar de opstanden in de provincie zullen plaatsgrijpen en stuurt u daar op 11 januari dan troepen naar toe. Ik neem aan dat de koning over troepen beschikt waarop hij kan rekenen?'

'Hij heeft niet meer dan enkele duizenden soldaten die hij volkomen kan vertrouwen.'

'Gebruikt u die. En wat Londen betreft: kijkt u bedaard toe; probeert u erachter te komen wie er een rol in spelen en met hoevelen ze zijn en houdt u troepen achter de hand. Zorgt u ervoor dat het hof bewaakt wordt. Dan laat u de opstand uitbreken. Wanneer die van alle steun verstoken blijft, is hij gemakkelijk te onderdrukken, en u beschikt dan over het tastbare bewijs van verraad. Vervolgens kunt u handelen zoals u verkiest. En de loftuitingen in ontvangst nemen die u toekomen vanwege uw voortvarende optreden.'

Bennet leunde achterover in zijn stoel en nam me koel op. 'Mijn doel is de koning te beschermen, niet loftuitingen te oogsten.'

'Natuurlijk.'

'Voor een geestelijke hebt u wel opmerkelijk veel verstand van deze materie. Wellicht werkte u nauwer samen met Thurloe dan ik vermoedde.'

Ik haalde mijn schouders op. 'U hebt mij om advies gevraagd en dat heb ik gegeven. U hoeft het niet aan te nemen.'

Hij had me niet weggestuurd, dus bleef ik zitten terwijl hij uit het raam staarde alvorens voor te wenden dat hij me weer opmerkte.

'Gaat u heen, mijnheer,' zei hij bits. 'Laat mij met rust.'

Ik deed wat mij was opgedragen en bedacht dat ik er niet in was geslaagd een man te ontwapenen die mij heel wat kwaad kon berokkenen en dat mijn betrekking aan de universiteit wel geen lang leven meer beschoren zou zijn. Hier legde ik me zo goed en zo kwaad als het ging maar bij neer; dankzij mijn moederskant was ik tamelijk welgesteld; ik hoefde niet bang te zijn dat ik van honger zou omkomen of berooid zou eindigen, maar ik was op mijn betrekking en het daaraan verbonden salaris gesteld en niet genegen er afstand van te doen.

Ik had het zo slim mogelijk gespeeld. Het grote voordeel van het ontcijferen van brieven is dat het voor een ander ontzettend moeilijk is te zeggen of je het goed hebt gedaan. In dit geval stelde de interpretatie (gecombineerd met een zekere mate van kennis van mezelf) me in staat te laten zien dat ik een nuttige rol zou kunnen spelen. Want uit de brieven bleek duidelijk dat de opstand die Bennet zozeer verontrustte, eigenlijk niet meer voorstelde dan het gegil en gekrijs van enkele tientallen fanatieke lieden en geenszins een bedreiging voor de koning vormde. Deze bende geloofde misschien dat ze met Gods hulp Londen, het land en wie weet zelfs de hele wereld kon innemen; ik zag heel duidelijk in dat hun zogenaamde opstand op een klucht zou uitlopen.

Maar dankzij enig aandringen van Bennet nam de regering, zoals ik later vernam, het geval serieus, en men kreeg nachtmerries over de bitter gestemde en onbetaalde restanten van Cromwells leger die her en der in het land in opstand zouden komen. Eind januari (zo lang duurt het in de winter om berichten van Londen naar Oxford te krijgen) begon het nieuws door te komen dat Thomas Venners bende van maniakale aanhangers van de Vijfde Monarchie in de val was gelopen die zo listig voor hen was opgesteld, en gearresteerd was nadat ze enige woeling had ontketend die maar liefst vijf uren had geduurd. Bovendien had de regering plotseling het besluit genomen enkele dagen daarvoor een eskadron bereden troepen in Abingdon en nog een handjevol andere plaatsen te legeren, en aan deze wijze maatregel werd het feit toegeschreven dat de oude soldaten aldaar zich rustig hadden gehouden. Naar mijn mening hadden ze er nooit over gedacht ook maar iets te ondernemen; maar enfin, er was een zeker effect gesorteerd.

Vijf dagen nadat ik van dit alles had gehoord, ontving ik een brief die mij naar Londen ontbood. De week daarop begaf ik me derwaarts en ik kreeg opdracht een bezoek te brengen aan Bennet, die nu toestemming had gekregen zijn domicilie te verleggen naar Whitehall, waar hij heel wat dichter bij het oor des konings verbleef.

'Ik neem aan dat u van het monstrueuze verraad hebt gehoord dat de regering de vorige maand met zoveel succes de kop in heeft gedrukt?' vroeg hij. Ik knikte.

'Het hof verkeerde in rep en roer,' vervolgde hij. 'En het geval heeft het vertrouwen van velen een knauw toegebracht. Dat van Zijne Majesteit incluis, daar hij nu niet langer de illusie kan koesteren dat hij alom bemind wordt.'

'Ik vind het akelig dat te horen.'

'Ik niet. Overal in dit land steekt het verraad de kop op, en mijn taak is het dat met wortel en tak uit te roeien. Nu bestaat er althans een kans dat er iemand naar mij luistert wanneer ik waarschuwende geluiden laat horen.'

Ik zat er zwijgend bij.

'Toen wij elkaar de laatste keer spraken, hebt u mij bepaalde adviezen gegeven. Zijne Majesteit was onder de indruk van de snelheid waarmee de opstand is onderdrukt, en het stemde mij tevreden dat ik mijn beleid met u had besproken.'

Hetgeen er, ruwweg vertaald, op neerkwam dat hij met de eer was gaan strijken en dat ik er goed aan diende te denken dat hij de enige was die mij de gunst des konings kon bezorgen. Het was vriendelijk van hem me dat in zulke duidelijke bewoordingen te laten weten.

'Het doet me deugd dat ik van dienst heb kunnen zijn. U en Zijne Majesteit,' zei ik.

'Hier,' zei hij en overhandigde me een papier. Het betrof een document dat nog eens bevestigde dat 's konings trouwe en beminde dienaar John Wallis de betrekking bekleedde van hoogleraar in de meetkunde aan de universiteit van Oxford, en verder een tweede waarin vermeld werd dat dezelfde betrouwbare en beminde John Wallis benoemd was tot koninklijke predikant met een salaris van tweehonderd pond 's jaars.

'Ik ben u diep dankbaar en hoop van ganser harte dat ik in staat zal zijn u deze grote gunst te vergoeden,' zei ik.

Bennet glimlachte – een zuinig, onaangenaam glimlachje. 'Dat zult u zeker, doctor. En meent u alstublieft niet dat wij van u verwachten dat u vele preken ten beste geeft. Wij hebben besloten niet op te treden tegen het overgeschoten, radicale zootje in Abingdon, of dat in Burford of Northampton. Wij verkiezen die groepjes ongemoeid te laten. Wij weten waar ze zich bevinden, en beter één vogel in de hand...'

'Juist,' zei ik. 'Alleen strekt dat tot weinig nut wanneer u niet constant op de hoogte wordt gehouden van hun doen en laten.'

'Precies. Ik ben ervan overtuigd dat ze nogmaals een poging zullen wagen. Dat ligt in de aard van zulke lieden; ze kunnen niet ophouden, want ophouden staat voor hen gelijk aan zondigen. Ze achten het hun plicht voort te gaan met onrust stoken.'

'Sommigen achten het hun recht, mijnheer,' mompelde ik.

'Ik wens geen debat aan te gaan. Rechten en plichten... Het is niets dan verraad, uit wat voor instelling het ook moge voortvloeien. Bent u het daarmee eens of niet?'

'Ik ben de opvatting toegedaan dat de koning recht heeft op zijn positie en dat het onze plicht is ervoor te zorgen dat hij die behoudt.'

'Dus u neemt die taak op zich?'

'Ik?'

'U. Mij houdt u niet voor de gek, mijnheer. Dat air van de wijsgeer vermag mij niet te misleiden. Ik weet precies wat voor taken u voor Thurloe hebt verricht.'

'Ik ben er zeker van dat u een overdreven verslag hebt ontvangen,' zei ik. 'Ik heb als cryptografisch medewerker gefungeerd, niet als geheim agent. Als u wilt dat ik die taak op me neem, zoals u het stelde, zal ik u met genoegen van dienst zijn. Maar daar heb ik wel geld voor nodig.'

'U zult ontvangen wat u verlangt. Binnen redelijke grenzen, dat spreekt.'

'En mag ik u eraan herinneren dat er geen sprake is van een snelle verbinding met Londen?'

'U zult een machtiging ontvangen die u verlof verleent te handelen zoals u goeddunkt.'

'En houdt dat ook het gebruik van het naburige garnizoen in?'

Hij fronste zijn voorhoofd en zei toen, zeer tegen zijn zin: 'In noodgevallen, als het echt moet.'

'En wat voor contact onderhoud ik met de commissarissen des konings van de graafschappen?'

'U onderhoudt geen enkel contact met hen. U verstaat zich alleen met mij. Met niemand anders, ook niet met regeringsleden. Hebt u dat goed begrepen?'

Ik knikte. 'Uitstekend.'

Bennet glimlachte weer en stond op. 'Goed. Het doet mij veel genoegen, mijnheer, dat u ermee instemt uw vorst op deze wijze te dienen. Het koninkrijk verkeert beslist nog niet buiten gevaar, en alle rechtschapen mensen moeten zich ervoor inspannen dat het boosaardige monster van de afvalligheid niet weer de kop opsteekt. Ik moet u zeggen, doctor, dat ik niet weet of wij zullen slagen. Op het ogenblik zijn onze vijanden ontmoedigd en vertonen ze niet veel samenhang. Maar wie weet wat er kan gebeuren zodra we ook maar even onze greep laten verslappen.'

Die keer althans kon ik het hartgrondig met hem eens zijn.

Ik wil niet de indruk wekken dat ik mijn taak geestdriftig of gedachteloos aanvatte. Ik was niet van plan mijn lot te verbinden aan dat van een man die mij misschien in zijn val zou meeslepen als mocht blijken dat hij een niet al te vaste greep op zijn macht en positie had. Ik wist niet al te veel van die Bennet af, en zodra ik mijn benoeming als koninklijk predikant bij de nodige diensten had laten optekenen en de bevestiging van mijn betrekking aan de universiteit naar Oxford had gezonden om verwarring te zaaien onder mijn vijanden aldaar, zette ik me ertoe wat meer over hem aan de weet te komen.

Hij had beslist ruimschoots blijk gegeven van zijn trouw aan de koning, want hij had diens ballingschap met hem gedeeld en er waren hem enkele diplomatieke dienstreizen van enig belang opgedragen. En wat nog belangrijker was: hij was een bekwaam hoveling, te bekwaam zelfs voor lord Clarendon; 's konings voornaamste minister had zijn talenten bespeurd, maar zich niet van zijn steun verzekerd – hij had hem juist onmiddellijk als bedreiging gezien. De animositeit was toegenomen en terwijl hij zijn kans afwachtte, had Bennet nauwere banden aangeknoopt met de andere rivalen van Clarendon. Ook verzamelde hij een kring van jongemannen om zich heen die stuk voor stuk elkaars briljante verstand prezen. Men sprak over hem als over een man die eens de allerhoogste posities zou bereiken – en er is niets dat zozeer bijdraagt tot succes aan het hof als de verwachting dat dat succes ophanden is. Om kort te gaan: hij had aanhang onder zich en aanhang boven zich; maar zolang Clarendon zich in 's konings gunst mocht verheugen, zou Bennets ster slechts langzaam rijzen. Het was niet zeker hoelang het zou duren voordat zijn geduld uitgeput raakte.

Zolang het niet duidelijk was of hij zou blijven opklimmen dan wel bij zijn strevingen ten val komen, had ik er evenveel belang bij als Bennet zelf dat mijn connectie met hem geen bekendheid kreeg. Bovendien baarde hij me ook in andere opzichten zorgen: zijn voorliefde voor Spanje was welbekend en het idee dat ik iemand met zulke sympathieën terzijde stond, stuitte me enigszins tegen de borst. Aan de andere kant wilde ik me heel graag verdienstelijk maken, en Bennet was de enige die mij de mogelijkheid verschafte mijn uiteenlopende bekwaamheden en capaciteiten van pas te laten komen. Bovendien vond ik niet dat het gekonkel van de groten der aarde mij iets aanging. Wie er oppermachtig regeerde aan het hof en wie er het oor des konings had maakte niet al te veel verschil; de veiligheid van de koning (wat leefden we toch in merkwaardige tijden) hing heel wat meer af van het doen en laten van de lieden van geringere afkomst, naar wie voortaan mijn aandacht zou uitgaan. Ik heb al eens de ontevreden radicalen, soldaten en non-conformisten genoemd die zo'n belangrijke bron van verzet tegen de regering vormden. Al vanaf het ogenblik dat de koning was teruggekeerd ontketenden deze lieden, die nooit zo ootmoedig Gods onloochenbare wil aanvaardden als ze volgens hun verklaringen zouden moeten, voortdurend allerlei onrust. De opstand van Venner was enkel een onnozel stukje vuurwerk geweest, gebrekkig georganiseerd, gefinancierd en geleid, maar er was geen enkele reden om te denken dat dit de laatste zou zijn, en constante waakzaamheid was van het allerhoogste belang.

De vijanden van het koninkrijk herbergden ook geleerde en capabele mannen in hun gelederen: iedereen die de triomfen van Cromwells legers had meegemaakt (zoals ik) wist dat. Bovendien waren het fanatieke lieden, bereid om voor hun waanideeën te sterven. Zij hadden van de macht geproefd, en 'in hun mond was het zoet als honing' (Openb. 10:9). Maar nog gevaarlijker was het feit dat er buitenstaanders klaarstonden om hen te beïnvloeden en op te stoken. Mijn betrekkingen met Cola (waarvan ik hier straks nog verslag wil doen) vormden een nog gevaarlijker en nog verborgener terrein. Op God vertrouwen is mooi en prachtig, maar God verwacht ook dat een mens voor zichzelf zorgt. Wat me nog het meest bezorgd stemde, was dat de personen die aan de macht waren, in hun zelfgenoegzaamheid hun vijanden zouden onderschatten. Ik kan niet zeggen dat ik Bennet graag mocht, maar we waren het erover eens dat er sprake was van een reëel gevaar dat we onder ogen dienden te zien.

Ik keerde terug naar Oxford, vatte mijn wiskundige onderzoek weer op en begon een web te weven waarin ik 's konings vijanden zou kunnen vangen. Het getuigde van aanzienlijke scherpzinnigheid van Bennet dat hij mij had gekozen: niet alleen had ik me al enige bekwaamheid in dezen eigen gemaakt, maar ik bevond me ook midden in het koninkrijk, en bovendien beschikte ik natuurlijk over een netwerk van contacten in geheel Europa waar ik gemakkelijk gebruik van kon maken. De Republiek der Natuurvorsers kent geen grenzen, en niets was natuurlijker dan collega's in alle landen aan te schrijven om hen naar hun opinies over wiskunde, wijsbegeerte – en alle mogelijke andere kwesties te vragen. Beetje bij beetje en tegen geringe kosten begon ik me een beter beeld te verwerven dan wie ook van wat er gaande was. Ik heb het natuurlijk nooit tot het niveau van een Thurloe gebracht, maar hoewel mijn meesters me nooit volkomen hebben vertrouwd, heb ik hun vijanden achtervolgd en ben ik er goeddeels in geslaagd 'rampen over hen op te hopen en al mijn pijlen tegen hen af te schieten' (Deut. 32:23).

2

HET EERST HEB IK VAN Marco da Cola, (zogenaamd) heer van stand uit Venetië, gehoord in een brief van een correspondent van me uit de Nederlanden, aan wie de regering een bescheiden toelage betaalde om hem het doen en laten van Engelse radicalen in ballingschap te laten observeren. Van deze man werd vooral gevraagd dat hij scherp uitkeek naar het geringste contact tussen hen en personen die zich in Hollandse regeringskringen bewogen, en dat hij aantekende wanneer ze afwezig waren of ongewoon bezoek ontvingen. Deze man schreef mij in oktober 1662 aan (eerder om het goud dat hij ontving te rechtvaardigen dan om andere redenen, vermoed ik) en in die brief vertelde hij niets anders dan dat er te Leiden een Venetiaan, een zekere Cola, was aangekomen en dat die nu al enige tijd in het gezelschap van de ballingen doorbracht.

Dat was alles; destijds was er beslist geen enkele reden om aan te nemen dat die man iets anders was dan een reizende student. Ik schonk niet veel aandacht aan de zaak, maar schreef enkel aan een koopman die toen door Italië reisde om schilderijen te kopen voor Engelsen met meer geld dan gezond verstand, om hem te vragen de identiteit vast te stellen van die man. Laat ik hier terloops even opmerken dat schilderijenhandelaren (nu een algemener verschijnsel sinds het bij de wet is toegestaan zulke werken in te voeren) uitstekend geschikt zijn om dergelijk onderzoek uit te voeren, daar ze kunnen gaan en staan waar ze maar willen zonder argwaan te wekken. Hun bezigheden brengen hen in contact met personen van consideratie, maar ze hebben zo'n lage status en doen zich zo belachelijk ontwikkeld en deftig voor dat maar weinigen hen serieus nemen.

Pas begin 1663 ontving ik antwoord: de laksheid van mijn correspondent en de winterpost hadden samengespannen om het er zo lang mogelijk over te laten doen. Die reactie leverde echter nog niets interessants op, en om te voorkomen dat iemand denkt dat ik me nonchalant heb gedragen, voeg ik Jacksons brief hierbij:

Zeer eerwaarde en geleerde heer,

In antwoord op uw verzoek had ik, toen ik in Venetië was om schone werken voor lord Sunderland en anderen aan te kopen, de tijd om me aan de inlichtingen te wijden waar u om verzocht. Het schijnt dat deze Cola de zoon van een koopman is die een aantal jaren de retorica heeft bestudeerd aan de universiteit van Padua. Hij is bijna dertig jaar, van gemiddelde lengte en goedgebouwd. Ik ben niet veel over hem te weten gekomen, want hij heeft de Veneto al zo lang geleden verlaten dat menigeen meende dat hij dood was. Hij heeft echter de naam dat hij uitstekend kan schieten en voortreffelijk schermen. Naar verluidt treedt de agent van de vader in Londen, Giovanni di Pietro, op als waarnemer van Engelse zaken voor de Venetiaanse gezant in Parijs, terwijl de oudste zoon, Andrea, priester is en tevens als biechtvader fungeert van kardinaal Flavio Chigi, een neef van paus Alexander... Mocht u willen dat ik nog meer naspeuringen verricht, dan zal het mij een groot genoegen zijn...'

De brief eindigde met de hoopvol gestemde opmerking dat als ik me schilderijen wilde aanschaffen, de Weledele Heer Thomas Jackson (niet dat hij er recht op had zichzelf aldus aan te duiden, want hij was maar een schilder) me zeer dankbaar zou zijn voor het voorrecht mij van dienst te kunnen zijn.

Toen ik deze brief had ontvangen, schreef ik Bennet natuurlijk over die Giovanni di Pietro – als de Venetianen inderdaad een correspondent in Londen hadden, dan diende de regering, zo meende ik, te weten wie dat was. Enigszins tot mijn verbazing ontving ik een kortaangebonden briefje terug: die di Pietro was al bij hen bekend, hij vormde geen gevaar voor de regering en Bennet was er zeker van dat ik wel nuttiger gebieden kon vinden om te exploreren. Hij herinnerde me eraan dat ik belast was met de taak non-conformisten in bedwang te houden; met andere kwesties diende ik me niet in te laten.

Ik had het zo druk dat dit me alleen maar tevreden stemde, want er waren onmiskenbaar tekenen te bespeuren dat het weer rommelde onder de non-conformisten, en ik had mijn handen vol. Er bereikten me berichten over wapenzendingen die door het land zwierven en over groepjes radicalen die bijeenkwamen en weer uiteengingen. Het gevaarlijkste bericht dat binnenkwam was een betrouwbaar rapport van de strekking dat

Edmund Ludlow, de gevaarlijkste en competentste van de oude generaals die nog op vrije voeten waren, de laatste tijd een ongewoon groot aantal bezoekers ontving in zijn verbanningsoord in Zwitserland. Het monster stak de kop weer op, maar nog deed het denken aan iemand die de wateren mat met zijn holle hand (Jes. 40:12). Ik wist dat er in verscheidene delen van het land iets broeide, maar ik wist niet hoe dat kwam of wie daarachter zat.

Laat de lezer niet denken dat mijn bezigheden zich tot Oxford beperkten: gedurende een deel van het collegejaar moest ik daar natuurlijk verblijven, maar een groot gedeelte van het jaar had ik de keus aan mezelf, en ik bracht heel wat tijd door in Londen, want niet alleen verschafte dat me toegang tot de secretaris van staat (in november had Bennet die beloning ontvangen), maar bovendien trok een gedeelte van de wereld der geleerden daar ook naartoe, en ik zocht natuurlijk graag hun gezelschap. Een grootse onderneming was ophanden: de oprichting van het Koninklijk Genootschap, en het was van essentieel belang dat dit op een deugdelijke leest werd geschoeid, dus dat er alleen wenselijke personen werden toegelaten en dat lieden die het voor hun goddeloze doeleinden wilden misbruiken, werden geweerd: papen aan de ene kant en atheïsten aan de andere.

Kort na een dergelijke bijeenkomst kwam Matthew, mijn huisknecht – al was hij heel wat meer waard – naar me toe. Ik zal het in mijn relaas nog vaak over deze jongeman hebben, want hij was me dierbaar als een zoon – dierbaarder zelfs. Wanneer ik aan mijn eigen zonen denk, sullige paljassen met wie geen verstandig man een gesprek kan voeren, voel ik niets dan wanhoop om mijn rampspoed. 'Een zotte zoon is zijn vader grote ellende (Spr. 19:13): hoe vaak heb ik niet bij die uitspraak stilgestaan, want ik heb twee van zulke zotten. Eens heb ik getracht de oudste de geheimen van de kunst van het ontcijferen bij te brengen, maar ik had evengoed kunnen pogen een baviaan de theorieën van Newton uit te leggen. Als jonge knapen zijn ze aan de zorg van mijn vrouw overgelaten, want ik had het zo druk met regeringszaken en op de universiteit dat ik geen tijd aan hen kon besteden, en zij heeft hen tot evenbeelden van zichzelf opgevoed. Zij is een beste vrouw, alles wat een echtgenote maar hoort te zijn, en ze heeft heel wat bezit ingebracht, maar ik wenste wel dat ik nooit was gedwongen om te trouwen. De diensten die een vrouw levert wegen bij lange na niet op tegen de onvolkomenheden waaraan hun gezelschap mank gaat en tegen de door hen ingeperkte vrijheden.

Gedurende bepaalde perioden in mijn leven heb ik me vol overgave aan het onderwijs van de jeugd gewijd; ik heb het meest hopeloze materiaal in handen gehad en zelfs stomme kinderen ertoe proberen te brengen te spreken, en op grond daarvan heb ik weer gepoogd enkele algemene principes op te stellen over de kneedbaarheid van de geest van het jonge kind. Ik zou willen dat jonge knapen vanaf ongeveer zesjarige leeftijd geheel en al van het gezelschap van vrouwen, en vooral van dat van hun moeder, verstoken blijven, zodat hun geest zich op verheven gesprekken en nobele ideeën kan richten. Op de boeken die ze lezen, hun lessen en zelfs hun spel dient toezicht te worden gehouden door een verstandig man – en daarmee bedoel ik niet de stumpers die zich gewoonlijk voor schoolmeesters uitgeven –, zodat ze ertoe worden gestimuleerd grootse ideeën na te streven en onwaardige denkbeelden te schuwen.

Was een jongen als Matthew maar een paar jaar eerder bij me gekomen, ik geloof dat ik hem tot een groot man had kunnen maken. Zodra ik hem zag, voelde ik me overstelpt door een onuitsprekelijke smart, want in zijn houding en in zijn ogen zag ik de zoon en metgezel om wie ik God had gebeden. Hij had ternauwernood onderwijs genoten en nog minder opvoeding, maar desondanks was hij een echtere man dan die kinderen van mij, aan wier miezerige geest alle mogelijke zorg was besteed, maar wier eerzucht desondanks nooit verder heeft gereikt dan de wens hun eigen gemak zeker te stellen. Matthew was lang en blond en drukte in zijn manier van doen zo'n graad van volmaakte volgzaamheid uit dat hij de genegenheid afdwong van een iegelijk die hem ontmoette.

Ik heb hem voor het eerst ontmoet toen hij door Thurloes dienst ondervraagd werd over een groep van wie men dacht dat die zo radicaal was dat hij de vrede in het land bedreigde; destijds zal hij misschien zestien zijn geweest. Ik woonde de ondervraging bij, maar gaf er geen leiding aan (dit was een bezigheid waar ik nooit veel geduld voor had) en werd onmiddellijk getroffen door de openhartige, eerlijke toon van zijn antwoorden, die blijk gaven van een bezonken oordeel dat zijn positie zowel als zijn leeftijd verre oversteeg. Eigenlijk was hij volkomen onschuldig aan enig vergrijp en hij werd daar ook geen ogenblik van verdacht; maar hij kende vele gevaarlijke mensen, al deelde hij hun opvattingen in geen enkel opzicht. Hij vond het niet prettig inlichtingen over zijn vrienden te verschaffen en ik achtte dit natuurlijke gevoel van trouw een bewonderenswaardige eigenschap en bedacht dat als die maar op waardiger doeleinden kon worden gericht, dit onontwikkelde kind nog tot een waardevol man kon worden gevormd.

Zijn ondervraging werd geheimgehouden om ervoor te waken dat hij niet het vertrouwen van zijn vrienden verloor, en naderhand bood ik hem een betrekking als huisknecht aan tegen een fatsoenlijk loon; hij verbaasde zich zozeer over zijn geluk dat hij het voorstel met graagte aannam. Hij had al het een en ander geleerd, want hij was het weeskind van een drukker in de stad en kon goed lezen en nauwkeurig schrijven. En toen ik hem de verlokkingen der kennis voorhield, reageerde hij met een geestdrift die ik daarvoor noch daarna bij een leerling heb gezien.

Mensen die mij kennen vinden dit misschien ongeloofwaardig, want ik weet dat ik de reputatie heb van een ongeduldig iemand. Ik geef onmiddellijk toe dat mijn verdraagzaamheid jegens luie, stompzinnige of moedwillig onwetende lieden gauw ten einde is. Maar geef mij een echte leerling, een die brandt van verlangen om veel te leren, die maar een slokje water nodig heeft om naar de hele rivier van kennis te haken, en de zorg die ik aan hem besteed kent bijna geen grenzen. Een jongen als Matthew op te nemen, te vormen en zijn bevattingsvermogen te zien toenemen en zijn wijsheid te zien opbloeien is de waardevolste ervaring die een mens zich maar kan wensen, zij het tevens de moeilijkste taak, een taak die constante inspanning vergt. Kinderen krijgen is een kwestie van de ordinaire werking van de natuur; malloten kunnen dat, boeren kunnen het en vrouwen kunnen het. Maar zo'n beweeglijk brokje vlees tot een wijs en nobel volwassen mens te vormen, dat is een taak die alleen mannen op zich kunnen nemen, en alleen mannen kunnen het resultaat naar waarde schatten. 'Leer den jongen de eerste beginselen naar den eis zijns wegs: als hij ook oud zal geworden zijn, zal hij daarvan niet afwijken' (Spr. 22:6). Mijn verwachtingen waren niet overdreven hooggespannen, maar ik dacht dat ik hem mettertijd een of andere regeringsbetrekking zou bezorgen en hem uiteindelijk mijn kennis van de cryptografie zou bijbrengen, zodat hij zich nuttig kon maken en zich een vooraanstaande positie veroveren. Mijn hoop werd ruimschoots vervuld, want hoe vlug Matthew ook leerde, altijd wist ik dat het nog sneller kon. Maar ik moet bekennen dat dit mijn eigen wensen voor hem alleen nog maar sterker aanwakkerde en vaak verloor ik mijn geduld wanneer hij een zinswending verkeerd vertaalde of van een doodgewoon wiskundig vraagstuk niets terechtbracht. Maar ik heb altijd gemeend dat hij wist dat die boosheid uit mijn liefde en onzelfzuchtige ambitie voor hem voortkwam, en steeds wekte hij de indruk dat hij zijn best deed om mijn goedkeuring te verdienen.

Dat wist ik; ik wist dat hij zozeer aan mij verknocht was dat hij soms al te hard werkte, en nog vuurde ik hem aan, hoewel ik hem het liefst had gezegd dat hij rust moest nemen en gaan slapen, of hem mijn genegenheid had laten blijken. Op een keer stond ik op en vond hem voorover op mijn schrijftafel. Al mijn papieren lagen door elkaar, er was kaarsvet over mijn aantekeningen gespetterd en over een brief waar ik aan bezig was, was een glas water gevallen. Ik was woedend, daar ik van nature veeleisend ben waar het het opbergen van dingen betreft, en onmiddellijk trok ik hem op de grond en gaf hem een pak slaag. Hij uitte geen woord van protest, zei niets om zich te verdedigen en onderwierp zich geduldig aan de bestraffing. Pas later hoorde ik (en niet van hem) dat hij die hele nacht was opgebleven om te proberen een vraagstuk op te lossen dat ik hem had opgegeven, en dat hij ten slotte van pure uitputting in slaap was gevallen. Het viel me bijzonder zwaar hem niet om vergeving te verzoeken en weerstand te bieden aan de verleiding mijn gevoelens te laten overheersen. Nooit heeft hij vermoed, denk ik, dat ik spijt heb gehad van mijn optreden, want wanneer volmaakte gehoorzaamheid wordt ondermijnd en in twijfel getrokken, brokkelt alle gezag langzaam maar zeker af en de zwakste partij is de grootste verliezer. Dit zien we overal waar we maar kijken.

Ik was natuurlijk op de hoogte van Matthews contact met lieden wier houding tegenover de regering en wier opvattingen dubieus waren, en kon het niet laten hem af en toe te gebruiken om boodschappen af te leveren en naar allerlei praatjes te luisteren. Op dit vaak weerzinwekkende en eerloze gebied speelde hij een rol van onschatbare waarde, want hij ging zowel oplettend als intelligent te werk. In tegenstelling tot vele sujetten op wie ik me noodgedwongen moest verlaten – meest moordenaars, dieven en gekken, op wier uitlatingen ik nooit kon bouwen – won Matthew al spoedig mijn volle vertrouwen. Ik riep hem bij me wanneer ik in Londen was en schreef hem om de dag wanneer ik in Oxford zat, want ik stelde zijn gezelschap erg op prijs en miste het vreselijk als we niet bij elkaar waren – evenals hij het mijne, hoop ik.

Toen hij die morgen in 1663 naar me toe kwam, was hij al verscheidene jaren als huisknecht bij me in dienst, en langzamerhand was hij tot een man van zo'n formaat uitgegroeid dat ik wist dat ik hem weldra een vaste, eigen betrekking zou moeten bezorgen. Eigenlijk had ik dat al te lang uitgesteld, want hij liep al tegen de twintig en werd te oud voor deze toestand van onmondigheid. Ik zag wel dat het hem zwaar viel zich van alles te laten gezeggen, en ik wist dat als ik hem niet spoedig de vrije teugel zou geven, hij wrok zou gaan koesteren over mijn gezag. Maar nog almaar hield ik hem bij me; ik kon hem niet loslaten. Dit neem ik mezelf hoogst kwalijk, en ik denk dat hij als gevolg van zijn verlangen mij te verlaten mogelijk onvoorzichtig is geworden.

Toen hij me vertelde dat hij voor een groepje radicalen een pakje moest afleveren bij een particuliere postdienst, spitste ik onmiddellijk mijn oren. Hij wist niet wat dat pakje behelsde, maar had beloofd dat hij het naar een koopman zou brengen die post meenam op zijn schepen. Dit was een wijd-verbreide gewoonte, vooral onder mensen die niet wilden dat hun brieven werden gelezen. Het vreemde eraan was dat iemand als Matthew een taak diende uit te voeren die je eerder aan een kind zou toevertrouwen. Het stond niet vast, maar hij had zo'n gevoel dat het pakje van enig belang was, vooral daar het de Nederlanden als bestemming had.

Al vele maanden rommelde het in het hele land, schimmige figuren dar-den rond en allerwegen klonk ontevreden gemompel op. Maar in de vele rapporten die ik ontving viel geen bepaalde vorm of eenheid te onderschei-den die mij de gelegenheid gaf hun plannen te doorzien. Zolang ze maar onder elkaar bleven, vormden de radicalen geen serieuze bedreiging voor wie dan ook, zo wanhopig waren ze en zozeer verdeeld; maar wanneer een capabel iemand met gezag hen verenigde en van de nodige fondsen voor-zag, dan konden ze dat gemakkelijk worden. Volgens mij had Matthew me nu op het allereerste begin gewezen van de correspondentie met het bui-tenland waarnaar ik al een hele tijd uitkeek. Later bleek dat hij ernaast had gezeten, maar het was de beste vergissing die hij ooit had gemaakt.

'Uitstekend,' zei ik. 'Breng me dat pakje. Ik zal het laten openen, de inhoud onderzoeken en je er dan mee terugsturen.'

Hij schudde zijn hoofd. 'Zo eenvoudig zal het niet gaan, mijnheer. Wij – zij – hebben de laatste tijd geleerd behoedzaam te werk te gaan. Ik weet wel dat ik in geen enkel opzicht verdacht word, maar vanaf het ogenblik dat ik het ontvang tot het ogenblik dat ik het uit handen geef word ik straks door iemand vergezeld. U zult er onmogelijk op zo'n manier bij kunnen. En zeker niet zo lang dat u de inhoud kunt overschrijven.'

'En je weet zeker dat het de moeite waard is?'

'Nee, dat weet ik niet. Maar u hebt me gevraagd alle vormen van contact met de ballingen aan u te melden...'

'Daar heb je heel goed aan gedaan. Zo, wat stel je voor? Je weet dat ik je mening op prijs stel.'

Hij glimlachte van genoegen om dit bescheiden teken van respect. 'Ik neem aan dat het bij die koopman in huis blijft totdat het aan boord van een van zijn schepen wordt genomen. Maar niet lang; ze willen het zo snel mogelijk weg hebben. Dat is misschien de enige kans om het heimelijk te bemachtigen.'

'Ah. En hoe heet die koopman?'

'Di Pietro. Hij is een Venetiaan en heeft een huis in de buurt van de Tower.'

Ik dankte hem overvloedig voor zijn werk, gaf hem een kleine som gelds als beloning en stuurde hem weg, zodat ik kon nadenken over wat hij had gezegd. Het zat me enigszins dwars, ook al had het geen voor de hand liggende betekenis. Want waarom zou een Venetiaan non-conformisten helpen? Hoogstwaarschijnlijk vervoerde hij enkel post tegen betaling en koesterde hij geen enkele belangstelling voor de zenders of de ontvangers, maar ik moest eraan denken dat dit de tweede keer was dat de naam di Pietro opdook. Enkel en alleen al dat feit zorgde ervoor dat ik me des te vaster voornam die brieven te onderzoeken.

Er was me niet veel tijd vergund om mijn gedachten over het probleem te laten gaan: de avond daarop moest Matthew het pakje bezorgen. Bennet had me gezegd dat ik me niet met die di Pietro moest bemoeien; maar hij had me ook gezegd dat ik zoveel mogelijk te weten moest komen over 's konings vijanden in Engeland. Hij had me niet gezegd wat ik moest doen wanneer die twee opdrachten met elkaar in tegenspraak waren.

Daarom ging ik naar het koffiehuis van Tom Lloyd, waar handelslieden geregeld bijeenkwamen om nieuwtjes uit te wisselen en samenwerkingsverbanden aan te gaan teneinde meer winst te maken. Ik kende enkele personen in die kringen, daar ik af en toe op die wijze enig kapitaal investeerde, en ik was erachter gekomen wie te vertrouwen was en wie je alleen maar moest mijden. Met name was ik bekend met een man genaamd Williams die er veel tijd aan besteedde personen in het bezit van geld dat ze konden investeren, bijeen te krijgen en hen in contact te brengen met ondernemers die kapitaal van node hadden. Via hem had ik, met winst, een gering gedeelte van mijn overtollige fondsen in Oost-Indië gestoken, en ook in de onderneming van een heer die Afrikanen buitmaakte voor Noord- en Zuid-Amerika. Die laatste investering was de beste die ik ooit heb gedaan, temeer omdat de slaven (zo verzekerde de kapitein van het schip me) tijdens hun reis naar de andere kant van de oceaan krachtdadig in de deugden van het christelijke geloof werden onderricht, zodat hun ziel werd gered terwijl ze tegelijkertijd waardevolle arbeid voor anderen verrichtten.

Toen ik Williams eindelijk had opgespoord, vertelde ik dat ik overwoog wat geld in de activiteiten van een Italiaans handelshuis, Cola genaamd, te steken, en me afvroeg of die man solvent en betrouwbaar was. Hij keek me enigszins bevreemd aan en gaf voorzichtig ten antwoord dat het huis Cola voor zover hij wist geheel en al uit eigen middelen werd gefinancierd. Het zou hem erg verbazen mocht hij ontdekken dat Cola buitenstaanders binnenhaalde. Ik haalde mijn schouders op en zei dat dit iets was wat ik had gehoord.

'Dan dank ik u voor uw inlichtingen,' zei hij. 'Uw bericht bevestigt het vermoeden dat ik al had.'

'En dat is?'

'Dat het huis Cola zich in grote moeilijkheden moet bevinden. De oorlog van Venetië tegen de Turken heeft de handel van die staat geruïneerd, want die was altijd op de Levant gericht. Vorig jaar heeft hij twee schepen met lading en al verloren, en Venetië ziet nog steeds geen kans markten open te breken die zich in handen van de Spanjaarden en Portugezen bevinden. Hij is een voortreffelijk koopman, maar hij krijgt steeds minder mensen met wie hij handel kan drijven.'

'Zou hij zich daarom hier hebben gevestigd?'

'Ongetwijfeld. Ik denk dat hij zich zonder de goederen die Engeland van hem afneemt, niet lang meer staande kan houden. Waar bestaat die onderneming precies uit?'

Ik zei dat ik dat niet goed wist, maar dat men me had verzekerd dat die bijzonder veelbelovend was.

'Zal wel iets met bedrukte zijde te maken hebben. Heel lucratief als je weet hoe je dat aanpakt, maar rampzalig als je dat niet weet. Zeewater en zijde vormen geen gelukkige combinatie.'

'Bezit hij zijn eigen schepen?'

'O ja. En ze zijn uitstekend uitgerust.'

'Hij heeft geloof ik een agent in Londen. Di Pietro genaamd. Wat is dat voor iemand?'

'Ik ken hem maar een beetje. Hij is erg op zichzelf. Hij gaat niet veel om met anderen in de handelswereld, al staat hij goed aangeschreven bij de joden van Amsterdam. Nog iets wat u moet waarschuwen, want als wij oorlog krijgen met de Hollanders, zal die connectie nog erger dan waardeloos zijn. Het huis Cola zal voor een bepaalde kant moeten kiezen en onvermijdelijk nog meer klanten kwijtraken.'

Hoe oud is die di Pietro?'

'O, oud genoeg om te weten wat hij doet. Ergens in de vijftig, geloof ik. Af en toe heeft hij het erover dat hij terug naar huis wil en een rustiger leven leiden, maar volgens hem heeft zijn broodheer te veel kinderen wie hij de mond open moet houden.'

'Hoeveel dan?'

'Vijf, geloof ik, maar drie ervan zijn dochters, de arme man.'

Ik trok een gezicht om mijn mededogen uit te drukken, hoewel de man zich heel goed als vijand zou kunnen ontpoppen. Ik wist genoeg om te beseffen dat voor een koopman, wiens leven ervan afhing dat hij zijn kapitaal dicht in de buurt hield, drie dochters mogelijk een rampzalige last betekenden. Hoewel mijn eigen twee zonen allebei malloten waren, waren ze tenminste presentabel genoeg om aan gefortuneerde vrouwen te kunnen worden uitgehuwelijkt.

'Zeker, een enorme teleurstelling,' vervolgde Williams. 'Vooral daar geen van beide zonen van zins is hem op te volgen. Een van de twee is priester en – neemt u mij niet kwalijk, doctor – het enige waar hij goed voor is, is geld opmaken; van geld verdienen heeft hij geen kaas gegeten. Ik geloof dat de ander voor krijgsman speelt; dat heeft hij althans gedaan. Ik heb al een tijdje niets meer over hem gehoord.'

'Een krijgsman?' vroeg ik verbaasd, want dit bijzonder belangrijke feit was volkomen over het hoofd gezien door de schilderijenhandelaar, en ik nam me voor hem te berispen om zijn laksheid.

'Dat heb ik gehoord, ja. Misschien dat hij nooit van enige voorliefde voor de handel blijk heeft gegeven en de vader zo verstandig was hem niet te dwingen. Daarom heeft Cola de oudste dochter uitgehuwelijkt aan een neef die in de handel op de Levant zit.'

'Weet u wel zeker dat hij krijgsman is? Hoe weet u dat?' vroeg ik, op mijn vraag terugkerend, en ik zag wel dat ik Williams' argwaan wekte.

'Doctor, meer weet ik er niet van,' zei hij geduldig. 'Het enige dat ik weet, is wat ik hier en daar in de koffiehuizen hoor.'

'Vertelt u me dan eens wat u daar zoal hoort.'

'Als u meer van die zoon af weet, stelt dat u dan gerust, zodat u bereid bent in zijn huis te investeren?'

'Ik ben voorzichtig van aard, en vind dat je zoveel mogelijk te weten moet zien te komen. Onhandelbare kinderen, dat moet u toch toegeven, kunnen een beestachtige aanslag op het kapitaal van de vader vormen. Als de zoon nu schulden heeft, en zijn schuldeisers eisen geld van de vader omdat hijzelf niets heeft?'

Williams gromde iets; hij geloofde me niet, maar wilde geen druk op me uitoefenen.

'Ik heb dit van een andere koopman, die zijn best deed een markt aan te boren in het Middellandse-Zeegebied,' legde hij ten slotte uit. 'Tegen de tijd dat de zeerovers en de Genuezen met hem hadden afgerekend, besefte hij dat de hele onderneming eigenlijk niet de moeite waard was. Maar vier jaar geleden heeft hij daar een tijdje rondgevaren – en op een keer heeft hij op Kreta een lading afgeleverd voor het garnizoen in Candia.'

Ik trok mijn wenkbrauwen op. Iemand die met een lading dwars door de Turken heen voer om uitgerekend die markt van goederen te voorzien, moest wel een dapper of een bijzonder vertwijfeld man zijn.

'Zoals ik al zeg,' zei Williams, 'had hij verliezen geleden en was hij wanhopig, vandaar dat hij het erop waagde. Een sprong in het duister met succes, kennelijk, want niet alleen verkocht hij zijn hele lading, maar bovendien kreeg hij bij wijze van beloning toestemming een vracht Venetiaans glaswerk mee terug te nemen naar Engeland.'

Ik knikte.

'Enfin, hij heeft daar een man ontmoet die Cola heette en zei dat zijn vader in de Ventiaanse weeldeartikelenhandel zat. Maar goed, misschien zijn er wel twee Cola's koopman in Venetië. Dat weet ik niet.'

'Gaat u door.'

Hij schudde zijn hoofd. 'Nu hebt u alle kennis waarover ik op dit punt beschik gehoord. Het doen en laten van de kinderen van kooplieden is mijn zorg niet. Ik heb belangrijker zaken om me druk over te maken. En wat nog belangrijker is, doctor: u ook. Dus waarom zegt u me niet waar het om gaat?'

Ik glimlachte en stond op. 'Het is niets,' zei ik. 'Ik weet in ieder geval niets dat u aan winst zou kunnen helpen.'

'In dat geval ben ik niet in het minst geïnteresseerd. Maar als er ooit...'

Ik knikte. Afspraak is afspraak. Het doet me genoegen te kunnen zeggen dat ik mijn schuld mettertijd heb ingelost, daar Williams door mijn toedoen als een van de eersten op de hoogte was van de plannen de vloot het jaar daarop opnieuw uit te rusten. Ik gaf hem dat zo tijdig door dat hij de gelegenheid kreeg alle lange, dikke palen in het land op te kopen, zodat hij ze voor de prijs die hij bedong als mast aan de marine kon verkopen. Samen hebben we daar een lief sommetje aan verdiend: de Heer zij geprezen.

⁓

De koopman die hij had genoemd, Andrew Bushrod, spoorde ik op in de Fleet-gevangenis, waar hij toen al verscheidene maanden zat; zijn geldschieters hadden genoeg van hem gekregen toen een schip met het grootste gedeelte van zijn kapitaal in het ruim naar de kelder was gegaan en zijn familie had geweigerd hem te hulp te komen. Dat laatste was kennelijk zijn eigen schuld: toen het hem nog voor de wind ging, had hij geweigerd bij te dragen aan de bruidsschat van een nicht. Het sprak vanzelf dat zij zich niet aan hem verplicht voelden toen er voor hem moeilijke tijden aanbraken.

Niet alleen zat hij dus in de Fleet, hij was bovendien aan mijn genade overgeleverd, daar ik over voldoende invloed beschikte om hem vrij te krijgen als hij niet meewerkte; dan zou het gedaan zijn met zijn asielrecht en zijn schuldeisers zouden hem op de nek springen. Het kostte enige moeite het kaf van het koren te scheiden in de verhalen die hij vertelde en zijn nauwkeurigheid wat allerlei details betreft was twijfelachtig: je hoeft alleen maar zijn beschrijving van Cola met de mollige, geparfumeerde dandy die de Italiaan in werkelijkheid was te vergelijken om dat in te zien, hoewel de omstandigheden van eertijds misschien zijn uiterlijk hadden aangetast. Om kort te gaan, zijn relaas luidde dat hij in 1658 op een schip van hemzelf naar de Middellandse Zee en naar Livorno was gevaren om daar een lading wol af te leveren. De prijs die hij ervoor kreeg – hij was geen zakenman – dekte min of meer de kosten van de reis, en hij ging op zoek naar goederen waarmee hij naar Engeland terug kon varen. Juist in die tijd was hij een Venetiaan tegen het lijf gelopen die hem van een ongelooflijk lucratieve reis vertelde die hij even tevoren naar Kreta had gemaakt; vlak onder de neus van de Turken had hij voedsel en wapens in de haven van Candia bezorgd.

De stad en zijn verdedigers hadden zo'n nijpend tekort aan alles dat ze bereid waren bijna elke prijs te betalen. Zelf peinsde hij er echter niet over terug te gaan. 'Waarom niet?' had Bushrod gevraagd. 'Omdat hij zijn oude dag hoopte te halen,' had de man geantwoord. De Turkse vloot mocht er dan niet al te veel van kunnen, de zeerovers wisten wél van wanten. Al te veel van zijn vrienden waren al gegrepen, en als dat je overkwam, dan was een levenslang verblijf op de galeien nog het beste dat je kon verwachten. Daarop had de man naar een bedelaar op straat gewezen, die volgens hem eens matroos op een schip naar Candia was geweest. Hij had geen handen, geen ogen, geen oren en geen tong meer.

Bushrod was geen dapper man en voelde er weinig voor Kreta voor het christendom of voor Venetië te redden. Maar hij had geen geld meer, zijn bemanning was nog niet betaald en zijn schuldeisers wachtten het ogenblik af dat hij thuis zou komen. Daarom nam hij contact op met de Venetiaanse consul in Livorno, die hem zei wat voor soort goederen men daar nodig had, en hij ging een vet contract aan om alle gewonden die in staat waren om te reizen mee te nemen; vier dukaten voor een heer, een voor een soldaat en een halve voor een vrouw.

Tot aan Messina voeren ze vlak onder de Italiaanse kust; daar leverden ze wat aardewerk af en toen zetten ze zo vlug en rechtstreeks mogelijk koers naar Kreta. Candia, zo zei hij, was het ergste avontuur dat hij van zijn levensdagen beleefd had. Het was bijna ondraaglijk in een stad van enkele duizenden inwoners te vertoeven van wie iedereen verwachtte dat hij, door de hele christenheid in de steek gelaten, weldra zou sterven, zich ervan bewust dat hun moederland genoeg van hen begon te krijgen en onafgebroken door vijanden ter zee en op het land belaagd. Na het langdurigste beleg in de geschiedenis van de wereld was alles grof en beestachtig geworden. Er hing daar een vertwijfelde en gewelddadige stemming die hem zo'n angst aanjoeg dat hij zijn prijzen had verlaagd, zo bang was hij dat de stadsbewoners hem anders te lijf zouden gaan en hem alles zouden afpakken. Desondanks maakte hij nog een zo grote winst dat de reis dubbel en dwars de moeite waard was, en daarop begon hij toebereidselen voor de terugreis te maken door passagiers te werven. Een van de mensen die zijn aanbod aannamen heette Cola.

'Naam?' zei ik. 'Drukt u zich eens preciezer uit, man. Hoe heette hij?'

'Marco,' zei hij. Zo heette hij. Marco. Enfin, die Cola was er niet al te best aan toe. Als gevolg van zijn kwetsuren en zijn uitgeputte toestand was hij erg verzwakt; hij was vies en verwaarloosd en half uitzinnig van de pijn en de enorme hoeveelheden alcohol die hij bij wijze van enige medicijn innam. Het was moeilijk te geloven dat hij ooit van veel nut had kunnen zijn voor de Venetiaanse verdedigingstroepen, maar Bushrod kwam er al spoedig achter dat hij het mis had. De jongeman werd met respect behandeld door officieren die vele jaren ouder waren dan hij en bijna met ontzag door het gewone voetvolk. Het scheen dat Cola de beste verkenner in heel Candia was geweest, een meester in de kunst om langs voorposten van de Ottomanen te glippen om berichten naar afgelegen versterkingen te brengen en allerlei commotie teweeg te brengen. Vele keren had hij met succes valstrikken gespannen voor hoge Turkse officieren en hen over de kling gejaagd, en hij had zich vanwege zijn bloedstollende felheid en meedogenloosheid een reputatie verworven. Hij had er slag van in stilte toe te slaan en ongezien te ontsnappen, en was kennelijk op zijn manier een vurig ijveraar voor het christendom, al leek het tegendeel ook het geval.

Door nieuwsgierigheid naar zijn passagier gedreven had Bushrod verscheidene keren tijdens de terugreis naar Venetië – die ditmaal zonder incidenten verliep – geprobeerd hem aan de praat te krijgen. Maar Cola was weinig mededeelzaam en verborg zich achter een waas van zwaarmoedig stilzwijgen. Eén keer maar gaf hij zich bloot, namelijk toen Bushrod hem vroeg of hij getrouwd was. Cola's gezicht was nog somberder geworden en hij zei dat zijn verloofde door de Turken als slavin was meegevoerd. Hij was erop uitgestuurd om zijn licht op te steken over het meisje, dat uit een vooraanstaande familie stamde, en had met het huwelijk ingestemd. Zij was alvast naar Venetië gezonden, maar haar schip was buitgemaakt. Nooit had hij meer een woord van haar vernomen, en hij hoopte van harte dat ze dood was. Tegen de wens van zijn vader in was de jongeman in Candia gebleven om wraak te nemen waar hij maar kon.

En nu?

En nu kon het hem niets meer schelen. Hij was ernstig gewond en wist dat Candia spoedig zou vallen. Het ontbrak er aan de wilskracht, het geld en het geloof om de stad te verdedigen. Hij verkeerde nog in tweestrijd of hij zou teruggaan; misschien dat zijn capaciteiten elders van meer nut zouden zijn.

Toen had Marco da Cola naar een fles gegrepen en bijna de hele rest van de reis had hij aan dek zittend doorgebracht; hij bracht verder geen woord meer uit, dronken of nuchter, tot het schip de haven van Venetië was binnengelopen.

Tot zover die geschiedenis. Tegen de heidenen gerichte geloofsijver was bepaald niet iets waar ik afkeurend tegenover stond, maar toch was hier iets merkwaardigs aan de hand. We hadden hier te maken met een krijgsman (of ex-krijgsman) die met republikeinen in de Nederlanden optrok, terwijl de agent van de vader als Venetiaans waarnemer fungeerde die geregeld berichten naar zijn meesters in het buitenland verzond en berichten van de kant van misnoegde elementen in Engeland doorspeelde. Alle mogelijke kleine puzzelstukjes die geen geheel vormden. Desondanks was hier sprake van iets wat ontrafeld diende te worden, en het voor de hand liggende uitgangspunt was dat pakje. Ondanks Bennets restricties besliste ik dat ik bevoegd was het te openen.

Om te voorkomen dat men denkt dat ik evenals Thurloe destijds een beroep kon doen op een legertje helpers, moet ik me haasten de juiste feiten uiteen te zetten. Ik beschikte weliswaar over een aantal personen die mij inlichtingen doorgaven, maar in het hele land had ik er precies vijf van wie ik zeker was dat ze iets zouden doen, en twee van hen, moet ik bekennen, joegen zelfs mij angst aan. Deze kwestie was overigens niet het enige waarmee ik me bezighield, of zelfs maar mijn voornaamste bezigheid. Ik heb al melding gemaakt van de opstand die, naar ik wist, op touw werd gezet; die baarde me natuurlijk de meeste zorgen. Maar daarnaast was er nog sprake van talloos veel andere ergernissen, de meeste onzinnig van aard, al konden ze stuk voor stuk gevaarlijk worden. Het garnizoen te Abingdon was gezuiverd, maar nog steeds heerste daar onvoldoende rust. Groepjes non-conformisten en conventikels schoten her en der als paddestoelen uit de grond en gaven ontevreden elementen de gelegenheid bijeen te komen en elkaar moed in te spreken. Er gingen hardnekkige geruchten dat de Messias (alweer) was weergekeerd om het nieuwe millennium in te luiden en in vermomming door het land trok om te preken, de mensen te onderrichten en hen tot oproer op te roepen. Hoeveel van zulke elementen waren er de laatste jaren wel niet opgetreden? Tientallen op z'n minst, en ik had gehoopt dat rustiger tijden een einde hadden gemaakt aan dat verschijnsel, maar dat was klaarblijkelijk niet het geval. Ten slotte verscheen er in Oxford, midden onder de geschiedenis die ik hierna uit de doeken zal doen, ook nog een dronken Ierse magiër, Greatorex genaamd, die hof ging houden in herberg De Mijter om lichtgelovige lieden van hun geld af te helpen, zodat ik me genoopt zag heel wat tijd te steken in pogingen hem over te halen verder te trekken. Met andere woorden, ik had genoeg aan mijn hoofd, en hoewel ik onophoudelijk doorwerkte, moet ik zeggen dat destijds noch later mijn inspanning ooit ten volle is erkend of beloond.

Met het oog op de taak die brieven in handen te krijgen, moest ik een beroep doen op de diensten van een zekere John Cooth, wiens trouw aan de koning uitsluitend te danken was aan het feit dat ik tussenbeide was gekomen toen hij in een vlaag van dronken waanzin op een haar na zijn vrouw had doodgeslagen en vervolgens een man de keel had afgesneden omdat die (naar zijn zeggen) had geprobeerd hem een paar horentjes op te zetten. Hij was geenszins intelligent, maar kon goed inbreken en stond in hoge mate bij mij in het krijt. Ik meende dat hij geschikt zou zijn voor het karwei dat ik op het oog had, vooral daar ik hem streng had onderhouden over de dienst die ik van hem verlangde en over de manier waarop hij die diende uit te voeren. Met name zei ik hem dat er absoluut geen sprake mocht zijn van geweld, en ik bleef zo lang op dat gebod hameren dat zelfs een man met zijn beperkte geestesvermogens het moest hebben begrepen.

Dat dacht ik tenminste. Toen Matthew me vertelde dat het pakje bij di Pietro was afgeleverd en de ochtend daarop aan boord van een van diens schepen zou worden gebracht, gaf ik Cooth opdracht het mij zo gezwind mogelijk te bezorgen. Een paar uur later kwam Cooth gehoorzaam bij me terug en gaf me een pakje dat alle post bevatte die zou worden verstuurd, de door Matthew bezorgde brieven incluis. Ik schreef ze af en hij bracht het pakje terug. En de volgende morgen kwam Matthew met het bericht dat Signor di Pietro vermoord was.

Ik was hevig ontsteld en bad de Heer om vergeving van mijn domheid. Het was me, hoewel Cooth het bleef ontkennen, wel duidelijk wat er was gebeurd: hij was het huis in gegaan en had zich er niet toe beperkt het pakje weg te nemen, maar had besloten ook een greep in de schatkist te doen. Di Pietro was wakker geworden van het gerucht en poolshoogte komen nemen, en vervolgens had Cooth hem in koelen bloede met zoveel geweld de keel afgesneden, dat het hoofd bijna van het lichaam was gescheiden.

Uiteindelijk heb ik hem toch een bekentenis weten af te dwingen; maar wat kon het mij schelen, zei hij, of hij die man al of niet een kopje kleiner had gemaakt? Ik had dat pakje willen hebben én ik had dat pakje gekregen. Ik verloor mijn geduld en legde hem het zwijgen op. Hij ging terug naar de gevangenis, zei ik, en als hij ook maar een kik gaf over wat er was gebeurd, dan belandde hij aan de galg. Zelfs hij begreep toen dat het mij ernst was, en daarmee eindigde de zaak. Niet veel later hoorde ik dat Cola een Engelse handelspartner had die die betrekking graag wilde hebben en zich er niet om bekommerde of de dader van een vergrijp dat hem zo uitstekend van pas was gekomen, al of niet werd gevonden. Er gingen ettelijke dagen overheen, maar na heel wat inspanning had ik het idee dat ik opgelucht adem kon halen, omdat ik er betrekkelijk zeker van was dat Bennet niets over deze geschiedenis zou horen.

3

DEZE ONGELUKKIGE GESCHIEDENIS had me althans wel di Pietro's postzak opgeleverd, die nog heel wat interessanter bleek dan zelfs ik had
gehoopt. Want niet alleen zaten er de brieven bij die naar de radicalen werden gestuurd, er hoorde er ook eentje bij waar niets op stond en die uit een
andere en onbekende bron afkomstig was. Ik keek er alleen naar omdat ik
me de gewoonten herinnerde die Thurloe er bij de medewerkers van zijn
dienst had ingestampt, en waarvan eentje erop neerkwam dat wanneer je
een postzak op verdachte correspondentie nakeek, je ook alle andere stukken die erin zaten moest controleren. Alles bij elkaar zaten er twaalf brieven
in: eentje van de radicalen, tien die volkomen onschuldig waren en uitsluitend op handelskwesties betrekking hadden en dan nog deze laatste. Dat er
geen adres op stond had alleen al mijn aandacht getrokken, en het feit dat
het zegel op de achterkant geen enkel teken vermeldde, sterkte me in mijn
vastberadenheid. Alleen wenste ik wel dat dat mannetje Samuel Morland
naast me had gestaan, want geen mens had ooit vlugger een zegel verwijderd en was er beter in geweest het ongemerkt terug te plaatsen. Mijn eigen
pogingen verliepen heel wat moeizamer en ik vloekte wat af terwijl ik met
die netelige taak worstelde. Maar ik kreeg het voor elkaar en het resultaat
mocht er wezen, zodat ik meende dat wanneer het zegel eenmaal enigszins
geblutst was geraakt door het vervoer, geen mens er erg in zou hebben wat
ik ermee had uitgevoerd.

En het was de inspanning waard. In de zak zat het fraaiste staaltje van een
geheimschrift dat ik ooit had gezien: een heel lange brief van ongeveer
twaalfduizend karakters, in de ingewikkelde, willekeurige code die ik eerder heb beschreven. Ik bespeurde een tintelende opwinding toen ik de brief
in ogenschouw nam, want ik wist dat het hier een uitdaging betrof mijn
meesterschap waardig. Ergens in mijn achterhoofd spookte echter een verontrustende gedachte rond, want geheimschriften zijn als muziek en heb-

ben zo hun eigen ritme en cadans. Toen ik dit vluchtig doornam, kwam het me bekend voor: het klonk me in de oren als iets wat ik eerder had gehoord. Maar ik kon de melodie nog niet thuisbrengen.

Vele malen al hebben mensen mij gevraagd waarom ik me toch heb verdiept in de kunst van het ontcijferen van geheimschrift, want in hun ogen is dat een platvloerse bezigheid die niet met mijn positie en waardigheid strookt. Ik heb daar vele redenen voor, en het feit dat ik er genoegen in schep is daar nog maar de onbelangrijkste van. Mannen als Boyle gaan geheel en al op in hun verlangen de geheimen van de natuur te ontraadselen, en ook ik beleef daar bijzonder veel vreugde aan. Maar hoe fantastisch is het bovendien in de geheimen van de menselijke geest door te dringen, de wanorde van hun strevingen in orde te herscheppen en de duisterste daden aan het licht te brengen. Een geheimschrift is louter een verzameling letters op een bladzijde, dat geef ik toe. Maar dat onordelijke geheel louter door te redeneren in iets zinvols om te zetten, verschaft mij een voldoening die ik nog nooit aan anderen duidelijk heb kunnen maken. Ik kan alleen zeggen dat het enigszins aan bidden doet denken. Niet aan die platvloerse manier van bidden waarbij mensen woorden galmen terwijl hun gedachten elders vertoeven, maar aan het oprechte gebed, zo vol overgave en innig opgezonden dat je heel even Gods genade bespeurt. En vaak heb ik bedacht dat mijn succes op Zijn gunst wijst, er een teken van is dat alles wat ik doe Hem behaagt.

De door de non-conformistische elementen verstuurde brief was erbarmelijk gemakkelijk te ontraadselen en niet al te interessant. Had ik geweten wat hij behelsde, dan had ik er beslist niet al die moeite voor gedaan, want hij was di Pietro's leven niet waard en al evenmin de moeilijkheden die zijn moord voor me meebracht. In de pompeuze stijl waar non-conformistische lieden zo dol op zijn, was er in die brief sprake van bepaalde toebereidselen, en in raadselachtige bewoordingen werd er melding gemaakt van een plaats waarin ik zonder moeite Northampton herkende. Maar het epistel had weinig om het lijf; het behelsde niets dat het risico rechtvaardigde dat ik had genomen. Als dat ergens te vinden was, dan was dat in die laatste, mysterieuze brief. Ik was vastbesloten dat ik die zou lezen en wist dat ik de sleutel in handen moest krijgen.

Toen ik aan mijn schrijftafel zat met die onleesbare brief tartend en wel voor mijn neus, kwam Matthew naar me toe en vroeg of hij zich naar behoren van zijn taak had gekweten.

'Heel goed,' zei ik. 'Werkelijk heel goed, al is dat grotendeels aan het toeval te danken: jouw brief is niet interessant; het is de andere die me fascineert.' Ik hield hem omhoog, zodat hij hem in ogenschouw kon nemen, hetgeen hij met de hem eigen zorgvuldigheid en aandacht deed.

'U weet al wat erin staat? U hebt alles al ontcijferd?'

Ik moest lachen om zijn vertrouwen in mij. 'Een andere brief, een andere bron en ongetwijfeld een andere geadresseerde. Maar ik weet niets en heb nog minder ontraadseld. Ik kan deze brief niet lezen. De code is gebaseerd op een boek, dat bepalend is voor de volgorde in het geheimschrift.'

'Welk boek is dat?'

'Dat is iets wat ik niet weet, en als ik daar niet achter kan komen, dan zal ik de tekst nooit doorgronden. Maar ik weet zeker dat hij belangrijk is. Dit soort geheimschrift komt zelden voor; ik heb er maar enkele keren eerder mee te maken gehad, en die brieven waren geschreven door uiterst intelligente mannen. Voor stommelingen is het te gecompliceerd.'

'U zult er beslist in slagen,' zei hij met een glimlach. 'Daar ben ik zeker van.'

'Ik vind het aardig van je dat je zoveel vertrouwen in me stelt, mijn jongen. Maar ditmaal heb je het mis. Zonder de sleutel blijft de deur gesloten.'

'Hoe moeten we die sleutel dan vinden?'

'Alleen degene die de brief heeft geschreven en degene die hem gaat lezen weten om welk boek het gaat en hebben daar een exemplaar van.'

'Dan moeten we het hun vragen.'

Ik dacht dat hij een grapje maakte en begon hem al terecht te wijzen vanwege zijn frivole houding, toen ik aan zijn gezicht zag dat hij het oprecht meende.

'Laat u mij teruggaan naar Smithfield. Dan zal ik tegen hen zeggen dat iemand een poging heeft gedaan de brief te stelen, maar dat die mislukt is. En ik zal aanbieden zelf op dat schip mee te reizen, om het pakje te bewaken en ervoor te zorgen dat er niets mee gebeurt. Dan kom ik er wel achter voor wie deze brief bestemd is en waaruit de sleutel bestaat.'

Jeugdige geesten zien alles op zo'n eenvoudige en ongecompliceerde wijze dat het me moeite kostte mijn vrolijkheid te verbergen.

'Waarom lacht u, doctor?' vroeg hij met gefronst voorhoofd. 'Het is toch juist wat ik zeg? Er is geen andere manier om te ontdekken wat u moet weten, en u hebt niemand anders die u kunt sturen.'

'Matthew, je onschuld is werkelijk innemend. Jij zou rustig gaan, je zou ontmaskerd worden en alles zou verloren zijn, ook al zou je de dans ongedeerd ontspringen. Val me toch niet lastig met zulke domme ideeën.'

'U behandelt mij altijd als een kind,' zei hij, door mijn opmerking treurig gestemd. 'Maar ik kan daar geen reden toe zien. Hoe kunt u er anders achter komen om welk boek het gaat en voor wie de brief is bestemd? En als u mij niet kunt vertrouwen, wie kunt u dan wel sturen?'

Ik pakte hem bij de schouders en keek hem in de boze ogen. 'Wees maar niet gepikeerd,' zei ik wat vriendelijker. 'Dat ik zo sprak komt niet voort uit verachting, maar uit bezorgdheid. Jij bent nog jong en het betreft hier gevaarlijke mensen. Ik wil niet dat je iets overkomt.'

'Daarvoor dank ik u. Maar het enige dat ik graag wil, is u een waardevolle dienst bewijzen. Ik weet dat ik u veel verschuldigd ben en ik heb u nog maar zo weinig teruggegeven. Verleent u mij daarom toch alstublieft uw toestemming, mijnheer. En u moet uw beslissing vlug nemen; de brieven moeten nog terug en de boot vertrekt morgenochtend.'

Ik deed er even het zwijgen toe en bestudeerde zijn eerlijke gezicht, aan de volmaakte vorm waarvan zijn ergernis enige afbreuk deed, en op grond van die aanblik wist ik, veeleer dan op grond van zijn woorden, dat ik de teugels wat moest laten vieren, omdat ik hem anders voorgoed zou verliezen. Toch probeerde ik het nog één keer.

'Als ik van kinderen beroofd ben, zo ben ik beroofd' (Gen. 43:14).

Hij keek me kalm en zo vriendelijk aan dat ik me die blik nog steeds herinner.

'Tergt uwe kinderen niet, opdat zij niet moedeloos worden' (Koloss. 3:21).

Daarvoor zwichtte ik en ik liet hem gaan; ik omhelsde hem toen hij ging en keek hem na toen hij door de straat liep tot hij in de menigte uit het zicht verdween. Ik zag zijn verende tred en de vreugde in zijn passen die uit zijn gevoel van vrijheid voortsproot en ik treurde om mijn verlies. Die hele middag bad ik dat hij ongedeerd mocht blijven.

Twee volle weken lang hoorde ik niets van hem en elke dag werd ik door ellendige gevoelens gekweld en door de angst dat de boot was gezonken of dat hij was ontmaskerd. Maar hij kweet zich beter van zijn taak dan ik had verwacht en gaf blijk van meer capaciteiten dan menige geheim agent die een behoorlijke bezoldiging van de regering ontving. Toen ik zijn eerste brief kreeg, weende ik van opluchting en trots.

Zeer eerwaarde Heer, zo begon de brief,

Ingevolge uw instructies ben ik scheepgegaan op de bark de Colombo *en ben naar Den Haag gereisd. De overtocht was verschrikkelijk en op een gegeven ogenblik was ik ervan overtuigd dat mijn opdracht zou mislukken omdat het bijna zeker leek dat het schip met man en muis zou zinken.*

Gelukkig was de kapitein een man met ervaring die ons er veilig doorheen heeft geloodst, al waren we wel erg zeeziek.

Tegen de tijd dat we de haven binnenliepen had ik ervoor gezorgd dat deze man me graag mocht. Ik had gehoord dat hij daar niet te lang wilde blijven. Hij was erg ontsteld over de dood van di Pietro, maakte zich zorgen om zijn baan en wilde zo snel mogelijk naar Londen terug. Daarom bood ik hem aan dat ik de brieven wel voor hem zou bezorgen, en ik zei dat ik blij zou zijn met de gelegenheid enige tijd in dit gedeelte van de wereld door te brengen. Daar hij geen idee had dat er iets speciaals met die brieven aan de hand was, stemde hij daar graag mee in, en hij zei dat hij me mee terug zal nemen naar Londen wanneer hij hier zijn volgende vracht goederen heeft afgeleverd.

We namen de lijst zo nauwkeurig door als postbeambten en controleerden het adres op elke envelop aan de hand van een lijst die hij had.

'Op deze staat geen adres,' zei ik terwijl ik de brief pakte die u zozeer interesseert.

'Nee. Maar dat geeft niet, dat heb ik hier op mijn lijst.'

En hij liet me de door di Pietro eigenhandig geschreven opdracht zien dat deze brief bezorgd diende te worden bij een man genaamd Cola aan de Guldenstraat.

Mijnheer, ik moet u vertellen dat het desbetreffende huis dat van de Spaanse gezant is en dat die Cola daar welbekend is. Ik heb de brief nog niet bezorgd, want ik hoorde dat hij morgen pas zou arriveren, en daarom heb ik geweigerd hem te overhandigen: ik zei dat ik de strikte opdracht had de brief uitsluitend aan hem persoonlijk ter hand te stellen. Intussen heb ik de Engelsen in deze stad overgehaald mij onderdak te verschaffen, iets waartoe zij heel graag bereid waren, want ze voelen zich hier geïsoleerd en hunkeren naar nieuws uit het vaderland.

Wanneer ik terugkom, zal ik u uiteraard bezoeken om u eventueel van nog meer feiten op de hoogte te stellen die ik heb gevonden. Houdt u zich verzekerd, zeer vereerde en goedertieren Heer enz. enz. ...

Hoewel de genegenheid die uit de slotformule van mijn beminde knaap sprak, mijn hart verwarmde, ben ik bang dat ik mijzelf zozeer zou hebben vergeten dat ik hem een draai om zijn oren had gegeven als hij bij me was geweest. Ik besefte dat hij zich uitstekend had geweerd; maar desondanks was hij niet zo volledig geslaagd als nodig was. Ik wist nog steeds de naam niet van het boek dat de sleutel behelsde, en zonder die titel was ik niet erg veel opgeschoten. Maar hoezeer hij in dit opzicht ook tekort mocht zijn geschoten, ik besefte dat hij op een ander gebied iets had gepresteerd wat daar dubbel en dwars tegen opwoog. Want ik wist dat de Spaanse gezant, Esteban de Gamarra, een onverzoenlijke, gevaarlijke vijand van Engeland was. Alleen die ene inlichting al rechtvaardigde alles wat ik tot dusver had gedaan. Want die Cola, zo was mij maanden daarvoor al verteld, trok op met radicalen, en nu bleek hij dus een adres te hebben op de Spaanse ambassade. Het was een fascinerend raadsel.

Als gevolg van deze inlichting bevond ik me in een lastig parket, want ik was al ongehoorzaam geweest door achter die di Pietro aan te gaan, maar wanneer ik nu ingreep in deze geschiedenis, dan beging ik een nog ernstiger vergrijp. Bennet was nog altijd mijn enige beschermheer en ik kon het me niet permitteren zijn gunst te verliezen als ik hem niet door een geschikter iemand kon vervangen. Aan de andere kant was elke vorm van contact tussen de Spanjaarden en de radicalen een uiterst gewichtige aangelegenheid. Het vooruitzicht van een verbond tussen de verdediger van het katholieke geloof en de vurigste fanatici die het protestantisme aanhingen kon toch onmogelijk gedoogd worden, maar desondanks beschikte ik thans over het eerste zwakke vermoeden van een dergelijke connectie, en ik kon iets wat in essentie onwaarschijnlijk aandeed, toch niet zwaarder laten wegen dan het meest concrete en overtuigende bewijs?

Dit is altijd mijn leidraad geweest, in de wijsbegeerte én in mijn functie als bestuurder; de menselijke geest is zwak en vaak niet in staat patronen te doorgronden die ogenschijnlijk tegen alle redelijke verwachtingen ingaan. De geheimschriften waar ik me zo'n groot gedeelte van mijn leven over heb gebogen zijn hier een eenvoudig voorbeeld van, want wie zou nu kunnen begrijpen (als hij het niet wist) hoe een verward geheel van betekenisloze letters de lezer op de hoogte kan brengen van de gedachten van de meest vooraanstaande personen van het land of van de gevaarlijkste elementen op het slagveld? Dat druist tegen alle gezonde verstand in, maar toch is het waar. Redelijkheid die het gewone menselijke begrip te boven gaat is iets wat je vaak aantreft in Gods schepping, zo vaak zelfs dat ik weleens heb moeten lachen om Locke, die in zijn wijsgerig stelsel het gezonde verstand zo'n grote rol toedicht. 'Hij doet grote dingen, en wij begrijpen ze niet' (Job 37:5). Bij alles wat we ondernemen vergeten wij dit, en daarvoor betalen we de prijs.

De redelijkheid hield ons voor dat de Spanjaarden nooit sommen gelds zouden betalen om republikeinse non-conformisten aan de macht te helpen, of dat diezelfde non-conformisten bereid zouden zijn om hun idealen aan de Spaanse politiek te onderwerpen. Maar alles begon erop te wijzen dat er uitgerekend van zo'n soort verstandhouding tussen hen sprake was. In dat stadium kon ik er in de verste verte niet uit wijs worden en daarom voelde ik er niet voor allerlei fantastische theorieën te ontwikkelen; maar tegelijkertijd weigerde ik een aantal aanwijzingen enkel en alleen te verwerpen omdat die niet meteen aan het redelijke verstand appelleerden.

Het stond vast dat ik weggehoond zou worden als ik mijn inlichtingen voorlegde aan Bennet, die prat ging op zijn inzicht in de aard van de Spanjaarden en overtuigd was van hun vriendschap. Ook kon ik geen stappen ondernemen tegen de non-conformisten, want zij hadden zich nog nergens schuldig aan gemaakt. Ik kon dus niets doen: wanneer ik de brief eenmaal had ontcijferd, had ontdekt wie hem had geschreven en meer aanwijzingen had vergaard, kon ik misschien met een beter onderbouwd betoog aankomen, maar zolang het nog niet zover was, diende ik mijn vermoedens voor me te houden. Ik hoopte van harte dat Matthew zich herinnerde dat het van essentieel belang was de sleutel tot de brief te bemachtigen, want het was natuurlijk onmogelijk op enigerlei wijze contact met hem te onderhouden. Intussen schreef ik een rapport aan Bennet waarin ik hem er (in algemene bewoordingen) van op de hoogte bracht dat er iets broeide onder de radicalen en hem verzekerde dat ik hem zo goed mogelijk van dienst was.

∾

Een week later beloonde Matthew het vertrouwen dat ik in hem had gesteld en ik ontving nog een brief, die een gedeelte behelsde van de inlichtingen die ik nodig had. Hij noemde vier mogelijkheden en verontschuldigde zich ervoor dat hij niet meer had kunnen bereiken. Hij was de brief nogmaals gaan bezorgen en ditmaal was hij in een kamertje gelaten dat zo te zien een kantoortje was. Hij vond het er weerzinwekkend, want langs de wanden hingen rijen kruisen en het riekte er naar afgoderij, maar terwijl hij op Cola wachtte, zag hij vier boeken op de schrijftafel en vlug noteerde hij de titels. Dit deed mij genoegen, want het rechtvaardigde mijn vertrouwen in hem. Een dergelijk optreden gaf blijk van intelligentie en moed, want hij zou in groot gevaar hebben verkeerd als er iemand binnen was gekomen terwijl hij nog schreef. Helaas had hij geen oog gehad voor de meer subtiele kantjes aan de kunst van de geheimschriftexpert: hij had niet beseft (maar misschien was dat mijn schuld, omdat ik hem er niet genoeg op had gewezen) dat alle uitgaven van een boek verschillen wat betreft de nummering van de bladzijden, en dat met de verkeerde uitgave mijn brief nog even onbegrijpelijk bleef als met het verkeerde boek. Het enige waar ik op kon afgaan was het volgende – letter voor letter overgeschreven, zonder enig besef van de betekenis:

Titi liuii ex rec heins lugd II polyd hist nouo corol
duaci thom Vtop rob alsop eucl oct

Wat welhaast net zo belangrijk was, en heel wat gevaarlijker: hij ontmoette Cola zelf, en door wat hij over hem vertelde, liet hij mij zien hoe uitstekend de man er slag van had anderen te misleiden. Ik heb die brief nog steeds. Maar ja, ik bewaar dan ook elke herinnering aan Matthew – elke brief, elk schriftje dat hij ooit heeft volgeschreven ligt in een zilveren, met zijde gevoerde doos met de lok haar eromheen die ik op een nacht heb gestolen toen hij lag te slapen. Mijn ogen worden nu minder en weldra zal ik niet langer in staat zijn zijn woorden te lezen; dan zal ik ze verbranden, want ik zou er niet tegen kunnen ze me door anderen te laten voorlezen of anderen om mijn zwakheid te zien meesmuilen. Mijn laatste contact met hem zal teloorgaan wanneer het kaarsje uitdooft. Ook nu maak ik die doos echter niet vaak open, want ik vind dat zoiets droevigs dat ik er bijna niet tegen kan.

Cola wierp meteen zijn innemende manieren in de strijd en lokte de knaap – die nog te jong en te naïef was om het verschil te zien tussen vriendelijkheid en de schijn ervan – tot een vertrouwelijke toon en vervolgens tot een geveinsd vriendschappelijke omgang.

Hij is een gevuld man met heldere ogen en toen hij verscheen en ik hem de brief gaf, lachte hij dankbaar, gaf me een klap op de rug en schonk me een zilveren gulden. Toen stelde hij me een heel aantal diepgaande vragen naar allerlei dingen, waarbij hij veel belangstelling voor mijn antwoorden toonde, en hij verzocht me zelfs nog eens terug te komen, zodat hij me nog meer kon vragen.

Ik moet zeggen, mijnheer, dat hij er geen ogenblik blijk van gaf dat hij zich om politieke kwesties bekommerde, en ook maakte hij geen enkele ook maar enigszins onwelvoeglijke opmerking. Hij betoonde zich juist de volmaakte heer met hoffelijke manieren, en ik vond hem in alle opzichten gemakkelijk te benaderen en kon moeiteloos met hem praten.

Zo gemakkelijk is het lichtgelovige personen te misleiden! Die Cola was bezig zich op slinkse wijze Matthews genegenheid te veroveren, waarbij hij ongetwijfeld converseerde met dat luchtige gemak van de vluchtige kennis, die op geen stukken na de zorg benaderde die ik zovele jaren aan de knaap had besteed. Het is gemakkelijk een ander te vermaken en te boeien, maar heel wat moeilijker om hem op te voeden en lief te hebben; Matthew was helaas nog niet oud of kritisch genoeg om dat onderscheid in te zien en was een gemakkelijke prooi voor die genadeloze Italiaan, die hem met zijn woorden charmeerde tot het ogenblik dat hij zich genoopt zag toe te slaan.

Die brief verontrustte me, want ik was vooral bang dat Matthews natuurlijke beminnelijkheid ertoe zou leiden dat er hem een paar minder gelukkig gekozen woorden zouden ontglippen en dat Cola daardoor zou merken dat ik hem in het oog hield, dus schreef ik hem vlug terug om hem op te dragen bij die Italiaan uit de buurt te blijven. Vervolgens dwong ik me ertoe me op problemen toe te leggen die gemakkelijker op te lossen waren, en ik boog me weer over de kwestie van de in geheimschrift gestelde brief en de sleutel die ik ervoor nodig had.

Slechts één van de boeken die Matthew had genoemd kon het exemplaar zijn dat ik van node had; het probleem bestond eruit vast te stellen welk. De gemakkelijkste oplossing bleef me ontzegd, want ik wist dat Euclides maar één keer in een octavo uitgave was uitgekomen, namelijk in Parijs in 1621, en die uitgave had ik in mijn eigen bibliotheek. Daarom was het gemakkelijk genoeg vast te stellen dat dat niet het boek was dat ik nodig had. Daarmee bleven de andere drie over. Bijgevolg wendde ik me, zodra ik in Oxford terug was, tot een merkwaardige jongeman die ik kende, een zekere Anthony Wood, van wie ik wist dat hij er uitstekend slag van had zulke zaken op te snorren. Destijds had ik hem vele gunsten bewezen en me zijn dankbaarheid verworven door hem toegang te verlenen tot de manuscripten onder mijn beheer, en hij koesterde het vurige, bijna zielige verlangen mij mijn vriendelijke gestes te vergoeden, alleen moest ik wel een prijs betalen: ik werd gedwongen eindeloze betogen over alle mogelijke uitgeverijen en uitgaven enzovoort aan te horen. Waarschijnlijk meende hij dat ik belangstelling had voor de kleinste bijzonderheden van de wetenschap die zich met de oudheid bezighield, en probeerde hij bij me in het gevlij te komen door geleerde gesprekken met me aan te knopen.

Er ging heel wat tijd overheen voordat hij op een avond naar mijn kamer terugkwam (de verbouwingswerkzaamheden die in mijn huis werden uitgevoerd hadden me er inmiddels toe genoodzaakt woonruimte te huren in New College – een betreurenswaardige omstandigheid waar ik later nog op zal terugkomen) en meldde dat hij er naar alle waarschijnlijkheid achter was gekomen welke boeken bedoeld werden, al geloofde hij zelf dat er, waar het Thomas More en Vergilio* betrof, betere uitgaven bestonden die tegen geringere kosten verkrijgbaar waren.

Ik vond het afschuwelijk om op zo'n domme manier toneel te spelen, maar legde desondanks geduldig uit dat ik mijn zinnen nu juist op die uitgaven had gezet. Ik wilde, zo zei ik, eens experimenteren met vergelijkingen tussen de verschillende uitgaven teneinde een volledige editie zonder fouten voor de rest van de wereld te bezorgen. Hij sprak zijn grote bewondering uit voor mijn toewijding en zei dat hij dat heel goed begreep. De *Utopia* van Thomas More, zei hij, was een kwarto en ongetwijfeld betrof het hier de vertaling door Robinson die Alsop in 1624 had uitgegeven; hij wist dat omdat Alsop maar één uitgave had uitgebracht voordat de veranderde tijden hadden betekend dat het uitgeven van de werken van katholieke heiligen een gevaarlijke onderneming werd. Eén exemplaar, zei hij, bevond zich in de Bodleian. De *Geschiedenis* van Polidoro Vergilio was ook eenvoudig: er waren per slot van rekening niet veel nieuwe uitgaven van die voortreffelijke schrijver in Dowaai** gepubliceerd. Het moest wel om de speciale uitgave van George Lily gaan, een in 1603 gedrukt octavo. Het was niet moeilijk om aan een exemplaar te komen; kort tevoren had hij er zelfs nog eentje voor maar een schelling en zes duiten bij boekhandelaar Heath zien staan. Hij was er zeker van dat hij wel een nog lagere prijs zou kunnen bedingen – alsof ik zou doodvallen op twee duiten.

'En het vierde?'

'Dat is een probleem,' zei hij. 'Ik denk dat ik weet over welke uitgave u het hier hebt. Dat "Heins" geeft uitsluitsel. Dat slaat op die mooie uitgave van de geschiedenis van Livius van Daniël Heinsius, uitgekomen in Leiden in 1634. Een schitterend staaltje van meesterschap en geleerdheid, dat helaas nooit de officiële goedkeuring heeft ontvangen die het verdiende. Ik neem aan dat het hier om deel 2 twee gaat, en dat was een duodecimo, uitgekomen in drie gedeelten. Er zijn er helaas maar een paar gedrukt en ik heb er nooit eentje gezien. Ik ken die uitgave alleen van horen zeggen; anderen hebben schaamteloos gebruikgemaakt van zijn inzichten zonder

---

* Polidoro Vergilio (1470-1558) – in Italië geboren humanist die een geschiedenis van Engeland heeft geschreven die tot verplichte lectuur werd op Engelse scholen en universiteiten. (Noot van de vertalers.)
** Dowaai – stad in Noord-Frankrijk (het huidige Douai), destijds in de Spaanse Nederlanden gelegen, waar het Engels college gevestigd was. Hier werkte een aantal katholieke geleerden van de universiteit van Oxford in ballingschap aan een nieuwe vertaling van de bijbel teneinde Engelstalige katholieken van een betrouwbare rooms-katholieke versie van de bijbel te voorzien. (Noot van de vertalers.)

ooit te vermelden wie de eigenlijke geestelijke vader ervan was. Maar dat is iets wat ware geleerden zich voortdurend moeten laten welgevallen.'

'Wint u daar eens inlichtingen over in,' zei ik, uiterst geduldig. 'Ik zal er een goede prijs voor betalen als het verkrijgbaar is. U kent vast wel de nodige boekhandelaren, antiquaren en hoofden van bibliotheken en dergelijke. Als er eentje bestaat, dan is iemand als u in staat het op te sporen, daar ben ik wel zeker van.'

De onnozele hals sloeg bij het horen van dat compliment bescheiden de ogen neer. 'Ik zal mijn best voor u doen,' zei hij. 'En ik kan u verzekeren dat als ik geen exemplaar kan vinden, iemand anders het ook niet kan.'

'Meer vraag ik niet van u,' antwoordde ik en liet hem zo vlug mogelijk uit.

4

Onlangs las ik een vulgair schotschrift waarin stond (zonder dat ik rechtstreeks werd genoemd) dat de crisis waar ik mij toen mee bezighield, een fabel was die door de regering was verzonnen om de angst voor sektariërs aan te wakkeren en dat hij eigenlijk niet bestond. Niets kon verder bezijden de waarheid zijn. Ik hoop dat ik mijn goede bedoelingen en mijn eerlijkheid reeds duidelijk heb gemaakt. Ik beken wat ik wel heb gedaan: ik geef ronduit toe dat ik het gevaar van Venners opstand heb overdreven en neem de fout op mij die leidde tot de betreurenswaardige dood van signor di Pietro. Ik hoop dat er niet aan de oprechtheid van mijn berouw wordt getwijfeld, maar onverlet blijft dat de man subversieve en staatsgevaarlijke papieren bij zich droeg en dat de veiligheid van het koninkrijk vereiste die in handen te krijgen.

Ik heb het gevoel dat ik iets van mijn gedachtegang moet uiteenzetten, daar men anders door mijn nauwgezetheid wat brieven en obscure boeken betreft het idee zou kunnen krijgen dat ik pietluttig en dwangmatig ben. Voor mij was het overduidelijk dat de boeken waar Matthew me over had verteld zeer ongewoon waren. Iedereen kent de meelijwekkende aanspraken op wijsheid van de sektariërs. De meesten van hen zijn niet meer dan autodidactische krabbelaars in afval, door tweederangs literatuur verstrikt geraakt in de waan dat ze ontwikkeld zijn. Ontwikkeld? Een bijbel waarvan ze de verheven fijnzinnigheid en symbolische schoonheid in de verste verte niet begrijpen en een stel brallerige schotschriften van dat handjevol nonconformisten, wier arrogantie hun zondigheid nog overtreft, is alles wat zij aan ontwikkeling kennen. Geen Latijn, geen Grieks en zeker geen Hebreeuws; niet in staat een andere dan hun eigen taal te lezen en belaagd door het geraaskal van valse profeten en zelfuitverkoren messiassen, zelfs in het Engels. Natuurlijk zijn zij niet ontwikkeld; kennis is het domein van een heer. Ik zeg niet dat handwerkslieden geen kennis kunnen hebben, maar het hoeft geen betoog dat zij niet oordeelkundig zijn, daar zij de ledige tijd noch de oefening hebben tot onbevooroordeeld overwegen. Plato stelde dit reeds en ik ken geen enkel persoon van belang die hem hierin heeft tegengesproken.

En de schrijver van deze brief aan Cola zou een van deze nobele teksten voor zijn code gebruiken? Livius, Polidoro, More. Eerst huiverde ik bij de gedachte dat dergelijke handen deze werken zelfs maar aanraakten, maar toen bedacht ik me: een of ander smerig pamflet had ik geaccepteerd, maar deze boeken? Hoe kregen ze boeken in handen die slechts in de bibliotheek van een heer thuishoren?

Tegen de tijd dat Wood weer opdook, snuffelend en sidderend als een muis, had ik vastgesteld dat More noch Polidoro Vergilio het door mij benodigde boek was. De oplossing moest daarom in Livius zitten: vind het boek, vind wie het bezit en mijn onderzoek zou een grote sprong voorwaarts maken. Wood vertelde me dat een reeds lang geleden gestorven Londense boekverkoper in 1643 een half dozijn exemplaren naar dit land had gehaald als onderdeel van een voor geleerden bestemde gemengde vracht. Wat er daarna mee was gebeurd, was helaas onduidelijk aangezien de man een aanhanger van de koning was en zijn gehele voorraad in beslag werd genomen toen het parlement Londen in zijn greep kreeg. Wood nam aan dat die boeken toen verspreid werden.

'Wil je me na dit alles dus vertellen dat je geen exemplaar voor me kunt bemachtigen?'

Hij leek verrast door mijn scherpe toon, maar schudde zijn hoofd. 'Geenszins, mijnheer,' zei hij. 'Ik dacht alleen dat het u zou interesseren. Maar ze zijn zeldzaam en ik heb slechts één persoon kunnen achterhalen die zeker een exemplaar bezit dat hij zelf vanuit het buitenland heeft meegenomen. Ik weet dat omdat mijnheer Aubrey, een vriend van me, over een andere zaak naar een boekverkoper in Italië had geschreven...'

'Mijnheer Wood, alstublieft,' zei ik, op het punt mijn geduld te verliezen. 'Ik hoef niet alle bijzonderheden te weten. Ik wil slechts de naam van de eigenaar, zodat ik hem kan schrijven.'

'Maar, ziet u, hij is dood.'

Ik zuchtte diep.

'Vertwijfel niet, mijnheer. We hebben het grote geluk dat zijn zoon hier studeert; hij weet ongetwijfeld of het boek nog in bezit van de familie is. Zijn naam is Prestcott. Zijn vader was sir James Prestcott.'

Aldus beginnen mijn relaas en Cola's vertellingen (zo verzonnen als die van Boccaccio en zo onwaarschijnlijk als de dichtregels van Tasso, hoewel niet zo fijn geciseleerd) via de arme, misleide Prestcott elkaar te kruisen en ik moet de details naar mijn beste kunnen uitleggen, ofschoon ik volmondig toegeef dat enkele omstandigheden mij niet geheel duidelijk zijn.

De knaap was enige maanden eerder onder mijn aandacht gekomen, toen ik van zijn bezoek aan John Mordaunt hoorde. Zoals behoort had Mordaunt dit laten weten aan mijnheer Bennet en het nieuws van deze gebeurtenis was uiteraard aan mij doorgegeven; studenten en zonen van verraders wie het goeddunkt leden van het hof uit te horen waren geen alledaagse gebeurtenis en mijnheer Bennet vond dat de jongeman in de gaten moest worden gehouden.

Ik kende maar weinig bijzonderheden, maar had genoeg gehoord om er zeker van te zijn dat Prestcotts geloof in de onschuld van zijn vader even lachwekkend als ontroerend was. Ik was niet zeker van de exacte aard van zijn verraad, want ik was toen niet meer in dienst van de regering, maar de ophef die hij maakte duidde op iets van groot belang. Ik wist er wel iets vanaf, omdat ik, daar mijn kundigheden onmisbaar waren, begin 1660 verzocht werd met de grootste spoed aan een brief te werken. Ik heb dat reeds eerder vermeld, want het was de enige keer dat ik faalde, en zodra ik hem onder ogen kreeg wist ik dat er weinig kans van slagen was. Om zowel mijn reputatie als mijn positie te beschermen (de val van de Republiek werd met de dag zekerder en ik had geen zin mijn verbintenis ermee te rekken) wees ik het verzoek van de hand.

De overredingskracht die op mij werd uitgeoefend was echter groot. Zelfs Thurloe schreef mij persoonlijk met een mengeling van vleierij en dreigementen om mij tot volgzaamheid aan te manen, maar ik bleef weigeren. Alle berichten werden door Morland zelf bezorgd; een man wiens kruiperige taal en zorg voor eigenbelang ik verafschuwde, en alleen al zijn aanwezigheid maakte me onvermurwbaar.

'U kunt het niet, hè, doctor?' zei hij op zijn laatdunkende manier, die op het eerste gezicht zo beminnelijk leek, maar niettemin ternauwernood zijn aanmatigende minachting voor iedereen verborg. 'Daarom weigert u.'

'Ik weiger omdat ik twijfel aan de reden waarom ik word gevraagd. Ik ken je maar al te goed, Samuel; alles waarmee je je inlaat is corrupt en onbetrouwbaar.'

Hij lachte hier vrolijk om en knikte instemmend. 'Wie weet. Maar dit keer heb ik goed gezelschap.'

Ik bekeek de brief nog eens. 'Goed dan,' zei ik. 'Ik zal het proberen. Waar is de sleutel?'

'Wat bedoelt u?'

'Doe niet of ik idioot ben, Samuel. Je weet heel goed wat ik bedoel. Wie heeft dit geschreven?'

'Een man die Prestcott heet, een koningsgezinde krijgsman.'

'Vraag hem dan om de sleutel. Het zal een boek of een pamflet zijn. Ik moet weten waar de code op is gebaseerd.'

'We hebben hem niet,' antwoordde Samuel. 'Hij is gevlucht. De brief werd bij een van onze soldaten gevonden.'

'Hoe kan dat?'

'Dat is inderdaad een goede vraag,' zei Samuel. 'Daarom willen we die brief ontcijferd hebben.'

'Vraag het dan die soldaat als jullie sir James Prestcott niet te pakken kunnen krijgen.'

Samuel keek schuldbewust. 'Hij is een paar dagen geleden gestorven.'

'En ook bij hem was er niets anders te vinden? Geen ander papier, geen boek of een stuk geschrift?'

Voor één keer leek Morland in verlegenheid gebracht, wat me genoegen deed omdat hij zich meestal zo zelfingenomen voordeed dat het me een bevredigend gevoel gaf hem onzeker en zenuwachtig te zien. 'Dit was het enige dat we hebben gevonden. We hadden meer verwacht.'

Ik wierp de brief op mijn schrijftafel. 'Geen sleutel, geen oplossing,' zei ik. 'Hier kan ik niet aan beginnen en dat ga ik ook niet proberen. Ik ben niet van plan mezelf over de kop te werken omdat jullie zo haastig met de strop klaarstaan. Vind sir James Prestcott, vind de sleutel en dan help ik jullie. Niet eerder.'

Geruchten die in de voorafgaande weken in het leger en in de regering hadden gecirculeerd, gaven natuurlijk wel een idee van wat er aan de hand was. Ik had gehoord dat er in Kent was gevochten en ook van een koortsachtig onderzoek dat in het grootste geheim en met veel gewelddadigheid werd uitgevoerd. Later hoorde ik van de vlucht van sir James Prestcott naar het buitenland en dat hij beschuldigd werd van het verraden van de opstand in 1659 tegen de Republiek. Dat op zich trof me als hoogst onwaarschijnlijk: ik wist iets van de man af en beschouwde hem als iemand die zo buigzaam was als een eiken plank, onwrikbaar overtuigd van zijn eigen opvattingen. Mensen zondigden, mensen moesten worden gestraft en er moest vergelding worden ondernomen; dat was het alfa en omega van zijn handelwijze, en dit beperkte idee werd nog versterkt door de rampspoeden die hijzelf in de oorlog leed. Het maakte hem ongeschikt als samenzweerder, maar maakte hem, naar mijn mening, ook ongeschikt om iets zo subtiels als verraad te begaan: hij was te rechtschapen, te fatsoenlijk en veel te dom.

Anderzijds had hij duidelijk iets gedaan waardoor zowel de royalisten als Thurloe zijn dood en zijn zwijgen verlangden en ik wist niet wat dat was. Ik nam aan dat het antwoord in de brief te vinden was waar kleine Samuel het zo benauwd van kreeg, en toen hij weg was deed ik natuurlijk een poging hem te ontcijferen. Ik maakte geen enkele vordering, want de kundigheid van de opsteller was aanzienlijk, groter dan wat ik van een militair uilskuiken als Prestcott had verwacht.

Ik vermeld dit omdat het verhaal dat Wood me in alle onschuld vertelde me tot een inzicht bracht dat ik al eerder had behoren te krijgen. Door dat nu te vermelden op het moment dat het bij me daagde loop ik de kans voor dwaas aangezien te worden; ik kan slechts zeggen dat ik niet naar het oordeel luister van mensen met minder kundigheid dan mijzelf. Het herkennen van een bepaalde code is als het herkennen van een stijl in componeren of dichten; het is onmogelijk te zeggen wat het besef doet doorbreken en ik betwijfel of er enig mens in leven is die had kunnen zien dat de brief die ik in de brieventas van di Pietro vond, gericht aan die Marco da Cola, in dezelfde code was geschreven, dezelfde vorm had, hetzelfde *gevoel* gaf als die brief van sir James Prestcott die me drie jaar tevoren door Samuel Morland was gebracht. Toen ik eenmaal de vorm had begrepen, kon ik de structuur onderzoeken: twee dagen hard werken aan beide brieven bracht me tot de onontkoombare en duidelijke conclusie dat beide waren opgesteld met behulp van hetzelfde boek. Ik wist dat een exemplaar van Livius was gebruikt om de brief aan Cola te coderen, dus wist ik nu ook dat dezelfde Livius voor de Prestcott-brief was gebruikt.

Was ik zekerder van mijn positie geweest dan had ik de jonge Prestcott ontboden, hem verteld hoe de zaak lag en om de Livius gevraagd. Ik kon dit echter duidelijk niet doen zonder hem van het belang ervan te vertellen en daar ik zijn obsessies kende, wilde ik niet verantwoordelijk zijn voor het heropenen van een kwestie die klaarblijkelijk zo gevoelig lag: vele mensen hadden hun best gedaan deze gebeurtenissen, wat ze ook waren, geheim te houden en men zou het mij niet in dank afnemen als ik er weer de aandacht op vestigde. Ik moest hem dus op subtielere wijze benaderen en besloot daarom gebruik te maken van Thomas Ken.

Ken was een mateloos ambitieuze jongeman die een haarscherp beeld had van wat hij wilde bereiken. Voor Ken waren de belangen van God en hemzelf onscheidbaar verstrengeld; in zulke mate zelfs dat men het idee kon krijgen dat de gehele verlossing afhing van het feit of hij wel tachtig pond per jaar ontving. Hij was een keer zo arrogant mij om mijn steun te vragen voor het verkrijgen van een prebende die lord Maynard te vergeven had voor New College. Daar ik geen lid van dat genootschap was, had ik uiteraard weinig zeggenschap in die kwestie en het was duidelijk dat doctor Robert Grove – een man die beter onderlegd en evenwichtiger was en het zeker meer verdiende – de strijd zou winnen, wat ik ook zou zeggen. Maar het was een goedkope manier om zijn toewijding te winnen en ik gaf hem de verzekering van mijn steun, voor wat het waard was.

Daar stond tegenover dat ik hem vroeg mij te helpen als ik van zijn diensten gebruik wilde maken, en na verloop van tijd stelde ik voor ik dat hij mijnheer Prestcott zou overreden mijn hulp in te roepen. Prestcott verscheen en ik ondervroeg hem uitvoerig over de bezittingen van zijn vader. Hij wist helaas niets van een boek van Livius, noch van welk document dan ook, hoewel hij naderhand bevestigde wat Morland had gezegd: het bleek dat zijn moeder een pakje van zijn vader had verwacht dat nooit was aangekomen. Het was uitermate frustrerend: ik had een klein beetje geluk nodig om niet alleen de geheime correspondentie van die Marco da Cola te ontrafelen, maar ook om een van de grootste geheimen van het rijk te leren kennen.

Maar Samuel, die stommeling, had de enige man opgeknoopt die me het antwoord kon vertellen.

5

IN DEZE PERIODE LEGDEN mijn verplichtingen me een vreemd levensritme op, want ik was gedwongen te leven als een soort nachtdier dat jaagt terwijl andere slapen en dat uitrust van zijn inspanningen als het grootste deel van de schepping actief is. Wanneer alle personen van stand Londen verlieten om naar hun landgoed te gaan of om het hof van de ene plek van ijdel vermaak naar de andere te volgen, verliet ik het platteland om residentie te kiezen in Londen. Wanneer het hof naar Westminster terugkeerde, verhuisde ik weer terug naar Oxford.

Ik vond dit niet onaangenaam. De verplichtingen van de hoveling zijn tijdrovend en grotendeels onprofijtelijk, tenzij men de prijs van roem en status najaagt. Als men zich slechts bezighoudt met de veiligheid van het koninkrijk en het glad laten verlopen van staatszaken, is het zinloos daar aanwezig te zijn. In het hele land heeft minder dan een handjevol mensen werkelijke macht. De rest wordt op de een of andere manier geregeerd, en ik had meer dan voldoende contacten met degenen die werkelijk van betekenis waren.

Onder hen trof ik maar enkele natuurlijke bondgenoten aan en velen die, hetzij opzettelijk hetzij door hun beperkte bevattingsvermogen, tegen het belang van hun eigen land werkten. Ik kan gerust zeggen dat men die situatie in deze tijd overal aantrof, zelfs bij de wetenschappers die dachten dat ze slechts de natuur haar geheimen ontlokten. Daar ze niet maalden om nadenken, namen ze wat ze deden niet in ogenschouw en lieten ze zich langs het verkeerde pad naar zeer gevaarlijke posities voeren. Met het verstrijken der jaren zijn de overeenkomsten me steeds duidelijker geworden, want het is gemakkelijk uit gretigheid of grootmoedigheid in door anderen uitgezette vallen te trappen. Een paar weken geleden bijvoorbeeld besliste ik een meningsverschil dat, tot ik op de gevaren wees, een onbeduidende kwestie leek te zijn, een zaak waarvoor alleen de meest theoretische geesten warm konden lopen. De minister van Buitenlandse Zaken (niet meer mijnheer Bennet) schreef me met de vraag of dit land zich bij het vasteland moest voegen en de gregoriaanse kalender moest aannemen. Ik geloof dat er slechts naar mijn mening werd gevraagd om goedkeuring voor iets anders te krijgen waarover men het al eens was geworden; het was toch zeker absurd dat dit land, als enige in Europa, een afwijkende kalender had en altijd zeventien dagen bij iedereen achterliep?

Ze veranderden snel van mening toen ik hen op de consequenties van die schijnbaar onschuldige stap wees. Want die trof het hart van Kerk en staat, bemoedigde de papisten en ontstelde hen die streden om de buitenlandse overheersing tot staan te brengen. Stellen onze legers zich teweer tegen de arrogante macht van Frankrijk louter om onze onafhankelijkheid onder het mom van meer vredelievendheid weg te geven? Het accepteren van deze kalender betekent het gezag van Rome accepteren; niet alleen (zoals de minder fijnzinnigen zeggen) omdat het een door de jezuïeten bedachte hervorming was, maar omdat hieraan toegeven ook betekent dat we accepteren dat de bisschop van Rome het recht heeft te beslissen wanneer onze Kerk Pasen viert; te zeggen wanneer alle belangrijke feest- en hoogtijdagen plaatsvinden. Eenmaal in principe aanvaard, volgt al het andere op natuurlijke wijze; op één punt buigen voor Rome leidt ook tot gehoorzaamheid op andere punten. Het is de plicht van iedere Engelsman de verlokkingen van het sirenengezang te weerstaan dat zegt dat dergelijke kleinigheden profijt zonder nadelen zal brengen. Dat is niet waar, en als wij hierin alleen blijven staan: het zij zo. Van oudsher is het Engelands glorie geweest de aanmatigingen van de continentale machten te weerstaan, die tot slavernij leiden en onderwerping afdwingen. God eren is belangrijker dan de eenheid van het christendom. Aldus luidde mijn antwoord en ik ben blij dat het doorslaggevend was; de discussie is eens en voor altijd gesloten.

Het was dus na de Restauratie, en de belangen waren toen zelfs nog groter. Vele mensen waren openlijk of in het verborgene katholiek en hadden zich op slinkse wijze op hoge, invloedrijke plaatsen aan het hof ingedrongen. Er waren erbij (ik prijs hen en zeg dat het om oprechte redenen was) die geloofden dat het in het beste belang van de staat was om nauwe betrekkingen met Frankrijk aan te gaan; anderen wilden de ambities van de Bourbons dwarsbomen door gemene zaak met de Spanjaarden te maken.

Week in week uit, maand in maand uit bestreden de facties elkaar, en de steekpenningen uit het buitenland stroomden binnen. Geen enkele minister of ambtenaar verzuimde zich in deze strijd, want dat was het, te verrijken. Op een gegeven moment had de Spaanse factie de overhand en mijnheer Bennet en anderen consolideerden hun positie en trokken meer macht naar zich toe. Dan weer sloegen de Fransen terug en droegen bij aan de bruidsschat die voor de nieuwe echtgenote van de koning betaald moest worden. En de Hollanders keken angstig van de ene grote vijand naar de andere in de wetenschap dat als ze een verbond met de ene aangingen, ze door de andere aangevallen zouden worden. Zo werden aan het hof in het klein de geschillen uitgevochten die later in het groot op de zeeën en velden van Europa zouden woeden.

Bovendien waren er twee grote raadsels: de koning die met iedereen een verbond wilde sluiten die maar genoeg betaalde om zijn genotzucht te onderhouden, en lord Clarendon die zich tegen ieder buitenlands contact verzette in de overtuiging dat de binnenlandse positie van zijn majesteit zo onzeker was dat de lichtste beroering van buitenaf zijn troon onherstelbaar zou doen wankelen. In 1662 had zijn opvatting de overhand, maar anderen, zoals lord Bristol, waren de tegenovergestelde mening toegedaan en dachten dat klinkende overwinningen in het buitenland de kroon zouden sterken, of hoopten heimelijk op de kansen die een nederlaag zou bieden. Velen wilden namelijk de val van die man teweegbrengen en spanden zich onvermoeibaar in om hem ten ondergang te brengen. Meer dan wat dan ook zou een nederlaag in de strijd de carrière van Clarendon verwoesten en ik twijfel er niet aan dat vele trouwe dienaren van de koning 's nachts wakker lagen, hopende dat er een zou plaatsvinden.

Voorlopig was het grootste wapen dat de tegenstanders van Clarendon hadden het schandalige gedrag van zijn dochter dat het hof nog geen zes maanden eerder in beroering had gebracht en de positie van de eerste minister danig had verzwakt. De verachtelijke vrouw had namelijk de hertog van York, de broer van de koning, getrouwd zonder de moeite te nemen daarvoor toestemming te vragen. Dat zijn dochter hoogzwanger was toen de bruiloft plaatsvond, dat Clarendon de hertog van York hartgrondig verachtte, dat hij even misleid was als de koning – niets van dat al was van enig belang. Het koninklijk gezag was belachelijk gemaakt en de koning had een belangrijke troef verloren in het diplomatieke spel: een huwelijk met de hertog was een mooie aansporing geweest voor het bezegelen van een alliantie. Er werd beweerd dat Clarendon niet wilde dat dit onderwerp in zijn bijzijn werd aangeroerd en dat hij dagelijks bad dat de koningin een erfgenaam zou baren, zodat hij kon worden vrijgesproken van samenspanning om zijn eigen dochter op de troon te krijgen, wat zeker zou gebeuren als de koning zonder wettig nageslacht zou sterven. Het was iets wat niet makkelijk te vergeven was en zijn vijanden – lord Bristol, de spitsvondigste van allemaal, voorop – zorgden ervoor dat het niet vergeten kon worden.

Deze kuiperijen van de machtigen en verwaanden trokken mijn belangstelling maar matig; dom genoeg wellicht, want een grotere oplettendheid ten aanzien van de bijzonderheden van dat soort minne kibbelarijen zou me zeer geholpen hebben. Maar tot dan toe had ik nog allerminst in de gaten dat deze intriges essentieel waren voor mijn eigen naspeuringen en dat ik zonder deze geen enkele reden tot bezorgdheid zou hebben gehad. Deze kwestie zal echter op het geëigende moment duidelijk worden gemaakt. In die tijd zag ik mezelf in alle bescheidenheid als een dienaar – misschien een van gewicht –, maar niettemin als iemand zonder belang bij de conflicten aan het hof, noch zelfs met de zorg het beleid van het rijk te beïnvloeden. Het was mijn taak mijn meesters de geheime geschiedenis van het koninkrijk te vertellen zodat ze, indien ze dat wensten, hun beslissingen met kennis van zaken konden nemen. In dezen was mijn betekenis cruciaal, want goede informatie is de moeder van het voorkomen en de onderdrukkingsmaatregelen die werden genomen, waren verre van afdoende. Stadsmuren werden geslecht, maar niet snel genoeg; allerhande sektariërs werden gearresteerd en beboet, maar er kwamen voortdurend anderen en de slimmeren hielden zich verborgen.

Iemand die dit verslag leest, zou zich kunnen afvragen waarom ik bereid was zoveel aandacht aan de kwestie-Marco da Cola te schenken, aangezien ik tot dusverre weinig heb gezegd dat mijn inspanningen kan rechtvaardigen. In feite was ik tot dan toe slechts terloops in hem geïnteresseerd; hij was niet meer dan een van die paden in een onderzoek die alleen vanwege de grondigheid werden bewandeld: er was niets concreets waarop ik me kon richten en niet veel meer dan nieuwsgierigheid om mijn aandacht gespitst te houden. Ik had inderdaad een mogelijke band tussen de ballingen en de Spanjaarden vastgesteld, en hij en zijn familie waren de schakel. Ik had een onbegrijpelijke brief en een intrigerende relatie met een ander document dat drie jaar eerder was geschreven. En ten slotte was er het raadsel van Cola zelf, want ik vond het vreemd dat hij vele maanden in de Nederlanden kon doorbrengen zonder dat algemeen bekend werd dat hij beroepsmilitair was. Ook begreep ik niet waarom zijn vader – een man die om zijn bekwaamheid bekendstond – bereid was zijn oudste geschikte zoon van zijn familieverplichtingen te ontheffen. Maar niet alleen hield de jonge Cola zich naar het leek geheel niet bezig met handelszaken, hij was zelfs niet getrouwd.

Dat was hoe ik erover dacht en ik legde mijnheer Williams, mijn koopmansvriend, het raadsel voor, toen ik hem de dag nadat ik begin 1663 in Londen aankwam, ontmoette.

'Laat me jou als speculant een probleem voorleggen,' zei ik. 'Stel dat je je belangrijkste afzetmarkten en handelspartners kwijtraakt doordat havens worden gesloten vanwege de oorlog. Je hebt drie dochters, van wie er een getrouwd is en twee snel de huwbare leeftijd zullen bereiken. Je hebt slechts één nuttige zoon. Welke handelwijze volg je om je zaken veilig te stellen en uit te breiden?'

'Wanneer ik niet meer in paniek ben en ben opgehouden met bidden om een gunstige wisseling van het lot?' zei hij lachend. 'Ik kan me ergere situaties indenken, maar niet veel.'

'Laat ons zeggen dat je van nature een bedaard man bent. Wat valt er te doen?'

'Eens kijken. Veel hangt af van de reserves die tot mijn beschikking staan, en natuurlijk van de betrekkingen met mijn familie. Zullen zij bijspringen om me te helpen? Dat kan een acute crisis afwenden en me tijd geven om me te herstellen. Hoewel dat me armslag geeft, lost het niet het probleem op. Het ligt voor de hand dat er nieuwe markten moeten worden aangeboord, maar om nieuwe havens open te leggen is geld nodig, omdat het vaak noodzakelijk is enige tijd met verlies te verkopen om voet aan de grond te krijgen. De makkelijkste oplossing is om een verbintenis met een ander handelshuis aan te gaan. Je huwelijkt een zoon uit als je er een hebt en je positie sterk is; een dochter als je zwak staat. Uit de situatie die je beschrijft blijkt de noodzaak een zoon op gunstige wijze uit te huwelijken, want dat brengt geld in de zaak in plaats van dat het er geld aan onttrekt. Het is echter ook nadelig omdat je afzetmarkten nodig hebt, en dat vraagt erom dat je een dochter uithuwelijkt.'

'En waar vind ik het geld daarvoor? Iedere mogelijke bondgenoot weet van het probleem af en zal een hoge prijs bedingen, nietwaar?'

Mijnheer Williams knikte instemmend. 'Dat is precies wat ik bedoel. Ik denk dat ik in mijn situatie zou overwegen de zoon buiten de zaak te laten trouwen met de meest vermogende vrouw die ik kon vinden, en dat ik de bruidsschat onmiddellijk zou gebruiken om een dochter uit te huwelijken in de handel. Met wat geluk houdt mijn familie een kleine geldsom over; zonder geluk moet ik met rente lenen om het verschil bij te passen. Maar dat zou geen probleem zijn als mijn zaken weer beter gingen lopen. Het is geen strategie die gegarandeerd succes oplevert, maar hij biedt er wel de meeste kans op. Waar hebben we anders zonen voor dan voor dit doel?'

'Dus als ik zou zeggen dat deze handelaar niet alleen niet van plan lijkt te zijn zijn zoon te laten huwen, maar hem zelfs door Europa laat trekken, waar hij onbereikbaar is en aanzienlijke sommen geld verteert?'

'Dan zou ik er sterk op tegen zijn om geld te riskeren in welke onderneming van hem dan ook. Heb ik gelijk als ik denk dat je je nog steeds bezighoudt met het huis Cola?'

Ik knikte met grote tegenzin. Ik had geen zin om mijnheer Williams op enigerlei wijze in vertrouwen te nemen, maar hij was te intelligent om zich voor de gek te laten houden en een eerlijke erkenning zou naar ik dacht voldoende zijn om hem tot zwijgen te verplichten.

'Denk niet dat dergelijke gedachten ook niet bij ons zijn opgekomen,' zei hij.

'Ons?'

'Wij handelaren. Wij zijn er altijd op gebrand om nieuws over onze concurrenten te horen en, droevig als het moge zijn, we verheugen ons maar al te zeer wanneer wij van de val van een rivaal horen. De goeden onder ons worden er daardoor natuurlijk altijd aan herinnerd dat zo'n lot iedereen kan overkomen. Er is maar heel weinig tegenspoed voor nodig om rijkdom in armoe te laten verkeren. Een storm of een onvoorziene oorlog kan rampzalig zijn.'

'Op dat punt kun je zeker zijn,' stelde ik hem gerust. 'Het weer kan ik niet voorspellen, maar geen oorlog zal je onverhoeds overvallen als ik in staat ben je van dienst te zijn.'

'Daar ben ik dankbaar voor. Volgende week verscheep ik een grote lading naar Hamburg. Die zie ik graag aankomen.'

'Zover ik weet, lijkt een beschikking dat Hollandse piraten vrij spel op de Noordzee wordt toegestaan niet ophanden. Niettemin is het wijs zich te hoeden voor de gewetenlozen en op alles voorbereid te zijn.'

'Geloof me, ik heb alle mogelijke voorzorgen genomen. Ik ben bestand tegen een enkele kaper.'

'Mooi zo. Als ik nu even op Cola mag terugkomen, wat zegt de handelsgemeenschap over hem?'

'In één woord dat de zaken van de vader slecht gaan en steeds slechter worden. Hij heeft lange tijd toegestaan dat zijn oostelijke afzetgebieden door de Turken werden afgekalfd. Kreta is hij vrijwel kwijt; hij deed een dappere poging om een nieuwe zaak in Londen te beginnen, maar die is gefnuikt door de dood van zijn bedrijfsleider hier en de brutaliteit van zijn partner die de zaak heeft overgenomen. Er gaan geruchten dat hij schepen heeft verkocht om aan geld te komen. Drie jaar geleden had hij een vloot van meer dan dertig schepen en dat zijn er nu nog maar nauwelijks twintig. Zijn pakhuizen in Venetië liggen vol goederen, wat geld is dat doelloos ligt te verschimmelen. Als hij ze niet afzet, kan hij zijn crediteuren niet betalen. Als hij dat niet doet, is het afgelopen met hem.'

'Wordt hij als kredietwaardig beschouwd?'

'Iedereen is kredietwaardig tot hij ophoudt zijn rekeningen te betalen.'

'Hoe verklaar je dan wat de vader doet? Of wat de zoon doet?'

'Dat kan ik niet. Hij heeft een uitstekende reputatie, dus ik moet er wel van uitgaan dat er veel meer achter steekt dan een koffiehuiskletskous als ikzelf te weten kan komen. Ik kan me niet voorstellen wat het kan zijn. Maar ik verzeker u dat zodra ik iets hoor ik het u ogenblikkelijk laat weten.'

Ik bedankte hem en ging verder. Ik had de situatie juist geïnterpreteerd en daar was ik blij om; maar ik was nog geen stap dichter bij het doorgronden van het probleem gekomen dan daarvoor.

⧸⧸⧸

Het volgende brokje informatie dat mijn onderzoek vooruithielp, kwam voort uit mijn betrokkenheid bij het Koninklijk Genootschap, en het was pas tien dagen later dat het me in de schoot viel, meer door Gods goedertierenheid dan door mijn eigen inspanningen. Gelukkig gebeurde er veel in die tijd waarmee ik me kon bezighouden, anders zou ik zeker zeer slechtgehumeurd zijn geraakt. Dit is een grote tekortkoming van me en ik heb lang mijn best gedaan die te overwinnen. 'Welzalig hij die blijft verwachten' (Dan. 12:12) – ik ken de tekst uit mijn hoofd, maar vind het moeilijk die na te volgen.

Ik heb dit doorluchtige genootschap al genoemd en een idee gegeven van de manier waarop de zich ontwikkelende uitwisseling met weetgierige lieden van over de gehele wereld me in mijn werk hielp. In het begin had ik de taak van secretaris voor de correspondentie op me genomen, maar ik merkte dat mijn andere verplichtingen zwaar op me drukten en ik stond de taak geleidelijk aan af aan mijnheer Henry Oldenburg, een man zonder experimenteerlust, maar met een aangenaam talent om anderen aan te moedigen. Hij kwam op een ochtend langs om wat recente correspondentie met me door te nemen, want ik wist heel goed dat het van het grootste belang was om op de juiste manier verslag uit te brengen over experimenten en ontdekkingen, om te verhinderen dat buitenlanders met een eer gingen strijken die niet de hunne was. De reputatie van het genootschap was de trots van het land en het onverwijld vaststellen van prioriteit was essentieel.

Wat dit punt betreft kan ik wel zeggen dat deze handelwijze de klachten van Cola over de kwestie van de bloedtransfusie logenstraft, aangezien het was vastgelegd (niet door ons) dat openbaarmaking van ontdekkingen voorrang geeft. Dat is wat Lower deed, Cola niet; sterker nog, hij kan geen enkel bewijs van zijn beweringen leveren, terwijl Lower niet alleen brieven kan tonen waarin zijn ontdekking vermeld staat, maar ook een beroep kan doen op personen van onbetwistbare integriteit, zoals sir Christopher Wren, om voor hem in te staan. Om aan te tonen dat ik in dezen niet partijdig ben, kan ik ook het geval van mijnheer Leibniz aanhalen, toen deze beweerde een nieuwe methode voor interpolatie te hebben gevonden door reeksen differenties tegenover elkaar te stellen. Toen hem werd verteld dat Regnauld een soortgelijke theorie al aan Mersenne had bericht, trok Leibniz onmiddellijk al zijn aanspraken op prioriteit in: hij accepteerde dat het doorslaggevend was deze zaak bekend te maken. Overeenkomstig is het duidelijk dat Cola's klachten zonder enige grond zijn, want wie wat het eerst deed is onbelangrijk. Niet alleen publiceerde hij niet, maar zijn eerste experiment werd in het geheim uitgevoerd en eindigde met de dood van de patiënt. Lower daarentegen deed zijn experiment niet alleen ten overstaan van getuigen, maar gaf later een demonstratie voor het hele genootschap, lang voordat er protestgeluiden uit Venetië kwamen.

Gedurende mijn onderhoud met Oldenburg bespraken we in vriendschappelijke sfeer lidmaatschaps- en reglementaire problemen voor we overgingen op meer algemene zaken. Toen kreeg ik een klap te verwerken.

'Ik heb overigens over een zeer interessante jongeman gehoord, die op een gegeven moment misschien in aanmerking kan komen voor de functie van corresponderend lid in Venetië. Zoals u weet hebben we geen enkel bruikbaar contact met de weetgierigen van die republiek.'

Ik was oprecht verheugd en koesterde geen enkele argwaan, want Oldenburg was altijd bezig nieuwe manieren te zoeken om natuurvorsers uit alle landen bijeen te brengen en iemands werk aan anderen bekend te maken.

'Dat doet me genoegen,' zei ik. 'Wie is de jongeman?'

'Doctor Sylvius vertelde me over hem,' antwoordde hij, 'want hij is bij die grote man in de leer geweest en wordt om zijn bekwaamheden hooggeschat. Hij heet Cola en hij is een rijke jongeman uit een goede familie van gerenommeerde handelaren.'

Ik gaf blijk van grote interesse.

'Het mooiste is dat hij binnenkort naar Engeland komt, zodat we de gelegenheid hebben met hem te spreken en zelf te zien wat zijn capaciteiten zijn.'

'Zegt Sylvius dat? Komt hij naar Engeland?'

'Blijkbaar. Ik geloof dat hij van plan is volgende maand te komen. Ik wilde hem een brief schrijven om onze wens kenbaar te maken hem na aankomst te ontvangen.'

'Nee,' zei ik. 'Doe dat maar niet. Ik bewonder Sylvius zeer om zijn kennis, maar niet om zijn inzicht in de medemens. Als u die jongeman uitnodigt en hij blijkt onbekwaam te zijn, is het misschien moeilijk voor ons om niet onheus bejegend te worden als we hem niet aannemen. We zullen hem snel genoeg treffen wanneer hij komt en kunnen hem dan op ons gemak bekijken.'

Zonder morren stemde Oldenburg hiermee in, en als extra voorzorg pakte ik de brief van Sylvius om die zorgvuldig te bestuderen. Er stond weinig meer in, hoewel ik opmerkte dat hij schreef dat Cola 'voor dringende zaken' naar Engeland zou komen. Wat konden dat voor zaken zijn? Hij had geen belang in de handel en rondtrekken in dit deel van de wereld kon men nauwelijk een dringende zaak noemen. Waarom kwam die gewezen krijgsman hier?

De volgende dag dacht ik dat ik het wel kon raden.

6

Zeer geëerde doctor en geëerde meester, luidde de aanhef van Matthews brief.

Ik schrijf met grote haast, want ik heb nieuws dat van groot belang voor u kan zijn. Ik heb mij uitermate geliefd gemaakt in de dienstvertrekken van de Spaanse ambassade en ga er prat op vele geheimen te hebben geleerd. Als ik ontdekt word, zal dat me mijn leven kosten, maar het gevaar dat dreigt is zo groot dat ik het risico moet nemen.

Ik weet niet nauwkeurig welke plannen er worden gesmeed, omdat ik alleen maar geruchten oppik. Dienaren weten echter altijd veel meer dan zou mogen of dan hun meesters vermoeden en men fluistert hier over plannen voor een grote coup tegen ons land die in april moet plaatsvinden. Klaarblijkelijk is señor de Gamarra dit al enige tijd aan het voorbereiden met hooggeplaatste personen in Engeland zelf en is zijn complot vrijwel voltooid. Meer dan dit kan ik niet te weten komen, want er zijn zelfs grenzen aan de kennis van kamermeisjes, maar misschien dat ik later meer hoor.

Ik moet u zeggen, mijnheer, dat ik geloof dat uw argwaan tegen Marco da Cola ongegrond is, daar hij een uiterst vriendelijk heerschap is en ik geen enkel krijgshaftig trekje bij hem kan bespeuren; eigenlijk integendeel, hij lijkt geschapen voor vrolijkheid en vermaak, en zijn gulheid (zoals ikzelf kan getuigen) is waarlijk groot. Ik heb zelden een vriendelijker en openhartiger heer ontmoet. Bovendien, zo blijkt, vertrekt hij binnenkort en geeft hij over enkele dagen een afscheidsmaal met muziek en dans, waarvoor hij mij als zijn persoonlijke gast heeft uitgenodigd, zo goed ben ik erin geslaagd zijn gunst te winnen. Hij bewijst mij grote eer door mij aan zijn zijde te houden en ik weet zeker dat u het met mij eens zult zijn dat dit de beste plaats voor mij is als ik moet uitvinden of hij ons kwaadgezind is.

Het spijt mij, mijnheer dat ik u op dit moment niet meer kan zeggen; ik vrees dat mijn navorsingen achterdocht zullen wekken als ik te veel vragen stel.

Mijn woede en ontsteltenis over dit staaltje jeugdige dwaasheid kenden geen grenzen, hoewel ik niet wist of ik kwader was op Matthew vanwege zijn stommiteit of op Cola vanwege de verachtelijke wijze waarop die zijn genegenheid had gewonnen. Ik had hem dergelijke vermakelijkheden nooit toegestaan, omdat die zowel zondig zijn alsmede de ontwikkeling van een kind sneller bederven dan welke andere fout in zijn opvoeding ook. In plaats daarvan had ik mij toegelegd op zijn ziel, in de wetenschap dat werk en het inprenten van plichtsbesef, hoe hard dat vanwege de natuurlijke frivoliteit van de jeugd ook moge zijn, zowel gepaster als lonender waren. Dat die Cola dergelijke listen gebruikte om hem van het rechte pad af te brengen – en verder van mij af, naar ik vreesde — maakte mij buitengewoon kwaad omdat ik wist hoe gemakkelijk dit te doen was en tevens hoe moeilijk het was om onverbiddelijk te blijven, terwijl mijn enige verlangen was een vreugdevolle glimlach op zijn gezicht te zien. Maar in tegenstelling tot Cola wilde ik zijn genegenheid niet kopen.

Ik maakte me nog meer zorgen om het feit dat zulke listen werden aangewend om zijn zinnen te benevelen, omdat ik zelfs van deze afstand kon zien dat Matthews geruststellingen wat Cola betrof niet terecht waren: ik wist al dat hij naar Engeland zou komen, want dat had Oldenburg me verteld. En de coup die werd voorbereid, zou plaatsvinden wanneer hij binnen onze grenzen was. Het was makkelijk om hiertussen verband te leggen en ik besefte dat ik veel minder tijd tot mijn beschikking had dan ik had verwacht. Ik voelde me alsof ik een beginneling was die een partij schaak speelde, terwijl de stukken van mijn tegenstander langzaam over het bord oprukten en er een aanval werd opgezet die wanneer hij zou komen even onstuitbaar als onverwacht zou zijn. Ik dacht telkens dat als ik maar meer informatie had, ik de hele zaak zou kunnen doorzien; maar iedere keer als ik weer een stukje kreeg bleek ook dat weer onvoldoende te zijn. Ik wist dat er een of ander complot werd beraamd en ik wist ongeveer wanneer het zou plaatsvinden. Maar hoewel ik de beramer kende, wist ik niet wat het doel was noch wie het steunden.

Ik kan wel zeggen dat ik me met mijn gedachten erg alleen voelde staan, want ik was gedwongen zwaarwichtige zaken te overwegen zonder de raad van anderen om mijn geest in te tomen en mijn redenering te scherpen. Uiteindelijk besloot ik mijn geval aan iemand anders voor te leggen en ik dacht zorgvuldig na over wie ik daarvoor zou uitkiezen. Ik kon toen uiteraard nog niet openhartig met mijnheer Bennet praten en ik kon het evenmin wagen een ander lid van Thurloes oude inlichtingenorganisatie te benaderen, aangezien hun loyaliteit verdacht was. Ik voelde mij echt geheel en al alleen in een verdachte en gevaarlijke wereld, want er waren er maar enkelen die niet, althans in aanleg, sympathie voor de ene of de andere kant koesterden.

Bijgevolg benaderde ik Robert Boyle, die te verstrooid was om zich met politiek bezig te houden, te verheven in zijn streven om door een groepering te worden ingelijfd, en iemand die bekendstond om zijn discretie in alle zaken. Ik had en heb nog altijd een hoge dunk van zijn vernuft en vroomheid, hoewel ik moet zeggen dat ik geloof dat zijn prestaties niet zo groot zijn als zijn faam. Toch was hij de best mogelijke pleitbezorger voor de nieuwe wetenschap want gezien zijn sobere aard, zijn behoedzame werkwijze en grote godsvrucht was het moeilijk voor wie dan ook om ons genootschap te beschuldigen van het koesteren van subversieve of godslasterlijke ideeën. Mijnheer Boyle (die volgens mij onder een dekmantel van plechtstatigheid een zeker naïviteit verborg) was ervan overtuigd dat de nieuwe wetenschap de religie zou helpen en dat de fundamentele waarheden van de bijbel via rationele methoden bevestigd zouden worden. Ik daarentegen was van mening dat het de atheïsten een ongeëvenaard machtig wapen in handen zou geven, aangezien zij er al snel op zouden staan God aan de bewijsvoering van de wetenschap te onderwerpen, en als Hij niet in een formule kon worden vastgelegd zouden ze beweren dat ze bewezen hadden dat Hij niet bestond.

Boyle had het bij het verkeerde eind, maar ik geef toe dat het met de beste bedoelingen was. Dit meningsverschil tussen ons veroorzaakte nimmer een breuk in onze vriendschap, die misschien niet erg hartelijk was, maar wel van lange duur. Hij kwam van een zeer goede familie en had een gelijkmatige (zij het niet zo sterke) constitutie en een diepgaande scholing; dit alles zorgde voor een uitmuntend oordeelsvermogen, dat nooit door motieven van gewin werd beïnvloed. Toen ik erachter kwam dat hij bij zijn zuster in Londen logeerde, nodigde ik hem uit en zette hem een mooie maaltijd voor met oesters, lamsvlees, patrijs en dessert, en ik bezwoer hem ons gesprek met de allergrootste vertrouwelijkheid te behandelen.

Hij luisterde zwijgend terwijl ik – gedetailleerder dan ik oorspronkelijk van plan was – het hele patroon van aanwijzingen en verdenkingen voor hem ontvouwde.

'Ik voel me zeer gevleid dat u mij hebt uitgekozen voor deze confidenties,' zei hij toen ik klaar was. 'Maar ik weet niet zeker wat u van me wilt.'

'Ik wil uw mening,' zei ik. 'Ik heb bepaalde bewijzen en ik heb deels een theorie die door niets daarvan wordt weersproken. Maar hij wordt er ook niet door bevestigd. Kunt u iets anders bedenken dat net zo goed past, of misschien zelfs beter?'

'Ik recapituleer even: u weet dat dit Italiaanse heerschap zowel banden heeft met radicalen als met Spanjaarden; u weet dat hij volgende maand naar ons land komt. Dat zijn uw wezenlijke, zij het niet uw enige feiten. U denkt dat hij hiernaartoe komt om ons kwaad te berokkenen; dat is uw hypothese. U weet niet welk kwaad dat kan zijn.'

Ik knikte.

'Laat ons dus eens zien of er iets anders te bedenken valt dat uw hypothese kan vervangen. Laten we om te beginnen eens veronderstellen dat Cola is wat hij zegt te zijn: een jonge heer die de wereld rondreist, niet geïnteresseerd in politiek. Hij trekt op met Engelse radicalen omdat hij ze toevallig ontmoet. Hij kent hooggeplaatste Spanjaarden omdat hij een man van stand is afkomstig uit een rijke Venetiaanse familie. Hij is van plan naar Engeland te komen omdat hij iets van ons volk wil leren kennen. Hij is in feite volstrekt ongevaarlijk.'

'U laat de bijkomstige feiten buiten beschouwing,' zei ik, 'die de ene veronderstelling schragen, maar de andere verzwakken. Cola is de oudste zoon van een handelaar die in aanzienlijke moeilijkheden verkeert. Zijn eerste verplichting behoort aan zijn familie te zijn. Niettemin is hij nu in de Nederlanden en geeft hij geld uit aan loos vermaak. Voor een dergelijk gedrag moet u een goede reden hebben die mijn theorie wel levert, maar die van u niet. Hij had niet de naam weetgierig te zijn totdat hij in Leiden aankwam, maar hij stond wel bekend om zijn moed en bravoure met wapens. Met uw theorie moeten we uitgaan van een opmerkelijke ommezwaai in karakter; in die van mij niet. Bovendien houdt u geen rekening met het kernpunt van deze zaak, namelijk dat hij de ontvanger is van een brief gesteld in een code die eerder is gebruikt door een verrader van de koning. Onschuldige reizigers die de wereld willen leren kennen, ontvangen naar ik meen zelden dergelijke epistels.'

Boyle knikte en aanvaardde het tegenargument. 'Goed,' zei hij, 'ik erken dat uw hypothese sterker staat en daarom als uitgangspunt moet worden genomen. Ik zal daarom nu uw conclusie aanvechten. We geven toe dat Cola in aanleg een immanent gevaar vertegenwoordigt. Leidt dat onontkoombaar tot de conclusie dat dit gevaar verwezenlijkt wordt? Als ik het goed begrijp, hebt u geen idee of aanwijzing wat hij gaat doen als hij hier is. Wat kan een enkel individu ondernemen dat zo'n groot gevaar kan zijn?'

'Hij kan iets zeggen, iets doen of iets overbrengen,' antwoordde ik. 'Dat zijn de enige mogelijke handelingen. Ieder gevaar dat hij vormt moet in een van die drie categorieën vallen. Met "overbrengen" bedoel ik dat hij een boodschap kan brengen, of geld; of dat hij een van deze twee kan komen halen. Ik geloof niet dat dit het geval is: zowel de radicalen als de Spanjaarden hebben meer dan genoeg andere middelen om alles wat ze wensen te versturen zonder van een man als hij gebruik te maken. Op dezelfde manier zie ik ook niet in wat hij kan zeggen dat enige bedreiging zou vormen en waarvoor zijn aanwezigheid in dit land vereist is. Dan blijven dus alleen daden over. Welke daad, vraag ik u, kan een enkele man alleen verrichten die een gevaar voor dit koninkrijk zou vormen als, wat aannemelijk lijkt, zijn beroep van betekenis is bij de bepaling van zijn daden?'

Boyle keek me aan, maar waagde zich niet aan een antwoord.

'U weet evengoed als ik,' ging ik verder, 'dat het enige dat een soldaat doet wat anderen niet doen, mensen doden is. Eén man kan niet veel mensen doden. Hoe minder er sterven, hoe belangrijker ze moeten zijn om van invloed te zijn.'

Ik geef dit gesprek weer – in verkorte vorm, want we spraken urenlang over deze zaak – om aan te tonen dat mijn angst niet het product van een achterdochtige geest was, die in elke schaduw een gevaar bespeurt. Geen andere theorie sloot zo goed aan op de feiten, dus moest er geen andere worden overwogen tot hij onjuist bleek te zijn. Dat is de vuistregel van het experiment en deze geldt evenzeer voor politiek als voor wiskunde of geneeskunde. Ik legde mijn theorie aan Boyle voor, en niet alleen lukte het hem niet een andere verklaring te vinden, hij was ook gedwongen te erkennen dat mijn eigen hypothese veruit het best de beschikbare feiten dekte. Ik geloofde niet dat ik volledige zekerheid had; slechts een scholasticus zou aanspraak op zo'n bekwaamheid maken. Maar ik kon wel aanspraak maken op een waarschijnlijkheid die groot genoeg was om mijn bezorgdheid te rechtvaardigen.

Breng het lichaam een slag toe en de wond zal snel helen, ook al is het een forse houw. Breng het hart slechts een kleine slag toe en het gevolg is catastrofaal. En het levende, kloppende hart van het koninkrijk was de koning. Eén man kon inderdaad alles verwoesten waar een geheel leger niets zou uithalen.

Daar dit misschien ongeloofwaardig mag lijken, en mijn angsten denkbeeldig, vraag ik u het aantal van dergelijke moorden in de recente geschiedenis in acht te nemen. Niet meer dan een halve eeuw geleden werd de grote Hendrik IV van Frankrijk doodgestoken, evenals de prins van Oranje en Hendrik II voor hem. Minder dan veertig jaar geleden werd de hertog van Buckingham door zijn eigen dienstknecht vermoord; gerechtelijke moord maakte een einde aan de levens van de graaf van Strafford, aartsbisschop Laud en de heilige martelaar Karel. Ik was zelf op vele complotten gestuit om Cromwell te vermoorden en zelfs de eerste minister in ballingschap zag de moord van de gezanten van de Republiek in Den Haag en Madrid door de vingers. Het openbare leven was in bloed gedompeld en de moord op een koning wekte bij velen niet meer afschuw dan het slachten van een stuk vee. We waren gewend geraakt aan de afgrijselijkste misdaden en beschouwden ze als politieke instrumenten.

Ik wist nu dat het complot dat ik had ontdekt niet het werk van de fanatici was, wier rol naar ik vermoedde er slechts uit bestond dat ze de schuld kregen van iedere gruweldaad die ten gunste van anderen gepleegd werd. Die anderen moesten wel de Spanjaarden zijn, en het uiteindelijke doel zou zijn Engeland zijn vrijheden te ontnemen en ons land weer onder het roomse juk te brengen. Vermoord de koning, en zijn broer, een overtuigd katholiek, zou de troon bestijgen. Het eerste dat hij doet, is zweren zich te wreken op de moordenaars van zijn geliefde Karel. Hij beschuldigt de fanatici en zweert ze allemaal uit te roeien. Alle gematigdheid wordt overboord gezet en de extremisten grijpen wederom de macht. Het gevolg zou uiteraard een oorlog zijn waarin Engelsman weer tegenover Engelsman zou staan. Dit keer zou het echter nog verschrikkelijker zijn, want de katholieken zouden hun Spaanse meesters te hulp roepen en de Fransen zouden verplicht zijn in te grijpen. De nachtmerrie van alle vorsten na Elizabeth dat dit land de hanenmat van Europa zou worden, was angstwekkend nabij.

Voor deze laatste veronderstelling had ik geen direct bewijs, maar het was wel een logische voortzetting van de ter beschikking staande gegevens, want de logica vergunt ons de toekomst te zien, of althans de waarschijnlijke ontwikkeling ervan. Net zoals we ons in de meetkunde een lijn kunnen voorstellen en die dan denkbeeldig kunnen doortrekken, tot in het oneindige, door het volgen van een logische gedachtegang, kunnen we ook in de politiek gebeurtenissen overdenken en gevolgen extrapoleren. Als mijn basistheorie werd aangenomen – en die weerstond zowel de kritiek van Boyle als mijn eigen objectieve beschouwing –, dan moest dat bepaalde resultaten opleveren. Ik heb de diverse mogelijkheden uiteengezet om er zeker van te zijn dat men mijn angst begrijpt. Ik geef toe dat ik het op een aantal kleine punten mis had en zal op het geëigende moment mijn fouten onbarmhartig uiteenzetten; maar ik houd niettemin staande dat de structuur van mijn theorie correct was in zoverre dat die in staat was aangepast te worden zonder te hoeven worden losgelaten.

Ik was er zeker van dat Matthew in Den Haag niet verder zou komen; door Cola's strijkages was hij onbezonnen geworden en kon hij niet meer de bewijzen zien die naar ik wist voor zijn neus lagen. Sterker nog, ik maakte me zorgen om hem, want hij liep de kans in gevaar te komen en ik wilde dat hij zo snel mogelijk uit de buurt van Cola verdween. Deze bezorgdheid was ook niet onterecht, want de Heer vergunde me een angstaanjagende droom die bewees dat mijn zorgen gegrond waren. Over het algemeen hecht ik niet al te veel waarde aan dit soort dingen en in feite droom ik slechts zelden, maar deze droom was zo duidelijk bovennatuurlijk van oorsprong en voorspelde zo duidelijk de toekomst dat zelfs ik besloot er acht op te slaan.

Hoewel ik Matthews brief over het afscheidsbanket toen nog niet had ontvangen, kwam het wel in mijn visioen voor en ik droomde het, naar ik later ontdekte, op dezelfde avond dat het feest plaatsvond. Ik was op de Olympus en Matthew was dienaar der goden die hem doorlopend allerlei etenswaren en wijn opdrongen, totdat hij dronken en zot was. Toen besloop een van de gasten aan tafel, van wie ik wist dat het Cola was, hoewel ik zijn gezicht niet kon zien, hem van achteren en overviel hem. Keer op keer stak hij hem een scherp zwaard in zijn buik, totdat Matthew het in hevige pijn uitschreeuwde. Ik zat in een ander vertrek en zag het allemaal gebeuren, maar ik kon me niet bewegen en riep Matthew toe dat hij moest weglopen. Maar dat deed hij niet.

Ik werd in grote angst wakker, in de wetenschap dat er immens gevaar dreigde. Ik hoopte dat Matthew veilig was en maakte me eindeloos veel zorgen, tot ik wist dat hij ongedeerd was. Ik dacht dat Cola onderweg naar Engeland was, maar ik kon vrijwel niets doen om erachter te komen waar hij zich bevond, zo gering waren mijn mogelijkheden. Ik moest ook besluiten of ik Zijne Majesteit een waarschuwing moest zenden, maar besloot dat niet te doen, omdat ik wist dat die niet serieus zou worden genomen. Hij was een moedige, om niet te zeggen roekeloze man en leefde al zo lang met de verwachting onverwachts vermoord te worden dat het hem niet langer van zijn toewijding aan vermaak afhield. En wat moest ik zeggen? 'Hoogheid, er is een complot gesmeed om u te vermoorden, zodat uw broer uw plaats kan innemen?' Zonder bewijs zou zo'n verklaring op z'n minst een snel einde aan mijn jaargelden en ambten betekenen. Ik neem niet aan dat de diagonaal van een vierkant onevenredig met zijn zijden is, omdat iemand me dat zegt; ik neem dat aan omdat het bewezen kan worden en in dit geval kon ik weliswaar veruit de beste theorie poneren, maar ik kon die nog niet bewijzen.

Een week later keerde Matthew terug naar Engeland en vertelde me dat Marco da Cola inderdaad de Nederlanden had verlaten en dat hij niet wist waar hij naartoe was gegaan. Bovendien had de man bijna tien dagen voorsprong, want Matthew had pas enkele dagen na dat afscheidsmaal een boot kunnen vinden die hem naar Engeland wilde brengen en was (vermoed ik) zo overtuigd van de onschuld van de man dat hij zich niet had gehaast om zich weer bij me te voegen.

Hoe teleurgesteld en bezorgd ik ook was, alleen al Matthews aanwezigheid in de kamer stemde me vrolijker. De intelligente blik die zijn gezicht zo'n schoonheid gaf wakkerde het vuur in me weer aan dat in zijn afwezigheid was gedoofd; het verbaasde me niet dat Cola zich tot hem aangetrokken voelde en hem in zijn buurt had gehouden. Ik dankte God voor zijn behouden terugkeer en bad dat al mijn angsten slechts waanbeelden van een verwarde en bange geest waren zonder enige grond.

Dit bleek al snel een dwaling te zijn, want toen ik hem de les las vanwege zijn laksheid en hem zei dat hij zich zeer zeker vergiste in de Italiaan, weigerde hij voor de eerste keer in onze omgang zich neer te leggen bij mijn inzichten en zei me ronduit dat ik het verkeerd had.

'Wat weet u ervan?' vroeg hij. 'U die de man nooit hebt gezien, u die geen bewijs hebt, maar alleen verdenkingen? Ik zeg u, ik ken hem en heb vele uren aangenaam met hem geconverseerd. Hij vormt geen gevaar voor u, noch voor iemand anders.'

'Je bent misleid, Matthew,' antwoordde ik. 'Je weet niet wat ik weet.'

'Vertel het me dan.'

'Dat doe ik niet. Het zijn staatszaken die jou niet aangaan. Het is jouw plicht zonder tegenspraak te accepteren wat ik zeg en je niet te laten wijsmaken dat een man onschuldig is omdat hij je complimenten maakt en cadeaus geeft.'

'Denkt u dat hij mijn genegenheid heeft gekocht? Denkt u dat ik zo'n dwaas ben? Is dat het? Want het enige dat u doet is kritiek leveren en het enige dat ik van u gekregen heb is slaag wanneer ik een fout bega.'

'Ik vind dat je jong en onervaren bent,' zei ik, er nu zeker van dat mijn ergste vrees bewaarheid was. 'Vergeet niet dat ik weet wat het beste voor je is. Maar ik vergeef je je woorden.'

'Ik wil uw vergiffenis niet. Ik heb alles gedaan wat u me gevraagd hebt, en nog meer. U, die iedereen altijd valselijk beschuldigt, bent degene die om vergeving moet vragen.'

Ik was in de verleiding hem te slaan, maar hield mezelf in en probeerde in plaats daarvan een einde aan dit gesprek te maken, dat even dwaas als ongepast was.

'Ik zal me niet tegenover jou rechtvaardigen, maar ik zeg je wel dat ik je alles zal vertellen zodra dat kan, en dan zul je inzien hoezeer je het bij het verkeerde eind hebt. Vooruit nu, Matthew, mijn jongen. Je bent net aangekomen en we maken ruzie; zo kunnen we niet beginnen. Vooruit, neem iets te drinken en vertel me je avonturen. Ik wil het graag allemaal horen.'

Uiteindelijk was hij gerustgesteld en kalmeerde hij weer. Hij kwam bij me zitten en stukje bij beetje hernamen we onze vertrouwde verhouding en brachten de volgende paar uur aangenaam in elkaars gezelschap door. Hij vertelde me over zijn reizen en verblijdde me met zijn bedrevenheid in observatie en zijn vermogen om zonder omhaal tot de kern van zaken door te dringen, hoewel hij niets zei over Cola's afscheid en ik merkte dat ik hem er niet naar vroeg. Op mijn beurt vertelde ik hem hoe ik in zijn afwezigheid de tijd had doorgebracht en over de boeken die ik had gelezen. Ik legde hem het belang van polemieken en disputen uit op een manier (beken ik) waarop ik dat niet eerder had gedaan. Hij ging die avond weg en ik dankte God in mijn gebed voor zo'n kameraad, want zonder hem was mijn leven werkelijk leeg. Maar in de grond van mijn hart was ik ongerust, omdat ik voor het eerst zijn eerbied niet had kunnen afdwingen en om zijn vriendschap had moeten vragen. Die had hij gegeven, maar ik wist niet of ik er voor altijd op kon rekenen. Ik wist dat ik weldra de gepaste orde moest herstellen en hem aan zijn ondergeschiktheid moest herinneren, opdat hij niet te hooghartig zou worden. Die gedachte zette een domper op mijn humeur en toen ik vervolgens overdacht wat hij me had verteld, werd ik nog somberder.

Ik wist zeker dat als Cola niet al in Engeland was, hij onderweg was en waarschijnlijk zou aankomen voor ik zijn spoor weer kon oppikken. Wat de Italiaan ook van plan was, ik hoopte van ganser harte dat hij niet snel zou handelen. De volgende ochtend stuurde ik Matthew terug naar zijn vrienden in East Smithfield, in de hoop dat zij misschien iets nieuws hadden gehoord. Ik verwachtte er niet veel van en was dus niet erg teleurgesteld toen hij meldde dat ze niets wisten, maar het was een logische stap om te zetten en een van de weinige die ik met een gerust hart kon nemen.

Vervolgens ging ik naar mijn koopmansvrienden en informeerde zo voorzichtig als de urgentie toeliet of ze iets van een boot wisten waarmee een enkele passagier naar dit land was gebracht. Italiaan, Spanjaard of Fransman; Cola had zich voor elk daarvan kunnen uitgeven en vele zeelieden zou het verschil niet veel hebben kunnen schelen. Wederom had ik niet veel hoop en wederom vernam ik niets van belang. Het was niet zeker, maar ik dacht dat hij waarschijnlijk in een van de kleinere havens van East Anglia zou aankomen en, als hij over Spaans geld kon beschikken, in een speciaal voor dit doel gehuurde boot kon komen.

Op dit punt waren de mogelijkheden die tot mijn beschikking stonden uitgeput. Ik had natuurlijk iedere havenmeester in East Anglia kunnen schrijven, zij het niet zonder mijn belang in grote lijnen kenbaar te maken. Het kon wel een maand duren voordat ik daar antwoord op kreeg; en zelfs dan zou ik de bruikbaarheid van de informatie niet kunnen inschatten, daar ik de briefschrijver niet persoonlijk kende. Wat had ik anders kunnen doen? Door de straten van Londen gaan lopen in de hoop een man te herkennen die ik nog nooit eerder had gezien en die niemand in dit land kende? In mijn werkkamer blijven zitten en maar hopen dat hij zich aan mij bekend zou maken voor hij zijn opdracht uitvoerde?

Beide mogelijkheden leken niet erg verstandig, en met de grootste tegenzin besloot ik dat ik een of andere reactie moest uitlokken waardoor hij voor den dag zou komen of zou worden afgeschrikt. Het was een subtiel uitgedacht experiment, dat alleen geslaagd zou zijn als het één enkel resultaat zou hebben. Ik was een soort proefnemer die zijn theorie had en een experiment uitvoerde om die te bevestigen; ik had niet de luxe van de ware natuurvorser die zijn handelingen kan verrichten en zijn theorie kan opbouwen vanuit zijn directe waarneming.

Een dag lang dacht ik over deze zaak na voor ik tot de slotsom kwam dat mij geen andere weg openstond, en toen de gelegenheid zich aanbood besloot ik iedere aarzeling opzij te zetten. Het genootschap zou een bijeenkomst houden waarop over vele zaken zou worden gesproken en de avond zou worden afgesloten met de openbare vivisectie van een hond. Dit was een populaire bezigheid en ik vrees dat veel van de operateurs hun experimenten meer uitvoerden om hun publiek te behagen dan omwille van enig nut.

Maar er waren altijd velen die ze graag wilden bijwonen; aan gasten werd gevraagd de vermaardheid van ons werk uit te dragen, en na afloop was het gezelschap altijd vrolijk en ongedwongen. Ik vroeg meteen aan mijnheer Oldenburg of hij me het plezier wilde doen om señor de Moledi als eregast uit te nodigen en tegenover hem te benadrukken dat zijn aanwezigheid zeer op prijs zou worden gesteld.

Deze Moledi was de gezant van Spanje in Engeland, een goede bekende van Caracena, de landvoogd van de Spaanse Nederlanden en een man die alles wat Engels was verfoeide. Het was ondenkbaar dat hij niets zou weten van een aanslag op de koning, al zou het verstandig van hem zijn daarvan niet te veel bijzonderheden te weten. Als ik de zaken een beetje wilde opporren, was hij daarvoor dus de aangewezen persoon. Als mijn inmenging resultaat zou hebben en enige bruikbare reactie zou oproepen, kreeg ik misschien eindelijk het harde bewijs in handen dat ik nodig had en zou ik eindelijk in de positie zijn mijn verdenkingen naar buiten te brengen met enige hoop dat men mij zou geloven.

De bijeenkomst was die avond drukbezocht, hoewel de berichten die door mijnheer Oldenburg op zijn eentonige dreun werden voorgelezen nauwelijks veel aandacht waard waren. Een verhandeling over de meetkunde van de parabool was even absurd als onbegrijpelijk en mijn mening was doorslaggevend bij het besluit zowel het stuk als de schrijver ervan onmiddellijk af te wijzen. Een andere, van mijnheer Wren, over de zonnewijzer was zoals gewoonlijk bij deze goede man een voorbeeld van helderheid en sierlijkheid, maar nauwelijk van groot gewicht. De brieven vanuit het buitenland bevatten de gebruikelijke mengelmoes van interessante zaken, holle retoriek en gebrekkig denkwerk. Het enige onderwerp van belang dat ik me kan herinneren (en bij raadpleging van de notulen van de bijeenkomst zie ik dat mijn geheugen me niet in de steek heeft gelaten) was een uitstekende lezing van mijnheer Hooke over zijn werk met een zelfgebouwde microscoop. Hoe verwerpelijk die man als individu ook was, hij was een van de beste vaklieden van onze kleine groep, grondig in zijn waarnemingen en uiterst nauwkeurig in zijn verslaggeving. Zijn onthullingen over de werelden die in een enkele waterdruppel te vinden waren, verbaasden ons allemaal en brachten mijnheer Goddard tot een bijna door tranen verstikt commentaar. Hij loofde de Heer voor Zijn schepping en voor Zijn goedheid het Zijn schepselen te vergunnen steeds meer van Zijn werken te mogen bevatten. Daarna werd het formele gedeelte beëindigd met gebed en woonden degenen die daar zin in hadden de ontleding van de hond bij.

Aan zijn gezicht kon ik zien dat Moledi even weinig voelde voor het gejank van een gekweld dier als ik, dus stapte ik op hem af en zei dat niemand het als een belediging van de samenkomst zou opvatten als hij er niet bij zou zijn; ikzelf was ook van plan weg te blijven, en als hij zin had met mij een glas wijn te drinken, zou ik met zijn gezelschap vereerd zijn.

Hierin stemde hij toe en daar ik de zaak al van tevoren had geregeld, ging ik hem voor naar de kamer die Wren op Gresham College aanhield, waar een mooie fles kanariesek voor ons klaarstond.

'Mijnheer, ik hoop dat u de bezigheden van ons onderzoekers niet afstotend vindt. Ik weet dat het een vreemde nieuwsgierigheid lijkt en dat sommigen het als goddeloos beschouwen.'

We spraken Latijn en ik was verheugd te merken dat hij die gezegende taal even vloeiend sprak als ik. Hij scheen een zeer hoffelijk man te zijn en als de meeste Spanjaarden waren zoals hij, kon ik begrijpen hoe een man als mijnheer Bennet, die zoveel waarde hechtte aan fijnzinnige aanspreekvormen, ertoe kon komen van dat land te houden. Ikzelf liep geen gevaar door dat soort dingen misleid te worden, want ik wist maar al te goed wat er achter die fijne manieren stak.

'Integendeel, ik vond het uitermate onderhoudend en ik hoop van ganser harte dat rechtgeaarde weetgierigen uit de hele christenheid samen vrijuit van gedachten kunnen wisselen. Ook in Spanje zijn er velen die in dit soort zaken geïnteresseerd zijn, en ik ben gaarne bereid hen bij uw genootschap aan te bevelen als u daarmee instemt.'

Ik accepteerde het aanbod verheugd en nam me voor niet te vergeten Oldenburg voor dit gevaar te waarschuwen. Want zo'n land dat zo meedogenloos ieder onderzoek onderwerp van vervolging maakte, zo'n land dat uitwisseling met ons verlangde zou lachwekkend zijn als het niet zo kwaadaardig was geweest.

'Ik moet zeggen dat ik blij ben kennis met u te maken, doctor Wallis. En zelfs nog blijer dat ik in de gelegenheid ben mij persoonlijk met u te onderhouden. Ik heb uiteraard veel over u gehoord.'

'Uwe Excellentie verbaast me. Ik begrijp niet hoe mijn naam u ter ore is gekomen; ik wist niet dat u in wiskunde was geïnteresseerd.'

'Dat ben ik ook maar in geringe mate, ofschoon het ongetwijfeld een uitmuntende bezigheid is. Ik heb absoluut geen hoofd voor cijfers.'

'Dat is jammer. Ik ben er al lange tijd van overtuigd dat de zuiverheid van de wiskundige logica de beste leerschool voor de mens is.'

'Ik dat geval moet ik u opbiechten dat ik tekortschiet, daar mijn grote voorliefde canoniek recht is. Maar ik heb niet over u gehoord vanwege uw kundigheid op het gebied van algebra, maar vanwege uw bedrevenheid in het doorgronden van codes.'

'Ik weet zeker dat wat u hebt gehoord schromelijk overdreven was. Ik bezit maar weinig talent voor dat soort werk.'

'Uw reputatie als de beste ter wereld is zo groot dat ik me afvroeg of u wellicht niet uw kennis wilde delen.'

'Met wie?'

'Met alle goedwillenden die het duister in licht willen laten verkeren en vrede voor de gehele christenheid willen verzekeren.'

'U bedoelt dat ik er een boek over moet schrijven?'

'Misschien moet u dat doen,' zei hij met een glimlach. 'Maar dat zou een langdurig karwei zijn en het zou u weinig opleveren. Ik vroeg me meer af of u naar Brussel wilde komen en enkele jongemannen die ik ken wilde onderwijzen. Ik ben er zeker van dat zij tot de beste leerlingen blijken te behoren die u ooit hebt gehad. Uiteraard zou dit werk royaal beloond worden.'

Zijn brutaliteit was verbazingwekkend; hij deed de suggestie met zo'n vanzelfsprekendheid en gemak, het kwam hem zo gladjes over de lippen, dat ik niet eens wrevel bij het voorstel voelde. Er was natuurlijk geen sprake van dat ik zijn aanbod zelfs maar zou overwegen, en misschien wist hij dat. Ik heb in mijn leven veel van dat soort voorstellen gehad; ik heb ze allemaal afgeslagen. Zelfs goed protestantse naties heb ik geweigerd op welke wijze dan ook te helpen; kortgeleden nog heb ik de suggestie genegeerd dat ik mijnheer Leibniz in mijn kunst zou onderwijzen. Ik heb altijd op het standpunt gestaan dat mijn bedrevenheid alleen mijn land toebehoort en niet beschikbaar is voor welk land dan ook dat mogelijk een tegenstander kon worden.

'Uw aanbod is even royaal als mijn verdienste klein is,' antwoordde ik. Ik vrees echter dat mijn universitaire verplichtingen zodanig zijn dat ik nimmer toestemming tot vertrekken zal krijgen.'

'Zeer jammer,' antwoordde hij zonder een spoor van verbazing of teleurstelling. 'Als uw omstandigheden zich ooit mochten wijzigen, weet ik zeker dat het aanbod hernieuwd wordt.'

'Aangezien u me een grote eer hebt bewezen, voel ik mij verplicht uw edelmoedigheid onmiddellijk te beantwoorden,' zei ik. 'Ik moet u namelijk zeggen dat uw vijanden een complot hebben gesmeed om uw goede naam te bezoedelen door het verspreiden van de meest vuige laster.'

'Dat weet u door uw werk?'

'Dat weet ik uit diverse bronnen. Ik ken vele hooggeplaatste personen met wie ik mij regelmatig onderhoud. Laat me u ronduit zeggen, mijnheer, dat ik ten stelligste van mening ben dat u de kans moet hebben zich tegen loze achterklap teweer te stellen. U bent nog niet lang genoeg in dit land om de macht van roddel te begrijpen in een natie die zo weinig gewend is aan de tucht van een sterke en daadkrachtige regering.'

'Ik ben dankbaar voor uw bezorgdheid. Welnu, vertel me: wat is die roddel waar ik me zorgen over moet maken?'

'Er wordt gezegd dat u geen vriend van onze vorst bent en dat als het hem slecht zou vergaan men niet ver hoeft te zoeken om de bron van zijn moeilijkheden te vinden.'

Moledi knikte bij deze woorden. 'Dat is inderdaad laster,' zei hij. 'Onze volledige genegenheid voor uw koning is bekend. Hebben we hem niet geholpen in zijn ballingschap toen hij uitgestoten en berooid was? Hebben we hem en zijn vrienden niet voorzien van huis en geld? Oorlog met Cromwell geriskeerd omdat we onze verplichtingen jegens hem niet wilden verzaken?'

'Weinigen herinneren zich goede daden uit het verleden,' antwoordde ik. 'Het ligt in de aard der mensen om het slechtste van hun medemens te denken.'

'En koestert iemand als u dezelfde verdenking?'

'Ik kan niet geloven dat een man van eer van plan kan zijn iemand die zo duidelijk in Gods gunst staat kwaad te berokkenen,' zei ik.

'Dat is waar. Het grote probleem met leugens is dat ze zo moeilijk te weerleggen zijn, vooral wanneer anderen ze met boosaardige bedoelingen verspreiden.'

'Ze moeten weerlegd worden,' zei ik. 'Mag ik ronduit spreken?'

Hij gaf zijn toestemming.

'Uw positie aan het hof en die van uw vrienden daar zal door deze verhalen worden geschaad als men ze ongehinderd blijft vertellen.'

'En u wilt me helpen? Vergeef me dat ik het zeg, maar ik verwachtte een dergelijke vriendelijkheid niet van een man zoals u, wiens opvattingen welbekend zijn.'

'Ik geef ronduit toe dat ik geen grote liefde voor uw land koester. Velen die daar wonen acht ik hoog, maar uw belangen en de onze staan altijd tegenover elkaar. Ik kan echter hetzelfde van Frankrijk zeggen. Het welzijn van Engeland ligt altijd hierin dat we ons ervan moeten verzekeren dat geen enkele buitenlandse mogendheid ooit een overheersende positie bij ons krijgt. Dat is al generaties lang het beleid van onze meest wijze vorsten, en dat moet zo blijven. Als Frankrijk sterk is, moeten we ons tot de Habsburgers wenden; als de Habsburgers sterk zijn, moeten we Frankrijk steunen.'

'Spreekt u ook voor mijnheer Bennet?'

'Ik spreek voor geen ander dan mijzelf. Ik ben wiskundige, geestelijke en Engelsman. Maar u kent ongetwijfeld de bewondering die mijnheer Bennet voor uw land heeft. Zijn positie zal door dergelijke praatjes ook niet worden geholpen.'

Moledi stond op en boog sierlijk. 'Ik begrijp goed dat u het soort man bent dat alleen met woorden bedankt kan worden, dus dank ik u alleen met woorden. Ik zeg slechts dat een andere man voor zijn goedheid dit vertrek zeer veel rijker zou hebben verlaten.'

∽

Ik verpakte mijn waarschuwing aan Moledi in goede raad en zoals door-gaans mijn gewoonte was, voor mijn slechte ogen dit onmogelijk maakten, noteerde ik een kort verslag van mijn ontmoeting met hem om mijn geheu-gen te helpen. Ik heb de aantekening nog steeds en ik zie dat mijn raadge-ving praktisch en verstandig was. Ik verwachtte echter nauwelijks dat die zou worden opgevolgd. De staat is als een groot schip met een veelkoppige bemanning: als het eenmaal op koers ligt is het moeilijk om snel overstag te gaan, zelfs wanneer zo'n verandering zonder twijfel verstandig is.

De reactie van Moledi op mijn gesprek was echter prompt; veel sneller en doortastender dan ik had voorzien. De avond daarop kwam een van mijnheer Bennets dienaren naar mijn huis en overhandigde me een brief waarin stond dat mijn aanwezigheid dringend gewenst was.

Sinds onze vorige ontmoeting was hij aanzienlijk verwaander geworden en hij wilde dat iedereen zijn macht als secretaris van staat voor het zuiden kende. Zelfs nu is het niet verstandig om wie dan ook in ongunstige zin met Cromwell te vergelijken, maar deze grote, inslechte man had een eenvoud die des te indrukwekkender was omdat hij volstrekt spontaan en ongekun-steld was. Want Cromwell was waarlijk een groot man, volgens mij de grootste die dit land ooit heeft gekend. Zijn heldere geest, zijn kracht en doortastendheid waren zodanig dat hij, geboren als heer voor een land-goed, zich een koninkrijk schiep; ware hij voor een koninkrijk geboren, dan had hij zich een keizerrijk geschapen. Hij bracht drie naties die hem totaal verafschuwden tot volstrekte gehoorzaamheid, bestuurd door een leger dat zijn ondergang wenste, en hij boezemde een heel continent en gebieden ver daarbuiten angst in. Hij had het land in zijn macht, maar ont-ving niettemin vaak zelf een bezoeker en schonk eigenhandig de wijn in. Hij had geen behoefte aan vertoon, want zijn gezag was onmiskenbaar. Ik zei dit een keer tegen lord Clarendon en hij was het met mijn oordeel eens.

Mijnheer Bennet was een mindere figuur en kleiner van geest; al zijn kwaliteiten hadden op Cromwells pinknagel gepast. Maar wat een praalvertoon had hij zich aangemeten! De gang door de antichambres was waarlijk tot Spaanse proporties uitgegroeid en de overbeleefdheid van de dienaren was zodanig toegenomen dat het voor een eenvoudig man als ikzelf moeilijk was een zekere walging voor die vertoning te onderdrukken. Het duurde een dik kwartier voor ik de weg van de ingang naar zijn vertrekken had afgelegd en in zijn bijzijn was; koning Lodewijk kon in al zijn huidige luister volgens mij niet moeilijker te benaderen zijn dan toentertijd mijnheer Bennet.

Het was allemaal om indruk te maken, want in het gesprek was hij net zo Engels als hij Spaans in zijn manieren was. Zijn onbehouwenheid kwam in feite dicht bij ongemanierdheid en gedurende het hele onderhoud liet hij me staan.

'Wat denkt u precies dat u aan het doen bent, doctor Wallis?' riep hij terwijl hij een stuk papier heen en weer zwaaide, voor mij te ver weg om het te kunnen zien. 'Bent u gek geworden dat u mijn uitdrukkelijke orders negeert?'

Ik zei hem dat ik de vraag niet begreep.

'Ik heb hier een brief die in scherpe bewoordingen is gesteld,' zei hij, terwijl hij zwaar ademde zodat ik zijn woede tegelijkertijd zou voelen, zien en horen, 'van een uiterst verontwaardigde Spaanse gezant. Klopt het dat u gisteravond zo aanmatigend was om hem de les te lezen over vrede in de christenheid en hem te vertellen hoe zijn land zijn buitenlandse beleid moet voeren?'

'Dat klopt allerminst,' antwoordde ik, terwijl mijn verbazing over deze wending in de gebeurtenissen op dat moment groter was dan mijn verontrusting over de duidelijke woede die mijn werkgever toonde. Ik kende mijnheer Bennet goed genoeg om te weten dat hij hoogst zelden driftig werd, want hij geloofde stellig dat zulke driftbuien niet passend waren voor een heer. Gespeelde woedeaanvallen waren geen tactiek die hij gebruikte om zijn onderhorigen te intimideren, en ik kwam tot de slotsom dat hij in dit geval geheel oprecht en werkelijk furieus was. Dat maakte mijn eigen situatie natuurlijk des te gevaarlijker, omdat ik het me niet kon veroorloven zijn gunst te verspelen. Maar het maakte ons gesprek wel interessanter, omdat ik niet direct de bron van zijn woede begreep.

'Hoe verklaart u dan de belediging die u hem hebt aangedaan?' ging Bennet verder.

'Ik weet van geen belediging. Ik heb gisteravond – heel gemoedelijk, dacht ik – met señor de Moledi gesproken en we hebben met wederzijdse verklaringen van hoogachting afscheid van elkaar genomen. Het kan zijn dat ik hem boos heb gemaakt door een grote omkoopsom te weigeren; dat weet ik niet, ik dacht dat ik het aanbod zeer tactvol had afgeslagen. Mag ik vragen hoe de klacht luidt?'

'Hij beweert dat u hem vrijwel beschuldigde van het smeden van een complot om de koning te vermoorden. Is dat waar?'

'Zeker niet. Ik heb zoiets nooit gezegd, en ik zou er niet van durven te dromen om zoiets te doen.'

'Wat hebt u volgens u dan gezegd?'

'Ik heb hem alleen maar verteld dat velen er sterk van overtuigd waren dat zijn land Engeland niets goeds toewenste. Het was geen hoofdpunt van gesprek.'

'Maar het werd omzichtig gezegd,' zei Bennet. 'U zegt niets zomaar. Nu wens ik te weten waarom. De rapporten die u me de laatste paar maanden hebt gestuurd stonden zo duidelijk vol met halve waarheden en ontwijkingen dat ik er moe van begin te worden. Ik beveel u nu me de precieze waarheid te vertellen. En ik waarschuw u dat als ik niet van uw volledige openhartigheid overtuigd ben, ik buitengewoon ontstemd zal zijn.'

Gesteld tegenover een dergelijk ultimatum kon ik niet anders. Het was de grootste fout die ik ooit maakte. Ik leg de schuld niet bij mijnheer Bennet; ik leg de schuld bij mezelf, vanwege mijn zwakheid, en ik weet dat de straf die mij voor mijn vergissing is toegemeten een zo verpletterende last is dat ik er de rest van mijn leven onder gebukt ga. Ik ben gezegend in zoverre dat ik uit een sterke, lang levende familie kom, zowel van mijn moeders- als van mijn vaderskant, en ik leef in de verwachting nog vele jaren op deze wereld te zijn. Sinds die dag heb ik ontelbare malen gebeden dat deze zegen mij ontnomen wordt, zo groot is mijn berouw.

Ik vertelde mijnheer Bennet van mijn verdenkingen. Tot in alle en naar ik nu geloof kleinere bijzonderheden dan nodig was. Ik vertelde hem van Marco da Cola en het rag van verdenking dat zich aan hem had gehecht. Ik vertelde hem van mijn opvatting dat hij, als hij niet al hier was, dan op weg was naar dit land. En ik vertelde hem wat hij naar mijn mening van plan was te doen als hij aankwam.

Bennet luisterde eerst met ongeduld en vervolgens steeds ernstiger naar mijn verhaal. Toen ik zweeg, stond hij op en staarde minutenlang uit het raam van het kleine vertrek waar hij gewoonlijk zijn zaken afhandelde.

Ten slotte keerde hij zich naar mij toe en aan zijn gelaatsuitdrukking kon ik zien dat zijn kwaadheid voorbij was. Ik kon echter een verdere berisping niet ontlopen.

'Ik prijs u,' zei hij, 'voor de ijver die uw liefde voor Zijne Majesteit heeft voortgebracht. Ik twijfel er geen ogenblik aan dat u met de beste bedoelingen hebt gehandeld en dat uw doel simpelweg de veiligheid van het rijk was. U bent een voortreffelijk dienaar.'

'Ik dank u.'

'Maar in dit geval hebt u een ernstige fout begaan. U moet weten dat in de diplomatie niets ooit is wat het lijkt te zijn, en wat zich als gezond verstand voordoet vaak het tegendeel is. We kunnen geen oorlog voeren. Tegen wie moeten we vechten? De Spanjaarden? De Fransen? De Hollanders? Tegen allemaal, of in combinaties? En waarmee moeten we een leger betalen? Zoals het er nu voor staat, geeft het parlement nauwelijks genoeg om de koning een dak boven zijn hoofd te bieden. U weet ongetwijfeld dat ik de Spanjaarden gunstig gezind ben en dat ik de Fransen als onze grootste vijanden beschouw. Niettemin peins ik er net zomin over een verbond met hen te sluiten als dat ik een verdrag tegen hen zou steunen. Voor de afzienbare toekomst althans moeten we voorzichtig tussen deze hindernissen door laveren en voorkomen dat de koning in de armen van de ene of de andere kant wordt geduwd.'

'Maar u weet evengoed als ik, mijnheer,' zei ik, 'dat Spaanse agenten vrij hun gang gaan en met hun goud steun kopen.'

'Naturlijk doen ze dat. En de Fransen en de Hollanders ook. En wat dan nog? Zolang ze het allemaal maar met dezelfde bezieling doen en niemand de overhand krijgt, is er niets aan de hand. Op zich doen uw opmerkingen weinig kwaad, denk dat alstublieft niet. Maar als uw verdenkingen algemeen bekend worden, zal het Franse belang versterkt worden. De jonge Lodewijk heeft een volle schatkist. Zijne Majesteit is al in de verleiding, hoewel het een ramp zou worden. Het is absoluut noodzakelijk dat niets het evenwicht verstoort dat degenen wie het belang van het land ter harte gaat tot stand hebben gebracht. Zeg me, weet nog iemand anders van uw verdenking?'

'Niemand,' zei ik. 'Ik ben de enige die er volledig kennis van heeft. Matthew, mijn dienaar, weet er ongetwijfeld iets van omdat hij een schrandere knaap is, maar zelfs hij kent niet het hele verhaal.'

'En waar is hij?'

'Hij is nu weer in Engeland. Maar u hoeft voor hem niet bevreesd te zijn. Hij is geheel aan mij gebonden.'

'Goed. Praat met hem en wees er zeker van dat hij het begrijpt.'

'Gaarne voldoe ik aan uw wens in dezen,' ging ik verder, 'maar ik moet nogmaals zeggen dat dit zover ik het kan bekijken niettemin een ernstige zaak is. Wel of niet gesanctioneerd door de Spaanse kroon, die man komt naar dit land en ik denk dat hij een groot gevaar voor ons vormt. Wat moet ik eraan doen? U gelooft toch zeker niet dat hij met rust moet worden gelaten?'

Bennet lachte. 'Ik geloof dat u zich op dat punt geen zorgen hoeft te maken, mijnheer,' zei hij. 'Dit is niet het enige samenzweringsverhaal en ik heb Zijne Majesteit er eindelijk van kunnen overtuigen dat hij dag en nacht zijn persoonlijke bewaking moet uitbreiden. Ik zie geen enkele mogelijkheid waarop zelfs de meest roekeloze sluipmoordenaar bij hem kan komen.'

'Dit is geen gewone soldaat, mijnheer,' zei ik. Hij is vermaard om zijn gedurfde en wrede moorden onder de Turken op Kreta. Men mag hem niet onderschatten.'

'Ik begrijp uw bezorgdheid,' antwoordde Bennet. 'Maar ik wijs u erop dat als u gelijk hebt – en ik geloof niet dat dat zo is – de opmerkingen die u tegen Moledi hebt gemaakt niet onopgemerkt zullen zijn. Hij zal de grootste zorg in acht nemen dat er niets gebeurt dat ons in de armen van zijn grootste vijand zal drijven. En een verbond met Frankrijk zou zeker het gevolg van zo'n daad zijn, want dit plan werkt alleen als de ware bedenker nooit bekend zou worden, en u hebt ervoor gezorgd dat dat niet kan.'

Daarmee eindigde het onderhoud. Mijn positie was danig maar niet onherstelbaar verzwakt toen ik daar wegging. Ik had niet zijn begunstiging verloren en was zeker niet met enige sanctie bedreigd. Veel belangrijker was dat mijn vertrouwen geschokt was; ik had die reactie van Moledi niet voorzien. Hij had zich echter gedragen zoals een onschuldige had kunnen doen in die omstandigheden: met verbazing en protest. En wat mijnheer Bennet had gezegd, was waar: een moordaanslag was zinloos als het enige gevolg zou zijn dat Engeland aan de Fransen overgeleverd zou worden.

Ik had niet door, hoewel ik iets begon te vermoeden, dat mijn conclusies op verkeerde veronderstellingen waren gebaseerd; er waren meer en gruwelijker bewijzen voor nodig voor alle twijfels waren weggenomen.

7

IK BEN ER NOOIT ACHTER GEKOMEN wanneer Marco da Cola nu precies in Engeland was aangekomen of op welke manier, maar ik ben er zeker van dat hij al aan land was gegaan voor ik met de Spaanse gezant sprak. Dit idee werd later bevestigd door Jack Prestcott toen ik hem ondervroeg. In de derde week van maart was Cola in Londen en ik neem aan dat hij was gewaarschuwd dat mij iets van zijn plan bekend was geworden; hij moet ook hebben vernomen dat Matthew mijn dienaar was en dat de knaap veel wist dat gevaarlijk voor hem was.

Die ochtend zag ik Matthew. Hij kwam in grote haast bij me langs, zijn gezicht blakend van trots, om te zeggen dat hij had gehoord dat Cola in Londen was en dat hij van plan was om hem op te zoeken. Ogenblikkelijk begreep ik dat ik zo'n ontmoeting moest verijdelen.

'Dat doe je niet,' zei ik. 'Ik verbied het.'

Zijn gezicht verstrakte en er trok een donkere wolk van woede over, een uitdrukking die ik nog nooit op zijn gezicht had gezien. In één klap kwamen al mijn angsten terug nadat ik ze met succes verre van me had gehouden, in de hoop dat alles weer goed zou komen nu hij weer aan mijn zijde was teruggekeerd. 'Waarom? Wat is dat voor onzin? U bent naar die man op zoek en als ik hem voor u vind, verbiedt u me te ontdekken waar hij zich precies ophoudt.'

'Hij is een moordenaar, Matthew. Het is een levensgevaarlijke man.'

Matthew lachte op zijn eigen luchthartige wijze die me eens zoveel vreugde had gegeven, maar nu niet meer. 'Ik denk niet dat een Italiaan een Londense stadsjongen veel kwaad kan doen,' zei hij. 'En deze zeker niet.'

'Toch wel. Jij kent alle straten en stegen en de weg door de stad veel beter dan hij. Maar onderschat hem niet. Beloof me dat je hem met rust laat.'

Zijn lach verbleekte en ik kon zien dat ik hem wederom had gekwetst. 'Is dat het? Of gunt u me geen vriend die goed voor me is, iemand die me vrijelijk begunstigt zonder er zoveel voor terug te verlangen? Iemand die naar me luistert en mijn mening op prijs stelt in plaats van me altijd te bekritiseren en me zijn eigen mening op te leggen? Ik zeg u, doctor, die man is aardig en goed voor me geweest; hij heeft me niet geslagen en heeft zich altijd keurig gedragen.'

'Hou op!' riep ik uit, gekweld dat ik op zo'n wrede wijze met iemand anders vergeleken werd en het succes van die Cola louter voor de voeten geworpen kreeg om mijn hart te verwonden. 'Het is waar wat ik zeg. Je moet niet bij hem in de buurt komen. Ik kan de gedachte niet verdragen dat hij jou aanraakt en je op enige wijze pijn doet. Daarvoor wil ik je behoeden.'

'Ik kan wel voor mezelf zorgen. En ik zal u laten zien dat ik dat kan. Vanaf mijn geboorte heb ik al dieven, moordenaars en fanatici gekend. Toch zit ik hier ongedeerd en zonder een schrammetje. En daar denkt u niet aan terwijl u tegen me praat alsof ik een kind ben.'

'Je hebt zeer veel aan me te danken,' zei ik, kwaad op zijn kwaadheid en gekwetst door zijn woorden. 'Ik heb recht op je respect en beleefdheid.'

'Maar u toont het mij niet en ik verdien dat ook. Dat hebt u nooit gedaan.'

'Zo is het genoeg. Mijn kamer uit, en kom pas terug als je zover bent om je te verontschuldigen. Ik weet waarom je hem wilt opzoeken. Ik weet wat hij is en wat hij van je wil; ik kan dat beter beoordelen dan jij. Waarom zou een man als hij anders een jongen als jij aan zijn zijde willen hebben? Denk je dat het om je spitsvondigheid is? Dat ben je maar weinig. Om je geld? Je hebt geen stuiver. Om je kennis? Alles wat je bezit, heb je van mij. Je afkomst? Ik heb je uit de goot opgeraapt. Ik zeg je, als je vanavond naar hem toe gaat, wil ik je niet meer in dit huis zien. Heb je dat begrepen?'

Ik had hem nog nooit zo aangepakt en ik was ook toen niet van plan geweest dat te doen. Maar ik raakte nu snel mijn greep op hem kwijt. De verleiding van losbandigheid was bij hem wakker geworden, aangemoedigd door die man, en dat moest onmiddellijk de kop worden ingedrukt. Hij moest weten dat ik zijn heer en meester was en dat hij anders volstrekt verloren was.

Maar het was al te laat; ik had te lang gewacht en de corruptie was al te diep doorgedrongen. Toch zou hij, denk ik, mij om vergeving hebben gevraagd en zijn fout hebben ingezien, zoals hij kortgeleden nog bereid was te doen. Maar hij staarde me aan, niet wetende of ik het meende of niet en onder die blik werd ik week en bedierf alles.

'Matthew,' zei ik, 'm'n jongen, kom eens hier.' Voor de eerste keer in mijn leven, maar God sta me bij, niet voor de eerste keer in mijn dromen, nam ik hem in mijn armen en hield hem dicht tegen me aan, in de hoop de zachtheid van zijn reactie te voelen. In plaats daarvan verstijfde Matthew en duwde zich met zijn armen weg van mijn borst, uit mijn omhelzing, en hij struikelde achterwaarts in zijn haast om bij me weg te komen.

'Laat me met rust,' zei hij met kalme stem. 'U kunt me niet bevelen of me iets verbieden. Ik ben het niet die hier iets verkeerd heeft gedaan, en volgens mij is het niet die Italiaan die me om oneerbare redenen bij zich houdt.'

Hij liep de deur uit en liet mij achter in bittere boosheid en droevige wroeging.

Ik zou Matthew nooit meer levend zien. Diezelfde avond sneed Marco da Cola in een donkere steeg wreed zijn keel door en liet hem bloedend achter om te sterven.

Zelfs nu nog kan ik het nauwelijks verdragen om me de bijzonderheden van die dag waarop ik hoorde dat het nooit meer goed zou komen, voor de geest te halen. De man van mijn huishoudster (ik had de vrouw het jaar daarvoor toegestaan om te trouwen en waardeerde haar eerlijkheid zodanig dat ik het niet juist achtte haar op straat te zetten) kwam zelf naar Gresham College, waar ik zat te dineren met mijnheer Wren, om me het onheil te vertellen. Hij was een zware, trage, domme man, bevreesd voor mijn toorn, maar moedig genoeg om me zelf het slechte nieuws te brengen.

Hij beefde toen hij voor me stond en me vertelde wat er was gebeurd. Hij had het initiatief genomen om zelf naar de plek van het misdrijf te gaan toen hij het nieuws hoorde om aan de omwonenden te vragen wat er was voorgevallen. Het scheen dat er een paar uur eerder een moordaanslag was geweest. Matthew was van achteren aangevallen, zijn mond was bedekt en met een enkele haal was hem de strot afgesneden. Er was geen geluid geweest, geen lawaai of geschreeuw of iets van de gewone beroering die erop duidt dat er een worsteling of een roofoverval gaande is. De onverlaat was door niemand gezien en Matthew werd voor dood achtergelaten. Het was geen duel of een eerlijk gevecht, hem werd niet de kans gegeven om te sterven in de wetenschap dat hij tenminste had gehandeld zoals een man betaamt. Het was een pure moord, op de meest verachtelijke wijze gepleegd. Mijn droom had me gewaarschuwd en ik had het niettemin laten gebeuren.

In Cola's geschrift lees ik dat hij zelfs nog de brutaliteit had om zijn misdaad aan te stippen, hoewel hij voordoet alsof het zelfverdediging was. Hij zegt dat hij door een stel huurmoordenaars is overvallen, die (zo beweert hij) naar hij dacht door de voormalige vennoot van zijn vader op hem af waren gestuurd. Hoe edel en moedig verweerde hij zich tegen die bende bloeddorstige bandieten! Hoe bescheiden verhaalt hij hoe hij, helemaal alleen, hen op de vlucht joeg. Hij zegt natuurlijk niet dat zijn aanvaller een negentienjarige jongen was die nog nooit van zijn leven met een man had gevochten en die zeker geen kwaad tegen hem in de zin had. Hij zegt niet hoe hij de jongen volgde en hem doelbewust overviel zonder hem de kans te geven zich te verdedigen. Hij vergeet te zeggen dat hij deze misdaad pleegde zodat hij onbelemmerd later een nog grotere misdaad kon plegen.

En hij zegt niet dat hij met die daad het licht van mijn leven doofde, alles in duisternis stortte en iedere vreugde voor altijd smoorde. De dood van Matthew rust op mij, want mijn wantrouwen stookte hem op tot overmoed en het deed er niet toe dat ik het meest onder die fout leed. 'Zulk een glorie van God, mijn Absalom, mijn leem dat ikzelf had gekneed tot het fraaiste schepsel. Och, dat ik in uw plaats gestorve ware, mijn zoon, mijn zoon' (2 Sam. 18:33).

Zijn gehoorzaamheid evenaarde zijn vroomheid, zijn vroomheid zijn trouw en zijn trouw zijn schoonheid. Ik had me voorgesteld oud te worden met hem aan mijn zijde om me te troosten zoals geen vrouw ooit kon. Hij alleen verlichtte de dag en liet de ochtend blozen met hoop. Dit was de liefde die Saul voor David voelde, en ik weende bitter om mijn straf.

'Wie zoon of dochter liefheeft boven mij, is mij niet waardig' (Matt. 10:37). Hoe vaak had ik deze woorden gelezen zonder te beseffen welk een last ze op de schouders van de mensheid leggen, want ik had nooit eerder man of vrouw liefgehad.

De les was kort en krachtig, maar ik kwam ertegen in opstand. Ik smeekte de Almachtige dat het niet zo mocht zijn, dat mijn dienaar het verkeerd had, dat iemand anders in zijn plaats was gestorven.

En ik kende de wreedheid te wensen dat een ander in mijn plaats zou lijden, dat een andere vader voor mij zou treuren. Onze Heer heeft Zijn kruis aanvaard, maar zelfs Hij bad dat de last van Hem werd afgenomen, en dat bad ik dus ook.

En de Heer zei me dat ik de knaap te veel had liefgehad en deed me terugdenken aan de nachten dat hij in mijn bed had geslapen terwijl ik wakker lag en naar zijn ademhaling luisterde, terwijl mijn enige wens was mijn hand uit te strekken en hem aan te raken.

En ik weet weer hoe ik smeekte om van die wens verlost te worden, maar ook dat hij vervuld werd.

Dit was mijn geheel terecht verdiende straf. Ik dacht dat ik door de pijn zou bezwijken en kwam het verlies nooit te boven.

In mijn hart laaide mijn woede fel en vurig op, want ik wist ook dat het Marco da Cola was die mijn lieve jongen van me had weggelokt en hem had verleid, zodat hij niet zou merken dat de dolk uit de schede gleed.

Ik verlangde dat God tegen me zou zeggen, zoals hij tegen David had gezegd: 'Ik geef uw vijand in uw macht; doe met hem wat gij wilt' (1 Sam. 24:5). Ik zwoer dat de bruutheid van die Cola zijn ondergang zou worden.

Er staat geschreven: 'Wie des mensen bloed vergiet, diens bloed zal door de mens vergoten worden' (Gen. 9:6).

<hr>

Ik ben dankbaar dat ik niemand toesta mijn gevoelens te zien en dat ik altijd een diepgeworteld plichtsbesef heb gehad, want alleen daardoor werd ik gedwongen op te staan en me weer aan mijn taak te wijden. Dus bad ik en dwong mezelf vervolgens aan het werk te gaan, een moeilijker daad dan ik ooit heb verricht, want ik behield mijn gewone manier van doen, iets wat de mensen kilheid noemen, terwijl ondertussen mijn hart zwaar van treurigheid was. Ik zal verder niets meer hierover zeggen; het is niet voor mensenoren geschikt. Ik zeg alleen dat ik van toen af aan slechts één doel voor ogen had, één voornemen en één wens, en dat bleef bij me in mijn dromen en iedere seconde dat ik wakker was.

Matthew had gezegd dat hij niet dacht dat Cola hem in de Nederlanden had verdacht; had de Italiaan dat wel gedaan, dan was de jongen zeker gestorven voor hij een voet op Engelse bodem had gezet. Het was eveneens duidelijk dat Cola dat pas in Londen had ontdekt en dus ook zeker dat die informatie hem bereikt had omdat ik mijnheer Bennet van mijn vermoeden had verteld en Matthew had genoemd als iemand die daar kennis van had genomen. Ik had moeten weten dat er niet zoiets als een discrete hoveling bestaat, noch dat iemand in Whitehall een geheim kan bewaren. Ik besloot dus mijnheer Bennet niet meer van mijn vorderingen op de hoogte te stellen; ik wilde niet alleen voorkomen dat Cola door een toevallige opmerking verder werd gewaarschuwd, maar ik wilde ook zelf in leven blijven. Als de Italiaan Matthew had afgemaakt vanwege het weinige dat hij wist, kon hij toch niets anders doen dan een soortgelijke aanslag op mij wagen?

Niettemin was ik allerminst verrast toen ik hoorde dat er een weetgierige jongeheer in Oxford was aangekomen en te kennen had gegeven dat hij daar enige tijd wilde blijven.

Maar ik was uitermate verrast toen hij vrijwel als eerste stap contact met de familie Blundy zocht.

8

IK MOET MIJN VERHAAL hier even onderbreken om iets over die familie te vertellen, daar Cola's eigen beschrijving op geen enkel punt geloofd kan worden en het voor de hand ligt dat als Prestcott in zijn geschriften hierover iets vermeldt, hij niets anders dan een volkomen misleid oordeel kan geven. Hij had een vreemde obsessie voor de jonge vrouw ontwikkeld en was ervan overtuigd dat zij hem kwaad wilde doen, maar hoe ze dat wilde presteren, is iets wat ik niet vermag te begrijpen. Bovendien was het niet nodig, omdat Prestcott eropuit scheen te zijn zichzelf zoveel kwaad te doen dat het weinig zin had dat iemand anders zich ermee bemoeide.

Ik kende de reputatie van de man als agitator in het leger en had gehoord dat hij was gestorven; evenzo wist ik natuurlijk dat zijn vrouw zich met haar dochter in Oxford had gevestigd. Via mijn informanten hield ik hen een tijdje in de gaten, maar voor de rest liet ik hen hun gang gaan: als ze de wet niet overtraden zag ik geen reden hen te vervolgen, zelfs al waren hun afwijkende opvattingen op religieus gebied ergerlijk. Ik hoop dat ik duidelijk heb gemaakt dat mijn enige zorg een ordentelijke samenleving was en dat ik weinig interesse had in haarkloverijen zolang er een uiterlijke schijn van conformiteit werd opgehouden. Ik weet dat velen (onder wie mensen die ik op andere gebieden hoogschat, zoals mijnheer Locke) de leer der tolerantie aanhangen; daar ben ik zeer op tegen als het betekent dat men zich buiten de staatskerk stelt. Een natie kan evenmin overleven zonder algemene eenheid van religie als hij dat kan zonder gemeenschappelijke besluitvaardigheid van de regering, want het ontkennen van de Kerk betekent, uiteindelijk, de ontkenning van ieder burgerlijk gezag. Om die reden steun ik de deugdzame middenweg die de anglicaanse gemeente bewandelt tussen de smakeloze protserigheid van Rome en de kwalijke lichtzinnigheid van de sektarische conventikels.

Het deed me genoegen om te zien dat moeder en dochter Blundy lering hadden getrokken uit het mislukken van hun streven. Hoewel ik wist dat ze contacten onderhielden met allerlei radicale kennissen in Oxford en Abingdon, gaf hun persoonlijke gedrag weinig aanleiding tot bezorgdheid. Eens in de drie maanden bezochten ze de kerk, en al zaten ze daar onvervaard en met stalen gezichten, al weigerden ze te zingen en stonden ze slechts met de grootste aarzeling op, dat kon me weinig schelen. Ze toonden hun gehoorzaamheid en hun berusting was een les voor al diegenen die misschien opstandige ideeën koesterden. Want als zelfs de vrouw die eens soldaten op royalistische troepen had laten vuren tijdens de grote belegering van Gloucester niet langer de wil had om zich te verzetten, waarom zouden minder stoutmoedige lieden dan anders doen?

Weinig mensen kennen vandaag de dag nog dit verhaal; ik vermeld het hier gedeeltelijk omdat het een illustratie geeft van deze mensen en gedeeltelijk omdat het verdient opgetekend te worden als het soort anekdote waar een man als mijnheer Wood zoveel behagen in schept. Ned Blundy was in die tijd al in dienst van het parlement en zijn vrouw volgde hem met alle andere soldatenvrouwen, zodat haar man tijdens de marstochten behoorlijk gekleed en gevoed werd. Hij maakte deel uit van het legertje van Edward Massey en bevond zich in Gloucester toen koning Karel het beleg sloeg. Velen weten van deze felle strijd af waarin de vastberadenheid van de ene partij tegenover de standvastigheid van de andere partij kwam te staan en geen van de twee kanten moed te kort kwam. De koning was in het voordeel, want de verdediging van de stad was gebrekkig en slecht voorbereid, maar Zijne Majesteit, zoals doorgaans gebeurt bij een vorst die eerder edel dan verstandig is, liet na om met de nodige snelheid op te rukken. De parlementaristen kregen de hoop dat met nog een beetje standvastigheid van hun kant de hulptroepen die onderweg waren op tijd zouden komen.

Het was niet eenvoudig de burgers en gemene soldaten daarvan te overtuigen, temeer daar door de dapperheid van de officieren hun rijen waren uitgedund en vele pelotons en compagnieën zonder aanvoerder zaten. In het geval waar ik van spreek probeerde een compagnie royalistische soldaten door een van de zwakkere plekken in de wallen van de stad te breken, in de wetenschap dat de soldaten die de muur verdedigden ontmoedigd en besluiteloos waren. In het begin leek het er inderdaad op dat de stoutmoedige aanval succesrijk zou zijn, want velen kwamen over de muur en de moedeloze verdedigers begonnen zich terug te trekken. Binnen enkele minuten zouden ze de stadsmuur in handen hebben en zouden hun belegeringstroepen eroverheen stromen.

Maar toen stapte de vrouw van het verhaal naar voren, stopte haar onderrok in haar gordel en pakte het pistool en zwaard van een gesneuvelde soldaat. 'Volg mij of ik sterf alleen,' zou ze hebben uitgeroepen, en ze stormde de bende aanvallers in terwijl ze om zich heen stak en hakte. De parlementaristen waren zo beschaamd dat hun lafheid door een vrouw aan de kaak werd gesteld, en de toon waarop hun nieuwe aanvoerder sprak maakte zoveel indruk dat ze zich hergroepeerden en ook naar voren stormden. Ze stonden verder geen duimbreed grond meer af en de felheid van hun uitval sloeg de royalisten terug. Toen de aanvallers zich weer naar hun linie terugtrokken, stelde de vrouw de verdedigers in rijen op en gaf het bevel hen in de rug te vuren tot de laatste musketkogel verschoten was.

Dit was, zoals ik reeds zei, de vrouw van Edmund Blundy, Anne, die al om haar bloeddorstige felheid vermaard was. Ik geloof niet echt dat ze haar borsten ontblootte voor ze op de royalistische manschappen afstormde, zodat ze niet zo snel op haar zouden inslaan vanwege hun welgemanierdheid, maar het is zeker mogelijk en het zou geheel in overeenstemming zijn met haar reputatie van onzedelijkheid en wildheid.

Dit was typerend voor deze vrouw, die volgens mij vuriger van aard en aanpak was dan haar echtgenoot. Ze beweerde waarzegster te zijn en dat haar moeder al die krachten had bezeten en haar moeders moeder voor haar. Ze begaf zich zelfs naar bijeenkomsten van soldaten om verkondigingen te doen en lokte daarmee evenveel ontzag als hoon uit. Zij was het volgens mij die haar man tot steeds gevaarlijker en misdadiger overtuigingen aanzette, want ze verachtte ieder gezag, tenzij het haar uit vrije wil behaagde dat te accepteren. Ze beweerde dat een man niet meer gezag over zijn vrouw mocht hebben dan een vrouw over haar man. Ik twijfel er niet aan dat ze uiteindelijk zou beweren dat mens en ezel ook op gelijke voet met elkaar moesten omgaan.

Het was zonder meer zo dat zij noch haar dochter dit soort overtuigingen had opgegeven. Terwijl de meesten, met tegenzin of enthousiasme, oude opvattingen opzij zetten toen de tijden veranderden en de koning terugkeerde, volhardden anderen in hun dwalingen ondanks het feit dat de goddelijke gunst merkbaar van hen werd afgetrokken. Dat waren de mensen die de terugkeer van de koning als een proeve Gods van hun geloof beschouwden, een korte onderbreking voor de komst van Koning Jezus en de instelling van zijn duizendjarig rijk. Of ze zagen de Restauratie als een teken van Gods misnoegen en een aansporing om steeds fanatieker te proberen Zijn instemming terug te winnen. Of ze versmaadden God en al Zijn werken, jammerden over het keren van het tij en verzonken in de onverschilligheid van verijdelde hebzucht.

Wat Anne Blundy precies geloofde, kon ik nooit doorgronden, en ik had er overigens geen belang bij om dat te doen. Het enige dat voor mij telde, was dat ze zich rustig hield en daar scheen ze maar al te graag aan te voldoen. Ik vroeg er mijnheer Wood echter een keer naar, want ik wist dat zijn moeder de dochter als werkmeid bij haar thuis in dienst had.

'Ik neem aan dat je haar achtergrond kent,' vroeg ik hem. 'Haar afkomst en haar overtuiging?'

'Zeker,' zei hij. 'Ik weet wat die waren en wat ze nu zijn. Waarom vraagt u dat?'

'Ik ben op je gesteld, jongeman, en ik zou niet willen dat je gezin of je moeder belasterd werden.'

'Ik dank u voor uw belangstelling, maar u hoeft niet bang te zijn. Het meisje blijft in alles binnen de wet en ze is zo plichtsgetrouw dat ik geloof dat ik haar nog nooit een eigen denkbeeld heb horen verkondigen. Behalve toen Zijne Majesteit terugkeerde en haar ogen zich met vreugdetranen vulde. U kunt ervan verzekerd zijn dat dit werkelijk zo is, want mijn moeder zou ternauwernood een presbyteriaan in haar huis toelaten.'

'En de moeder?'

'Ik heb de vrouw maar een paar keer gezien en vond haar tamelijk onopmerkelijk. Ze heeft genoeg geld bijeengegaard om een washuis te beginnen en ze werkt hard voor de kost. Volgens mij is haar enige zorg om genoeg geld opzij te leggen voor een bruidsschat, en dat is ook Sarahs enige zorg. Nogmaals, door mijn onderzoek weet ik iets van haar reputatie, maar ik denk echt dat de dwaasheid van het ageren geheel bij haar verdwenen is, zoals dat ook in het hele land het geval is.'

Ik ging niet helemaal op de woorden van mijnheer Wood af, omdat ik twijfelde aan zijn vermogen om dat soort zaken te doorgronden, maar zijn verhaal stelde me gerust en ik was blij dat ik me op een belangwekkender prooi kon richten. Af en toe hoorde ik dat de dochter naar Abingdon, Banbury of Burford ging; dat mannen van twijfelachtige loyaliteit – zoals de Ierse magiër die ik eerder noemde – hun woninkje bezochten. Niettemin maakte ik me weinig zorgen. Ze leken vastbesloten hun vroegere wens om Engeland naar hun eigen beeld te herscheppen te laten varen en waren er ogenschijnlijk tevreden mee zoveel mogelijk geld te verdienen als hun positie en mogelijkheden toelieten. Tegen dat lofwaardig streven kon ik geen bezwaar hebben en ik besteedde weinig aandacht aan hen tot Marco da Cola rechtstreeks naar hun woning ging onder het voorwendsel dat hij de oude vrouw voor haar letsel wilde behandelen.

Ik heb uiteraard zorgvuldig gelezen wat hij hierover heeft geschreven en bewonder bijna de voortreffelijke wijze waarmee hij alles onschuldig en liefdadig doet lijken. Ik zie dat zijn techniek is om van alles steeds iets van de waarheid te vertellen, maar ieder stukje waarheidsgetrouwheid in laag na laag onwaarheid te verpakken. Het is moeilijk voor te stellen dat iemand zoveel moeite doet en als ik de waarheid niet kende, zou ik ongetwijfeld overtuigd zijn van de echtheid van zijn openhartigheid en de omvang van zijn edelmoedigheid.

Maar bezie de zaak eens vanuit een ander perspectief, met de steun van meer informatie dan mijnheer Cola ons wil verschaffen. Vertrouwd met de radicale kringen in de Nederlanden, komt hij naar Oxford en maakt binnen enkele uren zijn opwachting bij de mensen die meer van dat soort lieden kennen dan wie ook in het graafschap. Hij bezoekt hen drie of vier keer per dag, ook al vallen ze ver buiten zijn sociale klasse, en hij is zorgzamer dan een echte arts voor zelfs de rijkste patiënt zou zijn. Geen man van zin en rede handelt zo en het is een eerbewijs aan mijnheer Cola's verhaal dat dergelijk absurd en onwaarschijnlijk gedrag bij lezing geheel en al begrijpelijk lijkt te zijn.

Nadat mijnheer Boyle me had verteld dat hij zich ook in de gemeenschap van de natuurvorsers uit de High Street had begeven, wist ik dat ik eindelijk een kans had iets meer van het doen en laten van de man te weten te komen.

'Ik hoop dat u het niet vervelend vindt dat ik hem zo onder mijn hoede heb genomen,' zei Boyle toen hij me dat vertelde, 'maar uw relaas was zo intrigerend dat toen de man in eigen persoon in het koffiehuis verscheen, ik het niet kon weerstaan om mezelf van hem op de hoogte te stellen. En ik moet zeggen dat u het volgens mij wat hem aangaat geheel bij het verkeerde eind hebt.'

'U was het toch met mijn redenatie eens?'

'Maar het was een simpele overdenking, louter speculatief. Nu ik hem heb gesproken, kan ik er niet mee instemmen. Men moet altijd rekening houden met het karakter, want dat is toch de beste gids naar de ziel van de mens, en daarmee tot zijn drijfveren en daden. Ik constateer niets in zijn karakter dat overeenstemt met uw speculaties over zijn motieven. Geheel integendeel zelfs.'

'Maar hij is sluw en u bent te goed van vertrouwen. U kunt net zo goed zeggen dat een vos niet gevaarlijk is voor een kip omdat hij stil en geruisloos nadert. Hij is alleen gevaarlijk wanneer hij toeslaat.'

'Mensen zijn geen vossen, doctor Wallis, en ik ben geen kip.'

'Maar u geeft toe dat er een mogelijkheid bestaat dat u zich vergist?'

484

'Natuurlijk.' En Boyle lachte op die benepen, hooghartige manier van hem die aangaf hoe moeilijk het voor hem was zich dat ook maar voor te stellen.

'Dus u ziet de wijsheid ervan in om een oogje op hem te houden?'

Boyle fronste van ongenoegen bij dat idee. 'Dat ben ik zeker niet van plan. Ik ben u graag op vele manieren van dienst, maar ik ga niet de informant spelen. Ik weet dat u zich daarmee ophoudt, maar daar wens ik niet bij betrokken te worden. Het is een lage en minne bezigheid die u uitoefent, doctor Wallis.'

'Ik appreciër uw fijngevoeligheid ten zeerste,' zei ik, verbolgen door zijn woorden, daar hij zich zelden zo onomwonden uitliet. 'Maar soms kan de veiligheid van het koninkrijk zich zo'n kieskeurige aanpak niet veroorloven.'

'Het koninkrijk kan het zich niet veroorloven om door minderwaardige praktijken tussen heren zo verlaagd te worden. U moet oppassen, doctor. U probeert de integriteit van de goede samenleving te bewaken, maar u gebruikt gewoontes van de straat om dat te bereiken.'

'Ik zou mensen graag willen overreden tot goed gedrag,' antwoordde ik. 'Maar ze blijken merkwaardig ongevoelig voor dergelijke overreding te zijn.'

'Weest u maar voorzichtig dat u mensen niet te veel bestookt en ze tot onredelijk gedrag aanzet dat ze normaliter niet zouden overwegen. Dat is een risico, moet u weten.'

'Meestal zou ik het met u eens zijn. Maar ik heb u over mijnheer Cola verteld en u was het ermee eens dat mijn vrees terecht was. En ik ben nu zelf meer dan genoeg verwond om zeker te zijn van het gevaar dat die man betekent.'

Boyle betuigde zijn medeleven met Matthews dood en sprak troostende woorden; hij was een zeer barmhartig mens en was bereid een afwijzing te riskeren door te laten doorschemeren dat hij zich bewust was van de omvang van mijn verlies. Ik was hem dankbaar, maar kon niet toestaan dat zijn woorden over christelijke berusting me van mijn doel afleidden.

'U blijft maar achter hem aan zitten, maar u weet niet zeker dat hij uw dienaar heeft gedood.'

'Matthew volgde hem op de hielen, hij is hier om een misdaad te plegen en hij staat bekend als moordenaar. U hebt gelijk dat ik geen onweerlegbaar bewijs heb, want ik heb de moord niet gezien, noch iemand anders. Ik daag u echter uit om met redenen omkleed te stellen dat hij niet de dader is.'

'Het kan zijn,' antwoordde Boyle, 'maar ik zal hem niet veroordelen eer ik meer zekerheid heb. Laat me u waarschuwen, doctor. Let erop dat uw woede niet uw blik vertroebelt en u tot zijn niveau neerhaalt. "Mijn oog doet mijn hart pijn," staat in Klaagliederen. Let erop dat het omgekeerde niet al te waar wordt.'

Hij stond op om te vertrekken.

'Als u me dan niet wilt helpen, hoop ik dat u er tenminste geen bezwaar tegen hebt dat ik mijnheer Lower hierover aanspreek,' zei ik geërgerd over de hoogdravende wijze waarop hij zo'n belangrijke zaak afdeed.

'Dat moet u met hem uitmaken, maar hij is zorgvuldig tegenover zijn vrienden en is lichtgeraakt als het over hen gaat. Ik betwijfel of hij u ter wille zal zijn als hij weet wat u verlangt, daar hij zeer met de Italiaan is ingenomen en prat gaat op zijn mensenkennis.'

Aldus gewaarschuwd vroeg ik de doctor of hij de volgende dag langs wilde komen. Ik had een zekere achting voor Lower. In die tijd deed hij zich voor als een wereldse, zorgeloze man, maar zelfs een minder scherpzinnige figuur dan ik kon zien dat hij een brandend verlangen naar roem had en meer dan wat ook wereldlijk succes verlangde. Ik wist dat hij niet tevreden zou zijn voor altijd in Oxford te blijven om beesten open te snijden en voor assistent te spelen. Hij wilde erkenning voor zijn werk en een plek veroveren tussen de grote natuurvorsers. En hij wist evengoed als ieder ander dat hij om een kans in Londen te hebben, daadwerkelijk geluk en een paar heel goede vrienden moest hebben. Dat was zijn zwakke plek en mijn kans.

Ik liet hem komen onder het voorwendsel dat ik zijn raad wilde inwinnen over mijn gezondheid. Er mankeerde mij toen niets en behalve dat ik slechte ogen heb mankeer ik nu nog niets. Niettemin wendde ik pijn in mijn arm voor en liet me onderzoeken. Hij was een goede arts: in tegenstelling tot veel van die kwakzalvers die gewichtige woorden prevelen, een of andere ingewikkelde diagnose stellen en een dure en stompzinnige kuur voorschrijven, bekende Lower dat hij zich niet goed raad wist, want er was volgens hem niets met mij aan de hand. Hij ried me aan te rusten – weliswaar een goedkoop medicijn, maar een dat ik me niet kon veroorloven, zelfs niet als het echt nodig was geweest.

'Ik hoorde dat u kennis hebt gemaakt met een zeker Cola, klopt dat?' vroeg ik hem toen hij was gaan zitten en ik hem een glas wijn voor zijn moeite had ingeschonken. 'Dat u hem in feite onder uw hoede hebt genomen?'

'Dat klopt inderdaad, mijnheer. Signor Cola is een heer en een fijnzinnig geleerde. De man is innemend en intelligent en zijn ideeën over het bloed zijn uitermate boeiend.'

'U stelt me gerust,' zei ik. 'Want ik heb een hoge dunk van uw oordeel in dit soort zaken.'

'Waarom moet u gerustgesteld worden? U kent hem toch niet?'

'Geenszins. Denk er verder niet over na. Het is altijd al mijn principe geweest om de woorden van buitenlandse correspondenten in twijfel te trekken; zeker wanneer hun mening in tegenspraak is met die van een Engelsman. Ik zet ze met plezier van me af. Ik vergeet graag de berichten die ik heb gehoord.'

Lower fronste. 'Wat voor bericht dan? Sylvius schetste een zeer gunstig portret van hem.'

'Zeker, zeker,' zei ik. 'En ongetwijfeld accuraat, voor zover hij kon zien. We moeten een mens toch altijd beoordelen naar wat we van hem zien en tegenstrijdige berichten beoordelen in het licht van onze eigen ervaring? "Maar de tong kan geen mens bedwingen. Zij is een onberekenbaar kwaad, vol dodelijk venijn" (Jac. 3:8).'

'Heeft iemand kwaad van hem gesproken? Kom, mijnheer. Zeg het me eerlijk. Ik weet dat u een te rechtschapen man bent om te roddelen, maar als er lasterlijke berichten de ronde doen, kan de desbetreffende persoon het maar het best weten, opdat hij zich ertegen kan verweren.'

'U hebt uiteraard gelijk. Ik aarzel slechts omdat het bericht zo vaag is dat het nauwelijks de moeite waard is om er aandacht aan te besteden. Ik twijfel er niet aan dat het onwaar is. Het is zeker moeilijk te geloven dat een heer op zo'n grove wijze kan handelen.'

'Wat voor grove wijze bedoelt u?'

'Het gaat over de tijd dat signor da Cola in Padua was. Een wiskundige met wie ik correspondeer refereerde aan het geval. Mijnheer Oldenburg van ons genootschap kent hem en kan voor zijn oprechtheid instaan. Hij zei alleen dat er een duel had plaatsgevonden. Het schijnt dat iemand een of ander vernuftig experiment met bloed had uitgevoerd en daarover alles aan deze Cola had verteld. Cola beweerde vervolgens dat hij deze proeven zelf had gedaan. Toen hij gesommeerd werd de ware bedenker te erkennen, daagde hij deze tot een duel uit. Gelukkig werd het gevecht door de autoriteiten tegengehouden.'

'Dat soort misverstanden kunnen gebeuren,' zei Lower peinzend.

'Zeker,' stemde ik volmondig in. 'En het is heel goed mogelijk dat uw vriend geheel in zijn recht stond. En aangezien hij uw vriend is, neem ik aan dat hij dat was. Maar sommige mensen zijn belust op roem. Ik ben blij dat dergelijke frauduleuze handelingen gewoonlijk niet in de wetenschap voorkomen; het zou onverdraaglijk zijn je vrienden te verdenken en op je woorden te moeten letten omdat zij anders met de eer gaan strijken die jou zelf rechtmatig toekomt. Hoewel, als de ontdekking eenmaal gedaan is, wat doet het er dan toe wiens naam eraan verbonden wordt? Tenslotte werken we niet voor de roem. We doen Gods werk en Hij kent de waarheid. Wat zouden we ons dan van de mening van anderen aantrekken?'

Lower knikte zo heftig dat ik kon zien dat ik erin geslaagd was hem op zijn hoede te laten zijn.

'Daar komt bij,' ging ik verder, 'dat niemand zo dwaas zou zijn om een strijd met iemand als Boyle aan te gaan, want wie zou zijn aanspraken geloven tegenover het woord van zo'n man? Alleen degenen wier reputatie niet stevig gevestigd is, zijn kwetsbaar. Er is dus geen probleem, zelfs al zou Cola zo zijn als mijn correspondent beschreef.'

Mijn beweegredenen om dit alles tegen Lower te zeggen waren volstrekt eerbaar, ondanks het feit dat ik een valse voorstelling van zaken gaf. Ik kon hem niet op de hoogte brengen van mijn werkelijke zorg, maar het was essentieel dat Cola niet de vrijheid kreeg zijn listen uit te voeren door misbruik te maken van Lowers vertrouwen. 'Hij die zich laat waarschuwen, zal zijn leven redden' (Ez. 33:5). Door Lowers twijfel aan Cola's rechtschapenheid te wekken had ik ervoor gezorgd dat de kans groter was dat hij diens dubbelhartigheid zou ontdekken. Ik overtuigde hem ervan dat hij de zaak niet moest doorvertellen, want, zo zei ik, als het bericht waar was zou dat niets goeds opleveren en als het onwaar was zou het alleen maar onnodige wrevel wekken. Toen hij wegging was hij wat nuchterder gestemd en wantrouwiger dan toen hij kwam, en ook dat was een goede zaak. Helaas echter joeg zijn gebrek aan beheersing Cola bijna weg; hij was te open van aard om te veinzen, en uit Cola's manuscript blijkt maar al te duidelijk hoe gemakkelijk zijn twijfel en verontrusting als boosheid en norsheid naar boven kwamen drijven.

Tijdens het gesprek had Lower ook verteld dat Cola hem had vergezeld toen hij Jack Prestcott in zijn gevangeniscel bezocht, dat de Italiaan de jongeling grif had beloofd hem van wijn te voorzien en blijkbaar was teruggekeerd om die in eigen persoon af te leveren en toen een hele poos bij hem in de cel was blijven praten. Dit was weer een vreemde zaak die zorgvuldig overwogen moest worden. Cola was Venetiaan en sir James was in dienst van die stad geweest, dus misschien dat hij alleen maar medeleven toonde met de zoon van een man die zijn land goed had gediend. Het andere verband was het exemplaar van Livius, want sir James had dat in 1660 gebruikt om een brief te coderen en Cola had drie jaar later een met hetzelfde boek opgestelde brief ontvangen. Ik kon het niet doorgronden en realiseerde me dat ik dus de jonge Prestcott opnieuw aan de tand moest voelen – maar ik dacht die keer dat ik de waarheid wel uit hem zou krijgen omdat zijn huidige omstandigheden hem weinig mogelijkheid boden om het me moeilijk te maken.

Ik moet wel zeggen dat ik aan mijn idee over wat Cola van plan was begon te twijfelen, omdat wat hij deed niet overeenstemde met wat ik dacht dat hij wilde uitvoeren. Ik was (herhaal ik nogmaals) in het geheel niet dogmatisch in mijn overtuiging; de conclusie die ik had getrokken, stoelde op redelijke uitgangspunten en een beredeneerde, onbevooroordeelde afweging van alle feiten. Het daagde bij me, om het eenvoudig te stellen, dat als hij van plan was een aanslag op de koning te plegen, die nu zijn tijd tussen Whitehall, Tunbridge en de renbaan van Newbury verdeelde, Oxford een vreemde plaats was om te vertoeven. Niettemin zat Cola hier en bleek uit niets dat hij ergens anders naartoe wilde. Toen doctor Grove me dus meedeelde dat de Italiaan die avond bij hem op de universiteit de maaltijd zou gebruiken, overwon ik mijn afkeer en besloot daar zelf bij aanwezig te zijn, zodat ik de man met eigen ogen kon zien.

Misschien dat ik op deze plaats een portret van doctor Grove moet schetsen, want hij kwam tragisch aan zijn einde en was, samen met rector Woodward, de enige Fellow van New College voor wie ik enige achting had. Het is inderdaad waar dat we, behalve de wijding als geestelijke, niets gemeenschappelijks hadden; de waarde van de nieuwe wetenschap ontging hem totaal en hij was zelfs nog strenger in zijn overtuiging dat het noodzakelijk was zich geheel aan de Kerk te onderwerpen. Ondanks dat alles was hij hartelijk van aard en paste de felheid van zijn overtuiging vreemd bij zijn gulle geest; hij had geen reden om me te mogen, want ik vertegenwoordigde alles wat hij verafschuwde. Niettemin wilde hij graag tot mijn kennissenkring behoren. Zijn principes waren algemeen van karakter en beïnvloedden op generlei wijze zijn oordeel over personen.

Behalve als godgeleerde zag hij zichzelf als amateurastronoom, hoewel er nooit iets van hem was gepubliceerd en dat, spijtig genoeg, ook nooit gebeurde. Zelfs als hij was blijven leven, vermoed ik dat de vruchten van zijn arbeid nooit het licht hadden gezien, want Grove was zo bescheiden over zijn talenten en zo onverschillig voor publieke erkenning dat hij publicaties zowel hooghartig als aanmatigend vond. In plaats daarvan was hij een van die steeds zeldzamer wordende lieden die God en universiteit eren in bescheiden stilzwijgen, in de overtuiging dat kennis zijn eigen beloning vormt.

Hij was naar zijn universiteit teruggekomen toen de koning op zijn troon terugkeerde en hij wilde nu vertrekken naar een prebende op het platteland zodra er weer een vrijkwam. De kans dat dat hem zou lukken was groot, want de enige andere die in aanmerking kwam was de onbeduidende, jonge Thomas Ken, wiens aanspraak sommigen alleen overwogen omdat ze een vervelende persoon op de universiteit kwijt wilden. Op een bepaalde manier bedroefde zijn plotselinge verscheiden me, want ik vond Groves gezelschap merkwaardig heilzaam. Ik wil niet zeggen dat we vrienden waren; dat zou te ver gaan, en hij had zonder meer een manier van praten die degenen die zijn innerlijke welwillendheid niet bespeurden al snel onaangenaam vonden. Groves zwakte was zijn radde tong en stekelige humor die hij niet in toom kon houden. Hij was een man van tegenstellingen en je kon wat hij zei nooit als vanzelfsprekend aannemen; hij kon allerhartelijkst zijn of heel venijnig. Hij had eigenlijk de techniek vervolmaakt om het tegelijkertijd alle twee te zijn.

Het was Grove die me uitnodigde mijn intrek in New College te nemen toen mijn huis door verbouwingswerkzaamheden onbewoonbaar was geworden. Door een sterfgeval en een uitgestelde benoeming tot een leerstoel was er een kamer vrijgekomen en het college had besloten, zoals gebruikelijk, om de ruimte te verhuren tot een nieuwe Fellow er aanspraak op maakte. Ik had nooit veel genoegen beleefd aan het gemeenschappelijke leven op de universiteit, ook niet toen ik zelf nog student was, en ik was meer dan blij om dat achter me te laten toen ik mijn eerste aanstelling kreeg. Als professor had ik uiteraard het recht om te trouwen en mijn eigen huishouding te voeren, dus was het bijna twintig jaar geleden dat ik zij aan zij met anderen had gewoond. Ik vond de ervaring in zekere zin amusant en merkte dat ik in de eenzaamheid van mijn kamer goed kon werken. Ik kreeg zelfs heimwee naar mijn jeugdjaren en verlangde weer naar die onverantwoordelijkheid wanneer alles nog voor je ligt en niets zeker is. Maar dat gevoel verdween weldra en in de tijd daarna verbleekte de aantrekkingskracht van New College snel. Behalve Grove waren alle Fellows van matig niveau; velen waren corrupt en verzaakten hun plichten. Ik trok me steeds meer terug en bracht zo weinig mogelijk tijd met hen door.

Grove was menige avond mijn gezelschap, want hij maakte er een gewoonte van om bij mij aan te kloppen in zijn verlangen naar discussie. In het begin deed ik mijn best hem te ontmoedigen, maar hij liet zich niet zo makkelijk afschepen, en op het laatst merkte ik dat ik de verstoring bijna verwelkomde, want het was onmogelijk al te veel te tobben wanneer hij er was. De discussies die we voerden waren van hoog niveau, zelfs al waren we bedroevend vaak slechte gespreksgenoten. Grove had zich toegelegd op de scholastische redenatie, die ik juist van me af had proberen te schudden, omdat ik vond dat die het voorstellingsvermogen te veel beknotte. En, zoals ik trachtte hem duidelijk te maken, de nieuwe natuurvorsing kon eenvoudigweg niet worden gevangen in termen van definities en axioma's, theses en antitheses en de rest van het hele begrippenapparaat van het formele aristotelisme. Voor Grove was dit leugen en bedrog omdat hij de leerstelling aanhing dat de schoonheden en subtiliteiten van de logica alle mogelijkheden omvatten en dat als een kwestie niet binnen die regels beargumenteerd kon worden dat de nietigheid van dat geval bewees.

'Ik weet zeker dat u mijnheer Cola een interessante gespreksgenoot zult vinden,' zei ik toen hij me vertelde dat de Italiaan die avond zou komen souperen. 'Ik begreep van mijnheer Lower dat hij een grote voorliefde voor experimenteren heeft. Of hij uw gevoel voor humor kan waarderen, kan ik niet van tevoren zeggen. Ik denk dat ikzelf ook kom eten om te zien hoe dat uitpakt.'

Grove straalde van genoegen en ik herinner me hoe hij met een lap over zijn rood ontstoken oog wreef. 'Schitterend,' zei hij. 'We kunnen een drietal vormen en misschien na afloop nog een glas drinken en een echte discussie houden. Wilt u een fles cognac bestellen? Ik hoop dat hij een goed tegenstander is, daar lord Maynard komt eten en ik hem mijn bedrevenheid in debatteren wil tonen. Dan weet lord Maynard tenminste wat voor iemand zijn prebende zal overnemen.'

'Ik hoop dat die Cola het niet vervelend vindt om op die manier gebruikt te worden.'

'Ik weet zeker dat hij het niet eens zal merken. Bovendien is hij zeer innemend en uiterst eerbiedig. Heel anders dan zoals de Italianen bekendstaan, moet ik zeggen, want ik heb altijd gehoord dat het vleiers en kruipers zijn.'

'Ik dacht dat hij Venetiaan was,' zei ik. 'Die zouden zo kil als hun grachten zijn en zo gesloten als de kerkers van de doge.'

'Dat vind ik niet van hem. Warrig en met alle tekortkomingen van de jeugd, zeer zeker, maar verre van kil en gesloten. Dat zult u zelf wel ontdekken.' Hier zweeg hij en fronste. 'Dat vergeet ik helemaal. Ik heb u nog niet uitgenodigd, of ik moet de uitnodiging alweer intrekken.'

'Hoezo?'

'Vanwege mijnheer Prestcott. Kent u die?'

'Ik heb de verhalen gehoord.'

'Ik kreeg bericht van hem dat hij me wilde spreken. Wist u dat ik ooit zijn leermeester ben geweest? Hij was een vermoeiende jongen – niet intelligent en hij had geen studiehoofd. En wat zo vreemd was: het ene moment was hij een en al charme en het volgende nukkig en driftig. Hij had ook een akelige, boosaardige trek in zich en was sterk geneigd tot bijgeloof. Hoe dan ook, hij wenst me te spreken; naar het schijnt doet het vooruitzicht van de strop hem zijn vroegere leven en zonden overdenken. Ik heb geen zin om te gaan, maar ik denk dat ik wel moet.'

Toen nam ik plotseling een besluit in het besef dat als ik een overeenkomst met Prestcott wilde sluiten ik dat beter zo snel mogelijk kon doen. Het kan louter een ingeving zijn geweest of misschien leidde een engel mijn tong toen ik sprak. Het kan ook simpelweg zijn geweest dat ik dit plotselinge vertoon van inkeer van Prestcott wantrouwde, die toen ik hem een paar dagen eerder had bezocht allerminst in een berouwvolle gemoedstoestand leek te zijn. Het doet er niet toe; ik nam het fatale besluit.

'Dat moet u zeker niet doen,' zei ik beslist. 'Uw ogen zien er zorgwekkend ontstoken uit en ik weet zeker dat blootstelling aan de avondwind ze alleen nog maar slechter zal maken. Ik zal in uw plaats gaan. Als hij een geestelijke wil spreken, denk ik dat ik net zo goed voldoe. En als hij speciaal u wenst te zien, kunt u altijd nog op een latere datum gaan. Er is geen haast. De rechtszitting is pas over ruim twee weken en van het wachten wordt de jongen alleen maar toegeeflijker.'

Ik hoefde maar weinig overredingskunsten aan te spreken om ervoor te zorgen dat hij mijn raad opvolgde. In de geruststelling dat een behoeftige ziel niet veronachtzaamd werd, dankte hij me zeer oprecht voor mijn vriendelijkheid en bekende dat een avond een experimentalist het vuur na aan de schenen te leggen veel meer naar zijn zin was. Ik bestelde zelfs de fles cognac voor hem, omdat zijn ogen zo slecht waren; die werd door mijn wijnhandelaar gebracht en onder aan de trap neergezet met mijn naam erbij. Dat was de fles die Cola vergiftigde, reden waarom ik weet dat het voor mij bestemd was.

9

UIT MIJN AANTEKENINGENBOEK blijkt dat ik die dag op een normale manier doorbracht. Ik woonde zoals gewoonlijk de dienst bij in St Mary's, want als ik in de stad ben bezoek ik altijd trouw de universiteitskerk, en doorstond een langdradige (en met fouten doorspekte) preek over Matteüs 15:23, waar zelfs de meest vurige gelovige niets uit kon halen, hoewel we dat naderhand in een discussie nog probeerden. Ik heb veel van dat soort preken in mijn leven bijgewoond en merk dat ik enige sympathie koester voor de paapse wijze van eredienst houden. Ongodsdienstig, ketters en goddeloos als deze mag zijn, worden de leden in het katholicisme tenminste niet op die manier blootgesteld aan de onzin van hoogdravende dwazen die meer van de klank van hun eigen stem houden dan van hun God.

Daarna handelde ik mijn zaken af. Mijn correspondentie duurde ongeveer een uur, want ik hoefde die dag maar weinig brieven te beantwoorden en de rest van de ochtend werkte ik aan mijn boek over de geschiedenis van de algebraïsche methode, en schreef ik vlot de alinea's waarin ik met onweerlegbare bewijzen de bedrieglijke aanspraken van Vieta aantoonde, van wie alle vindingen feitelijk dertig jaar eerder door mijnheer Harriott werden gedaan.

Het was niet noemenswaardig, maar het hield me bezig tot ik mijn toga aantrok en naar de zaal ging waar Grove me aan Marco da Cola voorstelde.

De verstikkende walging die ik voelde toen ik voor het eerst oog in oog stond met de man die zo achteloos en genadeloos Matthew het leven had benomen, valt niet in woorden uit te drukken. Alles aan zijn voorkomen vervulde me van afkeer, zozeer zelfs dat ik voelde hoe mijn keel zich toekneep en ik dacht dat de misselijkheid me te veel zou worden. Zijn beminnelijke manier van doen benadrukte slechts de omvang van zijn wreedheid; zijn verfijnde manieren herinnerden me aan zijn gewelddadigheid, zijn dure kleren aan de snelheid en koelbloedigheid van zijn daad. God sta me bij, ik kon de gedachte van dat stinkende, geparfumeerde lichaam dicht bij Matthew niet verdragen; die dikke, gemanicuurde handen die zijn volmaakte jonge wangen streelden.

Ik vrees dat mijn uitdrukking iets moet hebben verraden, dat ik Cola liet merken dat ik wist wie hij was en wat hij van plan was; en het kan zelfs zijn dat de uitdrukking van afschuw op mijn gezicht hem aanspoorde sneller toe te slaan en nog die avond een aanslag op mijn leven te plegen. Ik weet het niet; we hielden ons beiden zo goed als we konden; geen van twee liet volgens mij daarna nog iets blijken en voor alle aanwezigen moet de maaltijd doodgewoon hebben geleken.

Cola heeft zijn verslag van die maaltijd opgetekend, waarin hij beledigingen aan het adres van zijn gastheren afwisselt met snoeverijen over zijn eigen conversatie. O, die schitterende opmerkingen, die weldoordachte antwoorden, de geduldige manier waarop hij ergernissen gladstreek en de kolossale blunders van die arme ouderejaars verbeterde! Ik moet me zelfs nog op dit late tijdstip verontschuldigen dat ik zijn snedigheid niet waardeerde, zijn scherpzinnigheid en zijn goedmoedigheid, want ik beken dat al deze fraaie eigenschappen me toentertijd totaal ontgingen. In plaats daarvan zag ik (of dacht ik te zien, want ik moet het verkeerd hebben gehad) een zenuwachtige kleine man met meer gemaniëreerdheid dan manieren, gekleed als een kaketoe en met een suggestieve, geveinsde plechtstatigheid in zijn manier van spreken die zijn oppervlakkige kennis niet in het geheel verdoezelde. Zijn gekunstelde hoffelijkheid en zijn minachting voor degenen die zo vriendelijk waren hem gastvrijheid te bieden, waren zonneklaar voor iedereen die zo onfortuinlijk was om in zijn buurt te zitten. De zwierigheid waarmee hij een klein doekje te voorschijn haalde om zijn neusgaten leeg te blazen, wekte de lachlust van iedereen en zijn nadrukkelijke opmerkingen – in Venetië eet iedereen met een vork; in Venetië drinkt men wijn uit een glas; in Venetië doet men zus, in Venetië doet men zo – wekten alleen maar hun weerzin. Zoals velen die weinig te zeggen hebben, zei hij te veel, onderbrak hij sprekers op onhoffelijke wijze en overlaadde hij hen die er geen behoefte aan hadden met de gunsten van zijn wijsheid.

Ik had bijna medelijden met hem, toen Grove hem, met een glinstering in zijn ogen, opjutte als een stomme stier door hem eerst de ene kant op te leiden en dan de andere, en hem verleidde tot het doen van de belachelijkste uitspraken, om hem daarna zijn eigen absurditeiten te laten overdenken. Er was voor zover ik merkte geen onderwerp tussen hemel en aarde waarover de Italiaan geen uitgesproken ideeën had, en er was geen enkel

494

idee dat op enige wijze juist of doordacht totstandkwam. Om de waarheid te zeggen verbaasde hij me, want ik had me hem heel anders voorgesteld. Het was moeilijk te begrijpen hoe zo'n man iets anders dan een hansworst kon zijn, niet in staat om wie dan ook kwaad te doen tenzij hij hem dood verveelde of hem verstikte met de vlagen parfum die van zijn lichaam opwalmden.

Slechts één keer liet hij zijn masker zakken en slechts een oogwenk kon ik doordringen tot wat daarachter verscholen lag; toen keerde al mijn wantrouwen in volle hevigheid terug en besefte ik dat hij er bijna in geslaagd was om ons alle voorzichtigheid uit het oog te laten verliezen. Ik was er niet op voorbereid, hoewel ik niet zo snel met mijn minachting klaar had moeten staan, want de koopman die ik in de Fleet-gevangenis had ondervraagd had me gewaarschuwd. Hij had gezegd hoe verbaasd hij was dat geharde soldaten te Candia de man met de grootste eerbied behandelden en ik liet mijzelf ook zand in de ogen strooien.

Tot het moment kwam, de enige keer van de hele avond, dat Cola naar de achtergrond werd gedrongen door een uitbarsting van hatelijkheid tussen Grove en Thomas Ken. Want Cola was als een van die acteurs die paradeert op het toneel, zich koesterend in de warme aandacht van het publiek. Zolang de ogen op hen gericht zijn, zijn ze de personages die ze voorgeven te zijn en alle aanwezigen geloven inderdaad dat ze koning Harry bij Agincourt zien of een Deense prins in zijn kasteel. Maar als iemand anders spreekt en zij op de achtergrond staan, dan moet je ze gadeslaan; kijk dan maar eens hoe het vuur in hen dooft en hoe ze weer gewoon acteurs worden en pas weer in hun vermomming kruipen als het weer hun beurt is om te spreken.

Cola was als zo'n toneelspeler. Toen Ken en Grove elkaar met citaten om de oren sloegen en Ken boos wegbeende, gebogen onder de zekerheid van zijn nederlaag – de verkiezing voor de prebende zou de week daarop plaatsvinden en Groves overwinning was veiliggesteld – liet Cola het masker zakken dat hij zo goed gedragen had. Voor het eerst op de achtergrond leunde hij achterover om naar het tafereel te kijken dat zich voor zijn ogen afspeelde. Alleen ik sloeg hem gade; kibbelarijen tussen Fellows van de universiteit interesseerden me niet, daar ik er al van zovele getuige was geweest. Alleen ik zag het sprankje van plezier en de wijze waarop hij alles wat werd gezegd en niet werd gezegd in die ruzie onmiddellijk begreep. Hij speelde een spelletje met ons allemaal en vertrouwde op zijn succes, en nu onderschatte hij zijn publiek evenzeer als ik hem had onderschat. Hij realiseerde zich niet dat ik op dat moment in zijn ziel blikte en de duivelse plannen ontwaarde die daar samengebald verborgen lagen, wachtend tot ze ontketend zouden worden wanneer iedereen in slaap was gesust en hem voor een nar hield. Ik vond steun in die vlaag van inzicht en dankte de Heer dat Hij mij zo'n teken had gezonden; want toen wist ik wat Cola was, net zoals ik wist dat ik hem kon verslaan. Hij was een man die fouten maakte, en zijn grootste fout was overmoed.

Zelfs Grove vond zijn conversatie saai, maar het fatsoen vereiste dat hij uitgenodigd werd om na afloop van de maaltijd en als het laatste dankwoord was gezegd, nog gezamenlijk een glas te nuttigen. Ik weet dat het zo gegaan is, ook als zegt Cola van niet. Hij beweert dat Grove hem meteen naar de poort van het universiteitsgebouw begeleidde en dat er daarna niets meer tussen hen voorviel. Dat is onmogelijk, daar een van nature zo hoffelijk man als Grove dat niet gedaan zou hebben. Ik twijfel er niet aan dat de verkwikking werd bekort en ik twijfel er niet aan dat Grove loog door te vertellen dat hij Prestcott moest bezoeken om zo van de man af te komen, maar het is ondenkbaar dat de avond zo eindigde als Cola beweert. Het is nog een opzettelijke falsificatie die ik in zijn relaas heb ontdekt, maar ik geloof dat ik er onderhand op zoveel heb gewezen dat het nauwelijks loont om daarmee verder te gaan.

Het is zeker dat Cola verwachtte dat ik naar mijn kamer zou gaan, de fles cognac met het vergif erin onder aan de trap zou vinden — want voor wie anders zou die kunnen zijn, aangezien Grove de enige andere persoon was die zijn kamer aan die trap had, en hij zou die avond afwezig zijn — en ervan zou drinken. Later die avond kwam hij terug, en hoewel hij me niet dood aantrof, doorzocht hij mijn kamer en nam niet alleen de brief mee die ik had onderschept, maar ook de brief die ik in 1660 van Samuel had gekregen. Het was een boosaardig plan, later nog verergerd door het gemak waarmee hij werkeloos toezag hoe het meisje Blundy in zijn plaats stierf, want ik twijfel er niet aan of hij had dat arsenicum in de Nederlanden aangeschaft en zat zonder blikken of blozen te liegen toen hij beweerde dat hij dat niet in zijn artsenijkist had. Het is monsterlijk om erover na te denken, maar sommige mensen zijn zo verdorven en ontaard dat geen bedrog buiten hun macht ligt.

Wat Cola niet verwachtte, was dat het ware doelwit van zijn moorddadige venijn zo ver buiten zijn bereik was. Want ik ging naar Prestcott en zelfs al moest ik door toedoen van die ellendige knaap de grootste vernedering ondergaan, de krenking werd in ieder geval goedgemaakt door bruikbare inlichtingen. Het was een koude avond en ik pakte mezelf zo goed mogelijk in voor het onderhoud. Prestcott had nog genoeg vrienden in de buitenwereld om hem te voorzien van dekens en warme kleren, hoewel hun gulheid niet zover ging dat ze hem een vuur in de haard hadden gegeven of iets anders dan kaarsen van het goedkoopste varkensvet, die sputterden en stonken bij het verspreiden van hun zwakke schijnsel. Ik had per ongeluk verzuimd zelf kaarsen mee te brengen, dus vond het gesprek vrijwel in het donker plaats en zowel daaraan als aan mijn dwaze grootmoedige aard wijt ik het dat Prestcott erin slaagde me zo te verrassen als hij deed.

De ontmoeting begon ermee dat Prestcott weigerde me zelfs maar aan te horen voor ik beloofd had zijn dikke, zware kettingen waarmee hij aan de muur geklonken zat – een noodzakelijk dwangmiddel, zoals ik later merkte – los te maken.

'U moet weten, doctor Wallis, dat ik al bijna drie weken zo vastgeketend zit, en ik word er doodmoe van. Mijn enkels zijn overdekt met zweren, en het geluid van de rammelende kettingen elke keer als ik me omdraai maakt me gek. Denkt iemand soms dat ik zal ontsnappen? Dat ik een weg naar buiten graaf door een muur van een meter dik, twintig meter naar beneden in de gracht spring en wegvlucht?'

'Ik zal je niet ontketenen,' zei ik, 'voor ik enige medewerking van je kan verwachten.'

'En ik zal niet meewerken tot ik enige verwachting heb in leven te kunnen blijven na de volgende rechtszitting.'

'Wat dat aangaat kan ik je misschien iets aanbieden. Als ik tevreden met je antwoorden ben dan zal ik regelen dat de koning je gratie verleent. Je zult niet vrijuit gaan, omdat dat een te grote belediging voor de familie Compton zou zijn, maar het zal je worden toegestaan naar Amerika te gaan, waar je een nieuw leven kunt beginnen.'

Hij snoof. 'Meer vrijheid wens ik me niet,' zei hij. 'De vrijheid om als een boer de aarde om te ploegen, dodelijk afgemat door het gedrein van puriteinen en in mootjes gehakt worden door indianen wier methoden, mag ik wel zeggen, we er goed aan zouden doen hier te volgen. Ieder verstandig mens zou naar zijn bijl grijpen bij sommige van die figuren. Dank u wel voor uw edelmoedigheid, mijn beste doctor.'

'Meer kan ik niet doen,' zei ik, hoewel ik er zelfs nu niet zeker van ben of ik het daadwerkelijk had gedaan. Maar ik wist dat hij me niet zou geloven als ik hem te veel aanbood. 'Als je het aanneemt, blijf je in ieder geval in leven en misschien dat je later kwijtschelding krijgt en mag terugkeren. Bovendien is het je enige kans.'

Hij dacht lange tijd na, ineengedoken op zijn brits, gehuld in zijn deken.

'Goed dan,' zei hij met tegenzin. 'Ik denk dat ik geen andere keus heb. Het is beter dan het aanbod dat ik van mijnheer Lower kreeg.'

'Ik ben blij dat je eindelijk verstandig wordt. Goed, vertel me alles over mijnheer Cola.'

'Hij keek oprecht verbaasd bij deze vraag. 'Waarom wilt u in 's hemels-naam iets over hem weten?'

'Wees maar blij dat het dat is. Waarom kwam hij je hier opzoeken?'

'Omdat hij een fatsoenlijk en hoffelijk heer is.'

'Verspil mijn tijd niet, mijnheer Prestcott.'

'Ik weet echt niet wat ik anders moet zeggen, mijnheer.'

'Vroeg hij je om iets?'

'Wat zou ik voor hem hebben?'

'Iets van je vader misschien?'

'Wat bijvoorbeeld?'

'Een exemplaar van Livius.'

'Dat weer? Waarom is dat toch zo belangrijk voor u, doctor?'

'Dat gaat je niet aan.'

'In dat geval hoef ik geen antwoord te geven.'

Ik bedacht me dat het geen kwaad kon er iets over te zeggen, omdat Prestcott het boek toch niet in zijn bezit had. 'Het boek is de sleutel tot werk waar ik mee bezig ben. Als ik het heb, kan ik een paar brieven ontcijferen. Heeft Cola je erom gevraagd?'

'Nee.' Prestcott rolde over zijn smalle brits en schokte van het lachen over wat volgens hem een goede grap ten koste van mij was. Ik begon dood-moe van hem te worden.

'Heus, dat heeft hij niet gevraagd. Het spijt me, doctor,' zei hij, en hij wreef in zijn ogen. 'Om het goed te maken zal ik u vertellen wat ik weet. Mijnheer da Cola was onlangs de gast van mijn voogd en logeerde daar toen sir William overvallen werd. Zonder zijn kundigheid zou sir William, naar ik begreep, aan zijn verwondingen zijn overleden, en hij moet duide-lijk een verdraaid knappe chirurgijn zijn om hem zo goed op te lappen.' Hij haalde zijn schouders op. 'En dat is alles. Meer kan ik u niet vertellen.'

'Wat deed hij daar?'

'Ik begreep dat ze een gezamenlijk belang in handelszaken hadden. De vader van Cola is koopman en sir William is directeur-generaal der artille-rie. De een verkoopt goederen en de ander gebruikt regeringsgeld om goe-deren te kopen. Alle twee willen ze zoveel mogelijk geld verdienen, en ze wilden natuurlijk hun samenwerking geheimhouden uit vrees voor de toorn van lord Clarendon. Zo zat volgens mij de vork in de steel.'

'En waarom denk je dat?'

Prestcott wierp me een laatdunkende blik toe. 'Kom nu, doctor Wallis. Zelfs ik weet dat sir William en lord Clarendon elkaar niet kunnen uitstaan. En zelfs ik weet dat als er maar één spoortje corruptie te bespeuren valt aan de manier waarop sir William zijn ambt uitoefent, Clarendon dat zou gebruiken om hem eruit te gooien.'

'Is er nog een andere reden, denk je, behalve je eigen vermoeden, waarom de toorn van lord Clarendon er de oorzaak van was dat Cola's omgang met sir William in het geheim plaatsvond?'

'Ze praatten onophoudelijk over Clarendon. Sir William haat hem zo dat hij hem vaak niet buiten zijn gesprekken kan houden. Mijnheer Cola was buitengewoon goedgemanierd, vond ik, om zo geduldig naar zijn geklaag te luisteren.'

'Hoezo?'

Prestcott was zo naïef dat hij niet het flauwste idee had van mijn interesse in alles wat Cola deed of zei en ik leidde hem zo behoedzaam als een lam langs ieder woord en gebaar dat hij de Italiaan had horen uiten of zien maken.

'Bij drie gelegenheden waarbij ik aanwezig was, kwam sir William op lord Clarendon terug en iedere keer bleef hij maar doorgaan over de verderfelijke invloed die hij had. Hoe hij de koning in zijn macht had en de losbandigheid van Zijne Majesteit aanmoedigde om zelf vrij spel te hebben bij het plunderen van het koninkrijk. Hoe iedere rechtgeaarde Engelsman hem kwijt wilde, maar niet in staat was de vastberadenheid of kordaatheid te verzamelen om afdoende actie te ondernemen. Ik ben er zeker van dat u weet hoe dat gaat.'

Ik knikte om hem aan te moedigen en die vertrouwelijkheid in het gesprek te krijgen die mensen tot grotere openhartigheid aanzet.

'Mijnheer da Cola luisterde geduldig, zoals ik al zei, en deed dappere pogingen om het gesprek in minder verhitte banen te leiden, maar vroeg of laat kwam het weer terug op de trouweloosheid van de eerste minister. Wat sir William vooral zo razend maakte, was Clarendons grote landhuis in Cornbury Park. Ik geloof dat ik verwonderd keek, omdat ik dat niet begreep. De rijkdommen waarmee Clarendon sinds de Restauratie was overladen, hadden inderdaad veel jaloezie gewekt, maar er leek geen bepaalde reden te zijn waarom die zich op Cornbury moest richten. Prestcott zag mijn verbazing en was deze keer vriendelijk genoeg om de zaak op te helderen.

De eerste minister heeft grote stukken land verworven helemaal tot aan

Chipping Norton, ver in het gebied van de Comptons. Sir William denkt dat er een gecombineerde aanval op de belangen van zijn familie in Zuid-Warwickshire op touw wordt gezet. Zoals hij zei zouden de Comptons tot voor kort wel hebben geweten hoe ze met zo'n onbeschaamdheid moesten afrekenen.'

Ik knikte ernstig, omdat ik bij ieder woord dat Prestcott over de lippen kwam dieper doordrong in dit grote mysterie. Ik overwoog zelfs om tegenover de knaap mijn woord te houden, want zijn getuigenis zou in de toekomst heel goed nuttig kunnen zijn en dat zou niet gaan als hij gehangen zou worden.

'Mijnheer Cola bracht het gesprek met succes op een ander onderwerp, maar niets bleek veilig te zijn. Hij zei een keer iets over zijn ervaring met Engelse wegen en zelfs dat bracht sir William terug op Clarendon.'

'Hoe dan?'

Prestcott zweeg. 'Het is een onbeduidende kwestie.'

'Dat zal wel,' stemde ik in. 'Maar vertel het me toch maar. En als je dat hebt gedaan, zal ik ervoor zorgen dat je ketenen worden losgemaakt en voor de korte tijd dat je hier nog zult blijven niet meer zullen worden omgelegd.'

Ik twijfel er niet aan dat hij, zoals alle mensen in dat soort omstandigheden, dingen uit zijn duim zoog als hij ze zich niet meer kon herinneren; dergelijke onbetrouwbaarheid is normaal en kan worden verwacht. Het is de taak van de ervaren ondervrager om het kaf van het koren te scheiden en de wind het afval van het kostbare zaadje te laten wegblazen.

'Ze hadden het over de weg die van Witney noordwaarts naar Chipping Norton loopt, waarover Cola naar Compton Wynyates was gekomen. Waarom hij zo ging begrijp ik niet, want het is niet de meest directe verbinding. Maar hij schijnt een van die leergierige heren te zijn. Bemoeizuchtig noem ik ze, die lieden die hun neus steken in allerlei zaken die hen niet aangaan en dat dan onderzoeken noemen.'

Ik onderdrukte een zucht en lachte de jongen toe op een manier die naar ik hoopte als sympathie zou overkomen. Prestcott leek het in ieder geval zo op te vatten.

'Het is blijkbaar de weg die onze lord Clarendon neemt als hij naar Cornbury gaat, en Cola zei voor de grap dat als sir William geluk had, Clarendon door die tocht doodgeschud zou worden of zou verdrinken in een kuil vol water, zo slecht was de toestand van die weg en zo nalatig was het graafschap in het onderhouden ervan. Wilt u dit echt allemaal weten, mijnheer?'

Ik knikte. 'Ga door,' zei ik. Ik kon de tinteling in mijn bloed voelen, want ik wist dat ik er bijna uit was en ik kon geen verder uitstel verdragen. 'Vertel verder.'

Prestcott schokschouderde. 'Sir William lachte en probeerde hem te overtroeven door te zeggen dat hij anders door een struikrover kon worden neergeschoten, want het is bekend dat hij altijd maar met een klein gevolg reist. Er waren de laatste tijd veel mensen vermoord en de overvaller was nooit gegrepen. Toen ging het gesprek verder over andere dingen. En dat,' zei Prestcott, 'was het. Meer valt er niet te vertellen.'

Ik was eruit. Ik wist dat ik de schillen van het probleem had afgepeld en tot diep in de kern ervan was doorgedrongen. Het was als een van die aritmogriefen die door wiskundigen bij wijze van wedstrijd werden verstuurd, als uitdaging aan hun rivalen. Hoe geducht die er ook uitzien, hoe ingewikkeld en verwarrend ze ook met opzet zijn ontworpen, toch ligt er altijd iets simpels aan ten grondslag, en de kunst van het oplossen ligt in zorgvuldig redeneren en rustig uitwerken van de omhullende lagen tot men bij die kern komt. Voor een leger dat een kasteel belegert is de kunst niet een stormloop op de hele omtrek, maar een kalm testen van de bolwerken, tot het zwakke punt in de verdediging – want dat is er altijd – wordt gevonden. Dan kan alle kracht van de aanval op dat ene punt worden gericht tot de muur bezwijkt. Cola had de vergissing begaan Prestcott te bezoeken; ik had Prestcott ertoe gebracht me over hun verband te vertellen.

En nu had ik vrijwel het gehele complot door en werd mijn eerdere vergissing duidelijk. Cola was niet hier, zoals ik dacht, om de koning te vermoorden. Hij was hier gekomen om de eerste minister van Engeland te vermoorden.

Maar ik kon nog steeds niet geloven dat dat onbenullige heerschap, sir William Compton, tot zulk een subtiele sluwheid in staat was. Dat hij maandenlang met de Spanjaarden kon samenzweren en een huurmoordenaar kon financieren. Ik kende hem, zoals ik al zei. Een uitdaging of een dergelijk bravourestukje had ik kunnen begrijpen. Maar dit niet. Ik was al wel ver doorgedrongen, maar nog niet ver genoeg. Achter Compton stond nog iemand anders, daar was ik zeker van. Dat moest gewoon.

Dus hoorde ik Prestcott verder uit en vroeg naar al zijn contacten, naar iedere naam die sir William of Cola had genoemd. Hij gaf wat waardeloze antwoorden, maar besloot toen weer te gaan onderhandelen.

'Nu heb ik wel lang genoeg gepraat, mijnheer,' zei hij, en hij bewoog zijn benen zodat de ketens om zijn enkels rammelden en tegen de vloer sloegen. 'Ik vertrouwde op uw woord en heb u veel gegeven, maar niets teruggekregen. Ontsluit deze kluisters, zodat ik als een gewoon mens deze cel op en neer kan lopen.'

God sta me bij, ik deed wat hij vroeg omdat ik er weinig kwaad in zag, en ik wilde hem een aansporing geven om in een hulpvaardige stemming te blijven. Ik riep de cipier, die de boeien afdeed en mij de sleutel gaf en me vroeg ok ik zo goed wilde zijn ze weer om te doen als ik ging. Het kostte een shilling aan smeergeld.

Daarop verliet hij de cel en Prestcott luisterde in naar ik dacht treurig stilzwijgen hoe de stappen langs de stenen wenteltrap naar beneden verklonken.

Ik zal de vernedering die die dolleman me aandeed toen de voetstappen eenmaal waren weggestorven niet in bijzonderheden beschrijven. Prestcott had de gewiektstheid van de wanhopige, ik de onoplettendheid van de bezorgde, want mijn gedachten waren bij wat hij me had verteld. Kortom, toen we weer alleen waren, had Prestcott binnen enkele minuten geweld tegen me gebruikt, mijn mond dichtgestopt, mijn handen gebonden en me zo stevig aan de brits geboeid dat ik me niet kon bewegen noch alarm kon slaan. Ik was zo verontwaardigd dat ik nauwelijks meer helder kon denken en was witheet van woede toen hij zijn gezicht dicht bij het mijne bracht.

'Niet zo leuk, hè?' siste hij in mijn oor. 'En dat heb ik vele weken moeten ondergaan. U hebt geluk; u hoeft hier maar een nachtje te zijn. Bedenk wel: ik had u makkelijk kunnen doden, maar dat zal ik niet doen.'

Dat was alles. Hij bleef ongeveer tien minuten of iets langer onverschillig zitten wachten tot hij de tijd rijp achtte, sloeg toen mijn zware mantel om en zette mijn hoed op. Hij pakte mijn bijbel – de familiebijbel die mijn eigen vader in mijn handen had gelegd – en maakte in een lompe parodie van hoffelijkheid een buiging voor me.

'Droom plezierig, doctor Wallis,' zei hij. 'Ik hoop u nooit meer te zien.'

Na vijf minuten gaf ik mijn geworstel op en lag daar tot met de ochtend mijn verlossing kwam.

～

De wonderbaarlijke goedheid van de Heer is zodanig dat Hij op Zijn zachtmoedigst is wanneer Zijn straf het zwaarst lijkt, en het is niet aan de mens Zijn wijsheid te betwijfelen; hij kan slechts danken in blind geloof dat Hij Zijn ware dienaar niet zal verlaten. De volgende ochtend werden mijn klachten aan de kaak gesteld als het kleingeestige gejammer dat ze waren, toen de volle omvang van Zijn goedheid aan mij werd geopenbaard. Ik zeg u nu dat de Heer goed is en eenieder bemint die in Hem gelooft, want door wat anders werd mijn leven die avond gered?

Slechts een goede engel, geleid door de hand van de allerhoogste, kon me van de rand van de afgrond hebben weggeloodst en, door mij te behoeden, ervoor hebben gezorgd dat het koninkrijk aan rampspoed ontsnapte. Want ik geloof niet dat ik voor mijn eigen onwaardige leven, dat in zijn ogen van geen groter belang is dan de nietigste zandkorrel, zo begunstigd werd. Maar omdat Hij bij herhaling Zijn gunst voor Zijn volk heeft getoond, heeft Hij mij uitgezocht om het instrument van hun redding te zijn, en met vreugde en in nederigheid aanvaardde ik de verantwoordelijkheid, wetende dat ik door Zijn wil zou slagen.

Ik werd kort na dageraad bevrijd en ging meteen naar sir John Fulgrove, de magistraat, om aan te geven wat er was gebeurd zodat hij alarm kon slaan en de jacht op de voortvluchtige knaap kon openen. Op dat moment maakte ik geen gewag van mijn belang bij de jongen, hoewel ik er bij hem op aandrong ervoor te zorgen dat als de jongen gepakt zou worden, hij, indien mogelijk, niet gedood zou worden. Daarna ging ik in een herberg eten, want het maakt hongerig om een gevangene te zijn en ik was tot op het bot verkleumd.

Pas toen keerde ik diep in gedachten verzonken terug naar mijn kamer in New College en ontdekte de gruwelen die die avond hadden plaatsgevonden, want Grove was in mijn plaats gestorven, en mijn kamer was doorzocht en mijn papieren waren verdwenen.

Het was zonneklaar voor me dat Cola degene was die deze wandaad had begaan, alsof ik hem met eigen ogen het vergif in de fles had zien gieten, en zijn kalme brutaliteit om naar de universiteit terug te keren om de eerste te zijn die het resultaat van zijn eigen verdorvenheid aanschouwde (met welk een uitdrukkingen van geschoktheid! Met welk een droefenis en afschuw!) verbijsterde me. Rector Woodward vertelde me dat hij het was die probeerde door geraffineerde gevolgtrekkingen en slinkse woorden de universiteit te laten denken dat Grove aan een hartaanval was overleden, en om die leugen te ontmaskeren vroeg ik Woodward om Lower de zaak te laten onderzoeken.

Lower was uiteraard gevleid door het verzoek en stemde bereidwillig toe. Mijn vertrouwen in zijn kundigheid was niet ongegrond, want toen hij een blik op Groves lijk wierp, hield hij stil en keek hogelijk verbaasd.

'Ik zou alleen met de grootste aarzeling zeggen dat dit een hartaanval was,' zei hij twijfelend. 'Ik heb nog nooit iemand zo met het schuim op de mond gezien in zo'n geval. De blauwheid van lippen en oogleden is echter wel in overeenstemming met zo'n diagnose en ik twijfel er niet aan dat mijn vriend te haastig op die tekenen is afgegaan.'

'Kan hij iets gegeten hebben?' vroeg de rector.

'Hij heeft toch in de eetzaal gegeten? Als dat het was, zou u allen dood moeten zijn. Ik zal zijn kamer onderzoeken en zien wat ik daar kan vinden, als u wilt.'

En zo ontdekte Lower de fles, het bezinksel erin, en keerde hij in grote opwinding terug naar de vertrekken van de rector, waar hij uitlegde welke experimenten er gedaan konden worden om aan te tonen om welke stof het ging. Woodward was niet in het minst in die bijzonderheden geïnteresseerd, maar ik vond ze uiterst boeiend, en aangezien ik vele malen zelf met mijnheer Stahl had gesproken, vond ik dat Lower zeer terecht voorstelde dat er van diens diensten gebruik zou worden gemaakt. Er was natuurlijk nog het probleem Cola, want iedere stap in dezen zou hem hebben gewaarschuwd. Ik besloot dus dat het het beste was om recht op de man af te gaan en stelde Lower voor dat hij de Italiaan bij al zijn navorsingen zou betrekken om te zien of zijn daden of woorden iets van zijn gedachten verraadden. Ik had hem makkelijk ter plekke kunnen laten arresteren, maar ik was er ook zeker van dat ik nog niet het hele mysterie had doorgrond. Ik had meer tijd nodig en Cola moest nog maar een tijdje op vrije voeten blijven.

Hoewel ik mijn redenering niet naar buiten bracht, snapte Lower de diepere betekenis van mijn aanbeveling.

'U verdenkt mijnheer da Cola hier toch niet van?' vroeg hij. 'Ik weet dat u slechte berichten over hem hebt gehoord, maar er is geen reden voor hem om zoiets te doen.'

Ik stelde hem volkomen gerust, maar wees erop dat er aangezien hij de laatste persoon was die doctor Grove in levenden lijve had gezien, natuurlijk enige twijfel over hem bestond. Het zou echter ongemanierd tegenover een gast zijn om dat ruchtbaar te maken en ik verzocht hem dringend erop te letten dat Cola geen greintje achterdocht ging koesteren.

'Ik zou in geen geval willen dat hij naar zijn geboortegrond terugkeerde en kwaad van ons sprak,' zei ik. 'Daarom denk ik dat het een goed idee is om hem de ontleding te laten bijwonen. Dan kunt u hem alleen naast het lichaam laten staan en het hem laten aanraken om te zien of het lijk hem als schuldige aanwijst.'

'Ik heb geen reden om aan te nemen dat zoiets een nauwkeurige proeve is,' zei hij.

'Ik ook niet. Maar het is een aanbevolen methode in dit soort zaken die al generaties lang wordt toegepast. Vele van de beste advocaten laten het toe als een bruikbaar element in het onderzoek. Als er een wonderbaarlijke uitstoot van bloed bij het lijk plaatsvindt als Cola erbij in de buurt komt, dan zullen we het weten. Zo niet, dan is zijn naam reeds half gezuiverd van de smet. Maar laat hem niet weten dat hij op die manier beproefd wordt.'

IO

HET IS NIET MIJN BEDOELING te herhalen wat anderen hebben gezegd of opnieuw gebeurtenissen te vertellen waarvan ik niet zelf getuige ben geweest. Alles wat ik hier zeg, is gebaseerd op mijn directe waarneming of op de getuigenis van onberispelijke zegslieden. Daar Cola zich onbewust was van de verdenking waaronder hij al stond, had hij geen reden om zijn verslag te verdraaien van de avond dat hij, Lower en Locke doctor Grove in de keuken van rector Woodward opensneden. Daarom ga ik ervan uit dat de beschrijving die hij geeft voor het merendeel waarheidsgetrouw is.

Lower berichtte me dat hij het zo geregeld had dat Cola alleen naast het naakte lijk stond voor er een snede in het vlees werd gemaakt en zich ervan had vergewist dat de ziel van Grove niet om wraak geroepen had, noch de moordenaar van zijn daad had beschuldigd. Ik waag er niet over te speculeren of dit nu betekent dat een dergelijke proeve in feite geen waarde heeft of dat er eerst de juiste gebeden moeten worden gezegd of dat (zoals sommigen beweren) de test op gewijde grond moet plaatsvinden. Voor even was de drukkende last op de schouders van Lower weggenomen dat de man die hij zijn vriend noemde onder verdenking stond, en had ik alle gelegenheid om na te denken en voor de eerste keer het meisje Blundy te ondervragen.

Ik ontbood haar de volgende middag op mijn kamer onder het voorwendsel dat ik haar wenste te spreken voor een betrekking in mijn huishouden, want de werklui waren, hoewel het ellendige nietsnutten waren, eindelijk vrijwel klaar met hun arbeid en er was zicht op dat ik ten langen leste weer in mijn eigen huis kon. Daar ik in het jaar daarvoor een iets betere positie had gekregen, had ik besloten vier bedienden te nemen, en niet drie zoals vroeger, en toe te geven aan de onophoudelijke verzoeken van mijn vrouw om een meid voor zichzelf te hebben. Het vooruitzicht vervulde me met droefheid omdat ik tegelijkertijd moest zien een vervanging voor Matthew te vinden. Het enorme verlies van hem drukte me des te zwaarder bij het aanschouwen van de vieze, ongeletterde, stompzinnige schooiers die hun opwachting maakten en nog niet geschikt waren om zijn schoenen te poetsen, laat staan zijn plaats in te nemen.

Niet dat ik ooit maar overwoog om Sarah Blundy in dienst te nemen, hoewel ik het wat alle uiterlijke kenmerken betrof een heel stuk slechter had kunnen treffen. Ik ben niet een van die mannen die het een nette christelijke vrouw toestaan een of andere Franse deerne te hebben om haar haar te kammen. Dat behoort een ingetogen, hardwerkend meisje te zijn, verstandig en vroom, proper in haar gewoontes en niet slonzig van gedrag. Dat soort meisjes zijn moeilijk te vinden en Sarah Blundy zou, met andere antecendenten en overtuigingen, in alle opzichten uitstekend hebben voldaan.

Ik had haar nog nooit persoonlijk ontmoet en bekeek met interesse de waardige dienstigheid van haar binnenkomst, haar bescheiden manier van aanspreken en haar verstandige woordkeus. Zelfs Cola, herinner ik me, spreekt over deze zelfde eigenschappen. Maar de onbeschaamdheid die hij ook opmerkte bleef niet lang verborgen, want ogenblikkelijk toen ik haar ronduit zei dat ik niet van plan was haar een betrekking te geven, stak ze haar kin vooruit en fonkelden haar ogen van opstandigheid.

'Dan hebt u mijn tijd verspild door me hier te laten komen,' zei ze.

'Je tijd kan verspild worden, als ik dat wil. Ik duld geen onbetamelijkheden. Je geeft antwoord op mijn vragen, of anders zwaait er wat voor je. Ik weet precies wie je bent en waar je vandaan komt.'

Ik moet hier zeggen dat haar leven mij niet kon schelen. Als ze zich aan een of andere goedgelovige man had opgedrongen die geen idee had wie ze was, zou haar goed geluk me niet veel bekommernis hebben gegeven. Maar ik wist dat geen man haar uit zichzelf zou accepteren als haar verleden bekend was, want dat zou hem blootstellen aan algemene minachting. Hiermee zou ik haar kunnen dwingen zich naar me te schikken.

'Je hebt naar ik meen kortgeleden de hulp van een Italiaanse arts ingeroepen voor je moeder. Een hooggeplaatst persoon en iemand van groot aanzien in zijn vak. Mag ik vragen hoe je voor die diensten betaalt?'

Ze bloosde en liet haar hoofd hangen bij de beschuldiging.

'Is het niet merkwaardig dat hij zo edelmoedig is? Ik denk niet dat er veel Engelse artsen zijn die zo zorgeloos met hun tijd en kundigheid omspringen.'

'Mijnheer da Cola is een goede, vriendelijke man,' zei ze, 'die niet aan betaling denkt.'

'Dat zal wel.'

'Het is de waarheid,' zei ze, met meer felheid. 'Ik heb hem eerlijk gezegd dat ik hem niet kon betalen.'

'Niet met geld, in ieder geval. En toch slooft hij zich uit voor je moeder.'

'Ik zie hem slechts als een goed christen.'

'Hij is een paap.'

'Goede christenen zijn overal te vinden. Ik ken velen in de Kerk van Engeland die wreder en onbarmhartiger zijn dan hij, mijnheer.'

'Let op je woorden. Ik ben niet geïnteresseerd in je mening. Wat is zijn belang bij jou? En bij je moeder?'

'Geen, voor zover ik weet. Hij wenst mijn moeder beter te maken. Voor de rest kan het me niet schelen. Gisteren voerden hij en doctor Lower een vreemde en wonderbaarlijke behandeling uit, waar u moeite mee zou hebben.'

'Heeft die gewerkt?'

'Mijn moeder leeft nog, God zij geloofd, en ik bid dat ze verder zal herstellen.'

'Amen. Maar ik kom op mijn vraag terug, en dit keer duld ik geen ontwijking: aan wie heb je namens hem een boodschap afgegeven? Ik weet van je banden met het garnizoen in Abingdon en met de conventikels. Naar wie ben je gegaan? Met een boodschap? Brieven? Iemand moet zijn berichten voor hem overbrengen, want hij stuurt niets per post.'

Ze schudde haar hoofd. 'Naar niemand.'

'Maak me niet kwaad.'

'Dat wil ik helemaal niet. Ik zeg u de waarheid.'

'Ontken je dat je op' – ik raadpleegde mijn aantekeningenboek – 'afgelopen woensdag, de vrijdag daarvoor en de maandag weer daarvoor naar Abingdon bent gegaan? Dat je op dinsdag naar Burford bent gelopen en daar hebt overnacht? Dat je Tidmarsh als vertegenwoordiger van zijn conventikel hebt ontmoet, hier in de stad?'

Ze gaf geen antwoord, maar ik kon zien dat mijn kennis van haar doen en laten een schok voor haar was.

'Wat deed je daar? Welke boodschappen bracht je? Wie heb je gesproken?'

'Niemand.'

'Twee weken geleden kwam ook een Ier, Greatorex geheten, je bezoeken. Wat wilde hij?'

'Niets.'

'Denk je soms dat ik gek ben?'

'Ik denk niets van u.'

Daar sloeg ik haar voor, want hoewel ik een verdraagzaam man ben, kan ik niet meer dan een bepaalde mate van onbeschoftheid voor lief nemen. Toen ze eenmaal het bloed van haar mond had geveegd, leek ze wat gedweeër te zijn, maar ze vertelde me niets.

'Ik heb geen boodschapen voor mijnheer da Cola bezorgd. Hij heeft maar weinig tegen me gezegd en nog minder tegen mijn moeder,' fluisterde ze. 'Eén keer sprak hij lang met haar; dat was toen hij me erop uitstuurde om middeltjes bij de apotheek te kopen. Ik weet niet waar ze over hebben gesproken.'

'Daar moet je achter zien te komen.'

'Waarom zou ik?'

'Omdat ik het zeg.' Ik zweeg en besefte dat het zinloos was om een beroep op haar betere inborst te doen, dus pakte ik wat muntgeld van mijn werktafel en legde dat voor haar neer. Ze keek er vol verbazing en verachting naar en schoof het toen van zich af.

'Ik heb u alles verteld. Er is verder niets.' Maar haar stem klonk zwakjes en haar hoofd neeg terwijl ze sprak.

'Ga nu heen en denk goed na over wat je gezegd hebt. Ik weet dat je gelogen hebt tegen me. Ik zal je nog een kans geven om me de waarheid over die man te vertellen. Anders zal je je zwijgen berouwen. En laat me je waarschuwen: mijnheer da Cola is een gevaarlijk man. Hij heeft in het verleden vele malen gemoord en zal dat zeker weer doen.'

Zonder verder iets te zeggen ging ze weg. Ze pakte niet het geld dat nog steeds voor haar lag, maar wierp me een brandende blik vol haat toe voor ze zich omdraaide. Ze was geïntimideerd, dat wist ik. Maar ik was er niet zeker van of het voldoende was.

⁓

Als ik deze woorden teruglees, kan ik me indenken dat een onwetende me hardvochtig zou vinden. Ik kan de protesten al horen: de vereiste manieren tussen meerderen en minderen enzovoort. Daar ben ik het zonder enig voorbehoud mee eens; heren hebben inderdaad de verplichting iedere dag te laten zien dat de posities waarin God ons heeft geplaatst juist en goed zijn. Ondergeschikten moeten net zoals kinderen met liefde berispt worden, met zachtheid terechtgewezen en met flinke spijt gekastijd.

Maar voor de Blundy's lag dat heel anders. Het had geen zin ze met vriendelijkheid te bejegenen, daar ze al iedere erkenning van hun meerderen hadden afgeschud. Zowel man als vrouw had de banden versmaad die alles en iedereen samenbinden en had deze weerspannigheid tegen Gods uitdrukkelijke wil vergezeld doen gaan van citaten uit de bijbel zelf. Al die extremisten, radicalen en anabaptisten dachten dat ze hun ketenen slaakten met Gods zegen; maar in plaats daarvan verbraken ze de zijden koorden die de mensen in harmonie hielden en wilden die vervangen door kluisters van het dikste ijzer. In hun stompzinnigheid zagen ze niet wat ze deden. Ik had Sarah Blundy of wie dan ook vriendelijk en respectvol behandeld als het verdiend was, als het wederkerig was geweest en als het niet gevaarlijk was geweest om het te doen.

Mijn frustratie was in dat stadium enorm; toen ik met Prestcott sprak, had ik de hele affaire in mijn greep, maar die was me door mijn eigen domheid ontglipt. Ik geef ook toe dat ik bezorgd was voor mijn eigen leven en vreesde dat er nog een aanslag op me zou worden gepleegd. Dat was de reden dat ik de stap nam om de magistraat mee te delen dat doctor Robert Grove naar mijn mening vermoord was.

Hij was verbijsterd door het nieuws en ontzet door de implicaties van wat ik hem had verteld.

'De rector heeft geen vermoeden van boze opzet en zou het me niet in dank afnemen als ik u het mijne vertel,' ging ik verder. 'Desalniettemin is het mijn plicht om u te zeggen dat er naar mijn mening voldoende reden voor argwaan is. En het is daarom essentieel dat het lichaam niet wordt begraven.'

Uiteraard kon het me niet schelen wat er met het lichaam gebeurde; de confrontatie met Cola had al plaatsgevonden en had geen bruikbaar resultaat opgeleverd. Het ging mij er meer om dat Cola wist dat zijn misdaad stukje bij beetje werd ontsluierd en merkte dat ik zijn plannen weerstreefde. Als ik geluk had, zo hoopte ik, zou hij contact met zijn opdrachtgevers zoeken om hun te vertellen wat er was voorgevallen.

Even stond ik op het punt de man te laten arresteren, want nu Prestcott was verdwenen, was ik bang dat de zaak me helemaal zou ontglippen. Ik veranderde van gedachte vanwege mijnheer Thurloe, die kort hierna naar Oxford kwam. Cola heeft in zijn verslag beschreven hoe hij me onder het toneelspel aansprak en ik heb geen zin om dat te herhalen. De schok die hij op mijn gezicht zag, was goed geobserveerd. Ik was niet alleen verbluft omdat ik Thurloe in bijna drie jaar niet had gezien, maar ook omdat ik hem nauwelijks herkende.

Hoe anders was hij geworden dan in de tijd dat hij een van de machtigen was! Het was alsof je een volkomen vreemde tegenkwam die je toch aan iemand herinnerde die je ooit had gekend. In uiterlijk was er weinig zichtbare verandering omdat hij het soort man was die oud lijkt als hij jong is en jong als hij oud is. Maar in zijn houding was geen spoor meer te bekennen van de macht die hij eens zo stevig in handen had. Terwijl menigeen het verlies van gezag bitter betreurt, leek Thurloe blij bevrijd van die last te zijn en tevreden met zijn terugkeer naar onbeduidendheid. De wijze waarop hij zijn hoofd hield, zijn gezicht en de uitdrukking van intense bezorgdheid waren zo totaal van hem geweken dat met de verandering van deze kleinigheden het geheel vrijwel onherkenbaar was geworden. Toen hij op me afkwam wachtte ik even voor ik hem begroette; hij glimlachte kalm naar me alsof hij mijn verwarring zag en de oorzaak ervan erkende.

Ik geloof dat hij die periode van zijn leven zo ver achter zich had gelaten dat hij, als het hem aangeboden zou worden, ieder openbaar ambt zou hebben geweigerd. Later zei hij tegen me dat hij zijn dagen met gebed en overpeinzingen doorbracht en dat als waardevoller beschouwde dan al zijn inspanningen voor zijn vaderland. Hij hield zich over het algemeen verre van enige omgang met zijn medemens en hij hield er niet van, zoals hij duidelijk maakte, gestoord te worden door degenen die herinneringen wilden ophalen aan een voor altijd voorbij verleden.

'Ik heb een boodschap van uw vriend Prestcott voor u,' fluisterde hij in mijn oor. 'Kunnen we misschien ergens praten?'

Toen het toneelstuk afgelopen was, ging ik rechtstreeks naar mijn woning (ik was die middag teruggekeerd naar de gemakken van eigen huis en haard) en wachtte op hem. Het duurde niet lang voor hij verscheen en hij ging in al zijn gebruikelijke kalme onverstoorbaarheid zitten.

'Ik begrijp dat uw dorst naar macht en invloed nog niet gelest is, doctor Wallis,' zei hij, 'hetgeen me niet in het minst verbaast. Ik hoorde dat u deze jongeman hebt ondervraagd en genoeg invloed hebt om hem gratie te laten verlenen als u dat wenst. U bent nu in dienst van mijnheer Bennet, is het niet?'

Ik knikte.

'Waarom bent u geïnteresseerd in Prestcott en die Italiaanse heer naar wie u hem hebt gevraagd?' vroeg hij.

Zelfs de schaduw van Thurloes autoriteit verblindde nog steeds meer dan het volle schijnsel van de macht van een man als mijnheer Bennet, en ik moet zeggen dat het nooit bij me opkwam hem niet te antwoorden noch hem erop te wijzen dat hij geen enkel recht had om mij te ondervragen.

'Ik ben ervan overtuigd dat er een complot gaande is dat dit land weer in een burgeroorlog zal storten.'

'Natuurlijk is dat zo,' zei Thurloe op de kalme wijze waarmee hij alle kwesties, hoe ernstig ook, tegenmoet trad. 'Op welk moment in de afgelopen paar jaar is dat niet het geval geweest? Wat is zo bijzonder aan dit complot?'

'Dat het volgens mij gesmeed wordt door de Spanjaarden.'

'En wat gaat er dit keer gebeuren? Een massale aanval door de aanhangers van het Vijfde Koninkrijk? Een plotselinge kanonnade door opstandige gardesoldaten?'

'Het is één man. De Venetiaanse heer die zich nu uitgeeft voor natuurvorser. Hij heeft al twee moorden gepleegd, op mijn dienaar en op doctor Grove. En hij heeft uiterst belangrijke brieven van me gestolen.'

'Dat is de arts naar wie u Prestcott heeft gevraagd?'

'Hij is geen arts. Hij is een krijgsman, een bekende moordenaar en hij is hier om de graaf van Clarendon te vermoorden.'

Thurloe gromde. Voor het eerst van mijn leven zag ik hem verbaasd.

'Dan kunt u hem maar het best eerst doden.'

'Dan zullen zijn betaalmeesters het opnieuw proberen, en snel. Dit keer weet ik in ieder geval wie hij is. De volgende keer heb ik misschien niet zoveel geluk. Ik moet deze kans benutten om de Engelse kant van de samenzwering te ontmaskeren en er eens en voor altijd een eind aan te maken.'

Thurloe stond op, nam de zware pook van de schouw en verschoof de houtblokken van het vuur zodat er een regen van vonken de schoorsteen in spatte. Dit duurde een poosje; het was een gewoonte van hem om zich aan een onbelangrijke fysieke taak te wijden terwijl hij nadacht.

Uiteindelijk wendde hij zich weer tot mij. 'Als ik u was, zou ik hem ombrengen,' herhaalde hij. 'Als de man dood is, is het complot afgelopen. Misschien dat het opnieuw wordt opgezet, maar misschien ook niet. Als hij u ontgaat, kleeft er bloed aan uw handen.'

'En als ik het verkeerd heb?'

'Dan sterft er een Italiaanse reiziger, overvallen door struikrovers, op een landweg. Ongetwijfeld een grote tragedie. Maar behalve zijn familie zal iedereen het binnen enkele weken vergeten zijn.'

'Ik geloof niet dat u in dezelfde omstandigheden uw eigen raad zou opvolgen.'

'U moet het doen. Toen ik voor Oliver werkte, nam ik altijd onmiddellijk maatregelen als ik van een complot tegen hem hoorde. Opstanden, samenzweringen – al die onbelangrijke aangelegenheden kon je meestal een tijdje op hun beloop laten omdat ze altijd konden worden opgerold. Een moordaanslag is echter wat anders. Eén fout en je bent voor altijd geruïneerd. Geloof me, doctor Wallis: drijf uw subtiele aanpak niet te ver. U hebt hier te maken met mensen, niet met meetkunde; mensen zijn minder voorspelbaar en zijn geneigd voor verrassingen te zorgen.'

'Ik zou het van ganser harte met u eens zijn,' zei ik, 'ware het niet dat ik niet over iemand beschik die ik voor dit karwei kan vertrouwen, en een mislukte poging zal hem alleen nog maar voorzichtiger maken. En voor geschikte hulp zou ik mijnheer Bennet vollediger op de hoogte moeten stellen. Ik heb hem wel iets verteld, maar lang niet alles.'

'Juist,' antwoordde Thurloe peinzend. 'Dat ambitieuze en bombastische heerschap. U acht hem niet geheel en al betrouwbaar?'

Ik knikte met tegenzin: ik wist nog steeds niet hoe Cola zo snel van Matthew had gehoord; het was zeker niet onmogelijk, hoewel vreselijk om over na te denken, dat Bennet zelf die informatie had doorgespeeld en zelf bij het complot tegen Clarendon betrokken was.

Thurloe leunde achterover in zijn stoel en dacht na. Hij zat zo lang stil zonder iets te zeggen dat ik bijna bang was dat hij door de warmte van het vuur in slaap was gevallen, dat zijn geest misschien niet meer zo scherp was als vroeger en dat hij zich niet langer met dit soort kwesties kon bezighouden.

Maar ik had het fout; uiteindelijk sloeg hij zijn ogen op en knikte voor zichzelf. 'Ik denk niet dat hij erbij betrokken is, als dat het is waar u zich zorgen over maakt,' zei hij.

'Weet u iets meer, waardoor u tot die slotsom komt?'

'Nee, ik weet minder van hem dan u. Ik ga uit van het karakter, meer niet. Mijnheer Bennet is een bekwaam man, heel bekwaam zelfs. Dat weet iedereen, en de koning weet het beter dan menig ander. Ondanks al zijn tekortkomingen is dit geen vorst die zichzelf met dwazen omringt; hij lijkt niet op zijn vader. Als Clarendon vertrekt, wat snel zal gebeuren, zal mijnheer Bennet de sterke man van de regering worden. Hij heeft de macht binnen zijn bereik; hij hoeft alleen maar te wachten tot hem de vruchten van het staatsambt in overvloed in de schoot vallen. Valt het van zo'n man te verwachten dat hij plotseling dit soort grootse buitensporige acties zou ondernemen die zijn vooruitzichten op geen enkele wijze kunnen verbeteren? Alles op één kaart zetten als geduld hem spoedig alles zal brengen wat hij wil? Zo gaat hij niet te werk, volgens mij.'

'Ik ben blij dat u er zo over denkt.'

'Maar er moet een geldschieter in Engeland zijn, dat is zeker waar. Weet u wie dat is?'

Ik haalde hulpeloos mijn schouders op. 'Het kan iedereen zijn van vele tientallen mensen. Clarendon heeft talloze vijanden, om goede en om slechte redenen. Dat weet u net zo goed als ik. Hij is aangevallen in de pers en in persoon, in het Lagerhuis en in het Hogerhuis, door zijn familie en door zijn vrienden. Het is slechts een kwestie van tijd tot iemand hem lijfelijk aanvalt. Dat moment breekt misschien snel aan.'

'Het moet een onbezonnen man zijn,' merkte Thurloe op, 'om zo'n wanhoopsdaad te ondernemen, maar hoe goed uw soldaat uit Venetië ook is, de kans dat hij faalt en gevangen wordt, bestaat altijd. Het kan natuurlijk zijn dat hij achter de hand wordt gehouden en alleen wordt ingezet als andere pogingen om Clarendon ten val te brengen mislukken.'

'Zoals?' vroeg ik, met het gevoel dat Thurloe me onderwees zoals hij met een hele lichting staatsdienaren had gedaan. 'Hoe weet u dit allemaal, mijnheer?'

'Ik houd mijn oren open en luister,' antwoordde Thurloe, lichtelijk geamuseerd. 'Iets wat ik u zeer kan aanraden, doctor.'

'Hebt u iets van een ander complot gehoord?'

'Wellicht. Het schijnt dat vijanden van Clarendon zijn positie proberen te verzwakken door hem met hoogverraad in verband te brengen. En met name het verraad van John Mordaunt, die mij over de opstand van 1659 inlichtte. Voor die zaak willen ze graag van de diensten van Jack Prestcott gebruikmaken, de zoon van de man die de schuld van dat betreurenswaardige incident kreeg.'

'Mordaunt?' vroeg ik ongelovig. 'Meent u dat serieus?'

'Heel serieus, zeker. Kort voor Cromwell stierf,' ging hij verder, 'had ik een ontmoeting alleen met hem waarin hij zijn eigen dood uitstippelde, waarvan hij wist dat die niet meer lang op zich zou laten wachten. Hij kon nauwelijks meer lopen, zo ingrijpend waren de behandelingen die zijn artsen hem hadden voorgeschreven. Hij wist evengoed als wie ook dat hem nog maar weinig tijd restte en hij zag dat vooruitzicht onbevreesd tegemoet, maar hij wilde er alleen zeker van zijn dat zijn zaken hier op aarde geregeld waren, voor de Heer hem tot zich nam.

Hij gaf me instructies voor hoe ik verder moest handelen, in het volste vertrouwen dat zijn opdrachten zouden worden uitgevoerd, zelfs al was hij er niet meer om ze kracht bij te zetten. Zijn protectoraat zou tijdelijk overgaan op zijn zoon Richard, zei hij, en dat zou genoeg tijd geven om de onderhandelingen met Karel af te sluiten over de manier waarop het herstel van de monarchie het best kon worden bereikt. De koning mocht alleen terugkomen als zijn vrijheid van handelen met zoveel kluisters werd ingeperkt dat hij nooit de dingen kon doen die zijn vader had gedaan.

Die hele geschiedenis moest natuurlijk zeer geheim blijven; van geen bijeenkomst mochten aantekeningen worden gemaakt, geen brieven, en er mocht geen woord over worden gesproken buiten de kleine kring ingewijden van beide kanten van het overleg.

Ik deed wat mij gezegd werd, omdat hij gelijk had: alleen Cromwell hield de burgeroorlog tegen en als hij stierf zou die weer losbarsten, tenzij de breuk die door het land liep werd hersteld. En de Engelsen zijn een monarchiaal volk, dat meer van onderworpenheid dan van vrijheid houdt. Het was ongelooflijk lastig, want als de fanatici van beide kanten ervan zouden weten, zouden we allemaal aan de kant worden gezet. Niettemin scheelde het niet veel of ze hadden de macht weer gegrepen en ik werd een poosje uit mijn ambt gezet. Maar desondanks hield ik het overleg gaande, waarbij John Mordaunt Zijne Majesteit vertegenwoordigde. Een van de voorwaarden was natuurlijk dat alle plannen en complotten voor opstanden opgegeven zouden worden; en als de royalisten ze zelf niet konden tegenhouden, zouden wij voldoende ingelicht worden zodat wij dat konden doen. Dienovereenkomstig gaf Mordaunt ons alle bijzonderheden van de opstand van 1659, die met aanzienlijk verlies van levens werd neergeslagen.

Maar er zouden veel meer mensen zijn gestorven als de oorlog weer voluit was losgebarsten, maar als de details van zijn overeenkomst bekend werden, zou dat Mordaunt niet hebben gered. De moeilijkheid is dat de jonge Prestcott de onschuld van zijn vader probeert te bewijzen, en om daarin te slagen moet hij onvermijdelijk aantonen dat Mordaunt de schuldige is, want er is hem voldoende verteld om te weten wie er verantwoordelijk was. Dan zou men aannemen dat Clarendon hiervoor opdracht gaf.'

'Deed hij dat?'

Thurloe glimlachte. 'Nee. Die gaf de koning zelf. Maar Clarendon zou de schuld op zich nemen om Zijne Majesteit voor kritiek te behoeden. Hij is een goede dienaar, beter dan de koning verdient.'

'Weet Prestcott dit allemaal?'

'Niet precies. Hij is ervan overtuigd dat Mordaunt een verrader was, die ten eigen bate handelde. Ik heb hem gesterkt in zijn idee dat Samuel Morland met Mordaunt samenspande.'

'Het wordt steeds vreemder,' merkte ik op. 'Waarom deed u dat?'

'Om de voor de hand liggende reden dat hij anders had gehandeld naar zijn overtuiging dat ik verantwoordelijk was en mij de keel had doorgesneden. Tussen twee haakjes, u kunt mij een plezier doen door de volgende keer dat u in Londen bent Samuel op te zoeken en hem te waarschuwen dat die jongeman van plan is hem te vermoorden.'

'En volgens u wordt Prestcott door iemand geholpen?'

'Ja, dat denk ik,' antwoordde Thurloe.

'Wie?'

'Hij is te gewiekst om dat te zeggen, tenzij de prijs hoog genoeg is.'

'Zijn getuigenis is hoe dan ook waardeloos,' zei ik, woedend dat die schavuit het waagde met me te onderhandelen, en dan nog over zo'n zaak.

'Voor de rechtbank? Natuurlijk. Maar u weet toch wel beter hoe de politiek in elkaar zit, doctor?'

'Wat wil hij hebben?'

'Bewijs van de onschuld van zijn vader.'

'Dat heb ik niet.'

Thurloe glimlachte.

Ik gromde. 'Ik neem aan dat er geen reden is waarom ik hem niet alles zou beloven wat hij wil. Als ik eenmaal zijn verklaring heb, dan...'

Thurloe schudde zijn vinger voor mijn neus.

'Zeker. Maar denk niet dat hij dom is, mijnheer. Hij is tamelijk scherpzinnig, al twijfel ik aan zijn gezond verstand. Hij is niet lichtgelovig en verlangt eerst een teken van uw goede bedoelingen. Als u iets voor hem doet, zal hij dat met gelijke munt terugbetalen. Hij vertrouwt niemand.'

'Wat wil hij dan?'

'Hij wil dat de aanklacht tegen hem wordt ingetrokken.'

'Ik betwijfel of ik daarvoor kan zorgen. Mijn betrekkingen met de rechter zijn niet zodanig dat hij me snel een dienst zal bewijzen.'

'Dat is ook niet nodig. Mijnheer Prestcott is bereid bezwarende bewijzen te leveren dat een of andere vrouw Blundy die vent Grove heeft vermoord. Ik weet niet zeker hoe hij eraan komt, vooral niet omdat volgens u die Italiaan de dader was. Maar we moeten elke kans aangrijpen die ons wordt geboden. Het moet mogelijk zijn de rechter ervan te overtuigen dat een duidelijke veroordeling in een moordzaak beter is dan een twijfelachtige veroordeling voor een overval. Haar proces betekent zijn vrijheid en zijn medewerking.'

Ik keek hem niet-begrijpend aan voor ik besefte dat het hem volstrekte ernst was. 'U wilt dat ik een gerechtelijke moord door de vingers zie? Ik ben geen moordenaar, mijnheer Thurloe.'

'Dat hoeft u ook niet te zijn. Het enige dat u hoeft te doen is met de magistraat praten en verder niets zeggen.'

'U hebt zelf nooit zoiets kwaadaardigs gedaan,' zei ik.

'Dat heb ik wel, geloof me. En met plezier. Het is de taak van de dienaar om de zonde op zich te nemen, zodat zijn vorst veilig blijft. Vraag het lord Clarendon maar. Het is om de goede orde te bewaren.'

'Zo troostte Pontius Pilatus zich ongetwijfeld ook.'

Hij neeg het hoofd. 'Dat deed hij ongetwijfeld. Maar ik denk dat de omstandigheden wel anders zijn. Het is in ieder geval niet zo dat u geen keuzes hebt. Die vrouw hoeft niet te sterven. Maar dan komt u er niet achter wie de geldschieter van de Italiaan is. En ook hebt u dan niet zoveel kans hem voor het gerecht te brengen. Maar ik krijg het gevoel dat u meer wilt dan dat.'

'Ik wil dat Cola sterft en ik wil de ondergang van degenen die hem hierheen hebben gehaald.'

Thurloes ogen vernauwden zich toen ik dit zei en ik wist dat de felheid van mijn antwoord en de haat in mijn stem hem te veel hadden laten zien. 'Het is niet verstandig,' zei hij, 'om in dit soort zaken door gevoelens te worden beheerst. Of door een zucht naar wraak. Door te veel te willen kunt u alles verliezen.'

Hij stond op. 'Ik moet u nu verlaten. Ik heb mijn boodschap overgebracht en mijn raad gegeven. Het spijt me dat u er zoveel moeite mee hebt, hoewel ik uw tegenzin begrijp. Als ik mijnheer Prestcott kon overhalen redelijker te zijn, zou ik dat zeker doen. Maar hij heeft de koppigheid van de jeugd en weet van geen wijken. U hebt, als ik zo vrij mag zijn, ook iets van die eigenschappen.'

11

DIE NACHT BAD IK OM BIJSTAND, maar geen woord van hulp of troost
kwam tot me; ik was geheel alleen en aan mijn eigen besluiteloosheid overgeleverd. Ik was niet zo blind dat ik vergat dat Thurloe ongetwijfeld zijn
eigen redenen had om zich ermee te bemoeien, maar ik had geen idee wat
die konden zijn. Hij zou er zeker niet voor terugdeinzen mij te misleiden als
hij dat nodig vond. Hij had nog maar weinig macht en ik verwachtte dat hij
de macht die hem restte zonder meer zou aanwenden.

Het minste dat ik kon doen, was alle mogelijkheden openhouden en de
volgende dag sprak ik met de rechter, die Sarah Blundy onmiddellijk liet
arresteren. Daar ze al ondervraagd was, was het vanzelfsprekend dat ze bang
was en ik wilde niet dat iets onmogelijk zou worden door een voortijdige
vlucht. Als ze ervandoor was gegaan, kende ze genoeg mensen die haar een
schuilplaats konden geven en maakte ik weinig kans haar ooit weer te vinden.

Tegen die tijd was Cola met Lower op zijn medische rondreis vertrokken. Ik was woedend toen ik hiervan hoorde en vreesde meteen dat zijn
tocht de climax van zijn samenzwering zou worden, maar mijnheer Boyle
stelde me gerust toen hij me in een brief liet weten dat de eerste minister
niet van plan was zijn landgoed binnen enkele weken te verlaten. Mijn
nachtmerrie van een dreigende hinderlaag op de weg naar Londen, met
kapotte koetsen en de schuld in de schoenen geschoven van oud-soldaten
die struikrover waren geworden, ebde bij me weg toen ik bedacht dat Cola
alleen maar iets te doen wilde hebben om de tijd te verdrijven terwijl hij
wachtte. Misschien had Thurloe inderdaad gelijk en was Cola alleen maar
in Engeland om ingezet te worden als een vreedzamer poging om Clarendon te verdrijven mislukte.

Bovendien was ik blij met de adempauze die deze wetenschap me gaf,
want ik moest zwaarwegende beslissingen nemen en stond op het punt een
weg in te slaan die me ofwel zou ruïneren ofwel een van de hoogstgeplaats-

te mannen van dit land ten val zou brengen – niet iets wat iemand luchthartig doet.

Dus in die rustige week dat Cola over het platteland trok (ik begrijp dat zijn verslag wederom tot op zekere hoogte nauwkeurig is, want Lower vertelde me dat hij ijverig onder zijn patiënten werkte) overwoog ik alle mogelijkheden die voor me lagen, bekeek ik al de bewijzen die aangaven dat mijn conclusies over het gevaar dat die man Cola vormde juist waren. Ik kon er geen fout in ontdekken en ik daag iedereen uit eraan te durven twijfelen: geen onschuldige handelde ooit op zo'n schuldige manier. Daarnaast heropende ik mijn aanval op Sarah Blundy, want ik dacht dat als ik haar kon overhalen me te vertellen wat voor belang Cola bij haar familie had, ik mezelf de vernedering kon besparen om de wensen van een halfgare adolescent als Jack Prestcott in te willigen.

Ze werd bij me voorgeleid in een klein vertrek waar gewoonlijk de gevangenisdirecteur vertoefde. De opsluiting had haar uiterlijk weinig goed gedaan en had haar onbetamelijkheid, zoals ik al rap ontdekte, geenszins verminderd.

'Ik neem aan dat je hebt nagedacht over de kwestie waar we eerder over spraken. Ik ben in de gelegenheid je te helpen als je me toestaat je te helpen.'

'Ik heb doctor Grove niet vermoord.'

'Dat weet ik. Maar veel mensen denken van wel en je zult sterven tenzij ik je help.'

'Als u weet dat ik onschuldig ben, dan moet u me hoe dan ook helpen. U bent geestelijke.'

'Dat kan waar zijn, maar jij bent een trouw onderdaan van Zijne Majesteit, en toch weigerde je me te helpen toen ik je om een klein beetje hulp vroeg.'

'Ik weigerde niet. Ik wist niet wat u wilde horen.'

'Voor iemand die misschien binnenkort aan de strop bungelt lijk je opmerkelijk weigerachtig om dat verschrikkelijke lot te keren.'

'Als het Gods wil is dat ik sterf, ben ik volledig bereid te sterven. Als het dat niet is, zal ik gespaard worden.'

'God verwacht dat we ijveren ten eigen behoeve. Luister, meisje. Wat ik vraag is niet zo verschrikkelijk. Je bent betrokken geraakt, ongetwijfeld geheel argeloos, in een zeer laaghartig plan. Als je me helpt ga je niet alleen vrijuit, maar zul je ook rijk beloond worden.'

'Wat voor plan?'

'Ik ben zeker niet van zins jou dat te vertellen.'

Ze zweeg.

'Je zei,' hielp ik haar op weg, 'dat je weldoener, mijnheer da Cola, een keer lang met je moeder praatte. Waar hadden ze het over? Waar vroeg hij naar? Je zei dat je dat zou vragen.'

'Daar is ze te ziek voor. Het enige dat ze zei, is dat mijnheer da Cola haar altijd zeer hoffelijk heeft behandeld en altijd erg geduldig luisterde als ze de behoefte had om te praten. Zelf sprak hij weinig.'

Geërgerd schudde ik mijn hofd. 'Luister eens goed, stomme meid,' schreeuwde ik haar bijna toe, 'die man is hier om een gruwelijke misdaad te begaan. Het eerste dat hij deed toen hij hier aankwam was jou opzoeken. Als je hem niet ergens mee helpt, wat is daar dan de reden van?'

'Ik heb geen idee. Ik weet alleen dat mijn moeder ziek is en dat hij haar geholpen heeft. Niemand anders heeft dat aangeboden, en zonder zijn edelmoedigheid zou ze dood zijn. Meer weet ik niet en meer hoef ik niet te weten.'

Ze keek me recht in de ogen toen ze verder ging. 'U zegt dat hij een misdadiger is. Daar hebt u ongetwijfeld goede redenen voor. Maar ik heb nooit anders gezien of gehoord dan dat hij zich met de grootste beleefdheid gedroeg, meer nog misschien dan ik verdiende. Of hij nu misdadiger of paap is, zo heb ik hem meegemaakt.'

Ik verklaar hier uitdrukkelijk dat ik, als ik kon, haar wilde redden, maar dan moest ze me wel de kans geven. Ik wilde van ganser harte dat ze haar verzet zou opgeven en me alles zou vertellen wat ze wist. Met wat geluk zou ze Prestcotts getuigenverklaring overbodig maken en kon ik zijn ruilhandel weigeren. Ik bleef maar aandringen, veel langer dan ik bij wie dan ook zou hebben gedaan, maar ze wou niet toegeven.

'Je was die avond niet in New College, je was ook niet thuis om voor je moeder te zorgen. Je bezorgde boodschappen voor Cola. Zeg me waar je was en wie je hebt gesproken. Zeg me welke andere berichten je voor hem hebt overgebracht in Abingdon en Bicester en Burford. Daarmee weerleg je de bewijzen tegen jezelf en verdien je tegelijkertijd mijn hulp.'

Ik had het in mijn greep, maar het ontglipte me. Ze hief, weer vol opstandigheid, haar hoofd naar me op.

'Ik weet niets dat u op enigerlei wijze kan helpen. Ik weet niet waarom mijnheer da Cola hier is; als hij niet door christelijke barmhartigheid wordt gedreven, weet ik niet waarom hij mijn moeder helpt.'

'Omdat je zijn berichten overbrengt.'

'Dat doe ik niet.'

'Je bracht een boodschap weg op de avond dat Grove stierf.'

'Dat deed ik niet.'

'Waar was je dan? Ik heb vastgesteld dat je niet voor je moeder zorgde, zoals je plicht was.'

'Dat zeg ik u niet. Maar God is mijn getuige dat ik niets kwaads heb gedaan.'

'God zal niet getuigen op je proces,' zei ik, en ik stuurde haar terug naar haar cel. Ik was in een zwartgallige stemming. Op dat moment wist ik dat ik met Prestcott in zee zou gaan. Moge de Heer me vergeven, ik had het meisje alle gelegenheid gegeven om haar huid te redden, maar ze vergooide haar eigen leven.

De volgende dag ontving ik een dringende brief van mijnheer Thurloe. Ik neem hem hier over als een direct verslag van gebeurtenissen waar ik zelf geen getuige van was.

Zeer geachte heer,

Het is mijn plicht en mijn genoegen u op de hoogte te brengen van enkele ontwikkelingen die u rechtens met spoed dient te weten, daar u snel moet handelen opdat de gelegenheid u niet ontglipt. De Italiaanse heer in wie u zoveel belang stelt, is in dit dorp geweest en hoewel hij nu weer is vertrokken, in het gezelschap van mijnheer Lower (ik geloof op weg terug naar Oxford), heeft hij mijnheer Prestcott grote angst aangejaagd: berichten over Cola's wreedheid hebben de jongeman zo aangegrepen dat hij zich ernstige zorgen maakte over de bedoelingen van zijn komst.

Zowel uit nieuwsgierigheid als in de hoop iets van zijn plannen te weten te komen heb ik lange tijd met hem gesproken en ik ontdekte een jongeman die evenzeer buitengewoon voorkomend als innemend is, hoewel deze constatering me er niet van weerhield mijn gebruikelijke voorzorgsmaatregelen tegen een onverhoedse aanval te treffen. Er deed zich echter niets voor en ik nam de vrijheid hem over de arrestatie van Sarah Blundy te vertellen, zodat hij niet bang zou zijn om naar Oxford terug te keren als die zorg hem bezighield. Ik vertrouw erop dat dit uw goedkeuring heeft. Terwijl Prestcott en Cola zich met elkaar onderhielden, ging ik zelf met doctor Lower praten en drukte hem op het hart dat het essentieel was dat hij ervoor zorgde dat Cola niet ongezien wegglipte; hij raakte uitermate verstoord en tamelijk kwaad, moet ik zeggen, door de gedachte dat hij misleid was, maar uiteindelijk stemde hij erin toe mijn wens in te willigen en geen teken van wantrouwen te laten blijken. Hij is echter zo doorzichtig wat zijn gevoelens aangaat dat ik er weinig vertrouwen in heb dat dat hem zal lukken.

Ik lag het grootste deel van de nacht wakker gekweld door besluiteloosheid, eer ik tot de onvermijdelijke conclusie kwam. Prestcott vroeg een hoge prijs en zijn ziel zou ervoor branden in de hel. Maar het was een prijs waar ik niets op kon afdingen. Ik had zijn verklaring nodig en ik moest weten wie er achter de samenzwering tegen Clarendon zat. Ik hoop dat mijn relaas aantoont hoezeer ik mij daarvoor had ingespannen. Bij ten minste drie gelegenheden had ik mijn best gedaan een uitweg uit mijn hachelijke situatie te vinden. Meer dan een week had ik doorgebracht zonder iets te doen, in de ijdele hoop dat er zich iets zou aandienen waardoor ik het besluit niet hoefde te nemen, en ik had met dat wachten veel geriskeerd. Met een bezwaard gemoed besloot ik dat ik het niet langer kon uitstellen.

Sarah Blundy stierf twee dagen later. Hierover heb ik niets meer te zeggen; mijn woorden zouden zinloos zijn.

John Thurloe zocht me diezelfde middag op. 'Ik weet niet of ik u geluk moet wensen of niet, doctor. U hebt een verschrikkelijke, juiste daad verricht. Nog belangrijker dan u denkt.'

'Ik denk dat ik de betekenis van mijn daden wel ken,' zei ik. 'En de prijs ervoor.'

'Dat denk ik niet.'

Toen vertelde Thurloe me, met die onaangedane kalmte van hem die ik zo goed kende, het grootste geheim van het rijk, en voor de eerste keer begreep ik duidelijk waarom hij en mensen als Samuel Morland sinds de Restauratie van Zijne Majesteit zo'n immuniteit voor straf genoten. Ik vernam ook de ware aard van de ontrouw van sir James Prestcott, een verraad dat zo gevaarlijk was dat het achter een kleiner verraad verscholen moest worden, zodat het nooit bekend zou worden.

'Er werkte een man voor me,' zei Thurloe, 'een krijgsman, die dienstdeed als bijzonder betrouwbare afgezant in allerlei aangelegenheden. Als ik een bijzonder gevaarlijke brief afgeleverd wilde hebben of een gevangene veilig bewaakt, kon je deze man altijd vertrouwen. Hij koesterde een fanatieke haat tegen de monarchie en vond dat een republiek een cruciaal begin van Gods koninkrijk op aarde was. Hij wilde een parlement dat bij stemming gekozen was, inclusief de stemmen van vrouwen en bezitlozen, een gelijke verdeling van land en volslagen vrijheid van godsdienst. Daarnaast was hij nog zeer intelligent, scherpzinnig en bekwaam, zij het iets te bedachtzaam om volmaakt te zijn. Maar ik beschouwde hem als volstrekt trouw aan de Republiek omdat hij alle alternatieven zoveel erger vond.

Helaas was mijn inschatting onjuist. Hij kwam uit Lincolnshire en had jaren eerder genegenheid opgevat voor een plaatselijke landeigenaar die de bevolking aldaar tegen de plunderingen van de droogleggers had beschermd. In een tijd van crisis werd hij door die loyaliteit gekweld en verloor hij al zijn gezond verstand. Ik moet zeggen dat we hier niets van wisten, tot we de brief op zijn lichaam vonden die Samuel je vroeg te ontcijferen.'

'Wat heeft dat met dit alles van doen, mijnheer?' Vertelt u me alstublieft geen raadsels; die heb ik zelf al genoeg.'

'Die landeigenaar was natuurlijk sir James Prestcott en de krijgsman was Ned Blundy, de echtgenoot van Anne en de vader van de vrouw die twee dagen geleden is gestorven.'

Ik staarde hem stomverbaasd aan.

'Bij mijn laatste bezoek vertelde ik u dat John Mordaunt me vertelde over de opstand van 1659. Een ander complot, maar veel kleiner, waarover hij me ook vertelde, was een plaatselijk oproer dat door sir James Prestcott in Lincolnshire werd voorbereid. Het was niets ernstigs, maar generaal Ludlow zou een regiment sturen om het probleem af te handelen voor het lastig zou worden. Ned Blundy wist ervanaf omdat hem gevraagd was de krijgsberichten hierover af te leveren, en vanwege zijn trouw aan de Venen liet hij een waarschuwing horen die ertoe leidde dat Prestcott een leven redde dat anders vrijwel zeker verloren zou zijn gegaan.

Toen de verbinding eenmaal hersteld was, werden er steeds meer geheimen doorgespeeld, want beiden waren fanatici die in degenen die vrede wilden een gezamenlijke vijand vonden. Blundy deed zijn best om achter alle geheimen van het overleg over een Restauratie te komen, en via hem leerde Prestcott die ook kennen. Hij wist welke leden van de koningsgezinde partij opzettelijk aan de regering waren uitgeleverd, welke complotten er van tevoren waren verraden, zodat ze geen kwaad meer konden aanrichten.

Hij werd een man met een grote woede, zinnend op wraak. Toen hij hoorde dat de koning zelf in het geheim naar Engeland kwam voor afsluitend overleg met mij, kon hij zich niet langer inhouden. Hij ging diezelfde februari 1660, toen de koning elk moment kon aankomen, naar Deal en legde zich in hinderlaag. Ik weet niet hoelang hij daar al was, maar op een ochtend toen het beraad al aan de gang was, ging de koning een wandelingetje maken in de tuinen van het landgoed waar we verbleven; sir James kwam op hem af en probeerde hem met zijn zwaard te doden.'

Ik wist niets van die beraadslagingen en al helemaal niets van een moordaanslag, zo goed was dat door alle betrokkenen geheimgehouden, en ik was verbaasd, zowel om er nu van te horen als om het feit dat Thurloe het me vertelde.

'Hoe kwam het dat het hem niet lukte?'

'Het was op het nippertje. De koning kreeg een houw in zijn arm waarvan hij danig schrok, en hij zou zeker zijn gedood als niet een ander zich voor hem had geworpen en de laatste fatale slag in zijn eigen hart had opgevangen.'

'Een dappere en goede kerel,' zei ik.

'Misschien. Maar zeker een heel onverwacht figuur, want het was Ned Blundy die zich op deze manier opofferde. Hij stierf voor een man die hij verafschuwde, waardoor de Restauratie doorgang kon vinden waar hij zijn leven lang tegen gestreden had.'

Ik was sprakeloos door dit buitengewone verhaal. Thurloe lachte toen hij mijn onbegrip zag en haalde zijn schouders op.

'Een eervol man wellicht, die in rechtvaardigheid geloofde en die niet zag in een moord. Ik weet zeker dat sir James hem niet had geraadpleegd over wat hij van plan was. Ik kan u geen betere verklaring van zijn drijfveren geven, en dat is volgens mij waarschijnlijk ook niet nodig: Blundy was een goed soldaat en een trouwe kameraad, maar ik heb nog nooit gehoord dat hij iemand onnodig doodde of zijn vijanden wreed behandelde. Ik weet zeker dat hij graag Prestcott het leven redde, maar dat hij Prestcott niet wilde helpen om het iemand anders te benemen, zelfs al was het een koning.'

'En sir James? Waarom hebt u hem niet omgebracht? Dat schijnt in zulke gevallen uw geliefde oplossing te zijn.'

'Hij is niet een man die je makkelijk ombrengt. Na de aanval ontsnapte hij en we verwachtten iedere dag te horen dat hij bekend had gemaakt wat hij wist. Beide kanten maakten verwoed jacht op hem, maar zonder succes. We konden niet bekendmaken wat hij had gedaan, want dat zou betekenen dat we de diepgang van ons overleg moesten onthullen, dus lag onze enige hoop erin hem van tevoren in diskrediet te brengen, zodat als hij zijn verhaal zou vertellen, niemand hem zou geloven. Samuel vervalste, knap zoals gewoonlijk, enkele brieven, en er waren genoeg mensen in het gevolg van de koning die met steekpenningen konden worden overgehaald om zonder al te veel vragen de situatie te aanvaarden. Prestcott vluchtte naar het buitenland en stierf. Wat een ironie: hij was de ergste verrader van zijn koning, maar was geheel onschuldig aan de misdaden waarvan hij werd beticht.'

'Maar uw probleem was tenminste opgelost.'

'Dat was het niet. Voor zo'n vertwijfelde daad zou hij niet alleen op het woord van Ned Blundy afgaan. Hij stond erop bewijzen te zien, en Ned leverde die.'

'Wat voor bewijzen dan?'

'Brieven, memoranda, agenda's en data van vergaderingen, en de namen van de aanwezigen. Heel veel materiaal.'

'En daar maakte hij geen gebruik van?'

Thurloe liet een droef lachje zien. 'Nee. Ik moest wel tot de slotsom komen dat hij ze niet in zijn bezit had; dat Ned Blundy ze zelf had gehouden, wat verstandig van hem was.'

'En dat was de man over wie Samuel het had?

'Ja. Kort voor zijn dood bezocht Blundy zijn gezin voor de laatste keer. Het lag voor de hand ervan uit te gaan dat hij het materiaal aan hen had gegeven; met zoiets kon hij niemand anders vertrouwen, zelfs niet zijn oudste wapenbroeder. Ik heb verschillende malen hun huis laten doorzoeken, maar er werd niets gevonden.. Maar ik ben er zeker van dat het meisje of de moeder wist waar het was en dat zij de enigen waren die het wisten. Blundy was te verstandig om iemand anders zo'n geheim toe te vertrouwen.'

'En zij zijn dood. Ze kunnen u nu niet meer vertellen waar het is.'

'Inderdaad. En ook kunnen ze het Jack Prestcott niet vertellen.' Thurloe lachte. 'En dat is de allergrootste opluchting. Want als hij dat bewijsmateriaal in handen zou krijgen, kon hij een titel vragen en een half graafschap, en zou de koning hem die geven. En Clarendon was zonder een kik gevallen.'

'En u hebt Prestcott gezegd dat ik hem dat materiaal zou geven?'

'Ik heb alleen maar gezegd dat u hem zou inlichten. En dat kunt u doen, omdat ik het nu aan u heb doorverteld.'

'U wist al wat Prestcotts informatie was?'

'Nee. Maar als ik helemaal eerlijk ben, moet ik zeggen dat ik wel kon raden wat die was.'

'En u besloot het me niet te vertellen, zodat ik dat meisje zou laten doden?'

'Dat klopt. Ik had liever die documenten van Blundy gehad om ze te kunnen vernietigen. Maar omdat het onwaarschijnlijk leek dat dat zou gebeuren, was het het beste dat dan niemand anders ze in handen kreeg. Ze zouden de positie en veiligheid van te veel mensen in gevaar brengen, mijzelf inbegrepen.'

'U hebt me een moord laten begaan voor uw eigen doeleinden,' zei ik dof, ontsteld door zijn genadeloosheid.

'Ik zei u al dat macht niet voor de teerhartigen is, doctor,' zei hij kalm. 'En wat hebt u erbij verloren? U wilt wraak nemen op Cola en zijn opdrachtgevers, en door Prestcott kan dat.'

Hij wenkte dat Prestcott kon komen en de jongeling kwam binnen, glimmend van tevredenheid over zijn eigen slimheid. Ik wist tenminste zeker dat dat niet lang zou duren. Ik had erin toegestemd hem voor een berechting te sparen, maar ik wist dat wat hij uit mijn mond te horen zou krijgen een grotere straf zou zijn. Bovendien was ik niet in de stemming om hem iets te besparen.

Hij begon me uitvoerig en huichelachtig te verzekeren van zijn grote dankbaarheid voor mijn goedheid en genade; daar maakte ik bruusk een einde aan. Ik wist wat ik had gedaan en ik wenste daarvoor geen loftuitingen. Het was nodig geweest, maar mijn haat en verachting voor de man die me hiertoe had gedwongen, kenden vrijwel geen grenzen.

Thurloe, die geloof ik mijn ongeduld en woede opmerkte, greep in voor ik helemaal buiten mezelf zou raken.

'De vraag is, mijnheer Prestcott: wie heeft je tot je conclusies gebracht? Wie gaf je de aanwijzingen en suggesties die je tot je overtuiging brachten dat Mordaunt schuldig was? Je hebt me veel over je speurtocht verteld, maar niet alles, en ik word niet graag voor de gek gehouden.'

Hij werd rood door de beschuldiging en probeerde te doen alsof hij niet bang was voor de dreiging die in Thurloes kalme, zachte stem verborgen lag. Thurloe, die met minder inspanning angstaanjagender kon zijn dan wie ik ook kende, vertrok geen spier.

'Nogmaals, er is iets wat je ons nog niet hebt verteld. Volgens eigen zeggen had je nog nooit van sir Samuel Morland gehoord, maar toch kwam je heel gemakkelijk van alles over hem en zijn belangen te weten. Je had geen introductiebrief voor de rentmeester van lord Bedford, maar je werd toch door hem ontvangen en kreeg van hem allerlei inlichtingen. Hoe wist je hoe je dat moest doen? Waarom zou zo'n man met je praten? Dat was het keerpunt in je speurtocht, nietwaar? Daarvoor was alles onbekend en duister, daarna was alles klaar en helder. Iemand heeft je verteld dat Mordaunt een verrader was; iemand heeft je verteld wat zijn contact met Samuel Morland was en je aangemoedigd verder te gaan zoeken. Daarvoor waren het louter verdenkingen en halfbakken ideeën.'

Prestcott weigerde nog steeds te antwoorden, maar liet zijn hoofd hangen als een schooljongen die op afkijken is betrapt.

'Ik hoop niet dat je ons nu gaat wijsmaken dat je het allemaal verzonnen hebt. Doctor Wallis heeft ten behoeve van jou grote risico's genomen en hij heeft een afspraak met je. Die overeenkomst is van nul en generlei waarde, tenzij je je aan jouw deel ervan houdt.'

Uiteindelijk hief hij zijn hoofd op en staarde Thurloe aan met een vreemde en (zou ik haast zeggen) bijna maniakale grijns op zijn gezicht. 'Ik wist het van een kennis.'

'Een kennis. Dat is aardig. Zou je ons de naam van die kennis kunnen meedelen?'

Ik merkte dat ik me verwachtingsvol naar hem toe boog voor zijn antwoord, want ik was er zeker van dat wat hij nu zou gaan zeggen de vraag zou beantwoorden waarvoor ik zoveel op het spel had gezet.

'Kitty,' zei hij, en ik staarde hem in opperste verwarring aan. Die naam zei me helemaal niets.

'Kitty,' herhaalde Thurloe, onverstoorbaar als altijd. 'Kitty. En wie is hij precies...?'

'Het is een zij. Zij is, of liever was, een hoer.'

'Eentje die blijkbaar goed op de hoogte is dan.'

'Ze is nu hoog opgeklommen in haar ambacht. Is het niet merkwaardig hoe het lot sommige mensen begunstigt? Toen ik haar voor het eerst tegenkwam, liep ze naar Tunbridge Wells om daar klandizie te zoeken. Zes maanden later zit ze op rozen als de maîtresse van een van de hoogstgeplaatste personen in het land.'

Thurloe lachte hem op zijn minzame wijze aanmoedigend toe.

'Ze is een zeer verstandige jongedame,' ging Prestcott verder. 'Voordat ze zo was opgeklommen, ben ik goed voor haar geweest en toen ik haar toevallig tegenkwam in Londen, vergoedde ze me dat rijkelijk door me allerlei roddelpraatjes door te vertellen die ze had gehoord.'

'Toevallig?'

'Ja. Ik was aan het wandelen toen ze me zag en naar me toe kwam. Ze liep daar toevallig net.'

'Dat zal wel. En dan nu die machtige man die haar onderhoudt. Zijn naam is...?'

Prestcott ging rechtop in zijn stoel zitten. 'Dat is de lord van Bristol,' zei hij. 'Maar ik verzoek u hem niet te zeggen dat ik u dat heb verteld. Ik heb geheimhouding beloofd.'

Ik slaakte een diepe zucht, niet alleen omdat mijn zaak hiermee onmetelijk vooruitging, maar ook omdat Prestcotts antwoord zo duidelijk de waarheid was. Zoals het niet in mijnheer Bennets aard lag om alles op één kaart te zetten, paste het precies in het karakter van Bristol om alles wat hij had zo roekeloos te riskeren. Hij zag zichzelf als de grootste raadsman van de koning, hoewel hij in werkelijkheid geen ambt bekleedde, noch veel gezag bezat. Zijn openlijke katholicisme was een beletsel voor een hoge positie en in alle beleidszaken werd hij door Clarendon verslagen. Dat stak, want hij was zonder meer een zeer moedig en trouw man, die al even lang als wie ook aan de zijde van de koning stond en met hem verbanning en armoede had gedeeld. Hij was een man met buitengewone eigenschappen en was zeer goed geschoold voor zijn leeftijd, een minzaam en welgeschapen persoon, en met een grote welsprekendheid in de conversatie. Hij zou voor vele affaires geschikt zijn geweest, ware het niet dat hij de minst geschikte man ter wereld was om die te behartigen, want hoewel hij grote kwaliteiten had, werden die nog verre overtroffen door zijn ijdelheid en ambitie. Hij was zo zeker van zijn capaciteiten dat hij er vaak door werd verblind, meegesleurd en verraden. Hij hing maatregelen aan die getuigden van de minste wijsheid en de grootste hachelijkheid, maar deed dat met zulke honingzoete redeneringen dat het leek of ze de enige waren die konden worden genomen. Het zou niet moeilijk zijn anderen ervan te overtuigen dat hij de bedenker was van een dergelijk dwaas plan als het ombrengen van Clarendon, want hij was bij uitstek geschikt om zo'n dwaasheid te begaan.

'Je kunt gerust zijn dat we je vertrouwen niet zullen beschamen,' zei Thurloe. 'Ik dank je wel, jongeman. Je bent ons zeer behulpzaam geweest.'

Prestcott keek verward. 'Is dat alles?' Wilt u niet meer van me weten?'

'Misschien later, maar voor het moment niet.'

'In dat geval,' zei hij, terwijl hij zich naar mij wendde, 'wilt u wel zo vriendelijk zijn mij nog een verdere inlichting te geven. Het bewijs van Mordaunts schuld dat, zoals mijnheer Thurloe me zegt, zonder enige twijfel bestaat. Waar is dat te vinden? Wie heeft het?'

Zelfs toen, in mijn grimmige stemming, was ik nog in staat om medelijden voor hem te voelen. Hij was stompzinnig en verdwaasd, afwisselend wreed en lichtgelovig, ongeremd in zijn handelen en in zijn ziel, gallig en bijgelovig, een verdorven monster. Maar zijn enige oprechte gevoel was de respectvolle liefde die hij voor zijn vader had, en zijn geloof in diens onschuld was zo intens dat het hem door al zijn omzwervingen en moeilijkheden had gesleept. Die goedheid was zo door wrok aangevreten dat het moeilijk was de deugdzame kern te ontwaren, maar die was er desondanks.

Ik schepte er geen genoegen in die te vernietigen en wilde hem ook niet vertellen dat zijn wreedheid hem de schepper van zijn eigen, ultieme ongeluk maakte.

'Er was slechts één iemand die wist waar het was.'

'De naam, mijnheer? Ik ga er meteen naartoe.' Hij leunde gretig naar voren met een blik van nietsvermoedende verwachting op zijn jeugdige gelaat.

'Haar naam is Sarah Blundy. Degene die van jou moest sterven. Je hebt haar voor eeuwig de mond gesnoerd en die bewijzen zullen voor eeuwig verborgen blijven, want ze heeft ze goed verstopt. Je zult nu nooit je vaders onschuld kunnen bewijzen, en ook je landerijen niet terugkrijgen. Je naam zal voor altijd bezoedeld blijven met de titel van verrader. Het is een terechte straf voor je zonden. Je blijft leven in de wetenschap dat je de aanstichter van je eigen ongeluk bent.'

Hij leunde weer achterover met een veelbetekenend lachje. 'U drijft de spot met me, mijnheer. Misschien vindt u dat leuk, maar ik moet u verzoeken geen omwegen te bewandelen. Vertelt u me de waarheid alstublieft.'

Ik vertelde het hem weer. Met meer bijzonderheden dit keer, en toen nog steeds meer bijzonderheden, tot de grijns van zijn gezicht trok en zijn handen begonnen te trillen. Nogmaals, ik schepte er geen genoegen in en, hoewel die terecht was, vond ook geen bevrediging in de vreselijke extra straf die hem werd toegemeten. Want toen ik hem precies vertelde hoe zijn vader de koning had verraden en hem zelfs bijna vermoord had, verviel zijn stem tot een gegrom en de afgrijselijke demonische aanblik van zijn verwrongen en vertrokken gelaatstrekken maakte volgens mij zelfs Thurloe bang.

Het was maar goed dat hij niet zijn vroegere voorzichtige gewoontes had verloren en dat er altijd een bediende op de achtergrond was die op alle gebeurtenissen was voorbereid. Toen ik klaar was, sprong Prestcott me naar de keel en hij zou zeker het leven uit me geperst hebben als hij nog een paar tellen langer de kans had gekregen voor hij overmeesterd werd.

Als geestelijke geloof ik natuurlijk dat mensen door demonen bezeten kunnen worden, maar ik denk dat ik dat idee altijd op een losse, gedachteloze wijze heb gebezigd. Ik kon het niet erger mis hebben gehad, en de twijfelaars die niet aan dat soort dingen geloven worden door hun eigenwaan misleid. Er bestaan waarachtig duivels die het lichaam en de ziel van mensen kunnen innemen en ze tot uitzinnige kwaadaardigheid en moordzucht kunnen aanzetten. Prestcott was het enige bewijs dat ik ooit van node had om me voor altijd mijn twijfel terzijde te laten schuiven, want geen mens was tot de gewelddadige beestachtigheid in staat die ik in toen in die kamer meemaakte. De monsterlijke duivel had volgens mij al vele maanden zijn gedachten en daden beheerst, maar op zo'n omzichtige, subtiele manier dat niemand zijn aanwezigheid vermoedde.

Nu hij eindelijk zo gefrustreerd werd, barstten zijn furie en boosaardige gedragingen in afzichtelijke omvang los en lieten hem over de vloer rollen en met zijn nagels over de planken krabben tot het bloed eronder vandaan spoot en in dunne rode strepen langs de nerven van het hout werd getrokken. We moesten hem met drie man in bedwang houden, en zelfs toen waren we niet in staat te voorkomen dat hij keer op keer met zijn hoofd tegen de meubels sloeg en ons telkens probeerde te bijten als we even niet opletten en een hand in zijn buurt hielden. Bovendien schreeuwde hij voortdurend afschuwelijke obsceniteiten, hoewel we gelukkig de meeste woorden niet konden verstaan, en hij bleef maar tegenspartelen, tot hij gebonden en gekneveld was en naar de gevangenis van de universiteit was overgebracht, om daar de komst van een familielid af te wachten dat verder voor hem moest zorgen.

I 2

IK ZOU ONMIDDELLIJK naar Londen zijn afgereisd ook als me niet was verteld, door mijnheer Wood nota bene, dat Cola Oxford was ontvlucht nadat hij van de dood van Sarah Blundy had gehoord. Zowel zij als haar moeder was nu dood en ik had het gevoel dat op z'n minst een deel van zijn plannen was gedwarsboomd; zijn mogelijkheid om berichten uit te wisselen met degenen die hem waarschijnlijk hielpen was hiermee ten zeerste afgenomen, voldoende in ieder geval om een verder verblijf in Oxford zinloos te maken. Belangrijker nog was naar ik dacht dat hij gehoord moest hebben dat Prestcott tot krankzinnigheid was vervallen: als Thurloe gelijk had en de eerste aanslag op Clarendon door de jonge gek zou worden gepleegd, dan zou hij hebben beseft dat die zet mislukt was en dat het nu tijd voor hem was om in actie te komen. Meer dan enige andere deed deze gedachte me zo snel mogelijk vertrekken.

De reis was even vervelend als altijd en terwijl ik in de hotsende koets zat, was ik me ervan bewust dat mijn prooi slechts een paar uur voorsprong op me had. Niemand in Charing Cross kon zich echter iemand herinneren die aan zijn signalement voldeed toen ik daar aankwam en navraag deed. Ik ging dus rechtstreeks naar Whitehall, omdat de kans het grootst was dat mijnheer Bennet daar te vinden was, en liet een boodschap overbrengen dat ik zeer dringend een onderhoud met hem wenste.

Hij liet me binnen een uur komen; ik ergerde me aan het wachten, maar had me op een nog langere tijd voorbereid.

'Ik hoop dat dit inderdaad belangrijk is, doctor,' zei hij toen ik zijn vertrek binnentrad, waar tot mijn opluchting op hem na verder niemand was. 'Het is niets voor u om zo'n opschudding te veroorzaken.'

'Het lijkt mij van wel, mijnheer.'

'Vertel me dan maar waar u mee zit. Houdt u zich nog steeds bezig met complotten?'

'Inderdaad. Maar voor ik het u uitleg, wil ik u een uiterst belangrijke vraag stellen. Toen ik u een paar weken geleden op de hoogte stelde van mijn verdenkingen, hebt u er toen daarna met iemand over gesproken? Wie dan ook?'

Hij haalde zijn schouders op en keek afkeurend vanwege de kritiek die in deze woorden doorklonk. 'Dat heb ik misschien gedaan.'

'Het is belangrijk, anders zou ik het u niet vragen. Minder dan twee dagen nadat ik met u had gesproken vermoordde Cola mijn meest ver- trouwde dienaar, wiens naam ik u al noemde. Daarna kwam Cola naar Oxford en probeerde hij ook mij te vermoorden. Hij wist dat ik een kopie van een brief van hem had en die heeft hij gestolen, samen met een soortge- lijke brief die ik al jaren in mijn bezit heb. Ik ben er sindsdien van overtuigd geraakt dat zijn aanwezigheid hier geregeld is door lord Bristol. Ik moet weten of u hem van mijn verdenkingen heeft verteld.'

Mijnheer Bennet zei een lange tijd niets en ik kon zien hoe zijn scherpe en snelle geest ieder aspect van wat ik had gezegd beoordeelde, alsmede iedere implicatie van mijn woorden.

'Ik hoop dat u hiermee niet suggereert dat...'

'Als ik dat dacht, dan was ik er zeker niet tegen u over begonnen. Maar uw trouw aan uw vrienden is welbekend en men verwacht niet dat iemand die zoveel aan de koning verschuldigd is op die manier tegen zijn belang handelt. Bovendien geloof ik niet dat het doelwit van Cola de koning is, maar de eerste minister.'

Dit verraste hem en ik kon zien dat het hem nu allemaal logischer voor- kwam dan eerst het geval was. 'Het antwoord op uw vraag is dat ik geloof dat ik het aan lord Bristol of in ieder geval aan iemand van zijn gevolg heb verteld.'

'En zijn verhouding met lord Clarendon is nog even slecht als altijd?'

'Dat is hij zeker. Maar niet zo slecht dat ik zomaar geloof dat hij iets der- gelijks zou doen. Hij is verzot op dwaze ondernemingen, maar ik heb altijd gedacht dat hij te zwak was om veel te bereiken. Misschien heb ik hem onderschat. Vertelt u me maar eens nauwkeurig hoe u tot die slotsom bent gekomen.'

Dat deed ik, en mijnheer Bennet luisterde met de grootste ernst zonder me zelfs te onderbreken toen ik opbiechtte dat ik met John Thurloe had overlegd. Toen ik uitgesproken was, zei hij weer een lange tijd niets.

'Wel, wel,' zei hij ten slotte. 'Een net om een graaf te verstrikken. Het is moeilijk te geloven, maar ik kom er niet onderuit. De vraag is hoe we deze situatie moeten aanpakken.'

'Cola moet worden tegengehouden en Bristol bestraft.'

Mijnheer Bennet keek me laatdunkend aan. 'Ja, natuurlijk. Maar dat is makkelijker gezegd dan gedaan. Weet u wat Cola's plannen zijn?

'Niet exact.'

'Hoe hij contact onderhoudt met lord Bristol?'

'Nee.'

'Of er brieven of harde bewijzen zijn dat hij dat ooit heeft gehad?'

'Nee.'

'En wat verwacht u dan van mij dat ik zal doen?' Lord Bristol van hoog-verraad betichten soms? U vergeet misschien dat net zoals ik uw meerdere ben, hij de mijne is. Als ik met hem wil breken, moet ik daarvoor absoluut gerechte gronden hebben, daar ik anders van trouwbreuk word beschuldigd. Als lord Bristol valt, valt het halve hof met hem en zullen er voor Cla-rendon nog maar weinig belemmeringen zijn, en nog minder voor de koning. De bewindvoering van de hele regering zal verstoord en lamgelegd worden. Ik zeg u, doctor Wallis, ik vind het moeilijk te geloven dat de man zoveel durft te riskeren.'

'Dat durft hij. Hij moet worden tegengehouden en u moet zijn plaats innemen.'

Bennet keek me aan.

'Ik probeer u niet te vleien of iets te vertellen wat u zelf niet in stilte denkt. Wat u voor Zijne Majesteit betekent is welbekend. Uw nut om een tegenwicht voor de belangen van Clarendon te vormen zou evenzeer dui-delijk zijn. Het gebrek aan beheersing van lord Bristol verhinderde hem om dat te doen. U kunt dat wel, en des te beter als u van zijn dwaasheden bevrijd bent. U moet met hem breken en zelf zorgen dat hij valt. Als u het niet doet, kunt u er zeker van zijn dat hij hoe dan ook ten onder gaat en u met zich meesleurt.'

Hij staarde me nog steeds aan, maar ik had de moed om door te gaan, omdat ik wist dat ik zijn diepste verlangen aansprak. 'U bent aan hem gebonden omdat hij de man is die u heeft geleid en groot gemaakt en ik weet dat u die schuld trouw en ruim hebt ingelost. Maar u bent niet ver-plicht hem te steunen in het kwaad, en zijn poging dit te ondernemen ver-breekt alle banden.'

Eindelijk reageerde hij op mijn woorden; hij steunde zijn hoofd in zijn handen met de ellebogen op zijn werktafel, de meest informele houding die ik hem ooit had zien aannemen. 'Dus de teerling werpen, volgens u, doc-tor? En wat gebeurt er als Clarendon toch wordt omgebracht en Bristol in zijn opzet slaagt? Welke genade kunnen ik en de mijnen dan verwachten? Hebt u eraan gedacht hoelang u dan uw positie zou kunnen behouden?'

'Een paar weken maar. Maar ik betwijfel of ik hoe dan ook lang in leven zou blijven, dus het verlies van mijn ambt zou maar een ondergeschikt probleem voor me zijn.'

'Ik heb lang nagedacht over wat mijn ware rang aan het hof zou moeten zijn. U vindt me ongetwijfeld ambitieus, en dat ben ik ook. Maar ik ben tevens een goede dienaar van Zijne Majesteit en wat ikzelf ook vind, ik heb hem altijd zo goed mogelijk geadviseerd. Ik verdien de hoogste post in het land. Clarendon heeft me altijd dwarsgezeten, zoals hij iedereen dwarszit die jonger en meer bij de tijd is dan hij. En u zegt dat ik een man in de steek moet laten die altijd vriendelijk voor me is geweest, en iemand aan de macht moet laten die zelfs de lucht die ik inadem verafschuwt?'

'Ik zeg niet dat u hem aan de macht moet laten. Ik wijs u er alleen maar op dat u op geen enkele wijze bij zijn moord betrokken moet zijn, en niets zeggen is een vorm van betrokkenheid.'

Mijnheer Bennet dacht na en zwichtte toen, zoals ik wist dat hij op een gegeven moment zou doen.

'Bent u van plan dit voor te leggen aan lord Bristol of lord Clarendon op de hoogte te stellen?' vroeg ik.

'Het laatste. Ik heb geen zin om met beschuldigingen voor den dag te komen. Dat kunnen anderen doen. Kom, doctor Wallis. U moet meekomen.'

Ik had de eerste minister van Engeland nooit eerder in levenden lijve ontmoet, hoewel ik hem natuurlijk wel bij talloze gelegenheden had gezien. Zijn lachwekkende corpulentie verraste me niet, wel het gemak waarmee we tot hem werden toegelaten. Hij omringde zich met weinig formaliteiten. Ongetwijfeld hadden zijn jaren in ballingschap, toen hij van de hand in de tand leefde en het vaak zelfs zonder kamerdienaar moest stellen, hem de deugden van de eenvoud geleerd, hoewel ik zag dat eenzelfde ontbering mijnheer Bennet die les niet had bijgebracht.

Zoals mijnheer Thurloe al had gezegd, was hij een man van de grootst mogelijke trouw aan zijn meester, de koning, die zijn dienaar bij vele gelegenheden min had behandeld en in de komende jaren nog minner tegen hem zou zijn. Desondanks bleef Clarendon standvastig achter hem staan en weerhield hem van zoveel mogelijk lichtzinnigheden als hij kon. Tijdens zijn ballingschap ijverde hij onvermoeibaar voor de terugkeer van Zijne Majesteit en werkte uit alle macht om hem daar te houden toen dat grote doel eenmaal was verwezenlijkt. Zijn grote zwakheid was iets wat bij vele oudere mannen voorkomt, want hij hechtte te veel waarde aan de wijsheid der jaren. Eerbiedigheid is ongetwijfeld een deugd, maar het is dwaasheid om die zonder voorbehoud te verlangen en dat zet alleen maar aan tot wrok. Mijnheer Bennet was een van de mensen die hij nodeloos tegen zich in het harnas had gejaagd, want door hun beider gezond verstand waren ze natuurlijke bondgenoten. Clarendon hinderde echter Bennets vrienden bij iedere gelegenheid en stond maar zelden toe dat te vergeven ambten en gunsten naar iemand buiten zijn eigen kring gingen.

De vijandschap tussen de twee was echter nauwelijks merkbaar. De stipte vormelijkheid van mijnheer Bennet en de natuurlijke zwaarwichtigheid van Clarendon zorgden ervoor dat iedereen die minder nauwkeurig toekeek of minder goed op de hoogte was dan ikzelf zou hebben aangenomen dat de betrekkingen tussen die twee uitermate hartelijk waren. Maar dat waren ze allerminst en ik wist ook dat mijnheer Bennet zich onder zijn koele manier van doen grote zorgen maakte over de uitkomst van dit gesprek.

Als er echt sprake was van belangrijke zaken, was mijnheer Bennet er niet de man naar om zijn bedoelingen te verhullen met sierlijke frasen of half uitgesproken insinuaties. Hij stelde me voor als zijn dienaar en ik boog; toen kondigde hij aan dat ik een kwestie van het grootste gewicht had mede te delen. Clarendons ogen vernauwden zich toen hij zich herinnerde wie ik was.

'Ik ben verrast u in dit gezelschap te zien, doctor. U schijnt vele meesters te dienen.'

'Ik dien God en de regering, mijnheer,' antwoordde ik. 'De eerste omdat het mijn plicht is, de laatste omdat het mij gevraagd is. Als mijn diensten niet verlangd of van nut waren, zou ik graag in aangename onbekendheid zijn gebleven.'

Hij negeerde dit antwoord en liep zwaar door het vertrek waar we hem hadden aangetroffen. Mijnheer Bennet bleef zwijgend staan met een nauwelijks verhulde blik van ongerustheid op zijn gezicht. Hij wist dat zijn toekomst geheel afhing van hoe ik mij tijdens dit treffen zou gedragen.

'Vindt u mij dik, mijnheer?'

De vraag was duidelijk aan mij gericht. De eerste minister van Engeland hield voor me stil, puffend van de inspanning van enkele stappen en met zijn handen op de heupen terwijl hij sprak.

Ik keek hem recht in de ogen. 'Dat vind ik zeker,' zei ik.

Hij gromde tevreden, waggelde toen weer naar zijn zetel en ging zitten, terwijl hij gebaarde dat wij dat ook mochten.

'Velen hebben mij net zoals u recht aangekeken en zonder blikken of blozen gezworen dat de gelijkenis met Adonis frappant was,' merkte hij op. 'De macht van een hoge functie is zo groot dat hij blijkbaar zelfs de blik van mensen kan vertroebelen. Dat soort mensen smijt ik eruit. Goed, mijnheer Bennet, vertel me eens wat het is waardoor u uw hekel aan mij hebt overwonnen en waarom u deze heer hebt meegebracht.'

'Als u er geen bezwaar tegen hebt wil ik graag doctor Wallis aan het woord laten. Hij beschikt over alle informatie en het zal beter klinken als hij het vertelt.'

De eerste minister keek me aan en ik vertelde nogmaals, zo kort mogelijk, mijn verhaal. Wederom beken ik mijn zwakheden, want dit relaas is zinloos als ik op de Italiaanse manier te werk ga en alles weglaat wat mij niet tot eer strekt. Ik vertelde lord Clarendon niet over Sarah Blundy.

Ik kende de feiten nu al zo lang dat niets erin me nog verbaasde; het was leerzaam om te zien hoe meer gewone mensen (als ik de eerste minister even zo mag betitelen) op beschuldigingen die ik nu vanzelfsprekend achtte, reageerden. Clarendons gezicht verstrakte en hij trok wit weg terwijl ik mijn naspeuringen en conclusies uiteenzette. Hij klemde zijn kaken stevig op elkaar van woede, en uiteindelijk kon hij zelfs de boodschapper van zulk nieuws niet meer aankijken.

Er viel een lange, erg lange stilte toen ik klaar was. Mijnheer Bennet wilde niets zeggen; de eerste minister was er, zo leek het, niet toe in staat. Wat mij aanging, ik beschouwde mijn rol als uitgespeeld; ik had mijn werk gedaan en mijn bevindingen aan degenen met de macht tot handelen gerapporteerd. Ik was me bewust van de ernst van wat ik had gedaan en besefte opnieuw de enorme macht van woorden die mensen in een oogwenk diep kunnen doen neerstorten en die in een paar zinnen meer tot stand kunnen brengen dan hele legers in een veldtocht van een jaar lang. Want mensen worden boven hun medemens verheven door het spinrag van hun reputatie, dat zo dun en breekbaar is dat een ademtocht het kan wegblazen.

Ten slotte deed Clarendon zijn mond open en onderwierp me aan de diepgaandste ondervraging die ik ooit in mijn leven meemaakte; hij was een advocaat en zoals alle advocaten vond hij niets mooiers dan de kans om met zijn gave in het stellen van vragen te pronken. Mijn ondervraging duurde bijna een uur en ik antwoordde naar beste kunnen, rustig en zonder rancune. Weer zal ik openhartig zijn; mijn antwoorden stelden hem voor het merendeel tevreden, maar zijn kundigheid prikte genadeloos door mijn betoog en iedere zwakheid die daarin lag werd al spoedig voor nadere inspectie blootgelegd.

'Dus, doctor Wallis, uw opvatting over de militaire gaven van mijnheer da Cola...'

'Is gebaseerd op het verhaal van een handelaar die hem vanuit Italië naar Venetië overbracht,' antwoordde ik. 'Hij had geen enkele reden om tegen me te liegen, omdat hij niet wist welk belang ik bij de man had. Hij was van lage komaf, maar ik zie hem desondanks als een betrouwbare getuige. Hij vertelde wat hij had gehoord en gezien; mijn conclusies stoelen op geen enkele wijze op zijn mening.'

'En Cola's banden met de radicalen?'

'Uitvoerig bevestigd door mijn informanten in de Nederlanden en door mijn eigen dienaar. Hij onderhield ook nauw contact met een beruchte familie in Oxford.'

'Met sir William Compton?'

'Een betrouwbare getuige zag hem in sir Williams huis, waar hij vele dagen verbleef. Ze spraken diverse keren over u, welke weg u van plan was te nemen over een paar weken, en spraken de hoop uit dat u onderweg in een hinderlaag zou lopen.'

'Met lord Bristol?'

'Sir William is belanghebbende van lord Bristol, zoals u ongetwijfeld weet...'

'Dat geldt ook voor mijnheer Bennet.'

'Ik heb mijnheer Bennet van mijn vermoedens verteld nog voor ik ook maar enig idee had wie Cola's meester was. Hij vertelde het aan lord Bristol en binnen vierentwintig uur werd mijn dienaar door Cola vermoord. Een paar dagen later was ikzelf het doelwit van een moordaanslag.'

'Dat is niet toereikend.'

'Nee, maar dat is nog niet alles. Het is bekend dat lord Bristol voorstander is van een alliantie met Spanje en Cola heeft ook goede contacten met de landvoogd van de Nederlanden. Iedereen weet dat hij katholiek is; hij erkent dus niet het gezag van de koning, het parlement of de wetten van dit land. En het is niet de eerste keer dat hij een dwaas plan probeert uit te voeren. Zijn hand stuurde bovendien maandenlang een jongeman bij zijn pogingen u aan te vallen door de reputatie van lord Mordaunt te belasteren.'

Ten slotte was ik leeg. Clarendon zou overtuigd zijn of niet. Het is een vreemde zaak om iemand ervan te overtuigen dat hij vermoord zal worden;

en het zegt veel over lord Clarendon dat hij goede redenen wilde horen eer hij voldaan was. Vele mannen van minder statuur dan hij zouden met graagte de verdenking hebben binnengehaald en allerlei bijkomstige bewijzen hebben aangevoerd om een rivaal uit de weg te ruimen.

'Maar ze hebben elkaar nooit ontmoet? Niemand heeft ze ooit tezamen gezien? Er bestaan geen brieven, niemand heeft een gesprek tussen hen beiden afgeluisterd?'

Ik schudde mijn hoofd. 'Nee, maar het lijkt me ook erg onwaarschijnlijk. Het gezond verstand gebiedt dat ieder contact via een derde plaatsvindt.'

Clarendon leunde achterover in zijn stoel en ik hoorde de verbindingen kraken onder de last. Mijnheer Bennet had vrijwel de hele tijd onbewogen zitten luisteren zonder een teken van emotie op zijn gezicht, zonder me te helpen noch me te hinderen. Hij bleef zwijgen tot Clarendon tegen hem sprak.

'Bent u hiervan overtuigd, mijnheer?'

'Ik ben ervan overtuigd dat u in gevaar verkeert en dat we al het mogelijke moeten aanwenden om te voorkomen dat u enig kwaad geschiedt.'

'Dat is edelmoedig van een man die me zo weinig genegenheid toedraagt.'

'Dat is het niet. U bent de eerste minister van Zijne Majesteit en het is ieders plicht u te beschermen alsof u de koning ware. Als de koning verkoos u te ontslaan, zou ik me niet inspannen om uw val te voorkomen; dat weet u net zo goed als ik. Maar het is evenzeer verraad voor ieder ander om Zijne Majesteit hiertoe te dwingen als het misdadig is om iemand buiten de wet om te brengen. Als dat is wat Bristol wil, dan doe ik daar niet aan mee.'

'Denkt u dat hij dat wil? Dat is toch de vraag, nietwaar? Ik ben niet van plan hier te blijven zitten om te zien of een mes in mijn rug het gelijk van doctor Wallis bewijst. Ik kan lord Bristol niet aanklagen wegens hoogverraad, want de bewijzen zijn niet hard genoeg en de koning zou iedere poging tot vervolging beschouwen als misbruik van mijn ambt. En dat soort methoden wil ik zelf niet volgen.'

'Dat hebt u in het verleden wel gedaan,' zei mijnheer Bennet.

'Zelden; maar in dit geval weiger ik. Lord Bristol staat al meer dan twintig jaar aan de zijde van de koning en daarvoor aan de zijde van zijn vader, en ik ben bij hem geweest. We hebben samen verbanning, vertwijfeling en ontbering gedeeld. Ik hield van hem als van een broer, en dat doe ik nog steeds. Ik kan hem geen kwaad doen.'

De dialoog die zich tussen de twee mannen ontwikkelde ging zo verder:

gematigdheid, fijnzinnigheden en spijtbetuigingen waren de enige emoties en gevoelens die ze uitwisselden. Zo gedraagt zich de hoveling die in een veel onbevattelijkere en ondoordringbaardere code praat dan de minne samenzweerders die mijn dagelijkse tegenstanders waren. Ik twijfel er niet aan dat ze zelfs alles meenden wat ze zeiden, maar onuitgesproken en door beiden achter de woorden begrepen, werd een onmeedogend gesprek gevoerd, waarin ieder voor zich onderhandelde en plannen beraamde om de situatie die ik had geschapen in hun eigen voordeel te doen verkeren.

Ik veracht hen daarom niet; elk geloofde ongetwijfeld dat de zege voor hem en de zijnen in het algemeen belang was. Noch geloof ik dat zo'n plooibaarheid fout is; in de afgelopen jaren had Engeland zwaar geleden onder de macht van onbuigzame, dogmatische figuren die niet wilden toegeven en niet konden veranderen. Dat Clarendon en mijnheer Bennet om de gunst van de koning streden vergrootte de luister van Zijne Majesteits glorie. Het was de zonde van het parlement in het verleden en van lord Bristol nu om die gunst af te dwingen en hem het recht om zelf te kiezen te ontnemen. Daarom moest men zich tegen allebei verzetten.

Ook verwonderde het me niet dat beide mannen ten volle de mogelijke schade van Bristols val wilden overzien. Want de gevolgen zouden enorm zijn, zoals altijd wanneer een machtig belangenbolwerk instortte. De familie Digby, aan het hoofd waarvan hij stond, telde vele volgelingen in het Lagerhuis en in de West Country; veel van zijn vrienden en familieleden vervulden betrekkingen aan het hof en in staatsdienst. Lord Bristol onttronen was één ding, zijn familie wegwerken was nog iets anders.

'Ik hoop dat we het erover eens zijn dat die Italiaan moet worden tegengehouden,' zei de eerste minister met het eerste glimpje van een lach dat ik had gezien sinds ik hem mijn informatie had gegeven. 'Daar moeten we mee beginnen. Een lastiger probleem, als ik het zo mag zeggen, is lord Bristol. Ik wil hem niet beschuldigen, laat staan zelf een statutaire aanklacht tegen hem indienen. Kunt u dat doen, mijnheer Bennet?'

Hij schudde zijn hoofd. 'Nee. Te veel van zijn mensen zijn ook mijn mensen. Het zou een scheuring tussen ons betekenen en ik zou nooit meer te vertrouwen zijn. Ik zal hem niet steunen, maar ik kan hem niet de dolkstoot in de rug geven.'

Beiden zwegen, verlangend om er een eind aan te maken, maar beiden deinsden terug voor de daad. Uiteindelijk waagde ik het te spreken, enigszins beschaamd om dergelijke mensen mijn raad te geven zonder erom gevraagd te zijn, maar in de overtuiging dat mijn vaardigheden de hunne evenaarden.

'Misschien dat hij zijn eigen val kan bewerkstelligen,' zei ik.

Beide mannen keken me ernstig aan en vroegen zich af of ze me moesten berispen omdat ik iets had gezegd of me moesten aansporen om door te gaan. Ten slotte knikte Clarendon dat ik toestemming had om te spreken.

'Lord Bristol is onbezonnen, makkelijk gekwetst in zijn ijdelheid en eer en buitensporig belust op grootse gebaren. Dat heeft hij wel laten zien. We moeten hem dwingen iets te doen wat zo onmatig en dwaas is dat zelfs de koning verstoord over hem raakt.'

'En hoe stelt u voor dat te bereiken?'

'Hij heeft volgens mij al een poging gedaan via de jonge Prestcott, die nu mislukt is. Hierna moet ook Cola worden tegengehouden. Daarna moet hij worden geprikkeld en geprovoceerd tot hij alle redelijkheid uit het oog verliest. Het duurt een hele tijd om een andere moordenaar te vinden, minstens vele maanden. U moet snel zijn positie ondermijnen voor hij het opnieuw kan proberen.'

'Hoe, bijvoorbeeld?'

'U kunt verschillende dingen doen. Hij is ordecommissaris van mijn universiteit; u kunt voorstellen hem van zijn post te ontheffen vanwege zijn katholicisme. En enkele van zijn volgelingen uit hun ambt ontzetten.'

'Dat zal hem niet provoceren, alleen maar irriteren.'

'Mijnheer, mag ik vrijuit spreken?'

Clarendon knikte.

'Uw dochter is tegen uw zin en zonder uw medeweten met de hertog van York getrouwd.'

Clarendon knikte langzaam, klaar om woedend te worden. Mijnheer Bennet zat me volstrekt roerloos aan te kijken terwijl ik de gevaarlijkste woorden sprak die ik ooit uitte. Zelfs het noemen van het infame huwelijk in het bijzijn van de eerste minister kon het einde van iemands loopbaan betekenen, want het had bijna het einde van de zijne betekend toen het bekend werd. Het was al vermetel om er zelfs maar op te zinspelen.

En nog vermeteler om het ter sprake te brengen zoals ik op het punt stond te doen. Ik negeerde zo goed als het ging de norse, ijzige blik van de minister en deed alsof ik niet merkte dat de steun van mijnheer Bennet opvallend achterwege bleef.

'Ik aarzel om een dergelijke handelwijze aan te bevelen, maar we moeten lord Bristol laten geloven dat Hare Majesteit de koningin onvruchtbaar is en dat u dat heel goed wist toen u haar als huwelijkspartner bepleitte.'

Er viel een absolute, doodse stilte na mijn woorden en ik vreesde dat ik zijn toorn over me had afgeroepen. Weer verraste hij me; in plaats van in woede uit te barsten vroeg hij slechts met ingehouden, ijzige stem: 'En waartoe zou dat dienen?'

'Lord Bristol is jaloers op uw hoge positie en invloed; als hij ervan overtuigd is dat u hebt samengespannen om uw eigen dochter op de troon te krijgen door de onbekwaamheid van de koningin uit te buiten, zal hij vanwege uw vooruitzichten verteerd worden door jaloezie en zal hij overgehaald kunnen worden om u in het Lagerhuis aan te klagen. Als mijnheer Bennet op het cruciale moment weigert die stap te steunen, zal dat mislukken en moet de koning een man aanpakken die openlijk heeft geprobeerd zijn gezag aan te tasten door zijn belangrijkste minister te willen verdringen. Hij zou moeten handelen om de reputatie van de kroon te behoeden.'

'En hoe zou zo'n verhaal in omloop worden gebracht?'

'Een jonge collega van me in Oxford, doctor Lower, verlangt er zeer naar om in Londen hogerop te komen. Als u hem zou begunstigen, weet ik zeker dat hij zou toestaan dat er rondverteld wordt dat hij in het geheim is ontboden om de koningin te onderzoeken en bij haar duidelijk bewijs heeft aangetroffen dat zij onvruchtbaar is. Als hij onder ede zou worden ondervraagd, zou mijnheer Lower natuurlijk de waarheid vertellen en ontkennen dat hij zo'n onderzoek had verricht.'

'Uiteraard,' interrumpeerde mijnheer Bennet, 'kunt u, als u dit voorstel accepteert, niets anders doen dan erop vertrouwen dat ik u op het cruciale moment zal steunen. Ik geef u graag mijn woord, maar ik betwijfel of het in een zaak als deze voldoende zal zijn.'

'Ik denk dat er wel een manier bedacht kan worden, mijnheer, om ervoor te zorgen dat het in uw belang is dat u uw woord houdt.'

Bennet knikte. 'Meer vraag ik niet.'

'U stemt met dit plan in?' vroeg ik, verbouwereerd dat er zo weinig verzet of bezwaar tegen kwam.

'Ik denk van wel. Ik zal trachten de val van lord Bristol te gebruiken om mijn eigen positie als belangrijkste minister van de koning te versterken; mijnheer Bennet zal hem gebruiken om de zijne te verstevigen, zodat hij na verloop van tijd mij ten val kan brengen. Maar dat is echter van later zorg; voor dit moment moeten we onszelf beschouwen als bondgenoten met een gezamenlijk en onontkoombaar doel.'

'En de Italiaan mag geen roet in het eten gooien,' zei Bennet. 'Hij kan niet worden gearresteerd of ergens worden verhoord waar hij vrijuit kan spreken. De regering kan het zich niet veroorloven in opschudding gebracht te worden door verhalen over verraad in de hoogste kringen van de vrienden van de koning.'

'Hij moet gedood worden,' zei ik. 'Geef me wat soldaten en ik zal ervoor zorgen dat het gebeurt.'

Ook hiermee werd ingestemd. Enige tijd later verliet ik de bijeenkomst, in de zekerheid dat mijn plicht vervuld was en dat ik me nu geheel op mijn persoonlijke wraak kon toeleggen.

13

Na deze ontmoeting bleef Clarendon, omringd door wachten, binnen en liet rondvertellen dat hij weer last van zijn jicht had (een werkelijke klacht, want hij werd al vele jaren onophoudelijk door de kwaal geplaagd). Hij zegde zijn bezoek aan Cornbury af, hield zich schuil in zijn huis en verliet dat alleen voor de korte tocht van Piccadilly naar Whitehall om de koning terzijde te staan.

Ik maakte jacht op Cola en gebruikte alle bevoegdheden die ik had gekregen om achter zijn verblijfplaats te komen. Ik had vijftig soldaten tot mijn beschikking en iedere verklikker werd ingeschakeld. Alle radicalen die ik te pakken kon krijgen, werden gearresteerd voor het geval de Italiaan bij een van hen was ondergedoken: het huis van de Spaanse gezant werd, zowel voor als achter, discreet in de gaten gehouden, en ik liet mensen iedere taveerne, herberg en elk pension aflopen om navraag te doen. Ook de havens werden in de gaten gehouden en ik vroeg aan mijn koopmansvriend, mijnheer Williams, ruchtbaar te maken dat iedere buitenlander die wilde overvaren onmiddellijk bij mij moest worden gemeld.

De Fransen hebben dit soort dingen geloof ik beter geregeld omdat zij de hulp kunnen inroepen van iets wat ze de politie noemen om de orde in hun steden te handhaven. Na de ervaring van de speurtocht naar Cola begon ik te denken dat zo'n instantie ook wel nuttig voor Londen zou zijn, hoewel het er niet naar uitziet dat zoiets ooit wordt ingesteld. Misschien dat Cola met behulp van zulke hulptroepen sneller gevonden was; misschien dat hij dan ook niet zo dicht bij het bereiken van zijn doel was gekomen. Ik wist alleen dat ik drie teleurstellende dagen tevergeefs zocht. Er was zelfs geen spoor van hem te bekennen, wat ik voor zo'n normaliter opvallende verschijning ongelooflijk vond. Maar het was alsof hij als een geest in rook was opgegaan.

Ik moest natuurlijk regelmatig verslag van mijn vorderingen aan lord Clarendon en mijnheer Bennet uitbrengen, en ik kon hun vertrouwen zien wegebben toen ik hen dag na dag over mijn falen moest berichten. Mijnheer Bennet zei niets rechtstreeks, maar ik kende hem goed genoeg om te zien dat mijn eigen positie nu ook op het spel stond en dat ik de Italiaan snel moest zien te vinden als ik zijn steun niet wilde verliezen. Het bezoek op de vierde dag was het ergste, want ik moest weer eens tijdens het hele onderhoud blijven staan en zijn steeds ijziger wordende houding verdragen, wat me zwaar drukte toen ik daarna over de binnenplaatsen van het paleis naar de rivier liep.

Toen hield ik stil, want ik wist dat ik iets van het allergrootste belang had bespeurd, maar ik kon niet onmiddellijk plaatsen wat het was. Ik had een voorgevoel dat er groot gevaar dreigde dat ik niet kon afschudden, hoezeer ik ook nadacht en probeerde te ontdekken welk idee bij me was opgekomen. Ik herinner me dat het een mooie ochtend was en ik had besloten mezelf wat op te beuren door van de vertrekken van mijnheer Bennet door Cotton Garden te wandelen en dan door een kleine poort over St Stephen's Court naar Westminster Stairs te lopen. Het was in deze kleine doorgang, aan beide zijden door zware eiken deuren afgesloten, dat het zorgelijke gevoel voor het eerst bij me opkwam, maar ik schonk er geen aandacht aan en liep gewoon verder. Pas toen ik op de kade stond en op het punt stond in mijn boot te stappen, daagde het bij me en meteen ging ik zo snel als ik kon naar de dichtstbijzijnde wachtsoldaten.

'Sla alarm,' zei ik toen ik eenmaal mijn volmacht aan hem had getoond. 'Er is een sluipmoordenaar in het gebouw.'

Ik gaf hem snel het signalement van de Italiaan, keerde toen op mijn schreden terug naar de kamer van mijnheer Bennet en viel bij hem binnen zonder dit keer de formaliteiten af te wachten. 'Hij is hier,' zei ik. Hij is in het paleis.'

Mijnheer Bennet keek sceptisch. 'Hebt u hem gezien?'

'Nee. Ik rook hem.'

'Pardon, wat zegt u?'

'Ik rook hem. In de gang. Hij heeft een bepaald soort reukwater op dat onmiskenbaar is en dat geen Engelsman ooit zou gebruiken. Ik rook het. Geloof me, mijnheer, hij is hier.'

Bennet gromde. 'En wat hebt u nu gedaan?'

'Ik heb de wachten gewaarschuwd, en die gaan hem zoeken. Waar is de koning? En de minister?'

'De koning is aan het bidden en de minister is niet hier.'

'U moet extra wachten plaatsen.'

Mijnheer Bennet knikte, liet direct enkele ambtenaren komen en begon orders uit te delen. Voor de eerste keer, denk ik, begreep ik waarom Zijne Majesteit zo'n hoge dunk van hem had, want hij handelde rustig en zonder enig vertoon van beroering, maar werkte met grote doeltreffendheid. Binnen enkele minuten was de koning omgeven door wachtsoldaten, de dienst werd voortijdig beëindigd – hoewel niet zo haastig dat de aanwezige hovelingen gealarmeerd werden – en kleine groepjes soldaten waaierden uit over het paleis, met zijn honderden vertrekken, binnenplaatsen en gangen, om de indringer te zoeken.

'Ik hoop dat u gelijk hebt, mijnheer,' zei mijnheer Bennet, terwijl we toekeken hoe een groepje ambtenaren staande werd gehouden en nauwkeurig werd bekeken. 'Zo niet, dan zult u niet bij mij rekenschap moeten afleggen.'

Toen zag ik de man die ik al zoveel dagen zocht. De vertrekken van mijnheer Bennet lagen op een van de hoeken met één stel ramen dat uitzag over de Theems en een ander op de doorgang naar Parliament Stairs. En daar zag ik een bekende gestalte die kalmpjes van Old Palace Yard langs de Prince's Lodgings wandelde. Het was Cola zonder enige twijfel, wuft als altijd, hoewel iets onopvallender gekleed, die eruitzag alsof hij alle recht had om daar te mogen zijn.

'Daar!' riep ik uit, en ik greep mijnheer Bennet bij de schouder. Het duurde een hele tijd voor hij me dat had vergeven. 'Daar is hij. Vlug!'

Zonder te wachten rende ik de kamer uit, de trap af en riep naar de wachten dat ze me zo snel mogelijk moesten volgen. En ik stond daar als Horatius Cocles[*] zelf, en versperde de weg naar Parliament Stairs, de wachtende boten en Cola's enige ontsnappingsweg.

Ik had geen idee wat ik moest doen. Ik was geheel ongewapend, helemaal alleen en zonder enig middel om mezelf teweer te stellen tegen een man wiens bedrevenheid in moorden alom bevestigd was. Maar ik werd voortgedreven door mijn wens en mijn plicht, want ik was vastbesloten dat hij mij en de wraak die ik verlangde niet zou ontgaan.

Als Cola zijn zwaard had getrokken en een uitval had gedaan op het moment dat hij me voor zich zag staan, zou hij zeker zijn ontkomen en was mijn dood evenzeer verzekerd. Ik had slechts de verrassing in mijn arse-

---

[*] Horatius Cocles – Romein die de brug over de Tiber geheel alleen verdedigde tegen de Etruriërs. (Noot van de vertalers.)

naal en was me er sterk van bewust dat het maar een zwak wapen was.

Maar het werkte niettemin, want toen Cola me zag was hij zo verbluft dat hij niet wist hoe hij moest reageren.

'Doctor Wallis!' zei hij, en hij slaagde er zelfs in een lach op zijn gezicht te brengen die bijna voor een uitdrukking van genoegen had kunnen doorgaan. 'U bent wel de laatste die ik verwacht had hier aan te treffen.'

'Dat besef ik. Mag ik vragen wat u hier doet?'

'Ik bekijk de bezienswaardigheden, mijnheer,' antwoordde hij, 'voor ik aan mijn reis huiswaarts begin, hetgeen ik morgen van plan ben.'

'Dat denk ik niet,' zei ik opgelucht, want ik zag soldaten over de binnenplaats dichterbij komen. 'Ik denk dat uw reis reeds voorbij is.'

Hij draaide zich om om te zien waar ik naar keek, en toen betrok zijn gezicht van verwarring en ontsteltenis.

'Ik ben verraden, zie ik,' zei hij, en ik slaakte een diepze zucht van verlichting.

❱❱❱

Hij werd zonder moeite of opschudding naar een kamer aan Fish Yard gebracht en ik ging ook daarnaar toe. Mijnheer Bennet ging Zijne Majesteit zoeken om die op de hoogte van de gebeurtenissen te stellen en ook, geloof ik, om lord Clarendon te vertellen dat het gevaar voorbij was. Wat mij aanging: ik was licht in het hoofd van het succes en sprak een dankgebed dat ik de man had ontdekt eer hij schade had kunnen aanrichten, en niet pas daarna. Ik keek toe hoe hij werd opgesloten en begon hem toen een scherp verhoor af te nemen, hoewel ik me voor wat het me aan inlichtingen opleverde, de moeite had kunnen besparen.

Cola's bravoure verbaasde me, want hij deed of hij verheugd was me te zien, ondanks de omstandigheden. Hij was blij een oude bekende te zien, zei hij.

'Ik heb me zeer alleen gevoeld nadat ik uw fraaie stad had verlaten, doctor Wallis,' zei hij. 'Ik vind de mensen in Londen niet erg hartelijk.'

'Ik kan me niet voorstellen hoe dat komt. Maar u was toch ook een allesbehalve populair man toen u uit Oxford wegging?'

Bij die opmerking keek hij bevreesd. 'Het schijnt van wel. Hoewel ik me er niet van bewust ben dat ik iets heb gedaan om een dergelijke lompheid te verdienen. U hebt vast van mijn onenigheid met mijnheer Lower gehoord? Ik wil u wel zeggen dat hij mij erg onheus heeft behandeld, en ik heb geen flauw idee waarom. Ik heb al mijn ideeën met hem gedeeld en ben in dank daarvoor ruw bejegend.'

'Misschien kwam hij meer over u te weten dan uw ideeën en vond hij het niet leuk om zo iemand onderdak te verlenen. Niemand houdt ervan misleid te worden, en als hij te zeer een heer was om u dat openlijk voor de voeten te gooien is het niet ongemanierd om wrevel te tonen.'

Er gleed een geslepen blik van behoedzaamheid over zijn onverschillige, schrandere gezicht toen hij tegenover me ging zitten, met wat leek op lichte geamuseerdheid.

'Ik neem aan dat ik u daarvoor danken moet, nietwaar? Mijnheer Lower vertelde me al dat u voortdurend uw neus in andermans zaken steekt en u met zaken bemoeit die u volstrekt niet aangaan.'

'Op die eer maak ik aanspraak,' zei ik, vastbesloten me niet uit mijn tent te laten lokken door zijn beledigende toon. 'Ik handel voor het welzijn van het land en zijn wettelijke regering.'

'Ik ben blij dat te horen. Dat zou iedereen moeten doen. Ik beschouw mezelf als evenzeer trouw.'

'Dat bent u volgens mij ook. Dat hebt u immers in Candia bewezen?'

Zijn ogen vernauwden zich bij deze demonstratie van mijn kennis. 'Ik was me er niet van bewust dat mijn roem zich zo ver had verspreid.'

'En u kende sir James Prestcott ook?'

'Ah, ik begrijp het,' antwoordde hij, toen het foutieve begrip bij hem daagde. 'U hebt dat van die malle zoon van hem gehoord. U moet niet alles geloven wat die jongeman u vertelt. Hij heeft de vreemdste waanvoorstellingen over alles en iedereen die iets met zijn geëerde vader te maken hebben. Hij is zeer wel in staat om allerlei verhalen over me te verzinnen om die arme man in een roemrijk licht te stellen.'

'Ik zou sir James niet bepaald een arme man noemen.'

'Niet? Ik ontmoette hem in andere omstandigheden, toen hij genoopt was zijn zwaard te huur aan te bieden en ternauwernood een stuiver op zijn naam had staan. Dat was een trieste val, en geen van zijn gelijken stak een hand uit om hem te helpen. Kunt u hem dan zo hard veroordelen? Aan wie was hij toen nog trouw verschuldigd? Hij was een van de dapperste mannen en de moedigste strijdmakker die ik ken, en ik eer zijn nagedachtenis evenzeer als ik zijn einde betreur.'

'Dus komt u zelf naar Engeland en vertelt niemand over uw eigen dappere daden?'

'Het is een periode die geheel is afgesloten. Ik wens er geen herinneringen aan op te halen.'

'Overal waar u komt, gaat u om met vijanden van de koning.'

'Het zijn niet mijn vijanden. Ik ga om met wie ik maar wil en die ik goed gezelschap acht.'

'Vertelt u me eens over lord Bristol.'

'Ik ben niet bekend met die heer.'

Zijn gezicht was onbewogen en hij keek me kalm en onverschrokken aan toen hij zijn ontkenning uitsprak.

'Natuurlijk niet,' zei ik . 'En u hebt ook nooit van lord Clarendon gehoord.'

'Van hem? Welzeker. Wie zou er nu niet van de eerste minister hebben gehoord? Natuurlijk heb ik van hem gehoord. Maar ik begrijp niet wat die vraag te betekenen heeft.'

'Vertel me eens over sir William Compton.'

Cola zuchtte. 'Wat een hoop vragen stelt u! Sir William was, zoals u weet, een vriend van sir James. Die zei me dat als ik ooit een reis door Engeland zou maken, sir William me graag zijn gastvrijheid zou aanbieden. En dat heeft hij ruimhartig gedaan.'

'En voor al zijn moeite werd hij aangevallen.'

'Niet door mij, daar dat de implicatie van uw opmerking lijkt te zijn. Ik begreep dat de jonge Prestcott dat had gedaan. Ik heb hem slechts in leven gehouden. En niemand zal ontkennen dat ik goed werk heb verricht.'

'Sir James Prestcott verried sir William Compton, en die verachtte hem. Verwacht u dat ik geloof dat hij u vrijwillig in zijn huis zou uitnodigen?'

'Toch deed hij dat. Wat de verachting betreft, ik heb er niets van gemerkt. Als er al vijandigheid was, moet die met hem zijn gestorven.'

'U hebt met sir William de moord op de eerste minister besproken.'

De verandering in het gedrag van de Italiaan toen ik die opmerking maakte, was opmerkelijk. De gemoedelijke minzaamheid van een man die zich op geen enkele wijze bedreigd voelt, verdween en hij verstijfde; slechts gering, maar het verschil was enorm. Van toen af aan voelde ik dat hij zijn woorden zorgvuldiger koos. Tegelijkertijd bleef op de een of andere manier zijn houding van geamuseerdheid om hem heen hangen, alsof hij nog steeds zeker genoeg was om geen al te groot gevaar voor zichzelf te voorzien.

'Gaat het daarom? We hebben over heel wat dingen gesproken.'

'Onder andere over een hinderlaag op de weg naar Cornbury.'

'Engelse wegen zijn vol gevaren voor onoplettende lieden, heb ik gehoord.'

'Ontkent u dat u op die avond in New College een fles met vergif erin voor mij hebt klaargezet?'

Nu leek het erop alsof hij zijn geduld begon te verliezen. 'Doctor Wallis, ik begin erg moe van u te worden. U vraagt me naar de aanval op sir William Compton terwijl Jack Prestcott voor die misdaad werd aangeklaagd en door zijn ontsnapping vrijwel heeft bekend dat hij de dader was. U vraagt naar de dood van doctor Grove, zelfs al is dat meisje niet alleen voor die zonde gehangen, maar heeft ze die ook uit vrije wil bekend. U vraagt naar gesprekken over de veiligheid van lord Clarendon, zelfs al ben ik hier in alle openheid in Londen en verkeert de minister in blakende gezondheid. Moge dat zo blijven. Dus wat is uw bedoeling?'

'U ontkent ook niet dat u in maart mijn bediende Matthew in Londen hebt vermoord?'

Hier speelde hij weer een blik van verbazing. 'Ik weet weer niet waar u het over hebt, mijnheer. Wie is Matthew?'

Op mijn gezicht moet de volle ijzigheid van mijn woede af te lezen zijn geweest, want voor het eerst zag hij er ontdaan uit.

'U weet heel goed wie Matthew is. De knaap die u zo grootmoedig onder uw hoede nam in de Nederlanden. De jongen die u naar uw banket meenam en hebt verleid. Die u weer in Londen tegenkwam en zo wreed vermoord hebt, terwijl het enige dat hij van u wilde wat vriendschap en liefde was.'

Cola's luchthartige gedrag was nu geheel verdwenen en hij wrong zich als een aal in allerlei bochten om maar niet te worden geconfronteerd met wat zelfs hij als dubbelhartigheid en lafheid onderkende.

'Ik kan me een jonge knaap in Den Haag herinneren,' zei hij. 'Hoewel die niet Matthew heette – althans, dat zei hij me. De ongehoorde beschuldiging van verleiding verwaardig ik niet met een antwoord, want ik weet niet waar die vandaan komt. Wat die moord aangaat, die ontken ik slechts. Ik geef toe dat ik kort na mijn aankomst in Londen werd belaagd door een stel beurzensnijders. Ik geef toe dat ik mijzelf zo goed mogelijk verdedigde en weg ben gerend zodra ik kon. Wie mijn belagers waren en wat hun toestand was toen we uiteengingen, daar kan ik weinig over zeggen hoewel ik dacht dat geen van hen zo zwaar gewond was. Als er iemand is gestorven, vind ik dat erg. Als het deze jongen was, vind ik dat ook erg, hoewel ik hem zeker niet heb herkend en hem niet zou hebben verwond als ik dat wel had gedaan, hoezeer hij me ook had bedrogen. Maar ik raad u aan voortaan uw dienaren zorgvuldiger uit te zoeken en geen mensen in dienst te nemen die hun loon aanvullen met nachtelijke dieverijen.'

De wreedheid van deze opmerking doorsneed me zoals Cola's zwaard Matthews keel had doorsneden, en op dat ogenblik wenste ik dat ikzelf een mes had, of meer vrijheid tot handelen, of een ziel die het in zich had het leven van een ander te nemen. Maar Cola wist maar al te goed dat ik niet vrij was; zodra ik bij hem kwam, moet hij dat hebben gevoeld en hij gebruikte die kennis om te tergen en te kwellen.

'Let heel goed op uw woorden, mijnheer,' zei ik, terwijl ik nauwelijks mijn stem in bedwang kon houden. 'Ik kan u veel kwaad doen als ik wil.'

Het was op dat moment een loos dreigement, en dat moet hij ook hebben aangevoeld, want hij lachte vlot en met minachting. 'U doet wat uw meesters u zeggen te doen, doctor. Zoals wij allemaal.'

14

IK KOM NU TOT EEN EINDE; al het andere hoorde ik uit de tweede hand of zag ik als buitenstaander, en ik matig het me niet aan om uitvoerig in te gaan op zaken die beter aan anderen kunnen worden overgelaten. Ik was niettemin wel de volgende dag op de kade toen Cola naar de boot werd gebracht. Ik keek toe hoe de koets kwam aanrijden en zag de Italiaan met zorgeloos verende tred de loopplank opgaan. Hij zag mij ook en lachte; hij maakte een spottende buiging in mijn richting voor hij onderdeks verdween. Ik wachtte niet tot de boot vertrok, maar reed in mijn rijtuig terug naar mijn huis en vertrok pas naar Oxford toen ik van de kapitein van het vaartuig zelf had gehoord dat Cola en zijn bagage op vijftien mijl buitengaats overboord waren gezet, en in zulk slecht weer dat hij het niet lang kon hebben overleefd. Al was mijn wraak nu compleet, ik vond er weinig bevrediging in en het duurde vele maanden voor ik weer iets van mijn oude kalmte hervond. Mijn geluk keerde nooit weer.

Op den duur wenste mijnheer Bennet, nu lord Arlington, weer gebruik van mijn diensten te maken; mijn tegenzin en afkeer bleken niet bestand tegen zijn wil. In de tussenliggende maanden was er veel gebeurd. Het verbond tussen Clarendon en Bennet hield lang genoeg stand om beiden hun doel te kunnen laten verwezenlijken. Geconfronteerd met het mislukken van zijn moordplannen, het openlijke gerucht dat te zijner tijd de dochter van lord Clarendon op de troon van Engeland zou zitten en het voortdurende treiteren van zijn mensen zette Bristol alles op het spel en probeerde de eerste minister in het parlement wegens verraad aan te klagen. Het lokte alleen hoon en minachting uit en Bennet distantieerde zich geheel van de maatregel; welke verzekering hij Bristol van tevoren van zijn steun had gegeven om hem tot deze daad te bewegen, weet ik niet. Zijne Majesteit was zo beledigd door de poging zijn minister weg te werken dat hij Bristol naar het vasteland verbande. De positie van Clarendon werd versterkt en

Bennet ontving zijn beloning door veel van de familieleden van Bristol als zijn eigen mensen over te nemen. Nog belangrijker was dat het vooruitzicht van een Spaanse alliantie een fatale klap kreeg en nooit meer ter tafel kwam.

De overeenkomst tussen de twee mannen kon niet lang standhouden; beiden wisten dat, en de rest van de wereld weet hoe het afliep. Lord Clarendon, een van de beste dienaren die de koning ooit had, werd op den duur zelf tot ballingschap gedwongen en kreeg naast zijn armoede in Frankrijk de ondankbaarheid van zijn vorst te verduren, de wreedheid van zijn kameraden en de openlijke bekering tot het katholicisme van zijn dochter. Bennet nam zijn plaats in, maar verloor op een gegeven moment ook de macht, omvergeworpen door iemand anders, zoals hij Clarendon had omvergeworpen. Zo werken de politiek en politici nu eenmaal.

Voor een poosje beschermden mijn inspanningen echter het koninkrijk; de ontevredenen konden, hoewel ze financieel goed gesteund werden door Spanje, niets bereiken tegenover een regering die niet door onderlinge strijd werd verdeeld. Ik ben, na al die jaren, me nog voortdurend bewust van de hoge tol die voor deze triomf betaald moest worden.

Alles werd veroorzaakt door mijn verlangen de man te straffen die mij zulk een smart had aangedaan. En nu ontdek ik dat deze man die ik evenveel haatte als ik Matthew liefhad, aan mijn greep is ontsnapt en mijn wraak ontkomen is. Ik heb schandelijke daden verricht, maar toch werd de vergelding mij onthouden. Ik weet in het diepst van mijn hart dat ik ben verraden, aangezien de kapitein van dat vaartuig die me onomwonden vertelde dat hij Cola had zien verdrinken, niet tegen me had durven liegen, tenzij hij bang was voor een nog machtiger man.

Maar ik weet niet wie deze besluiten nam om Cola te sparen en dat voor mij verborgen te houden, noch waarom ze genomen werden. Ook heb ik nu niet veel kans meer om daarachter te komen; Thurloe, Bristol, Clarendon zijn allen dood. Bennet zit mokkend in zijn sombere eenzaamheid en praat met niemand. Lower en Prestcott weten het uiteraard niet, en ik kan me niet voorstellen dat mijnheer da Cola zich zou verwaardigen om mij in te lichten. De enige met wie ik niet heb gesproken is die vent Wood, maar ik weet zeker dat hij behalve wat flarden en onbetekenende bijzonderheden niets weet.

Ik heb nooit verhuld wat ik heb gedaan, hoewel ik ook nooit met mijn daden te koop heb gelopen. En als dit manuscript niet was gekomen, had ik dat nog steeds niet gedaan. Ik neem de verantwoording op me voor wat ik heb gedaan. De gebeurtenissen bewijzen in hoofdzaak mijn gelijk. Zelfs degenen die kritiek op me hebben, moeten dit bedenken: als ik niets had gedaan, zou Clarendon zijn gedood en kon het land heel goed weer in vlammen zijn opgegaan. Alleen dat feit op zich al rechtvaardigt meer dan genoeg wat ik deed, de pijn die ik leed en de pijn die ik anderen heb bezorgd.

Maar toch, hoewel ik weet dat dit allemaal waar is, word ik achtervolgd door de gedachte aan dat meisje. Het was een zonde om mijn handen van haar af te trekken en te blijven zwijgen toen ze ter dood werd veroordeeld. Ik heb dat altijd geweten, maar heb dat tot nu toe nooit aanvaard. Ik werd door Thurloe listig tot die vreselijke daad gebracht en werd uitsluitend gedreven door mijn zucht naar recht, en ik heb altijd gedacht dat dit voldoende excuus was.

Aan de allerhoogste Rechter is alles bekend en Hem vertrouw ik mijn ziel toe, in de wetenschap dat ik Hem in al mijn handelen naar mijn beste kunnen heb gediend.

Maar vaak vrees ik tegenwoordig, als ik weer eens slapeloos in mijn bed lig, of diep gefrustreerd ben door gebeden die niet meer komen, dat mijn enige hoop op verlossing is dat Zijn genade groter zal blijken te zijn dan de mijne was.

Dat geloof ik niet langer meer.

Een cruciale vingerwijzing

Als bij een onderzoek van welke aard ook het inzicht niet wil doorbreken, tonen cruciale vingerwijzingen de enige en onschendbare weg waarlangs het vraagstuk beslist kan worden. Deze vingerwijzingen brengen veel klaarheid, zodat de naspeuringen er soms door worden beëindigd. Soms worden deze vingerwijzingen zelfs gevonden in het materiaal dat al is opgetekend.

Francis Bacon, *Novum Organum Scientarum*, Deel 36, aforisme XXI.

I

EEN PAAR WEKEN GELEDEN stuurde mijn goede vriend Dick Lower me een enorme stapel papieren met de opmerking dat, aangezien ik een gretig verzamelaar van curiositeiten en dergelijke was, dit misschien iets voor mij was. Hijzelf wilde ze het liefst weggooien gezien de leugens en treurigmakende tegenstrijdigheden die erin stonden. Hij zei (in een brief, want hij heeft zich nu in Dorset teruggetrokken, waar hij in behoorlijk goeden doen leeft) dat hij de manuscripten vervelend vond. Twee mensen kunnen blijkbaar dezelfde gebeurtenis zien, maar beiden herinneren zich die verkeerd. Hoe, zo ging hij verder, kunnen we ooit iets met zekerheid weten, zelfs als we van goede wil zijn? Hij gaf diverse voorbeelden van voorvallen waarbij hijzelf betrokken was en zei dat ze op een volstrekt andere wijze hadden plaatsgevonden. Uiteraard was een daarvan de buitengewone poging om de weduwe Blundy via de pen van een ganzenveer nieuw bloed in te gieten, waarvan signor da Cola beweert dat het zijn vinding is. Lower (die ik ken als een bijzonder eerlijk man) verwerpt die lezing volkomen.

Zoals u merkt, noemt hij twee namen, Cola en Wallis, hoewel er drie manuscripten zijn. Dat van Jack Prestcott laat hij geheel achterwege, zoals van hem te verwachten valt. De wet kan geen man straffen of zelfs maar aandacht schenken aan iemand die gek is; als zijn huidige handelingen al niet te bevatten zijn, hoe kan men dan zijn herinneringen vertrouwen? Die zijn niet meer dan het gebrabbel van een gestoorde geest, gefilterd door de wanen van zijn ziekte. Zo heeft de treurige geest van Prestcott Bedlam tot zijn groot kasteel gemaakt; zijn hoofd is niet kaalgeschoren voor zijn pruik, zoals hij beweert, maar voor het inwrijven met azijn tegen zijn razernijen; de arme sloebers die de maanzieken in bedwang houden, worden zijn dienaren en de vele gasten over wie hij klaagt zijn de lieden die iedere zaterdag een penny betalen om door de tralievensters van de hokken te mogen kijken en om de gekken in hun ellende lachen. Ik heb dat onlangs zelf ook gedaan, toen ik met Prestcott over deze kwestie wilde praten, maar ik vond er niets leuks of bevredigends aan.

Maar veel van wat Prestcott zegt is waar. Dat weet en erken ik, zelfs al heb ik geen reden om hem te mogen. Lower zegt dat hij gek werd toen hem het bewijs werd geleverd dat zijn eigen kwaadaardigheid al zijn hoop en inspanningen teniet had gedaan en dat de waarschuwing die hij van die Ier had gekregen toch waar bleek te zijn. Dat kan zo zijn; ik beweer alleen dat hij tot dan toe bij zijn verstand was en zijn herinneringen dus misschien deugen, zelfs al is de betekenis die hij eruit peurt volstrekt foutief. Er is tenslotte intelligentie voor nodig om een zaak zo te presenteren als hij doet; als hij bij zinnen was gebleven, had hij een goed advocaat kunnen worden. Iedereen met wie hij sprak, vertelde hem dat zijn vader schuldig was, en dat was hij ook. Met grote handigheid wijst hij op bewijzen van onschuld en omzeilt zeer gewiekst alles wat op de ware diepgang van de schanddaden van zijn vader duidt. Op een gegeven moment geloofde ik hem zelfs bijna, zelfs al wist ik beter dan menig ander dat het maar een samenraapsel van onzinnigheden was.

Maar is het verslag van die arme vent minder betrouwbaar dan dat van de anderen die ook verdraaid en verwrongen zijn, zij het door andere gemoedsgesteldheden? Prestcott mag dan gek zijn, Cola is een leugenaar. Misschien is het maar één leugen in opdracht, in tegenstelling tot alle weglatingen en ontwijkingen die anders niet gelden. Maar niettemin liegt hij, want zoals Ammianus zegt: *Veritas vel silentio consumpitur vel mendacio*, de waarheid wordt geschonden door stilte en onwaarachtigheid. De onwaarheid zit in zo'n onschuldige zin verstopt dat het niet vreemd is dat zelfs Wallis eroverheen las. Maar die zin vertekent al het andere in het manuscript en maakt ware woorden onwaar omdat hij gelijk de redenatie van een scholasticus met onberispelijke logica conclusies trekt op basis van een foutieve premisse. 'Marco da Cola, heer van stand uit Venetië, zendt u zijn eerbiedige groet.' Zo luidt zijn aanhef en van daaraf moet elk woord zorgvuldig afgewogen worden. Zelfs het bestaan van het manuscript moet in ogenschouw worden genomen, want waarom schreef hij het eigenlijk na zoveel jaren? Anderzijds, als je hem leugenachtig noemt, betekent dat niet dat de drijfveren en daden die door Wallis aan hem worden toegeschreven juist zijn. De Venetiaan was in het geheel niet wat hij leek te zijn, noch wat hij nu beweert te zijn, maar hij was zeker nooit van plan de veiligheid van het koninkrijk of het leven van lord Clarendon te belagen. En Wallis was zo gewend in de donkere en lugubere wereld te vertoeven die hijzelf had geschapen dat hij niet meer het verschil tussen waarheid en verdichtsel kon onderscheiden, noch eerlijkheid van leugenachtigheid.

Maar hoe kan ik weten welke verklaring ik moet geloven en welke verwerpen? Ik kan niet keer op keer met kleine variaties dezelfde gebeurtenissen herhalen, zoals Stahl met zijn chemicaliën deed om te laten zien hoe doctor Grove was gestorven. Zelfs als ik het zou kunnen, zou de feilloze wetenschappelijke methode ontoereikend zijn wanneer het gaat om beweging veroorzaakt door mensen in plaats van dode materie. Ik heb eens een college over scheikunde van mijnheer Stahl bijgewoond en ik moet zeggen dat ik daar niet veel wijzer van ben geworden. Lowers eigen proefnemingen met bloedtransfusie leidden eerst tot de overtuiging dat dit de beste geneeswijze voor alle kwalen was, maar later (toen er in Frankrijk vele mensen waren gestorven) kwamen de *savants* tot de slotsom dat nee, integendeel, dit een dodelijke en niet-toelaatbare methode was. Heren van de wetenschap, het kan niet alle twee zijn. Als u nu gelijk hebt, hoe kunt u het dan hiervoor zo verkeerd hebben gehad? Hoe komt het dat als een geestelijke tot een andere overtuiging komt, dat de zwakheid van zijn opvattingen bewijst en wanneer een wetenschapper dat doet, het de waarde van zijn methode aantoont? Hoe kan een simpele kroniekschrijver als ik het lood van de onnauwkeurigheid in deze papieren omzetten in het goud van de waarheid?

⁓

Mijn grootste bevoegdheid om commentaar op deze bundels te geven is mijn belangeloosheid hierin, hetgeen (zoals ons gezegd wordt) de *primum mobile* van een evenwichtig oordeel is: weinig in deze kwestie heeft iets met mij van doen. Ten tweede, ik denk dat ik met recht aanspraak kan maken op een zekere kennis van zaken: ik heb mijn hele leven in Oxford gewoond en ken de stad (zoals zelfs mijn lasteraars toegeven) beter dan wie ook ooit heeft gedaan. Ten slotte kende ik natuurlijk ook alle spelers in dit drama; Lower was toen mijn vaste metgezel, aangezien we ten minste eenmaal per week samen bij vrouw Jean aten; via hem leerde ik alle natuurvorsers kennen, signor da Cola inbegrepen. Ik werkte vele jaren voor doctor Wallis toen hij de beheerder van het universiteitsarchief was, en ik de nijverste bezoeker daarvan. Ik heb zelfs de eer gehad te mogen debatteren met mijnheer Boyle en woonde een keer een herenreceptie bij in aanwezigheid van lord Arlington, hoewel ik spijtig genoeg moet zeggen dat ik toen niet de gelegenheid had om met hem te converseren.

Daar komt nog bij dat ik Sarah Blundy voor haar rampspoed kende en ik zal (daar ik een man ben die niet van puzzels of raadsels houdt) meteen mijn geheim onthullen. Want ik kende haar ook daarna, gehangen, ontleed en verbrand als ze was. Bovendien denk ik dat ik de enige ben die een juist verslag van die tijd kan geven en al de goedheid kan beschrijven die zo'n wreedheid uitlokte en de wonderbaarlijke genade die aanleiding was tot zo'n boosaardigheid. Op bepaalde punten kan ik Lower raadplegen, want we delen vele geheimen, maar ik alleen ken het cruciale feit en men moet mij geloven op mijn eigen gezag en de kundigheid van mijn woorden. Vreemd genoeg zal ik des te zekerder zijn dat ik het bij het rechte eind heb hoe minder men mij gelooft. Mijnheer Milton stelde zich, zoals hij zegt, ten doel Gods wegen voor de mens te rechtvaardigen. Eén ding heeft hij zich echter niet afgevraagd: misschien heeft God het de mensen verboden Zijn wegen te leren kennen, want als ze de volle omvang van Zijn goedheid kenden en de mateloosheid waarmee ze die verwerpen, zouden ze zo mismoedigd raken dat ze alle hoop op verlossing zouden laten varen en van droefheid zouden sterven.

Ik ben historicus en aan deze betiteling houd ik vast, ondanks de scherpslijpers die vinden dat ik een oudheidkundige ben, zoals ze dat noemen. Ik geloof dat de waarheid alleen op een solide basis van feiten kan rusten en van jongs af aan zette ik mij aan de taak zo'n basis op te bouwen. Let wel, ik heb geen grandioze systemen voor de geschiedenis van de wereld in gedachten; men kan geen paleis bouwen eer men de grond bouwrijp heeft gemaakt. Maar net zoals mijnheer Plot (heel fraai) de natuurlijke historie van ons land heeft geschreven, werk ik aan een civiele historie. En welk een taak is dat! Ik dacht dat het me een paar jaar van mijn leven zou kosten; nu zie ik in dat ik oud zal sterven en het werk zal nog steeds niet af zijn. Ik begon (nadat ik een eerder verlangen naar het priesterschap had opgegeven) met de wens over de recente problemen tijdens de belegering te schrijven, toen de parlementstroepen eerst de stad innamen en vervolgens de universiteit zuiverden van al diegenen die het niet volkomen met hen eens waren. Maar al snel zag ik dat er een nobeler taak voor me was weggelegd en dat de hele geschiedenis van de universiteit voor altijd teloor kon gaan als die niet werd vastgelegd. Ik stapte dus van mijn oorspronkelijke werk af en wijdde me aan deze grotere opdracht, zelfs al had ik toen reeds aanzienlijk veel materiaal verzameld en zou publicatie daarvan me ongetwijfeld zowel wereldlijke roem als de begunstiging van de machtigen hebben opgeleverd die nu voor altijd buiten mijn bereik zijn gekomen. Ik maal hier echter niet om. *Animus hominis dives, non arca appellari solet* – en als het als een van Tullius' paradoxen wordt gezien dat het iemands geest is en niet zijn geldkist die hem rijkdom verleent, blijkt daar alleen uit dat het Romeinse tijdperk even blind en corrupt was als het onze.

Door dit vroegere werk was ik in contact gekomen met Sarah Blundy en haar moeder, die in mijn verslag zo'n belangrijke rol zullen spelen. Ik had op mijn speurtocht door de documenten van Ned, de man van de oude vrouw, vernomen en hoewel hij geen vooraanstaande figuur was in mijn verhaal over de belegering, wekten de hartstochten die hij opriep mijn nieuwsgierigheid. Een snode schurk, duivelsgebroed, erger dan een moordenaar, een man die je deed huiveren door zijn aanblik. Een eigentijdse heilige, een van de kennelijke uitverkorenen, vriendelijk, goedmoedig en gul. Twee uiterste meningen en weinig daartussen; ze konden niet alle twee juist zijn en ik wilde de tegenspraak zien te verklaren. Ik wist dat hij deelnam aan de muiterij van 1647, de stad verliet toen die werd neergeslagen en, wat mij betrof, ook uit mijn verhaal verdween. Ik wist toen niet of hij dood dan wel nog in leven was. Maar hij had een rol gespeeld in een zaak die flink wat ophef had veroorzaakt en het leek zonde om de gelegenheid voorbij te laten gaan een ooggetuigenverslag te krijgen (al was het maar van de vrouw als ik de man zelf niet kon vinden), toen ik in de zomer van 1659 ontdekte dat zijn gezin in de buurt woonde.

Ik was wat bezorgd over de ontmoeting: Anne Blundy had een reputatie als waarzegster (bij degenen die haar niet slechtgezind waren) of als heks (bij degenen die haar niet zo gunstig waren toegenegen). Van haar dochter Sarah was bekend dat ze wild en vreemd was, maar ze had nog niet die reputatie voor bedrevenheid in het genezen van mensen verworven waardoor mijnheer Boyle zich ging afvragen of sommige van haar middeltjes niet voor de armen konden worden gebruikt. Ik moet echter zeggen dat de pathetische beschrijving van Cola, noch de wrede van Prestcott, de oude vrouw enig recht deed. Ondanks het feit dat ze tegen de vijftig was, verried de schittering in haar ogen (die ook op haar dochter was overgegaan) een levendige geest. Ze was wellicht een heks, maar dan niet op de gebruikelijke manier: geen gemompel of geschuifel of duistere bezweringen. Schrander, zou ik eerder zeggen, met een houding van geamuseerdheid die zich vreemd vermengde met een diepgaande (zij het heterodoxe) vroomheid. Ik heb nooit iets van de moordzuchtige harpij uit het verhaal van Wallis gemerkt, hoewel ik geloof dat hij in dezen de waarheid spreekt. Hij heeft meer dan anderen zelf laten zien hoe we allemaal tot het monsterlijkste kwaad in staat zijn als we van ons gelijk overtuigd zijn, en het was een tijd waarin de verdwazing van een overtuiging iedereen in zijn greep hield.

Het was niet makkelijk haar vertrouwen te winnen en ik weet niet zeker of ik dat ooit geheel en al won. Zeker is dat als ik later naar haar toe was gegaan, toen haar man dood was en de koning weer op zijn troon zat, ze onvermijdelijk had aangenomen dat ik was gestuurd om haar in de val te lokken, vooral ook omdat ik toen doctor Wallis kende. Een dergelijke connectie zou haar achterdochtig hebben gemaakt, aangezien ze geen reden had om de nieuwe regering toegenegen te zijn en vooral goede reden had Wallis te vrezen. Dat was begrijpelijk; ik leerde hem zelf snel genoeg te vrezen.

Toen was ik echter nog niet aan hem voorgesteld. Richard Cromwell klampte zich nog aan zijn laatste restje macht vast en de koning was in de Spaanse Nederlanden, belust op zijn erfenis zonder die echter te durven grijpen. Het land was in onrust en het zag ernaar uit dat de legers weer spoedig zouden oprukken. Mijn eigen huis werd dat voorjaar doorzocht op wapens, zoals dat van iedereen die ik kende. In Oxford kregen we maar sporadisch nieuws van de wereld en hoe meer ik in de loop der jaren met mensen spreek, hoe meer ik besef dat vrijwel niemand wist wat er gaande was. Behalve John Thurloe uiteraard, die alles wist en zag. Maar zelfs hij raakte zijn macht kwijt en werd weggevaagd door krachten die zelfs hij dit keer niet kon bedwingen. Dat is het bewijs van hoe wanordelijk het land in die dagen was.

Het had weinig zin om Anne Blundy beleefd te benaderen. Ik kon haar bijvoorbeeld geen brief schrijven om mijzelf voor te stellen, daar er geen reden voor me was om aan te nemen dat ze kon lezen. Er zat weinig anders voor me op dan naar haar huisje te lopen en aan de deur te kloppen, die open werd gedaan door een meisje van misschien zeventien jaar dat geloof ik het mooiste kind was dat ik ooit in mijn leven had gezien: een fraai figuur (zij het een beetje mager), gave tanden en een gelaat dat niet door ziekte was geschonden. Haar haar was donker, wat een nadeel was, en hoewel ze het los droeg en grotendeels onbedekt, ging ze zedig gekleed. Ik denk dat als ze een jutezak had aangehad het in mijn ogen een prachtig gewaad zou zijn geweest. Maar het waren vooral haar ogen die fascinerend waren, want ze waren van het diepste zwart, gelijk ravenvleugels, en het is bekend dat zwart van alle kleuren de meest beminnelijke is bij een vrouw. 'Zwarte ogen als van Venus,' zegt Hesiodus van zijn Alcmene, terwijl Homerus Juno koeogig noemt vanwege haar ronde zwarte ogen, en Baptista Porta (in zijn

Physiognomia) zich honend uitlaat over de grijze ogen van de Engelsen en zich aan de zijde van Morison schaart in zijn lofzang op de peilloze blikken van zwoele Napolitaanse vrouwen.

Ik staarde haar een poos aan en vergat volstrekt de reden van mijn komst, tot ze beleefd maar niet onderdanig, koel, maar niet brutaal, vroeg wat ik kwam doen. 'Komt u alstublieft binnen, mijnheer,' zei ze, toen ik het haar had gezegd. 'Mijn moeder is naar de markt, maar ze kan elk moment terugkeren. U kunt gerust wachten als u wilt.'

Ik laat het aan anderen over om te zeggen of ik dat als waarschuwing voor haar karakter had moeten opvatten. Ware ik bij iemand van hogere stand geweest, dan was ik natuurlijk weggegaan om geen misbruik te maken van haar reputatie door met haar alleen te zijn. Maar op dat moment leek de gelegenheid om met dit schepseltje te praten de mooiste manier om de tijd door te brengen tot haar moeder terug was. Ik ben er zeker van dat ik half wenste dat het heel lang zou duren voor de vrouw kwam. Ik ging zitten (ik vrees, moge God me vergeven, met enig zwierig vertoon zoals een voornaam heer zou doen als hij zich met minderen inliet) op het krukje bij de haard, waarin ondanks de kou helaas geen vuur brandde.

Waarover praten mensen in zo'n situatie? Dat is iets waar ik nooit goed in geweest ben, terwijl anderen het zo eenvoudig vinden. Misschien komt het doordat ik te veel tijd aan boeken en manuscripten heb besteed. Meestal kostte een gesprek me geen moeite; tijdens maaltijden met mijn vrienden kon ik met de beste onder hen converseren en ik ga er nog steeds prat op dat ik zeker niet de minst interessante onder hen was. Maar in bepaalde omstandigheden stond ik met mijn mond vol tanden en een gesprek voeren met een dienstmeid met prachtige ogen ging boven mijn macht. Ik had natuurlijk kunnen proberen de charmeur te spelen en haar onder de kin te strijken, haar bij me op schoot te trekken en haar in de billen te knijpen, maar dat is nooit mijn manier van doen geweest, en het was overduidelijk ook niet die van haar. Ik had haar ook kunnen negeren alsof ze mijn aandacht niet waard zou zijn, behalve dat ze dat wel was. Dus liep het erop uit dat ik geen van tweeën deed en haar zwijgend aanstaarde en het aan haar moest overlaten.

'U komt ongetwijfeld mijn moeder raadplegen over een of ander probleem,' stak ze van wal nadat ze had gewacht tot ik een gesprek zou beginnen.

'Ja.'

'Hebt u misschien iets verloren en wilt u dat zij vaststelt waar het is? Daar is ze erg goed in. Of bent u misschien ziek en bang om naar een dokter te gaan?'

Eindelijk wendde ik mijn ogen van haar gezicht af. 'Nee, in het geheel niet. Ik heb natuurlijk van haar grote kundigheid gehoord, maar ik ben zeer punctueel en raak nooit iets kwijt. Alles zijn vaste plaats, zeg ik altijd. Dat is de enige manier waarop ik verder kan komen in mijn werk. En mijn gezondheid is zo goed als iemand zich maar kan wensen, godzijdank.'

Gebeuzel en bombastisch; ik verontschuldig mezelf door op mijn verwarring te wijzen. Ze had vast en zeker geen enkele belangstelling voor mijn werk; maar weinigen hebben dat. Maar in moeilijke momenten is dat altijd mijn toevluchtshaven geweest en als ik verward of treurig ben, verschuilen mijn gedachten zich erin. Tegen het einde van deze affaire zat ik 's nachts, week na week, te transcriberen en te annoteren om de wereld maar buiten te sluiten. Locke zei dat dat maar het beste was. Het is vreemd: ik heb hem nooit gemogen en hij mocht mij niet, maar ik volgde altijd zijn raad op en merkte dat die voldeed.

'Amen,' zei ze. 'Waarom wilt u dan mijn moeder spreken? Ik hoop niet dat u teleurgesteld in de liefde bent. Ze vindt minnedranken en dat soort onzin maar niets, weet u. Als u dat soort dwaasheden wilt, kunt u naar een man in Heddington gaan, hoewel ik hem zelf een kwakzalver vind.'

Ik verzekerde haar dat ik iets heel anders zocht en dat ik haar moeder niet voor dergelijke zaken wilde raadplegen. Ik wilde het net gaan uitleggen toen de deur openging en de vrouw binnenkwam. Sarah haastte zich om hulp te bieden en ze plofte neer op een houten bank tegenover me, wiste zich het zweet van haar gezicht en kwam eerst op adem, voordat ze me aankeek. Ze was armoedig maar netjes gekleed, met ruwe, sterke handen van jarenlange arbeid en een blozend rond, open gezicht. Hoewel de tijd zijn onontkoombare zege al had ingezet, was ze in haar manier van doen nog helemaal niet het intreurige, geknakte vogeltje dat ze later zou worden, en bewoog ze zich met een lenigheid die vele anderen die beter door het lot waren begunstigd op haar leeftijd niet bezaten.

'Er is niets aan de hand met u,' zei ze ronduit na me te hebben opgenomen met een blik die me helemaal scheen te omvatten. Haar dochter had die gewoonte ook, zou ik later ontdekken. Ik denk dat dat het was waardoor mensen bang voor hen waren en hen als onbeschaamd beschouwden. 'Waarom bent u hier gekomen?'

'Dit is mijnheer Wood, moeder,' zei Sarah terwijl ze uit de piepkleine kamer ernaast kwam. 'Hij is historicus, heeft hij me verteld, en hij wil u graag raadplegen.'

'Wat zijn de kwalen die historici plagen, als ik vragen mag?' zei ze zonder al te veel belangstelling. 'Geheugenverlies? Kramp in de schrijfhand?'

Ik lachte. 'Beide, maar niet in mijn geval, kan ik gelukkig zeggen. Nee, ik schrijf een geschiedenis van de belegering, en aangezien u in die tijd hier was...'

'Samen met vele duizenden anderen. Gaat u met hen allemaal praten? Dat is een vreemde manier om geschiedenis te schrijven.'

'Ik stel mijzelf Thucydides ten voorbeeld...' begon ik zwaarwichtig.

'En hij stierf voor hij zijn werk kon afmaken,' onderbrak ze me, een opmerking die me zo verraste dat ik bijna van mijn kruk viel. Nog afgezien van de snelheid van haar weerwoord, had ze blijkbaar niet alleen van de allergrootste geschiedschrijver gehoord, maar wist ze ook iets van hem af. Ik bekeek haar nu wat nauwkeuriger, maar het lukte me duidelijk niet mijn verbluftheid te verhullen.

'Mijn man is een groot boekenliefhebber, mijnheer, en hij leest me graag voor, of soms moet ik hem 's avonds voorlezen.'

'Is hij hier?'

'Nee, hij is nog bij het leger. Ik geloof dat hij in Londen is.'

Ik was natuurlijk teleurgesteld, maar besloot genoegen te nemen met wat ik van de vrouw te weten kon komen tot de tijd dat Blundy zelf weer zou terugkomen.

'Uw man,' begon ik, 'speelde een rol van enig belang in de geschiedenis van de stad...'

'Hij probeerde hier de onrechtvaardigheid te bestrijden.'

'Inderdaad. Het probleem is dat niemand die ik heb gesproken het erover eens is wat hij deed en zei. Dat is wat ik wil weten.'

'En zult u geloven wat ik u vertel?'

'Ik zal wat u me vertelt afzetten tegen wat andere mensen me hebben verteld. Daaruit zal de waarheid naar voren komen. Daar ben ik van overtuigd.'

'In dat geval bent u een jonge dwaas, mijnheer Wood.'

'Dat denk ik niet,' zei ik stijfjes.

'Wat is uw godsdienstige overtuiging, mijnheer? En aan wie bent u trouw?'

'In religie ben ik een historicus. In politiek ben ik eveneens historicus.'

'Dat is veel te glad voor een oude vrouw als ik,' zei ze met een licht spottende toon in haar stem. 'Bent u trouw aan de Protector?'

'Ik heb een eed gezworen aan de regering die aan de macht is.'

'En welke kerk bezoekt u?'

'Verschillende. Ik heb op vele plekken de dienst bijgewoond. Op het ogenblik bezoek ik Merton, zoals ik wel verplicht ben, daar het mijn college is. Ik moet u wel zeggen denk ik, voor u mij weer van gladheid beticht, dat ik anglicaans gezind ben.'

Haar hoofd neeg in gepeins alsof ze hierover nadacht, met dichte ogen, bijna of ze sliep. Ik vreesde zeer dat ze zou weigeren, in de overtuiging dat ik zou verdraaien wat ze zei. Ze had zeker geen reden om aan te nemen dat ik op enige manier sympathiek tegenover een man als haar echtgenoot zou staan; ik wist al genoeg van hem om daar zeker van te zijn. Maar er was verder niets wat ik kon doen om haar van mijn eerzame bedoelingen te overtuigen. Gelukkig was ik niet zo stom om haar geld aan te bieden want dat zou onvermijdelijk mijn lot hebben bezegeld, hoezeer ze dat ook kon gebruiken. Ik moet op dit punt zeggen dat ik nooit ofte nimmer bij haar of haar dochter de inhaligheid heb bespeurd die anderen beweerden zo gemakkelijk te zien, hoewel haar armzalige omstandigheden daar voldoende aanleiding toe gaven.

'Sarah?' zei ze na een poosje, en ze tilde haar kin van de borst. 'Wat vind je van deze schonkige jongeman? Wat is hij? Een spion? Een dwaas? Een schelm? Iemand die komt wroeten in het verleden om ons ermee te kwellen?'

'Misschien is hij wat hij zegt, moeder. Ik denk dat u wel met hem kunt praten. Waarom niet? De Heer weet wat er is gebeurd, en zelfs een historicus van de universiteit kan de waarheid niet voor Hem verbergen.'

'Slim, mijn kind; jammer dat onze vriend hier daar niet zelf aan dacht. Goed dan,' zei ze. 'We zullen weer met elkaar praten, maar er komt zo een klant die de koopakte van zijn huis is kwijtgeraakt en ik moet wikken waar die is. U moet een andere keer terugkomen. Morgen, als u wilt.'

Ik dankte haar voor haar vriendelijkheid en beloofde dat ik er de volgende dag zonder mankeren zou zijn. Ik was me ervan bewust dat ik haar met onnodige eerbied behandelde, maar er was iets wat me ertoe aanzette dat zo te doen: haar persoon vereiste hoffelijkheid, hoewel haar stand dat niet deed. Toen ik op straat tussen het afval en de plassen mijn weg zocht, bleef ik staan toen ik achter me gefluit hoorde. Ik keek om en zag Sarah die me achterna kwam rennen.

'Nog een moment, mijnheer Wood.'

'Zeker,' zei ik, terwijl ik half mijn vreugde bemerkte bij het vooruitzicht. 'Heb je bezwaar tegen taveernes?' Dat was in die tijd een normale vraag, omdat vele van de obscure non-conformisten dat in hoge mate hadden. Je kon het best meteen peilen met wie je van doen had voor je de kans liep met beschimpingen te worden overladen.

'O, nee,' zei ze. 'Ik houd van taveernes.' Ik had haar graag naar de Fleur-de-Lys gebracht, omdat die aan mijn familie toebehoorde en ik daar goedkoop kon drinken, maar ik was bezorgd voor mijn reputatie, dus in plaats daarvan gingen we naar een andere gelegenheid, een laag krot dat amper beter was dan haar eigen woning. Ik merkte dat ze niet vriendelijk behandeld werd toen we binnenkwamen. Ik had zelfs het gevoel dat er harde woorden zouden zijn gevallen als ik er niet bij was geweest. In plaats daarvan was het enige dat ik van de waardin kreeg behalve twee kroezen bier, een smalend lachje. Haar woorden waren beleefd, maar de gedachten die erachter scholen niet, hoewel ik niet begreep wat die waren. Ondanks het feit dat ik niets deed om me voor te schamen, merkte ik dat ik bloosde. Het meisje zag het helaas ook en vroeg droogjes of ik me niet op mijn gemak voelde.

'Zeker wel,' antwoordde ik haastig.

'Het is niks. Ik ben wel erger gewend.' Ze was zelfs zo tactvol om me naar het stilste hoekje van de gelagkamer te brengen, zodat niemand ons kon gadeslaan. Ik was haar dankbaar voor deze attentheid en het wakkerde mijn gevoel voor haar aan.

'Goed, meneer de historicus,' zei het meisje nadat ze een kwart van haar kroes had leeggedronken, 'zegt u het me eens eerlijk: hebt u het goed met ons voor? Want ik wil niet dat u ons weer last gaat bezorgen. Dat kan mijn moeder niet meer gebruiken. Ze is moe en heeft in de afgelopen paar jaar wat rust gevonden en ik wil niet dat die weer verstoord wordt.'

Ik probeerde haar op dat punt gerust te stellen: mijn doel was de lange belegering te beschrijven en de invloed die het inkwartieren van de troepen in de stad op het universiteitsleven had gehad. De rol die haar vader in de muiterij had gespeeld en in het opstoken van de gemoederen van de parlementstroepen was van belang geweest, wat hij dan ook had gedaan, maar die was niet beslissend. Ik wilde alleen maar weten waarom de troepen toen hadden geweigerd hun orders uit te voeren en wat er was gebeurd. Ik wilde dat allemaal optekenen voordat het werd vergeten.

'Maar u was toch zelf ook in de stad?'

'Dat wel, maar ik was pas veertien en te druk bezig met mijn schoolwerk om iets buitenissigs op te merken. Ik weet nog wel dat ik danig ongelukkig was toen New College School zijn ruimtes in het klooster moest afstaan, en ik herinner me dat ik bedacht dat ik nog nooit een soldaat had gezien. Ik herinner me hoe ik bij de vestingwallen stond en hoopte dat ik kokende olie op iemand kon gieten, hoopte dat ik dappere daden kon verrichten en door een dankbare vorst daarvoor geridderd zou worden. En ik weet nog hoe bang iedereen was bij de overgave. Maar alle belangrijke feiten weet ik niet. Je kunt geen boek schrijven op basis van zulk schamel materiaal.'

'U wilt feiten? De meeste mensen stellen zich tevreden met hun eigen bedenksels. Dat hebben ze met vader gedaan. Ze zeiden dat hij oproerig en boosaardig was, en mishandelden hem daarvoor. Stelt hun oordeel u niet tevreden?'

'Misschien wel. Misschien is het zelfs juist. Maar ik vraag me niettemin een aantal dingen af. Hoe komt het dat zo'n man door zoveel van zijn lotgenoten wordt vertrouwd? Als hij zo laaghartig was, hoe kan het dan dat hij zo moedig was? Kan het edele (als ik dat woord voor zo iemand mag gebruiken) samengaan met het onedele? En hoe komt het dat hij' – en hier deed ik mijn allereerste poging tot hofmakerij – 'zo'n prachtige dochter heeft?'

Als ze al blij was met die opmerking, liet ze er helaas niets van blijken. Geen zedige blik, geen lief blosje, alleen maar die zwarte ogen die me strak aankeken en ervoor zorgden dat ik me slecht op mijn gemak voelde.

'Ik ben vastbesloten,' ging ik door om mijn poging te verdoezelen, 'om te ontdekken wat er is voorgevallen. Je vraagt of ik het goed of kwaad met jullie voorheb en ik zeg je: geen van beide.'

'Dan bent u immoreel.'

'De waarheid is altijd moreel, omdat die de afspiegeling van Gods woord is,' verbeterde ik haar, terwijl ik weer voelde dat ik mezelf andermaal verkeerd uitdrukte en me achter plechtstatigheid verschool. 'Ik laat je vader zijn verhaal vertellen. Er zijn geen anderen die dat doen, weet je. Hij spreekt of via mij, of blijft voor altijd ongehoord.'

Ze leegde haar kroes en schudde treurig haar hoofd. 'De arme man die zo mooi kan praten, gedwongen via u te spreken.'

Ik geloof dat ze de belediging volstrekt niet in de gaten had, maar ik had op dat moment geen lust om haar af te stoten door haar het standje te geven dat ze verdiende. In plaats daarvan keek ik haar aandachtig aan, met de gedachte dat deze eerste vertrouwelijke opmerking er misschien voor zou zorgen dat ze een goed woordje bij haar moeder voor me zou doen.

'Ik kan me herinneren,' zei ze na een poosje, 'dat ik hem eens een keer na een gebedsbijeenkomst zijn peloton heb horen toespreken. Ik denk dat ik niet meer dan een jaar of negen was, dus dat moet rond de tijd van Worcester zijn geweest. Ze dachten dat ze weldra ten strijde zouden trekken en hij sprak hun moed en kalmte in. Het was als muziek; ze wiegden heen en weer op zijn woorden en sommigen hadden tranen in hun ogen. Het was mogelijk dat ze zouden sterven, of gevangen werden genomen, of hun leven in de gevangenis zouden eindigen. Dat was Gods wil en het was niet aan ons om ons af te vragen wat die was. Hij had ons slechts één lantaarn geschonken om Zijn goedheid te kunnen ontwaren en dat was ons gevoel voor rechtvaardigheid, de stem van het Recht die in het hart van ieder mens klonk als hij wilde luisteren. Zij die bij hun hart te rade gingen, wisten wat Recht was en wisten dat ze daarvoor vochten; ze zouden voor God vechten. Het was een strijd om de grondvesten te leggen voor een aarde als schat van ons allen, zodat iedereen die in het land geboren werd door de aarde gevoed kon worden, en iedereen de ander, zelfs de ouden, zieken of vrouwen als gelijk geschapenen zou zien. Of ze nu sliepen of aten, vochten of stierven, daar moesten ze aan blijven denken.'

Ik wist niet wat ik moest zeggen. Ze had zacht en rustig gesproken. Haar stem streelde me terwijl ze de woorden van haar vader herhaalde – zo kalm, zo goedmoedig en, besefte ik met een schok, zo door en door slecht. Ik begon heel vaag te begrijpen hoe het in zijn werk ging en wat de aantrekkingskracht van die Blundy was. Als alleen al zo'n meisje zo overtuigend kon zijn, hoe moest die man dan wel niet zijn geweest? Het recht op voedsel: geen goed christen kon daar bezwaar tegen hebben. Tot je besefte dat wat deze man verlangde het omverwerpen was van het recht van meesters om hun werknemers te bevelen, het stelen van de bezittingen van eigenaren, de bijl leggen aan de wortels van de harmonie die allen verbindt. Kalm en goedmoedig nam Blundy deze arme onnozelen bij de hand en leidde ze in de macht van de duivel zelf. Ik huiverde. Sarah keek me met een flauwe glimlach aan.

'Het geraaskal van een waanzinige, denkt u, mijnheer Wood?'

'Hoe kan iemand die geen dwaas of een monster is iets anders denken? Dat is het overduidelijk.'

'Ik kom uit een familie van waanzinnigen, dus zie ik het een beetje anders,' zei ze. 'Ik veronderstel dat u denkt dat mijn vader gewone mensen voor zijn eigen verdorven doeleinden gebruikte. Is dat het?'

'Zoiets,' zei ik stijfjes. 'Dat het duivels was, blijkt wel uit het feit dat er baby's werden gegeten en gevangenen werden verbrand.'

Ze lachte. 'Baby's gegeten? Gevangenen verbrand? Welke leugenaar beweert dat?'

'Ik heb het gelezen. En veel mensen hebben dat gezegd.'

'En dus geloofde u het. Ik begin aan u te twijfelen, meneer de historicus. Als u las dat er zeedieren zijn die vuurspuwen en honderd koppen hebben, gelooft u dat dan ook?'

'Alleen als er goede reden voor is.'

'En wat telt voor een geleerd man als u als goede reden?'

'Mijn eigen aanschouwing of het verslag van iemand wiens woord te vertrouwen is. Maar het hangt ervan af wat je bedoelt. Ik weet dat de zon bestaat omdat ik hem kan zien; ik geloof dat de aarde eromheen draait omdat dat de logische conclusie van berekeningen is en het niet wordt tegengesproken door wat ik kan zien. Ik weet dat eenhoorns bestaan omdat zulke schepsels mogelijk zijn in de natuur en door betrouwbare personen zijn waargenomen, zelfs al heb ik dat zelf niet; het is onwaarschijnlijk dat er vuurspuwende draken bestaan, omdat ik niet inzie hoe een levend wezen vuur kan uitademen zonder te worden verzengd. Dus het hangt er maar van af.'

Zo luidde mijn antwoord, en ik vind nog steeds dat het een goed weerwoord was. Het sneed ingewikkelde ideeën aan op een eenvoudige wijze ten behoeve van haar, hoewel ik het onwaarschijnlijk achtte dat ze er iets van zou begrijpen. Maar in plaats van dankbaar te zijn voor mijn onderricht, bleef ze me met vragen bestoken, waarbij ze in haar gretigheid om te discussiëren naar voren leunde, als een bedelaar die een korst brood krijgt aangeboden.

'Jezus is onze Heer. Gelooft u dat?'

'Ja.'

'Waarom?'

'Omdat Zijn komst in overeenstemming was met de voorspellingen in de bijbel, Zijn wonderen Zijn goddelijkheid bewezen en Zijn wederopstanding dat nog meer bewees.'

'Vele mensen beweren dat ze dezelfde wonderen kunnen verrichten.'

'Daarbij komt dat ik mijn geloof heb en daar meer waarde aan hecht dan aan welke redenering ook.'

'Dan een wat aardsere vraag. De koning is de door God gezalfde. Gelooft u dat?'

'Als je bedoelt of ik dat kan bewijzen, moet ik nee zeggen,' antwoordde ik, vastbesloten op mijn hoede te blijven. 'Dat is geen rotsvaste overtuiging. Maar ik geloof erin omdat koningen hun plaats hebben, en wanneer ze worden verstoten raakt de natuurlijke orde verstoord. Gods ongenoegen over Engeland is immers duidelijk zichtbaar geweest in de afgelopen jaren, door het lijden wat eruit is voortgekomen. En toonden de enorme overstromingen toen de koning werd vermoord niet de ontzetting van de natuur aan die had plaatsgevonden?'

Met dit overduidelijke punt moest ze wel instemmen, maar ze voegde

eraan toe: 'Maar als ik zou zeggen dat die rampen werden veroorzaakt doordat de koning zijn onderdanen verraderlijk behandeld had?'

'Dan zou ik het niet me je eens zijn.'

'En hoe zouden we beslissen wie er gelijk had?'

'Dat zou bepaald worden door het gewicht van de meningen van verstandige mannen van eer en geweten die beide veronderstellingen hadden
aangehoord. Ik wil er niet al te diep op ingaan noch een onterecht verwijt
maken, maar we kunnen jou niet iemand van eer of geweten noemen.
Noch' – en hier deed ik nog een poging om het gesprek op een ander, toe-
passelijker, onderwerp te brengen – 'noch kan zo'n mooi schepsel als jij ooit
voor een man worden gehouden.'

'O,' zei ze, en ze sloeg mijn vriendelijke waarschuwing om zich met haar
eigen zaken te bemoeien in de wind. 'Dus of de koning aangesteld wordt
door God of hoe dan ook terecht een koning is, hangt af van wat mensen
besluiten? Wordt er gestemd?'

'Nee,' zei ik, enigszins opgelaten omdat ik blijkbaar maar geen einde aan
deze steeds belachelijker wordende woordenwisseling kon maken, 'dat zeg
ik niet, domme meid. Alleen God beslist dat; de mens besluit alleen of hij
Gods wil aanvaardt.'

'Wat is het verschil als we niet weten wat Gods wil is?'

Het werd hoog tijd er een eind aan te maken, dus stond ik op om haar als
het ware fysiek te herinneren aan onze respectievelijke posities. 'Als je dat
soort vragen kunt stellen,' zei ik streng, 'dan ben je een heel dwaas en verdorven kind. Je moet echt een zeer verwrongen opvoeding hebben gehad
om dat soort dingen zelfs maar te denken. Ik begin te geloven dat je vader
zo boosaardig is als ze zeggen.'

In plaats van door mijn verwijt ontnuchterd te raken, leunde ze achterover op haar bankje en liet een klaterende lach horen. Heel kwaad nu dat ik
op zo'n manier antwoord kreeg, liet ik haar achter; ik voelde me enigszins
ontredderd en vluchtte voor de rest van de ochtend in mijn boeken en aantekeningen. Het was slechts de eerste van vele gelegenheden dat ze me tot
zo'n dwaas vertoon bracht. Moet ik herhalen dat ik jong was? Is dat een verontschuldiging voor de manier waarop haar ogen mijn gedachten benevel-
den en de val van haar lokken mijn tong deed struikelen?

2

IK ZAL MIJN EIGEN FATSOENSREGELS doorbreken en veel over Sarah Blundy vertellen; het is noodzakelijk. Ik ben niet van plan aanleiding tot bezorgdheid te geven door een losbandige bespreking van hartszaken, een onderwerp dat zoals iedereen behalve een hoveling weet niet in openbare geschriften thuishoort. Maar er is geen andere manier om mijn belangstelling voor de familie uit te leggen, mijn zorg over haar lot en mijn kennis van haar einde. Ik moet als ter zake bevoegde getuige worden beschouwd op punten waar mijn persoonlijke herinnering van belang is en moet daarom bewijzen van mijn kennis leveren. Woorden zonder feiten zijn verdacht; ik moet dus feiten aandragen. Die laten zich simpel opsommen.

In die tijd was de familie Wood nog in redelijken doen en woonde ik met mijn moeder en zuster in een huis in Merton Street, waar ik de bovenste verdieping voor mijzelf en mijn boeken had. We hadden een dienstmeid nodig, aangezien mijn moeder de meid die we hadden wegens slonzigheid had ontslagen, en ik (die had gezien dat de Blundy's erg omhoogzaten) stelde voor Sarah aan te nemen. Mijn moeder was allesbehalve gelukkig met het idee, daar ze iets van de reputatie van het gezin af wist, maar ik overtuigde haar ervan dat ze goedkoop was, nadat ik besloten had haar loon uit mijn eigen kleine jaargeld aan te vullen. Bovendien, vroeg ik, wat was er nu zo vreselijk aan haar? Hierop had ze geen precies antwoord.

Uiteindelijk zwichtte mijn moeder bij de gedachte een halve penny per week te kunnen besparen; ze stemde toe om een gesprek met het meisje te hebben en gaf (met tegenzin) toe dat ze inderdaad fatsoenlijk, bescheiden en gehoorzaam leek. Maar ze liet weten dat ze het meisje als een havik in het oog zou houden en dat ze er bij het eerste spoortje blasfemie, rebellie of onzedelijkheid uit zou vliegen.

En dus werden zij en ik dicht bijeengebracht, uiteraard gehinderd door de nodige afstand die er tussen meester en bediende behoort te zijn.

Ofschoon ze geen gewone bediende was; sterker nog, ze vestigde al snel haar gezag in het huishouden, wat des te merkwaardiger was omdat dat grotendeels onbetwist bleef. Slechts één keer werd er strijd geleverd, toen mijn moeder besloot (er was behalve ik geen andere man in huis en mijn moeder beschouwde zichzelf altijd als hoofd van het gezin) het meisje een pak slaag te geven in de verwachting dat het kind zich daaraan, zoals het behoorde, gelaten zou onderwerpen. Ik weet niet wat het vergrijp was, waarschijnlijk iets onbeduidends, en mijn moeders ontstemming was waarschijnlijk meer te wijten aan de pijn die ze leed door haar gezwollen enkel, waar ze al jaren last van had.

Sarah vond die reden niet goed genoeg. Met haar handen in haar zij en overkokend van verzet, weigerde ze te buigen. Toen mijn moeder met de bezem in de hand op haar af kwam, maakte ze het duidelijk dat als mijn moeder het waagde ook maar een vinger naar haar uit te steken, ze haar terug zou meppen. Ze werd stante pede het huis uit gegooid, dacht u? Niets daarvan. Ik was er toen niet, anders was het waarschijnlijk nooit zover gekomen, maar mijn zuster zei dat binnen een halfuur Sarah en mijn moeder samen voor de haard zaten, terwijl mijn moeder welhaast haar verontschuldigingen aan het kind aanbood, wat niemand daarvoor of daarna ooit meemaakte. Sindsdien sprak mijn moeder nooit meer een kwaad woord over haar en toen Sarahs moeilijkheden aanbraken, kookte zij eten voor haar en bracht dat naar de gevangenis.

Wat was er gebeurd? Wat had Sarah gezegd of gedaan waardoor mijn moeder voor het eerst in haar leven zo barmhartig en gul werd? Ik weet het niet. Toen ik ernaar vroeg, lachte Sarah slechts en zei dat mijn moeder een goede, lieve vrouw was die niet zo streng was als ze leek. Meer wilde ze niet zeggen en mijn moeder zei ook niets. Ze deed er altijd het zwijgen toe als men haar op een vriendelijkheid betrapte en het kan zijn dat het eenvoudig kwam doordat kort daarna haar enkel geen pijn meer deed: het gebeurt vaak dat dit soort simpele dingen een opmerkelijke verandering in gedrag veroorzaken. Ik vraag me vaak af of doctor Wallis minder hardvochtig zou zijn geweest als hij minder bang was geweest voor de blindheid die hem in die tijd al belaagde. Ikzelf ben onredelijk grof geweest tegen mijn kameraden toen ik werd geplaagd door kiespijn, en het is algemeen bekend dat de foutieve beslissingen die uiteindelijk tot de val van lord Clarendon leidden, genomen werden toen die edele heer verging van de folterende pijn door zijn jicht.

Ik zei reeds dat ik twee kamers op de bovenste verdieping in gebruik had, waar de andere gezinsleden niet mochten komen. Overal lagen boeken en papieren, en ik was voortdurend bang dat iemand, in een misplaatste bui van vriendelijkheid, ze zou opruimen en mijn werk met vele maanden zou verlengen. Sarah was de enige die binnen mocht komen, en zelfs zij ruimde op onder mijn streng toezicht. Ik ging dromen van die bezoekjes aan mijn erudiete kraaiennest en steeds meer bracht ik die tijd door met gesprekken met haar. Mijn kamer werd weliswaar viezer en viezer, maar ik merkte dat ik met gretigheid wachtte op het geluid van haar voetstappen op de gammele trap die naar mijn zolder voerde. In het begin sprak ik over haar moeder, maar dat werd al snel een excuus om haar langer aanwezig te laten zijn. Des te meer misschien omdat ik weinig van de wereld wist, en nog minder van vrouwen.

Misschien dat elke willekeurige vrouw mijn belangstelling zou hebben gehad, maar Sarah had me al snel betoverd. Geleidelijk verkeerde het genoegen in pijn en de vreugde in kwelling. De duivel bezocht me voortdurend: 's avonds als ik aan mijn bureau zat te werken, in de bibliotheek om me van mijn werk af te leiden en me op vuige, wellustige gedachten te brengen. Mijn nachtrust leed eronder en mijn werk ook, en hoewel ik driftig om hulp bad werden mijn gebeden niet verhoord. Ik smeekte de Heer dat Hij deze verleiding van me weg zou nemen, maar in Zijn wijsheid deed Hij dat niet, maar liet me in plaats daarvan door nog meer demonen bezoeken om me met mijn zwakheid en schijnheiligheid te kwellen. Ik werd 's ochtends wakker denkend aan Sarah, bracht de dag door met denken aan Sarah en woelde mezelf 's nachts in slaap denkend aan Sarah. En zelfs als ik sliep was er geen respijt want ik droomde van haar ogen en haar mond en van de manier waarop ze lachte.

Het was ondraaglijk; natuurlijk was er geen eerzame band tussen ons mogelijk, zo groot was de afstand die ons scheidde, maar ik dacht dat ik haar voldoende kende om te weten dat ze er nooit mee zou instemmen om mijn boeleerster te zijn; ze was te kuis, ondanks haar afkomst. Ik was nog nooit verliefd geweest en had zelfs nog niet half zoveel belangstelling voor een vrouw getoond als voor het onbeduidendste boek in de Bodleian-bibliotheek, en ik beken dat ik God in stilte vervloekte dat toen ik tot zonde viel (en nimmer voelde ik de gelijkenis met het lot van Adam zo sterk), het met een onmogelijke partij was, een meisje zonder fortuin of familie, tot in de taveernes geminacht en met een schurk als vader.

En dus bleef ik zwijgen en me ellendig voelen, gekweld wanneer ze er was en erger nog wanneer ze er niet was. Ik wou dat ik een robuuste, onnadenkende figuur als Prestcott was die zich nimmer om de ingewikkeldheden van de liefde bekommerde, of zelfs een Wallis met een hart dat zo kil was dat geen menselijk wezen het voor lang kon warmen. Sarah koesterde zelfs ook enige genegenheid voor mij, geloof ik. Hoewel ze in mijn aanwezigheid altijd eerbiedig was, voelde ik toch iets in haar: een warmte, de manier waarop ze keek en zich vooroverboog als ik haar een boek of een manuscript liet zien, die op een affectie duidde. Ik denk dat ze het prettig vond om met me te praten; door haar vader, die haar had onderricht, was ze gewend aan mannelijke gesprekken en het was moeilijk om haar te beperken tot voor vrouwen geschikte onderwerpen. Daar ik altijd bereid was om over mijn werk te spreken en makkelijk over te halen om over wat voor andere dingen dan ook te praten, leek ze met net zoveel gretigheid als ikzelf uit te kijken naar haar bezoekjes om mijn vertrekken schoon te maken. Ik denk dat ik in die tijd de enige man was die haar aansprak om een andere reden dan om haar orders te geven of schunnige opmerkingen te maken; ik weet geen andere verklaring. Haar jeugd, haar opvoeding en haar vader bleven echter een onbekend gebied voor me; ze sprak er zelden over, behalve de keren dat ze zich een losse opmerking liet ontvallen. Als ik haar een rechtstreekse vraag stelde, gaf ze het gesprek meestal een andere wending. Ik potte die toevallige opmerkingen op zoals een vrek zijn goud oppot, herinnerde me iedere losse zin, beschouwde ze van alle kanten en voegde ze stuk voor stuk bijeen als goudstukken in een kist, tot ik een goede voorraad had.

In het begin dacht ik dat haar terughoudendheid te wijten was aan haar schaamte omdat ze zo laag gezonken was; nu denk ik dat het slechts voorzichtigheid was, zodat het niet verkeerd begrepen werd. Ze schaamde zich maar voor weinig dingen en had spijt van nog minder, maar aanvaardde dat de tijd waarin mensen zoals zij op een nieuwe wereld konden hopen, voorbij was: ze hadden het geprobeerd, maar jammerlijk gefaald. Ik zal één belangrijk voorbeeld geven van de manier waarop ik mijn materiaal bijeengaarde. Kort nadat het herstel van het koningschap in de stad bekend was gemaakt, kwam ik thuis na de voorbereidingen voor de festiviteiten te hebben bekeken. Overal in het land werd die dag feestgevierd, zowel in parlementsgezinde steden die hun nieuwe loyaliteit wilden tonen als in steden als Oxford die met oprechter gevoel hun blijdschap konden laten zien. Er was ons beloofd (door wie weet ik niet meer) dat door de fonteinen en goten die avond vreugdewijn zou stromen, zoals in de tijd van het oude Rome. Sarah zat op mijn stoel en huilde hartverscheurend.

'Wat is er aan de hand dat je op een luisterrijke dag als vandaag zo zit te snikken?' riep ik uit. Het duurde even voor ik antwoord kreeg

'O, Anthony, voor mij is die niet luisterrijk,' zei ze. (Het was onze geheime vertrouwelijkheid dat ik haar toestond om me in mijn kamer zo aan te spreken.) Eerst dacht ik dat ze een van die mysterieuze vrouwenklachten had, maar al snel besefte ik dat ze grootsere zaken aan haar hoofd had. Ze was nooit onzedelijk of grof in de mond.

'Maar wat is er dan om zo verdrietig over te zijn? Het is een mooie ochtend, we kunnen eten en drinken op kosten van de universiteit, en de koning keert weer terug naar de zijnen.'

'En alles is vergeefs geweest,' zei ze. 'Moet je niet huilen om al die verspilling, zelfs als je feestviert? Bijna twintig jaar hebben we gevochten om te proberen hier Gods koninkrijk te vestigen, en het wordt allemaal weggevaagd door de wil van een paar hebzuchtige rijksgroten.'

Het had een waarschuwing voor me moeten zijn dat ze de edelen wier wijze onderhandelingen essentieel waren geweest voor het terughalen van de koning (dat was ons verteld en dat geloofde ik, tot ik Wallis' manuscript las) zo betitelde, maar ik was in een veel te goede stemming.

'Gods wegen zijn ondoorgrondelijk,' zei ik opgewekt, 'en Hij kiest soms vreemde middelen om Zijn wil te laten geschieden.'

'God heeft Zijn dienaren die voor Hem werkten in het gelaat gespuwd,' zei ze met een stem die hees was van vertwijfeling en woede. 'Hoe kan dit Gods wil zijn? Hoe kan God willen dat sommige mensen aan anderen zijn onderworpen? Dat sommigen in paleizen wonen terwijl anderen op straat sterven? Dat sommigen heersen en anderen gehoorzamen? Hoe kan God dat willen?'

Ik haalde mijn schouders op en wist niet wat ik moest zeggen of waar ik moest beginnen met iets te zeggen; ik wilde alleen dat ze zou ophouden. Ik had haar nog nooit zo gezien, ze had haar armen om zich heen geslagen en wiegde heen en weer terwijl ze met een gedrevenheid sprak die even schrikwekkend als fascinerend was. Ze boezemde me angst in, maar ik kon niet bij haar weglopen. 'Klaarblijkelijk doet hij dat toch,' zei ik ten slotte.

'In dat geval is Hij niet mijn God,' zei ze, met een minachtende grijns. 'Ik haat Hem, zoals Hij mij en zijn hele schepping moet haten.'

Ik stond op. 'Zo is het wel genoeg geweest,' zei ik, onthutst door wat ze had gezegd en bang dat iemand beneden het zou kunnen horen. 'Ik wil dat soort praatjes niet in mijn huis horen. Denk eraan wie je bent, meisje.'

Dat leverde me een smalende blik vol minachting op, de eerste keer dat ik haar genegenheid zo volledig en ogenblikkelijk had verloren. Het sneed diep door me heen, verontrust als ik was door haar godslasteringen, maar zelfs toen nog meer gepijnigd door mijn verlies.

'O, mijnheer Wood, daar begin ik nog maar net achter te komen,' zei ze, en ze liep regelrecht de deur uit, zonder me zelfs de eer te bewijzen die achter zich dicht te slaan. Mijn goede humeur was verdwenen en daar het me vreemd genoeg niet lukte om me weer te concentreren, bracht ik de rest van de middag door op mijn knieën, vertwijfeld biddend om vertroosting.

De loyaliteitsviering die avond was alles waar goede royalisten op hadden kunnen hopen: de stad en de universiteit wedijverden met elkaar wie het vurigst zijn trouw betuigde. Ik begon met mijn gebruikelijke vrienden (ik had in die tijd al kennisgemaakt met Lower en zijn kring) naar hartelust wijn te drinken bij de fontein in Carfax, toen gingen we vlees eten in Christ Church en vervolgens trokken we naar Merton voor nog meer wijn en lekkernijen. Het was een heerlijke gebeurtenis, of had dat moeten zijn, maar Sarahs stemming had me aangegrepen en mijn vreugde vergald. Er werd gedanst, maar ik keek alleen maar toe; er werd gezongen, maar ik kende geen lied; er klonken toespraken en heilwensen, maar ik bleef zwijgen. Er was eten voor iedereen, maar ik had geen trek. Hoe kon iemand op een dag als deze niet vrolijk zijn? Vooral iemand als ik die zo lang op de terugkeer van Zijne Majesteit had gehoopt? Ik begreep het zelf niet, was diep ongelukkig en geen goed gezelschap.

'Wat is er aan de hand, ouwe makker?' vroeg Lower, en hij sloeg me opgewekt op mijn rug toen hij buiten adem en al enigszins dronken van de wijn van een dans terugkwam. Ik wees naar een man met een smal gezicht die stomdronken in de goot lag, met kwijl dat langs zijn kin liep.

'Zie je?' zei ik. 'Weet je nog? Vijftien jaar lang een van de uitverkorenen die de royalisten vervolgde en de fanatici toejuichte. En kijk nu eens. Een van de meest toegewijde onderdanen van de koning.'

'Die weldra uit al zijn ambten zal worden ontzet, zoals hij verdient. Gun hem een beetje vergetelheid voor zijn problemen.'

'Vind je dat? Ik niet. Sommige mensen overleven alles. Hij is er een van.'

'Je bent een oude zuurpruim, Wood,' zei Lower met een brede grijns. 'Dit is de mooiste dag in de geschiedenis en je kijkt alleen chagrijnig en somber. Vooruit, drink nog een beker wijn en denk er niet meer aan. Anders geloven ze nog dat je in het geheim een wederdoper bent.'

En dat deed ik, en toen nog een en nog een. Lower en de anderen dwaalden uiteindelijk verder, maar ik had geen lust om ze achterna te lopen; hun (naar mijn idee) simpele goede humeur en zorgeloze plezier brachten me op het punt in tranen uit te barsten van de zwaarmoedigheid. Ik wandelde terug naar Carfax, wat een noodlottige daad bleek te zijn. Want toen ik daar aankwam en voor mezelf nog een beker wijn schepte, hoorde ik een gierend gelach uit een zijstraat komen; een gewone zaak die avond, behalve dat het deze keer die lichte, maar onmiskenbare klank van dreiging in zich had die moeilijk te omschrijven is, maar onmogelijk om je in te vergissen. Nieuwsgierig geworden door het geluid tuurde ik de steeg in en zag een groepje opgeschoten pummels die in een halve kring bij een muur stonden. Ze lachten en schreeuwden en ik verwachtte half een potsenmaker of kwakzalver te zien wiens waren of grollen niet in de smaak vielen. Maar in plaats daarvan was het Sarah, haar haar in de war, met wilde ogen en de rug tegen de muur, die ze genadeloos aan het honen waren. 'Snol,' riepen ze. 'Verraderskind! Heksendochter!'

Stukje bij beetje zweepten ze zichzelf op, deden steeds een stapje naar voren en kropen naar het punt waar de woorden ophouden en de aanranding begint. Ze zag me en onze blikken kruisten elkaar, maar er lag geen smeekbede om hulp in; ze verdroeg het allemaal zelf en leek de obscene woorden die haar werden toegeschreeuwd bijna niet op te merken. Het was bijna alsof ze niet luisterde en het haar niet kon schelen. Ze wilde misschien geen hulp, maar ik wist dat ze die nodig had en kende niemand anders dan mijzelf die ook maar één vinger voor haar zou uitsteken. Ik drong me door de menigte heen, sloeg mijn arm om haar schouder en trok haar zo vlug mee terug naar de hoofdstraat dat de meute nauwelijks tijd had om te reageren.

Gelukkig was het niet ver; ze vonden het niet leuk dat hun vermaak hun ontnomen werd en mijn positie als geleerde en historicus zou me weinig hebben geholpen als het een meer afgelegen plek was geweest. Maar er waren op een paar meter afstand mensen die weliswaar dronken maar toch noch beschaafd genoeg waren, en ik slaagde erin om ons voldoende in veiligheid te brengen voordat de beledigingen in echte gewelddadigheden omsloegen. Vervolgens voerde ik haar door de vrolijke, opgewekte feestvierders totdat de meute zag dat hun prooi hun was ontgaan en zich verspreidde, op zoek naar ander vermaak. Ik ademde zwaar, en door de angst en de drank duurde het lang voor ik weer een beetje bijgekomen was. Ik ben bang dat fysiek gevaar niet iets is waar ik aan gewend ben; ik kwam er meer ontdaan uit te voorschijn dan Sarah.

Ze bedankte me niet, maar keek me alleen aan, met berusting leek het wel, of droefheid misschien. Toen haalde ze haar schouders op en liep weg. Ik volgde haar; ze ging sneller lopen en ik ook. Ik dacht dat ze naar huis liep, maar aan het eind van Butcher's Row sloeg ze af en liep, nu nog sneller zelfs, dwars over de velden achter het kasteel, met mij achter zich aan, gek gemaakt door mijn bonkende hart, tollend hoofd en verwarring.

Het was op de plek die Paradise Fields heette, ooit een van de allermooiste boomgaarden, maar nu tot droeve, onvruchtbare staat vervallen, dat ze stilhield en zich omdraaide. Toen ik naar haar toe liep lachte ze, maar de tranen liepen haar over de wangen. Ik strekte mijn armen naar haar uit en ze klampte zich aan mij vast alsof ik de enige overgebleven mens op de wereld was.

En, gelijk Adam, zondigde ik in dit paradijs.

⁓

Waarom ik? Ik weet het niet. Ik had haar niets te bieden – geld noch huwelijk, en dat wist ze. Misschien was ik zachtaardiger dan anderen; misschien gaf ik haar troost; misschien had ze wat warmte nodig. Ik houd mezelf niet voor de gek door te denken dat het veel meer was dan dat, maar ik verlaag me nu ook niet door te zeggen dat het veel minder was. Ze mocht dan geen maagd meer zijn, ze was geen sloerie. Prestcott vertelde daarover een wrede leugen; ze was de deugdzaamheid zelve en hij was geen heer door iets anders te beweren. Toen het voorbij was en ze niet meer huilde, stond ze op, streek haar kleren glad en en liep langzaam weg. Dit keer volgde ik haar niet. De volgende dag maakte ze de keuken van mijn moeder schoon alsof er niets was gebeurd.

En ik? Was dat het antwoord van de Heer op mijn smeekbeden? Was ik verzadigd en bevredigd, waren de kwelgeesten uit mijn ziel verdreven? Nee, mijn koorts was zelfs nog heter opgelaaid, zodat ik haar nauwelijks nog wilde zien, zo bang was ik dat mijn trillen en bleke gelaatskleur me zouden verraden. Ik bleef in mijn kamer en wisselde zondige gedachten af met boetedoening door gebed. Toen ze een paar dagen later naar mijn kamers kwam, moet ik er als een geest hebben uitgezien en ik hoorde de bekende voetstappen de trap opkomen met een mengeling van vreugde en angst zoals ik nog nooit eerder had meegemaakt. En dus was ik natuurlijk grof tegen haar en zij speelde de dienstmeid voor me en we vielen allebei terug in onze rollen als acteurs in een toneelspel, maar aldoor wilden we dat de ander iets zou zeggen.

Dat wilde ik althans; ik weet niet hoe het voor haar was. Ik zei haar dat ze beter moest opruimen; ze gehoorzaamde. Ik gaf haar opdracht een vuur aan te leggen; onderdanig en zwijgend deed ze wat haar werd gezegd. Ik zei haar dat ze weg moest gaan en me met rust moest laten; ze pakte haar emmer water op en deed de deur open.

'Kom terug,' zei ik en ook dat deed ze. Maar ik wist niets anders tegen haar te zeggen. Of liever, ik had haar zoveel te zeggen. Dus omhelsde ik haar en dat liet ze toe; ze bleef stijf en onbeweeglijk staan alsof ze een straf onderging.

'Ga alsjeblieft zitten,' zei ik, en ik liet haar los, en wederom gehoorzaamde ze.

'Je vraagt me te blijven en te gaan zitten,' begon ze, toen ik bleef zwijgen. 'Heb je me iets te zeggen?'

'Ik hou van je,' zei ik in een opwelling. Ze schudde haar hoofd. 'Nee,' zei ze. 'Dat doe je niet. Dat is toch niet mogelijk?'

'Maar twee dagen geleden dan... Was dat dan niets? Ben je zo ongevoelig dat het niets voor je betekende?'

'Het betekende wel iets, ja. Maar wat wil je dat ik doe? Wegkwijnen van liefdesverdriet? Twee keer per week je minnares worden in plaats van schoon te maken? En jij? Bied je me je hand aan? Natuurlijk niet. Dus wat kan er verder nog worden gezegd of gedaan?'

Ze was zo praktisch dat ik er gek van werd; ik wilde dat ze evenveel leed als ik, dat ze in opstand kwam tegen de hardheid van het lot dat ons zo scheidde, maar haar gezond verstand stond dat niet toe.

'Wat ben je dan? Heb je al zoveel mannen gehad dat één meer niets uitmaakt voor je?'

'Zoveel? Misschien wel, als je dat van me wilt denken. Maar niet zoals je bedoelt; alleen uit genegenheid als ik de keuze kreeg.'

Ik haatte haar voor haar openhartigheid; als ik haar van haar maagdelijkheid had beroofd en ze tranen van spijt had gehuild over haar daling in waarde, had ik dat kunnen begrijpen en haar kunnen troosten; daar wist ik woorden voor, want die had ik ergens gelezen. Maar om dat verlies van zo weinig belang te achten en te ontdekken dat het niet aan mij was gegeven, maar aan iemand anders, was meer dan ik kon verdragen. Hoewel ik iets wat zo duidelijk tegen Gods woord inging nooit kon goedkeuren, accepteerde ik het later zo goed mogelijk, want zij was haar eigen gezag. Hoe vaak ze ook mijn orders zou gehoorzamen, ze zou nooit onderworpen zijn.

'Anthony,' zei ze vriendelijk toen ze mijn verwarring zag, 'ik vind dat je een goed mens bent en je probeert een christen te zijn. Maar ik weet wat je aan het doen bent. Je ziet me als een geschikte ontvangster van jouw barmhartigheid. Je wilt dat ik goed en kuis ben, terwijl je tegelijkertijd met me in Paradise Fields wilt stoeien, voordat je verdwijnt en een vrouw trouwt met de grootste bruidsschat die je kunt vinden. Daarna zul je me tot een hoer maken die je tot zonde verleidde toen je dronken was, als dat je gebeden makkelijker maakt en je ziel troost schenkt.'

'Denk je echt zo over me?'

'Ja. Alles gaat je makkelijk af als je met me over je werk spreekt. Dan lichten je ogen op en vergeet je wat ik ben in je plezier in het praten. Dan behandel je me eerlijk, zonder dwaasheid of schutterigheid. Slechts één ander heeft dat ooit eerder gedaan.'

'En wie was dat?'

'Mijn vader. En ik heb net gehoord dat hij dood is.'

Ik voelde een golf van medeleven door me heen gaan toen ik deze woorden hoorde en zag de droefenis in haar ogen; het was iets wat ik goed begreep, omdat ik mijn eigen vader verloren had toen ik nog geen tien jaar oud was, en ik wist heel goed hoe pijnlijk het was om door zulk leed beroerd te worden. Ik werd zelfs nog treuriger toen ze me de bijzonderheden vertelde, want er was haar verteld (boosaardig en onjuist, naar nu blijkt) dat haar vader was gedood toen hij weer in zijn oude gewoontes van ongehoorzaamheid en onrust stoken verviel.

De omstandigheden van zijn overlijden waren onduidelijk en zouden dat waarschijnlijk blijven; het leger was in zulke gevallen nooit zo plichtsgetrouw om bijzonderheden aan familieleden te verstrekken. Blijkbaar waren Ned Blundy's opruiingen eindelijk te veel geworden: hij werd gearresteerd, kreeg een militaire berechting en werd meteen daarop gehangen en zijn lichaam werd in een naamloos graf geworpen. De dapperheid van zijn laatste daad, waarvan Thurloe wist en die Wallis ontdekte, werd voor zijn gezin verborgen gehouden, ook al zouden ze daar veel vertroosting in hebben gevonden. Erger nog, Sarah noch haar moeder werd verteld waar zijn laatste rustplaats was en het duurde zelfs enkele maanden voor ze ontdekten wat er was gebeurd.

Ik stuurde haar naar huis om bij haar moeder te zijn en zei tegen mijn eigen moeder dat ze ze zich niet goed voelde. Ik denk dat ze de vriendelijkheid waardeerde, maar ze verscheen de volgende morgen weer gewoon en sprak er nooit meer over. Ze hield haar rouw en leed geheel voor zich en alleen ik, die haar beter kende dan de meeste anderen, ving af en toe een glimp op van een verre droefheid in haar ogen terwijl ze aan het werk was.

❦

Zo werd mijn liefde voor Sarah geboren en over mijn ellende moet niet meer worden gesproken. Twee keer per week wachtte ik met verlangen op haar zodat ik met haar kon praten en een tijdlang ging ze af en toe met me naar Paradise Fields. Niemand wist hier ooit van en mijn geheimhouding kwam niet voort uit schaamte om met haar te verkeren; het was te kostbaar om het mikpunt van hoongelach in een taveerne te zijn. Ik weet wat andere mensen van me denken; de spot van mijn medemens, zelfs van degenen die ik heb geholpen, is een kruis dat ik mijn hele leven heb gedragen. In zijn manuscript herhaalt Cola de schampere opmerkingen van Locke en zelfs van Lower, die beiden in mijn aanwezigheid altijd vriendelijk waren en die ik nog steeds vrijwel als vrienden beschouw. Prestcott nam mijn hulp aan en lachte me achter mijn rug uit; Wallis deed hetzelfde. Ik wilde mijn liefde niet bezoedelen met de verachting van anderen, en mijn genegenheid voor dit meisje had zeker grote spotlust opgewekt.

Het was hoe dan ook slechts een deel van mijn leven; een groot deel van mijn tijd bleef ik aan mijn werk besteden, en ontmoedigd door een groeiende twijfel aan wat ik aan het doen was, merkte ik dat ik steeds meer overging tot het louter verzamelen van feiten en niet langer durfde te zeggen wat ze betekenden. Mijn werk over de belegering stokte en in plaats daarvan ging ik me bezighouden met gedenktekens, in koper en steen uitgehouwen feiten, zodat ik een lijst kon opstellen van de belangrijkste families in het graafschap door de eeuwen heen. Dat klinkt nu heel gewoon, maar ik was de eerste die op dit idee kwam.

En ik zwierf door alle archieven, catalogiseerde manuscripten die generaties lang door geen hand beroerd waren om een beetje geld te verdienen en mezelf nuttig te maken. Want wat zijn we meer dan ons verleden? Als dat verloren gaat, zijn we niets meer. Zelfs al was ik niet van plan om meteen zelf van het materiaal gebruik te maken, het was mijn plicht en mijn genoegen om ervoor te zorgen dat anderen dat konden doen als ze daartoe geneigd waren. Alle bibliotheken van Oxford verkeerden in een vreselijke staat; hun grootste schatten werden al tientallen jaren verwaarloosd sinds de mensen zich tot de vervoering van het sektarisme hadden gewend en de oude wijsheid hadden leren versmaden omdat ze die niet opnieuw konden lezen. Op een bescheiden manier behoedde en rangschikte ik en dook in de enorme oceaan van kennis die lag te wachten, aldoor in de wetenschap dat de levensspanne van één mens te kort was om zelfs maar het kleinste deel van de wonderen die daarin verscholen lagen te kunnen bevatten. Het is wreed dat ons het verlangen tot weten is gegeven, maar niet de tijd is gegund om dat goed te doen. We sterven allemaal in vruchteloosheid; dit is de belangrijkste les die we moeten leren.

Het was door dit soort werk dat ik doctor Wallis ontmoette, daar hij beheerder van het universiteitsarchief was toen ik daar zeer vaak toegang toe moest hebben, hoewel hij als professor die post nooit had mogen krijgen. Ofschoon ik moet toegeven dat zijn methodische geest enige orde in de documenten aanbracht, die jarenlang treurig waren verwaarloosd, had ik het niettemin beter gedaan (ik deed toch al het meeste werk zonder enige erkenning) en kwam mij het salaris van dertig pond per jaar meer toe dan hem.

Ik had uiteraard geruchten gehoord over zijn occulte bezigheden: zijn bekwaamheid als ontcijferaar van documenten was geen geheim; integendeel, hij schepte er nogal over op. Maar tot ik zijn manuscript opensloeg, wist ik niets van zijn duistere werkzaamheden voor de regering. Had ik de volle omvang daarvan geweten, dan zou alles volgens mij veel eenvoudiger zijn geweest. Wallis werd verslagen (al zag hij dat pas in toen hij op zijn beurt Cola's verhaal onder ogen kreeg) door zijn eigen slimheid en zijn obsessie met geheimhouding. Hij zag overal vijanden en vertrouwde niemand. Lees wat hij schreef en zie de drijfveren die hij aan iedereen die met hem in aanraking kwam toedicht. Zegt hij ook maar iets goeds over iemand? Hij leefde in een wereld waarin iedereen een stommeling, moordenaar, bedrieger of verrader was. Hij doet zelfs schamper over mijnheer Newton, kleineert mijnheer Boyle en misbruikt de zwakheden van Lower.

Ieder mens was er om voor zijn eigen doeleinden gebruikt te worden. Arme man, om zo over over zijn medemens te denken; arme Kerk om hem als predikant te hebben; arm Engeland om hem als zijn beschermer te hebben. Hij geeft iedereen de wind van voren, maar wie veroorzaakte meer dood en verderf dan hij? Maar zelfs Wallis was tot liefde in staat, zo blijkt, hoewel zijn reactie toen hij de enige persoon in zijn leven verloor die hem dierbaar was niet was om zich berouwvol in gebed tot God te wenden, maar nog meer wreedheid op de wereld los te laten en te ontdekken dat dat zinloos was. Ik had bij verschillende gelegenheden die Matthew van hem ontmoet en voelde altijd medelijden met hem. De obsessie was voor iedereen duidelijk, want Wallis kon nooit in één kamer met de knaap samen zijn zonder voortdurend naar hem te kijken en opmerkingen in zijn richting te maken. Maar niets verraste me meer dan over de genegenheid van Wallis te lezen, want hij behandelde de jongen abominabel en iedereen vroeg zich af hoe de knaap zoveel hardvochtigheid kon verdragen. Ik geef toe dat de dienaar minder leed dan de kinderen, van wie de tekortkomingen openlijk en regelmatig aan de kaak werden gesteld, soms zelfs zo gemeen dat ik de oudste zoon een keer in tranen zag uitbarsten onder het bombardement, maar niettemin moest ook Matthew zich het voortdurende gevit en de kwaadaardige opmerkingen laten welgevallen; alleen bij een man als Wallis kon dit een manier zijn om zijn liefde te laten blijken. Toen ik hem eens met verwrongen gezicht en paars aangelopen van woede tekeer zag gaan tegen de jongen, voelde ik niets dan afschuw voor hem en ik vertelde Sarah erover, maar ze berispte me hier zacht voor.

'Denk niet zo slecht over hem,' zei ze. 'Hij wenst dichter bij de liefde te komen, maar hij weet niet hoe. Hij kan alleen maar een idee vereren en moet de werkelijkheid kastijden als die het er niet bij haalt. Hij verlangt volmaaktheid, maar is geestelijk zo verblind dat hij die slechts kan voelen in zijn wiskunde en geen plaats voor mensen in zijn hart heeft.'

'Maar het is zo wreed,' zei ik.

'Ja, maar het is ook liefde. Zie je dat dan niet?' antwoordde ze. 'En het is zonder meer zijn enige weg naar verlossing. Verfoei niet de enige door God gegeven vonk in hem. Het is niet aan jou om te oordelen.'

Toen gaf ik daar echter niet veel om; ik wilde toegang tot het archief en Wallis had heel letterlijk de sleutel ervan. Dus toen de koning terugkeerde en zich weer op de troon probeerde te vestigen, terwijl complotten en tegencomplotten als een sneeuwstorm door het land joegen, verliet ik mijn kamer in Merton Street en ging naar de bibliotheek, waar ik manuscripten opensloeg en catalogiseerde en las en aantekeningen maakte tot ik zelfs niet meer bij kaarslicht kon werken. Ik werkte in de ijzige winterkou, toen het 's middags al donker werd, en in de kokende hitte van de zomer, wanneer de zon onbarmhartig op het loodbeslagen dak boven mijn hoofd scheen en ik half gek werd van de dorst. Weer noch andere omstandigheden hielden me van mijn arbeid af en ik vergat alles en iedereen om me heen. Ik gunde mezelf een uurtje pauze om te eten, vaak in gezelschap van Lower of anderen zoals hij, en 's avonds stond ik mijzelf de grootste vreugde en troost van mijn leven toe, wat altijd de muziek voor me is geweest. Muziek verblijdt het hart, kan de gedachten tot bedaren brengen en stormachtige gevoelens temperen, zegt Jason Pratensis, en Lemnius zegt dat hij ook de waterwegen en de dierlijke geest sust zodat (ik citeer mijnheer Burton) toen Orpheus speelde, de bomen zelve hun wortels verhieven om dichterbij te kunnen komen en beter te horen. Agrippa voegt eraan toe dat de olifanten in Afrika muziek zeer aangenaam vinden en op een wijsje dansen. Hoe droef of moe ik ook ben, een uur violaspel in goed gezelschap bracht me bijna altijd bevrediging en rust en iedere avond speelde ik, alleen of met anderen, een uur voor het bidden; het is de beste manier die ik ken om van een goede nachtrust verzekerd te zijn.

Vijf van ons kwamen twee keer per week en soms vaker bijeen om te spelen en het was een verrukkelijk samenspel. We spraken vrijwel nooit en kenden elkaar nauwelijks, maar we kwamen bijeen en brachten twee uur door in volmaakte vriendschap. Ik was de beste noch de slechtste van de spelers, maar door middel van veelvuldige oefening leek ik de betere te zijn. We kwamen bijeen waar we konden en in 1662 huurden we een kamer boven een nieuw geopend koffiehuis naast Queen's College, iets verder de High Street af en aan de andere kant van waar mijnheer Boyle zijn kamers had.

Hier maakte ik voor het eerst kennis met Thomas Ken, door wie ik in contact werd gebracht met Jack Prestcott. Zoals Prestcott vermeldt, is Ken nu een bisschop en een zeer verheven heerschap met zoveel praalzucht dat zijn eenvoudige komaf iedereen zou verbazen die hem in die tijd niet kende. De magere, benepen geestelijke die zo graag hogerop wilde komen, de heremiet die zich slechts met Christus wilde onderhouden, heeft zich omgevormd tot een gezette kerkelijke rijksgrote die in een paleis met veertig bedienden woont van waaruit hij zijn barmhartigheid toont, en is trouw toegewijd aan ieder regime dat toevallig zijn inkomen in zijn macht heeft. Ik neem aan dat deze bereidheid om het geweten om te buigen ter wille van de algemene vrede een vorm van principe is, maar ik heb er niet al te veel bewondering voor, ondanks de luxe die het hem heeft gebracht. Met veel meer genegenheid herinner ik me de ernstige jonge Fellow van New College, wiens enige verpozing het was mee te krassen op de viola in mijn groepje. Hij was een afgrijselijk muzikant, met weinig aanleg en geen goed gehoor, maar zijn enthousiasme was mateloos en onze groep miste een viola, dus hadden we weinig keus. Ik was diep geschokt toen ik vernam dat hij kwaadwillig een verhaal over Sarah had verspreid dat haar een stap dichter bij de galg bracht; zoveel mensen leken haar dood te wensen dat ik zelfs toen al een kwaadaardig lot voelde dat genoegen schepte in haar vernietiging, en mensen tot haar vijanden maakte zonder dat ik daarvoor enige reden kon zien.

Door mijn bemiddeling ging Sarah voor doctor Grove werken toen Thomas (in alle onschuld) de verzamelde musici op een avond vroeg of we misschien een dienstmeid wisten die werk zocht. Grove, die kortgeleden als Fellow was teruggekeerd, had zo iemand nodig en Ken wilde graag helpen. Hij hoopte de genegenheid en bescherming van de man te winnen en probeerde in het begin erg hem ter wille te zijn. Helaas kon Grove mensen als Ken niet in zijn college gedogen en sloeg hij alle pogingen tot vriendschap af; Kens voorkomendheden waren aan hem verspild en er groeide een vijandelijkheid die geen woordentwist over een prebende van node had om verbitterd te worden.

Ik zei dat ik zo iemand kende en vroeg het Sarah de keer daarop dat ik haar zag. Een dag per week om zijn kamers op te ruimen, zijn water en kolen omhoog te dragen, zijn nachtspiegel te legen en voor zijn was te zorgen. Sixpence per dag.

'Ik kan het werk goed gebruiken,' zei ze. 'Wie is die man? Ik ga niet werken voor iemand die denkt dat hij me mag slaan. Dat weet je nog wel, denk ik.'

'Ik ken hem helemaal niet, dus ik kan niet voor zijn karakter instaan. Hij is er lang geleden uitgezet en is nog maar net teruggekeerd.'

'Een Laud-aanhanger dus? Moet ik gaan werken voor een trouwe koningsgezinde?'

'Ik zou graag een wederdoper-Fellow voor je vinden als er een zou zijn, maar mensen zoals deze Grove zijn waarschijnlijk de enigen die je vandaag de dag zo'n aanbod zullen doen. Graag of niet. Maar ga naar hem toe en praat met hem: misschien is hij niet zo erg als je vreest. Ik ben tenslotte ook een trouw koningsgezinde, en als je bij mij in de buurt bent weet je ook min of meer je walging te bedwingen.'

Dat leverde me een van die lieflijke glimlachjes op die ik me nog zo goed kan herinneren. 'Er zijn er maar weinig die zo aardig zijn als jij,' zei ze. 'Jammer genoeg.'

Ze was niet erg happig, maar haar behoefte aan werk overwon haar scrupules en uiteindelijk ging ze naar Grove en nam de baan aan. Daar was ik blij om en ik zag wat een genoegen het is om in staat te zijn anderen te begunstigen, zelfs op deze kleine wijze. Door mij had Sarah genoeg werk om te kunnen leven en zelfs iets te sparen als ze zuinig deed. Voor de eerste keer in haar leven had ze een vast, respectabel bestaan in een eigen huis en was ze ogenschijnlijk tevreden. Dat deed me veel deugd, daar het een goed voorteken scheen te zijn; ik was blij voor haar en dacht dat de rest van het land even plooibaar zou zijn. Helaas bleek mijn optimisme danig misplaatst.

3

IK LOOP VOORUIT OP MEZELF. Mijn drang om alles op schrift te stellen maakt dat ik veel essentiële zaken weglaat; ik behoor mijn feiten breed uit te meten, zodat allen die dit lezen het patroon van gebeurtenissen duidelijk kunnen volgen. Naar mijn mening is dit wat echte geschiedschrijving zou moeten zijn. Ik weet dat de wetenschappers zeggen dat het doel van de geschiedschrijving moet zijn om licht te werpen op de edelste daden van de grootste mannen, om de huidige generatie van ontwaarde minderen een voorbeeld tot nastreven te geven, maar ik geloof dat grote mannen en edele daden wel voor zichzelf kunnen zorgen; en maar weinigen kunnen trouwens een nauwkeurige inspectie doorstaan. Hoe dan ook is deze opvatting niet onbetwist, dunkt mij, aangezien de theologen vermanend hun vinger heffen en zeggen dat voorwaar het enige doel van de geschiedenis het onthullen van de wonderbaarlijke wegen Gods is zoals Hij in het menselijk wel en wee ingrijpt. Ook dit vind ik een twijfelachtige aanpak, althans zoals deze gewoonlijk wordt uitgevoerd. Is Zijn plan werkelijk aan de wetten van koningen, de daden van politici of de woorden van bisschoppen af te lezen? Kunnen we zomaar aannemen dat dergelijke leugenaars, bruten en schijnheiligen Zijn uitverkoren instrumenten zijn? Ik kan het niet geloven; we bestuderen het bewind van koning Herodes niet voor lering, maar om de woorden van de geringste zijner onderdanen te vinden die in geen van de geschiedenissen wordt genoemd. Blader door de werken van Suetonius en Agricola; bestudeer Plinius en Quintilianus, Plutarchus en Josephus en u zult zien dat ondanks hun wijsheid en kennis het allergrootste voorval, de belangrijkste gebeurtenis in de geschiedenis van de wereld, hun geheel ontgaan is. In de tijd van Vespasianus bestond er (aldus lord Bacon) een profetie dat iemand die uit Judea kwam over de wereld zou heersen; dit sloeg duidelijk op onze Verlosser, maar Tacitus (in zijn *Historie*) dacht alleen aan Vespasianus zelf.

Bovendien is het mijn taak als geschiedschrijver om de waarheid naar voren te brengen en als ik het verhaal van deze tijd op de beproefde wijze zou vertellen – oorzaken, beschrijving, samenvatting, moraal – zou dat zonder meer een vreemd beeld opleveren van de periode waarin het zich afspeelde. Want in dat jaar 1663 werd de koning bijna van zijn troon gestoten, werden duizenden non-conformisten in de gevangenis geworpen, hoorden we het gerommel van de oorlog op de Noordzee en werden door het hele land in allerlei vreemde en beangstigende gebeurtenissen de eerste voortekenen van de grote brand en de nog grotere plaag gevoeld. Moeten die allemaal naar het tweede plan verwezen worden, of louter als achtergrond voor Groves dood worden beschouwd, alsof dat het belangrijkste voorval was? Of moet ik het einde van die arme kerel en alle gebeurtenissen die in mijn stad plaatsvonden negeren, omdat de slinkse handelingen van hovelingen, die ons het jaar daarop naar de oorlog leidden en ons wederom bijna vernietigden in onderlinge strijd, zoveel belangrijker zijn?

De schrijver van gedenkschriften zou het een doen, de historicus het ander, maar misschien hebben beiden het mis; historici gaan net als natuurvorsers geloven dat het verstand voldoende is voor begrip en maken zichzelf wijs dat ze alles zien en bevatten. Terwijl ze in hun werken het veelzeggende detail negeren of dat diep onder de last van hun wijsheid begraven. De menselijke geest kan zonder hulp de waarheid niet bevatten, maar alleen illusies en verdichtsels spinnen die overtuigend zijn tot ze niet meer overtuigen en die alleen maar waar zijn totdat ze worden afgedankt en vervangen. Het verstand van de mensheid is een nietig wapen, bot en krachteloos, een kindertuig in de hand van een zuigeling. Alleen de openbaring die voorbijgaat aan de logica en een geschenk is dat iemand verdient noch rechtens toekomt, aldus Aquino, kan ons naar die plek brengen die verlicht wordt met een helderheid groter dan ieder intellect.

De wartaal van de mysticus zou me op deze bladzijden echter kwalijk te pas komen en ik moet mijn roeping gedenken; de historicus doet zijn werk door een juiste weergave van de feiten te geven. Dus ga ik even terug in de tijd tot het begin van 1660, voor de Restauratie van Zijne Majesteit, voor ik Paradise Fields kende en kort nadat Sarah in mijn moeders huis was komen werken. En in plaats van opgeblazen retoriek te gebruiken zal ik vertellen hoe ik op een dag het huisje van de Blundy's bezocht om nog een paar vragen over de muiterij te stellen. Toen ik de laan afwandelde, zag ik een kleine, pezige man uit het huisje komen en met vlugge passen de andere kant op lopen; op zijn rug had hij een ransel zoals reizigers gebruiken. Ik keek hem nieuwsgierig na, louter omdat hij uit het huis van Sarah kwam. Hij was niet jong en niet oud, maar had een besliste tred en liep weg zonder om te kijken. Ik zag zijn gezicht maar kort, dat fris en vriendelijk was, zij het diep gegroefd en verweerd als van een man die het grootste deel van zijn leven buiten had verkeerd. Hij was gladgeschoren en had een warrige bos lichtbruin, bijna blond haar, niet bedekt door enig hoofddeksel. Hij was tenger gebouwd en niet lang, maar hij straalde een pezige kracht uit alsof hij gewend was grote ontberingen te verdragen zonder een krimp te geven.

Het was de enige keer dat ik ooit Ned Blundy zag en ik vind het heel jammer dat ik niet een paar minuten eerder was gekomen, daar ik hem dolgraag had willen uithoren. Sarah zei echter dat dat tijdverspilling voor me zou zijn geweest. Hij was nooit open tegen vreemden en het duurde lang voor hij iemand zijn vertrouwen schonk; ze dacht dat het heel onwaarschijnlijk was dat hij toeschietelijk zou zijn geweest, zelfs als hij niet zo volkomen door andere zaken in beslag was genomen tijdens wat later zijn laatste bezoek zou blijken te zijn.

'Ik had toch graag kennis met hem willen maken,' zei ik, 'omdat we elkaar in de toekomst misschien vaker zien. Verwachtte je hem?'

'Nee, helemaal niet. We hebben hem de afgelopen jaren maar heel weinig gezien. Hij is voortdurend onderweg en mijn moeder is nu te oud om hem te vergezellen. Hij vond het trouwens ook beter dat we hier bleven en een eigen leven opbouwden. Hij heeft misschien gelijk, maar ik mis hem erg; hij is de liefste man die ik ken. Ik maak me zorgen om hem.'

'Hoezo? Ik zag hem niet zo goed, maar hij zag eruit als een man die wel voor zichzelf kan zorgen.'

'Ik hoop het. Ik heb er nooit eerder aan getwijfeld. Maar hij was zo zwaarmoedig toen hij afscheid nam dat ik er bang van werd. Hij sprak zo ernstig en waarschuwde ons zo om op te passen dat ik me zorgen maak.'

'Het is toch zeker normaal dat een man bezorgd is om zijn gezin als hij er niet is om het te beschermen?'

'Ken je een man die John Thurloe heet? Heb je wel eens van hem gehoord?'

'Natuurlijk ken ik die naam. Ik vind het vreemd dat jij hem niet kent. Waarom vraag je dat?'

'Hij is een van de mensen voor wie ik moet oppassen.'

'Hoezo?'

'Omdat mijn vader zegt dat hij dat van me wil hebben als hij erachter komt dat ik het heb.'

Ze wees op een groot, in zeildoek gewikkeld pak dat op de grond bij de haard lag, dat met dik touw was dichtgeknoopt en op elke hoek met lak was verzegeld.

Hij heeft me niet verteld wat erin zit, maar hij zei dat ik erdoor zou sterven als ik het openmaakte, of als iemand ooit ontdekte dat het hier was. Ik moet het veilig wegbergen en er nooit een woord tegen iemand over zeggen tot hij hij het weer komt ophalen.'

'Ken je het verhaal van Pandora?'

Ze fronste en schudde haar hoofd, dus vertelde ik haar het verhaal. Ondanks het feit dat ze er niet helemaal met haar gedachten bij was, luisterde ze en stelde zinnige vragen.

'Ik beschouw het als een goede waarschuwing,' zei ze, 'maar ik ben van plan hem hoe dan ook te gehoorzamen.'

'Maar je vertelt het mij wel, nog voor je vader buiten de stadsmuren is.'

'Er is hier geen plek in huis om het te verstoppen waar een vastberaden zoeker het niet binnen een paar minuten zou vinden, en we hebben maar weinig betrouwbare vrienden die niet ook aan een onderzoek zouden worden onderworpen. Ik wil u een heel grote gunst vragen, mijnheer Wood, omdat ik u vertrouw en denk dat u een man van uw woord bent. Wilt u dit pak voor me verbergen? Beloof me dat u het niet zonder mijn toestemming zult openmaken en nooit het bestaan ervan aan iemand zal verklappen.'

'Wat zit erin?'

'Ik heb u al gezegd dat ik dat niet weet. Maar ik kan u wel zeggen dat niets dat mijn vader doet laag, wreed of kwaadaardig is. Het is maar voor een paar weken, en dan kunt u het aan me teruggeven.'

Dit gesprek – dat ermee eindigde dat ik toestemde – kan iedereen die dit leest vreemd voorkomen. Want het was even dwaas van Sarah om me vertrouwen als het van mij was om een pakje te verbergen dat wie weet wat voor gruwelen bevatte die me hadden kunnen schaden. En toch was het voor allebei een wijze keus; mijn eenmaal gegeven woord is heilig en ik peinsde er geen moment over om haar vertrouwen te schenden. Ik nam de bundel mee en verborg hem bij me thuis onder de vloer, waar hij door niemand vermoed onaangeroerd bleef liggen. Ik dacht er niet aan om het pak open te maken of op enige manier mijn belofte te verbreken. Ik stemde toe omdat ik er nooit aan dacht dat niet te doen; ik was al door haar betoverd en willigde graag ieder verzoek in dat haar aan me bond en mij haar dankbaarheid opleverde.

Natuurlijk was dit het pak dat de documenten bevatte die Blundy aan sir James Prestcott had laten zien en die Thurloe zo gevaarlijk achtte dat hij jarenlang probeerde ze in handen te krijgen. Ze waren de oorzaak van Anne

Blundy's fatale letsel tijdens de laatste huiszoeking door zijn mannen. Het was om deze papieren te vinden dat Thurloes agenten, toen Blundy dood was en sir James Prestcott was gevlucht, over het land uitwaaierden met alle volmachten die ze maar wensten. Om die bundel te vinden werd Sarahs huis doorzocht en nog een keer overhoopgehaald, en werden haar vrienden en ook die van haar vader en moeder scherp en bruut ondervraagd. Voor dit pakket kwam Cola naar Oxford en voor hetzelfde pakket speelde Thurloe Jack Prestcott en doctor Wallis zo tegen elkaar uit dat ze ervoor zorgden dat Sarah werd gehangen opdat ze nimmer kon vertellen waar het zich bevond.

En ik wist hier niets vanaf, maar bewaarde het zo zorgvuldig als ik had beloofd, en niemand dacht er ooit aan mij ernaar te vragen.

✍

Ik vrees ten zeerste dat mijn relaas, als iemand zich genoopt voelde het te lezen, niet zo zal bevallen als de drie andere waarop het is gebaseerd. Ik wou dat ik ook op die manier een simpele, rechtlijnige opsomming van gebeurtenissen kon geven, vol met duidelijke verklaringen en boeiend door de adamanten omhelzing van de overtuiging. Ik kan dat echter niet doen, omdat de waarheid niet zo eenvoudig is; deze drie heren tonen slechts een schijnbeeld van waarachtigheid, zoals ik naar ik hoop al heb aangetoond. Ik ben verplicht geen tegenstrijdigheid of complicatie achterwege te laten, en ook ben ik niet zo overtuigd van mijn eigen belangrijkheid dat ik voldoende zelfvertrouwen heb om alles behalve wat ikzelf deed, zag en zei weg te laten, want ik geloof niet dat mijn eigen aanwezigheid van essentieel belang was. Ik moet alle fragmenten optekenen, alles dooreen, en moet kriskras door de jaren heen gaan.

Dus nu spring ik weer vooruit en vangt mijn verhaal werkelijk aan. Rond midden 1662, toen ik Sarah Blundy al bijna drie jaar kende en het koninkrijk al twee jaar vrede, was ik redelijk tevreden met mijn levenslot. Mijn dagelijkse routine was even onwrikbaar als lonend. Ik had mijn vrienden met wie ik avonden bijeenkwam, hetzij voor de maaltijd hetzij om muziek te spelen. Ik had mijn werk dat eindelijk de richting kreeg die ik sindsdien ben blijven volgen en steeds rijkere schatten aan kennis opleverde. Mijn familie was in redelijk goeden doen en geen enkel lid ervan, zelfs niet de meest verre neef, gaf ons vrezen, kosten of schande. Ik genoot een vast en onbetwist jaargeld, dat hoe klein het ook was, meer dan toereikend was voor eten en onderdak en alle benodigdheden voor mijn werk. Ik denk dat ik wel iets meer had willen hebben, want al besefte ik toen reeds dat ik nooit de onkosten van een huwelijk op me zou nemen, ik had graag meer geld aan boeken willen uitgeven en me meer willen toeleggen op de daden van barmhartigheid die het leven van een man doen oplichten als ze op een juiste manier worden ondernomen.

Dit was echter een onbeduidende beslommering, daar ik nooit een van die verbitterde, afgunstige mensen ben geweest die verlangen even rijk als hun medemens te zijn en wat zijzelf bezitten als ontoereikend aanmerken. Al mijn vrienden uit die tijd zijn veel rijker geworden dan ikzelf. Lower werd bijvoorbeeld de meest gevraagde arts van Londen; John Locke is in grootse stijl door gulle en schatrijke beschermheren onderhouden en ontving talloze toelages en jaargelden van de regering, voordat de afgunst van de machtigen hem tot verbanning dwong. Zelfs Thomas Ken werkte zich omhoog tot een vet bisdom. Maar ik zou niet met hen willen ruilen, want zij moeten zich voortdurend met dat soort zaken bezighouden. Ze leven in een wereld waarin je als je niet voortdurend hoger stijgt, onvermijdelijk moet vallen. Geld en roem zijn beide van de vluchtigste natuur; ik bezit geen van beide en kan ze dus ook niet verliezen.

Daarbij komt dat ik weet dat geen van de drie heren tevreden is; ze zijn zich te goed bewust van de prijs van hun geld. Alle drie betreuren ze hun voorbije jeugdjaren, toen ze dachten dat ze hun eigen weg zouden gaan en van grootse dingen droomden. Zonder de veeleisendheid van zijn familie – het voortdurend voeden van zijn eigen kinderen en die van zijn broer – was Lower misschien in Oxford gebleven en had hij zijn naam diep in de boom van befaamdheid gesneden. Maar in plaats daarvan ging hij werken als arts voor de rijken en heeft hij sindsdien geen zinnig werk meer verricht. Locke verafschuwt degenen die hem zo goed belonen, maar is te zeer aan zijn goede leventje gewend geraakt om dat in de steek te laten, hetgeen betekent dat hij nu voor zijn eigen veiligheid in Amsterdam moet wonen. En Ken? Welk een keuze heeft hij gemaakt! Misschien dat hij op een dag openlijk zal verkondigen waar hij werkelijk in gelooft. Tot dan zal hij in zijn zelfgeschapen kwelling gevangenzitten en blijven proberen de bezoekingen van zijn zelfkritiek door zijn steeds buitensporiger liefdadigheidswerken te bezweren.

Zolang als ik mijn arbeid heb gehad, ben ik tevreden geweest en heb ik niet meer gewild. Met name in die tijd geloofde ik dat ik het schitterend voor elkaar had en had ik geen last van mismoedige verlangens die me afleidden. Ik was, zoals ik al zei, verheugd dat ik Sarah een goede en betrouwbare positie bij doctor Grove had bezorgd en zelfvoldaan in de overtuiging dat de gerieflijke stroom van mijn leven ongestoord verder zou kabbelen. Dit mocht niet zo zijn, want stukje bij beetje sloopten de gebeurtenissen die worden verhaald in de drie manuscripten die ik heb gelezen, mijn kleine wereld binnen en verstoorden die danig. Het duurde echt een heel lange tijd voor ik in staat was weer iets van de evenwichtigheid terug te vinden die zowel voor gedegen wetenschappelijk onderzoek als voor een vredig bestaan vereist is. Ik geloof trouwens dat ik die nooit hervonden heb.

De eerste speldenprik in mijn zeepbel van tevredenheid kwam aan het einde van de herfst. Ik zat in een taveerne, waar ik had uitgerust na een dag lang tussen de stoffige boeken van de Bodleian te hebben gewerkt. Ik voelde me helemaal kalm en uitgerust en er spookten geen gedachten in mijn hoofd rond die me bezighielden, toen ik een flard van een gesprek opving tussen twee minne en afstotelijke poorters. Ik wilde niet luisteren en het was ook niet mijn bedoeling, maar soms gaat het niet anders; woorden dringen zich aan je op en laten zich niet buitensluiten. En hoe meer ik hoorde, hoe meer ik moest horen, want door hun roddelpraat verstijfde ik en werd ik steenkoud.

'Die meid van Blundy, die radicalen-slet.' Dat was denk ik de eerste zin die mijn oren trof in het algemene geroezemoes in het vertrek. Vervolgens ving ik woord na woord meer van het gesprek op. 'Loopse teef.' 'Iedere keer als ze zijn kamer een beurt geeft.' 'Arme kerel, ze heeft 'm vast behekst.' 'Ik zou er ook wel 's op willen.' 'Het is nog wel een geestelijke. Ze zijn allemaal hetzelfde.' 'Je kunt het zo zien als je goed kijkt.' 'Doctor Grove.' 'Ze spreidt haar benen voor Jan en alleman.' 'Is er iemand niet over d'r heen gegaan?'

Ik weet nu dat deze gore en walgelijke praatjes absoluut onwaar zijn, hoewel ik niet wist dat ze oorspronkelijk van Prestcott afkomstig waren, na zijn brute verkrachting, tot ik zijn manuscript had gelezen. Zelfs toen geloofde ik niet onmiddellijk wat ik hoorde, want in dronkenschap worden er veel vuile en opschepperige verhalen verteld en als ze allemaal waar waren, was er ternauwernood nog een deugdzame vrouw in het land. Nee, het was pas toen Prestcott zelf naar me toe kwam dat mijn weigering in twijfel omsloeg en de demonen mijn geest binnenslopen en aan mijn ziel gingen knagen, waardoor ik haatdragend en achterdochtig werd.

Prestcott heeft verteld hoe we elkaar voor het eerst ontmoetten, toen ik er door Thomas Ken bij werd gehaald om hulp te bieden: Ken hoopte dat ik zou doen wat hij niet kon en de knaap zou overhalen om zijn hopeloze speurtocht op te geven. Ken had het volgens mij wel geprobeerd, maar Prestcotts heftige reactie op iedere kritiek belette zijn pogingen. Hij hoopte dat een overtuigende beschrijving van de feiten een redelijke reactie teweeg zou brengen en dat Prestcott naar me zou luisteren als ik zo'n verslag gaf.

Er was echter maar een korte kennismaking voor nodig om me in te laten zien dat ik mijnheer Prestcott niet mocht en dat ik ook geen zin had om me met zijn fantasieën in te laten. Dus toen hij me later op straat zag lopen en me aanriep, sloeg de schrik me om het hart en verzon ik snel een verhaal waarom ik nog niet met mijn onderzoek klaar was.

'Dat geeft niet, mijnheer,' zei hij joviaal, 'omdat ik er op het moment toch niets mee kan doen. Ik vertrek binnenkort naar het platteland, naar mijn mensen en dan naar Londen. Het kan wachten tot ik weer terug ben. Nee, mijnheer Wood, ik moet u over iets heel bepaalds spreken, want ik wil u waarschuwen. Ik weet dat u uit een fatsoenlijke familie komt en dat daarbinnen weer niemand fatsoenlijker is dan uw bewonderenswaardige moeder, en ik ben niet van zins zwijgend toe te zien hoe uw naam bezoedeld wordt.'

'Dat is erg aardig van u,' zei ik verbaasd. 'Ik weet zeker dat er niets is waar we ons zorgen over hoeven te maken. Wat bedoelt u precies?'

'U hebt toch een dienstmeid, nietwaar? Sarah Blundy?'

Ik knikte en werd bekropen door een onheilspellend gevoel van bezorgdheid. 'Inderdaad. Een goede werkster – ijverig, gedienstig en gehoorzaam.'

'Zo doet ze zich ongetwijfeld voor. Maar zoals u weet, kan schijn bedriegen. Ik moet u zeggen dat haar karakter niet zo goed is als u misschien denkt.'

'Dat spijt me om te horen.'

'En het spijt mij dat ik het u moet zeggen. Ik ben bang dat ze vleselijke gemeenschap heeft met een van haar andere werkgevers, ene doctor Grove van New College. Kent u hem?'

Ik knikte koeltjes. 'Hoe weet u dit?'

'Dat heeft ze me verteld. Ze ging er prat op.'

'Ik kan dat moeilijk geloven.'

'Ik niet. Ze kwam naar me toe en bood zichzelf veil op de liederlijkste en grofste manier. Uiteraard wees ik het aanbod af, en ze zei min of meer dat vele anderen voor haar kwaliteiten konden instaan. "Heel wat tevreden klanten," zei ze met een grijns, en ze voegde eraan toe dat doctor Grove een nieuw mens was geworden sinds ze was overgegaan hem het soort bevrediging te geven dat de Kerk hem niet kon verschaffen.'

'U grieft me zeer door wat u zegt.'

'Daar verontschuldig ik me voor. Maar ik dacht dat het het beste was...'

'Natuurlijk. Vriendelijk dat u de moeite hebt genomen.'

Dat was de essentie van het gesprek; er werd zeker niet veel meer gezegd, maar wat een gevolg had het op mijn gemoedsgesteldheid! Mijn eerste opwelling was om alles wat hij me had verteld geheel te verwerpen en mezelf ervan te overtuigen dat wat ik van het meisje wist en wat mijn gevoel me over haar goedheid zei, waardevoller was dan de woorden van een buitenstaander. Maar mijn achterdocht knaagde aan me en wilde zich niet laten sussen; uiteindelijk werd ik er geheel door verteerd. Kon mijn eigen idee van hoe zij was als waardevoller bewijs worden beschouwd dan de feitelijke ervaring van iemand anders? Ik dacht over haar op een bepaalde manier; blijkbaar kende Prestcott haar andere kant. En sprak mijn eigen ervaring soms tegen wat hij had gezegd? Had het meisje zich niet vrijelijk aan me gegeven? Ik had haar niet betaald, maar wat zei dat over haar zedelijke instelling? Het was toch zeker slechts ijdelheid van mijn kant om te denken dat ze uit affectie gemeenschap met me had gehad? Hoe meer ik erover dacht, hoe meer ik zag wat de waarheid moest zijn. Zij had me, als enige vrouw ooit, toegestaan haar vleselijk te bekennen en ik was daardoor verblind geraakt in plaats van dat ik begreep dat ik iedereen had kunnen zijn. De verlangens van vrouwen zijn heftiger dan die van mannen; dit is algemeen bekend, maar ik was het vergeten. Als ze opgewonden raken, zijn ze belust en onverzadigbaar en wij arme mannen denken dat het liefde is.

Wat is deze jaloezie, deze emotie die de sterkste man en het deugdzaamste schepsel kan overmeesteren en te gronde richten? Welke alchemie van de geest kan op deze manier liefde omzetten in haat, hunkering in afkeer, verlangen in walging? Hoe komt het dat geen man ter wereld tegen deze brandende omarming bestand is, dat die alle slaap, alle redelijkheid en alle vriendelijkheid in één oogwenk kan verdrijven? Welke beul, vraagt Jean Bodin, kan zo folteren als deze vrees en achterdocht? En niet alleen de mens, want volgens Vives zijn ook duiven jaloers en kunnen zij eraan sterven. Een zwaan te Windsor die een vreemd mannetje bij zijn wijfje vond, achtervolgde de schandelijke vogel mijlenver, doodde hem, en zwom toen weer terug en doodde ook het wijfje. Sommigen zeggen dat het de sterren zijn die jaloezie veroorzaken, maar Leo Afer wijt het aan het klimaat en Morison beweert dat er in Duitsland niet zoveel dronkaards zijn, in Engeland niet zoveel toebakzuigers en in Frankrijk niet zoveel dansers, als er in Italië jaloerse echtgenoten zijn. In Italië zelf zegt men dat de mannen van Piacenza jaloerser zijn dan anderen.

En het is een veranderlijke aandoening, die van plaats tot plaats een andere vorm aanneemt, want wat een man op de ene plek tot razernij brengt, heeft op een andere plek geen effect op hem. In Friesland kust de vrouw de man die haar wijn brengt; in Italië moet een man daarvoor sterven. In Engeland dansen jonge mannen en deernes met elkaar, iets wat in Italië alleen in Siena is toegestaan. Mendoza, een Spaanse gezant in Engeland, vond het weerzinwekkend dat mannen en vrouwen in de kerk naast elkaar zitten, maar hem werd verteld dat zulks alleen in Spanje weerzin wekt omdat mannen daar zelfs op geheiligde plekken wellustige gedachten koesteren.

Daar ik tot zwaarmoedigheid geneigd ben, ben ik vatbaarder voor jaloezie, maar ik ken vele cholerische of sanguinische mensen die er net zo door worden gegrepen; ik was jong en de jeugd is jaloers, hoewel volgens Hiëronymus de ouderen dat erger zijn. Maar een ziekte begrijpen betekent helaas nog niet die kunnen genezen; weten wat de jaloezie veroorzaakt verlicht de aandoening evenmin als weten wat de bron van een koortsaanval is – zelfs nog minder, want in de heelkunst kan een diagnose tot een behandeling leiden, terwijl er voor de jaloezie geen bestaat. Het is als de pest, waarvoor geen geneesmiddel bestaat. Men valt eraan ten prooi en wordt door het heetste vuur verzengd, tot het uiteindelijk uitgewoed raakt of men eraan bezwijkt.

Ik ging gebukt onder de mantel van jaloezie, die mijn ziel verteerde zoals het hemd dat in het bloed van Nessus werd gedoopt, Hercules tot waanzin en zijn dood dreef; het duurde bijna twee weken voor ik de kwelling niet meer kon verdragen. Alles wat ik zag of hoorde in die tijd bevestigde mijn ergste vermoedens en ik klampte me gretig vast aan de geringste aanwijzing of het minste teken van haar schuld. Een keer stond ik op het punt het haar voor de voeten te werpen en begaf me met dat doel naar haar huis, maar toen ik naderbij kwam, zag ik dat de deur openging en er een onbekende man naar buiten kwam, die buigend afscheid nam en met de grootste zwier zijn hoogachting betuigde. Ik was er ogenblikkelijk van overtuigd dat dit een of andere klant was en dat ze nu zo diep in schande verzonken was dat ze zich, zichtbaar voor iedereen, veil bood in haar eigen huis. Ik was zo kwaad en ontzet dat ik me omdraaide en wegliep; mijn angst was zo allesverterend dat ik rechtstreeks naar mijn kamer ging en mezelf aan een zeer intiem onderzoek onderwierp, want het gevaar om met pokken overdekt te raken beheerste volledig mijn gedachten. Ik vond niets, maar was daardoor nauwelijks gerustgesteld, omdat ik niets van de aandoening af wist. Ik verzamelde dus al mijn moed en bracht rood van schaamte een bezoek aan Lower.

'Dick,' zei ik, 'ik moet je een grote gunst vragen en smeek je om absolute discretie.'

We zaten in zijn kamers in Christ Church, een grieflijk appartement in het hoofdgebouw waar hij nu al enkele jaren woonde. Toen ik aankwam was Locke er ook, dus dwong ik mezelf tot luchtige conversatie, vastbesloten zo lang te wachten als nodig was tot we alleen waren. Uiteindelijk ging Locke weg en vroeg Lower wat ik hem van hem wilde.

'Vraag maar, en als het in mijn macht ligt doe ik het graag. Je ziet er erg zorgelijk uit, mijn beste. Ben je ziek?'

'Ik hoop van niet. Dat is wat ik wil dat je vaststelt.'

'En wat denk je dat je hebt? Welke symptomen heb je?'

'Geen.'

'Geen symptomen? Helemaal niets? Dat klinkt me heel ernstig in de oren. Ik zal je grondig onderzoeken en je dan de duurste medicijnen in mijn apotheek voorschrijven, en je zult in één klap beter zijn. Lieve god, mijnheer Wood,' zei hij lachend, 'je bent de ideale patiënt; als ik tien patiënten had zoals jij, zou ik zowel rijk als beroemd zijn.'

'Maak geen grapjes, mijnheer. Het is me grote ernst. Ik vrees dat ik een schokkende ziekte heb opgelopen.'

De manier waarop ik sprak overtuigde hem ervan dat ik het ernstig meende en als de goede dokter en zachtmoedige vriend die hij was, liet hij onmiddellijk zijn schertsende toon varen. 'Je maakt je echt zorgen, dat kan ik zien, maar je moet wat openhartiger zijn. Hoe kan ik vaststellen wat je ziekte is als je het me niet eerst vertelt? Ik ben dokter, geen helderziende.'

Dus met de grootste tegenzin en bang voor zijn spot, vertelde ik hem alles. Lower gromde. 'Dus je denkt dat die sloerie met iedereen in Oxfordshire naar bed is geweest?'

'Ik weet het niet. Maar als de berichten kloppen, dan loop ik de kans ziek te worden.'

'Maar je zegt dat dit al twee jaar of langer aan de gang is. Ik weet dat venusziektes gewoonlijk enige tijd duren voor ze zich kenbaar maken,' gaf hij toe, 'maar toch zelden zo lang. Je hebt niets aan haar gezien? Geen zweren of puisten? Geen lopende etter of wittige excreties?'

'Ik heb niet gekeken,' zei ik, zwaar gekrenkt door die suggestie.

'Dat is jammer. Ikzelf kijk altijd heel nauwkeurig en ik raad je aan in de toekomst hetzelfde te doen. Het hoeft niet op te vallen, weet je. Met een beetje oefening kun je het doen onder het mom van een liefdesbetuiging.'

'Lower, ik wil je goede raad niet, ik wil een diagnose. Ben ik ziek of niet?'

Hij zuchtte. 'Laat dan je broek maar zakken. We zullen eens kijken.'

Zwaar gegeneerd door de vernedering deed ik wat hij vroeg en Lower onderwierp me aan een zeer intiem onderzoek, waarbij hij optilde, trok en tuurde. Toen hield hij zijn gezicht dicht bij mijn edele delen en snoof. 'Het is helemaal in orde volgens mij,' zei hij. 'In ongerepte toestand, mag ik wel zeggen. Nauwelijks uit de verpakking gehaald.'

Ik slaakte een zucht van opluchting. 'Dus ik ben niet ziek.'

'Dat heb ik niet gezegd. Er zijn geen symptomen, dat is alles. Ik stel voor dat je een paar weken lang forse doses medicijnen inneemt, om absoluut zeker te zijn. Als je te verlegen bent om ze zelf te halen, zal ik wat bij mijnheer Crosse kopen en ze je morgen geven.'

'Dank je. Dank je zeer.'

'Graag gedaan. Kleed je maar weer snel aan. Ik stel overigens voor dat je alle intieme omgang met die meid uit de weg gaat. Als het klopt wat de berichten zeggen, zal ze vroeg of laat een gevaar worden.'

'Dat ben ik ook zeker van plan.'

'En we moeten bekendmaken wat voor type ze is, voordat anderen in haar netten verstrikt raken.'

'Nee,' zei ik, 'dat kan ik niet toestaan. Als de berichten nu eens onjuist zijn? Ik zou haar niet onterecht willen belasteren.'

'Je gevoel voor rechtvaardigheid siert je. Maar je moet je er niet achter verschuilen. Mensen zoals zij tasten iedere samenleving aan en moeten aan het licht worden gebracht. Als je per se kieskeurig wilt zijn, vraag er haar dan zelf naar om erachter te komen. Op z'n minst moeten we het doctor Grove laten weten, zodat hij zijn maatregelen kan nemen als hij wil.'

Ik maakte geen haast; ik had meer nodig dan roddel en de verklaring van Jack Prestcott voor ik bereid was iets te ondernemen. In plaats daarvan hield ik haar scherper in de gaten en (beken ik met schaamte) volgde haar af en toe als ze klaar was met haar huishoudelijke taken. Ik was zeer ontsteld toen mijn ergste vrees nog sterker bevestigd werd, want verschillende keren ging ze niet naar huis, of slechts kort. In plaats daarvan zag ik dat ze de stad uit liep en, één keer, doelbewust richting Abingdon liep, een stad vol soldaten waarvan ik wist dat er een grote vraag naar hoeren bestond. Ik kon geen andere verklaring bedenken en tot mijn ergernis zie ik dat Wallis, toen hij dezelfde informatie kreeg, besloot dat de enige verklaring was dat ze berichten van en naar de radicalen bracht. Ik vermeld dit om op het gevaar van ontoereikend en eenzijdig bewijsmateriaal te wijzen, want we hadden beiden ongelijk.

Maar toentertijd zag ik dat niet in, hoewel ik denk dat ik bereid was onbevooroordeeld en onbeschroomd naar iedere verklaring te luisteren die ze wellicht te bieden had. De volgende dag, na een slapeloze nacht waarin ik hartgrondig wenste dat mij de confrontatie bespaard zou blijven, zei ik tegen Sarah toen ze naar mijn kamer kwam, dat ze moest gaan zitten omdat ik haar over een zeer ernstige aangelegenheid wilde spreken.

Ze zat stil te wachten. Ik had gemerkt dat ze in de afgelopen paar dagen niet in haar gewone doen was geweest en minder hard had gewerkt en minder opgewekt was dan gebruikelijk. Ik had er niet veel aandacht aan geschonken omdat alle vrouwen aan dit soort buien onderhevig zijn en had nauwelijks gemerkt dat zoiets voor haar ongewoon was. Ik wist toen niet, en ontdekte het pas nadat ik Jack Prestcotts manuscript had gelezen, dat dit kwam doordat hij haar bruut had aangerand. Uiteraard kon ze daar niemand iets over vertellen – welke vrouwelijke reputatie kon zo'n schande verdragen? – maar ze vergat een eenmaal begaan vergrijp niet zo gemakkelijk. Ik begrijp ten volle waarom Prestcott zich overgaf aan het waanidee dat ze hem uit wraak had behekst, hoe belachelijk die overtuiging ook is. Want haar haat jegens de kwaadaardigheid van anderen was onverzoenlijk, zozeer had ze in haar opvoeding geleerd rechtvaardigheid te verwachten.

Ik had wel gemerkt dat ze mijn toenaderingen had afgewezen en zich snel aan mij onttrok toen ik haar een keer probeerde aan te raken. Ze schokte met haar schouder in wat afschuw leek van mijn hand op haar arm. Ik was er eerst door gekwetst en beschouwde het toen als het zoveelste bewijs dat ze zich van mij losmaakte voor de rijkere beloning die doctor Grove haar gaf. Wederom, ik kende niet de precieze waarheid tot ik die in Prestcotts kriebelige handschrift zag opgetekend.

'Ik moet je spreken over een zeer belangrijke kwestie,' zei ik, toen ik mezelf goed had voorbereid. Ik kan me nog goed herinneren dat ik merkte dat ik een vreemde druk op mijn borst voelde toen ik begon te praten en dat mijn woorden er hortend uit kwamen, alsof ik een heel stuk had gerend. 'Ik heb vreselijke berichten gehoord, die onmiddellijk tot klaarheid moeten worden gebracht.'

Ze ging zitten en keek me bot aan, met nauwelijks enige belangstelling op haar gezicht. Ik geloof dat ik stotterde en over mijn woorden struikelde, terwijl ik mezelf dwong het gesprek voort te zetten. Ik draaide me zelfs om om mijn boekenplanken te bestuderen, zodat ik haar niet hoefde aan te kijken.

'Er is mij een ernstige klacht over je gedrag ter ore gekomen. En wel dat jij je schaamteloos en ordinair aan iemand van de universiteit hebt aangeboden en op walgelijke wijze ontucht met hem hebt bedreven.'

Weer viel er een poosje een stilte voor ze antwoordde: 'Dat is waar.'

Dat mijn vermoedens en de berichten bevestigd werden, troostte me niet. Ik had gehoopt dat ze de beschuldiging verontwaardigd van de hand zou wijzen, waardoor ik haar had kunnen vergeven en we op de oude voet verder hadden kunnen gaan. Zelfs op dat moment trok ik nog geen voorbarige conclusie. Bewijzen moeten onafhankelijk bevestigd worden.

'En wie is die man?' vroeg ik.

'Een zogenaamde heer,' zei ze. 'Zijn naam is Anthony Wood.'

'Hou je onbeschaamdheid voor je!' riep ik woedend uit. 'Je weet heel goed wat ik bedoel.'

'Is dat zo?'

'Ja. Niet alleen heb je mijn edelmoedigheid misbruikt door doctor Grove van New College te verleiden, maar alsof dat nog niet erg genoeg was, heb je jezelf ook opgedrongen aan mijnheer Prestcott, een student, en geprobeerd je door hem te laten bevredigen. Ontken het niet, want ik heb het uit zijn eigen mond gehoord.'

Ze verbleekte, en dat ik aannam dat dit kwam door de schok dat ik haar slinkse streken had ontdekt, beschouw ik als een aanwijzing voor de dwaasheid van degenen die geloven dat men het karakter van een gezicht kan aflezen. 'Hebt u dat gehoord?' vroeg ze met wit weggetrokken gezicht. 'Uit zijn eigen mond nog wel?'

'Inderdaad.'

'Dan moet het wel waar zijn. Want een flinke jongeman als mijnheer Prestcott zou zeker nooit liegen. Bovendien is hij een heer en ben ik alleen maar de dochter van een soldaat.'

'Klopt het dan? Is het zo?'

'Waarom vraagt u het mij? U denkt dat het zo is. U kent me nu – hoelang? Bijna vier jaar al, en u gelooft het.'

'Waarom zou ik het niet geloven? Je gedrag is er volkomen mee in overeenstemming. Waarom zou ik je vertrouwen als je het ontkent?'

'Ik heb niets ontkend,' zei ze. 'Ik vind dat het u niets aangaat.'

'Ik ben je werkgever,' zei ik. 'Voor de wet ben ik je vader en ben ik in alle opzichten verantwoordelijk voor je gedrag. Dus zeg me: wie was de man die ik gisteren uit je huis zag komen?'

Ze keek een ogenblik verward en begreep toen wie ik bedoelde. 'Dat was een Ier die me kwam bezoeken. Hij kwam van ver.'

'Wat kwam hij doen?'

'Dat gaat u ook niets aan.'

'Wel waar. Ik ben het verplicht aan mezelf en aan jou om te voorkomen dat je schande over deze familie brengt. Wat zullen de mensen zeggen als het algemeen bekend wordt dat de Woods een hoer in dienst hebben?'

'Misschien zeggen ze wel dat de heer des huizes, mijnheer Anthony

Wood, ook met de slet naar bed gaat wanneer hij maar even kan. Dat hij haar naar Paradise Fields brengt en daar ontucht met haar bedrijft voor hij naar de bibliotheek verdwijnt en toespraken houdt over het gedrag van anderen.'

'Dat is iets anders.'

'Waarom dan?'

'Ik heb hier geen discussie met jou over abstracte zaken. Dit is een ernstige aangelegenheid. Maar als je zoiets met mij kunt doen, dan kun je dat ook met anderen. En dat is dus duidelijk het geval.'

'Dus hoeveel andere sletten kent ú dan, mijnheer Wood?'

Ik was ondertussen rood aangelopen van woede en gaf haar volledig de schuld van wat er daarna gebeurde. Het enige dat ik had gewild, was een of ander openhartig antwoord. Ik had gewild dat ze alles ontkende, zodat ik haar grootmoedig van alle blaam kon zuiveren. Of dat ze het ronduit bekend had en om mijn vergiffenis had gesmeekt, die ik haar dan graag had geschonken. Maar ze weigerde beide te doen en had in plaats daarvan de brutaliteit mijn beschuldigingen recht in mijn gezicht terug te kaatsen. Razendsnel, zo leek het, stortten we in de duisternis van onze omgang, want wat er ook tussen ons was voorgevallen, ik was nog steeds haar meester. Door haar woorden had ze duidelijk gemaakt dat ze dit was vergeten, en nu maakte ze misbruik van onze intimiteit. Geen verstandig mens zou kunnen toegeven dat er enige overeenkomst in onze gedragingen was, zelfs als de beschuldiging enig hout had gesneden, want zij had verplichtingen aan mij terwijl ik op geen enkele manier van haar afhankelijk was. Noch zou iemand de vunzigheid van haar woorden tegen mij hebben geduld; zelfs in het vuur van de hartstocht had ik haar nooit anders dan met de grootste wellevendheid aangesproken en ik kon dergelijke taal niet dulden.

Onthutst door wat ze gezegd had, stond ik op en deed een stap in haar richting. Ze deinsde terug tegen de muur, haar ogen opengesperd van woede, en wees naar me met gestrekte arm in een vreemd beangstigend gebaar.

'Kom geen stap dichterbij,' siste ze.

Ik bleef stokstijf staan. Ik weet niet meer wat ik van plan was. Ik denk niet dat ik gewelddadigheid in de zin had, want ik ben nooit iemand geweest die zoiets deed. Zelfs de slechtste bediende heeft nooit een klap van me gekregen, hoezeer die ook verdiend was. Ik beweer niet dat dit een bijzondere eigenschap is en ik weet dat ik in het geval van Sarah haar met liefde bont en blauw had geslagen, als vergelding voor de belediging die ze me had aangedaan. Maar ik ben er zeker van dat ik nooit meer had gedaan dan haar angst proberen aan te jagen.

Die angst was echter genoeg voor haar om al het vertoon van onderdanigheid te laten varen. Ik weet niet wat ze had gedaan als ik een stap verder had gezet, maar ik voelde toen een enorme wilskracht in haar, en voelde me niet in staat om die te trotseren.

'Verdwijn uit mijn huis,' zei ik toen ze haar arm had laten zakken. 'Je bent ontslagen. Ik zal geen klacht tegen je indienen, hoezeer ik daar ook het recht toe heb. Maar ik wil je hier nooit meer zien.'

Zonder een woord te zeggen, maar met een blik van de puurste verachting liep ze de kamer uit. Een paar seconden later hoorde ik de voordeur dichtvallen.

4

ALS IK PRESTCOTT WAS GEWEEST, had ik door dit treffen tot de slotsom kunnen komen dat Sarah door de duivel bezeten was; er had zonder meer iets machtigs en schrikwekkend, in haar gebaar en vlammende ogen gelegen. Dit is iets waarop ik op het gepaste moment zal terugkomen; nu kan ik slechts zeggen dat die gedachte niet alleen nooit bij me opkwam, maar dat ik ook Prestcotts veronderstelling absoluut kan weerleggen.

Daar is niet buitengewoon veel kennis voor nodig; zelfs volgens zijn eigen verhaal waren Prestcotts conclusies onjuist en werd hij misleid door zijn eigen ontwetendheid en waanideeën. Hij zegt bijvoorbeeld dat demonen het lichaam van sir William Compton innamen en dat van vorm veranderden, maar dit wordt duidelijk door alle gezaghebbende literatuur tegengesproken, want de *Malleus Maleficarum* stelt onomwonden dat zoiets niet mogelijk is. Aristoteles zegt dat dit alleen door natuurlijke oorzaken kan gebeuren, met name door de sterren, hoewel Dionysius beweert dat de duivel de sterren niet kan veranderen: God staat het niet toe. Prestcott vond nooit enig bewijs dat Sarah een bezwering over zijn haar en bloed had uitgesproken en de visioenen die hij kreeg waren volgens mij meer te wijten aan de duivels die hijzelf in zijn geest had binnengelaten dan door demonen die anderen hadden gestuurd.

En ook de tekenen die hijzelf had opgeroepen, las hij niet correct, want in de kom water die Anne Blundy hem toonde, zocht hij de aanstichter van zijn ongeluk en zij toonde hem de waarheid. Hij zag, heel duidelijk, zijn eigen vader en een jonge man; die man was volgens mij niemand anders dan hijzelf. Die twee mensen riepen alle problemen over zichzelf af vanwege hun kwaadaardigheid en ontrouw. Greatorex herhaalde de waarschuwing, en weer negeerde hij die. Jack Prestcott had het antwoord binnen handbereik, Wallis zegt het met zoveel woorden en ik weet dat het waar is, maar in zijn waanzin gaf hij anderen de schuld en hielp hij Sarah kapot te maken en iedere hoop voorgoed buiten zijn bereik te brengen.

Hij bracht die ook bijna buiten mijn bereik. In de maanden daarop zag ik Sarah nauwelijks meer, want ik was teruggegaan naar mijn manuscripten en aantekeningenboeken. Maar als ik niet werkte, keerden mijn gedachten onophoudelijk en hardnekkig naar haar terug en mijn smart verwerd tot wrok en vervolgens tot bittere haat. Ik was verheugd toen ik hoorde dat doctor Grove haar had weggezonden en dat ze nu helemaal zonder werk zat. Ik vond het bevredigend dat niemand anders haar in dienst wilde nemen uit vrees voor commentaar; en ik zag haar een keer op straat, met een gezicht rood van woede en vernedering, als mikpunt van de schunnige opmerkingen van een stel studenten die de verhalen ook hadden gehoord. Dit keer kwam ik niet tussenbeide zoals ik ooit eens had gedaan, maar draaide me om toen ik er zeker van was dat ze me had gezien, zodat ze zou weten dat mijn verachting voor haar onverminderd voortduurde. *Quos laeserunt et oderunt*, aldus Seneca – degenen die je hebt gekwetst, haat je ook – en ik geloof dat ik al voelde dat ik niet helemaal zo juist had gehandeld, maar ik wist niet hoe ik mijn hardvochtigheid moest goedmaken.

Kort nadat dit alles had plaatsgevonden, toen ik nog neerslachtig was en ik me van alles had teruggetrokken – want ik wist dat mijn humeur niet aangenaam was en vermeed dus het gezelschap van mensen, uit vrees dat ze me zouden vragen wat me scheelde – werd ik bij doctor Wallis ontboden. Dit was een zeldzame gebeurtenis, want hoewel ik voor hem zijn salaris als beheerder van het archief verdiende, vereerde hij me niet vaak met die aandacht; alle zaken tussen ons werden gewoonlijk bij toevallige ontmoetingen, op straat of in de bibliotheek afgehandeld. Zoals iedereen die Wallis kent zich kan indenken, maakte die sommatie me ongerust, want zijn kilheid was werkelijk angstaanjagend. Dit is een van de weinige punten waar Prestcott en Cola het over eens zijn: beiden vonden zijn aanwezigheid verontrustend. Het was volgens mij de uitdrukkingsloosheid van zijn gelaat die voor die ongerustheid zorgde, want het is moeilijk te weten hoe iemand is als alle zichtbare aanwijzingen voor het karakter zo volkomen onderdrukt zijn. Wallis lachte nooit, fronste nooit en toonde nooit enige vreugde of misnoegen. Er was alleen zijn stem – zacht, dreigend, waarin voortdurend een nauwelijks verholen ondertoon van minachting doorklonk, in een beleefdheid die even snel kon verdwijnen als dauw in de zomer.

Het was bij die gelegenheid dat Wallis me vroeg de uitgave van Livius die hij zocht voor hem te vinden. Ik zal niet het gesprek weergeven zoals het feitelijk verliep; ontdaan van zijn neerbuigende opmerkingen over mijn karakter is zijn lezing nauwkeurig genoeg. Ik beloofde hem mijn best te doen en deed dat ook. Ik liet geen bibliotheek onbezocht en viel iedere boekverkoper lastig met vragen. Maar hij vertelde me niet waarom hij het wilde hebben: ik wist nog steeds niets af van Marco da Cola, die verscheidene weken daarna aankwam.

⟳

Ik denk dat ik nu wat uitgebreider op deze heer moet ingaan en tot de kern van de zaak moet komen. Ik weet dat ik abnormaal lang gedraald heb; het is iets wat ik pijnlijk vind om me te herinneren, zo groot was het leed dat hij me aandeed.

Ik hoorde een paar dagen voor ik hem ontmoette van het bestaan van Cola; het was op de avond voor zijn aankomst geloof ik dat ik met Lower in een eethuis zat en hij me daarvan op de hoogte stelde. Hij was er nogal opgewonden over; Lower had in die dagen altijd een voorkeur voor het nieuwe en buitenissige, en hij had het grote verlangen om door de wereld te reizen. Er was niet de geringste kans dat hij dat zou doen, want hij had het geld noch de tijd om te reizen, en bovendien ook nog niet de gemoedsrust om zijn carrière opzij te schuiven. Afwezigheid is het grootste gevaar voor de arts, omdat als hij eenmaal uit het oog van het publiek verdwenen is, het moeilijk is zijn achting weer terug te winnen. Maar hij schepte er enige tijd genoegen in erover te praten hoe hij langs de universiteiten op het vasteland zou trekken, de wetenschapsmensen zou ontmoeten en zou uitvinden waar ze zich mee bezighielden. De komst van Cola wakkerde deze ideeën weer bij hem aan en ik weet zeker dat hij zich voorstelde hoe hij in Venetië zou aankomen en daar door Cola's familie op grote gastvrijheden zou worden onthaald als dank voor de bewezen hoffelijkheden in Oxford.

En hoe vreemd hij hem ook vond, hij vond de man aardig, want Lower was zeer ruimdenkend in zijn opvattingen over de mensheid. Het was overigens moeilijk de kleine Italiaan niet aardig te vinden, tenzij men een kille en achterdochtige inslag had, zoals John Wallis. Hij was klein en neigde al enigszins naar het corpulente; hij was aantrekkelijk gezelschap met zijn heldere, fonkelende ogen die snel schitterden van plezier, en zijn innemende wijze van zich naar je toe buigen terwijl hij zat, die de indruk van geboeide aandacht gaf wanneer je sprak. Hij zat vol opmerkingen over alles wat hij zag en geen daarvan (voor zover ik hoorde) was afkeurend. Cola leek een van die zeldzame blije mensen die alleen het beste en liever niet het ergste van iets zien. Zelfs mijnheer Boyle, die zijn genegenheid maar met de allergrootste moeite liet blijken, leek hem aardig te vinden, ondanks de waarschuwingen van Wallis. Dat was nog wel het meest buitengewone misschien, want Boyle hield van rust en kalmte; hij leed onder geluid en roerigheid alsof het hem fysiek pijn deed, en zelfs tijdens de ontknoping van de spannendste proefneming stond hij op een houding van bedaarde kalmte onder de aanwezige helpers. Domestieken werd verboden met de instrumenten te rammelen en mochten slechts op fluistertoon spreken; alles moest met een bijna religieuze aanpak worden gedaan – want in zijn ogen was de studie der natuur een vorm van godsdienst.

Het succes van de onstuimige, luidruchtige Cola – die altijd in schaterlachen uitbarstte en door zijn klunzige bewegingen voortdurend met veel lawaai en onder harde en overdadige verwensingen tegen stoelen en tafels opliep – was voor ons allemaal dus raadselachtig. Lower schreef het toe aan de duidelijke en oprechte liefde voor het experiment van de Italiaan, maar persoonlijk dacht ik dat het door zijn voorname beminnelijkheid kwam. We zouden met Menander kunnen zeggen dat zijn onthaal de vrucht was van zijn deftige manieren. Mijnheer Boyle was in zijn manier van doen uitermate sober, maar af en toe vermoedde ik dat een deel van hem degenen die luchtig en opgewekt waren bewonderde. Misschien had hij dat graag zelf willen zijn als hij niet zo onder zijn slechte gezondheid had geleden. Ik was me er niet van bewust dat Boyles aandacht gedeeltelijk door bijbedoelingen werd ingegeven, maar zelfs dat is geen afdoende reden, want hij was niet iemand die uit dubbelhartigheid genegenheid kon veinzen. Nee, Wallis' inmenging met Boyle maakt het succes van de Italiaan alleen maar opvallender – of maakt Wallis' overtuiging minder aannemelijk. Want Boyle kende Cola evengoed als wie ook in Engeland en was een goed mensenkenner. Ik kan onmogelijk geloven dat hij zijn genegenheid had geschonken als hij ook maar iets had gemerkt wat aansloot bij de vrees van Wallis. Bovendien hoefde Boyle Wallis niet te vrezen, en ik geloof dat hij hem niet zo mocht. Hij was beter dan wie ook in staat zijn eigen oordeel te vormen en zijn mening moet dus zwaar meewegen als we in deze zaak tot een oordeel willen komen.

De geleidelijke verkoeling in de verhouding tussen Lower en Cola had echter wel veel met Wallis van doen, want gelijk de slang bij Eva bespeelde hij de angsten en verlangens van Lower en manipuleerde hem voor zijn eigen doeleinden. Wallis wist dat Lower wanhopig graag succes wilde hebben want zijn hele familie was van hem afhankelijk, aangezien zijn oudere broer (vanwege de eigenzinnige eisen van diens godsdienstige overtuiging) nooit in de gelegenheid zou zijn om veel steun te bieden. En Lower had een uitgebreide familie, want niet alleen waren zijn ouders nog in leven, hij had ook verscheidene ongetrouwde zusters die bruidsschatten moesten hebben, en talloze veeleisende neven. Louter en alleen om aan een deel van hun verwachtingen te voldoen moest hij wel de succesrijkste dokter van Londen worden. Het zegt veel over zijn plichtsgevoel dat hij zich met zoveel voortvarendheid aan die taak zette, en het zegt evenveel over de drukkende last die dit voor hem was dat hij Cola zo snel als bedreiging voor zijn opklimmen ging beschouwen.

Lower had tenslotte hard gewerkt bij mijnheer Boyle en anderen om hun bescherming te verdienen en te krijgen. Hij had ontelbare karweitjes en diensten verricht zonder betaling en was een ijverig ogendienaar gebleken. De beloning zou Boyles steun worden voor zijn lidmaatschap van het Koninklijke Genootschap; zijn goedkeuring wanneer hij eindelijk genoeg moed had verzameld om zijn werk onder de aandacht van het College van Artsen te bengen; zijn bescherming als de plaats van hofarts vrijkwam, alsmede de enorme patiëntenpraktijk die Boyles goedkeuring hem zou bezorgen als hij zich in Londen zou vestigen. En hij verdiende al het succes en alle steun die Boyle hem kon geven, want hij was werkelijk een uitmuntend arts.

Maar nu hij zo hard had gewerkt en met zijn tweeëndertig jaar op het punt stond het strijdperk te betreden, was hij bang dat die diepgewenste beloning door een of andere gebeurtenis voor zijn neus weggekaapt zou worden. Cola vormde geen bedreiging voor hem en zou dat zelfs niet geweest zijn als hij was geweest wat Lower vreesde, want Boyle begunstigde alleen degenen die het verdienden en trok geen beschermelingen voor. Maar Lowers afgunst en angst werden opgestookt door de woorden van doctor Wallis, die op zijn eerzucht inspeelde en beweerde dat Cola de naam had andermans ideeën te stelen. Ik veroordeel een lichte eerzucht niet (hoewel mijn eigen pad zo anders verlopen is), zoals die Themistocles aanzette de roem van Miltiades te evenaren of Alexander aanvuurde de trofeeën van Achilles te zoeken; maar het is de buitensporige eerzucht die hoogmoed voortbrengt, hovelingen en hun gezinnen tot de bedelstaf brengt en goede mannen tot wrede en roekeloze daden drijft, die door ieder verstandig mens veroordeeld moet worden. Het was de opzet van Wallis om Lower tot deze grote zonde aan te zetten en voor korte tijd slaagde hij daarin, ook al worstelde Lower manhaftig met zijn jaloezie. Zijn innerlijke tweestrijd verergerde volgens mij die stemmingswisselingen, van uitgelatenheid tot somberheid, van overmatige vriendelijkheid tot bittere afkeuring, die Cola zoveel leed deden.

In het begin ging alles echter nog heel goed. Lower liep over van geestdrift toen hij zijn nieuwe kennis beschreef en ik zag dat hij hoopte dat zich een echte vriendschap zou ontwikkelen. Hij behandelde Cola zelfs al met de voorkomendheid en hoffelijkheid die gewoonlijk zijn voorbehouden aan veel oudere vriendschappen.

'Wist je,' zei hij, terwijl hij zich met een schalks geamuseerd lachje vooroverboog, 'dat hij zo'n goed christelijk arts is dat hij het zelfs op zich heeft genomen de oude vrouw Blundy te behandelen? Zonder enige hoop op betaling of beloning. Hoewel, misschien is hij van plan betaling in natura van die meid te vragen; tenslotte is hij Italiaan. Vind je dat ik hem moet waarschuwen?'

Ik negeerde de opmerking. 'Wat is er met de oude vrouw aan de hand?' vroeg ik.

'Ze is blijkbaar gevallen en heeft haar been gebroken. Een gemene wond, als ik het zo hoor, en waarschijnlijk overleeft ze het niet. Cola nam haar als patiënt nadat de dochter het lef had gehad om doctor Grove in het openbaar om geld te vragen.'

'Kan die man er wat van? Weet hij iets van dat soort letsel af?'

'Dat kan ik niet zeggen. Ik weet alleen dat hij geestdriftig aan het werk is getogen, zonder enige acht te slaan op de nadelen van zo'n patiënt. Ik bewonder zijn goedheid, maar niet zijn gezond verstand.'

'Je wilt haar niet zelf behandelen.'

'Alleen met de grootste tegenzin,' zei hij, en hij aarzelde toen. 'Nee, natuurlijk zou ik haar behandelen, maar ik ben blij dat het me niet is gevraagd.'

'Je hebt nogal een genegenheid voor die man opgevat.'

'Nou en of. Het is werkelijk een kostelijk heerschap, en uiterst goed op de hoogte. Ik kijk uit naar vele lange gesprekken tijdens zijn verblijf, dat lang kan duren, daar hij geen geld meer heeft. Je moet een keer langskomen om hem te ontmoeten; er komen tegenwoordig maar weinig en onregelmatig bezoekers naar deze stad. We moeten er gebruik van maken.'

Op dat punt lieten we het onderwerp van rondreizende Italianen rusten en ging het gesprek over op andere zaken. Ik verliet mijn vriend een tijdje later met een vaag gevoel van bezorgdheid, want het deed me verdriet om van het ongeluk van Sarahs moeder te horen. Ons laatste treffen had alweer maanden geleden plaatsgevonden en het verstrijken van de tijd had mijn gevoelens verzacht. Ik ben geen haatdragend mens en merk dat ik geen wrok kan blijven koesteren, hoe ernstig ik ook gegriefd word. Hoewel ik geen lust had om mijn vriendschap te hervatten, wenste ik het gezin niet langer toe door problemen bezocht te worden en ik koesterde nog steeds een bepaalde genegenheid voor de oude vrouw.

Ik beken hier ook weer ronduit dat ik graag een grootmoedige rol wilde spelen. Hoezeer ze me ook had gekwetst, ik wilde me toch barmhartig en vergevensgezind tonen. Misschien was dat wel de grootste straf die ik haar kon toemeten, want ik zou haar de volle omvang van haar dwaasheid doen inzien en me door mijn minzaamheid hoog boven haar verheffen.

Na lang gewikt en gewogen te hebben sloeg ik dus mijn mantel om, zette mijn warmste hoed op en trok mijn dikste handschoenen aan (Cola had zeer zeker gelijk over hoe koud het toen was; mijn vriend mijnheer Plot heeft zorgvuldig metingen verzameld waaruit blijkt dat het bitter koud was. Hoewel de lente maar een week of wat later plotseling en schitterend begon, hield de winter het hele land tot op het laatste moment in zijn ijzige greep) en liep naar het kasteel toe.

Ik was zenuwachtig dat iemand me zou zien en zelfs nog zenuwachtiger om Sarah te zien, daar ik niet verwachtte hartelijk onthaald te worden. Maar ze was er niet. Ik klopte aan, wachtte en ging toen opgelucht naar binnen, met de gedachte dat ik de moeder zou kunnen opbeuren zonder gevaar te lopen haar dochter kwaad te maken. De vrouw lag echter te slapen, ongetwijfeld met behulp van een of ander drankje, en hoewel ik in de verleiding was haar wakker te maken zodat mijn vriendelijkheid niet onopgemerkt zou blijven, weerhield ik mezelf daarvan. Haar gezicht joeg me schrik aan. Het was zo uitgeteerd en bleek dat het een doodshoofd leek; haar ademhaling ging zwaar en raspend, en de stank in de kamer was ondraaglijk. Zoals iedereen ben ik vele malen getuige van de dood geweest; ik heb mijn vader, mijn broers en zusters, mijn neven en mijn vrienden zien sterven. Sommigen jong, sommigen oud, aan verwondingen, ziekte, de pest en gewoon van ouderdom. Ik denk dat niemand de leeftijd van dertig kan bereiken zonder de dood in al zijn gedaantes van dichtbij mee te maken. En hij was in die kamer, loerend op zijn kans.

Op dat moment kon ik niets doen. Anne Blundy had geen praktische hulp nodig die ik kon geven en iedere geestelijke steun zou haar niet welgevallig zijn. Aarzelend stond ik naar haar te kijken, overvallen door die plotselinge machteloosheid die voortkomt uit de wens goed te doen, maar niet te weten hoe, tot voetstappen voor de deur me uit mijn overpeinzingen wekten. Ten prooi aan een angst en een plotselinge tegenzin om oog in oog met Sarah zelf te staan, ging ik vlug het kleine naastgelegen kamertje in, daar ik wist dat er een kleine deur was waardoor ik weer op straat kon komen.

Maar het was Sarah niet. De voetstappen in de kamer waren daarvoor veel te zwaar en ik bleef dus uit nieuwsgierigheid even wachten om te weten te komen wie het huis was binnengekomen. Door voorzichtig door een kier van de deur te gluren – een laffe daad die ik me schaam te bekennen, daar dit het soort bedrieglijkheid is die een heer nooit mag begaan – kon ik zien dat de man in de kamer ernaast die Cola moest zijn; geen Engelsman zou zich (in die tijd althans) ooit op zo'n manier hebben gekleed. Hij gedroeg zich echter erg vreemd en zijn handelingen trokken dusdanig mijn aandacht dat ik mijn slechte gedrag nog verergerde door te blijven toekijken en ervoor te blijven zorgen dat ikzelf niet werd ontdekt.

Allereerst kwam hij binnen en stelde, net als ik had gedaan, vast dat de weduwe Blundy nog steeds diep in slaap was. Toen knielde hij aan haar bed, haalde een rozenkrans te voorschijn en bad een korte tijd intens. Zoals ik al zei, had ik overwogen zelf iets dergelijks te doen op een meer protestante manier, maar ik kende haar goed genoeg om te weten dat dat me ook niet in dank afgenomen zou worden. Maar toen deed hij iets heel vreemd: hij haalde een kleine fiool te voorschijn, ontkurkte die en liet wat olie op zijn vinger druppelen. Hij legde die vinger behoedzaam op haar voorhoofd, maakte het kruisteken en bad nogmaals voor hij het flesje weer in zijn jas stak.

Dit was al vreemd genoeg, ofschoon het verklaard kon worden door een grote persoonlijke devotie, die ik evenzeer kon bewonderen als ik zijn leerdwaling moest afkeuren. Maar daarna verbijsterde hij me volkomen toen hij eensklaps opstond en de kamer begon te doorzoeken. Niet uit loze nieuwsgierigheid, maar grondig en vastberaden. Hij pakte het kleine aantal boeken van de plank en bladerde ze een voor een door voor hij ze schudde om te zien of er iets uit zou dwarrelen. Eén boek, zag ik, stopte hij onder zijn jas, zodat het niet te zien was. Toen opende hij de kleine kist naast de deur waarin alle bezittingen van de Blundy's zaten en haalde die ook overhoop, zorgvuldig zoekend naar iets. Wat het ook was, hij vond het niet want hij sloot het deksel met een diepe zucht en mompelde een of andere verwensing in zijn moedertaal; ik verstond niet wat hij zei, maar het gevoel van teleurstelling en frustratie was duidelijk merkbaar.

Hij stond in de kamer en vroeg zich duidelijk af wat hij nu zou doen, toen Sarah binnenkwam.

'Hoe gaat het met haar?' hoorde ik haar zeggen, en mijn hart roerde zich bij het horen van haar stem.

'Het gaat helemaal niet goed,' zei de Italiaan. Hij had een zwaar accent, maar sprak verstaanbaar en beheerste de taal duidelijk volkomen. 'Kunt u niet beter op haar passen?'

'Ik moet werken,' antwoordde ze, 'Onze toestand is toch al ernstig nu mijn moeder niets kan verdienen. Wordt ze beter?'

'Dat is nu nog niet te zeggen. Ik laat de wond nu opdrogen en daarna zal ik hem weer verbinden. Ik ben bang dat er koorts komt opzetten. Die kan ook weer overgaan, maar ik maak me bezorgd. U moet elk halfuur controleren of er tekenen zijn die erop wijzen dat de koorts erger wordt. En hoe vreemd het ook mag klinken: u moet ervoor zorgen dat ze er warm bij ligt.'

Ik zie dat mijn herinnering aan dat gesprek goed overeenkomt met dat van mijnheer Cola; zijn geheugen is voortreffelijk wat betreft het begin van dit geheel, dus zal ik verder niet herhalen wat hij al heeft gezegd. Ik voeg er echter wel aan toe dat ik iets opmerkte wat hij niet vermeldt, namelijk dat er onmiddellijk in die ruimte een tastbare spanning tussen die twee merkbaar was. Terwijl Sarah zich volstrekt normaal gedroeg en zich uitsluitend zorgen maakte om haar moeder, werd Cola zichtbaar steeds geagiteerder naarmate het gesprek voortduurde. Ik dacht eerst dat hij misschien bang was dat zijn vreemde gedrag was opgemerkt, maar besefte toen dat het dat niet was. Ik had meteen moeten gaan, en moeten wegglippen toen ik de kans had dat ongemerkt te doen, maar ik kon mezelf er niet toe zetten.

'Vergeeft u mij, mijnheer. Het is niet mijn bedoeling u onheus te bejegenen. Mijn moeder heeft me verteld hoe goed en edelmoedig u haar hebt behandeld, en wij zijn u allebei diep dankbaar voor uw vriendelijkheid. Ik heb er oprecht berouw van dat ik me onhebbelijk heb uitgedrukt. Ik maakte me bang om haar.'

'Het is niets,' antwoordde Cola. 'Zolang u maar geen wonderen verwacht.'

'Komt u weer terug?'

'Morgen, als ik kan. En als het erger met haar wordt, kom mij dan opzoeken bij de heer Boyle. Ik zal bij hem vertoeven. Goed, en wat mijn honorarium betreft...' zei hij.

Ik schrijf min of meer woordelijk over wat mijnheer Cola van dit gesprek heeft opgetekend en erken dat het, zover mijn geheugen reikt, onberispelijk is. Ik voeg er slechts één ding aan toe dat vreemd genoeg niet in zijn beschrijving wordt vermeld. Want toen hij over betaling sprak deed hij een stap naar voren en legde zijn hand op haar arm.

'O ja, uw honorarium. Hoe had ik kunnen denken dat u dat zou vergeten? Daar moeten we dringend iets aan doen, nietwaar?'

Pas toen trok ze haar arm weg en ging hem voor naar het kamertje, waar ik me haastig in de schaduwen terugtrok, zodat ik niet zou worden opgemerkt.

'Vooruit dan, arts, neem uw honorarium in ontvangst.'

En ze ging, zoals Cola wederom volkomen juist beschrijft, liggen, trok haar rok omhoog en ontblootte zich voor hem met een uiterst obscene beweging. Maar Cola vermeldt niet de toon waarop ze sprak, de manier waarop haar woorden trilden van kwaadheid en verachting en de minachtende trek op haar gezicht toen ze dat zei.

Cola aarzelde, deed toen een stap achteruit en sloeg een kruis. 'Ik vind je weerzinwekkend.' Het staat allemaal in zijn verslag; ik schrijf zijn woorden slechts na. Maar wederom moet ik afwijken wat interpretatie betreft, want hij zegt dat hij kwaad was, en dat merkte ik niet op. Ik zag een man die van afschuw was vervuld, bijna alsof hij de duivel zelf had aanschouwd. Zijn ogen waren opengesperd en hij schreeuwde het nog net niet uit van vertwijfeling terwijl hij van haar terugdeinsde en zijn blik afwendde. Pas heel veel later ontdekte ik de reden voor dit vreemde gedrag.

'Heer vergeef mij, Uw dienaar, want ik heb gezondigd,' zei hij in het Latijn, dat ik kon verstaan, maar Sarah niet. Het staat me nog goed bij. Hij was kwaad op zichzelf, niet op haar, want zij was niet meer dan een verleiding voor hem die hij moest weerstaan. Toen maakte hij zich uit de voeten, struikelend in zijn haast om de kamer uit te komen. Weliswaar smeet hij niet de deur dicht, want hij vertrok te snel om hem ook maar dicht te doen.

Sarah lag daar, zwaar ademend op haar strobed. Ze draaide zich om en verborg haar hoofd in haar armen, met haar gezicht in het stro. Ik dacht dat ze alleen maar ging slapen, tot ik het onmiskenbare geluid van hartverscheurend huilen hoorde, heftige snikken die mij door de ziel sneden en in één klap al mijn liefde voor haar weer deden ontbranden.

Ik kon mezelf niet meer bedwingen en dacht geen moment na over wat ik deed. Ik had haar nog nooit eerder horen huilen en het geluid van haar diepe droefenis overspoelde mijn hart, loste alle verbittering en wrok op, en liet het zuiver en schoon achter. Ik stapte naar voren en knielde naast haar neer.

'Sarah?' zei ik zachtjes.

Ze sprong verschrikt op, sloeg haar rok terug om zich weer te bedekken en ging angstig bij me vandaan. 'Wat doe jij hier?'

Ik had haar een lange uitleg kunnen geven, een verhaal kunnen verzinnen over hoe ik net was binnengekomen omdat ik bezorgd was over haar moeder, maar door de aanblik van haar gezicht liet ik iedere gedachte aan huichelarij varen. 'Ik ben gekomen om je vergiffenis te vragen,' zei ik. 'Ik verdien die niet, maar ik heb je onrecht aangedaan. Het spijt me vreselijk.'

Het was makkelijk om te zeggen en toen ik de woorden uitsprak, voelde ik hoe die maanden hadden gewacht tot hun kans kwam. Ik voelde me meteen beter en van een zware last verlost. Sterker nog, ik denk werkelijk dat het me niet kon schelen of ze me zou vergeven of niet, want ik wist dat ze volstrekt het recht had om dat niet te doen, zolang ze maar zou accepteren dat mijn verontschuldiging oprecht was.

'Het is een vreemd moment en een vreemde plek om zoiets te zeggen.'

'Dat weet ik. Maar het verlies van jouw vriendschap en achting is meer dan ik kan verdragen.'

'Heb je gezien wat zich hier net heeft afgespeeld?'

Ik aarzelde om de waarheid toe te geven, maar knikte toen.

Ze gaf niet meteen antwoord en begon toen te schudden. Ik dacht eerst dat ze weer huilde, maar merkte toen tot mijn verbazing dat ze schudde van het lachen.

'Je bent echt een vreemde vent, mijnheer Wood. Ik krijg geen hoogte van je. Zonder enig bewijs beschuldig je me van het vuigste gedrag en wanneer je me iets dergelijks ziet doen, vraag je me om vergiffenis. Wat moet ik nu van je denken?'

'Ik weet soms zelf niet wat ik van mezelf moet denken.'

'Mijn moeder ligt op sterven,' ging ze verder. Haar lachen verstomde en haar stemming sloeg meteen om.

'Ja,' beaamde ik. 'Daar ben ik ook bang voor.'

'Ik moet aanvaarden dat het Gods wil is, maar ik merk dat ik dat onmogelijk kan. Het is vreemd.'

'Waarom? Niemand heeft ooit gezegd dat gehoorzaamheid en berusting makkelijk zijn.'

'Ik ben zo bang om haar te verliezen. Ik schaam me, want ik kan het nauwelijks verdragen om haar in deze toestand te zien.'

'Hoe heeft ze haar been gebroken? Lower zei dat ze was gevallen, maar hoe kan dat?'

'Ze werd geduwd. Ze kwam 's avonds terug toen ze het washuis had gesloten en vond een kerel in het huis die onze kist doorzocht. Je kent haar goed genoeg om te weten dat ze niet zou wegrennen. Ik geloof dat hij een blauw oog kreeg, maar ze werd tegen de grond geslagen en geschopt. Een van de trappen brak haar been. Ze is oud en haar botten zijn niet meer zo stevig.'

'Waarom heb je niets gezegd? Of een klacht ingediend?'

'Ze wist wie het was.'

'Des te meer reden.'

'Des te minder. Het is iemand die vroeger voor de dienst van John Thurloe werkte, net zoals mijn vader. Zelfs nu nog zal hij nooit worden gepakt of gestraft, wat hij ook doet.'

'Maar wat...?'

'Zoals je weet, bezitten we niets. In ieder geval niets dat hem kan interesseren. Behalve die papieren van mijn vader die ik aan jou gaf. Ik zei je toch dat die gevaarlijk waren? Heb je ze nog veilig opgeborgen?'

Ik verzekerde haar dat het uren zou duren voor iemand ze in mijn kamer zou vinden, zelfs als hij zou weten dat ze daar lagen.

Toen vertelde ik haar wat ik die avond had gezien en zei dat Cola ook een grondige huiszoeking had gedaan. Ze schudde droef haar hoofd. 'Heer, waarom kwelt U Uw dienares zo?'

Ik sloeg mijn armen om haar heen en zo lagen we een tijdje samen. Ik streek haar over de haren en troostte haar zo goed als ik kon. Dat was niet zo heel goed.

'Ik moet je over Jack Prestcott vertellen,' zei ze ten slotte, maar ik legde mijn vinger op haar lippen. 'Ik wil of hoef niets te weten,' zei ik.

Het was beter om het maar te vergeten, wat het ook was; ik wilde het niet horen en zij was dankbaar dat haar de schaamte om erover te praten werd bespaard.

'Wil je weer voor ons komen werken?' vroeg ik. 'Het is geen groots aanbod, maar als het in de stad bekend wordt dat de Woods je in hun huis toelaten zal het je reputatie verbeteren, nog afgezien van het geld dat je kunt verdienen.'

'Wil je moeder me wel terug hebben?'

'Zeker. Ze was heel boos toen je wegging en ze bleef maar klagen dat het huishouden zoveel beter werd gedaan toen jij er was.'

Daar moest ze om lachen, want ik wist dat mijn moeder nooit ofte nimmer een woord van lof in het bijzijn van Sarah had geuit, uit vrees dat dat haar hoogmoedig zou maken.

'Misschien doe ik dat wel. Hoewel, zoals het er nu uitziet hoef ik geen artsen te betalen en heb ik het geld minder hard nodig.'

'Dat,' zei ik, 'is de onderwerping aan de goddelijke wil te ver doorvoeren. Als er iets gedaan kan worden, dan moet er naar je moeder gekeken worden. Hoe weet je dat je liefde voor je moeder hiermee niet op de proef wordt gesteld en dat het de bedoeling is dat ze blijft leven? Haar dood zou de straf zijn voor je onachtzaamheid. Je moet haar laten behandelen.'

'Ik kan alleen maar een chirurgijn betalen, en zelfs die zal misschien weigeren. Ze heeft iedere behandeling die ik haar kan geven geweigerd en ik kan haar hoe dan ook niet helpen.'

'Waarom niet?'

'Ze is oud en ik denk dat haar tijd gekomen is. Ik kan niets doen.'

'Misschien dat Lower iets kan doen.'

'Hij mag het proberen als hij wil, en ik zou blij zijn als het hem lukte.'

'Ik zal het hem vragen. Als die Cola zegt dat ze niet langer zijn patiënt is, dan kunnen we wellicht een beroep op hem doen. Hij zal een collega niet schofferen door het zonder zijn toestemming te doen, maar het klinkt alsof er geen probleem is om die te krijgen.'

'Ik kan hem niet betalen.'

'Dat neem ik wel op me. Maak je maar geen zorgen.'

Met de grootste tegenzin stond ik op. Het liefst was ik de hele nacht daar gebleven, iets wat ik nooit eerder had gedaan en wat me nu vreemd verlokkelijk voorkwam; het waren de heerlijkste gevoelens om haar hart tegen mijn borst te voelen kloppen en haar adem tegen mijn wang te voelen. Maar het zou opdringerig zijn geweest en het zou ook de volgende dag worden opgemerkt. Zij moest haar reputatie weer herstellen en ik moest de mijne beschermen. Het Oxford van toen was niet het koninklijke hof, noch had het zelfs maar die losheid van opvattingen van tegenwoordig. Iedereen roddelde en velen stonden snel klaar met hun veroordeling. Dat had ik ook gedaan.

$\sim$

Mijn moeder protesteerde maar een heel klein beetje toen ik aankondigde dat Sarah berouw had van haar zonden en eraan toevoegde dat die hoe dan ook geringer waren dan volgens de gemene achterklap het geval was. Het was een teken van barmhartigheid om de zondaar te vergeven als de spijt oprecht was, en ik besloot ermee dat ik er zeker van was dat dat het geval was.

'En ze is een harde werkster, die nu misschien wel voor een halve penny minder per week wil werken,' zei ze sluw. 'Voor dat geld krijgen we zeker geen betere.'

Aldus werd besloten, met nog een halve penny bijgepast uit mijn eigen zak om het verschil goed te maken, en Sarah werd opnieuw aangenomen. Daarna kwam het probleem van haar moeder en een paar dagen later, toen ik de gelegenheid had, sprak ik erover met Lower. Het was moeilijk om hem in die tijd te pakken te krijgen, want hij werkte hard aan zijn buitengewone onderzoek van de hersenen en twijfelde zeer aan wie hij zijn boek daarover zou opdragen.

'Aan wie moet ik het wijden?' vroeg hij me met een bezorgde frons nog voor ik iets kon zeggen. 'Het is een zeer gevoelige kwestie en veruit het meest zorgelijke deel van de hele onderneming.'

'Dat kan toch niet?' zei ik. 'Het werk zelf...'

Met een gebaar wuifde hij mijn woorden weg. 'Het werk stelt niets voor,' zei hij. 'Louter arbeid en noeste concentratie. De kosten om het uit te geven zijn veel erger. Weet je wel hoe duur een goede etser is? Ik moet illustraties van de beste kwaliteit hebben; de hele essentie gaat verloren als de tekeningen knoeiwerk zijn. Met sommige van die mensen zie je het verschil niet tussen de hersenen van een mens en die van een schaap als ze eenmaal af zijn. Ik heb er minstens twintig nodig, allemaal gemaakt door een Londense graveur.' Hij zuchtte diep. 'Ik benijd je, Wood. Jij kunt alle boeken maken die je maar wilt zonder je met dit soort vragen bezig te houden.'

'Ik zou ook veel illustraties willen hebben,' zei ik. 'Het is heel belangrijk dat de lezers afbeeldingen zien van de mensen die ik noem, zodat ze zelf kunnen oordelen of mijn beschrijving van hun karakter nauwkeurig is door daden en gelaatstrekken te vergelijken.'

'Dat is waar. Maar wat ik bedoel is dat jouw woorden zo nodig op zichzelf kunnen staan. In mijn geval is het boek vrijwel onbegrijpelijk als er geen dure illustraties bij zitten.'

'Houd je daar dan mee bezig, en niet met de opdracht.'

'De illustraties,' zei hij ernstig, en hij keek weer bedrukt, 'zijn slechts een kwestie van geld. Een nachtmerrie, maar verder zonder problemen. De opdracht is mijn hele toekomst. Moet ik eerzuchtig zijn en het risico lopen te hoog te mikken? Of bescheiden en te laag kiezen, en al mijn inspanning verspillen zonder er wijzer van te worden?'

'Het boek moet dunkt me zijn eigen beloning zijn.'

'Hier spreekt de echte geleerde,' antwoordde hij kregelig. 'Dat kun jij makkelijk zeggen, zonder familie waar je voor moet zorgen en tevreden om voor altijd hier te blijven.'

'Ik ben net zo uit op roem als wie dan ook,' zei ik, 'maar die zal het gevolg zijn van de bewondering voor het boek, en niet ontstaan door het als een wapen te gebruiken om je een weg te banen naar de gunst van de machtigen. Heb je al iemand op het oog?'

'Ik droom er weleens van natuurlijk, als ik aan roem denk, om het aan de koning te schenken. Die man Galilei in Italië droeg tenslotte een boekje aan de Medici op en kreeg daarvoor een rijke positie voor het leven aan het hof. Ik stel me voor dat Zijne Majesteit zo onder de indruk is dat hij me meteen als koninklijke lijfarts benoemt. Behalve dan,' zei hij bitter, 'dat er al een is en Zijne Genadige Majesteit te arm is om er twee te hebben.'

'Waarom ben je niet een beetje fantasierijker? Er worden al zoveel boeken aan hem opgedragen, en hij kan niet iedere auteur in Engeland dankbaar zijn; je zou gewoon in het gedrang ten onder gaan.'

'Wie dan bijvoorbeeld?'

'Geen idee. Iemand die rijk is, het gebaar waardeert en wiens naam de aandacht zou trekken. Wat vind je van de hertogin van Newcastle?'

Lower giechelde. 'O, ja,' zei hij. 'Heel leuk. Dan kan ik het net zo goed aan de nagedachtenis van Oliver Cromwell opdragen. Een goede manier, als ik het zo mag zeggen, om ervoor te zorgen dat de wereld van wetenschap me nooit meer serieus neemt. Stel je voor: een vrouwelijke experimenteerder; een schande voor haar familie en voor haar sekse. Kom op, Wood, wees eens ernstig.'

Ik grinnikte. 'Lord Clarendon?'

'Te voorspelbaar, en hij kan zijn macht verliezen, of sterven aan een hartaanval voordat het uitkomt.'

'Een rivaal? De graaf van Bristol?'

'Een boek opdragen aan een belijdend katholiek? Wil je dat ik doodhonger?'

'Een rijzende ster, dan? Die Henry Bennet?'

'Dat kon weleens een vallende ster worden.'

'Een man van de wetenschap? Mijnheer Wren?'

'Een van mijn beste vrienden. Maar hij kan mij evenmin vooruithelpen als ik hem.'

'Mijnheer Boyle, dan.'

'Ik zou zo denken dat ik zijn begunstiging al heb. Dat zou erop neerkomen dat ik een kans verspil.'

'Er moet toch iemand zijn. Ik zal erover nadenken,' zei ik hem. 'Het boek gaat toch nog niet naar de drukker?'

Weer een kreun. 'Ik moet er niet aan denken. Als ik niet nog een stel hersenen krijg, gebeurt dat nooit. Ik wou dat de rechtbank iemand ophing.'

'Er zit op het ogenblik een jongen in de gevangenis wiens kansen niet zo goed zijn. Jack Prestcott. Waarschijnlijk wordt hij over een week of zo opgehangen. God weet dat hij het verdient.'

Dus zoals u ziet, was ik het die Lower aan Prestcott herinnerde, wiens arrestatie een dag of tien daarvoor nogal wat opschudding in de stad had veroorzaakt, en die hem naar de gevangenis liet gaan om een verzoek voor zijn lichaam in te dienen. En ik geloof dat het waar was dat Lower Cola meenam, in plaats van dat Cola een of andere list verzon om de jongen in de gevangenis te bezoeken, zoals doctor Wallis aannam. Want mijnheer da Cola had, zoals ik nog duidelijk zal maken, zeer goede redenen om niets met Prestcott van doen te hebben als hij het kon vermijden. Het moet een behoorlijke schok voor hem geweest zijn iemand te ontmoeten die hij van vroeger kende.

Natuurlijk bracht het noemen van Prestcott mijn gedachten weer op Sarah Blundy en de toestand van haar moeder, en ik stelde Lower voor dat hij moest overwegen om haar te behandelen. 'Nee,' zei hij beslist, 'ik kan niet de patiënt van een andere arts overnemen, zelfs al is Cola niet echt een dokter. Dat getuigt van zeer slechte manieren.'

'Maar Lower,' zei ik, 'hij wil haar niet behandelen en de vrouw zal sterven.'

'Als hij me dat zelf zegt, dan zal ik erover denken. Maar ik hoorde dat ze geen geld heeft.'

Ik fronste, want ik wist heel goed dat mijn vriend regelmatig tot zijn eigen nadeel velen behandelden die zich zijn diensten niet konden veroorloven. Lower zag mijn reactie en keek heel ongemakkelijk.

'Het zou wat anders zijn geweest als ik de situatie had gekend en het had aangeboden, maar de dochter heeft zich heel onbeschoft aan Cola opgedrongen en hem niet verteld dat ze geen geld had. Wij artsen hebben onze trots, weet je. Daarbij komt dat ik haar niet wil behandelen. Jij weet beter dan wie ook hoe die dochter is, en ik sta verstel dat je het me vraagt.'

'Misschien had ik het bij het verkeerde eind. Het was lasterpraat, in ieder geval voor het grootste deel, dat weet ik zeker. Trouwens, ik vraag je niet om haar te behandelen, maar haar moeder; zo nodig sta ik in voor de kosten.'

Hij dacht een ogenblik na, zoals ik wist dat hij zou doen, want hij was een te goede kerel – en als arts had hij de oefening te zeer nodig – om een verzoek om hulp af te slaan.

'Ik zal met Cola praten en zien wat hij zegt,' zei hij. 'Ik zal hem ongetwijfeld straks zien. Maar nu moet je me excuseren, goede vriend, want ik heb een drukke dag. Boyle gaat een experiment uitvoeren waar ik graag bij wil zijn; ik moet die jongeman over wie je het had in de gevangenis benaderen, en voor ik een van die dingen doe moet ik eerst naar doctor Wallis voor een consult.'

'Is hij ziek?'

'Ik hoop het. Hij zou een goede patiënt zijn om te hebben, als ik hem kan genezen. Hij heeft een stevige positie bij het Koninklijk Genootschap, en als ik zowel hem als Boyle achter me heb is mijn lidmaatschap verzekerd.'

En hoopvol gestemd vertrok hij, slechts om te horen te krijgen, zo lees ik in het manuscript van Wallis, dat zijn vriend Cola eropuit was om zijn vondsten te stelen. Arme man; geen wonder dat hij later op de dag zo slechtgehumeurd tegen Cola deed, alhoewel het voor hem pleit dat hij geen kwaad woord over de Italiaan sprak, want Lower probeerde geen beschuldigingen te uiten, tenzij hij zeer zeker van zijn zaak was. Helaas zijn er maar weinigen die hun principes op die manier in praktijk brengen; ik heb heel wat wetenschappers gezien die gewichtig over lord Bacon en de verdiensten van de inductieve methode oreren, maar er als de kippen bij zijn om de minste roddel te geloven zonder maar aan een tegenwerping te denken. 'Dat lijkt me logisch,' zeggen ze, zonder te beseffen dat dit pure nonsens is. Logica kan niet iets lijken; ik dacht dat het daar juist om draaide. Het moet aangetoond kunnen worden en als het alleen maar 'lijkt', dan is het geen logica.

Zoals bekend sprak Lower met Cola en ik met Sarah. Ik overtuigde haar ervan dat ze geen andere keus had dan haar verontschuldigingen aan de Italiaan aan te bieden, zodat hij zich bereid zou verklaren haar moeder weer te behandelen. Ik mag wel zeggen dat dat een lastige taak was om te volbrengen en als het haar eigen dood was geweest die op het spel had gestaan, zouden geen woorden of argumenten die trotse vreemde meid hebben doen zwichten. Maar nu ging het om het leven van een ander en ze aanvaardde dat ze het hoofd moest buigen. Van mijn kant maakte ik me er zorgen over dat de Italiaan zijn avances zou hernieuwen en ik besloot die mogelijkheid te verkleinen door aan te bieden zelf te betalen. Dat betekende bijna twee maanden geen nieuwe boeken kopen, maar het was een daad van barmhartigheid die dat wel de moeite waard maakte.

Ik had echter geen geld. Mijn inkomen kwam in die tijd uit een rente op een kapitaaltje dat ik mijn neef had geleend om zijn taveerne te kopen, en hij had zich verplicht om mij iedere Maria Boodschap zevenenzestig pond te betalen. Hij kweet zich hier plichtsgetrouw van en ik was tevreden dat ik mijn kleine fortuin goed belegd had, want niets is veiliger dan iemands eigen familie – hoewel zelfs dat niet altijd zeker is. Hij wilde en kon mij echter niet al eerder betalen en ik had mijn budget onlangs al ruim overschreden door de aanschaf van een nieuwe viola. Behalve voor eten en het geld dat ik mijn moeder gaf, zat ik verscheidene maanden zonder contanten en moest ikzelf bescheiden leven om een ramp te voorkomen. De drie pond die ik voor Cola nodig had, was een som die mijn middelen ver te boven ging. Ik kon vierentwintig shilling uit eigen zak halen, leende nog eens twaalf shilling van verschillende vrienden die me kredietwaardig vonden en bracht negen shilling bijeen door wat boeken te verkopen. Toen moest ik nog vijftien shilling zien te vinden, en om die reden raapte ik mijn moed bij elkaar en maakte een afspraak met doctor Grove.

5

IK HAD DE MAN NOOIT ontmoet en kende hem slechts van reputatie, volgens welke hij opvliegend en lastig van karakter was, ouderwets in zijn opvattingen en met een uitgesproken neiging tot wreedheid wanneer hij iets te veel had gedronken. Niettemin zei men dat hij zeer briljant was, maar dat tijd en rampspoed die eigenschap hadden aangetast en zijn scherpzinnigheid op wrok en verbittering hadden toegelegd. Ik zie dat Wallis gunstig over hem spreekt, zoals ook Cola doet, en ik twijfel er niet aan dat hij zich zeer voorkomend kon tonen als hij dat wilde; er was zeker geen innemender man dan hij als hij je achtenswaardig vond of van eenzelfde statuur als hijzelf. Een ontmoeting met Grove was een loterij en de ontvangst die hij je bereidde werd op geen enkele manier door de gelegenheid beïnvloed; integendeel, hij gebruikte zijn gespreksgenoten voor zijn eigen doeleinden, zoals zijn stemming hem ingaf.

Ik was me hier allemaal van bewust, maar ging desondanks, want ik kon niemand anders bedenken die me kon helpen: ik heb nooit rijke vrienden gehad en in die tijd was het grootste deel van mijn kennissenkring zelfs nog armer dan ik. Ik was er nu van overtuigd dat wat de verhalen aanging die ik had gehoord, Grove even erg belasterd was als Sarah, en ik was er net zo zeker van dat hij het erg vond dat zijn dienstmeid zo onder ongegronde roddel moest lijden. Ik begreep natuurlijk dat hij gezien zijn reputatie niet openlijk steun zou willen verlenen, maar vertrouwde erop dat hij een gelegenheid om dat binnenskamers te doen zou verwelkomen.

Dus ging ik naar hem toe en bracht als gevolg daarvan zijn dood teweeg. Ik stel dit feit onomwonden vast, opdat er geen misverstand over ontstaat. Allemaal geven ze in hun verslag hun conclusies, hun ideeën, hun beredeneringen en hun vermoedens over het hoe en waarom van deze gebeurtenis. Er worden vele soorten bewijsmateriaal aangedragen; Cola gebruikte de bekentenis om tot de conclusie te komen dat Sarah de dader was en geloofde dat een persoonlijke verklaring niet kon worden weerlegd. Ze bekende de misdaad en had hem dus begaan, en ik geef toe dat dat in de meeste gevallen ook het beste bewijs is. Prestcott gebruikte, op zijn verwarde wijze, de methode van juridische redenatie, keek wie er het meeste baat bij had en kwam, omdat er geen gegevens waren die dat weerspraken, tot de slotsom dat Thomas Ken de dader was. Doctor Wallis paste zijn eigen logische vermogen toe, ervan overtuigd dat zijn grote geest alle relevante kwesties kon omvatten en steekhoudende conclusies kon trekken. Allen waren overtuigd van hun foutloze beredenering, waar ze hun toevlucht toe hadden genomen omdat ze de enige getuige die de zaak doorslaggevend kon beslissen niet kenden. Geen van hen zag wie het vergif in de fles deed, dat was ik.

Lord Bacon bespreekt dit punt in zijn *Novum Organum*, onderzoekt op zijn gebruikelijke briljante wijze de verschillende categorieën bewijzen en beoordeelt ze allemaal als gebrekkig. Geen ervan geeft zekerheid, beweert hij; een conclusie die (zou men menen) zowel voor wetenschapsmensen als voor advocaten ontgoochelend moet zijn: historici en theologen hebben hiermee leren leven, de eerstgenoemden door bescheiden hun beweringen te temperen, de laatstgenoemden door hun roemvol bouwwerk op het betrouwbaarder fundament van openbaring te grondvesten. Want wat is wetenschap zonder zekerheid meer dan opgetuigd giswerk? En hoe kunnen we zonder de overtuiging van gehele en absolute zekerheid iemand met een gerust geweten ophangen? Getuigen kunnen liegen, zoals ikzelf weet; zelfs een onschuldige kan een misdaad bekennen die hij niet begaan heeft.

Maar lord Bacon versaagde niet en droeg het voorbeeld aan van een handwijzer die slechts één richting aanduidt en geen andere mogelijkheid openlaat. De volstrekt onafhankelijke ooggetuige die met zijn onthullingen niets te winnen heeft en die daarbij als heer van aanzien en opvoeding nog geschoold is in waarnemen en verslaggeving – dit is de meest betrouwbare getuige die we kennen, en zijn verklaring mag doorslaggevend heten en alle andere vormen nietig maken. Ik eis deze positie voor mezelf op en stel dat het onderstaande iedere mogelijkheid tot verdere discussie over dit onderwerp uitsluit.

Ik stuurde doctor Grove een briefje waarin ik om een onderhoud verzocht en ontving na verloop van enige tijd de boodschap dat hij me die avond kon spreken. Dus misschien een uur of twee nadat mijnheer da Cola het college had verlaten, klopte ik bij hem aan.

Uiteraard meldde ik niet onmiddellijk de reden van mijn bezoek; ik mocht dan wel een bedelaar zijn, maar wenste geen ongemanierde te lijken. We spraken dus meer dan drie kwartier, voortdurend onderbroken door het boeren en veesten van Grove terwijl hij luidruchtig zijn beklag deed over het eten dat zijn college aan de Fellows durfde voor te zetten.

'Ik wou dat ik wist wat die kok ermee heeft uitgespookt,' zei hij na een bijzonder zware oprisping. 'Je kunt toch niet geloven dat een goed stuk vlees zo mishandeld kan worden? Ik zweer je dat het nog eens mijn dood zal betekenen. Ik had vanavond een gast, moet je weten. Een jonge Italiaan, ongeveer jouw leeftijd denk ik. Hij kauwde zich er zonder klagen doorheen, maar de ontsteltenis op zijn gezicht was zo groot dat ik hem bijna recht in zijn gezicht wilde uitlachen. Dat is het probleem met die buitenlanders; ze zijn te gewend aan al die opgedirkte sausjes. Ze weten niet wat echt vlees is. Hun eten is net zoals hun religie, hè?' Hij grinnikte om deze beeldspraak. 'Helemaal opgesierd en doorwrocht, zodat je niet kunt zien wat eronder zit. Knoflook of wierook, het is precies hetzelfde.'

Hij grinnikte nog een keer om zijn geestige inval en ik kon zien dat hij wilde dat hij er eerder aan had gedacht om er zijn gast nog beter mee te hebben kunnen ergeren. Ik wees hem er niet op dat zijn opvatting over het eten mij enigszins tegenstrijdig voorkwam.

Hij kreunde nu weer en greep naar zijn maag. 'Goeie god, wat een eten. Geef me dat doosje met poeder eens aan, beste jongen.'

Ik pakte het op. 'Wat is het?'

'Een feilloos laxeermiddel, hoewel dat pompeuze Italiaantje zegt dat het gevaarlijk is. Dat is niet zo; volgens Bate is het veilig, en hij is de lijfarts van de koning. Als het goed genoeg voor de koning is, is het goed genoeg voor mij, zou ik zo denken. Er wordt door gezaghebbende lieden voor ingestaan en het is door eigen ervaring bewezen. En dan komt die Cola me vertellen dat het niet werkt. Onzin; twee snufjes en de ontlasting volgt meteen. Ik heb er vier maanden geleden een grote hoeveelheid van gekocht, juist voor dit soort gelegenheden.'

'Ik dacht dat mijnheer da Cola dokter was, dus misschien weet hij wel wat hij zegt.'

'Dat zegt hij. Ik geloof het niet. Hij is te jezuïtisch om een echte arts te zijn.'

'Ik begreep dat hij Anne Blundy behandelt voor een gebroken been,' zei ik, daar ik mijn kans schoon zag het gesprek een wending in de goede richting te geven.

Bij het noemen van deze naam versomberde het gezicht van doctor

Grove van ongenoegen en hij gromde dreigend, als een hond met een bot die een rivaal waarschuwt.

'Dat heb ik gehoord.'

'Of liever, behandelde, want ze kan het niet betalen en mijnheer da Cola kan het zich naar het lijkt niet veroorloven voor niets te werken.'

Grove bromde wat, maar ik sloeg geen acht op de waarschuwing, zo graag wilde ik mijn zaak afhandelen en vertrekken.

'Ik heb me garant gesteld voor twee pond en vijf shilling.'

'Dat is mooi van je.'

'Maar ik heb nog vijftien shilling nodig, die ik op dit moment niet bezit.'

'Als je gekomen bent om me om een lening te vragen, dan is het antwoord nee.'

'Maar...'

'Die meid heeft me bijna tachtig pond per jaar gekost. Ik ben bijna de prebende die me beloofd was door haar misgelopen. Het kan me niet schelen, al sterft haar moeder morgen; het zou haar verdiende loon zijn naar wat ik heb gehoord. En als ze haar behandeling niet kan betalen, dan is dat de consequentie van haar eigen gedrag. Het zou een zonde zijn om de straf af te wenden die ze over zichzelf heeft afgeroepen.'

'Het is dunkt me haar moeder die gestraft wordt.'

'Daar heb ik niets mee te maken en het is mijn zaak niet meer. Je toont nogal veel bezorgdheid voor die dienstmeid van je, als ik het zeggen mag. Waarom is dat?'

Misschien kleurde ik en gaf dat de man een aanwijzing, want hij was vlug van begrip in zijn kwaadaardigheid.

'Ze werkt voor mijn moeder en...'

'Jij hebt haar aangeraden om als dienstmeid voor mij te komen werken, nietwaar mijnheer Wood? Jij bent de *fons et origo* van mijn problemen met haar. En je betaalt ook haar dokterskosten? Dat is zeer zorgzaam, ongebruikelijk zorgzaam mag ik wel zeggen. Misschien dat de geruchten die de ronde doen over haar hoererij eerder op u teruggevoerd moeten worden dan op mij.'

Hij keek me scherp aan en ik zag langzaam maar onmiskenbaar een begrijpende blik over zijn gelaat trekken. Veinzen is nooit een eigenschap van me geweest waarin ik me heb geoefend of bekwaamd. Mijn gezicht is een open boek voor degenen die het kunnen lezen, en Grove bezat het soort boosaardigheid dat zich verheugt in de geheimen van anderen om ze ermee te kwellen en te vervolgen als hij ze kende.

'Aha, de oudheidkundige en zijn dienstmeid, te verdiept in zijn studie voor een vrouw, maar stelt zich tevreden met een kleine slettenbak tussen zijn boeken. Zo is het, nietwaar? Je bekent die kleine hoer en denkt dat het liefde is. En je speelt de galante heer tegenover dit vies stuk ongedierte en ziet haar in gedachten als een ware Heloïse, zegt geld toe dat je niet hebt en verwacht dat andere mensen je krediet geven zodat je indruk op je dametje kunt maken. Maar ze is geen dame, nietwaar mijnheer Wood? Verre van dat, nou en of.'

Hij keek me weer aan en lachte toen ronduit. 'Hemeltjelief, het is waar. Ik zie het aan je gezicht. Het is een kostelijke grap, moet ik zeggen. "De boekenwurm en de lichtekooi", je kunt er bijna een gedicht over schrijven. Een heldenepos in hexameters. Een thema dat mijnheer Milton waardig is, want geen onderwerp is te afstotelijk voor zijn pen.'

Hij lachte weer, want mijn gezicht was brandend rood van schaamte en woede, en ik wist dat geen ontkenning hem zou doen zwichten, noch hem van zijn vermaak zou afhouden. 'Vooruit, mijnheer Wood,' ging hij verder, 'je ziet er toch wel de grap van in? Zelfs jij moet dat zien, de Bedeesde Kleine Geleerde, alleen toegewijd aan zijn studie, krabbelend als een muis in zijn papieren nest, de ogen rood omdat ze nooit het daglicht zien, en wij vragen ons af waarom al deze inspanning niets voortbrengt. Is het een of ander groots werk dat in zijn gedachten gestalte krijgt? Zijn het barensweeën die de geboorte van een meesterwerk vertragen? Is het louter de omvang van zijn taak waardoor de jaren voorbijgaan zonder resultaat? En dan komen we erachter. Nee, het is niets van dit alles. Het komt doordat hij, terwijl iedereen denkt dat hij aan het zwoegen is, in plaats daarvan in het stof rollebolt met zijn dienstmeid. Beter nog, hij heeft zijn moeder overgehaald om de meid in huis te nemen en heeft daarmee zijn werkster in een slet veranderd en zijn moeder in een hoerenwaardin. Zeg eens eerlijk, mijnheer Wood, is dat niet volmaakt?'

De godsgeleerden zeggen ons dat wreedheid van de duivel komt en dat kan de uiteindelijke bron zijn, want die is zeer zeker kwaadaardig van opzet. Maar wat de directe oorzaak betreft geloof ik dat ware wreedheid een pervertering van het genot is, want de wreedaard geniet van de kwelling die hij anderen aandoet en bespeelt, als een ervaren muzikant de viola of het virginaal, zijn instrument en brengt allerlei akkoorden tot leven, wekt kwelling en vernedering op, ontzetting en machteloze woede, schaamte, wroeging en vrees, gelijk hij wil. Sommigen kunnen dit allemaal voortbrengen, tezamen of afzonderlijk, met de meest verfijnde aanrakingen; soms wordt het slachtoffer luider bespeeld tot de beroering die in de geest wordt gewekt schier ondraaglijk is, dan weer zacht zodat de ellende zoetjes en met verleidelijke verrukking wordt opgeroepen. Een man zoals Grove was een kunstenaar in zijn wreedheid, want hij speelde voor de vreugde van zijn schepping en in het genot van zijn kunde.

Als Thomas Ken (zoals ik vermoed) regelmatig aan zo'n behandeling was onderworpen, kon ik slechts zijn nederigheid bewonderen om die voortdurende aanslagen te verdragen, die alle (ongetwijfeld) werden gedaan zonder dat een van zijn collega's het hoorde of zag. Want kwelling in beslotenheid is nog verrukkelijker voor de kwelgeest en snijdender voor het slachtoffer, die zijn Golgotha niet aan anderen kan beschrijven zonder zwak en dwaas te lijken en aldus nog meer wreedheid te lijden krijgt, alleen dit keer zichzelf aangedaan. Ik weet dat ik mezelf belachelijk maak door dit te vertellen, maar ik moet het herhalen en kan slechts hopen dat men mij zal begrijpen. Iedereen is in zekere mate beschaamd en gekweld, dus iedereen kent de wijze waarop die gevoelens het oordeelsvermogen verstoren en het hoofd benevelen, zodat het slachtoffer zich als een dier aan een touw voelt dat wordt afgeranseld en wil ontsnappen, maar niet weet hoe hij uit de strik komt die hem op zijn plaats houdt.

Want mijn beproeving was nog niet voorbij; Grove zag maar al te goed wat voor makkelijke prooi ik was en hoe eenvoudig het was om op mij in te hakken, want ik had geen van die eigenschappen die anderen in staat stellen aanvallen af te weren, of zich te verdedigen tegen degenen die hun kwaad wilden doen.

'Ik kan me niet voorstellen,' zei hij, 'dat doctor Wallis de aanwezigheid van een man zoals jij op prijs zal stellen in de archieven waarin je zoveel genoegen schept. Het gebeurt vaak dat mensen meer schade doen door hun lust dan anderen ooit kunnen aanrichten. Denk eens aan de verachting die je moeder en je hele familie te verduren krijgen wanneer het bekend wordt dat ze een hoerenkast voor haar zoon leidde en zijn slet uit haar eigen zak betaalde.'

'Waarom doet u mij dit aan?' vroeg ik vertwijfeld. 'Waarom kwelt u mij zo?'

'Ik? Jou kwellen? Waarom zeg je dat? Hoe kwel ik je dan? Ik zeg toch alleen maar hoe het is? "Want wij kunnen niet nalaten te spreken van wat wij gezien en gehoord hebben" (Hand. 4:20). Dat zijn de woorden van de heilige Petrus zelf. Is het soms goed dat de zonde ongestraft blijft en de ontucht verborgen?'

Hij hield op en plotseling betrok zijn gezicht toen de scherts verdween en plaatsmaakte voor inktzwarte woede, zoals de lucht betrekt kort voordat de hemel door donderslagen uiteengereten wordt. 'Ik weet wie je bent, mijnheer Wood; ik weet dat jij het was die dat wicht naar me toe heeft gestuurd om mijn dienstmeid te worden, zodat je vriend mijnheer Ken mij zwart kon maken. Ik weet dat jij het was die verhalen in de stad heeft rondgestrooid om mijn naam te schande te maken en me zo te beroven van wat me rechtens toekomt. Mijnheer Prestcott heeft me dat allemaal verteld, een man die even eerlijk is als jij leugenachtig bent. En dan kom je hier om me geld te vragen, als een of andere smerige kleine bedelaar die zijn met inkt besmeurde hand ophoudt? Nee, meneertje. Je verdient en krijgt niets anders dan mijn verachting. Denk je heus dat je tegen mij kunt samenspannen zonder mijn wrekende hand te voelen? Je zoekt een slechte vijand uit, mijnheer Wood, en je zult snel ontdekken dat je de ergste fout van je leven hebt begaan. Ik dank je dat je gekomen bent, want nu weet ik hoe ik moet reageren; ik heb met eigen ogen de schuld op je gezicht gezien. En geloof me, ik zal het je dubbel en dwars betaald zetten. Verdwijn nu en laat me met rust. Ik hoop dat je het niet erg vindt dat ik je niet uitlaat. Mijn darmen kunnen niet langer wachten.'

En met een knetterende wind hees hij zichzelf omhoog en liep naar de andere kamer, waar ik hoorde hoe hij zijn broek liet zakken en zich met een luide zucht op zijn kamerpot neerliet. Ik kon niets beginnen en had erbarmelijk gefaald om mezelf tegen zijn uitbarsting te verdedigen. Ik had daar maar gezeten, rood aangelopen als een kind, en had niet meer dan de zwakste poging gedaan om een weerwoord te geven. Niettemin was ik mans genoeg om te zieden van woede over zijn woorden en verachting. Maar in plaats van als een man te reageren, gedroeg ik me als een kind; verstoken van ieder nobel weerwoord recht in zijn gezicht, haalde ik in plaats daarvan een dwaze streek uit achter zijn rug, en sloop vervolgens als een kwajongen op school weg, terwijl ik mezelf voorhield dat ik tenminste iets tot mijn verdediging had ondernomen.

Want ik nam het pakje poeder op de tafel en schudde het helemaal leeg in de fles cognac die naast zijn stoel stond.

Drink dat maar op, dacht ik toen ik zijn kamer verliet. En mogen je ingewanden je folteren.

Toen ging ik weg, in de hoop dat hij de hele nacht wakker zou blijven door de ergste darmkrampen. Ik zweer bij God en alles wat mij lief is dat ik hem geen ander kwaad toewenste. Ik wilde wel dat hij leed en verging van de pijn, en hoopte vurig dat ik er niet te weinig poeder in had gegooid of dat het niet te slap zou blijken om dienst te doen. Maar ik wenste niet zijn dood, noch had ik enig plan hem te doden. Ik wist niet wat het poeder was en had hoe dan ook nooit van arsenicum gehoord. Ik betwijfel of er zelfs onder geschoolde mensen meer dan één op de twintig was die dat wel had. We zijn niet allemaal artsen of experimentalisten. Zelfs mijnheer Stahl had deze stof nooit genoemd toen ik scheikundelessen bij hem volgde.

6

HET WAS AL LANG DONKER toen ik wegging en door de noordenwind die
er stond en de voortekenen van regen in de lucht was het waterkoud. Een
akelige avond om buiten te zijn voor wie dan ook, maar ik kon mezelf er
niet toe zetten om naar huis te gaan en verlangde ook niet naar het gezelschap van mijn vrienden. Ik kon maar aan één ding denken en daar kon ik
met geen mogelijkheid over praten; in die situatie zou ieder ander
gespreksonderwerp onbenullig en zinloos hebben geleken. Noch kon ik de
kalmte in mezelf vinden die nodig is voor muziek. Gewoonlijk is er iets
onmetelijk rustgevends in de wijze waarop een muziekstuk zich ontvouwt
en in de volmaakt heerlijke onontkoombaarheid van een doordacht
gecomponeerde afsluiting. Maar ieder op die manier geconcipieerd stuk
stond me die avond tegen, daar mijn chaotische gedachten ver van iedere
harmonie afstonden.

In plaats daarvan merkte ik dat ik ernaar verlangde Sarah te zien, en die
wens werd sterker ondanks al mijn pogingen hem te onderdrukken. Maar
ik wilde niet haar gezelschap of haar troost, noch zelfs met haar spreken.
Integendeel, ik voelde diep in mijn hart een rancune die uit onbekende
dieptes opwelde, terwijl ik in mijn gedachten ervan overtuigd raakte dat zij
en zij alleen de bron van alle moeilijkheden was waardoor ik overstelpt
werd. Ik liep weer al die oude verdenkingen en jaloezieën na die ik voor
altijd onderdrukt dacht te hebben. Maar in plaats daarvan laaiden ze weer
op als tondel in een droog zomerbos dat één vonk nodig heeft om bij het
lichtste briesje tot een vuurzee uit te groeien. Mijn koortsachtige geest verbeeldde zich dat mijn verontschuldiging belachelijk was geweest en mijn
berouw misplaatst. Al mijn argwaan (hield ik mijzelf voor) was terecht,
want het meisje was vervloekt en iedereen die met haar omging moest
zwaar boeten voor zijn genegenheid. Dat hield ik mezelf allemaal voor ter-

wijl ik voortliep, mijn dikke wintermantel dicht om me heen getrokken en mijn voeten al vochtig door de modderplassen in New College Lane, die net begonnen op te vriezen. Ik twijfelde nog minder aan mijn ongeluk toen ik de High Street overstak, Merton Street insloeg en me voor de deur van mijn huis omdraaide omdat ik mijn moeder niet wilde zien en de pijn wilde verhullen die ik haar zou bezorgen als Grove zijn belofte zou waarmaken om mijn familie tot mikpunt van spot te maken.

Dus liep ik verder naar St. Aldate's met het idee dat ik misschien buiten de stad langs de rivier zou gaan wandelen, want het geluid van stromend water is een andere zeker wijze om de ziel tot rust te brengen, zoals door ontelbare gezaghebbende figuren wordt bevestigd. Maar die avond wandelde ik niet langs de rivier, want ik was nauwelijks Christ Church gepasseerd toen ik aan de overkant een tengere gedaante zag lopen, gehuld in een omslagdoek die te dun was om van veel nut te zijn, en met een bundel onder de arm, die met snelle passen doelbewust voortstapte. Ik zag onmiddellijk aan het voorkomen en de houding dat het Sarah was, die op weg was (zo dacht ik in mijn ijltoestand) naar een of andere geheim doel.

Eindelijk deed zich de gelegenheid voor om al mijn verdenkingen bevestigd te krijgen en ik greep die bijna zonder na te denken aan. Ik wist uiteraard dat ze, als ze vrij had, de gewoonte had Oxford 's avonds of voor een hele dag en een nacht te verlaten en ooit had ik gedacht dat ze dan naar die stadjes toe ging waar ze niet herkend zou worden om klandizie voor zichzelf te vinden; de straffen op hoererij waren dusdanig dat het dom was voor een vrouw om zich in haar eigen stad veil te geven. Ik wist evengoed dat dit baarlijke nonsens was, maar hoe meer ik mezelf voorhield dat ze een vrouw van zeldzame goedheid was, hoe meer de duiveltjes in me schaterden, zodat ik dacht dat ik net zoals Prestcott gek werd door de tegenstrijdigheden die elkaar bevochten voor heerschappij over mijn verbeelding. Dus besloot ik mijn eigen uitdrijving uit te voeren en de waarheid te ontdekken, daar ze me die niet zelf wilde vertellen en haar weigering mijn nieuwsgierigheid alleen nog maar aanwakkerde.

Mijn uitvoerige beschrijving hiervan dient om nog een voorbeeld te geven van de manier waarop men op basis van foutieve vooronderstellingen een onjuiste conclusie kan trekken uit een verzameling onweerlegbare feiten. Doctor Wallis schrijft dat zijn theorie van een dodelijk verbond tussen Cola en de ontevreden radicalen gestaafd werd door het gedrag van het meisje Blundy, die vaak van Burford in het westen naar Abingdon in het zuiden reisde om boodschappen bij sektariërs te bezorgen, die, daar was hij zeker van, mettertijd als één man in opstand zouden komen als de moord op Clarendon het land in opschudding had gebracht. Toen hij haar ondervroeg, ontkende Sarah dat ze dat deed, maar op zo'n wijze dat hij (zo trefzeker wist hij bedrog te doorzien) ervan overtuigd was dat ze loog om haar onwettige handelingen te verhullen. Het is waar dat ze loog. En het was ook waar dat ze probeerde illegale handelingen te verhullen. In dat opzicht was het inzicht van doctor Wallis in de situatie geheel juist. Want het meisje was doodsbang dat hij zou ontdekken wat ze deed en wist heel goed dat de straf daarvoor streng zou zijn, niet alleen voor haar maar ook voor anderen. Ze was niet iemand die uit trots het martelaarschap zocht, maar was integendeel bereid dat nederig te aanvaarden als het niet eervol kon worden voorkomen: dat was inderdaad haar lot. In ieder ander opzicht had doctor Wallis het verkeerd.

Omdat ik zonder na te denken dit besluit had genomen, keerde ik snel op mijn schreden terug, ging naar de taveerne van mijn neef en vroeg hem een paard te leen. Gelukkig kende ik dat deel van het land goed en het was simpelweg een kwestie van landweggetjes volgen naar Sandleigh en dan terugrijden naar Abingdon, om lang voor haar aan te komen. Ik had een donkere mantel aan en had mijn hoed diep over mijn ogen getrokken, en bovendien ben ik (zoals iedereen me altijd voorhoudt) een onopvallende persoon, die men in een menigte niet opmerkt. Het was makkelijk om aan de weg naar Oxford te gaan staan en te wachten tot ze langskwam, wat ze een halfuur later deed. Het was eveneens eenvoudig om haar te volgen en te zien wat ze deed omdat ze geen moeite deed haar bewegingen te verbergen of haar bestemming te maskeren, en ze had geen vermoeden dat ze werd gevolgd. De stad heeft een kleine kade langs de rivier die gebruikt wordt om goederen voor de markt uit te laden. Hier ging ze naar toe en klopte luid op de deur van een klein pakhuis waar gewoonlijk de boeren op de avond voor de markt hun waren opslaan. Ik weifelde wat ik nu zou doen en terwijl ik daar stond zag ik eerst één en toen meerdere mensen ook naar de deur lopen en binnengelaten worden. Anders dan Sarah waren deze mensen schichtig in hun bewegingen en ze waren zo ingepakt dat hun gezichten niet te zien waren.

Ik stond een tijdje in de schaduw van een portaal hierover na te denken en merkte dat ik in opperste verwarring was. Ik moet zeggen dat mijn eerste gedachte net zoals die van Wallis was dat het hier ging om een bijeenkomst van radicalen, want Abingdon stond daar meer dan bekend om en vrijwel iedereen in de stad, tot de ouderlingen aan toe, was een hardnekkige wetsovertreder – of zo zei men althans. Niettemin was het vreemd: de stad was berucht om de brutale wijze waarop de wet werd getrotseerd, maar deze mensen gedroegen zich op een heimelijke wijze alsof ze iets deden wat zelfs sektariërs niet zouden goedkeuren.

Ik ben moedig noch vermetel, en het is mijn aard vreemd mezelf in een gevaarlijke postie te brengen, maar mijn nieuwsgierigheid was allesoverheersend en ik wist dat het niets zou oplossen als ik bleef om te wachten tot het zou gaan regenen. Zou ik aangevallen worden? Dat was een mogelijkheid, dacht ik. In die tijd stonden die mensen niet bekend om hun vreedzaamheid en ik had door de jaren heen zoveel verhalen gehoord dat ik geloofde dat ze tot alles in staat waren. Een verstandig mens zou wegglippen; een verantwoordelijk mens had een magistraat gewaarschuwd. Maar hoewel ik mezelf als beide beschouwde, deed ik geen van tweeën. In plaats daarvan merkte ik dat ik, met zwaar bonzend hart en krampen in mijn buik van pure angst, naar die deur liep en naar de stugge figuur die er de wacht bij hield.

'Goedenavond, broeder,' zei hij. 'Welkom.'

Deze begroeting had ik niet verwacht; er klonk geen achterdocht in zijn stem en in plaats van de behoedzaamheid die ik had verwacht, werd ik met openheid en vriendelijkheid ontvangen. Maar ik had nog steeds geen idee wat er aan de hand was. Ik wist alleen dat Sarah met nog vele anderen dat gebouw was binnengegaan. Wie zocht ze daar? Wat voor bijeenkomst woonde ze bij? Ik wist het niet, maar gesterkt door het ontbreken van achterdocht, was ik nu helemaal vastbesloten om erachter te komen.

'Goedenavond... broeder,' antwoordde ik. 'Mag ik binnentreden?'

'Natuurlijk,' zei hij met enige verbazing. 'Natuurlijk mag je dat. Hoewel je misschien niet meer zoveel plaats vindt.'

'Ik hoop dat ik niet te laat ben. Ik kom van buiten de stad.'

'Ah,' zei hij tevreden. 'Dat is mooi, heel mooi. Dan ben je dubbel welkom. Wie je ook bent.'

En hij knikte dat ik het pakhuis binnen mocht. Iets geruster, maar me er nog steeds van bewust dat ik misschien een laaghartige valstrik binnenstapte, liep ik langs hem.

Het was een kleine, bedompte ruimte, nauwelijks verlicht, met enorme donkere schaduwen op de muur van de paar lampen die de enige verlichting vormden. Het was er warm, wat me verbaasde, omdat er voor zover ik kon zien geen vuur brandde en het buiten koud was. Pas langzaam begreep ik dat de warmte werd veroorzaakt door een groep van bijna veertig mensen die zo stil en zonder te bewegen op de vloer zaten of knielden dat ik eerst niet besefte dat ze levend waren; ik dacht dat het balen hooi of graan waren die dicht opeen op de vloer lagen.

Enigszins beduusd en nog verwarder dan daarvoor baande ik me een weg naar achteren, hurkte neer in de duisternis en zorgde daarbij dat mijn mantel het grootste deel van mijn gezicht bedekte, aangezien iedereen naar ik zag het hoofd had ontbloot in een of ander gebaar van eensgezindheid; zelfs de vrouwen, bemerkte ik met enige laatdunkendheid, hadden zich zo ontbloot. Ik vond het vreemd: dit soort mensen stond erom bekend dat ze hun hoed zelfs in het bijzijn van de koning weigerden af te zetten, laat staan voor een mindere. Slechts God, zeiden ze met de hun kenmerkende hoogmoed, verdiende die achting.

Ik dacht dat ik misschien op een bijeenkomst van kwakers of een soortgelijke groep verzeild was geraakt, maar wist genoeg van hen af om in te zien dat dit iets heel anders was dan hun samenkomsten. Ze slaagden er maar zelden in om meer dan een handjevol mensen op te trommelen, en nog minder vaak kwamen ze dan op een dergelijke manier bijeen. Toen bedacht ik dat het misschien radicale non-conformisten waren, die bijeen waren om een of andere opstand te beramen; die gedachte maakte me draaierig omdat ik wist dat met mijn ongelukkige gesternte de mannen van de magistraat ongetwijfeld het gebouw zouden omsingelen en me als opruier tot staatsgevaarlijke activiteiten naar het gevang zouden afvoeren. Maar die vrouwen dan? En die stilte? Dat kon het niet zijn; dat soort lieden wordt bovenal gekenmerkt door rauw gebrul als iedereen door elkaar zijn mening uit en zich niets van anderen aantrekt. Deze rustige stemming was niet iets wat ik me bij dergelijke baarlijke duivels voorstelde.

En toen realiseerde ik me dat alle ogen in die ruimte, van niemand uitgezonderd, met intense aandacht op een schemerige gestalte vooraan waren gericht. Het was de enige persoon die stond, zij het net zo stil als de anderen. Het duurde even voor mijn ogen aan het schemerduister gewend waren, voor ik besefte dat deze donkere figuur Sarah zelf was, die geheel onbeweeglijk stond met haar dikke zwarte haar loshangend over haar schouders en haar hoofd gebogen, zodat haar gezicht bijna helemaal verscholen ging. Weer stond ik voor een raadsel; het leek niet of ze iets deed of dat het publiek verwachtte dat ze iets zou doen. Ik denk dat ik de enige aanwezige was die niet geheel en al tevreden was met de gang van zaken.

Ik weet niet hoelang ze daar al stond; misschien vanaf het moment dat ze was binnengekomen, nu bijna een halfuur geleden. Ik weet wel dat we daar nog een tien minuten in volmaakte stilte zaten; en het was een vreemde ervaring om zo zwijgend en onbeweeglijk te zijn met al die anderen in gelijke sereniteit. Als ik mezelf niet geheel meester was geweest, zou ik hebben gezworen dat ik een zachte stem vanuit de dakspanten hoorde die me zei dat ik geduld moest hebben en kalm moest blijven. Ik werd er bang van, tot ik opkeek en zag dat het slechts een duif was die van balk tot balk fladderde omdat de aanwezigheid van al die mensen zijn rust verstoorde.

Maar zelfs dat ontstelde me niet zo als toen Sarah bewoog. Het enige dat ze deed, was haar hoofd optillen tot ze zelf naar het dak keek. De schok en de golf van opwinding die door het publiek ging waren ongelooflijk, bijna alsof ze door de bliksem waren getroffen; een verwachtingsvol gegrom uit de ene hoek, gesis uit een andere en wat geschuifel doordat velen van de aanwezigen zich verwachtingsvol naar voren bogen.

'Ze gaat praten,' fluisterde een vrouw in de buurt, gevolgd door een aanmaning van de man naast haar om stil te zijn.

Maar dat deed ze niet. Slechts het opheffen van haar hoofd bracht al genoeg dramatisch effect bij het publiek teweeg; nog meer spanning, zo leek het, zou te veel voor hen worden. In plaats daarvan bleef ze nog een paar minuten naar het dak staren en richtte haar blik toen naar de verzamelde menigte, die reageerde met een zelfs nog grotere siddering van emotie dan tevoren. Ook ik merkte, ondanks mezelf aangegrepen door de vervoering, dat mijn hart sneller klopte toen het moment (wat het ook zou zijn) naderbij kwam.

Maar toen ze zich liet horen, sprak ze zo zacht en lieflijk dat haar woorden moeilijk te verstaan waren. Bijgevolg leunde iedereen daar gespannen naar voren om op te vangen wat ze zei. En de woorden op zich, door mijn pen op papier gezet, brengen niets van de sfeer over, want ze bracht ons allemaal in vervoering, betoverde ons zelfs, tot volwassen mannen openlijk huilden en vrouwen heen en weer wiegden met een uitdrukking van hemelse vrede op hun gezicht zoals ik in geen enkele kerk ooit heb gezien. Met haar woorden omhelsde ze ons, troostte ons, verloste ons van onze twijfels, suste onze angsten en overtuigde ons ervan dat alles goed was. Ik weet niet hoe ze het deed; in tegenstelling tot toneelspelers gebruikte ze geen kunstgrepen, noch enige geaffecteerdheid in haar manier van spreken. Haar handen hield ze ineengeslagen voor zich en ze gebaarde niet; ze maakte nauwelijks een beweging. Maar toch: van haar tong en uit haar lichaam stroomden balsem en honing die vrijuit aan iedereen werden geschonken. Tegen het einde beefde ik van liefde voor haar en God en de hele mensheid in gelijke mate, maar zonder te weten hoe dat kwam. Het enige dat ik weet is dat ik mij van dat ogenblik af, vrijwillig en zonder aarzeling, aan haar macht onderwierp, dat ze kon doen wat ze wilde, omdat ik wist dat het niets kwaads kon zijn.

Ze sprak ruim een uur en het was gelijk het subliemste samenspel van musici zoals de woorden vloeiden en keerden en over ons heen speelden, tot wij ook als klankkasten waren, trillend en resonerend op haar stem. Ik heb de woorden overgelezen. Hoe teleurgesteld in mezelf ben ik, want de bezieldheid ontbreekt er volkomen in, en ook ben ik er niet in geslaagd de volmaakte liefde waarmee ze sprak erin te leggen, of de stille aanbidding die ze in haar toehoorders opriep. Ik voel me waarlijk als iemand die uit een wonderbaarlijk volmaakte droom ontwaakt en die koortsachtig opschrijft, en dan merkt dat het enige dat er op papier staat niet meer is dan woorden ontdaan van ieder gevoel, zo droog en onbevredigend als kaf wanneer het graan eruit gevlegeld is.

'Aan allen zeg ik, er zijn vele wegen die tot mij leiden; sommige breed, andere smal, sommige recht en andere kronkelend, sommige zijn vlak en gerieflijk terwijl andere ruw en vol gevaren zijn. Laat geen u zeggen dat zijn weg de enige en beste is, want zij zeggen dat slechts uit onwetendheid.

Mijn geest zal met u zijn, ik zal uitgestrekt terneerliggen op de aarde, likkend het stof en inademend de aarde; ik zal de melk mijner borst voor de aarde geven, moeder onzer moeder, en voor Christus, vader, man en vrouw. Des nachts hield ik hem als een buidel specerijen aan mijn borst en wist dat ik het zelve was. Ik zag mijn geest op zijn gezicht en voelde de getuigenis van vuur op mijn borsten, het vuur der liefde dat brandt en heelt en verwarmt met genezing, gelijk het schijnsel van de zon na regen.

Ik ben de bruid van het lam en het lam zelf; engel noch boodschapper, maar ik de Heer ben gekomen. Ik ben de zoetheid der geest en de honing van het leven. Ik zal in het graf met Christus rusten en zal, na verraden te zijn, opstaan. In iedere generatie lijdt de Messias tot de mensheid zich van het kwaad afwendt. Ik zeg u, u verwacht het hemelse koninkrijk, maar aanschouwt het met uw ogen. Het is hier en immer binnen uw bereik. Een einde aan religie en sektes, werp uw bijbels van u, zij zijn niet meer nodig. Verstoot de traditie en luister in plaats daarvan naar mijn woorden.

Mijn genade en mijn vrede en mijn goedheid en mijn zegen zijn met u. Weinigen zien mijn komst en nog minder zullen mijn heengaan zien. Vanavond breken de laatste dagen aan en mensen maken zich op om mij te verstrikken, dezelfde mensen als voorheen, dezelfde als altijd. Ik vergeef hen nu, want ik zal mij geen zonde en onrechtvaardigheid meer herinneren; ik ben gekomen om vergiffenis te schenken door mijn bloed. Ik moet sterven en ieder moet sterven en zal blijven sterven tot aan het eind der tijden in iedere generatie.'

Zoals ik zei, zijn wat ik me herinner niet meer dan enkele brokstukken van haar hele betoog, dat uiteenliep van verstandig pragmatisme tot verregaande onzinnigheden en weer terug, springend van eenvoud naar onsamenhangendheid op een manier die het onmogelijk maakte het een van het ander te onderscheiden. Het maakte niemand in het publiek iets uit en mij ook niet. Ik ben er niet trots op dat ik zo gekluisterd was, en denk er met pijn aan terug, maar ben niet van plan me ervoor te verweren of te verontschuldigen. Ik vermeld het zoals het was en tot degenen die erom smalen (zoals ik zelf zou doen als ik iemand anders was) kan ik slechts dit zeggen: jullie waren er niet bij en weten niet welk een betovering ze wrocht. Ik weet alleen dat ik transpireerde alsof ik hoge koorts had en niet de enige was die tranen van vreugde en droefheid over mijn wangen voelde rollen en het, evenals alle andere aanwezigen, nauwelijks merkte toen haar mond geen woorden meer sprak en ze door een kleine zijdeur verdween. Het duurde misschien nog een kwartier voor de trance wegebde en we een voor een als een publiek wanneer het stuk voorbij is, weer tot onszelf kwamen en ontdekten dat al onze ledematen en spieren pijn deden alsof we een hele dag op de akkers in de oogsttijd hadden gewerkt.

De bijeenkomst was voorbij en het was duidelijk dat Sarah te horen spreken de enige reden was waarom men zich had verzameld; in die stad en onder die mensen had ze een faam die zich al ver uitstrekte. Het geringste gerucht dat ze misschien een toespraak zou geven, was genoeg om mannen en vrouwen – de armen, de simpele zielen en mensen uit de lagere standen – door weer en wind te laten komen en allerlei bestraffingen door de autoriteiten te riskeren. Zoals iedereen wist ook ik bijna niet wat ik moest doen toen het eenmaal voorbij was, en ik vermande me ten slotte voldoende om te beseffen dat ik mijn paard moest ophalen om terug naar Oxford te gaan. In een roes van volstrekte vredigheid liep ik naar de herberg waar ik het had achtergelaten en ging op weg naar huis.

Sarah was een profetes. Nog maar enkele uren geleden zou dat idee me de grootste hoon hebben ontlokt, want het land had jaren gewemeld van zulke mensen, door de onlusten aan den dag gekomen op de manier waarop pissebedden zichtbaar worden als er een steen wordt opgetild. Ik kan me er nog een herinneren die naar Oxford was gekomen toen ik ongeveer veertien was, een man die spuugde en schuimbekte terwijl hij raaskallend door de straat liep, gekleed in vodden als een heilige of kluizenaar uit vroeger tijden. Hij verwenste de hele wereld naar het vagevuur, voordat hij stuiptrekkend op de grond viel. Hij maakte geen bekeerlingen; ik hoorde niet bij degenen die stenen naar hem gooiden (wat hem ontzettend veel plezier deed, daar het Gods gunst bewees), maar zoals alle anderen walgde ik van het vertoon en het was eenvoudig te zien dat, waardoor hij ook aangeraakt was, dat niet God was. Ze sloten hem op en waren toen zo genadig om hem de stad uit te zetten in plaats van hem een zwaardere straf op te leggen.

Een vrouwelijke profeet was veel erger, zou u denken, en was zelfs nog minder in staat om iets anders dan hoon op te wekken, maar ik heb al laten zien dat dat niet het geval was. Wordt er niet beweerd dat Maria Magdalena preekte en bekeerde en ervoor werd gezegend? Ze werd er niet van verketterd en dat is ook nooit gebeurd, en ik kon Sarah er ook niet om verketteren. Voor mij was het duidelijk dat de vinger Gods haar voorhoofd had aangeraakt, want geen duivel of werktuig van Satan kan op die manier het hart van de mens beroeren. Er schuilt altijd een wrangheid in de geschenken van de duivel en we weten wanneer we bedrogen worden, zelfs als we het bedrog toestaan. Maar ik kon slechts even aanduiden wat het in haar woorden was dat zo'n vrede en sereniteit bracht; ik ervoer het louter en begreep het niet.

Mijn paard klepperde over de verlaten weg, beter dan ik in staat om te zien waar het spoor leidde in de duisternis, die alleen af en toe iets verlicht werd door de maan die van achter de wolken even opdook, en ik liet mijn gedachten terugdwalen naar de avond en probeerde het gevoel weer terug te krijgen dat ik nog zo kortgeleden had bezeten en dat ik met grote droefenis langzaam voelde wegzakken. Ik was zo in gedachten verzonken dat ik nauwelijks de donkere gestalte op de weg zag die langzaam voor me uit liep. Toen ik die zag, riep ik hem zonder na te denken aan, voor ik besefte wie het was.

'Het is laat en donker om zo alleen langs deze weg te lopen, mevrouw,' zei ik. 'Wees niet bevreesd, maar stijg op en ik zal u thuisbrengen. Het is een sterk paard, dat het niet erg zal vinden.'

Het was natuurlijk Sarah en toen ik bij het maanlicht haar gezicht zag, was ik plotseling bang van haar. Maar ze hield haar hand op en stond me toe haar omhoog te trekken. Ze ging behaaglijk achter me zitten, met haar armen om mijn middel geslagen, zodat ze niet kon wegglijden.

Ze zei niets en ik wist niet wat ik moest zeggen; ik had haar graag verteld dat ik op de bijeenkomst was geweest, maar was bang dat ik iets doms zou zeggen of dat mijn woorden als teken van bedrog en wantrouwen werden uitgelegd. In plaats daarvan reden we dus een halfuur zwijgend verder, voor ze zelf begon te praten.

'Ik weet niet wat het is,' zei ze in mijn oor, zo zachtjes dat iemand op drie passen afstand het niet had kunnen horen. 'Het heeft geen zin om je te verwonderen, wat je ongetwijfeld doet. Ik kan me niet herinneren wat ik zeg of waarom ik het zeg.'

'Heb je me gezien?'

'Ik wist dat je er was.'

'Had je geen bezwaar?'

'Ik denk dat wat ik te zeggen heb voor iedereen bestemd is die wil luisteren. Zij moeten maar beoordelen of het de moeite waard is.'

'Maar je houdt het geheim.'

'Niet voor mezelf; dat is niet belangrijk. Maar degenen die naar me luisteren zouden ook gestraft worden en dat kan ik niet van ze vragen.'

'Heb je dit altijd gedaan? En je moeder ook?'

'Nee. Zij is helderziend, maar heeft niets hiervan; haar man ook niet. Wat mezelf betreft, het begon kort na zijn dood. Ik was op een bijeenkomst van eenvoudige lieden en weet nog dat ik opstond om iets te zeggen. Verder kan ik me niets herinneren, tot ik merkte dat ik op de grond lag terwijl iedereen om me heen stond. Ze zeiden dat ik buitengewone dingen had gezegd. Een paar maanden later gebeurde het weer, en na een tijdje kwamen de mensen naar me toe om me aan te horen. In Oxford was het te gevaarlijk, dus nu ga ik naar plaatsen als Abingdon. Ik stel ze vaak teleur als ik daar sta en er niets over me komt. Je hebt me vanavond gehoord. Wat heb ik gezegd?'

Ze luisterde alsof ik een gesprek vertelde waar ze niet bij was geweest en haalde haar schouders op toen ik klaar was. 'Vreemd,' zei ze. 'Wat denk jij? Ben ik vervloekt of gek? Of denk je misschien dat ik beide ben?'

'Er is geen ruwheid of wreedheid in wat je zegt; geen bedreigingen of waarschuwingen. Niets dan zachtaardigheid en liefde. Ik denk dat je in plaats van vervloekt gezegend bent. Maar zegeningen kunnen vaak een nog zwaardere last zijn, zoals veel mensen in het verleden hebben ontdekt.' Ik merkte dat ik even zachtjes sprak als zij, zodat het had kunnen lijken of ik in mezelf sprak.

'Dank je,' zei ze 'Ik wilde niet dat jij me zou minachten.'

'Heb je echt geen idee wat je zegt? Is er geen inleiding?'

'Niets. De geest roert zich in me en ik word zijn vat. En als ik wakker word, is het alsof ik een prachtige droom heb gehad.'

'Weet je moeder hiervan?'

'Ja, natuurlijk. Eerst dacht ze dat het alleen maar een streek van me was, omdat ik altijd zo geringschattend over fanatici deed en al die anderen die rondlopen en doen alsof ze bezeten zijn om geld van mensen los te peuteren. Dat vind ik nog steeds en dat maakt het nog erger dat ik er zelf een geworden ben. Dus toen ik de eerste keer opstond en zij ervan hoorde, was ze geschokt door mijn goddeloosheid; het waren niet onze mensen op het conventikel, maar het waren goede en vriendelijke lieden, en ze was ongerust dat ik de draak met hen stak. Het kostte veel moeite haar ervan te overtuigen dat ik niet met opzet kwetsend wilde zijn. Ze was en is er nog steeds niet blij om. Ze denkt dat het me vroeg of laat in de problemen brengt.'

'Ze heeft gelijk.'

'Ik weet het. Een paar maanden geleden gebeurde dat bijna; ik was in Tidmarsh en er was een inval door de wachters. Ik kon nog maar net ontsnappen. Maar ik kan er niet veel aan doen. Wat me wordt ingegeven, moet ik aanvaarden. Het heeft geen zin om iets anders te doen. Denk je dat ik gek ben?'

'Als ik naar iemand als Lower zou stappen en hem vertelde waarvan ik zonet getuige ben geweest, zou hij zijn best doen om je te genezen.'

'Toen ik vanavond uit die ruimte wegging, kwam er een vrouw naar me toe die op haar knieën viel en de zoom van mijn rok kuste. Ze zei dat haar baby de laatste keer dat ik naar Abingdon was gekomen op sterven had gelegen. Ik liep langs hun huis en het kind was op slag beter.'

'Geloof je haar?'

'Zij gelooft het. Jouw moeder gelooft het. Vele anderen hebben me in de afgelopen paar jaar voor dit soort daden verantwoordelijk gehouden. Mijnheer Boyle heeft er ook van gehoord.'

'Mijn moeder?'

'Ze verging van de pijn door een gezwollen enkel; daar werd ze zeer slechtgehumeurd van en ze probeerde me te slaan. Ik hield haar hand vast om haar tegen te houden en ze zweert dat op dat moment de pijn en de zwelling verdwenen.'

'Dat heeft ze mij nooit gezegd.'

'Ik heb haar gesmeekt het niet te doen. Het is vreselijk om zo'n reputatie te hebben.'

'En Boyle?'

'Hij had geruchten erover gehoord en dacht dat ik kennis van kruiden en drankjes moest hebben, dus vroeg hij me om mijn receptenboek. Het was moeilijk hem te weigeren, maar ik kon hem toch niet de waarheid vertellen.'

Er viel een lange stilte, slechts doorbroken door het geluid van de paardenhoeven op de weg en het gesnuif van zijn adem in de koude nachtlucht. 'Ik wil dit niet, Anthony,' zei ze zachtjes, en ik kon de angst in haar stem horen.

'Wat niet?'

'Wat dit ook is. Ik wil geen profeet zijn, ik wil geen mensen genezen, ik wil niet dat ze naar me toe komen en ik wil niet gestraft worden voor iets wat ik niet kan verhinderen en niet wil. Ik ben een vrouw en ik wil trouwen en oud worden en gelukkig zijn. Ik wil geen vernedering en gevangenschap. En ik wil niet wat er nu staat te gebeuren.'

'Wat bedoel je?'

'Een Ier kwam me opzoeken, een astroloog. Hij zei dat hij me in zijn horoscopen had gezien en kwam me waarschuwen. Hij zei dat ik zal sterven, dat iedereen me dood wil hebben. Waarom zou dat zijn, Anthony? Wat heb ik misdaan?'

'Hij heeft het vast verkeerd. Wie gelooft dat soort mensen nou?'

Ze zweeg.

'Ga dan weg, als je je zorgen maakt,' zei ik. 'Vertrek.'

'Dat kan ik niet. Er kan niets aan veranderd worden.'

'Dan moet je maar hopen dat die Ier het verkeerd heeft en dat je gek bent.'

'Ik hoop het. Ik ben bang.'

'Ik weet zeker dat er echt niets is om je zorgen over te maken,' zei ik. Ik probeerde de sfeer van dreigend onheil die om ons heen was opgekropen van me af te schudden, en toen ik dat deed zag ik duidelijker de dwaasheid van ons gesprek in. Hier opgetekend moet het zelfs nog erger lijken, denk ik. 'Ik heb het niet zo op Ieren of astrologen, en voor zover ik weet zijn er vandaag de dag profeten en messiassen genoeg die maar rondgaan om de hele wereld over hun macht te vertellen. Het is zeer ongebruikelijk om te hopen dat die beker aan je voorbij zal gaan.'

Eindelijk lachte ze, maar ze begreep mijn toespeling, want ze kende haar bijbel goed, en ze keek me eigenaardig aan toen ik dat zei. Ik van mijn kant zweer dat het pas later tot me doordrong wat ik had gezegd, en de woorden verdwenen zo weer uit mijn gedachten terwijl we voortsjokten.

Als ik eraan terugdenk, was die rit te paard de gelukkigste tijd van mijn leven. De terugkeer van de vanzelfsprekende vertrouwdheid die ik door mijn jaloersheid zo lichtzinnig kapot had gemaakt, was zulk een zegen dat ik als het mogelijk was geweest graag naar Carlisle was doorgereden alleen om onze tijd tezamen te behoeden en te verlengen, dat gesprek in volmaakte vriendschappelijkheid en het gevoel van haar arm om mijn middel. Ondanks de ijzige wind voelde ik geen kou en had ik me in de meest gerieflijke salon kunnen bevinden, in plaats van op een modderige, gladde weg tegen middernacht. Ik neem aan dat de turbulente gebeurtenissen van die avond en nacht mijn geest hadden beneveld en me dusdanig uit mijn normale voorzichtige doen hadden gebracht dat ik haar niet in de buitenwijken van de stad afzette, zodat men ons niet op die manier bijeen zou zien, maar haar helemaal tot aan de taveerne van mijn neef bij me hield en haar zelfs toen nog niet kon laten gaan.

'Hoe gaat het met je moeder?'

'Ze heeft geen pijn meer.'

'Kun je niets voor haar doen?'

Ze schudde haar hoofd. 'Het is het enige dat ik ooit voor mezelf heb gewenst, en dat krijg ik niet.'

'Dan kun je maar beter gaan om haar te verzorgen.'

'Het is niet nodig dat ik dat doe. Een goede vriendin van me bood aan bij haar te blijven. Ze zou pas weggaan als ze er zeker van was dat ze sliep, zodat ik naar die bijeenkomst kon. Ze zal weldra sterven, maar nu nog niet.'

'Blijf dan nog wat bij me.'

We liepen terug naar Merton Street en gingen mijn huis binnen, liepen zachtjes de trap op zodat mijn moeder het niet zou horen en vervolgens beminden we elkaar, in mijn kamer, met een hartstocht en een vurigheid die ik nooit daarvoor en nimmer daarna voor iemand heb gevoeld, en ook heeft niemand mij ooit zulk een liefde betoond. Ik had nog nooit een nacht met een vrouw doorgebracht, nooit iemand gehad die in de stilte van het donker bij me lag – haar ademhaling te horen en haar warmte naast me te voelen. Het is een zonde en een misdaad. Ik zeg het ronduit, want dat heb ik mijn hele leven geleerd, en alleen gekken beweren het tegendeel. De bijbel zegt het, de kerkvaders zeggen het, de geestelijken herhalen het tegenwoordig eindeloos, en in het hele land beschrijven alle wetten de straf voor wat wij die nacht deden. Onthoudt u van vleselijke begeerten die strijd voeren tegen uw ziel. Zo moet het zijn, want de bijbel spreekt Gods waarheid. Ik zondigde tegen de wet, tegen Gods opgetekende woord, ik misleidde mijn familie en stelde ze zelfs nog meer bloot aan het gevaar van openlijke schande. Wederom riskeerde ik permanente uitsluiting van die vertrekken en boeken die mijn vreugde en enige bezigheid waren; maar desondanks heb ik in alle jaren die sindsdien zijn verstreken van maar één ding spijt gehad: dat het slechts een voorbijgaand moment was, dat nooit werd herhaald, want nooit ben ik dichter bij God geweest en nooit heb ik zijn liefde en goedheid meer gevoeld.

7

We werden niet betrapt; Sarah stond bij het krieken van de dag op en sloop zachtjes naar beneden om met haar werk in de keuken te beginnen, en pas toen het vuur brandde en het water was gehaald, ging ze weg om naar haar moeder te kijken. Ik zag haar twee dagen niet meer en wist dus niet dat ze ontdekte dat haar moeder door de vriendin in de steek was gelaten en dringend hulp nodig had, wat aanleiding voor haar was om haar excuses aan Cola aan te bieden en in te stemmen met zijn transfusie-experiment. Ze moest plechtig beloven hierover te zwijgen en was in alle opzichten een vrouw van haar woord.

Ikzelf zakte weer weg in een zalige slaap en werd laat wakker, zodat het een paar uur duurde eer ik naar een herberg wandelde om wat brood en bier te nuttigen, een buitensporigheid waar ik me af en toe aan bezondig als ik mezelf in pais en vree met de wereld voel of het geklets van mijn moeder wil ontlopen. Pas toen, terwijl ik dromerig met een kroes bier voor me zat, hoorde ik het nieuws.

Er bestaan talloze verhalen in de mythologie die ons waarschuwen voor onze diepste begeerten. Koning Midas wilde zo rijk zijn dat hij wenste dat alles wat hij zou aanraken in goud veranderde; volgens de legende stierf hij dientengevolge van de honger. Euripides verhaalt van Tithonus, die door Eos zo werd bemind dat ze Zeus smeekte om hem het eeuwige leven te schenken. Maar helaas vergat ze ook om jeugdigheid te vragen en moest hij een eeuwigheid lichamelijke gebrekkigheid lijden voor de wrede goden medelijden met hem kregen.

En ik wenste dat me het schandaal bespaard zou blijven waarmee Grove in zijn boosaardigheid had gedreigd me te treffen. De herinnering aan hem verstoorde mijn stemming en ik bad dat hem voor altijd het zwijgen zou worden opgelegd en dat ik niet zou hoeven te zuchten onder wat ik had gedaan en gezegd, hoezeer ik daarvoor ook straf verdiende. Ik had net mijn bier op toen ik hoorde dat mijn wens was vervuld.

Op het moment dat ik het nieuws hoorde stolde het bloed me in de aderen van angstige ontzetting, want ik was ervan overtuigd dat mijn gebeden en heimelijke wraakoefening hiervoor verantwoordelijk waren. Ik had een mens gedood. Ik geloof dat er geen groter misdrijf bestaat en ik werd gekweld door wroeging over mijn daad, zozeer zelfs dat ik het gevoel kreeg dat ik die meteen zou moeten bekennen. Lafheid overwon die aandrang snel, toen ik aan de schande voor mijn familie dacht als ik dat zou doen. En ik overtuigde mezelf ervan dat ik er niet echt schuld aan had. Ik had een fout gemaakt, dat was alles. De opzet ontbrak, mijn schuld was beperkt en de kans dat ik ontdekt zou worden, was klein.

Zo spreekt het verstand, maar het geweten is niet zo makkelijk te sussen. Ik herstelde me zo goed als het ging van de klap en probeerde alle beschikbare gegevens te weten te komen, in een poging een of ander klein detail te ontdekken dat me ervan zou overtuigen dat ik deze tragische gebeurtenis inderdaad niet had veroorzaakt. Een korte tijd kon ik mezelf aanpraten dat alles in orde was. Ik probeerde toen naar mijn arbeid terug te keren, maar merkte dat al mijn concentratie was verdwenen, aangezien mijn opstandige geweten me bleef voorhouden wat ik had gedaan. Maar nog steeds kon ik niets ondernemen om me van mijn last te bevrijden; mijn tevredenheid verdween, en mijn slaap al snel daarna. In de daaropvolgende dagen en weken werd ik afgetobd en bleek door mijn innerlijke strijd.

Ik ben uit op medeleven, maar verdien dat niet, want het was gemakkelijk geweest mijn onrust te verhelpen. Ik hoefde slechts naar voren te komen en te zeggen: 'Ik heb het gedaan.' Voor de rest zou allemaal gezorgd worden.

Maar om zelf te sterven en ervoor te zorgen dat mijn familie met de smaad moest leven een moordenaar te hebben voortgebracht? Om mijn moeder te laten najouwen en bespugen op straat, mijn zuster haar dagen als oude vrijster te laten eindigen omdat geen man zich aan haar zou willen binden? De nering van mijn neef ten onder te laten gaan omdat niemand in zijn taveerne wil drinken? Dat waren reële overwegingen. Oxford is Londen niet, waar alle zonden binnen een week vergeten zijn, waar misdadigers om hun daden geëerd worden en dieven voor hun inspanningen beloond. Hier weet iedereen alles van iedereen en leeft het scherp gevoelde verlangen om het goede fatsoen te bewaren, hoe groot de schendingen ervan in het geheim ook zijn. Mijn grootste loyaliteit geldt immers mijn familie en dat is altijd zo geweest. Ik heb ervoor geleefd om aan mijn naam het kleine beetje glans te geven dat ik vermocht te brengen en ons aanzien te handhaven. Ik zou het hebben aanvaard als de rechtbank me strafte, want ik kan niet ontkennen dat dat verdiend was, maar ik deinsde er in ontzetting voor terug om mijn naasten zo te kwetsen. Ze hadden het toch al moeilijk vanwege onze verliezen in de Burgeroorlog en ik wilde hun last niet verzwaren.

Ik hield mijn schuld enkele dagen voor me en bleef in ellendige eenzaamheid op mijn kamer. Ik weigerde te eten en te spreken, zelfs met Sarah, die ik niet dorst aan te kijken. Ik had haar verteld dat ik Grove had bezocht, maar durfde haar niet te vertellen wat ik had gedaan omdat ik haar afkeer niet kon verdragen. En ik kon haar ook niet met informatie belasten die ze gedwongen zou kunnen worden te delen. Ik bracht veel tijd met bidden door en nog meer met het staren naar onbeschreven stukken papier, daar ik er niet in slaagde om mijn gedachten op ook maar de eenvoudigste en meest werktuiglijke taken te concentreren.

In die paar dagen miste ik veel wat van belang voor mijn verhaal is, want in die tijd ontdekte Lower de fles cognac en bracht die naar Stahl, ontleedde hij doctor Grove om te zien of zijn lichaam Cola beschuldigde door te gaan bloeden, en voerde hij het transfusie-experiment op Anne Blundy uit. Het was blijkbaar ook in die tijd dat de verdenking voor het eerst de richting van Sarah uitging, maar ik zweer dat ik daar niets vanaf wist. Ik was me slechts bewust van Lowers groeiende onbehagen tegenover de Italiaan en zijn angst dat Cola eropuit was zijn roem te stelen.

Mijn mening over het geschil tussen die twee ligt wat gecompliceerd, maar ik denk dat hij wel volstaat. Ik denk dat beiden de waarheid spreken, zelfs al zijn hun conclusies tegengesteld. Ik denk nochtans niet dat dat een tegenstrijdigheid is. Ik ga er natuurlijk van uit dat er maar één waarheid is, maar dat het behalve in uitzonderlijke gevallen ons niet is gegeven die te kennen. Horatius zegt: *Nec scire fas est omnia* – het is niet geoorloofd alles te weten – een zinsnede die (naar ik meen) uit Euripides komt. Alles weten houdt in dat je alles ziet en alwetendheid behoort alleen aan God toe. Ik denk dat ik hier iets vanzelfsprekends verklaar, want als God bestaat, bestaat ook de waarheid; en als er geen God was (iets wat we ons niet in ernst, maar alleen als wijsgerige scherts kunnen voorstellen), dan zou de waarheid uit de wereld verdwijnen en de mening van de een zou niet meer waard zijn dan die van een ander. Ik zou dat theorema ook kunnen omdraaien en zeggen dat als de mens zou denken dat alles slechts een kwestie van opvatting is, hij zich dan tot het atheïsme zou bekeren. 'Wat is waarheid?' vroeg Pilatus gekscherend, en hij wachtte het antwoord niet af. Ik geloof dat het feit dat we in het diepst van ons hart weten dat de waarheid bestaat zonder erover te hoeven redeneren, het mooiste bewijs voor het bestaan van God is dat men kan denken. Zolang we daarnaar streven, streven we er ook naar God te kennen.

Maar met Lower en Cola hebben we geen goddelijke hulp en moeten we de waarheid zo goed als we kunnen beredeneren. Cola heeft zijn versie op papier gezet, zodat iedereen er kennis van kan nemen; Lower heeft mij (en vele anderen) zijn lezing verteld, hoewel hij zich niet verwaardigde om in het strijdperk te treden door enigerlei rechtvaardiging van zijn aanspraken te publiceren. Hij had zijn verslag in de *Transactions* gepubliceerd, vertelde hij me, omdat doctor Wallis hem ervan had verzekerd dat Cola bij een ongeluk was verdronken toen hij het land verliet. En zelfs als hem was verzekerd dat de man in goede gezondheid was, had hij het hoe dan ook toch gedaan. Volgens zijn herinnering waren Cola's ideeën uiterst vaag; hij had het over het op een of andere magische wijze verjongen van het bloed, maar sprak geen woord over transfusie. Pas toen Lower zijn eigen experimenten met injecties had beschreven, kwam Cola op het idee van het toedienen van nieuw bloed om op die manier het gewenste doel te bereiken. Lower had die mogelijkheid toen al maanden in zijn achterhoofd en het was slechts een kwestie van tijd voor het werd uitgevoerd. Hij wijst erop dat hij het was, zelfs volgens Cola's eigen verslag, die het meeste technische werk verrichtte. Logischerwijs kwam hem dus ook de eer toe.

Toen ik dit verslag ontving en de beide versies vergeleek, was ik eerlijk gezegd verbaasd dat er hoe dan ook een meningsverschil had kunnen ontstaan, want het komt mij voor dat het resultaat voortkwam uit het bijeenkomen van de twee mannen en dat beiden gelijkelijk voor het idee verantwoordelijk waren. Toen ik dit aan Lower schreef, hekelde hij deze opvatting met enige scherpte en maakte duidelijk (hij schreef het zo vriendelijk op als hij kon, maar zijn irritatie klonk door in zijn woorden) dat alleen een geschiedkundige die geen eigen ideeën had, zoiets belachelijks kon bedenken. Hij herhaalde deze stellingname een week of wat geleden toen hij een van zijn nu zeldzame bezoekjes aan Oxford aflegde en bij me langskwam om zijn opwachting bij me te maken.

De transfusie van bloed, zei hij, was een ontdekking. Was ik het daarmee eens?

Dat was ik.

En de essentie van een uitvinding of ontdekking zat 'm in het idee, niet in de uitvoering.

Akkoord.

En het was één geheel en bestond niet uit delen. Een idee was als een van mijnheer Boyles corpusculi of de atomen van Lucretius en kon niet verder gedeeld worden. Het is de essentie van het begrip dat het geheel is, en volmaakt in zichzelf.

Het was een aristotelische opvatting, die vreemd klonk uit zijn mond, maar ik was het met hem eens.

Men kan geen half idee hebben?

Als het niet verdeeld kan worden, dan dus duidelijk niet.

Dus moeten ze allemaal één enkel punt van oorsprong hebben, daar je niet tegelijkertijd één ding op twee plaatsen kunt hebben.

Daar was ik het mee eens.

Het was daarom dus redelijk om aan te nemen dat het slechts bij één man kon opkomen?

Ik stemde weer toe en hij knikte tevreden, overtuigd dat hij mijn poging om tot vriendschappelijke overeenstemming tussen beide mannen te komen, had ontzenuwd. Zijn logica was vlekkeloos, maar ik moet zeggen dat ik het nog steeds niet accepteer, al ben ik niet in staat om te zeggen waarom. Niettemin stoomde hij door naar zijn volgende basisprincipe dat als een van de twee het idee van transfusie het eerst had gekregen, de ander moest liegen als hij er aanspraak op maakte dat hij er de bedenker van was.

Gezien zijn uitgangspunt was ik het met hem eens, daar dit weer een onvermijdelijke conclusie was, en Lower was tevreden in de wetenschap dat in een keuze tussen hemzelf en Cola hij betere aanspraken had, want wie zou het woord van een Italiaanse amateur eerder geloven dan dat van een Engelse heer? Niet dat het niet mogelijk was dat de laatstgenoemde kon liegen of dat hij de waarheid verkeerd begreep, maar omdat de kans daarop zoveel kleiner was. Dit is algemeen bekend en geaccepteerd. Ik heb niet gevraagd of dat ook in Italië het geval was.

8

HOEWEL IK IN DIE TIJD nauwelijks naar buiten kwam, trof ik de paar keer dat ik het huis of de bibliotheek verliet, de Italiaan. De eerste keer was onze ontmoeting opzettelijk, want ik zocht hem op in het eethuis van vrouw Jean, de tweede keer was het bij toeval, na het toneelstuk. Met name bij de eerste gelegenheid raakte ik door het gesprek in opperste verwarring.

Hij heeft dit gesprek tussen ons in zijn manuscript weergegeven, en het was indertijd duidelijk dat hij dacht dat hij me om de tuin had geleid. Ik vond hem bedaard en hoffelijk, met een intelligente uitstraling en bescheiden in de omgang. Hij had merkbaar gevoel voor talen, want hoewel we meestal Latijn spraken leek het me dat hem de keren dat we in het Engels vervielen weinig ontging. Ondanks zijn vaardigheid verried hij zichzelf schromelijk aan iedereen die goed kon luisteren; want welke dokter (of soldaat, trouwens) kon met zoveel kennis van zaken over lang verdwenen ketterijen praten, kon zo belezen citeren uit de werken van Hippolytus en Tertullianus, of had zelfs maar gehoord van Elchesai, Zosimos of Montanus? Ik geef toe dat papen geïnteresseerder in dat soort obscuriteiten zijn dan protestanten, die geleerd hebben zelf de bijbel te lezen en dus minder hoeven te weten van de mening van anderen, maar zelfs weinigen van de meest gelovige roomsen zouden dat soort dingen zo snel paraat hebben om in een debat te gebruiken.

Cola gedroeg zich niet als een dokter toen hij het huisje van de Blundy's doorzocht, en bij deze gelegenheid sprak hij ook niet als een dokter. Ik merkte dat mijn nieuwsgierigheid naar hem nog groter werd.

Niettemin was dat een ondergeschikte zaak vergeleken bij de inhoud van het gesprek en de aanwijzing die hij me zo zonder het te weten gaf. Ik heb vaak over dit fenomeen nagedacht dat zo regelmatig in het leven van iedereen optreedt dat we het bijna niet meer opmerken. Hoe vaak heb ik niet een vraag in gedachten gehad en willekeurig een boek van de plank gepakt, vaak een waarvan ik nog nooit eerder had gehoord, om er dan het antwoord dat ik zocht in te vinden? Het is algemeen bekend dat mannen de aandrang voelen om naar die plaats te gaan waar ze voor de eerste keer de vrouw ontmoeten die hun echtgenote wordt. Op dezelfde manier weten zelfs boeren dat als je de bijbel zomaar openslaat en je vinger ergens op die betreffende bladzijde plaatst, je vaker wel dan niet de beste raad vindt die je maar kunt krijgen.

De onnozelen noemen dit toeval en ik bespeur onder wetenschappers een toenemende neiging om over kans en waarschijnlijkheid te praten, alsof dit een verklaring zou zijn in plaats van een geleerde vermomming voor hun onwetendheid. Eenvoudiger lieden weten precies wat het is, want niets kan toevallig gebeuren als God alles ziet en weet; het is belachelijk om zelfs maar iets anders te denken. Deze toevalligheden zijn de zichtbare tekenen van zijn geopenbaarde voorzienigheid, waar we veel van kunnen leren als we slechts zijn hand erkennen en de bedoeling van zijn daden over-denken.

Op die manier werd ik tegen mijn zin naar het huis van Sarah gedreven op de avond dat Cola het doorzocht, zag ik haar op de weg naar Abingdon en volgde haar, en zo ging het ook in mijn gesprek met Cola. Al die dingen die de spotters geluk, toeval of samenloop van omstandigheden noemen, bewijzen het aandeel dat God in het doen en laten van de mens heeft. Cola had willekeurig ieder voorbeeld kunnen kiezen om zijn betoog te illustre-ren en die zouden allemaal even goed of zelfs beter hebben voldaan dan het verhaal van een lang uitgestorven en vergeten dwaalleer. Dus in welke opwelling noemde hij die onbekende tak van het montanisme? Welke engel fluisterde hem in het oor en leidde zijn gedachten, zodat ik toen ik het eethuis verliet over mijn hele lichaam trilde en het zweet me uitbrak? 'In iedere generatie zal de Messias worden herboren, verraden worden, sterven en weer opstaan, tot de mensheid zich van het kwaad afwendt en niet meer zondigt.' Dat waren zijn woorden en ze ontstelden me zeer, want Sarah had nog maar enkele dagen daarvoor precies hetzelfde gezegd.

De volgende paar dagen werd dit een grote obsessie voor me en de gedachte aan doctor Grove verdween uit mijn hoofd. Eerst las ik het wei-nige dat ik thuis had door, toen ging ik naar New College om de kleine bibliotheek van Thomas Ken te plunderen, en ik merkte nauwelijks de blik van verdriet en angst op het gezicht van die arme, gekwelde man op. Ik wilde dat ik dat wel had gedaan, want als ik oplettender was geweest had hij misschien iets gezegd en zou Sarah misschien gespaard zijn gebleven. Maar ik negeerde zijn misère, en later weigerde hij nog op zijn woorden terug te komen. Hij was naar Grove gegaan om diens vergiffenis te vragen voor de lasterpraatjes die hij had verspreid, maar merkte alleen dat hij in zijn eigen valkuil was gelopen, toen hij Prestcott ontdekte, maar naliet de magistraat of de wacht te waarschuwen. Hij kon zijn leugen dat hij Sarah Groves kamer had zien binnengaan niet herroepen zonder ook het risico te lopen te bekennen dat hij een misdadiger bij zijn ontsnapping had geholpen. Voor de keuze gesteld de toorn van God te ondervinden na zijn dood of de wraakzucht van doctor Wallis in dit leven, gaf hij de voorkeur aan het eerste, en hij heeft daar sindsdien zwaar voor geboet. Want hij liet toe dat een onschuldige werd gehangen opdat hij tachtig pond per jaar kon ontvangen. Ik kan niet te streng over hem oordelen; mijn eigen zonde was nauwelijks geringer, want toen ik sprak was het te laat.

Hij leende me de boeken die ik wilde hebben en toen ik die uit had, ging ik naar de Bodleian, waar ik het verhaal opzocht dat Cola me had verteld. Fragmenten bij Tertullianus en bij Hippolytus luidden zoals hij had gezegd; ik vond ook verwijzingen bij Eusebius en Irenaeus en Epifanius. Hoe meer ik las, hoe meer mijn rede in opstand kwam tegen wat ik zag; want hoe was het mogelijk dat Sarah, ongeletterd als ze was, bijna woord voor woord een hele reeks profetieën kon citeren die meer dan duizend jaar geleden waren gedaan? Er bestond geen enkele twijfel; telkens weer waren de woorden hetzelfde, bijna of het dezelfde persoon was die sprak, deze vrouw uit het verleden profeterend op een heuveltop in Klein-Azië en het meisje dat zo vreemd over haar dood sprak in Abingdon.

Met veel moeite zette ik het allemaal van me af. Het was een vreemde tijd en zelfs na twee decennia waarin vrijwel iedere lust tot religieuze geestdrift bij de mensen was gedoofd, wemelde het nog steeds van allerlei soorten godsdienstwaanzinnigen. Ik hield mezelf voor dat ze misleid was, meegesleurd door de verdorvenheid van dit tijdperk, en dat ze mettertijd, als ze minder bezorgd om haar moeder en haar eigen toekomst was, deze dwaze ideeën zou laten varen en zichzelf niet meer in gevaar zou brengen. Het lukt mensen vaak zichzelf er door een logische redenatie van te overtuigen dat datgene waarvan ze weten dat het waar is, dat niet is, louter omdat ze het niet kunnen bevatten.

Om uit deze zwartgalligheid te ontsnappen dwong ik mezelf weer onder de mensen te komen en stemde er met name gretig in toe Lower en Cola naar het theater te vergezellen. Ik had al bijna vier jaar geen toneelstuk meer gezien en hoezeer ik ook van mijn stad houd, ik moet toegeven dat hij weinig verstrooiing biedt om een sombere geest bezig te houden als die afleiding behoeft. Naar ik me herinner had ik een prachtige dag, want ondanks de kritische aanmerkingen van mijnheer da Cola vond ik het verhaal van Lear en zijn dochters zowel onderhoudend als roerend en ook nog uitstekend geacteerd. Ik genoot er ook van de rest van de avond in goed gezelschap door te brengen, en wederom werd mijn interesse in de Italiaan gewekt. Ik sprak vrij lang met hem en gebruikte de gelegenheid om hem voor zover ik durfde uit te horen. Wat het ook was dat er te ontdekken viel, bleef mij echter ontgaan; Cola pareerde mijn vragen over hemzelf met gemak en keerde steeds terug naar zaken waarin zijn eigen overtuigingen en meningen geen rol speelden. Hij leek zich zelfs zeer goed bewust van mijn nieuwsgierigheid en vermaakte zich door ieder antwoord van enig gewicht te vermijden.

Ik kon hem uiteraard niet direct vragen naar hetgeen me interesseerde. Hoe graag ik ook wilde weten wat hij in het huisje van Sarah Blundy had gezocht, het was onmogelijk om die vraag op een manier te stellen die een bruikbaar antwoord zou hebben opgeleverd. Maar tegen de tijd dat hij vertrok, was hij zich van mijn vermoedens omtrent hem bewust en bezag hij me behoedzamer en met meer achting dan voorheen.

Toen hij en Lower eenmaal waren vertrokken, brachten Locke en ik nog een uurtje in aangename conversatie door voor ook wij de herberg verlieten om naar bed te gaan. Ik wenste mijn moeder goedenacht en bracht nog wat tijd door met mijn dagelijkse bijbellezing. Ik stond op het punt om te gaan slapen toen een gebonk op de deur me nogmaals de trap af liet dalen om de deur weer open te doen die ik net zo zorgvuldig voor de nacht had afgesloten. Het was Lower, die zich uitputte in verontschuldigingen dat hij nog zo laat stoorde, maar zei dat hij me nog even wilde spreken.

'Ik weet me geen raad,' zei hij, toen ik hem mijn kamer had binnengeloodst en hem had gevraagd zijn stem niet te verheffen. Mijn moeder had een hekel aan iedere verstoring van haar nachtrust en ik zou vele dagen haar slechte humeur moeten verdragen als Lowers conversatie of laarzen haar hadden gewekt.

'Wat vond je van die Cola?' vroeg hij plompverloren.

Ik gaf een neutraal antwoord, omdat het me duidelijk was dat het geen zier uitmaakte wat ik van hem vond. 'Waarom vraag je dat?'

'Omdat ik telkens van die schokkende verhalen over hem hoor,' zei hij. 'Zoals je weet, werd ik bij doctor Wallis ontboden. Niet alleen blijkt die Cola iemand te zijn die veelvuldig de ideeën van anderen pikt, maar Wallis gelooft nu ook dat hij iets met de dood van doctor Grove te maken heeft. Wist je dat ik de man ontleed heb? Dat was om te zien of zijn lichaam Cola zou beschuldigen.'

'En deed het dat?' Mijn hart ging sneller kloppen toen dit onderwerp ter sprake kwam. Ik zag mijn ergste nachtmerries al uitkomen en ik had geen flauw idee hoe ik het best kon reageren. Tot dan toe wist ik niet dat de dood van Grove onderzocht werd en had ik mezelf er niet alleen van overtuigd dat ik veilig was, maar had ik mezelf ook wijsgemaakt dat ik niets met zijn dood van doen had.

'Nee. Natuurlijk niet. Of misschien wel; maar tegen de tijd dat ik hem had opengesneden was het onmogelijk om uit te maken of hij bloedde uit beschuldiging of niet. De proef wees hoe dan ook niets uit.'

'Waarom denkt Wallis dat?'

'Geen idee. Hij is een gesloten man en zegt nooit een woord als het niet per se moet. Maar zijn waarschuwingen hebben me bang gemaakt. En zoals het er nu uitziet, moet ik Cola mee op rondreis nemen. Ik zal iedere nacht wakker liggen in de overtuiging dat hij me een stiletto in het lijf plant.'

'Ik zou me niet zoveel zorgen maken,' zei ik. 'Zo te zien leek het een doodnormale man voor een buitenlander. En ik weet uit ervaring dat doctor Wallis er een vreemd genoegen in schept om te doen of hij meer weet dan anderen. Dat is vaak niet het geval, maar louter een kunstgreep om mensen aan te zetten tot het doen van confidenties.'

Lower gromde. 'Toch is er iets vreemds aan die vent. Nu ik erop gewezen ben, kan ik het voelen. Ik bedoel maar, wat doet hij hier? Hij zou zijn familiezaken in orde brengen, maar daarvoor moet hij in Londen zijn. En ik weet dat hij er nog niets aan gedaan heeft. In plaats daarvan heeft hij zich aan Boyle vastgeklampt en is hij opvallend kruiperig tegenover hem, en hij neemt patiënten aan in de stad.'

'Eentje toch maar?' merkte ik op. 'En die telt nauwelijks.'

'Maar wat gebeurt er als hij besluit te blijven? Een modieuze dokter van het vasteland. Dat betekent slecht nieuws voor mij, en hij is er opmerkelijk op gebrand alles over mijn patiënten te horen. Ik geloof dat hij er misschien over denkt om ze van me in te pikken.'

'Lower,' zei ik streng, 'voor een verstandig man ben je soms de grootste domoor die ik ken. Waarom zou een welgesteld man, de zoon van een rijke Italiaanse koopman, zich in Oxford willen vestigen om jouw patiënten over te nemen? Denk toch eens na, kerel.'

Met grote tegenzin gaf hij dat toe. 'En wat betreft het feit dat hij iets met de dood van doctor Grove te maken zou hebben, zeg ik je dat ik denk dat dat totaal uit de lucht gegrepen is. Waarom zou hij of iemand anders dat in 's hemelsnaam willen doen? Weet je wat ik denk?'

'Wat dan?'

'Ik denk dat Grove zichzelf heeft omgebracht. Niet opzettelijk, maar arsenicum is een middeltje voor allerlei kwalen, en ik denk dat hij het zelf heeft ingenomen.'

Lower schudde zijn hoofd. 'Daar gaat het niet om. Waar het om gaat, is dat ik de volgende zeven dagen in het gezelschap van een man moet verkeren die ik meer en meer wantrouw. Wat moet ik daaraan doen?'

'Zeg de reis af.'

'Ik heb het geld nodig.'

'Ga alleen.'

'Dat zou wel het toppunt van ongemanierdheid zijn, om een eenmaal gedane uitnodiging weer in te trekken.'

'Lijd in stilte, oordeel niet naar wat anderen zeggen en probeer voor jezelf vast te stellen wat hij is. Ondertussen,' zei ik, 'nu je hier toch bent en hem beter kent dan wie ook, moet ik je raad vragen over iets. Ik doe het met tegenzin, omdat ik er een hekel aan heb om je argwaan nog verder aan te wakkeren, maar het is iets vreemds wat ik niet kan verklaren.'

'Ga je gang.'

Dus op een zo min mogelijk sensationele wijze als ik maar kon, vertelde ik hem van mijn bezoek aan het huisje van de Blundy's en hoe ik Cola had had zien binnenkomen, hem zien vaststellen dat de de vrouw sliep en vervolgens de hele woning had zien doorzoeken. Ik besloot hem niet te vertellen wat er daarna was gebeurd.

'Waarom vraag je niet aan Sarah Blundy of ze iets mist?'

'Hij is haar arts. Ik wil dat vertrouwen niet ondermijnen, en hem ook geen reden geven om weer te weigeren haar moeder te helpen. Wat vind jij ervan?'

'Ik denk dat ik op mijn geldbuidel ga slapen als we in hetzelfde bed liggen,' zei hij. 'Ik vind het maar raar dat je je zoveel moeite getroost om mijn wantrouwen weg te nemen en het dan uiteindelijk toch weer bevestigt.'

'Mijn excuses. Zijn gedrag is vreemd, maar ik denk dat je eigen vrees weinig grond heeft.'

Het gesprek schudde mijn eigen bezorgdheid wakker en, moet ik hierbij aantekenen, op geen enkel moment zei Lower dat de magistraat al bezig was met een onderzoek naar Sarah als mogelijke dader. Had hij dat wel gedaan, dan zou ik me anders hebben gedragen. Nu keerden mijn gedachten, toen Lower me weer in vredige eenzaamheid had achtergelaten, terug naar het vreemde gedrag van Cola en ik besloot de zaak tot op de bodem uit te zoeken. Voor ik dat deed, besloot ik echter dat het het best was om Sarah ernaar te vragen, arts of geen arts.

'Van die plank?' zei ze toen ik haar het voorval had verteld. 'Daar staat niets van waarde. Alleen een paar boeken van mijn vader.' Ze bekeek de boeken aandachtig. 'Er is er een weg,' zei ze. 'Maar ik heb het nooit gelezen, want het was in het Latijn.'

'Las je vader Latijn?' vroeg ik met enige verbazing. Ik wist dat hij een begaafd man was, maar had niet begrepen dat zijn zelfstudie zover was gegaan.

'Nee,' zei ze. 'Hij vond het een dode taal, die alleen maar van nut was voor dwazen en oudheidkundigen. Neem me niet kwalijk,' voegde ze er met een flauw glimlachje aan toe. 'Hij wilde een nieuwe wereld creëren en geen oude doen herleven. Daarbij komt, zo vertelde hij me een keer, dat we niets konden leren van heidense slavenmeesters.'

Ik liet mijn afkeuring zonder commentaar passeren. 'Waar kwamen al die boeken dan vandaan?'

Ze haalde haar schouders op. 'Daar heb ik nooit bij stilgestaan, alleen toen ik erover nadacht om ze te verkopen. Ik heb er een boekhandelaar naar gevraagd, maar hij bood me veel te weinig. Ik wilde ze aan jou geven als geschenk voor je goedheid, als je ze wilde aannemen.'

'Je weet wel beter dan dat ik een gift aan boeken zou afslaan,' zei ik. 'Maar ik zou ze weigeren. Je bent in geen enkele positie om zo met je bezit om te springen. Ik zou erop staan je ervoor te betalen.'

'En dat aanbod zou ik afslaan.'

'Daar konden we dan een hele tijd over bekvechten. En er zijn dringender zaken aan de orde. En niet in het minst het feit dat jij niet iets kunt weggeven en ik niet iets kan kopen wat zich misschien in het bezit van mijnheer da Cola bevindt. Ik denk dat ik eens moet kijken of ik het niet kan terugkrijgen.'

Om te beginnen liep ik het hele stuk terug naar Christ Church en vergewiste me ervan dat Lower en Cola inderdaad die ochtend op hun rondreis waren vertrokken. Daarna liep ik naar mevrouw Bulstrode, de hospita van Cola in St Giles.

Ik kende die dame al sinds mijn vijfde. Voor ik alle jeugdige bezigheden achter me had gelaten, speelde ik vaak met haar zoon, die ongeveer van mijn leeftijd was en tegenwoordig graanhandelaar in Witney is. Regelmatig had ze mij een appel uit haar tuin toegestopt of een lik honing gegeven uit de korven die ze op een minuscuul stukje land hield, dat ze met groot vertoon altijd graag haar landgoed noemde. Want ze was, ondanks haar gestrenge godsdienstigheid, een vrouw met pretenties en hield ervan de voorname dame te spelen. Degenen die haar voldoende kenden om haar schijn te doorzien, maakten haar genadeloos belachelijk; degenen die haar beter kenden, zagen haar innerlijke goedheid en vergaven haar een gebrek, dat hoewel ernstig, haar nooit tegenhield een barmhartige daad te doen of een vriendelijk woord te spreken.

Ik werd de keuken binnengelaten – ik kende haar al zo lang dat ik aan de keukendeur mocht kloppen – en met grote hartelijkheid begroet. Er was een halfuurtje gebabbel voor nodig eer ik mezelf en haar op het punt kreeg waar het om draaide. Ik legde uit dat ik een goede kennis van mijnheer da Cola was.

'Ik ben blij het te horen, Anthony,' zei ze ernstig. 'Als hij een vriend van je is, dan kan het niet zo erg zijn om hem te kennen.'

'Waarom zegt u dat? Heeft hij zich misdragen?'

'Dat nou niet bepaald,' moest ze toegeven. 'In feite is hij in alle opzichten een uiterst beleefd man. Maar hij is een paap en ik heb nog nooit zo iemand in huis gehad, en dat hoeft ook nooit meer. Hoewel, ik geloof dat we hem misschien nog aan onze kant kunnen krijgen. Weet je dat hij een keer 's avonds met ons gebeden heeft? En dat hij afgelopen zondag met mijnheer Lower naar de kerk is gegaan en zei dat hij het een verheffende ervaring vond?'

'Ik ben verheugd het te horen. Van mijn kant kan ik bevestigen dat hij een goed mens is, aangezien hij de moeder van onze dienstmeid voor een gering bedrag behandelt. Ik denk dat u 's nachts gerust kunt slapen. Maar wat ik u wil vragen, is het volgende: zou ik even naar zijn kamer mogen, want hij heeft iets van me geleend wat ik dringend voor mijn werk nodig heb. En ik hoorde dat hij een week weg is.'

Ik kreeg meteen toestemming en daar ik wist waar de kamer was, kon ik rustig in mijn eentje de twee trappen oplopen naar de kleine zoldervertrekken die Cola huurde. Binnen was alles kraakhelder, zoals ik had verwacht van een kamer die onder het bewind van mevrouw Bulstrode viel, die stof als het zaad van de duivel beschouwde en nooit ophield met haar uitdrijvingscampagnes. Cola had niet veel bezittingen en die zaten voor het merendeel in een grote reiskist. En die kist was helaas stevig op slot.

Eenmaal zover gekomen, was ik vastbesloten niet met lege handen te vertrekken. Ik bekeek dat grote reisslot met bijzondere aandacht, in de hoop dat het plotseling voor mijn ogen zou openspringen. Maar het was niet alleen bedoeld om bescherming te bieden tegen dieven, maar ook tegen types als mevrouw Bulstrode, die de inhoud zeker aan een inspectie had onderworpen als er zich een gelegenheid had voorgedaan, want haar nieuwsgierigheid naar het onbekende was even groot als die van de vlijtigste experimentalist. Geweld of de sleutel waren de enige mogelijkheden en beide lagen buiten mijn macht.

Mijn lange, intense getuur naar de kist maakte weinig indruk en bewoog hem er niet toe zich voor me te openen. Uiteindelijk besefte ik dat ik kon wensen tot ik een ons woog, maar dat het niets zou uitmaken. Met de grootste tegenzin en niet zo'n klein beetje wrevel stond ik op en wilde weggaan. Maar eerst nog gaf ik de kist uit pure ergernis een stevige trap om hem te laten merken dat ik niet zo blij met hem was.

En met een harde klap sprong het slot open. De sluithaak was voorzien van een vernuftig veermechanisme, iets wat ik nog nooit eerder had gezien. Ik stond stomverbaasd te kijken en kon geen verklaring vinden voor het feit dat iemand zo roekeloos kon zijn om al zijn bezittingen op die manier onbeschermd te laten – niet wetende, tot ik het manuscript las, dat de zware val tijdens de reis van Londen het slot zo had beschadigd dat het niet langer te vertrouwen was.

Een godsgeschenk mag nooit worden afgeslagen. Het had Hem behaagd mijn wens in te willigen en ik was er zeker van dat het om een goede reden was. Met een dankgebed op de lippen knielde ik voor de kist neer als ware het een altaar en begon hem even systematisch te doorzoeken als Cola zelf had gedaan met het huis van Sarah Blundy.

Ik zal geen opsomming van zijn bezittingen geven, commentaar leveren op de kwaliteit van de kleding of de zakken geld die zijn verhalen over armoede logenstraften. Want hij had minstens honderd pond aan goudstukken in zijn bezit. In plaats van dat hij gedwongen was patiënten aan te nemen om te kunnen overleven bezat hij genoeg geld om meer dan een jaar als een voornaam heer te leven. Nee, ik zal alleen vermelden dat ik al snel drie boeken ontdekte, in een zijden hemd gewikkeld onder in de kist, alsof ze de kostbaarste voorwerpen ter wereld waren, vergezeld van een vel papier met daarop de naam van een taveerne in Cheapside, The Bells geheten, en verschillende andere krabbels die ook adressen leken te zijn.

Het eerste boek was bijzonder luisterrijk uitgevoerd, goud gestempeld, met een fraaie metalen sluiting, fijnzinnig gevormd en bewerkt. Het was mijn hartstocht als bibliograaf waardoor ik even de tijd nam om het goed te bekijken, want het was het mooiste Venetiaanse ambachtswerk en dat soort schitterend vakmanschap kom je in dit land maar zelden tegen. Ik voelde een scherpe steek van afgunst toen ik het zag en ik zweer dat als ik een fractie minder eerlijk was geweest, ik het bij me had gestoken. Het is ongetwijfeld een goede zaak dat er nu zoveel boeken worden gedrukt en dat hun prijs gestaag daalt, zelfs voor de geleerdste werken. Ik prijs mezelf gelukkig dat ik in dit land leef waar boeken voor niet al te veel geld aangeschaft kunnen worden (hoewel ze nog steeds duurder zijn dan in de Nederlanden; als ik de lust tot reizen had bezeten, dan zou ik daarnaartoe gaan, want ik kon daar vele boeken kopen en er de kosten van de reis mee uitsparen). Maar soms dringt het tot me door dat er nadelen aan deze gelukkige situatie kleven. Uiteraard komt de kwaliteit van het geschrevene op de eerste plaats en is het beter dat zoveel mogelijk mensen van wijsheid kennis kunnen nemen, want *sine doctrina, vita est quasi mortis imago*, zegt Dionysius Cato: zonder lering is het leven slechts een afdruk van de dood. En als het anders lag, zou ik me heel wat minder boeken kunnen veroorloven. Maar soms denk ik weemoedig terug aan de tijd dat mensen boeken echt waardeerden en er veel geld aan besteedden. Als in de Bodleian soms mijn concentratie wijkt en mijn stemming daalt, vraag ik een van die prachtige codices op, die hun weg naar deze bibliotheek hebben gevonden. Of ik ga naar een van de colleges, bekijk een getijdenboek en bewonder de liefde en het vakmanschap die bij het maken van zulke prachtige werken te pas zijn gekomen. Ik stel me de mannen voor die ze hebben gemaakt, de kopiisten, de papierscheppers, de illustratoren en de binders, en vergelijk ze met de armzalige werkjes die ik op mijn eigen planken heb staan. Het is als het verschil tussen het gebedshuis van kwakers en een katholieke kerk. Het een is gewijd aan het woord en niet meer dan dat; het heeft zijn verdienste, neem ik aan. Maar God is meer dan woord alleen, zij het dat Hij dat in den beginne was. Alleen het spreken van de mens is vrijwel krachteloos om Zijn glorie uit te drukken en de karigheid van protestantse gebouwen is een belediging van Zijn naam. We leven nu in een tijdperk dat de huizen van politici rijker versierd zijn dan de huizen van God. Wat zegt dat niet over onze verdorvenheid?

Zo zat ik een poosje, liet mijn ogen vol verrukking over dit boekje van Cola dwalen en streek met mijn vinger over het lijnenspel van het bindwerk. Een kamer – nee, niet meer dan een plank – met deze boeken zou me de grootst mogelijke vreugde geven, hoewel ik wist dat ik net zo goed kon wensen eerste minister van Engeland te worden als hopen dat ik ooit zoiets wonderschoons zou bezitten. Het was een psalter, en een fraai exemplaar. Ik opende de sluiting en sloeg het open om te zien of het drukwerk de band evenaarde, want ik wist dat de Venetiaanse drukkunst de beste is die er bestaat.

En ik kreeg een vreselijke schok te verwerken, want het boek was vanbinnen in twee zorgvuldig uitgesneden ruimtes uitgehold. Eerst ging mijn ontzetting uit naar het boek, want in mijn ogen was het vrijwel heiligschennis een dergelijk prachtig voorwerp op deze manier te verminken.

Daarna richtte mijn aandacht zich op de drie kleine flesjes die zo zorgvuldig in de holtes waren verstopt, ieder stevig afgesloten met een kurk. Eén bevatte een donkere, stroperige substantie zoals olie, het andere een heldere vloeistof die heel goed water kon zijn. Het derde flesje was echter het interessantst, want het was het rijkst versierd van allemaal, overdekt met goud en edelstenen, en naar mijn onervaren schatting vele tientallen ponden waard. Dit bevatte alleen een dik, vreemd gevormd stukje oud hout. Het was duidelijk wat het betekende, zelfs voor een uilskuiken als ik.

Ik legde het boek opzij en daar mijn nieuwsgierigheid door dit eerste was uitgeput, bekeek ik de andere twee slechts terloops, tot ik besefte wat ze waren. Het duurde een paar minuten terwijl ik bladerde en nadacht voor het bij me daagde dat dit iets bijzonders en veelbetekenends was. Want beide deeltjes waren hetzelfde – het een uit Sarahs huis en het andere dat Cola, naar ik aannam, al bezat: het waren twee delen uit Livius' geschiedenis in dezelfde editie als die waarvan doctor Wallis me vele maanden eerder zo dringend had verzocht er een voor hem te vinden.

～～

Sarah Blundy werd de volgende dag gearresteerd, op instigatie van John Wallis, naar ik nu weet, en het nieuws ging door de stad en de universiteit als een vloedgolf die door een stormwind een kreek wordt opgestuwd. Iedereen wist dat ze schuldig was en bejubelde de magistraat evenzeer vanwege zijn besluitvaardigheid als dat ze hem bekritiseerden vanwege de trage wijze waarop hij tot een conclusie was gekomen die achteraf voor iedere burger, vanaf het moment dat ze van de dood van doctor Grove hadden gehoord, zo overduidelijk was geweest. Slechts twee mensen hadden een afwijkende mening: ikzelf, die de waarheid kende, en mijn moeder, wier overtuiging des te rechtschapener was omdat die op niets was gebaseerd. Maar ze kende het meisje, zoals ze zei. En ze kon niet accepteren dat iemand uit haar huishouden iets dergelijks zou doen. Had ze de waarheid geweten, dan was ze erin gebleven.

Het was een vreemde vrouw, mijn moeder zaliger, de beste moeder die een man ooit kon hebben. Want ze was in alles streng en stipt, waakzaam op haar rechten en alert op de verplichtingen van anderen. Man noch vrouw was er sneller bij om een zonde te veroordelen of commentaar te leveren op een morele tekortkoming. Geen vrouw was zo nauwgezet in haar godsvrucht: ze bad nooit minder dan tien minuten 's ochtends als ze opstond en meer dan een kwartier voor ze ging slapen. Ze bezocht de beste kerk en luisterde oplettend naar de preken, die ze vaak niet begreep, maar die ze niettemin verheffend vond. En ze was liefdadig met de grootste omzichtigheid, zodat ze te veel noch te weinig uit haar zak aan de behoeftigen gaf. Ze was zonder meer zuinig met geld en waakzaam op haar reputatie, maar niet zodanig dat een van de twee in plaats kwam van haar plicht aan God.

En ze was zo overtuigd van haar kennis van Gods gedachten dat als de openbare mening en die van haarzelf op kleine punten afweken, ze er geen moment aan twijfelde dat zij het het best wist. Toen ze hoorde van de arrestatie van Sarah, aarzelde ze geen ogenblik om tegen iedereen in onze grote keuken te verkondigen dat er een ernstig onrecht was begaan. Sarah (voor wie ze nu een bezitterige genegenheid koesterde) trof in deze zaak geen enkele schuld, zei ze. Ze had geen vinger naar die vette prelaat uitgestoken en als dat wel zo was, dan had hij het ongetwijfeld meer dan verdiend. Niet tevreden met alleen woorden vulde ze onmiddellijk een mand met eten en haar zelfgebrouwen bier, beende weg naar het huisje van mevrouw Blundy om warme kleren te halen, pakte mijn beste deken (mijn enige deken, in feite) van mijn bed en stapte onder de ogen van iedereen naar de gevangenis, waar ze haar best deed om het het arme kind behaaglijk te maken en zich ervan te vergewissen dat ze met kleren, eten en strenge woorden tegen de cipier zo goed mogelijk tegen de tyfus was beschermd.

'Ze heeft gevraagd of je wilde komen,' zei ze ernstig tegen me bij haar terugkomst. Ze was in een slechte stemming, daar ze uitgejouwd was door een aantal nietsnutten die gewoonlijk in de tijd voor de rechtszitting bij de gevangenis rondhangen, en er een ontaard plezier in scheppen om de gevangenen geketend te zien aankomen. Ik begrijp niet waarom zulke mensen niets beters te doen hebben, maar ik weet zeker dat iedere goed bestuurde stad ze zou verjagen of hen zwaar zou straffen voor hun gelanterfanter. 'En je moet meteen gaan.'

Mijn moed zonk me in de schoenen en ik voelde me als een stier die aan een touw naar het erf van de slachter wordt getrokken en al zijn pogingen om aan het onvermijdelijke te ontsnappen ziet mislukken. Voor ik van de arrestatie had gehoord, had ik mezelf ervan overtuigd dat het ergste gevaar geweken was. Als nooit iemand de schuld kreeg van Groves dood, dan zou het stom zijn om me vrijwillig aan te melden. Maar meteen toen ik dat van Sarah hoorde, hoorde ik ook het toetrekken van de strop, en mijn maag verkrampte toen ik het onvermijdelijke voor me zag opdagen.

Natuurlijk moest ik naar haar toe. Ik slaagde er zelfs in me kwaad op haar te maken, alsof het haar schuld was dat ze zo onterecht de verdenking op zich had geladen. Maar toen ik de stenen treden naar de gevangenis opliep, wist ik heel goed dat dit voortkwam uit mijn eigen ongerustheid over mijn situatie en de val waar ik nu stevig in zat. Vroeg of laat moest ik mijn daad opbiechten, want als ik al een misdaad had begaan door Grove te doden, wilde ik niet ook nog andere zielen gewicht tegen mij in de weegschaal zouden leggen.

Sarah was verrassend opgewekt toen ik haar zag. De vrouwencel zat nog niet vol met de verzameling oude wijven die weldra vanuit het hele land hiernaartoe gebracht zouden worden om hier berecht te worden, en ze zat er pas een paar uur. De duisternis en het vocht hadden nog niet hun fatale uitwerking op haar geestkracht gehad.

'Kijk niet zo,' zei ze toen ze mijn trieste gelaat uit de duisternis zag opdoemen. 'Ik ben degene die in de gevangenis zit, niet jij. Als ik opgewekt kan zijn, moet jij ook een beetje vrolijker kunnen kijken.'

'Hoe kun je zo doen, op deze plek?'

'Omdat ik een zuiver geweten heb en omdat ik geloof dat de Heer voor me zal zorgen,' zei ze. 'In mijn leven heb ik mijn best voor Hem gedaan en ik weiger te geloven dat Hij me nu in de steek zou laten.'

'En als Hij dat wel doet?'

'Dan zal het om een goede reden zijn.'

Ik beken dat een dergelijke nederigheid me soms doodmoe maakte. Maar ik was gekomen om haar moed in te spreken, dus ik kon er nu niet voor kiezen om haar ervan te overtuigen dat haar optimisme misplaatst was.

'Je denkt dat ik dwaas ben,' zei ze. 'Dat ben ik niet. Want ik weet dat ik niets met die zaak te maken heb.'

'Zo is het, en God weet het ook. Net als ik. Maar of de rechtbank Zijn inzicht deelt, is een andere zaak.'

'Wat kunnen ze anders zeggen? Een rechtbank moet toch met bewijzen komen, nietwaar? En jij weet evengoed als ik waar ik die avond was.'

'En zo nodig moet je ze dat vertellen,' zei ik tegen haar. Maar ze schudde haar hoofd. 'Nee. Dan wordt het ene schandaal ingeruild voor het andere, en dat doe ik niet. Geloof me, Anthony, dat zal niet nodig zijn.'

'Dan doe ik het.'

'Nee,' zei ze beslist. 'Ik neem aan dat je denkt dat je goed voor me bent, maar jij mag hier niet onder te lijden krijgen. De wet kan in dit geval niet veel tegen je doen, maar ik zou meteen moeten vertrekken, en dat kan ik niet met mijn moeder in haar toestand. En ik kan ook die mensen in Abingdon en elders niet aan strafmaatregelen blootstellen. Geloof me,

Anthony, er is geen gevaar. Het is onmogelijk dat iemand zou denken dat ik zoiets zou willen of kunnen doen.'

Ik deed mijn best haar te laten inzien dat ze dat verkeerd zag, dat de stad dat niet alleen kon denken, maar er al van overtuigd was. Maar ze wilde er niets meer over horen. Ten slotte zei ze dat ik over iets anders moest praten of haar met rust moest laten; een hooghartige wens gezien haar omstandigheden, maar echt iets voor haar.

'Je zegt hier niets over tegen niemand,' zei ze. 'Dat is mijn wens en mijn bevel. Je zegt alleen wat ik je toesta, en niets anders. Je bemoeit je hier niet mee, heb je dat begrepen?'

Ik keek haar bevreemd aan, want hoewel ze een dienstmeid was, zag ze eruit en sprak ze als iemand die geboren was om te bevelen; geen vorst kon met zoveel beslistheid orders hebben gegeven, of met zoveel overtuiging dat ze opgevolgd zouden worden.

'Goed dan,' zei ik met tegenzin en na een lang stilzwijgen waarin ze wachtte op de instemming waarvan ze wist dat ik die zou geven. 'Maar vertel me iets over die Cola.'

'Wat valt er nog te zeggen dat je zelf niet hebt gezien?'

'Het kan belangrijk zijn,' antwoordde ik. 'En ik weet niet zo goed raad met wat ik zag. Ik zag hem naar je toe komen en toen terugdeinzen. Het was niet doordat jij iets deed waardoor hij zich terugtrok; het was meer alsof hij dodelijk ontsteld was. Klopt dat?'

Dat gaf ze toe.

'En je zou hem zijn gang hebben laten gaan als hij niet was weggelopen?'

'Jij had me al voorgehouden dat ik niets meer te verliezen had, en ik denk dat dat ook het geval was. Als hij op betaling had gestaan, had ik weinig kunnen doen om te verhinderen dat hij die kreeg. En alle protesten vooraf of achteraf hadden ook niets uitgehaald. Dat heb ik wel bij anderen gemerkt.' Ze raakte mijn arm aan toen ze mijn gezicht zag betrekken. 'Ik bedoel niet jou.'

'En toch trok hij zich terug. Waarom?'

'Ik denk dat hij me afstotend vond.'

'Nee,' zei ik. 'Dat is onmogelijk.'

Ze lachte. 'Dank je wel.'

'Ik bedoel, het klopt niet met wat ik zag.'

'Misschien had hij een geweten. En in dat geval zijn hij en jij de enige twee mannen die ik ken die daarmee uitgerust zijn.'

Ik boog mijn hoofd bij die woorden. Ik had inderdaad een geweten; deze dagen ging er ternauwernood een ogenblik voorbij dat ik me daarvan niet bewust was. Maar luisteren naar zijn waarschuwingen en ernaar handelen was iets anders. Daar zat ik, de aanstichter van de ellende waarin dit meisje zich bevond, met de mogelijkheid die met één woord ten einde te brengen, en wat deed ik? Ik troostte haar en speelde de rol van meelevende helper. Ik was zo grootmoedig en zo behulpzaam dat het mijn lafheid geheel bedekte, zodat niemand iets vermoedde van de diepte van een schuld die dagelijks nog dieper vrat en monsterachtiger werd. En nog steeds ontbrak mij de moed om te doen wat ik moest doen. Het was niet omdat ik het niet wilde: vele keren stelde ik me voor dat ik naar de magistraat ging, hem vertelde wat er was gebeurd en mijn leven ruilde voor het hare. Vele keren zag ik mezelf staan als de stoïcijn die zijn offer brengt met onbekrompen eerlijkheid en moed.

'Ik heb gevonden wat hij heeft gestolen,' zei ik 'en ik ben er stomverbaasd over. Het is een boek van Livius. Waar komt dat vandaan?'

'Ik geloof dat het bij dat pak zat dat mijn vader achterliet, vlak voor hij stierf.'

'Met jouw toestemming wil ik in dat geval dat pak openen. Ik heb het nooit bekeken, omdat je me dat vroeg, maar nu denk ik dat we dat wel moeten doen; er moet een antwoord in te vinden zijn.' Toen maakte ik me klaar om te weg te gaan, maar voordat ik ging, smeekte ik haar nog een keer me toe te staan te spreken, in de hoop dat er een manier zou zijn dat ze kon ontsnappen zonder dat ik hoefde te bekennen. Maar ze wilde er niet van horen en ik moest haar wens inwilligen. In deze omstandigheden kon ik er zeker niet op hopen te ontsnappen door haar met nog meer narigheid te belasten.

9

Ik moet het, denk ik, even over dat boek hebben want ik ben vergeten mijn inspectie ervan te vermelden. Als je het zag, was er niets opmerkelijks aan; het was een octavoformaat en in slecht kalfsleer gebonden, met stempelwerk dat wel vakkundig was gedaan, maar niet door iemand die een meester in zijn ambacht was. Er stonden geen aanduidingen in aan wie het toebehoorde en ik wist zeker dat het niet uit de bibliotheek van een geleerde kwam, want ik kende er geen een die zijn bezit en de plek waar het op de planken behoorde te staan niet zorgvuldig markeerde. Ook stonden er geen kanttekeningen in, iets wat men zou mogen verwachten in een boek dat goed gelezen en bestudeerd was. Het was verfomfaaid en beschadigd, maar mijn deskundig oog merkte op dat dit meer kwam door slechte omgang en mishandeling dan door buitensporig lezen; de rug was in uitstekende staat en was het minst beschadigde gedeelte van het boek.

Binnenin was de tekst onaangeroerd, op een paar kleine inktstreepjes na die onder sommige letters waren getrokken. Op de eerste pagina was een *b* in de eerste regel aangestreept, een *f* op de tweede enzovoort. Op iedere regel was er één letter aangestreept, en daar ik wist dat Wallis in letterraadsels was geïnteresseerd, dacht ik dat ze misschien een of ander acrostichon vormden. Ik noteerde ze dus allemaal en er kwam louter een letterbrij te voorschijn, waar geen touw aan vast te knopen viel.

Ik spendeerde meer dan een halve dag aan deze vruchteloze oefening voordat ik me gewonnen moest geven en het boek in mijn kast wegstopte achter een stel andere boeken, zodat het niet opgemerkt zou worden als er iemand kwam kijken. Daarna richtte ik mijn aandacht op het pakket, nog steeds beveiligd met niet-verbroken lakzegels. Zelfs nu nog is het vreemd om te bedenken dat zo'n klein voorwerp zo'n razernij over de wereld kon ontketenen, dat zoveel mensen zoveel wreedheden konden overwegen om het in bezit te krijgen en dat ik zo'n machtig wapen zo lang zonder het te weten in mijn bezit had. Nooit bevroedde ik dit tot ik het opende.

Een halve dag zorgvuldige inspectie legde de gehele geheime geschiedenis van dit rijk voor me open, maar pas toen ik het verhaal van Wallis las, begreep ik ten volle hoe deze zaak de tragedie die zich voor me ontvouwde beïnvloedde, en zag ik in welke mate de wiskundige door John Thurloe, ondanks het feit dat hij geen positie meer bekleedde misschien toch nog steeds de machtigste man in het koninkrijk, was misleid. Wat hij Wallis vertelde, was tot op zekere hoogte waar: zijn verhaal over de manier waarop sir James Prestcott en Ned Blundy, beiden fanaticus, zij het voor verschillende doelen, een verbond sloten werd tot in elke kleinigheid bevestigd, want de helft of meer van de documenten bestond uit brieven tussen Thurloe en Clarendon, Cromwell en de koning, waarin de wederzijdse hoffelijkheid even opvallend was als hun kennis van elkaars karakter en ambities. Eén brief met name zou beroering hebben gewekt als hij openbaar was geworden, want er stond uitdrukkelijk in dat de koning Mordaunt had opgedragen de bijzonderheden van de opstand van 1659 bekend te maken; en op een begeleidend stuk papier stonden bijna veertig namen vermeld, vele wapenopslagplaatsen en aanduidingen van verzamelplaatsen. Zelfs ik wist dat velen van de hier genoemden nadien waren omgebracht. Een andere brief bevatte de opzet van een overeenkomst tussen Karel en Thurloe waarin de voorwaarden werden geschetst voor een herstel van de monarchie, met vermelding van wie begunstigd moest worden, welke beperkingen de koninklijke macht kreeg en een puntsgewijze opsomming van wetten om de katholieken in toom te houden.

Het is duidelijk dat als sir James Prestcott deze documenten weer te pakken had gekregen en ze toentertijd bekend had gemaakt, de koninklijke zaak te gronde zou zijn gericht, en de loopbaan van John Thurloe eveneens, want beide kampen zouden deze mensen, die bereid waren principes waarvoor zoveel bloed was vergoten opzij te schuiven, volstrekt hebben afgewezen. Dit was echter nog maar het onschuldige deel van de bundel papieren, want hoewel dit in 1660 uiterst gevaarlijk zou zijn geweest, betwijfel ik of de troon er in 1663 van was gaan wankelen. Nee, de gevaarlijker documenten zaten in een afzonderlijk pakje en waren ongetwijfeld door sir James Prestcott zelf geleverd. Want zoals salpeter en nitraat apart weinig schade kunnen aanrichten, kunnen ze de sterkste vesting neerhalen wanneer ze samengevoegd worden tot buskruit. Zo kregen deze twee bundels papier extra kracht door ze naast elkaar te leggen.

Want sir James Prestcott was een katholiek en lid van het paapse complot om Engeland weer slaaf van Rome te maken. Natuurlijk was hij dat; waarom zou zijn zoon anders de steun van de paapse graaf van Bristol zoeken? Wat anders verklaart de bange stilte van zijn familie, hun weigering te praten over de niet nader genoemde schade die hij hun had aangedaan, die Jack Prestcott vermeldt, maar als het zoveelste voorbeeld van hun harteloosheid? De familie van zijn vrouw was zeer fervent protestants gezind, en dat iemand uit hun midden Rome zou omhelzen was voor hen onvergeeflijk. Waarom zouden ze anders weigeren sir James bij zijn moeilijkheden te helpen tegen alle instincten van verplichting in? Waarom zouden ze anders de jonge Jack bij de familie Compton onderbrengen, waar hij onder het toezicht van de overtuigd anglicaanse Robert Grove kon worden geplaatst? Het ligt in de aard van paapsgezinden hun eigen familie in de val te lokken, hun geest te vergiftigen en ze te verderven. Was er enige hoop dat een jongeling die zich zo makkelijk liet leiden als Jack Prestcott de vleitaal van zijn geadoreerde vader zou weerstaan? Nee, wat er verder ook gebeurde, het was essentieel voor zijn veiligheid en de goede naam van de familie dat hij onder hun hoede bleef en dat sir James de landgoederen die hij had opgegeven niet weer terugkreeg. Naar mijn mening kan de familie worden vrijgepleit van hebzucht en leugenachtigheid, hoewel ik het aan anderen overlaat om het niet met mijn oordeel eens te zijn.

Ik geloof dat de bekering van sir James plaatsvond tijdens zijn eerste verbanning, een tijd waarin vele royalisten, verzwakt door tegenslag en rampspoed, de paperij uit vertwijfeld zielenleed omarmden. Hij ging in Venetiaanse krijgsdienst bij het beleg van Candia en kwam tijdens zijn verblijf in het buitenland in nauw contact met veel mensen van grote invloed in de roomse Kerk, die erop loerden voordeel te halen uit Engelands ongeluk. Een van hen was de priester met wie hij in deze brieven correspondeerde.

Ik zal dat later uitleggen; op dit moment wil ik slechts wijzen op de schok die het betekende voor iedere katholiek die bijna twintig jaar van zijn leven had gegeven om te vechten voor de troon, om te ontdekken dat de koning bereid was met de zwaarste vervolgingsmaatregelen tegen hem en zijn gelijken in te stemmen. Het nieuws dat Prestcott kreeg dat de koning bereid was een overeenkomst te sluiten met Richard Cromwell en Thurloe zette hem aan tot handelen en bracht hem er ook toe zijn trouw in te ruilen voor zijn laatste verraad.

Want Prestcott wist dat Karel, de meest dubbelhartige aller mensen, ook onderhandelde met de Fransen, de Spanjaarden en met de paus zelf, en probeerde hun steun en geld te krijgen in ruil voor zijn belofte volledige tolerantie aan de katholieken te bieden als hij weer op de troon zou komen. Hij beloofde van alles aan iedereen en brak iedere overeenkomst toen hij eenmaal weer op de troon zat. Zelfs zijn raadgevers kenden, geloof ik, de volle omvang van zijn dubbelhartigheid niet, want Clarendon wist niets van de gesprekken met de Spanjaarden, terwijl mijnheer Bennet onwetend werd gehouden van het overleg met Thurloe.

Alleen sir James Prestcott wist het allemaal, omdat Ned Blundy hem alles van het ene kamp vertelde en zijn correspondent, een priester die nauw bij deze gesprekken was betrokken, hem over de andere kant vertelde. Die priester heette Andrea da Cola, die Prestcott ontmoet moet hebben toen hij in Venetiaanse dienst was.

10

LATER HAD IK ER VEEL VERDRIET VAN, maar zelfs nu zie ik niet in hoe ik de
gebeurtenissen zo in elkaar had kunnen passen dat ik Sarahs dood had kunnen voorkomen. Had ik maar geweten dat Wallis en Thurloe die documenten zochten en me er alles voor hadden gegeven wat ik maar wilde; had
ik hoe dan ook maar beseft dat ze een rol speelden in alle intriges die haar
voor het gerecht brachten; had ik maar de volle betekenis van Cola's aanwezigheid in dit land begrepen, dan had ik naar de rechter kunnen gaan en
gezegd: stop onmiddellijk dit proces, laat het meisje gaan. Ze hadden me
denk ik gehoorzaamd en al mijn wensen vervuld.

Maar ik wist dit allemaal niet en besefte het niet, tot ik de woorden van
Wallis en Prestcott las en voor de eerste keer begreep dat Sarahs berechting
niet gewoon een rechterlijke dwaling was, maar daarentegen een alles aan
zich ondergeschikt makende onontkoombaarheid had die niet kon worden vermeden.

In de loop der tijden hebben vele mensen verheven woorden gesproken
over de beloningen en straffen die God aan zijn dienaren uitdeelt om zijn
goedkeuring of ontevredenheid te tonen. Een verloren strijd, een gewonnen strijd: beide zijn tekenen van God. Het kwijtraken van een vermogen
als een schip in zware zee vergaat, een plotselinge ziekte of een toevallige
ontmoeting met een oude kennis die nieuws brengt, zijn eveneens aanlei-
dingen om dank- of klaaggebeden te zeggen. Dit moge zo zijn, maar hoeveel erger is het niet als talloze daden en besluiten, in het geheim genomen
en slechts gedeeltelijk bekend, zich langzaam over de jaren ophopen om de
dood van een onschuldige op die manier te bewerkstelligen? Want als
koning Karel niet dubbelhartig was geweest, als Prestcott geen fanaticus
was geweest, als Thurloe niet bezorgd om zijn eigen veiligheid was geweest,
als Wallis niet ijdel en wreed was geweest, als Bristol niet ambitieus was
geweest, als Bennet niet cynisch was geweest – kortom, als de regering niet

de regering was geweest en politici niet wat ze zijn, dan zou Sarah Blundy niet naar het schavot zijn geleid en had het offer niet hoeven worden gebracht. En wat kunnen we van zo'n slachtoffer zeggen, wiens dood de uitkomst van zoveel zonden is, maar zo stil wordt voltrokken dat de ware betekenis ervan nooit bekend wordt?

Zoals gezegd, ik wist dat alles niet en op dat moment zoals ik daar in mijn kamer zat, omringd door die oude papieren, verweet ik mezelf mijn lafheid omdat ik wegvluchtte in een zaak die toen geen enkel belang voor mij leek te hebben; want op dat moment kon het me niet schelen of koning Karel van Engeland al dan niet zijn troon behield, of dat katholieken werden vervolgd of volledige bewegingsvrijheid kregen. Het enige dat me kon schelen was dat Sarah in de gevangenis zat en het feit dat ik bijna door mijn uitvluchten heen was en weldra zou moeten bekennen.

Om mezelf voor te bereiden en mijn moed op te vijzelen besloot ik met Anne Blundy te gaan praten, want ik wist zeker dat zij me de benodigde kracht kon geven. Cola zei dat ze tijdens zijn afwezigheid door John Locke werd verzorgd en die man verrichtte zijn taak met de grootste zorgvuldigheid, maar met weinig enthousiasme.

'Om je de waarheid te zeggen,' zei hij, 'is het tijdverspilling, hoewel het naar ik aanneem goed is voor mijn zielenheil om iets te doen wat ons geen van beiden iets zal opleveren. Ze is aan het doodgaan, Wood, en daar valt niets meer aan te veranderen. Ik doe wat ik moet doen omdat ik dat aan Lower heb beloofd. Maar of ik haar nu kruiden of metalen toedien, oude of nieuwe geneeskunst op haar beproef, haar aderlaat of purgeer, het maakt allemaal niet uit.'

Hij zei dit zachtjes buiten op straat voor het huisje, waar ik hem had getroffen. Hij had net zijn dagelijkse bezoek afgelegd, dat, zoals hij zei, meer voor de vorm dan voor iets anders was. Mijn moeder bracht elke dag eten, daar Sarah erop had gestaan dat dat gebeurde in plaats van dat háár eten in de gevangenis werd gebracht; en de oude vrouw had geen gebrek aan dekens of brandhout voor de haard. Meer kon er niet gedaan worden.

Toen ik binnenkwam, sloeg een hevige stank van verrotting in het huis op mijn keel. Alle deuren en ramen waren potdicht om de kwade winden buiten te houden; dit was noodzakelijk, maar had het vervelende gevolg dat er niets van de smerige lucht uit de ruimte kon ontsnappen. En de oude dame, die er altijd eigenzinnig in was geweest om de luiken en deuren wijdopen te hebben, behalve als het buiten ijskoud was, klaagde hier bitter over. Locke had meteen toen hij aankwam alles dichtgedaan en haar bedlegerigheid maakte het haar onmogelijk om ze weer te openen. Ze smeekte me haar ter wille te zijn, en hoewel ik er eigenlijk geen zin in had, gaf ik ten slotte toe, op voorwaarde dat ze me toestond ze weer te sluiten wanneer ik ging. Ik wilde geen ruzie met Locke over het in de wind slaan van een goed medisch gebruik om een gril.

Wat de reden ook is, ik moet zeggen dat ik ook zeer opgelucht was toen de wind de kwalijke dampen uit de kamer blies en het daglicht in de plaats van de duisternis kwam; het leek ook of de zuivere frisse lucht Anne Blundy goed deed. Ze ademde diep in en zuchtte, alsof er een grote kwelling tot een einde was gekomen.

Ik had haar in het schemerduister niet goed kunnen zien en schrok toen ik de luiken had geopend en me omdraaide om haar beter te bekijken. Haar uitgeteerde gezicht en de doodsbleke kleur waren natuurlijk het opvallendst, en ik zag haar voor het eerst met onbedekt hoofd zodat haar dunne, sliertige haar des te opvallender was. Ze zag er twee keer zo oud uit als een paar maanden tevoren en ik werd zo overmand door droefheid dat er een brok in mijn keel schoot en ik niets kon zeggen.

'U bent een vreemde jongeman, mijnheer Wood,' zei ze, nadat ik haar had gevraagd hoe het met haar ging en alle gebruikelijke dingen had gezegd die in dat soort omstandigheden gezegd worden. 'Afwisselend zo aardig en dan weer zo wreed. Ik heb medelijden met u.'

Het klonk me vreemd in de oren dat dit zielige, verschrompelde vrouwtje medelijden met me had, en het was beledigend om wreed te worden genoemd, want dat was ik nooit opzettelijk.

'Waarom zegt u dat?'

'Vanwege wat u met Sarah hebt gedaan,' zei ze. 'Kijk me maar niet zo aan, u weet best wat ik bedoel. U geeft haar nu al een paar jaar iets van zeer grote waarde. U spreekt met haar en u luistert naar wat ze te zeggen heeft. U bent haar metgezel geweest en, zoveel als voor een man met een vrouw maar mogelijk is, haar vriend. Wat wilt u daarmee? Weet u niet dat de wereld is veranderd en dat een meisje zoals zij moet leren te zwijgen, vooral in het gezelschap van heren?'

'Dat klinkt vreemd uit uw mond.'

'Ik zie wat er om me heen gebeurt. Wie doet dat niet, als het zo overduidelijk is? Maar u bent te blind om dat te zien, lijkt het wel. Dat dacht ik althans. Ik dacht dat u een eenvoudige geleerde was die zo geestdriftig over zijn kennis is dat hij die met wie dan ook wil delen. Maar dat is niet het geval. Want nadat u haar hebt geleerd dat er naar haar geluisterd kan worden en ervoor hebt gezorgd dat dit de enige dag in de week is waar ze naar uitkijkt, stoot u haar van u af en wilt u niets meer met haar te maken hebben. En dan neemt u haar weer terug. Wat zult u nu weer bedenken om haar te kwetsen, mijnheer Wood? Ik had u nooit binnen moeten laten.'

'Het was nooit mijn bedoeling om haar te kwetsen. En wat het overige betreft, ik denk dat ik haar niets heb geleerd. Volgens mij is zij nu de leraar.'

Ze keek onnoemelijk droef en knikte met tegenzin. 'Ik maak me grote zorgen om haar. Ze is zo vreemd geworden. Ik denk dat het slecht met haar zal aflopen.'

'Waneer begon ze op bijeenkomsten te spreken?'

Ze keek me scherp aan. 'Weet u daarvan? Heeft ze u dat verteld?'

'Ik ben er zelf achter gekomen.'

'Toen Ned die laatste keer bij ons kwam en we daarna hoorden dat hij dood was, spraken we telkens weer over hem; het was onze manier om hem te gedenken, daar we zijn lichaam niet hadden kunnen begraven. We spraken over zijn ouders en zijn leven, zijn gevechten en veldslagen. Ik was diepbedroefd omdat ik zoveel van hem hield; hij betekende alles voor me en was mijn grootste troost. Maar mijn droefheid maakte me onbezonnen loslippig, en Sarah ontgaat niets. Ik had het over de Edgelill-veldtocht, toen Ned het bevel voerde over een peloton en eindigde met een hele compagnie onder zich, en ik vertelde dat hij meer dan een jaar van huis was en hoezeer ik hem had gemist.'

Ik knikte en dacht onderwijl dat dit ergens toe moest leiden, want ze was geen vrouw die maar wat bazelde, zelfs niet als ze ziek was.

'Sarah keek me heel stil en vriendelijk aan en stelde de simpele vraag die ze nooit eerder had gesteld: "Wie is mijn vader dan?"'

Ze zweeg, tot ze er zeker van was dat mijn gezicht geen afschuw vertoonde.

'Het was natuurlijk waar. Ned was een jaar weg en Sarah werd drie weken voor hij terugkwam geboren. Hij heeft me nooit iets gevraagd en me nooit iets verweten, en hij behandelde Sarah altijd als zijn eigen kind. Er werd nooit meer over gesproken, maar soms, als ik ze samen bij het vuur zag zitten, terwijl hij haar leerde lezen of haar verhaaltjes vertelde of haar gewoon tegen zich aan hield, kon ik een treurigheid in zijn ogen zien en voelde ik me zo met hem begaan. Hij was een ingoede man, mijnheer Wood. Dat was hij werkelijk.'

'En wat was het antwoord op de vraag?'

Ze schudde haar hoofd. 'Ik wil niet liegen en ik kan de waarheid niet zeggen. Ik breng mijn dagen en nachten door met het overdenken van mijn zonden en met mij op de dood voor te bereiden, en ik heb alle tijd nodig die me nog rest. Ik heb nooit op enige manier beweerd dat ik een goede vrouw ben en ik heb veel te berouwen. Maar de Heer zal me niet laken voor ontucht.'

Nog steeds geen antwoord op mijn vraag, maar ik was er toch nauwelijks in geïnteresseerd. Zelfs als het me allemaal goed gaat, schep ik maar weinig behagen in dat soort roddelarijen, en hoe dan ook begon Anne Blundy weg te zakken in herinneringen.

'Ik droomde, en het was de mooiste droom van mijn leven, dat ik omzwermd werd door duiven. Eén duif kwam op mijn hand zitten en sprak tegen me. "Noem haar Sarah en heb haar lief," zei hij, "en ge zult gezegend zijn onder de vrouwen."'

Ik merkte dat ik vreemd huiverde toen ze dit zei, en lachte toen manmoedig tegen haar. 'U hebt in ieder geval gedaan wat u was gezegd.'

'Dank u, mijnheer. Dat heb ik. Kort nadat ik haar dit had verteld, begon Sarah rond te trekken en te profeteren.'

'En te genezen?'

'Ja.'

'Wie was die man die ik een paar maanden geleden uit het huis zag komen?'

Ze dacht een ogenblik na om te bepalen hoeveel ze zou vertellen.

'Hij heet Greatorex en hij noemt zich astroloog.'

'Wat wilde hij?'

'Ik weet het niet. Ik was thuis toen hij aanklopte. Ik deed open en daar stond hij, doodsbleek en trillend van angst. Ik vroeg hem wie hij was, maar hij was zo ontdaan dat hij geen woord kon uitbrengen. Toen riep Sarah uit de kamer dat ik hem binnen moest laten. Hij kwam binnen en hij viel alleen op zijn knieën voor haar neer en vroeg om haar zegen.'

De herinnering beangstigde de moeder nog steeds en haar verhaal beangstigde mij.

'Wat gebeurde er toen?'

'Sarah pakte zijn handen en zei hem te gaan staan, alsof ze helemaal niet verbaasd was, en ze leidde hem toen naar de stoel bij de haard. Ze spraken meer dan een uur met elkaar.'

'Waarover?'

'Sarah vroeg me hen alleen te laten, dus dat heb ik niet gehoord. Alleen het begin. Die man zei dat hij tekenen van Sarah in de sterren had gezien en de zee was overgestoken en naar haar toe was gereisd zoals ze hem hadden geleid.'

'"Want wij hebben de ster gezien en zijn gekomen om hulde te bewijzen,"' zei ik zachtjes, en Anne Blundy keek me scherp aan.

'Zeg dat soort dingen niet, mijnheer Wood,' zei ze. 'Alstublieft niet. Of u wordt net zo gek als ik aan het worden ben.'

'Ik ben het stadium van gekte allang voorbij,' zei ik. 'En zo bang dat het spreken mij vergaat.'

Ik had nog maar kort de tijd om de aandrang van mijn geweten te volgen, want het proces zou al snel plaatsvinden en de voorbereidingen voor de rechtszitting waren reeds begonnen. Ik dronk redelijk wat voor ik mezelf ertoe kon brengen iets te doen en deinsde nog steeds voor de taak terug. Maar uiteindelijk lukte het me mijn lafheid te overwinnen en ik liep naar Holywell om een onderhoud te vragen met sir John Fulgrove, de magistraat. Hoewel dit zijn drukste dag van het jaar was, willigde hij mijn verzoek in, maar deed dat met zoveel bitsheid dat ik zelfs nog zenuwachtiger werd en stamelde en trilde toen ik iets probeerde te zeggen.

'Wat is er, kerel? Ik heb niet de hele dag de tijd.'

'Het gaat over Sarah Blundy,' bracht ik ten slotte uit.

'Wat dan? Wat is er met haar?'

'Ik weet dat ze onschuldig is.' Een simpel zinnetje, maar het kostte me een doodsstrijd om het uit te brengen, om over de rand van het klif te te stappen en me vrijwillig in de onvermijdelijke verdoemenis te storten die hierop zou volgen. Ik beroep me niet op mijn moed, mijn eer of mijn standvastigheid. Ik weet beter dan menig ander wat ik ben. Ik ben geen geboren held en zal nooit iemand zijn op wie toekomstige generaties terugkijken voor lering en voorbeeld. Anderen dan ik, betere mensen zou ik zeggen, zouden deze woorden eerder hebben gesproken en met meer waardigheid dan de armzalige, zwetende, bibberende vertoning die ik ten beste gaf. Niettemin moet men doen wat men kan; ik kon niet meer doen dan dat. Al zou het de spot opwekken van degenen die sterker zijn dan ik, ik zeg nog steeds dat het de moedigste daad van mijn leven was.

'En hoe weet u dat?'

Zo goed en zo kwaad als het ging, vertelde ik hem mijn verhaal en zei dat ik het vergif in de fles had gedaan.

'Ze is in het college gezien,' zei hij.

'Daar was ze niet.'

'Hoe weet u dat?'

Daar kon ik geen antwoord op geven, omdat ik plechtig had beloofd haar niet te verraden inzake haar profetieën. Dus loog ik, en met mijn leugen bedierf ik alles.

'Ze was bij mij.'

'Waar?'

'In mijn kamer.'

'Wanneer ging ze weg?'

'Ze is niet weggegaan. Ze is de hele nacht bij me gebleven.'

'En uw huisgenoten kunnen dat bevestigen?'

'Die hebben haar niet gezien.'

'Ik neem aan dat ze thuis waren? U weet dat ik het ze kan vragen.'

'Ik weet zeker dat ze thuis waren.'

'En niemand heeft haar zien binnenkomen, naar uw kamer zien gaan of haar weer zien weggaan?'

'Nee.'

'Ze hebben de hele nacht niets gehoord?'

'Nee.'

'Juist. En u hebt dat poeder voor dat doel naar zijn kamer meegenomen?'

'Nee. Hij had het zelf daar en hij vroeg me het in zijn fles te doen voor zijn maagpijn.'

'Maar nog een halfuur daarvoor had men hem verteld dat het waardeloos was en zei hij dat hij het nooit meer zou gebruiken.'

'Dat meende hij niet.'

'Iedereen die hem hoorde, geloofde dat hij dat wel deed en dat hij de Italiaan dankbaar was voor de goede raad.'

'Dat was hij niet.'

'Het wordt bevestigd door getuigen die daarbij aanwezig waren.'

'Daar kan ik niets aan doen.'

'En kunt u me vertellen hoe de gouden zegelring van doctor Grove bij haar ontdekt werd? Hebt u die van zijn vinger gehaald en hem aan haar gegeven?'

'Nee.'

'Hoe is ze er dan aan gekomen?'

'Daar weet ik niets van.'

Sir John leunde achterover in zijn stoel en keek me streng aan. 'Ik weet niet wat u probeert te bereiken, mijnheer. Het is me duidelijk dat u liegt om dit schepsel te beschermen en het is een ernstige zaak om het recht van zijn ware pad af te brengen. Ik vraag u nog eens goed na te denken en met deze dwaze handelwijze op te houden.'

'Maar het is waar; het is allemaal waar.'

'Dat is het niet. Dat kan niet zo zijn. U kunt de bewijzen die haar schuld aantonen niet weerleggen, en de feiten die u aanvoert om haar onschuld te staven zijn geenszins overtuigend.'

'U wilt me dus niet helpen?'

'Wat wilt u? Ze is voor de kamer van inbeschuldigingsstelling verschenen en er is een rechtszaak aanhangig gemaakt. Als u in deze onzin volhardt, kan ik u niet tegenhouden om in de rechtbank op te staan om daar uw verhaal te doen. Hoewel, ik zeg u, het zal niet uitmaken als u dat doet en het zal de rechter misschien goeddunken om u ook een straf op te leggen.'

<hr />

Dus ging ik naar doctor Wallis, in de hoop hem te kunnen overreden zijn geheime invloed ten bate van het meisje aan te wenden, niet wetende dat hij al tot haar dood had besloten. En ik vertelde mijn verhaal een tweede keer, en een tweede keer werd ik niet geloofd.

'Ik ben u geen gunsten verschuldigd, mijnheer Wood,' zei hij. 'En ik kan hoe dan ook niet veel voor u doen. Het is aan de gezworenen en de rechter om over het lot van die meid te beslissen. Ik weet dat u verhalen hebt gehoord over mijn werk voor de regering, maar die zijn overdreven. Ik kan haar proces evenmin tegenhouden als ik het kan beginnen.'

'Gelooft u me dan, tenminste?'

We waren in zijn werkkamer en het was een vreemd onderhoud: de man maakte een indruk van matheid die ik nooit eerder bij hem had gezien. Ik wist natuurlijk niet hoezeer deze kwestie aan zijn geweten knaagde en hoe bewust hij zich was van het kwaad dat hij deed. Hij had zichzelf ervan overtuigd dat hij een nobele daad verrichtte, en wanneer iemand zoiets doet om zijn ziel te sussen is het voorwaar een vermetel persoon die probeert hem het tegendeel te laten inzien.

'Dat doe ik niet. Ik denk dat dit verhaal voortspruit uit uw egoïsme. Ik denk dat u liever uw genot hebt met dit meisje dan recht ziet geschieden. Ik weet meer van haar dan u denkt en ik ben ervan overtuigd dat er geen grote onrechtvaardigheid geschiedt als ze wordt gehangen.'

'Ze heeft het niet gedaan.'

Wallis deed een stap naar me toe en overdonderde me met zijn grote gestalte en de pure kracht en kwaadaardigheid van zijn persoonlijkheid.

'Dat hoertje dat u zo leuk vindt, mijnheer Wood, helpt een samenzweerder, een subversieveling en een atheïst. Ze helpt de gevaarlijkste man in dit land een monsterlijke misdaad te begaan en die man heeft al mijn bediende afgemaakt. Ik zal mijn wraak hebben, en die man zal sterven. Als de dood van Sarah Blundy mij aan mijn wraak helpt – het zij zo. Het kan me niet schelen of ze schuldig of onschuldig is. Begrijpt u me nu, mijnheer Wood?'

'Dan bent u een groot zondaar,' zei ik, met bevende stem door wat ik had gehoord. 'Dan bent u geen geestelijke en betaamt het u niet om het brood in uw handen te nemen. U bent niet...'

Wallis was een zware man, krachtig gebouwd en een heel stuk groter dan ik. Zonder nog iets te zeggen stond hij op, greep me in de kraag en sleurde me zo naar de deur. Ik probeerde te protesteren en te zeggen dat dit geen gedrag voor een geestelijke was, maar toen ik begon te spreken, schudde hij me alsof ik een of andere hond was en drukte me hard tegen de muur voor hij de buitendeur opendeed.

'Bemoei u er niet mee, mijnheer,' zei hij ijzig. 'Uw zorgen kunnen mij geen zier schelen en ik heb geen tijd voor uw gezever. Laat me met rust en houd uw mond, of anders zult u er zwaar voor boeten.'

Toen duwde hij me de deur uit en gaf me een harde trap na, zodat ik van de stoeptreden af struikelde en in een koude modderplas terechtkwam, die over mijn kleren spatte.

Toen ik daar op mijn knieën zat, met het water dat in mijn schoenen en broek drong, wist ik dat ik had gefaald. Zelfs als ik het van de daken zou schreeuwen, zo leek het, zouden mensen hun oren nog dichtstoppen en weigeren in te zien wat zo duidelijk de waarheid was. Ik weet niet of het veel had uitgemaakt als ik eerder had gesproken, maar nu was het zeker te laat. Toen dat tot me doordrong, liet ik mijn hoofd in de plas zakken en huilde van smart terwijl de regen me met nog meer modder bespatte. Het was alsof de hemel zelf had ingegrepen en me tot een van die gekken op straat had gemaakt die het uitschreeuwen tegen de wereld, maar merken dat de mensen hun blik afwenden en doen alsof ze niets zien. In uitzinnige woede sloeg ik met mijn vuisten op de modderige grond en weende wanhopig om Gods wreedheid, en tot mijn beloning en troost hoorde ik twee voorbijgangers lachen van afschuw om de dolle dronkenman die ze op zijn knieën voor zich zagen.

I I

MET SARAHS PROCES VINGEN de twee smartelijkste en wonderbaarlijkste dagen van mijn leven aan, waarin ik in volle hevigheid zowel de kracht van Gods gesel als de zoete genade van Zijn vergiffenis voelde. Cola heeft ook nu weer het verloop der gebeurtenissen met scherpzinnigheid beschreven. Ik zal zijn verhaal niet herhalen, maar zal er daarentegen iets aan toevoegen, want hij heeft uiteraard bepaalde voorvallen die hij niet kon weten, niet opgenomen.

Sarah had me bevolen me er niet mee te bemoeien, en dat had ik toch gedaan, maar ik kon mezelf er niet toe krijgen ongehoorzaam te zijn in haar aanwezigheid. Dat lijkt misschien op zwakheid van mijn kant, maar het kan me niet schelen als dat zo is; ik spreek de waarheid als ik zeg dat niemand die haar kende zoals ik, anders zou hebben gehandeld. Ik hoopte dat iemand anders voor haar zou pleiten, of bewijs van haar onschuld zou leveren, maar niemand deed dat. Sarah zelf zei niets, behalve dat ze schuld bekende, zodat Lower haar lichaam kon krijgen en haar moeder behandeld zou worden, en toen ze dat woord 'Schuldig' uitte, zo zachtjes en met zo'n berusting, brak mijn hart en besloot ik voor de derde keer te proberen de mensen van de waarheid te overtuigen. Toen hoorde ik de rechter de woorden spreken: 'Heeft iemand die hier aanwezig is nog iets te zeggen? Want zo er iemand is die voor de beklaagde wil spreken, moet hij dat nu doen.'

'Edelachtbare,' zei ik. Ik zou de hele zaal toeschreeuwen dat dit arme meisje even onschuldig als Jezus was, dat ze niets met Groves dood te maken had en dat ik voor zijn einde verantwoordelijk was. Ik zou de waarheid van mijn stellingen aantonen met ieder beetje bewijs en welsprekendheid dat ik bezat, en was vol vertrouwen dat, hoewel het laatste me misschien in de steek zou laten, het eerste overtuigend zou zijn. Ik zou haar redden.

En toen aarzelde ik. Mijn smart en besluiteloosheid beletten me te spreken, en in dat ogenblik ging de gelegenheid teloor. Ik ken velen in de stad, zelfs op de universiteit, die mij minachten en me achter mijn rug belachelijk maken, en ik heb er altijd voor gezorgd dat er geen kansen ontstonden om me te vernederen. Ditmaal schoof ik iedere gedachte aan mijn waardigheid terzijde, maar in mijn korte pauze maakte een of andere vent een schunnige opmerking en anderen lachten; dat stak weer anderen aan. Want als er een doodstraf uitgesproken gaat worden, wordt de rechtszaal een plechtige ruimte vol onheilspellendheid en vrees; mensen grijpen dan graag alles aan om die sfeer te breken en minder drukkend te maken. Binnen enkele seconden barstte de rechtszaal uit in gejoel, en zelfs als ik zo hard als ik kon geschreeuwd had, had men mij niet gehoord. Rood van verlegenheid en verteerd door schaamte over mijn mislukking, voelde ik hoe als het ware een ijzeren greep me weer naar beneden trok, in de hoop, toen ik weer ging zitten, dat de rechter de orde in de zaal zou herstellen en mij nogmaals zou vragen mijn zegje te doen.

Maar dat deed hij niet. Hij bedankte me daarentegen, met een laatdunkend lachje, voor mijn welluidende woorden en lokte opzettelijk nog meer gelach uit. Vervolgens veroordeelde hij Sarah Blundy ter dood.

Bij het horen van die woorden rende ik de rechtszaal uit om verdere ellende te voorkomen en ging naar mijn kamer, waar ik mezelf opsloot en om hulp bad. Ik had geen idee wat ik moest doen en bleef in stomme onbeweeglijkheid zitten, tot mijn moeder haar hoofd om de deur stak en zei dat er een bezoeker voor me was die zich niet wilde laten afschepen. Ze had hem gezegd te vertrekken, maar hij weigerde absoluut een voet te verzetten eer hij me had gesproken.

Enkele ogenblikken later wandelde Jack Prestcott binnen, even vrolijk als gek. Hij joeg me grote schrik aan, want hij was sinds de laatste keer dat ik hem had gezien erg achteruitgegaan en hij had, vond ik, een blik in zijn ogen van een man die ieder ogenblik naar geweld kon grijpen als hij dwarsgezeten of tegengesproken werd.

'Hallo, goede vriend,' zei hij toen hij binnenkwam, uiterlijk als een heer die welwillend een bezoekje brengt aan iemand van een lagere stand dan hij. 'Ik hoop dat u het goed maakt.'

Ik weet niet meer welk antwoord ik gaf, en het kan me ook niet schelen; ik kon een uittreksel van de Bodleian-catalogus hebben opgedreund zonder dat het iets had uitgemaakt. Jack Prestcott was in niets anders geïnteresseerd dan in zijn eigen waanbeelden, die in een niet-aflatende stroom uit zijn mond rolden. Hij hield me een halfuur bezig met een opsomming van al zijn kwalen en de manier waarop hij die had overwonnen. Geen kleinigheid bleef onvermeld, net zoals hij het later in zijn manuscript deed. Sommige woorden, uitdrukkingen en zinnen, sommige van de terzijdes en opmerkingen waren trouwens precies hetzelfde, en ik geloof dat hij in al die jaren die zijn verstreken tussen dat bezoek en het moment dat hij de pen op papier zette, niets anders heeft gedaan dan in gedachten datzelfde verslag te herhalen en in zijn verdwazing onophoudelijk dezelfde voorvallen na te lopen. Als hij sterft, gaat hij wellicht naar de hel; het zou niet meer zijn dan hij verdient, maar mijns inziens is hij daar al, want Tullius zegt naar waarheid: *a diis quidem immortalibusquae potest homini major esse poena furore atque dementia* – met welke grotere straf kunnen de goden de mens slaan dan met waanzin?

Ik begreep volstrekt niet het doel van zijn komst, want ik wist dat hij me allerminst als vriend beschouwde en ik had zeker niets gedaan om enige toenadering aan te moedigen. Ik dacht dat hij me misschien wilde raadplegen over een of andere historische zaak en ik deed mijn best om aan te geven dat ik hem op generlei wijze van dienst kon zijn. Maar in plaats daarvan hief hij zijn hand op om me het zwijgen op te leggen in een gebaar van volmaakte neerbuigendheid.

'Ik ben gekomen om u van materiaal te voorzien, niet om uw mening te vragen,' zei hij met een sluw lachje. 'Ik wil dat u zo goed bent om deze papieren te bewaren. Ik zal ze zeker op een dag komen terughalen, misschien als mijn zaak alsnog formeel voor de rechter moet verschijnen, maar in de komende paar maanden zal ik veel op pad zijn en ik heb niet de gelegenheid om ze zorgvuldig te bewaken. Als u ze bewaart, bewijst u me evenzeer een dienst als ik u bewijs, want doctor Wallis zou ze zeker terug willen hebben als hij wist waar ze waren.'

'Ik wil ze niet hebben en ik heb geen zin om je op wat voor manier dan ook te helpen,' zei ik.

'Goed,' zei hij, en hij knikte ernstig maar tevreden. 'Als uw biografie van mijn vader verschijnt en de mensen zien door uw pen wat voor waarachtig groot man hij was, zal uw carrière gemaakt zijn. En laat me u verzekeren dat ik u niet in de steek zal laten. Ik zal alle kosten van publicatie op me nemen. Minstens duizend exemplaren, dunkt me, fraai gebonden en op het beste papier.'

'Mijnheer Prestcott,' zei ik, harder nu, 'je bent een leugenaar en een moordenaar en het smerigste sujet dat ik ooit heb ontmoet. Je doodt de liefste mens die ik ken, de beste mens ter wereld, zonder enige reden. Ik smeek je te bedenken wat je aan het doen bent; het is nog niet te laat om te veranderen en de schade te herstellen. Als je nu naar de magistraat gaat en...'

'En om dat werk helemaal goed te doen,' zei hij alsof ik slechts een of andere conventionele waardering voor zijn vriendelijkheid had geuit, 'moet u deze papieren hebben. Maar op voorwaarde dat u er tegen niemand iets over zegt tot het boek klaar is om gedrukt te worden.'

Nog meer papier. Ik nam de de mij toegestoken papieren aan en bekeek ze. Er stond volstrekte onzin op geschreven.

'Ik laat het aan u over om hun belang te ontdekken,' zei hij. 'U kunt het als een woordraadsel beschouwen.'

Toen lachte hij hardop over de blik van verbijstering op mijn gezicht. 'Ik zal het uitleggen,' zei hij 'want ik zie uw verwarring. Deze papieren komen allemaal uit de la van doctor Wallis. Ik heb ze een paar weken geleden gestolen.' Prestcott leunde voorover in zijn stoel en zei op samenzweerderige fluistertoon: 'Ze zijn allemaal in een slimme code geschreven, die te moeilijk is gebleken voor de goede doctor. Hij is er behoorlijk verstoord over.'

'Alsjeblieft,' zei ik, 'houd op met dat soort praatjes. Hoor je me niet? Begrijp je me niet?'

Mijnheer Boyle voerde proeven met zijn vacuümpomp uit, Cola vermeldt er enkele, en merkte op dat wanneer de lucht werd weggepompt het geluid van het diertje erin zwakker en zwakker klinkt, tot het niet meer waar te nemen is. Zoals Prestcott voor me stond en het gesprek voerde dat hij wilde hebben, en de antwoorden hoorde die alleen in zijn eigen geest zaten en geen acht sloeg op wat ik zei, voelde ik me als een of ander arm proefdier terwijl ik met een hand tegen een onzichtbare muur sloeg en zo hard ik maar kon schreeuwde, zonder een antwoord of begrip voor mijn inspanningen te krijgen.

'Ja, hij gaat prat op zijn kunde, maar deze brieven kan hij niet bevatten.' Hij grinnikte. 'Maar hij heeft me de sleutel verteld, al dacht hij dat ik te stom was om dat te merken. Blijkbaar heb je een boek van Livius nodig. En daarmee kunt u ze allemaal ontcijferen, denkt hij. Ik moet zeggen dat het me niet kan schelen dat hij zijn eigen brieven leest, maar ik wil niet dat hij nog langer de brieven van mijn vader leest. Daarom wil ik dat u ze neemt. Hij zal ze hier niet komen zoeken.'

En met deze opmerking nam Prestcott afscheid van me en ging weg om zich te vermaken, voor hij de volgende dag zijn noodlottige onderhoud met John Wallis had. Beiden hebben daar hun verslag van gegeven, en dat van Wallis is duidelijk de juiste versie, want Prestcotts aanval op hem veroorzaakte nogal wat opschudding en er stond een paar weken later een grote menigte in de High Street om toe te kijken hoe de jongeman door zijn oom uit de Bocardo-gevangenis werd opgehaald en zo zwaar geketend werd weggeleid dat hij nauwelijks kon bewegen. Het was een goede zaak voor iedereen dat hij zo opgesloten werd. Hij was te moordzuchtig om vrij te zijn en te gek om te worden gestraft. Ik hoop dat men zal begrijpen dat ik vond dat hij met meer welwillendheid werd behandeld dan hij verdiende.

Maar hij liet die brieven bij me achter en met name die ene cruciale, aan Cola in de Nederlanden gerichte brief, die Wallis onderschepte – het enige exemplaar en het enige bewijs van wat de Italiaan hier kwam doen. Ik legde hem opzij zonder hem meer dan een vluchtige blik te gunnen, zelfs al wist ik nu iets meer van hoe ik hem moest lezen. Op dat moment konden intellectuele puzzels me niets schelen. In plaats daarvan ruimde ik mijn kamer met grote precisie op, stopte de papieren bij mijn verzameling onder de vloer en hield mijn lichaam op die manier bezig met zinloze zaken, terwijl mijn geest zijn zwaarmoedige dagdromen voortzette. Daarna verliet ik het huis om Sarah voor de laatste maal te bezoeken.

Ze wilde me niet zien. De cipier vertelde me dat ze haar laatste avond alleen wilde doorbrengen en niemand wilde spreken. Ik drong aan, bood hem steekpenningen, smeekte en kon hem ten langen leste overhalen om naar haar toe te gaan en het nog eens te vragen.

'Ze wil u niet spreken,' zei hij met een meelevende blik. 'Ze zei dat u haar morgen nog goed genoeg zult zien.'

Haar afwijzing bedroefde me meer dan wat ook, en ik ben zo egoïstisch dat het enige waaraan ik kon denken was dat mij een gelegenheid tot troosten was ontnomen. Ik beken dat ik die avond meer dronk dan goed voor me was en dat het mijn pijn niet verzachtte. Ik ging taverne na taverne, herberg na herberg binnen, maar ik kon al die vrolijke en blije gezichten nauwelijks verdragen. Ik dronk alleen en draaide iedereen die op me toe kwam, zelfs mensen die ik tot mijn vrienden rekende, de rug toe. Overal waar ik kwam, kwamen er mensen die wisten wie ik was naar me toe en vroegen me over Sarah en wat ik van haar vond. En iedere keer voelde ik me te ellendig om de waarheid te spreken. In de Fleur-de-Lys, toen in de Feathers en ten slotte in de Mitre, haalde ik mijn schouders op en zei dat ik het niet wist, dat het mij niet aanging. Wat mij betrof had ze het gedaan; ik wilde het alleen allemaal vergeten, zoveel zelfmedelijden had de drank in me wakker gemaakt.

Uiteindelijk werd ik naar buiten gesmeten omdat ik te veel gedronken had, gleed uit en viel weer een keer in de goot. Dit keer bleef ik daar liggen tot ik lijfelijk door iemand werd opgeraapt.

'Weet u, mijnheer Wood,' zei een zachte, zangerige stem bij mijn oor, 'ik geloof dat ik net een haan hoorde kraaien. Is dat niet vreemd deze tijd van de avond?'

'Laat me met rust.'

'Ik denk dat ik graag een woordje met u zou willen spreken, mijnheer.'

Daarop bracht deze vreemdeling, deze Valentine Greatorex, me naar zijn kamer, plantte me bij de haard neer en droogde me af. Toen ging hij tegenover me zitten en keek me ernstig maar met grote kalmte aan, tot ik uit mezelf begon te praten.

'Ik ben naar de magistraat gegaan en heb hem verteld dat ze onschuldig is,' zei ik. 'Ik heb hem verteld dat ik doctor Grove heb vermoord, niet Sarah. Hij geloofde me niet.'

'Zo, zo.'

'Toen ben ik naar doctor Wallis gegaan en heb het hem verteld, maar hij wilde me ook niet geloven.'

'Dat is te verwachten.'

'Waarom zegt u dat?'

'Omdat ze anders morgen niet zou sterven. U kent haar goed, denk ik?'

'Beter dan wie ook,'

'Vertelt u me alles, alstublieft. Ik wil alles over haar weten.'

Jack Prestcott beschrijft deze man, hoe betoverend en kalmerend zijn stem was, zodat degenen tot wie hij sprak bijna in een serene droom wegzakten en alles deden wat hij hun zei. Zo ging het ook met mij en ik vertelde hem alles wat ik wist over Sarah, alles wat ik in dit manuscript heb opgetekend en nog heel veel meer, want hij was gefascineerd door wat ze had gezegd en wilde ieder woord horen dat ze had uitgesproken. Toen ik vertelde wat ze op de bijeenkomst waar ik was geweest had gezegd, slaakte hij een enorme zucht en knikte tevreden.

'En ik moet haar redden,' besloot ik, dat moet ik. Er moet iets zijn wat ik kan doen.'

'Ah, mijnheer Wood, u hebt te veel ridderromannetjes gelezen,' zei hij goedmoedig. 'Ziet u zichzelf misschien als een Lancelot du Lac, die op zijn ros komt aanstormen en uw Guinevere van de brandstapel redt, uw vijanden verslaat en haar in veiligheid brengt?'

'Nee. Ik dacht dat als ik naar de Commissaris des Konings ging, of naar de rechter...'

'Ze zouden niet naar u luisteren,' zei hij. 'Net zomin als de magistraat of die Wallis of zelfs de hele rechtszaal u kon horen. Ze horen u wel, maar ze begrijpen het niet; ze zien u wel, maar bemerken niet. Zo staat het in Jesaja en zo is het.'

'Maar waarom willen zoveel mensen haar dood hebben?'

'Dat weet u heel goed, maar u hebt het in uw hart nog niet aanvaard. U weet wat u hebt gezien, u kent uw Schrift en u hebt haar eigen woorden gehoord. Er is niets dat u kunt doen en niets dat u zou moeten doen.'

'Ik kan niet leven zonder haar.'

'Dat is uw straf voor uw aandeel hierin.'

Ik had niet meer de geestkracht noch de energie om nog iets te zeggen en de drank had mijn gedachten zo beneveld dat ik nauwelijks had kunnen spreken, zelfs als ik had gewild. Greatorex trok me op een gegeven moment uit mijn stoel en bracht me de straat op, de koele buitenlucht in, die me genoeg bijbracht om weer te kunnen lopen.

'Het is een vagevuur, mijn vriend, maar niet een van lange duur, zoals u zult zien. Ga slapen als u kunt, en zo niet, bid dan. Het zal weldra voorbij zijn.'

～

Ik deed wat hij had gezegd en bracht de hele nacht door met intens bidden voor mezelf en voor Sarah, en smeekte God uit alle macht dat Hij zou ingrijpen en deze waanzin waarmee Hij de wereld had bezocht zou wegnemen. Mijn geloof is zwak, een schande voor iedereen die zo is begunstigd door het leven als ik. Mij zijn roem en rijkdom bespaard gebleven, evenals macht en status, net als Zijn goedheid me voor armoede en ernstige ziektes heeft behoed. Al mijn schande heb ik over mezelf afgeroepen en alles wat ik heb bereikt, is slechts door zijn genade geschied. Desondanks geloofde ik niet voldoende. Ik bad vurig, ik gebruikte iedere kunstgreep die ik kende om die vredige oprechtheid in onderwerping te bereiken die ik slechts een-maal had gevoeld, toen op een paard, hartje winter, met Sarah achter me. Een klein deel diep in me wist tenminste dat ik niets anders deed dan de tijd doorbrengen die restte tot het onvermijdelijke zou plaatsvinden. Keer op keer ging ik weer de strijd aan en steeds wanhopiger werden mijn pogingen om mijn opstandige geest tot kalmte te dwingen. Maar ik had te lange tijd doorgebracht onder de logici en degenen die me zeiden dat de tijd van wonderen voorbij was en dat de goddelijke tekenen die aan de kerkvaders waren gegeven de wereld ontnomen waren en nooit meer zouden terugke-ren. Ik wist dat dat niet zo was en wist dat God in het wel en wee van de mensen kon ingrijpen en dat nog altijd deed, maar ik kon dat niet met volle overtuiging in mijn hart aanvaarden. Ik kon die eenvoudige woorden 'Uw wil geschiede' niet zeggen en het menen. Ik bedoelde, wist ik: 'Uw wil geschiede als het overeenstemt met wat ik wil', en dat is gebed noch onderwerping.

Mijn gebeden faalden. En kort voor de dageraad hief ik mijn hoofd op, staakte mijn pogingen en wist dat ik alleen stond. Ik wist dat ik geen hulp zou krijgen en dat het ene dat ik het meest verlangde me niet gegeven zou worden. Ik zou haar verliezen, en wist op dat moment dat Sarah het kostbaarste stukje van mijn leven was en het waardevolste dat ooit in mijn leven zou komen. Ik aanvaardde mijn straf. Toen, in de stilte van de dageraad en wanhoop, bad ik voor het eerst echt. Ik weet slechts dat de duisternis van me week en een gevoel van diepe vrede over me kwam en ik zonk weer op mijn knieën om God uit de grond van mijn hart te danken voor zijn goedheid.

Ik wist niet wat er ging gebeuren en begreep niet hoe het mogelijk was dat de onstuitbare opmars van de wreedheid der mensen niet gekeerd kon worden. Maar ik vroeg noch twijfelde meer. Ik kleedde me zo warm mogelijk aan, nam mijn dikste mantel – want hoewel de lente was aangebroken, was het nog ijskoud 's ochtends – en voegde me bij de menigte mensen die naar het kasteel liepen om de terechtstelling bij te wonen.

Er zou slechts één persoon worden gehangen die dag; de rechter was even genadig voor anderen geweest als hij wraakzuchtig voor haar was, en de hele bedoening zou maar korte tijd in beslag nemen. Toen ik dichterbij kwam en de menigte zag die zich rond de grote boom op de binnenplaats verzameld had, waar de strop al aan de dikke tak hing en de ladder klaarstond, zonk het hart me in de schoenen en werd ik weer overvallen door twijfel, maar met een grote wilsinspanning zette ik al die gedachten van me af. Ik wist zelfs niet waarom ik daar was; er was zeker geen enkele reden voor en ik wilde niet dat Sarah me zou zien. Maar ik wist op de een of andere manier dat het nodig was en dat haar leven van mijn aanwezigheid afhing, hoewel ik in de verste verte niet begreep waarom.

Lower was er ook, met Locke en een paar potige mannen, van wie ik er een herkende als een portier van Christ Church. Vreemd gezelschap, dacht ik, voor het bij me daagde wat hij van plan was. Ik had hem nu een paar dagen niet gezien, maar had kunnen bedenken dat hij niet zomaar een gelegenheid voorbij zou laten gaan om nog meer studiemateriaal voor zijn boek te krijgen. Hij was een zachtaardig man, maar toegewijd aan zijn werk; de blik van grimmige vastberadenheid op zijn gezicht terwijl hij op en neer beende was niet die van iemand die zich verheugde op de komende gebeurtenis, maar hij deinsde er zeker niet voor terug.

Ik ontweek hem; ik had geen zin om te praten, en het drong ternauwernood tot me door dat er aan de andere kant nog een klein groepje was dat rond de Regius professor stond en luid praatte en grove grappen maakte. Als ik beter had opgelet, had ik ongetwijfeld meer betekenis gehecht aan het gefluisterde overleg tussen Lower en zijn bondgenoten, aan de wijze waarop ze zich bij de galgboom opstelden en de grimmige tevredenheid op Lowers gezicht toen hij het aanstaande slagveld en de opstelling van zijn troepen overzag.

En toen werd Sarah naar buiten gebracht, zwaar geketend tussen twee grote wachtsoldaten, hoewel die nauwelijks nodig waren, zo tenger, broos en zwak zag ze eruit. Mijn hart brak toen ik haar zo zag; haar ogen waren half geloken en de donkere wallen eronder staken duidelijk af tegen haar doodsbleke gezicht; haar prachtige haar was onbedekt, maar leek niet langer mooi. Ze had het altijd liefdevol gekamd; het was haar grootste – en overigens haar enige – ijdelheid. Nu was het samengeklit, ongekamd en slordig opgestoken, zodat het de strop niet in de weg zou zitten.

Ik herhaal slechts wat Cola uit mijn mond heeft opgetekend. Ze wees inderdaad de priester af op een manier die de menigte een luid applaus ontlokte, zei haar eigen gebeden en hield toen een kort toespraakje, waarin ze wel zonden bekende, maar niet de ene zonde waarvoor ze op het punt stond te sterven. Er was geen heldhaftigheid of openlijk verzet, noch werd er een beroep op het medelijden van de menigte gedaan, zoals gebruikelijk als een man in die omstandigheid verkeerde. Ik ben er zeker van dat haar gezond verstand haar ingaf dat zoiets uit haar mond ongepast zou zijn en haar geen eer zou doen. De weg naar het hart van de meute liep daarentegen via moed en onderwerping, en daar deze twee belangrijkste menselijke eigenschappen haar van nature eigen waren, won ze hun applaus door puur zichzelf te zijn – en dat, in zo'n situatie, is volgens mij de allergrootste prestatie.

Toen dat eenmaal voorbij was, beklom ze de ladder na de beul en wachtte toen geduldig terwijl hij met het touw rommelde. Ik weet niet waarom ophangingen altijd zo grof en bruut moeten zijn; iemands laatste momenten zouden waardiger moeten zijn, niet zo'n warreling van armen en benen die omhoog gaan langs een gammele ladder die wankel tegen een boomstam staat – het is zeldzaam als dat de lachlust niet opwekt. Maar de menigte was die ochtend niet in een stemming om te lachen. Haar jeugd, haar broosheid en kalmte deden iedere grappenmakerij verstommen en men keek met grotere stilte en eerbiedigheid toe dan ik ooit bij zo'n gebeurtenis had gezien.

Toen werden de trommels geroerd. Het waren slechts twee trommelaars, beide jongens van een jaar of twaalf die ik vaak op straat had zien spelen. De tijd dat een echt korps tamboers die ceremonie uitvoerden was voorbij, en de magistraat had besloten dat er die ochtend geen soldaten nodig waren. Hij voorzag geen moeilijkheden van de massa, zoals het geval had kunnen zijn als een populaire figuur uit de stad, een beruchte struikrover of een man met een gezin, werd opgehangen. En die kwamen er ook niet. De menigte viel helemaal stil, de trommels zwegen ook en de beul duwde – met een beweging van een verrassende sierlijkheid – Sarah van de ladder.

'God zij me genadig.' Dat riep ze uit en het laatste ging verloren toen de strop zich door haar gewicht dichtsnoerde en eindigde in een gesmoorde snik, die een zucht van medeleven aan de menigte ontlokte. En toen bungelde ze daar. Haar gezicht werd paars en haar ledematen schokten terwijl er een doordringende geur opsteeg en de veelzeggende vlekken op haar hemd toonden dat de strop zijn gebruikelijke smerige effect had.

Ik zal niet verder gaan. Er zullen maar weinigen zijn die zo'n schouwspel niet een keer hebben bijgewoond, en zelfs nu doet de herinnering me ongelooflijk veel pijn, hoewel ik nog weet dat ik het allemaal gadesloeg met opmerkelijke kalmte, ondanks de plotselinge en angstaanjagende donderklap die er uit de hemel klonk en de donkere wolken die zich samenpakten toen ze viel. Ik bad nogmaals voor haar en mijn eigen zielenheil en sloeg mijn ogen neer om niet het einde te hoeven zien.

Ik had buiten Lower gerekend, en buiten zijn vastbeslotenheid om voor de Regius professor bij het lichaam te zijn. Hij had uiteraard de beul van tevoren omgekocht; dit verklaarde de knikjes en wenken die tussen hen werden uitgewisseld en het feit dat hij zo dicht bij de boom werd toegelaten. Ik wist niet dat hij Sarahs toestemming had verkregen in ruil voor de belofte haar moeder te behandelen, en ook niet dat haar moeder op dat moment op slechts enkele honderden meters van het kasteel haar laatste adem uitblies. Sarah was net opgehouden met schokken en stuiptrekken toen Lower met luide stem zijn legertje toeriep: 'Vooruit, jongens', en naar voren rende terwijl hij de beul een teken gaf, die meteen een groot mes uit zijn riem trok en het touw doorsneed.

Het lichaam van Sarah viel met een zware plof van een meter hoogte op de grond, onder het eerste afkeurende gemor van de menigte. Lower bukte zich om te zien of ze nog ademde. 'Dood!' schreeuwde hij na een echt onderzoek, zodat iedereen het kon horen, en hij gaf zijn metgezellen een teken om naar hem toe te komen. De portier van Christ Church pakte het lichaam op en gooide het over zijn schouder. Voordat iemand ook maar iets kon doen, maakten ze zich uit de voeten, en ze begonnen bijna te rennen toen de protesten uit de menigte aanzwollen. Twee man van zijn groepje bleven achter om de mannen van de Regius professor de pas af te snijden, mochten ze proberen hen te willen onderscheppen, en Lower keek eenmaal rond voor hij zijn buit volgde.

Helemaal over dat open stuk land kruisten onze blikken elkaar en in die van mij lag ongetwijfeld niets dan afschuw. Hij haalde even zijn schouders op, sloeg zijn ogen neer en keek me verder niet meer aan. Toen draaide ook hij zich om en rende weg. Hij verdween in de regen, die al dicht en met vreselijke felheid neerplenste.

Ik aarzelde slechts een ogenblik voor ikzelf wegging, maar in tegenstelling tot de menigte, die de achtervolging wilde inzetten, maar vast kwam te zitten in de smalle poort doordat ze er allemaal tegelijk doorheen wilden, ging ik door de andere uitgang weg. Want ik wist waar Lower naartoe ging en hoefde hem niet te zien om hem en zijn gruwelijke buit te kunnen inhalen.

Hij moest snel geweest zijn en hij wist dat hoe rapper hij handelde, hoe beter het was, want de menigte was in een onverzoenlijke stemming geraakt. Ze accepteerden de ophanging als Gods wil en het recht van de koning en kwamen om te kijken of alles wel op de juiste wijze verliep. Wat ze niet accepteerden – want menigten hebben een fijne neus voor wat goed of fout is – was min gedrag. De veroordeelden moesten sterven, maar moesten goed behandeld worden. Lower had slachtoffer en stad gekwetst, en ik wist dat hij, als ze hem te pakken kregen, stevig aangepakt zou worden.

Dat kregen ze echter niet, want hij had alles goed gepland. Ik was zelf nog maar net op tijd voordat hij door de achterdeur Boyles laboratorium in was geglipt en de trap opliep.

Ik was nog steeds niet bekomen van de schok van wat hij had gedaan. Ik kende al zijn argumenten van tevoren; ik had ze allemaal al eerder gehoord en had met de meeste ervan zelfs ingestemd, maar dit kon ik niet gedogen. Men kan zeggen dat, gezien alles wat ik wel en niet had gedaan, ik sinds lang ieder recht had verspeeld om een oordeel over iemand te vellen. Ik deed dat desondanks toch en beklom de trap, opdat, als ik er niet voor kon zorgen dat er recht geschiedde, ik in ieder geval mijn best daarvoor had gedaan.

Hij had al wachters op de trap geposteerd, uit vrees dat de menigte zou bedenken dat hij hiernaartoe was gekomen in plaats van naar Christ Church, en stond op het punt de deur te vergrendelen zodat niemand hem bij zijn verschrikkelijke arbeid zou storen. Ik slaagde er echter toch in het vertrek binnen te dringen door met mijn hele gewicht tegen de deur te leunen voordat de grendels dichtschoven.

'Lower,' riep ik uit toen ik snel het helse tafereel voor me in ogenschouw nam, 'dit moet ophouden.'

Locke was er al om hem bij te staan, evenals een chirurgijn voor de ruwere kanten van de ontleding. Sarah was al uitgekleed en haar prachtige lichaam, dat ik zo vaak in mijn armen had gehad, lag naakt op de tafel terwijl de chirurgijn het ruw afsponste en voor het mes klaarmaakte. Niemand kon er ook maar een moment aan twijfelen dat ze dood was; haar arme gebroken lichaam was bloedeloos als een lijk en alleen de dikke rode striem rond haar nek en de gesmoorde uitdrukking van doodsangst op haar gezicht, die het alle schoonheid ontnam, lieten maar al te duidelijk zien wat er met haar gebeurd was.

'Doe niet zo belachelijk, Wood,' zei hij vermoeid. 'Ze is dood. De ziel heeft haar verlaten. Ik kan haar geen pijn meer doen. Dat weet je even goed als ik. Ik weet dat je haar mocht, maar daar is het nu allemaal te laat voor.'

Hij keek me vriendelijk aan en klopte me op de rug. 'Hoor eens, mijn vriend,' zei hij, 'dit wordt niet zo'n prettig gezicht voor je. Dat is begrijpelijk, je hebt er een sterke maag voor nodig. Je moet niet hier blijven toekijken. Luister naar wat ik je zeg en ga weg, beste kerel. Dat is het beste, geloof me.'

Ik was te kwaad om te luisteren, maar schudde boos zijn vriendelijke aanraking van me af, trok me terug en daagde hem uit de beestachtige handelingen die hij van plan was onder mijn ogen te verrichten. Ik had de, misschien dwaze, gedachte dat hij door mijn aanwezigheid het duivelse van zijn werk zou inzien en dat hij er dan van af zou zien.

Hij keek me enige tellen aan, weifelend hoe hij nu verder moest, tot Locke op de achtergrond kuchte.

'We hebben niet zoveel tijd,' zei hij. 'We hebben van de magistraat maar een uur gekregen, en de tijd vliegt. Nog afgezien van wat er zal gebeuren als de menigte erachter komt waar we zitten. Neem een besluit.'

Dat deed Lower, met moeite. Hij keerde zich van me af en ging terug naar de tafel, terwijl hij de anderen een teken gaf om de kamer te verlaten. Ik viel op mijn knieën en smeekte de Heer, of wie dan ook, iets te doen en een einde aan deze nachtmerrie te maken. Ik herhaalde, zelfs al had het de vorige avond niets uitgehaald, al mijn gebeden en beloften. O, Here God, vleesgeworden voor onze zonden, heb medelijden, zo niet met mij, dan met dit onschuldige meisje.

Toen pakte Lower zijn mes en zette het haar op de borst. 'Klaar?' vroeg hij.

Locke knikte en met een snelle, zekere beweging begon hij zijn snede te maken. Ik deed mijn ogen dicht.

'Locke,' hoorde ik hem plotseling op kwade toon in mijn duisternis roepen, 'wat doe je in 's hemelsnaam? Laat mijn hand los. Is iedereen hier dan gek geworden?'

'Hou eens op.'

En Locke, die ik nooit heb gemogen, trok het mes weg van het lichaam en boog zich over het lijk. Toen herhaalde hij, met een verwarde uitdrukking op zijn gezicht, de beweging zodat zijn wang op haar mond rustte.

'Ze ademt.'

Ik kon ternauwernood mijn tranen bedwingen bij deze paar eenvoudige woorden, die zoveel zeiden. Later gaf Lower zijn eigen verklaring: dat ze te vroeg was losgesneden in zijn streven als eerste het lijk te bemachtigen, en hoe alleen de schijn van leven van haar geweken moest zijn. Hoe de val haar slechts had verstikt en voor tijdelijke vergetelheid had gezorgd. Ik weet dit allemaal wel; hij vertelde me de redenen keer op keer, maar ik wist dat het anders was en deed geen moeite hem tegen te spreken. Hij geloofde het een, ik wist het andere. Ik wist dat ik het grootste wonder uit de geschiedenis had meegemaakt. Ik had de wederopstanding gezien; want de geest van God was in die kamer en de zachte wiekslag van de duif die bij haar verwekking was geweest, keerde terug om de ziel van Sarah te wekken. Het is de mens, en zeker artsen, niet gegeven om het leven terug te brengen wanneer het geweken is. Lower zou zeggen dat dat bewees dat ze nooit dood was geweest, maar hij had dat zelf verklaard, en hij had het onderwerp beter bestudeerd dan wie ook. Men zegt dat het tijdperk van wonderen voorbij is en ik geloofde dat zelf ook. Maar dat is niet zo; wonderen vinden plaats, maar we worden er steeds beter in ze weg te verklaren.

'Wat doen we dan nu?' hoorde ik Lower zeggen met een stem waarin de grootste verbijstering en verrassing doorklonken. 'Denk je dat we haar moeten doden?'

'Wat?'

'Ze behoort dood te zijn. Als we haar niet doden, is dat slechts uitstel van het onvermijdelijke, en dan krijg ik haar zeker niet meer.'

'Tja...'

Ik kon mijn oren niet geloven. Het was toch zeker niet mogelijk dat mijn vriend, na van zo'n wonder getuige te zijn geweest, dat serieus kon menen? Hij kon toch niet tegen de duidelijke wens van God ingaan en een moord plegen? Ik wilde opstaan en tegenwerpingen maken, maar merkte dat dat niet ging. Ik kon niet staan, ik kon niets zeggen; het enige dat ik kon doen, was daar zitten en luisteren, want ik denk dat de Heer die dag nog meer van zins was: Hij wilde dat Lower ook zichzelf zou verlossen als hij slechts de kans greep.

'Ik kan haar op het hoofd slaan,' zei hij, 'maar dat zou de hersenen beschadigen.' En hij stond even na te denken voor hij zenuwachtig aan zijn kin krabde. 'Ik moet haar de keel doorsnijden,' zei hij. 'Dat is de enige oplossing.'

En weer raapte hij het mes op en weer aarzelde hij, alvorens het weer terug te leggen. 'Zoiets kan ik niet doen,' zei hij. 'Locke, geef me raad. Wat moet ik doen?'

'Mij staat bij,' zei Locke, 'dat wij artsen het leven moeten beschermen en het niet moeten nemen. Dat is toch het geval?'

'Maar wettelijk gezien,' zei Lower, 'is ze al dood. Ik maak louter op een goede manier af wat al gedaan had moeten zijn.'

'Ben je dan soms een beul?'

'Ze is veroordeeld om te sterven.'

'Is dat zo?'

'Dat weet je heel goed.'

'Ik kan me herinneren,' zei Locke, 'dat ze is veroordeeld om bij de nek gehangen te worden. Dat is gebeurd. Er is niets gezegd over bij de nek gehangen worden tot de dood erop volgt. Ik geef toe dat dat gewoonlijk zo opgevat en gezegd wordt, maar aangezien het in dit geval niet zo was, kan het niet beschouwd worden als een noodzakelijk onderdeel van de straf.'

'Ze is ook veroordeeld tot de brandstapel,' zei Lower. 'En de ophanging was alleen een manier om haar die pijn te besparen. Zeg je nu soms dat we haar moeten uitleveren om haar levend te laten verbranden?'

Toen vestigde hij zijn aandacht op Sarah zelf, die een zacht, laag gekreun liet horen, zoals ze daar lag zonder verzorging terwijl zij hun discussie voerden.

'Breng me een verband,' zei hij, wederom de arts. 'Dan kan ik die wond verbinden die ik in haar lichaam heb gemaakt.'

De daaropvolgende vijf minuten of zo verzorgde hij de gelukkig maar kleine snee, eer hij en Locke met al hun kracht haar in een zittende houding tilden, met haar rug leunend tegen hun schouders en haar benen afhangend van de tafel. Terwijl Locke haar zei dat ze diep adem moest halen, zodat haar hoofd weer helder zou worden, haalde Lower een mantel en sloeg die met grote tederheid om haar heen.

Het is veel moeilijker om erover na te denken hoe je een levende, zittende vrouw moet doden dan een lichaam dat plat op een tafel ligt, en toen

Lower het gebaar had afgerond, was zijn hele houding veranderd. Zijn natuurlijke zachtaardigheid, bij vele gelegenheden weggedrukt door zijn ambitie, zette met één zwaai alles opzij, en wat hij ook dacht dat hij moest doen, hij ging het meisje als een patiënt behandelen, bijna zonder dat hij het zelf merkte. En hij was altijd fel in de verdediging van degenen die hij onder zijn bescherming achtte.

'Maar wat doen we nu?' zei hij, en wij allen in het vertrek werden ons bewust van het rumoer op straat, dat terwijl dit alles gaande was, aangezwollen was tot het lawaai van een aanzienlijke mensenmassa buiten. Locke keek uit het raam.

'Het is de meute. Zoals ik zei: ze zullen dit niet leuk vinden,' zei hij. 'Maar goed dat het zo regent; dat houdt de meesten weg.' Hij keek naar de lucht. 'Hebben jullie ooit zo'n regen meegemaakt?'

Een nieuwe kreun van Sarah, die haar hoofd boog en heftig braakte, schokkend en kokhalzend, leidde hun aandacht weer af. Lower bracht wat sterke drank, aaide haar over haar hoofd terwijl hij haar dwong wat te drinken, hoewel ze er alleen nog maar meer van moest kokhalzen.

'Als je hun dit vertelt, zullen ze alleen zeggen dat het een teken van ongenoegen is met wat je van plan was. Ze zullen haar komen halen en op de brandstapel zetten, en er dan bij op wacht gaan staan om te zorgen dat je er niet bij in de buurt komt.'

'Bedoel je dat we haar niet moeten uitleveren?'

Tijdens dit alles had ik geen woord gezegd, maar alleen in de hoek staan toekijken. Nu merkte ik dat ik mijn stem weer terug had. Op dit punt kon ik de doorslag geven, want het was duidelijk dat wat er ook werd gedaan, iedereen het ermee eens moest zijn.

'Dat kun je niet doen,' zei ik. 'Ze heeft niets gedaan. Ze is volstrekt onschuldig. Dat weet ik. Als je haar uitlevert, laat je niet alleen een patiënt in de steek, maar ook een onschuldige die door God is begunstigd.'

'En daar ben je zeker van?' zei Locke, terwijl hij zich omdraaide en me klaarblijkelijk voor het eerst opmerkte.

'Dat ben ik zeker. Ik probeerde het voor de rechtbank te zeggen, maar werd weggehoond.'

'Ik zal je niet vragen hoe je dat weet,' zei hij zachtjes, en zijn doordringende blik deed me voor de eerste en laatste keer beseffen hoe het kwam dat hij zich later zo'n faam verwierf. Want hij zag meer dan andere mensen en raadde nog meer zelfs. Ik was hem dankbaar voor zijn zwijgen en ben dat sindsdien gebleven.

'Goed dan,' ging hij verder. 'Het enige probleem is dat wij misschien haar plaats aan de galg zullen innemen. Ik denk dat ik een grootmoedig man ben, maar zelfs ik stel grenzen aan wat ik voor een patiënt over heb.'

Lower ijsbeerde ondertussen nerveus op en neer, gluurde af en toe uit het raam en keek beurtelings naar Sarah, naar Locke en naar mij. Toen Locke en ik uitgesproken waren, zei hij: 'Sarah?', en hij herhaalde dat tot ze haar hoofd optilde en hem aankeek. Haar ogen waren bloeddoorlopen en hol, want de kleine bloedvaten erin waren gebroken en gaven haar een duivels uiterlijk. Haar bleke gezicht maakte het nog schrikwekkender.

'Kun je me verstaan? Kun je praten?'

Na een hele poos knikte ze.

'Ik wil dat je een vraag beantwoordt,' zei hij, terwijl hij op een knie voor haar ging zitten zodat ze hem goed kon zien. 'Wat je in het verleden ook hebt gezegd, je moet nu de waarheid spreken. Want ons leven en zielenheil hangen ervan af, en die van jou ook. Heb jij doctor Grove vermoord?'

Zelfs al wist ik de waarheid, ik wist niet wat ze zou antwoorden. En het duurde even voor ze antwoord gaf, maar uiteindelijk schudde ze haar hoofd.

'Je bekentenis was vals?'

Een knikje.

'Dat zweer je bij alles wat je lief is?'

Ze knikte.

Lower stond op en slaakte een diepe zucht. 'Mijnheer Wood,' zei hij, 'breng dit meisje naar boven, naar de kamer van Boyle. Hij zal verontwaardigd zijn als hij het ontdekt, dus probeer geen rommel te maken. Probeer haar zo goed als het kan iets aan te trekken en knip haar haar af.'

Ik staarde niet-begrijpend en Lower fronste. 'Nu meteen graag, mijnheer Wood. Je moet een arts nooit om uitleg vragen als hij een leven probeert te redden.'

Ik nam Sarah bij de hand, liep de kamer uit en hoorde Lower mompelen: 'In de kamer hiernaast, Locke. Het is gewaagd, maar misschien lukt het.'

Hoewel er weinig met haar aan de hand leek, was Sarah nog steeds niet in staat om te spreken of iets anders te doen dan te zitten en in de ruimte te staren terwijl ik mijn opdracht uitvoerde. Het is moeilijk haren knippen zonder schaar en het resultaat zou een modebewuste vrouw geen eer hebben aangedaan. Maar dat was niet Lowers bedoeling, wat hij dan ook wel van plan mocht zijn, en binnen korte tijd had ik gedaan wat me was gezegd. Toen probeerde ik zo goed mogelijk de rommel op te ruimen.

Daarna ging ik naast haar zitten en pakte haar hand. Er was niets dat ik kon zeggen wat aan mijn behoefte kon voldoen, dus zweeg ik. Maar ik kneep zachtjes in haar hand en voelde ten slotte het allerlichtste kneepje terug. Dat was genoeg; ik barstte in tranen uit en boog mijn hoofd aan haar borst, terwijl zij onbeweeglijk bleef zitten.

'Dacht je echt dat ik je zou verlaten?' zei ze zo zacht en met zo'n zwakke stem dat ik haar nauwelijks kon horen. ·

'Ik had niet iets mooiers kunnen verlangen. Ik weet dat ik het niet verdien.'

'Wie ben ik?'

Het was het luisterrijkste moment van mijn leven. Alles daarvoor was een aanloop naar die vraag, alles daarna, de vele jaren die ik sindsdien heb geleefd en nog hoop te zullen leven, zijn niet meer dan een coda daarop. Voor de eerste en laatste keer kende ik geen twijfel en hoefde ik niet na te denken of te rekenen. Ik hoefde niets te overwegen of bewijzen te evalueren, noch mijn kundigheid in interpreteren aan te wenden die voor mindere zaken nodig is; het enige dat ik hoefde te doen, was zonder vrees en in volmaakte overtuiging de onloochenbare waarheid uit te spreken. Sommige dingen zijn voorwaar zo zonneklaar dat ieder onderzoek overbodig is en logica verachtelijk. De waarheid was er om geloofd te worden, het volmaaktste geschenk omdat het zo onverdiend was. Ik wist. Dat was alles.

'Jij bent mijn verlosser, de levende God, uit de geest geboren, vervolgd, bespot en mishandeld, bekendgemaakt aan de wijzen, die voor onze zonden is gestorven en is wederopgestaan, zoals eerder is geschied en weer zal geschieden in iedere generatie van de mensheid.'

Iedereen die me zou hebben gehoord, zou hebben gedacht dat ik gek was, en met die zin stapte ik voorgoed uit de volle samenleving met mijn medemens en in mijn eigen vrede.

'Vertel niemand hierover,' zei ze zacht.

'En ik ben bang. Ik kan het niet verdragen om je kwijt te raken,' voegde ik eraan toe, beschaamd om mijn egoïsme.

Sarah leek nauwelijk enige aandacht te hebben, maar boog zich ten langen leste voorover en kuste me op het voorhoofd. 'Je moet niet bang zijn en je hoeft nooit meer bang te zijn. Jij bent mijn liefde, mijn duif, mijn dierbaarste, en ik ben je vriend. Ik zal je niet verlaten en ook nooit veronachtzamen.'

Dat waren de laatste woorden die ze ooit tegen me sprak, de laatste die ik ooit uit haar mond hoorde, en ik zat naast haar, hield haar hand vast en staarde in ontzag naar haar op, tot een geluid van beneden me wakker schudde. Toen stond ik op van het bed waarop ze met nietszeggende blik door de kamer zat te kijken, en ging weer naar Lower beneden. Sarah leek zich nu volstrekt niet meer bewust van mijn bestaan.

De slachtpartij in de kamer beneden was waarachtig duivels en zelfs ik, die de waarheid wist, was erdoor ontzet. Hoeveel groter moet de schok voor Cola niet zijn geweest toen hij zich naar binnen drong en het lijk zag waarvan hij dacht dat het Sarah was. Want Lower had het lijk genomen dat hij in Aylesbury had verkregen en het ruw in onherkenbare stukken gehakt. Hij had het hoofd zo bruut mishandeld dat het nauwelijks als menselijk te herkennen was. Hij was zelf overdekt met bloed afkomstig van een hond die Locke had afgemaakt om de schijn te vervolmaken. De stank van alcohol in de kamer was onverdraaglijk, zelfs al stond het raam wijd open, zodat de wind door het vertrek kon waaien.

'En, Wood?' zei hij, en hij keek me met een grimmige uitdrukking aan. Locke, zag ik, had zijn landerige, afwezige houding weer aangenomen en stond doelloos bij de deur te kijken. 'Denk je dat iemand ons bedrog in de gaten heeft?' En met een mes wipte hij een oog uit de schedel op de tafel, zodat het aan een draad uit de oogkas hing.

Ik heb haar haar afgeknipt, maar dat heeft haar zo aangegrepen dat ze nauwelijks meer kan bewegen volgens mij. Wat stel je voor dat we nu met haar doen?'

'Boyles bediende heeft in de kast naast de kamer wat kleren,' zei hij. 'Daar bewaart hij ze gewoonlijk, althans. Ik denk dat we die moeten lenen. Kleed haar zo aan dat niemand haar kan herkennen en breng haar het gebouw uit. Laat haar boven blijven, en stil, zolang als het kan. Niemand mag haar zien of zelfs maar vermoeden dat er daar iemand is.'

Ik klom weer de trap op, vond de kleren en begon het moeizame karwei om ze Sarah aan te trekken. Gedurende de hele onderneming sprak ze geen woord. Toen ik klaar was liet ik haar alleen, ging naar buiten door het achterdeurtje van mijnheer Crosse en liep via een achterweggetje naar Merton Street en mijn huis.

Eerst stapte ik echter bij de Feathers binnen omdat ik even mijn zenuwen wilde kalmeren en tot mezelf komen. Binnen kwam Cola naar me toe, die er zelf ook moe en afgemat uitzag, en vroeg me naar nieuws over de terechtstelling. Ik vertelde hem de hele waarheid, behalve het ene belangrijke detail en hij, arme man, beschouwde het als een bevestiging van zijn theorie over de bloedtransfusie dat de dood van de levensgeesten in de donor onvermijdelijk de dood van de ontvanger moet veroorzaken. Om voor de hand liggende redenen kon ik hem op dit punt verder niet voorlichten en hem aantonen dat zijn theorie één fataal gebrek aan bewijs vertoonde.

Hij vertelde me ook van de dood van de moeder, wat me erg veel verdriet deed, want het betekende nog een last die Sarah moest dragen. Maar ik dwong mezelf het van me af te zetten, terwijl Cola bij Lower zijn gelijk ging halen en ikzelf ging naar huis. Ik vond mijn moeder zittend in de keuken. Ze was erg aangegrepen door Sarahs rampspoed en ging nu vaak stil bij het vuur zitten als ze niet voor het meisje bad. Toen ik die ochtend binnenkwam – want ondanks alles was het nog maar net acht uur geweest –, zat ze in haar eentje in de stoel waarin niemand anders mocht zitten, en ik zag tot mijn grote verbazing dat ze had gehuild toen er niemand was die haar kon zien. Maar ze deed alsof dat niet het geval was geweest en ik deed alsof ik het niet merkte omdat ik niet wilde dat ze zich beschaamd voelde. Zelfs toen, denk ik, vroeg ik me af hoe ondanks het wonder waarvan ik net getuige was geweest iets van het gewone leven doorgang kon vinden en kon ik niet begrijpen dat niemand behalve ikzelf iets had gemerkt.

'En, is het gebeurd?'

'Zo ongeveer wel,' antwoordde ik. 'Moeder, ik moet u in alle ernst iets vragen. Wat zou u hebben gedaan om haar te helpen als het in uw macht had gelegen?'

'Alles,' zei ze beslist. 'Dat weet je. Alles.'

'Als ze was ontsnapt, zou u haar dan hebben geholpen, zelfs al zou dat betekenen dat u zelf de wet overtrad? En haar niet aangegeven hebben?'

'Natuurlijk,' zei ze. 'De wet is niets wanneer hij verkeerd is en verdient het om dan genegeerd te worden.'

Ik keek haar aan, want die woorden klonken vreemd uit haar mond, tot ik me herinnerde dat het iets was wat ik Sarah zelf eens had horen zeggen.

'Zou u haar nu willen helpen?'

'Ik kan haar nu niet meer helpen, dunkt me.'

'Toch wel.'

Ze zei niets, dus ik ging verder en mijn woorden buitelden over elkaar toen ik eenmaal zoveel had gezegd dat ik niet meer terug kon. 'Ze is gestorven en weer levend geworden. Ze is in de kamer van mijnheer Boyle. Ze is in leven, moeder, en niemand weet het. En niemand zal het ooit weten als u niets zegt. We hebben allemaal besloten te proberen haar te helpen om weg te komen.'

Dit keer was zelfs mijn aanwezigheid geen reden genoeg voor haar om haar waardigheid op te houden en ze wiegde met ineengeslagen handen heen en weer in haar stoel en mompelde: 'Godzijdank, Godzijdank, God zij geprezen', terwijl de tranen in haar ogen stonden en over haar wangen biggelden, tot ik haar hand pakte en ze me weer aankeek. 'Ze moet zich schuilhouden tot we haar de stad uit kunnen krijgen. Heb ik uw toestemming om haar hier te brengen? Als ik haar in mijn werkkamer verberg, zult u haar dan niet verraden?'

Uiteraard gaf ze haar plechtige belofte, en ik wist dat die beter was dan welke ook die ik zelf kon doen, dus kuste ik haar op de wang en zei haar dat ik na het donker weer terug zou komen. Het laatste dat ik van haar zag, was dat ze druk in de keuken in de weer was, groenten te voorschijn haalde, en onze laatste ham van de winter, voor een feestmaal als Sarah er weer zou zijn.

Het bleef daarna verder een vreemde dag, want na alle koortsachtige activiteit hadden we allemaal – Lower, Locke en ikzelf – alle tijd en niets om handen tot de avond viel. Lower realiseerde zich dat de gebeurtenis er in ieder geval voor had gezorgd dat hij nu vastbesloten was om naar Londen af te reizen, want zijn reputatie bij de burgers van de stad zou nooit meer dezelfde zijn, zo groot was de afkeer van de daad die hij geacht werd te hebben gepleegd. Hij had nu geen andere keus dan alles te riskeren en aan de langdurige taak te beginnen zich ergens anders te vestigen. De stoffelijke resten van het meisje dat hij in Aylesbury had gekocht werden naar het kasteel gebracht en op de brandstapel verbrand – Lower had zijn gevoel voor humor weer voldoende teruggekregen om op te merken dat ze in zoveel alcohol was gedrenkt dat het een geluk mocht heten als ze het hele gebouw niet in de lucht liet vliegen – en ik had van Cola geld gekregen om voor een fatsoenlijke begrafenis van mevrouw Blundy te zorgen.

De begrafenis regelen was een eenvoudig, zij het pijnlijk proces. Er waren nu genoeg mensen die bereid waren iets te doen, zo groot was de algemene afschuw van het lot dat het meisje had getroffen dat men blij was iets te kunnen goedmaken door de moeder een zo goed mogelijke behandeling te geven, vooral als ze nog voor hun goedheid werden betaald. Ik liet de predikant van de St Thomas het op zich nemen de plechtigheid uit te voeren en die nog voor die avond vast te stellen. Hij stuurde ook zijn dienaren om het lichaam op te halen en dat klaar te maken. Het was de geestelijke noch de kerk die de vrouw zelf zou hebben uitgekozen, maar ik had geen duidelijk idee wie het zou kunnen doen, en daar het voor allerlei problemen zou hebben gezorgd als ik het aan iemand anders dan een officiële geestelijke had gevraagd, besloot ik dat het maar het beste was om onnodige verwikkelingen te vermijden. De dienst zou die avond om acht uur worden gehouden en toen ik wegging riep de predikant al naar de koster dat hij een graf moest graven in het armere, wat afgelegen stuk van het kerkhof, zodat er niet per ongeluk een waardevoller perceel zoals voor heren is bestemd, gebruikt zou worden.

Ik had de onplezierige taak om Sarah te vertellen wat er was gebeurd helemaal uit mijn gedachten gezet. Het moest uiteraard gebeuren en ik wist dat ik degene was die het moest doen, maar ik stelde het eenvoudigweg zo lang mogelijk uit. Lower was al door Cola ingelicht en was zeer door het nieuws ontsteld.

'Ik begrijp het niet,' zei hij. 'Het ging niet zo goed en ze was erg zwak, maar toen ik haar zag, lag ze niet op sterven. Wanneer is ze gestorven?'

'Ik weet het niet. Mijnheer da Cola heeft het me verteld. Hij was erbij, denk ik.'

Lowers gezicht betrok. 'Die vent,' zei hij. 'Ik weet zeker dat hij haar gedood heeft.'

'Lower!' Zoiets verschrikkelijks mag je niet zeggen.'

'Ik bedoel niet opzettelijk. Maar zijn theorie is beter dan zijn praktijk.' Hij zuchtte diep en zag er zeer bezorgd uit. 'Ik heb hier geen goed gevoel over, Wood. Echt waar. Ik had zelf voor de vrouw moeten zorgen. Weet je dat Cola van plan was haar meer bloed toe te dienen?'

'Nee.'

'Dat wilde hij. Ik kon hem natuurlijk niet tegenhouden omdat ze zijn patiënt was, maar ik weigerde eraan mee te werken.'

'Was het de verkeerde behandeling?'

'Niet per se. Maar we hadden onenigheid en ik wilde er niet bij betrokken zijn. Ik heb je verteld dat Wallis zei dat hij in het verleden andermans ideeën heeft gestolen.'

'Is dat alles?' zei ik.

'Alles?' herhaalde Lower, zwaar beledigd. 'Bestaat er dan iets ergers?'

'Misschien is hij wel een geniepige jezuïet die hier in het geheim probeert burgerlijke onrust te wekken en het koninkrijk te ondermijnen,' stelde ik voor. 'Dat zou je erger kunnen noemen.'

'Ik niet.'

Die opmerking brak de spanning die de hele dag was opgebouwd en eensklaps barstten Lower en ik uit in een enorme lachbui. We schaterden tot de tranen ons over de wangen liepen en we elkaar stevig omklemden, terwijl onze lichamen schokten van vreemde vrolijkheid. We eindigden op de vloer; Lower op zijn rug, nog steeds nahijgend, ik met mijn hoofd tussen mijn knieën omdat ik door het gelach draaierig in mijn hoofd werd en mijn kaken er pijn van deden. Op dat moment hield ik zielsveel van Lower, en ik wist dat wat onze verschillen ook waren en wat voor ruwe trekjes zijn karakter ook mocht hebben, ik hem altijd toegenegen zou zijn, want hij was waarlijk een goed mens.

Toen we weer een beetje bijkwamen en ons de tranen uit de ogen wisten, was het Lower die het onderwerp te berde bracht wat we met Sarah moesten doen. Dat was geen zaak om te lachen.

'Ze moet duidelijk zo snel mogelijk uit Oxford weg,' zei ik. 'Ze kan niet eeuwig in mijn kamer blijven en zelfs met haar afgeknipte haar is ze nog makkelijk te herkennen. Maar waar ze naartoe moet en wat ze moet doen, daar kan ik niets zinnigs over zeggen.'

'Hoeveel contant geld heb je beschikbaar?'

'Ongeveer vier pond,' zei ik. 'Het grootste deel daarvan was bestemd voor jou en Cola, voor de behandeling van haar moeder.'

Hij woof dat weg. 'Weer een patiënt die verstek laat gaan. Het is niet de eerste en ook niet de laatste, denk ik. Ikzelf heb twee pond beschikbaar en over een week of twee krijg ik mijn jaargeld van mijn familie. Daarvan kan ik nog twee pond missen.'

'Als je er vier van maakt, betaal ik je het verschil terug als mijn kwartaalgeld komt.'

Hij knikte. 'Dat is dan tien pond. Niet veel, zelfs niet voor een meisje in haar toestand. Ik vraag me af...'

'Wat?'

'Wist je dat mijn jongere broer kwaker is?'

Hij zei het heel gewoon en zonder kennelijke schaamte, hoewel ik wist dat het een onderwerp was dat hij slechts met de grootste tegenzin aanroerde. Meer nog, er waren vele mensen die hem goed kenden en in het geheel niet wisten dat Lower een broer had, zo bang was hij dat hij door het verband geschaad zou worden. Ik heb de man een keer gezien en vond hem niet onsympathiek. Net zoals zijn gezicht op dat van Lower leek, maar met een andere uitdrukking, zo was zijn karakter ook als dat van zijn broer, maar zonder de vrolijkheid en de gulle lach, want lachen, zo is mij verteld, is als zonde verboden onder hen.

Ik knikte.

'Hij doet zaken met een groep gelijkgezinde mensen die ergens naar toe willen gaan waar ze niet bedreigd worden – landstreken als Massachusetts en zo. Ik zou hem kunnen schrijven en hem vragen of Sarah Blundy daarnaartoe kan. Ze kan vertrekken als dienstmeid of als iemands verwant, en dan verder voor zichzelf zorgen als ze aankomt.'

'Het is een zware straf voor iemand die geen kwaad heeft gedaan.'

'Weinigen die daar uit vrije wil naartoe gaan hebben iets kwaads gedaan.

Toch gaan ze. Ze zal in goed gezelschap zijn en zal daar meer lotgenoten vinden dan ze hier ooit zal tegenkomen.'

Na alles wat er was gebeurd, verscheurde het idee van haar vertrek, dat ik haar nooit meer zou zien, mijn hart en ik weet dat ik tegenwerpingen uit egoïstische motieven maakte. Maar Lower had gelijk: als ze in Engeland bleef, zou ze vroeg of laat ontdekt worden. Iemand – een oude kameraad van haar vader, een reiziger uit Oxford of een oud-student – zou haar zien en herkennen. Haar leven zou iedere dag in de waagschaal staan en dat van ons ook. Ik had geen idee wat de wet technisch gesproken zei over wat we hadden gedaan, maar ik wist dat weinig rechters iemand die het waagde zich met hun voorrechten te bemoeien vriendelijk bejegenden. Ze was ter dood veroordeeld en ze leefde nog. Locke zou er met al zijn handigheid in argumenteren nog een harde dobber aan hebben om dat weg te redeneren.

Dus besloten we dat te doen. Althans, we besloten dat we het Sarah zouden voorleggen, daar het plan onuitvoerbaar was als ze niet wilde meewerken. Als we dat wilden bereiken, betekende dat dat we de laatste nagel in haar ziel moesten drijven. Lower nam het op zich het plan aan haar voor te leggen, daar het zijn idee was en hij alle regelingen met de non-conformisten moest treffen. Ik liep terug naar de St Thomas om me ervan te verzekeren dat de voorbereidingen voor de begrafenis goed verliepen en verwachtte dat ik de enige zou zijn die de dienst zou bijwonen.

Maar Sarah was niet tevreden met het plan omdat ze haar moeder niet wilde achterlaten, en pas toen Lower haar vertelde dat de vrouw dood was, zag ze de zinnigheid ervan in. Al haar eigen beproevingen had ze standvastig doorstaan; het verlies van deze vrouw bracht al haar zwakheid naar boven. Ik zal er verder niets over zeggen, behalve dat Lower niet de beste figuur was om troost te geven. Hij was vriendelijk en wenste iedereen het beste, maar hij had de neiging bruusk en ongevoelig te worden als hij met ellende werd geconfronteerd die hijzelf niet kon verzachten. Ik twijfel er niet aan dat zijn toon – zakelijk tot op het botte af – de zaak alleen nog maar erger maakte.

Sarah stond erop om naar de begrafenis te komen, ondanks het feit dat Lower krachtig tegen de dwaasheid van die wens uitvoer, maar ze hield voet bij stuk en het was onmogelijk haar ervan af te brengen. Het feit dat mijn moeder haar steunde en zei dat ze het meisje naar de kerk zou brengen, wat doctor Richard Lower er ook van vond, gaf de doorslag.

Ik was ontsteld toen ik ze met z'n drieën zag aankomen. Lower keek angstig, mijn moeder grimmig en Sarah uitdrukkingsloos, alsof er een of andere levenskracht uit haar was geweken, om nooit meer terug te keren. Ze hadden hun best gedaan om haar te vermommen en hadden haar verkleed als jongen; haar hoofd was bedekt met een pet die ver over haar ogen was getrokken, maar ik was doodsbang bij de gedachte dat de predikant ieder moment uit zijn boek kon opkijken en met uitpuilende ogen zou staren voor hij wegrende om de wacht te waarschuwen. Maar hij deed niets van dat alles; hij dreunde de dienst slechts sneller op dan gepast was en weigerde zich ook maar enige moeite te getroosten voor de ziel van een vrouw die geen dame was, noch een rijk lid van zijn gemeente, noch zelfs maar iemand die de aandacht waard was van iemand zo verheven als hij. Ik moet zeggen dat ik de aandrang had hem een oorvijg te geven en hem te zeggen dat hij zijn werk naar behoren moest doen, zo schaamde ik me. Met zulke geestelijken is het geen wonder dat zoveel mensen zich van de Kerk afwenden. Toen hij klaar was, klapte hij zijn boek dicht, knikte naar ons, hield zijn hand op voor zijn geld en beende toen weg. Hij zei dat hij er niet over dacht om de rest van de ceremonie aan het graf uit te voeren, omdat de vrouw niet veel meer dan een heiden was. Hij had gedaan wat wettelijk verplicht was en deed geen spat meer.

Lower was volgens mij zelfs nog ziedender dan ik over zijn harteloosheid, hoewel ik graag wil geloven dat de man meelevender zou zijn geweest als hij had geweten dat er een familielid van de vrouw aanwezig was. Maar dat wist hij niet, dus deed hij geen moeite, en het resultaat was een van de pijnlijkste gebeurtenissen die ik ooit heb bijgewoond. En voor Sarah moet het nog vele malen grievender zijn geweest. Ik deed mijn best haar te troosten.

'Ze zal naar haar graf worden gebracht door haar dochter die van haar hield en haar vrienden die haar probeerden te helpen,' zei ik. 'Dat is veel beter en passender. Ze had het hoe dan ook niet prettig gevonden dat zo'n man aan haar graf zijn zegje had afgeraffeld.'

Lower en ik tilden dus zelf de baar op en droegen die de kerk uit, stommelend door de donkere hof met slechts een fakkel om ons bij te lichten. Een groter verschil met de stoet die de teraardebestelling van doctor Grove had begeleid kan men zich niet voorstellen, maar we waren gelukkig tenminste onder elkaar, nu de predikant weg was.

Het viel mij toe de rede te houden, want Lower kende haar niet zo goed en Sarah leek niet tot spreken in staat. Ik had geen idee wat gepast was, maar sprak gewoon de gedachten uit die bij me opkwamen. Ik zei dat ik haar pas de laatste paar jaar had leren kennen, dat zij en ik niet van hetzelfde geloof waren en niet verder uiteen konden staan op het gebied van de politiek. Desondanks eerde ik haar als een goede en moedige vrouw die deed wat zij vond dat rechtvaardig was en ook zocht naar waarheden die ze wilde kennen. Ik wilde niet zeggen dat ze een gehoorzame echtgenote was, want ze zou hebben geweigerd zo genoemd te worden. Maar toch was ze haar echtgenoot tot grote steun geweest en ze had zowel veel van hem gehouden als hem op alle manieren die hij wilde en verwachtte bijgestaan. Ze streed zelf ook voor de zaak waarin hij geloofde en voedde een dochter op die moedig, oprecht, zachtaardig en goed was, beter dan wie ook kon vermoeden. Op deze beste wijze eerde ze haar Schepper en werd daarvoor gezegend. Ik dacht dat ze niet in het hiernamaals geloofde, want ze wantrouwde alles wat door geestelijken werd beweerd. Toch wist ik dat ze ongelijk had en dat ze in Gods armen opgenomen zou worden.

Het was een wat onsamenhangende mengelmoes, die rede van me, veel meer bedoeld om Sarah zoveel als ik kon te troosten dan om een waarachtig portret van de dode vrouw te schetsen. Niettemin geloofde ik toen in alles wat ik zei, en dat doe ik nog steeds. Ik weet dat het ondenkbaar is dat een vrouw als zij, met haar overtuiging en opvattingen, van haar stand en werkzaamheden, ooit in enige mate als verheven, edel of deugdzaam kon worden beschouwd. Maar dat was ze allemaal en ik doe geen moeite meer om mijn overtuigingen met die van anderen te verzoenen.

Toen ik uitgesproken was, viel er een akelige stilte, tot mijn moeder Sarah naar het lichaam leidde en het doodskleed terugsloeg, zodat het gezicht bloot kwam. Het regende hard en het was onuitsprekelijk miserabel toen spatjes modder door de regen op de dode vrouw spetterden terwijl ze daar op de vochtige, koude grond lag. Sarah knielde en we trokken ons allemaal wat terug toen ze zelf een gebed mompelde; ze eindigde met zich voorover te buigen en haar moeder op het voorhoofd te kussen, en toen met een teder gebaar een lok haar die van onder de beste muts van de oude vrouw te voorschijn was gesprongen, weg te schuiven.

Ze ging weer staan. Lower trok me aan mijn mouw en samen lieten we het lichaam zo geleidelijk en plechtig als we konden in de kuil zakken, voordat Sarah haar laatste plicht als dochter volbracht door een handvol aarde in het graf te strooien. Wij volgden haar voorbeeld en ten slotte pakten Lower en ik zelf de spades en schepten zo snel we konden het graf dicht. Toen het gedaan was, en we allemaal door en door nat, modderig en koud waren, draaiden we ons eenvoudigweg om en liepen weg. Er was niets meer te doen, behalve ons weer met de levenden te bemoeien.

Lower was zoals gewoonlijk drukker en doeltreffender in de weer geweest dan ik. Hij had geregeld dat hij Boyles koets mocht lenen – vanuit de juiste gedachte dat het rijtuig van zo'n man niet door de wacht zou worden aangehouden of doorzocht, hoe laat die ook op de weg werd aangetroffen – en had twee paarden gehuurd om hem te trekken. Hij stelde voor Sarah zelf naar Reading te brengen, dat ver genoeg van Oxford vandaan lag om veilig te zijn, vooral ook omdat de verbindingen tussen de twee steden zo slecht waren dat er voorlopig beslist weinig verkeer tussen die twee plaatsvond. Daar zou hij Sarah onderbrengen bij kennissen van zijn broer, een non-conformistisch gezin, van wie hij kon garanderen dat ze haar geheim zouden bewaren of het weinige dat hun daarvan verteld werd. Als zijn broer terugkeerde en op doorreis naar Dorset door de stad kwam, zou hij van de gebeurtenissen op de hoogte worden gesteld en het meisje zeker onder zijn hoede nemen en haar op het eerste het beste schip dat non-conformisten uit Engeland voerde zetten. Daar waren we het allemaal mee eens.

Ik kan mezelf er niet toe brengen mijn laatste afscheid van haar te beschrijven, mijn laatste blik op haar gezicht, en zal dat ook niet doen.

Sarah vertrok tien dagen later in gezelschap van zijn broer, bereikte onder zijn begeleiding Plymouth en ging daar scheep.

Het was het laatste dat iemand ooit van haar vernam. Ze kwam nooit in Amerika aan en men nam aan dat ze overboord was gevallen. Maar de boot dobberde toen in windstilte en was hoe dan ook zo overvol dat het moeilijk voor te stellen was dat iemand zoiets kon overkomen zonder dat het opgemerkt werd. Desondanks verdween ze op een dag gewoonweg, in het volle licht en zonder een geluid, alsof ze lijfelijk in de hemel was opgenomen.

12

HIER EINDIGT HET VERHAAL van Sarah Blundy zoals ik het ken, en meer kan ik niet vertellen; degenen die me niet wensen te geloven mogen dat doen.

Het enige dat me nog rest is het laatste deel van het verhaal te vertellen en te laten zien wat de Italiaan in Engeland kwam doen. Ik beken dat ik het niet belangrijk vind, want in vergelijking met wat ik had meegemaakt, kunnen de dwalingen van mensen die kibbelen in onkundigheid van die waarheid, slechts mijn volstrekte minachting opwekken. Maar aangezien het zowel onderdeel van deze gebeurtenissen als een oorzaak ervan is, moet ik het optekenen opdat ik mijn werk kan voltooien en rust vinden.

De dag nadat Sarah Oxford had verlaten reisde ik af naar Londen, nog steeds verzonken in een stemming van diepe wanhoop en gepeins; het was Lowers idee om te gaan en hij beval het krachtig aan als een middel tegen zwaarmoedigheid en tobberij. Een verandering van omgeving, ander gezelschap en wat verstrooiing, bezwoer hij me, zouden helpen om de droefheid die over me was gekomen af te schudden. Ik volgde zijn raad op omdat mijn apathie zodanig was dat dat makkelijker was dan tegen te stribbelen. Lower pakte mijn reistas in, bracht me naar Carfax en zette me op de koets.

'En amuseer je een beetje,' zei hij. 'Geef toe dat alles veel beter is afgelopen dan je in de verste verte had kunnen verwachten. Het is tijd om het achter je te laten.'

Natuurlijk lukte dat me niet zo makkelijk, maar ik probeerde zijn advies zo goed mogelijk op te volgen en dwong mezelf mensen op te zoeken met wie ik in de loop der jaren had gecorrespondeerd, en deed mijn uiterste best belangstelling te tonen voor wat ze zeiden. Ik slaagde er niet al te goed in, omdat mijn gedachten naar belangrijker zaken bleven afdwalen, en ik vrees dat ik onder mijn collega's enige wrok heb gewekt vanwege een afstandelijkheid die ze ongetwijfeld als laatdunkendheid en hooghartigheid beschouwden. Zaken die normaal mijn levendigste belangstelling zouden hebben gewekt, konden me nu allerminst boeien; men vertelde me dat er in een steengroeve in Hertfordshire enorme versteende beenderen waren ontdekt die bewezen dat de bijbel de waarheid sprak waar er stond dat eens reuzen de aarde bewandelden, en het kon me niet veel schelen. Ik genoot de gastvrijheid van John Aubrey, toentertijd een goede vriend, maar ik kon niet geestdriftig worden voor zijn vernuft in het ontdekken van de bedoeling en opzet van Stonehenge en Avebury en andere van dat soort plekken. Ik werd uitgenodigd een bijeenkomst van het Koninklijk Genootschap bij te wonen, maar sloeg die grote eer met gemak af en vond het niet erg dat ik nooit meer een uitnodiging ontving.

Maar op een avond, ik was pas twee dagen in de stad, zag ik dat ik langs een herberg in Cheapside wandelde, die The Bells heette, en ik herinnerde me dat ik die naam in Cola's kist had gezien. Ik voelde de behoefte om iemand te spreken die Sarah ook had gekend en iets had meegemaakt van wat ik had meegemaakt. Daarbij had ik ook het grote verlangen antwoord te vinden op vele vragen en de klaarblijkelijke keten van menselijke gebeurtenissen te begrijpen die haar einde hadden veroorzaakt.

Hij was makkelijk te vinden, zelfs al wist de herbergier – van wie ik later te weten kwam dat hij een paap was – de naam niet; ik hoefde slechts naar de Italiaanse heer te vragen en werd onmiddellijk naar de duurste kamer gebracht, die hij helemaal voor zichzelf alleen had en die hij vanaf dat hij was aangekomen had betrokken.

Zijn verbazing om me te zien was groot, maar niet zo groot als toen ik hem aansprak.

'Goedenavond, pater,' zei ik.

Hij kon het niet ontkennen, hij kon niet tieren of protesteren of volhouden, want geestelijken mogen dat niet. In plaats daarvan staarde hij me dodelijk verschrikt aan, denkend dat ik was gestuurd om hem in de val te lokken en dat weldra gewapende mannen de trap op zouden stormen om hem naar zijn martelaarschap te voeren. Maar er klonk geen geluid, geen gestamp van laarzen noch het geroep van dringende bevelen; er was alleen stilte in de kamer terwijl hij ontzet bij het raam stond.

'Waarom noemt u me pater?'

'Omdat u dat bent.' Ik zei niet: wie anders heeft heilige olie, wijwater en een heilig relikwie in zijn bezittingen verborgen? Wie anders dan een priester die tot het celibaat is gezworen zou met zo'n afschuw reageren wanneer hij de kracht van zijn vleselijke lusten besefte? Wie anders zou in het geheim en uit goedheid een vrouw van wie hij dacht dat ze stervende was

702

het Heilig Oliesel geven, voorspraak voor haar ziel zijn in weerwil van haar-zelf?

Cola ging voorzichtig op zijn brits zitten en keek me scherp en aandach-tig aan, bijna of hij nog steeds verwachtte dat ik een of andere verrassings-overval op hem zou plegen.

'Waarom bent u hier?'

'Niet om u kwaad te doen.'

'Waarom dan?'

'Ik wil graag praten.'

Ik voelde medelijden met hem omdat ik hem in zo'n gevaarlijke situatie bracht en deed mijn best hem ervan te overtuigen dat ik niets slechts met hem voorhad. Ik geloof dat het eerder mijn gezicht dan mijn woorden waren die hem van mijn oprechtheid overtuigden. Beide kunnen mislei-den, maar in mijn geval niet, want ik zei al dat de simpelste ziel dwars door me heen kan kijken. Als ik had gelogen, had Cola dat geweten, maar hij bespeurde niets daarvan op mijn gezicht. Dus na een lange, gespannen stil-te, zuchte hij, legde zich bij het onvermijdelijke neer en vroeg me te gaan zitten.

'Is uw naam werkelijk Marco da Cola? Ik vind dat ik mag weten wie ik aanspreek. Bestaat er werkelijk zo iemand?'

Hij lachte minzaam. 'Die bestond,' zei hij. 'Dat was mijn broer. Mijn naam is Andrea.'

'Bestond?'

'Hij is dood. Hij stierf in mijn armen bij zijn terugkeer uit Venetië. Ik treur nog zeer om hem.'

'Waarom bent u hier?'

'Evenals u kan ik zeggen dat ik niemand kwaad wens te doen. Niet velen zouden mij geloven, vandaar mijn voorwendsel. Uw regering heeft het niet zo op buitenlandse geestelijken. Zeker niet op jezuïeten.' Hij zei het opzet-telijk, zijn ogen strak op mijn gezicht gericht om mijn reactie op zijn beves-tiging te peilen.

Ik knikte. 'U hebt mijn vraag niet beantwoord.'

'Mijnheer Wood,' ging hij verder, 'u bent de enige die erachter is geko-men wie ik ben en u bent de enige man van uw geloof die ik heb ontmoet die niet reageert of ik de duivel zelve ware. Hoe komt dat? Voelt u zich in uw hart misschien tot de ware Kerk aangetrokken?'

'"Laat geen u zeggen dat zijn weg de enige en beste is, want zij zeggen dat slechts uit onwetendheid,"' zei ik, en de woorden waren mijn mond uit voor ik me kon herinneren waar ik ze had gehoord.

Cola keek verontrust: 'Een ruimhartige, zij het onjuiste opvatting,' antwoordde hij, en ik hoopte dat hij me er niet al te veel over zou vragen, want ik wist dat ik de stelling niet kon verdedigen en hem zelfs niet kon verklaren. Of het brood verandert in vlees en de wijn in bloed, of niet; dat kan niet zo zijn dat dat wel in Rome gebeurt, maar niet in Canterbury. Of Jezus maakte Petrus en diens opvolgers de grondslag van het geloof, of niet; en hij verleende ze alleen het hoogste gezag in geestelijke zaken of hij dat deed niet; Onze Heer zei Petrus niet dat hij gezag over de hele wereld zou hebben behalve over die delen van Europa waar ze anders dachten.

Maar Cola zei niets meer over dit onderwerp, maar al te blij dat hij het geluk had door wellicht de enige persoon in het hele land ontdekt te zijn die geen behoefte voelde hem bij de autoriteiten aan te geven. Ook was ik niet in de stemming voor een theologisch debat, zelfs niet als ik de kans had gehad om dat te winnen. Dergelijke discussies hadden me altijd veel vreugde gegeven, maar ik bezweek bijkans onder de kennis die ik met me meetorste en was niet meer in de stemming voor iets wat ik alleen nog maar als triviaal kon zien.

In plaats daarvan vroeg hij met waarachtig medeleven naar de begrafenis van Anne Blundy en ik vertelde hem zoveel als ik gepast achtte. Hij leek tevreden te zijn dat zijn geld goed besteed was en uitte zijn spijt dat Lower zich zo slecht had gedragen.

'U schijnt hersteld te zijn van uw verdriet om de dood van het meisje,' zei hij, met een doordringende blik in mijn richting. 'Daar ben ik blij om. Dat is niet gemakkelijk, dat weet ik. Het is zwaar iemand te verliezen die zo belangrijk in je leven is zoals zij dat was in het uwe en mijn broer in dat van mij.'

En we spraken verder over dat soort zaken, pater Andrea met zoveel gevoel en vriendelijkheid dat zelfs al wist hij maar weinig van wat er was voorgevallen, hij mijn verlies verzachtte en me enigszins met de eenzaamheid verzoende waarvan ik al wist dat die mijn deel zou zijn. Hij was een goed mens en een goede geestelijke, zij het een paap, en ik had geluk dat ik hem had gevonden, want zulke mensen komt men zelden tegen. Het is moeilijk een heelmeester voor het lichaam te zijn en zelfs al proberen velen het, slechts weinigen bezitten de vaardigheid of het medeleven om daarin te slagen. Hoeveel moeilijker is het niet om de ziel te helen, om iemand met verdriet tot kalmte en aanvaarding te brengen, maar pater Andrea was zo iemand. Toen we uitgesproken waren, ik hem niets meer te vragen had en hij me niet meer vertroosting te bieden had, vertelde ik hem hoezeer ik dit waardeerde en besloot ik iets voor hem terug te doen als vergoeding daarvoor.

'Ik weet waarom u naar Oxford bent gekomen,' zei ik, en hij draaide zich met een ruk om om me aan te kijken.

'U had een briefwisseling met sir James Prestcott, en die brieven zijn zoekgeraakt toen hij stierf. Ze zouden de zaak van uw geloof in dit land zeer schaden en u wilde ze terugkrijgen, zodat ze niet algemeen bekend zouden worden. Daarom doorzocht u het huisje van de Blundy's.'

Hij kneep zijn ogen samen. 'U weet daarvan? U weet waar ze zijn?'

'Ik weet dat u er niet bang voor hoeft te zijn. Ik geef u mijn woord dat niemand ze ooit zal zien en dat ze vernietigd zullen worden.'

Ik kon zien dat hij in tweestrijd verkeerde om me te vertrouwen, maar hij wist dat hij geen keuze had en dat hij buitengewoon fortuinlijk was. Na een poosje knikte hij. 'Meer vraag ik niet.'

'En dat krijgt u. Nu moet ik gaan.'

Hij liep met me de trap af. Bij elke stap gleed hij verder terug in zijn vermomming, en al had hij me boven als priester gezegend, op straat boog hij voor me als een heer voordat we ieder onze eigen weg gingen.

'Ik neem aan dat u nooit naar Rome zult komen, mijnheer Wood,' zei hij met een lach. 'U bent niet iemand die van reizen houdt. Dat is jammer, want u zou het een buitengewone stad vinden en er zijn daar vele uitmuntende historici en oudheidkundigen die zich evenzeer in uw gezelschap zouden verheugen als u zich in het hunne zou verblijden. Maar mocht de aandrang tot reizen ooit over u komen, schrijf me dan en ik zal u een schitterend welkom bereiden.'

Ik dankte hem en we bogen een laatste keer voor elkaar. Ik liep weg en zag hem nooit meer.

Maar ik hoorde wel van hem; want ik was pas een paar meter verder gelopen toen ik mijn vriend John Aubrey tegenkwam, een man wiens talenten als roddelaar even groot waren als mijn reputatie voor dergelijke beuzelarijen onverdiend is.

'Wie ís die man toch?' vroeg hij nieuwsgierig, terwijl hij over mijn schouder naar Cola tuurde, die de andere kant op liep. 'Stel je me niet aan hem voor?'

'Hij is een arts,' zei ik, 'of althans, een heer die in de heelkunst is geïnteresseerd. Waarom vraag je dat? Je praat alsof je hem eerder hebt gezien.'

'Dat heb ik ook,' zei hij, nog steeds turend, hoewel Cola ondertussen om de hoek was verdwenen. 'Ik zag hem gisteravond in Whitehall.'

'Een man kan toch wel een wandeling maken zonder de belangstelling te wekken, neem ik aan?'

'In het paleis zelf? Niet zo makkelijk. En zeker niet wanneer je door sir Henry Bennet zelf naar de slaapkamer van de koning wordt gebracht.'

'Wat zeg je?'

'Je lijkt buitengewoon verbaasd hierdoor. Mag ik vragen waarom?'

'Nergens om,' antwoordde ik haastig. 'Ik wist niet dat hij zulke illustere connecties had in dit land. Ik ben bang dat we hem in Oxford allemaal hebben behandeld als een verarmde buitenlander die het lot tegen zich had. Bovendien heeft hij ons daar nooit iets van gezegd. We moeten als deerniswekkende mensen zijn overgekomen. Maar vertel eens precies, wanneer zag je hem? En waar?'

'Het was al laat, lang na schemertijd, misschien wel acht uur. Ik had de grote gunst gehad voor een diner te zijn uitgenodigd – heel besloten en informeel – bij lord Sandwich en zijn gade en een neef van hem die zijn beschermeling is. Een brallerige kwast die bij de marine werkt, en voortdurend over dingen praat waar hij geen enkel benul van heeft, maar heel geestdriftig en best aardig in zijn simpelheid. Zijn naam is, als ik me goed herinner...'

'Ik hoef zijn naam niet te weten, mijnheer Aubrey. En ook niet wat je hebt gegeten, of de bijzonderheden van lord Sandwich' tafelgezelschap. Ik wil iets weten over mijn kennis. Je mag me later over je grote geluk vertellen als je dat wilt.'

'Ik verliet zijn onderkomen, moet je weten, en liep terug naar mijn optrekje, en toen ik daar bijna was aangekomen, herinnerde ik me dat ik een doos met manuscripten was vergeten die ik van de eerste minister mocht inkijken voor mijn werk. Omdat ik niet moe was en nauwelijks een karaf wijn had gedronken, bedacht ik dat ik ze voor het slapengaan kon doorlezen. Dus ik ging terug, maar in plaats van door Whitehall naar het ministerie te lopen, ging ik via St Stephen's Yard. Er is daar een doorgang waar je als je rechtsaf gaat bij de kantoren komt waar mijn papieren liggen, terwijl als je linksaf gaat je bij een achteringang van de koninklijke appartementen komt. Ik kan het je later vandaag laten zien als je wilt.'

Ik knikte ongeduldig dat hij door moest gaan. 'Ik vond de papieren die ik moest hebben, stopte ze onder mijn mantel en liep toen terug. En door die gang kwamen sir Henry Bennet – wist je dat hij nu lord Arlington is? – en een man die ik nog nooit eerder had gezien mijn kant op lopen.'

'Weet je zeker dat het dezelfde man was?'

'Absoluut. Hij was op precies dezelfde manier gekleed. Wat mijn aandacht trok toen ik boog om hen te laten passeren, was dat hij een boek bij zich had dat er prachtig uitzag. Ik weet zeker dat ik iets dergelijks eerder heb gezien: Venetiaans handwerk, echt heel oud goud, gestempeld op een fond van kalfsleer.'

'Hoe weet je dat hij naar de koning ging?'

'Bijna alle anderen zijn weg. De hertog van York heeft zijn appartement ergens anders en is hoe dan ook in St James met de koningin-moeder. De koningin is met haar hele gevolg in Windsor. Zijne Majesteit is er nog, tot hij over een paar dagen vertrekt. Dus tenzij Bennet die man zo laat op de avond voor een bezoekje naar een lakei bracht...'

En dat was kwellend genoeg alles wat ik ooit met zekerheid ontdekte over de laatste paar dagen die de Venetiaan in Londen doorbracht voor hij weer scheep ging naar het vasteland van Europa. Ik kan het niet helemaal precies bepalen, maar het moet een paar dagen later zijn geweest dat hij, toen hij wederom via dezelfde weg het gebouw verliet, door doctor Wallis werd gezien en gearresteerd. En terwijl sir Henry Bennet de zoektocht voor hem organiseerde, hield hij het feit verborgen dat hijzelf Cola in het grootste geheim naar de koning had gebracht.

Er waren duidelijk duistere staatspraktijken in het spel en ik wist dat een onschuldige buitenstaander daar nooit enige eer mee inlegt als hij zich zonder goede reden met dat soort zaken inlaat. Hoe minder ik wist, hoe veiliger het zou zijn, en hoewel het dit keer moeilijk was mijn nieuwsgierigheid te beteugelen, verliet ik Londen dezelfde avond nog met de koets van de universiteit en was blij daar weg te zijn.

Ik zei 'met zekerheid ontdekte', omdat ik zo zeker als maar mogelijk is zonder er zelf bij aanwezig te zijn geweest, weet wat er gebeurde bij dat uiterst geheime onderhoud. Nu ik ook de de manuscripten van Cola, Prestcott en Wallis heb gelezen, ben ik daar erg blij om, want de reden achter Cola's besluit om te schrijven is helder en duidelijk. Het hele doel ligt besloten in de laatste paar regels van het geheel. 'Ik breng mijn tijd door in eenzaamheid,' schrijft hij, 'en zie vrijwel niemand uit mijn oude vriendenkring meer. Ze zijn me ongetwijfeld zozeer vergeten dat ze geloven dat ik dood ben.'

Het manuscript werd geschreven om het in leven blijven van Marco da Cola, die nu al zovele jaren dood is, te staven en te bewijzen dat hij, een krijgsman en een leek, naar Engeland kwam en die dag in Whitehall werd gezien. Want als Marco da Cola in Engeland was, was de jezuïet Andrea da

Cola dat niet. Daarom kon wat ik denk dat er plaatsvond in Whitehall niet zijn gebeurd, want dat had alleen gekund als een priester, een katholieke priester, die dag de koning had bezocht. En in een tijd dat de haat jegens papen groter dan ooit is en iedereen aan wie ook maar het kleinste smetje roomsheid kleeft gevaar loopt, is dat van het allergrootste belang.

Doctor Wallis kwam heel dicht bij de waarheid; meer nog, hij had die in handen, maar deed het af als een bijkomstigheid. Ik verwijs u naar zijn manuscript, waarin hij zijn reizende schilderijenhandelaar in Venetië aanhaalt die zei dat Marco da Cola, 'toentertijd niet bekendstond om zijn kennis of vlijtige studie'. De man die ik leerde kennen had daarentegen een goede kennis van de geneeskunde en van veel van de beste schrijvers, en het vermogen onderhoudend te discussiëren over de filosofieën van de klassieken en de modernen. Tel daar nog bij op het verhaal van de koopman die Wallis ondervroeg, die Marco da Cola beschreef als 'schraal en mager, somber van uiterlijk' en vergelijk dat met de gezette, vrolijke man die naar Oxford kwam. Tel daar nog bij op de weigering van Cola om over de krijgsverrichtingen op Kreta te praten toen hij bij sir William Compton was, en vertel me dan eens welke soldaat u ooit hebt ontmoet die niet eindeloos wilde verhalen over zijn heldhaftigheid en ondernemingen. Denk eens aan die voorwerpen die ik in zijn kist vond en wat die betekenen. Denk weer terug aan zijn reactie toen hij met de kracht van zijn lust werd geconfronteerd die avond bij Sarah Blundy, en vertel me hoeveel soldaten u kent die zo fijngevoelig zijn. Deze man was waarlijk als een van die raadsels die moeilijk te begrijpen zijn, maar zo eenvoudig blijken als de oplossing eenmaal bekend is.

Ik wist al dat het boek in mijn bezit een van de exemplaren van Livius was dat zowel door Wallis als door Cola werd gezocht en dat het de sleutel was van ten minste een aantal van de brieven die Jack Prestcott me had gegeven. Het lezen van die documenten was echter geen eenvoudige zaak; met het verhalen van mijn uiteindelijke succes wil ik op generlei wijze de prestaties van doctor Wallis ondergraven of kleineren. Eerst aarzelde ik, niet alleen omdat ik er zeker van was dat iedere kennis die ik daaruit verkreeg me geen goed zou doen; de gebeurtenissen van die tijd bedrukten me ook nog zozeer dat ik mezelf maandenlang in onverschilligheid verloor. Ik zocht, zoals mijn gewoonte is, vertroosting tussen mijn boeken en papieren, las en maakte aantekening met een nauw ingehouden bezetenheid. De bezigheden van de sinds lang gestorvenen werden mijn grootste troost en ik werd vrijwel een kluizenaar die slechts met terloopse belangstelling opmerkte dat mijn reputatie voor vreemdheid zo'n vlucht nam dat hij onwrikbaar werd. Men ziet mij, geloof ik, als een zonderlinge, ongemanierde figuur, nors, korzelig en kortaangebonden, en ik denk dat die persoon in die dagen ontstond zonder dat ik het zelf merkte. En nu is het waar: ik ben buiten de wereld komen te staan en schep meer vreugde in gesprekken met de doden dan met de levenden. Daar ik mij zo slecht thuis voel in mijn eigen tijd, zoek ik mijn toevlucht in het verleden, want alleen daar kan ik de genegenheid tonen die ik niet in staat ben mijn tijdgenoten te geven, die niet weten wat ik weet en niet konden zien wat ik zag.

Slechts enkele dingen konden me van mijn boeken afhouden en zo weinig bekommerde ik me om menselijke omgang dat ik nauwelijks in de gaten had hoe mijn vriendenkring kleiner werd. Lower bracht geleidelijk zijn praktijk over naar Londen en was zo succesrijk (begunstigd door zijn beschermheer Clarendon en de dood van vele belangrijke concurrenten) dat hij al snel de geslaagdste arts van het land werd, een positie aan het hof kreeg en zich niet alleen een fraai huis aanmat, maar zelfs een koets met zijn familiewapen op de deur – waarvoor hij zwaar bekritiseerd werd door degenen die dat een aanmatigend vertoon vonden. Daarnaast betaalde hij ook nog de bruidsschatten van zijn zusters en vestigde hij zijn familie weer in Dorset, waarvoor hij zeer werd bewonderd. Maar hoewel hij zijn grote werk over de hersenen publiceerde, deed hij nooit meer enig serieus onderzoek. Alles wat hij als waarlijk nobel beschouwde, het vergaren van kennis door proefnemingen, liet hij varen voor zijn jacht op wereldlijk gewin. Ik denk dat ik de enige ben die de triestheid hiervan begreep: dat wat de wereld als succes beschouwde naar Lowers opvatting verspilling en mislukking was.

Ook mijnheer Boyle ging naar Londen en kwam geloof ik nog maar twee keer in zijn leven naar Oxford. Een groter verlies voor de stad kon men zich niet voorstellen, want al behoorde hij nooit tot de universiteit, zijn aanwezigheid gaf die luister en maakte hem beroemd. Die faam nam hij met zich mee toen hij vertrok en in Londen bouwde hij die onophoudelijk verder uit met een nooit aflatende stroom vernuftigheid die hem ervan verzekerde dat zijn naam voor altijd blijft voortleven. Locke vertrok ook toen hij eenmaal een geschikte sinecure had gevonden en ook hij verzaakte het experiment voor het wereldse, hoewel hij zo betrokken raakte bij de gevaarlijkste vorm van politiek dat zijn positie voor altijd wankel is. Hij kan misschien een keer roem bereiken met zijn geschriften, maar hij kan evengoed zo door de gebeurtenissen worden meegesleurd dat hij aan de galg eindigt als hij vanuit zijn ballingschap naar dit land durft terug te keren. Dat valt te bezien.

Mijnheer Ken kreeg, zoals onontkoombaar was, de prebende die naar doctor Grove was gegaan als die in leven was gebleven, en was dus misschien de enige die profiteerde van de tragedies die ik hier verhaal. Hij werd een goed mens van redelijke vroomheid en bekend om zijn barmhartigheid. Dit kwam allemaal enigszins als een verrassing voor me, maar ik denk dat mensen zich af en toe verheffen om de waardigheid van hun ambt te evenaren in plaats van die waardigheid neer te halen tot hun eigen niveau. Het gebeurt maar zelden, maar vaak genoeg om geruststellend te zijn. En voor het algeheel welzijn der mensheid gaf hij het bespelen van de viola op vanwege te drukke werkzaamheden, en wij allen moeten dankzeggen aan hen die hem een bisdom gaven, zodat deze zegening over Gods schepping werd afgeroepen.

Thurloe stierf enkele jaren later en nam zijn geheimen mee het graf in – behalve die die naar ik geloof bij de papieren zitten die hij ergens verborg toen hij voor het eerst door ziekte werd getroffen. Hij was een uiterst merkwaardige man en ik vind het erg jammer dat ik hem niet persoonlijk heb gekend. Ik weet zeker dat hij niet alleen alle geheimen kende waarvan ik hier spreek, maar ook bemiddelde bij het totstandkomen van vele regeringsbesluiten in die tijd. Dat mag merkwaardig lijken gezien zijn toewijding aan Cromwell, maar hij diende deze grote figuur omdat die orde in ons arme land schiep; hij aanbad orde en beschaafde rust veel meer dan hij ontzag had voor mensen, hetzij koning of burger.

Doctor Wallis veranderde weinig, maar werd steeds gemelijker en kwaadaardiger naarmate zijn zicht verslechterde. Naast mij is hij denk ik de enige die nog steeds hetzelfde leven leidt als toen. Publicaties – over Engelse grammatica, over hoe men de stommen kan leren spreken, over de meest duistere en onbegrijpelijke vormen van wiskunde die niemand behalve hij en een handjevol andere mensen ter wereld kunnen begrijpen – vloeien uit zijn pen, en uit zijn mond komen een gelijksoortige stroom kritiek en beschimpingen op zijn collega's, die hij nog altijd als zijn minderwaardige rivalen beschouwt. Hij heeft vele bewonderaars en geen vrienden. Hij werkt ongetwijfeld nog steeds voor de regering, want zijn vaardigheid in het ontcijferen van codes is nog even groot als altijd. Nu Thurloe dood is, en Bennet zijn macht verloren heeft zoals dat alle politici vergaat, weet alleen de oude koning het ware geheim van de manier waarop Wallis bedrogen en belogen werd en volledig voor gek werd gezet.

En ik. Want alleen en zonder hulp ontcijferde ik de voor Cola in de Nederlanden bestemde brief, die Wallis onderschepte, en bracht het grote geheim dat daarin besloten lag aan het licht. Het was niet gemakkelijk.

Zoals ik zei, vermeed ik lange tijd er een blik op te werpen en hield ik er mij niet serieus mee bezig tot lang na de plaag en de brand van Londen, die Oxford weer deed volstromen met arme, bange mensen die aan de verwoesting wilden ontsnappen. Zelf was ik ook bang en pas na maanden afwachten, toen ik er zeker van was dat alle betrokkenen de zaak vergeten waren, haalde ik de papieren uit hun geheime bergplaats onder de vloer van mijn kamer en bekeek ze zorgvuldig.

Dat was natuurlijk slechts een begin. Wat doctor Wallis in enkele uren had kunnen doen, kostte mij vele weken, daar ik uit vele verschillende plaatsen boeken moest halen voordat ik de betreffende beginselen begreep. De eenvoudige uitleg die Wallis in zijn manuscript geeft, had me veel pijn en moeite bespaard als ik die toen in mijn bezit had gehad, maar hij was nu net de figuur wie ik niets kon vragen. Niettemin begreep ik uiteindelijk door eigen inspanning wat er verlangd werd. De letters waarmee de code iedere vijfentwintig tekens begon was niet de volgende letter in de tekst, noch de eerste letter van het volgende woord, maar de volgende letter die was onderstreept. Het klinkt eenvoudig en zo verklaard is het dat ook: zo eenvoudig dat een soldaat op veldtocht, mits hij het juiste boek bezat, het in een oogwenk kon opschrijven. Daar ging het ook om.

En toen deze prachtige ontdekking eenmaal bij me was opgekomen, werd het hele geheim van die brieven me na een ochtend werken onthuld. En het duurde vele maanden langer eer ik kon geloven wat ik had gelezen.

Zoals beloofd, heb ik alles vernietigd. Er bestaat slechts één kopie van de vertaling die ik maakte en die zal ik vernietigen, samen met dit manuscript, als ik weet dat mijn laatste ziekte over me is gekomen. Ik heb een jonge bibliothecaris en geleerde die ik ken, mijnheer Tanner, gevraagd bij mijn dood mijn nalatenschap te regelen, en dat zal een van zijn taken zijn. Hij is een goede, eerlijke man die zijn woord zal houden. Men zal niet kunnen zeggen dat ik iemands vertrouwen heb geschaad of iets heb onthuld wat verborgen had moeten blijven.

De brief, in code geschreven aan Andrea da Cola door Henry Bennet, minister van Buitenlandse Zaken en (als grootste grap van alles) werkgever van doctor Wallis, luidt als volgt, na de gebruikelijke inleidende opmerkingen:

De zaak die we in onze afgelopen briefwisseling hebben besproken, nadert nu zijn vervulling en Zijne Majesteit heeft zijn wens kenbaar gemaakt zo spoedig mogelijk in de Kerk van Rome bevestigd te willen worden, dit geheel conform zijn ware geloof en overtuiging. Mij is opgedragen in het

allergrootste geheim een priester die betrouwbaar is te laten komen om
zijn wens te verwezenlijken, en ik hoop ten zeerste dat uzelf deze taak op u
wilt nemen, daar wij u reeds kennen en vertrouwen. Het moge duidelijk
zijn dat als iets hiervan bekend wordt het de grootste rampzaligheid ten
gevolge zou hebben; er zal daarentegen een beleid worden aangevangen
om gestaag de banden die de katholieken intomen losser te maken, en
haatgevoelens zullen door de jaren heen onmerkbaar worden verminderd
eer het tot een openbare bekendmaking kan komen. Voor het ogenblik zal
alles wat er gedaan kan worden, gedaan worden als een gebaar van goede
wil. De koning zal proberen het parlement te overreden een grotere tole-
rantie van katholieken toe te staan en vertrouwt erop dat deze eerste stap
tot vele andere zal leiden voor de hereniging van de Kerken voortgang kan
vinden. Een geheim afgezant, mijnheer Boulton, zal naar Rome afreizen
als de intrede eenmaal is voltrokken om wijze en stijl te bespreken die
daarvoor nodig zijn.

Wat uzelf betreft, beste pater, u kunt gerust naar dit land reizen; hoe-
wel u om voor de hand liggende redenen geen officiële bescherming kan
worden geboden, zullen wij ons inspannen om uw veiligheid te verzeke-
ren en ervoor te zorgen dat uw identiteit niet bekend wordt.

De koning van Engeland, de hoogste beschermheer van de protestantse
Kerk van Engeland, is – en dat al vanaf 1663 – een overtuigd katholiek, in
het geheim erkend en onderworpen aan de riten van de katholieke Kerk.
Zijn belangrijkste minister, mijnheer Bennet, was ook katholiek en had als
geheim beleid de omverwerping van de staatskerk die hij gezworen had te
beschermen. In plaats van voor een mislukte moordaanslag kwam Cola
naar Engeland om de koning in de Kerk van Rome te bevestigen en deed
dat, denk ik, toen hij die avond naar Whitehall ging met zijn heilige olie,
zijn kruisbeeld en zijn relikwie.

En al die tijd werd Wallis gedreven door zijn bezetenheid, en Henry
Bennet luisterde en moedigde hem aan het verkeerde spoor te volgen,
zodat het verhaal niet alleen niet aan den dag zou komen, maar ook meer
dan ooit in het heimelijke zou blijven. Ik weet zeker (al heb ik geen bewijs)
dat Bennet opdracht gaf voor de moord op de bediende van Wallis, Matthew, om het geheim veilig te stellen, want ik geloof niet dat Cola tot zoiets
in staat was. Hij was geen gewelddadig man, terwijl het doorsnijden van
kelen alle kenmerken vertoonde van de vent John Cooth, van wiens diensten Wallis bij gelegenheid ook zelf gebruikmaakte.

Als ik deze brief zou publiceren of zelfs maar heimelijk zou bezorgen bij iemand als doctor Wallis, zou de monarchie in dit land binnen een week voorbij zijn, teloorgegaan in de burgerstrijd, zo groot is de huidige afkeer van alles wat rooms is bij het volk. De gram van Wallis over de vernedering die hij had geleden zou zo groot zijn dat hij een campagne van zulk venijn zou oprakelen dat de protestanten van Engeland weldra zouden oprukken, huilend om het bloed van nog een koning. Als ik naar de koning zelf was gegaan, had ik een rijk man kunnen zijn en de rest van mijn leven in alle comfort kunnen doorbrengen, want de waarde van dit document – of het geheim blijven ervan – is onbegrensd.

Ik zal het niet doen, want hoe schamel is dit alles voor iemand die zulke wonderen heeft gezien en zoveel genade heeft gevoeld als ik heb gezien en gevoeld. Ik geloof en weet dat ik de vleesgeworden God heb gezien, gehoord en aangeraakt. Stil en buiten het zicht van de mensheid daalt de goddelijke vergeving weer tot ons af, en we zijn zo blind dat we niet eens beseffen welk een onuitputtelijk geduld en liefde voor ons bestemd zijn. Zo is het geschied en is het geschied in iedere generatie en zal het in alle komende generaties geschieden, dat een bedelaar, een kreupele, een kind, een gek, een misdadiger of een vrouw in volstrekte onbekendheid als Heer van ons allen geboren wordt en door ons gehoond, genegeerd en gedood wordt om te boeten voor onze zonden. En mij is geboden niemand hiervan te vertellen, en dat ene gebod zal ik gehoorzamen.

Dit is de waarheid, de enige en waarachtige waarheid, geopenbaard, volledig en volmaakt. Welk belang heeft daarnaast het dogma van priesters, de kracht van koningen, de gestrengheid van geleerden of het vernuft van onze mensen der wetenschap?

Mijnheer Tanner sorteerde alle documenten, waarvan
sommige door mijnheer Wood opzij werden gelegd om te
worden verbrand als hij daartoe het teken gaf. Toen
hij zichzelf klaar achtte afscheid van deze wereld
te nemen, gaf hij het teken en verbrandde
Mijnheer Tanner de documenten die
tot dat doel opzij waren gelegd.

THOMAS HEARNE, artikel over Anthony à Wood,
Athenae Oxonienses, derde druk (Londen 1813),
deel L, blz. CXXXIV

Personages

JOHN AUBREY (1626-'97). Oudheidkundige en roddelaar, een man met grote kennis, maar met weinig publicaties op zijn naam. Hij is het meest bekend door zijn *Brief Lives*, een reeks karakterportretten van tijdgenoten. Hij had belangstelling voor alle takken van wetenschap, leefde voortdurend in financiële moeilijkheden en was vanaf 1663 lid van het Koninklijk Genootschap.

HENRY BENNET (1628-'85) verheven tot baron van Arlington in 1663 en tot graaf van Arlington in 1672. 'Een man wiens praktijken zijn naam niet vrij van smetten hebben gelaten. De onvolkomendheid van zijn integriteit werd vergeten in de betamelijkheid van zijn misleiding... naar buiten toe leefde hij als overtuigd protestant, maar hij stierf als katholiek.' Ambassadeur in Spanje, in oktober 1662 benoemd tot minister van Buitenlandse Zaken; in 1674 aangeklaagd voor het propageren van het katholicisme en uit zijn functie ontheven.

SARAH BLUNDY. Fictief personage. Het verhaal van haar proces en terechtstelling is gebaseerd op dat van Anne Greene, die in 1655 in Oxford werd opgehangen.

ROBERT BOYLE (1627-'91). De 'vader van de chemie', veertiende kind van de fabelachtig rijke graaf van Cork, ontdekker van de wet van Boyle, waarin het verband tussen volume en druk van gassen wordt beschreven. In de *Sceptical Chemist* gebruikte hij voor de eerste keer het begrip 'element' in de moderne betekenis; hij speculeerde over het bestaan van atomen. Beschouwde zichzelf als theoloog én wetenschapper en was uiterst geïnteresseerd in zowel alchemie als de moderne scheikunde.

GEORGE DIGBY, graaf van BRISTOL (1622-'77). Was vanaf het begin aanhanger van Karel II, maar mocht bij de Restauratie vanwege zijn katholicisme geen ambt bekleden. Hoewel hij eertijds een goede vriend van Clarendon was, smeedde hij in de jaren zestig van de zeventiende eeuw vele complotten tegen hem, met name een mislukte poging om hem in 1663 van corruptie te laten beschuldigen nadat hij er niet in was geslaagd een Spaans bondgenootschap tot stand te brengen. Niemand steunde hem in zijn poging en Bristol vluchtte in ballingschap. Hij keerde in 1667 terug om mee te helpen aan de samenzwering om Clarendon ten val te brengen.

EDWARD HYDE, graaf van CLARENDON (1609-'74). Lord Chancellor en feitelijk premier na de Restauratie van Karel I. Clarendon was de trouwste aanhanger van de koning en was gedurende diens hele ballingschap aan zijn zijde. Zijn positie verzwakte toen zijn dochter Anne zonder toestemming met de broer van de koning trouwde, maar hij bleef tot 1667 aan de macht, toen hij werd gedwongen in ballingschap te gaan en werd opgevolgd door Henry Bennet, baron van Arlington.

GEORGE COLLOP. Uit Dorset, belastinggaarder voor de hertog van Bedford van 1661 tot zijn dood in 1682 en inspecteur van de latere fasen van de droogleggingswerken die enorme delen van Lincolnshire in akkerland veranderden.

Sir WILLIAM COMPTON (1625-'63). Royalistisch militair en samenzweerder, geridderd in 1643. Door Oliver Cromwell beschreven als 'een nuchtere jongeman en vroom cavalier'. In 1655 en 1658 gevangengezet wegens samenzweringen tegen de Republiek, gestorven in 1663 in Londen en begraven in Compton Wynyates, Warwickshire.

JOHN CROSSE. Apotheker te Oxford en tegenwoordig voornamelijk bekend als de hospes van Robert Boyle tijdens diens verblijf in die stad.

VALENTINE GREATOREX (ook bekend als Greatrakes). Ierse gebedsgenezer die naar Engeland kwam en met handstrijkingen lijders aan scrofulose en andere kwalen genas. Hij geloofde dat zijn vermogen tot genezen een gave van God was. Zijn succes maakte indruk op Boyle en anderen en hij verwierf enig aanzien bij de Engelse aristocratie. 'Een vreemde kerel die voortdurend over duivels en heksen praat.' Keerde later terug naar Ierland om zijn leven als vrederechter en landheer voort te zetten.

ROBERT GROVE (1610-'63). Fellow en 'amateursterrenkundige' van New College, Oxford. 'Op 30 maart, zijnde een maandag, stierf Mr Robert Grove *senior Fellow* van New College. [Hij] werd begraven in de westelijke kloostergang van het college.' Anthony Wood, *Life and Times* deel 1, p. 471. Vanwege royalistische sympathieën in 1648 van zijn fellowship ontheven en pas in 1661 teruggekeerd.

KAREL II (1630-'85). Werd opgevolgd door de openlijk katholieke Jacobus II, die in de Glorieuze Revolutie van 1688 van de troon werd gestoten. Hij verbleef in ballingschap in Frankrijk, Spanje en de Nederlanden tot de Restauratie van 1660. De onderhandelingen die Karel in 1663 voerde om in de katholieke Kerk te worden bevestigd, werden voor het eerst gepubliceerd in de *Monthly Review* (13 december 1903).

THOMAS KEN (1637-1711). Bisschop van Bath and Wells, docent logica en wiskunde aan New College, Oxford, 1661-'63. Kreeg van lord Maynard Easton Parva als prebende en verwierf naam door zijn vroomheid en liefdadigheid. Hij was een bekend predikant en werd in 1648 benoemd tot bisschop. Hij was tegenstander van het katholiek gezinde beleid van Jacobus II, maar keerde zich ook tegen diens afzetting, waarvoor hem na de revolutie van 1688 door Willem III zijn bisdom werd ontnomen.

JOHN LOCKE (1632-1704). Misschien wel de grootste wijsgeer in het Engelse taalgebied. Zijn werk was meer dan een eeuw bepalend voor de Engelse politieke denkwereld. Hij volgde een opleiding tot arts voordat hij huisleraar bij de familie van de graaf van Shaftesbury werd – een man die voor zijn verzet tegen de regering in de jaren zeventig gevangen werd gezet. Locke woonde van 1683 tot 1688 in Holland, tot de troonsbestijging van Willem III het voor hem weer veilig maakte terug te keren. Schrijver van *Essay Concerning Toleration, Essay on Human Understanding* en *Two Treatises on Government*.

RICHARD LOWER (1631-'91). Arts en fysioloog, vriend van Anthony Wood en de succesrijkste Londense arts van zijn generatie. Hij behoorde tot de kerngroep die het Koninklijk Genootschap oprichtte, maar werd zelf pas lid in 1667. Fellow van het Koninklijk Genootschap van Arsten in 1675, maar zijn carrière werd belemmerd door zijn politieke banden en kwam pas na de revolutie van 1688 goed van de grond. Deed rond 1660 proeven met bloedtransfusie en publiceerde *Tractatus de Corde* (1669).

THOMAS LOWER (1633-1720). Broer van Richard en kwaker, trouwde de stiefdochter van George Fox. Hij werd gevangengenomen in 1673 en 1686, en had belangen in nederzettingen en landerijen van kwakers in Amerika.

Graaf MOLINA, Spanjes ambassadeur in Engeland van 1662 tot 1667. Woonde in New College toen Londen tijdens de plaag van 1665 leegstroomde. Bekend vanwege zijn grote kennis en hoffelijkheid.

JOHN MORDAUNT, baron van Mordaunt (1627-'75). Tweede zoon van de eerste graaf van Peterborough. Hij kreeg zijn opleiding in het buitenland en werd een vooraanstaande royalistische samenzweerder. Werd in 1658 gearresteerd, maar werd bij zijn berechting vrijgesproken. Bij de Restauratie werd hij aangesteld als hofmeester van Windsor Castle, maar hij werd in 1666 in het parlement aangeklaagd en kreeg nooit een hoge regeringspost. Zijn laatste jaren bracht hij door verwikkeld in een juridische strijd met zijn familie.

Sir SAMUEL MORLAND (1625-'95). Diplomaat en uitvinder, secretaris van John Thurloe in 1654 en door Cromwell geaccrediteerd als leider van de afvaardiging naar Savoie in 1655. Hij liep in 1659 over naar de andere partij door verraders in de royalistische gelederen aan te wijzen en werd bij de Restauratie geridderd. Maakte in 1663 een rekenmachine en deed vanaf de jaren zestig proeven met pompen en de eerste stoommachines. Hij was in 1681 adviseur van Lodewijk XIV op het gebied van de watervoorziening in Versailles.

JACK PRESTCOTT. Fictief personage. Zijn verhaal en dat van zijn vader zijn gebaseerd op de schande en verbanning wegens hoogverraad van sir Richard Willys in 1660. De zoon van Willys stierf later krankzinnig.

Sir JOHN RUSSELL (gestorven 1687). Vooraanstaand lid van de 'Sealed Knot,' een groep actieve royalisten in Engeland die in de jaren vijftig van de zeventiende eeuw onophoudelijk, maar vruchteloos complotten smeedde om Cromwell ten val te brengen en de koning weer terug te halen.

PETER STAHL (gestorven 1675). 'De bekende chemist en rozenkruiser Peter Stahl uit Strasburgh in het vorstendom Pruisen was een lutheraan en groot vrouwenhater, [en] een zeer verdienstelijk man... hij werd anno 1659 door mijnheer Robert Boyle naar Oxon gehaald... Bij de aanvang van het jaar 1663 verplaatste hij zijn laboratorium naar het huis van een stoffenhandelaar in de parochie Allsaints. Het jaar daarop werd hij weggeroepen naar Londen, stierf daar rond 1675 en werd begraven in de kerk van St Clement Danes.' Anthony Wood, *Life and Times*, deel 1, p. 473.

JOHN THURLOE (1616-'68). Advocaat, secretaris van Cromwells ministerraad in 1652. Hij organiseerde daarna de spionagedienst van Cromwell. Hij ontkwam aan iedere bestraffing bij de Restauratie en woonde in Great Milton, Oxfordshire, tot hij kort voor zijn dood weer naar Londen verhuisde. Verborg al zijn staatsdocumenten, die verstopt in een gestuct plafond werden teruggevonden en in 1742 werden uitgegeven.

JOHN WALLIS (1616-1703). Hoogleraar geometrie aan Oxford University, medeoprichter en lid van het Koninklijk Genootschap en de grootste Engelse wiskundige voor Newton. Hij was een fel xenofoob, die in zijn geschriften lange en venijnige disputen voerde met (onder meer) Hobbes, Pascal, Descartes, Fermat. Cryptograaf voor het parlement, 1643-'60, voor Karel II, Jacobus II en Willem III. Publiceerde *Arithmetica Infinitorum* (1655), *Mathesis Universalis* (1657), *Treatise of Algebra* (1685) en *Essay on the Art of Decyphering* (1737). Zijn verzamelde preken werden onder de titel *Sermons* uitgegeven in 1791.

ANTHONY WOOD (1632-'95). Oudheidkundige en historicus, schrijver van *Historia et Antiquitates Universitatis Oxonienses* (1674) en *Athenae Oxonienses* (1691). Een vrijgezel die een kluizenaarsachtig bestaan leidde en zich op latere leeftijd een reputatie verwierf van eenzelvigheid en bitterheid, hoewel hij tot in de jaren zestig vele vrienden en een grote kennissenkring had. Voornamelijk bekend door zijn dagboeken en persoonlijke papieren, die pas in deze eeuw werden uitgegeven.

MICHAEL WOODWARD (1599-1675). Rector van New College, Oxford, van 1658 tot 1675; predikant in Ash in Surrey en 'een man van weinig geleerde prestaties en nog minder politieke of religieuze overtuigingen'. Hij was echter onvermoeibaar in zijn pogingen de financiën van het college weer op peil te brengen na het rampzalige verlies aan inkomsten tijdens de Burgeroorlog.

Sir CHRISTOPHER WREN (1632-1723). Hoogleraar astronomie aan Oxford University, hofbouwmeester en architect. Als landmeter door Newton

beschouwd als gelijke van Wallis. Hij werkte aan de sferische trigonome-
trie, tekende een nauwkeurige kaart van de maan, was medeoprichter van
het Koninklijk Genootschap en verrichtte belangrijk anatomisch onderzoek met Lower en anderen van de Oxford-kring. Vooral bekend door zijn
ontwerp van St Paul's Cathedral, diverse andere kerken in Londen en het
paleis van Hampton Court. Zijn eerste gebouw was het Sheldonian Theat-
re in Oxford.